Ein Panorama europäischen Geistes

Texte aus drei Jahrtausenden

Ausgewählt und vorgestellt von

Ludwig Marcuse

Mit einem Vorwort von
Gerhard Szczesny

Band 1
Von Diogenes bis Plotin

Diogenes

Eine editorische Notiz, Nachweise
und Personenregister zu Band I–III
finden sich am Schluß des dritten Bandes
›Von Karl Marx bis Thomas Mann‹
Redaktion: Claudia Schmölders
Die jedem Beitrag *kursiv* vorangestellten
Einführungstexte von Ludwig Marcuse
erschienen erstmals in der Diogenes Ausgabe 1977

Inhalt

Gerhard Szczesny
Vorbemerkung

Als ich 1947 bei Radio München, dem späteren Bayerischen Rundfunk, das sogenannte Vortragswesen übernahm, war einer der ersten Vorschläge, die ich der – damals noch amerikanischen – Programmleitung machte, der Plan einer Reihe mit Auszügen aus Werken der Weltliteratur von Gilgamesch bis Sartre, versehen mit kurzen Einführungen. Ich erinnere mich nicht mehr genau, warum das Projekt nicht zustande kam. Wahrscheinlich schien es den Amerikanern nicht unmittelbar genug der Aufgabe zu dienen, der sie sich zunächst mit Ernst und Eifer verschrieben hatten: die Deutschen von den Ein- und Nachwirkungen des Nazismus zu befreien und ihnen nach zwölf Jahren der Isolation wieder die Errungenschaften der westlichen Zivilisation nahezubringen.

Erst 12 Jahre später – 1959 – konnte der Plan unter dem Titel ›Texte aus drei Jahrtausenden‹ als Sendereihe mit einem wöchentlichen Zwanzig-Minuten-Termin in die Tat umgesetzt werden. Zwei Umstände machten dies möglich. Es stand mir im Rahmen eines neu eingerichteten Bildungsprogramms genügend Sendezeit zur Verfügung, und ich hatte inzwischen den idealen Autor gefunden: Ludwig Marcuse. Er brachte die Grundvoraussetzungen für das Gelingen des voluminösen Unternehmens mit: eine umfassende philosophische und literarische Bildung, eine sich an den tatsächlichen Interessen des Menschen orientierende Urteilskraft und jenen Mut zur Entscheidung, ohne den man in dem zu sichtenden gewaltigen Material verloren sein mußte.

Marcuse wie mir war es bei diesem Projekt nicht um irgendeine Art von umfassender Einführung in die Kultur- und Geistesgeschichte zu tun (ein Versuch, der ohnehin zum Scheitern verurteilt gewesen wäre); die nicht nur zeitlich, sondern auch hinsichtlich ihrer Thematik, ihrer Absichten und ihrer formalen Eigenarten sehr weit auseinander liegenden Zeugnisse sollten vielmehr sichtbar machen, wie der Mensch in immer neuen Anläufen und mit immer subtileren Methoden doch immer wieder die gleichen letzten, vorletzten und vorvorletzten Fragen zu lösen sich abmüht. Die Texte waren also bestimmt, den Hörer unmittelbar anzusprechen und zu beteiligen – und erst in zweiter Linie dazu, seinen Bildungsstand zu heben. Der Versuch gelang, weil auf den Editor Ludwig Marcuse zutraf, was er einmal über den Verleger Ernst Rowohlt geschrieben hat: »Er druckte nicht um der Kultur willen, sondern zum Vergnügen.«

Auswahlbände haben drei unbestreitbare Vorzüge. Den ersten nennt Schopenhauer in einer der beiden hier von ihm zitierten Passagen: »Um das Gute zu lesen, ist eine Bedingung, daß man das Schlechte nicht lese: denn das Leben ist kurz, Zeit und Kräfte beschränkt.« Wer den Entscheidungen des Herausgebers (und natürlich der Literaturgeschichte) vertraut, muß nicht erst selbst das Schlechte und Mittelmäßige aussortieren. Aber es gibt inzwischen auch des Guten übermäßig viel. Damit sind wir beim zweiten und dritten Vorzug einer solchen Anthologie: sie ersetzt die Lektüre von Werken, die man aus Zeitgründen doch niemals zur Hand nehmen wird, von deren Inhalt und Anlage man aber doch eine Ahnung haben möchte; und sie macht uns schließlich mit Werken be-

kannt, die für uns bedeutungsvoll werden könnten, auf die
wir aber sonst vielleicht niemals gestoßen wären. In diesem Fall ergibt sich ihre fruchtbarste Funktion. Sie wirkt
als Anstoß, sich nun intensiv mit einem Autor zu beschäftigen.

Vernünftigerweise sollte man also diese Sammlung nicht
unter dem bedrückenden Aspekt zur Hand nehmen, daß
man alle in ihr zu Wort kommenden Geistesheroen eigentlich kennen müßte, sondern in der Gewißheit, daß nicht
alles zwischen Hiob und Thomas Mann für jeden Leser
gleich wichtig ist. »Jeder«, so schrieb Ludwig Marcuse
zum Bildungsproblem, »sollte frei sein, sich ins Herz treffen zu lassen oder keine Notiz von einem Meister zu nehmen.« Allerdings hat er auch konstatiert, daß »demjenigen, der nicht die Geduld hat, sich auch langweilen zu
lassen, Wichtiges verschlossen« bleibt. Das will heißen:
wer verläßlich feststellen will, ob ein Autor oder ein
Thema etwas für ihn bedeuten könnte, darf nicht gleich
weiterblättern, wenn ein Text ihm nicht sofort einleuchtet oder gefällt. Ohne jede Anstrengung erschließen sich
nur wenige Werke der Weltliteratur.

Aber es stellt sich nun natürlich noch die Frage, ob denn
das, was vor 100 oder 500 oder 1000 oder noch mehr Jahren (wenn auch von gescheiten Leuten) gemeint und geschrieben worden ist, heute überhaupt noch ›relevant‹
sein, geschweige denn »ins Herz treffen« kann. Kommt
doch der bildungsbeflissene Zeitgenosse kaum noch dazu,
sich durch die Berge der sein spezielles Arbeits- oder In-
teressengebiet betreffenden Literatur so rasch hindurch-
zuwühlen, daß er dort nicht den Anschluß an den aller-
letzten Stand der Dinge verpaßt.

Was Herodot von den Persern oder Lichtenberg über
die Frage, warum Deutschland noch kein großes öffent-

liches Seebad hat, oder Weininger über Geschlecht und
Charakter zu sagen weiß, ist (wenn auch in unterschiedli-
chem Maß) überholt. Dennoch steckt in solchen Fundstel-
len eine – philosophische, moralische, ästhetische,
menschlich-allzumenschliche – Wahrheit, die schwerer
wiegt als das, was an ihrem informativen Gehalt veraltet
oder gar falsch sein mag. Dazu wiederum Marcuse: »Die
Geschichte der Denker ist unter anderem auch eine Geschichte der Überholten. Von Platon bis Schopenhauer:
lauter Überholte. Wenn aber jemand fünfzig, hundert, einige hundert Jahre überholt worden ist und dann immer
noch kräftig lebt, hat er auch alle überholt, die ihn überholt haben.«

Ein letzter Hinweis. Im allgemeinen wird man dem Leser eines so umfangreichen Brevieres mit Recht empfehlen, nicht Seite für Seite zu studieren, sondern nach Lust
und Laune darin zu blättern. Natürlich besteht nicht das
geringste Bedenken, so zu verfahren. Wer es sich zeitlich
leisten kann, sollte die drei Bände aber auch einmal als
ganze und in einem Zug zu lesen versuchen. Es wird sich
ihm dann eine ebenso spannende wie bewegende Szenerie
öffnen. Von Text zu Text verknüpfen sich die verschie-
denartigsten Einsichten und Absichten von Menschen
aus ganz verschiedenen Zeitaltern zu einem Gewebe von
Grundmustern, die die Grundmuster des Lebens auch
noch des heutigen Menschen sind.

Wenn man auf solche Weise einen Teil der aktenkundig
gewordenen Geschichte des homo sapiens an sich vor-
überziehen läßt, stellen sich zwei Erlebnisse ein. Die Erfahrung der tatsächlich überwältigenden Vielfalt menschlichen Denkens und Trachtens und das Erlebnis des
Eingebettetseins der eigenen, sehr peripheren und verlorenen Existenz in diesen sich in ferner Vergangenheit ver-

lierenden Strom von Menschen und Schicksalen, Träumen und Alpträumen, geglückten und gescheiterten Unternehmungen. Ludwig Marcuse war, wie man weiß, Pessimist (einer der konsequentesten, aber auch einer der temperamentvollsten und lebensfreudigsten), und er würde mir jetzt – wie so oft, wenn wir darüber gestritten haben – beharrlich widersprechen. Aber mir scheint, daß die Tatsache des Aufgehobenseins eines jeden von uns in Myriaden schon gelebter Leben und gedachter Gedanken dem Sinnlosen zwar immer noch keinen Sinn, aber doch das Gewicht und die Würde eines Rätsels verleiht, für das es eine Lösung geben muß, auch wenn wir sie nicht kennen.

Die vorliegenden drei Bände enthalten den überwiegenden Teil der damals für die Sendereihe ausgewählten Abschnitte. Da die schon vor Jahren geplante Drucklegung sich seinerzeit in meinem eigenen Verlag nicht mehr verwirklichen ließ, bin ich Daniel Keel und Gerd Haffmans dankbar, daß sie in ihre großzügigen Bemühungen um eine allgemein zugängliche Gesamtausgabe der wichtigsten Schriften Ludwig Marcuses nun auch diese Arbeit miteinbezogen haben.

Das Buch Hiob

Vor dreitausend Jahren etwa lebte im Norden Arabiens ein mächtiger Scheich, dem siebzig Jahre lang alles gedieh – und dem es dann plötzlich sehr schlecht erging. Und da diese Wendung vom Glück zum Unglück schnell und schroff war, stellte der Mann, der so schrecklich betroffen wurde, höchst ausschweifende Fragen; heute würde man sagen: eine Grenzsituation trieb ihn zum existentialistischen Denken. Das Leben wurde ihm ungemein fragwürdig. Von einer Stunde zur andern merkte er, daß Glück und Unglück, Gott und Gerechtigkeit ganz nahe und ganz schwere Probleme waren.

Dieser denkwürdige Mann, Hiob, existierte zu seiner Zeit in einer Gegend mit Namen Uz – und in den Zeiten seitdem, bis zum heutigen Tag, im Gedächtnis der Menschheit.

Der tragische Aufruhr beginnt nicht mit dem Unglück – sondern erst mit dem Erscheinen der Freunde, die (durch die Jahrtausende) immer, wenn ihr Freund ins Unglück geraten ist, beweisen wollen, daß er selber schuld daran ist. Hiob streitet nicht mit den Phrasendreschern. Er teilt ihnen vielmehr in aller Ausführlichkeit mit, was er von ihnen hält. Und da Hiob ein guter Psychologe ist, entlarvt er recht gründlich ihre ordinäre Art. Sie benutzen sein Unglück, um sich aufs hohe Roß zu schwingen. Er fragt sie höhnisch: » Wollt ihr euch wahrlich über mich erheben und meine Schmach mir beweisen?« Er läßt sich nicht einreden, daß er schlechter ist, weil es ihm schlechter geht.

Man hat den Eindruck, daß die Freunde, die auf seine
Kosten Gott verteidigen, ihn mehr aufbringen als sein Un-
glück. So begann er, mit Gott zu hadern. Zuerst sprach er,
mit herrlichem Mut, in der Richtung gegen den Himmel:
»Sieh, ich bin zum Rechtsstreit gerüstet; ich weiß, daß ich
recht behalten werde.«
Aber er bekam nicht das Gericht, um das er bat.

Es war ein Mann im Lande Uz, der hieß Hiob. Derselbe
war schlecht und recht, gottesfürchtig und mied das Böse.

Und zeugte sieben Söhne und drei Töchter.

Und seines Viehs waren siebentausend Schafe, dreitausend Kamele, fünfhundert Joch Rinder und fünfhundert
Eselinnen, und er hatte sehr viel Gesinde und war herrlicher denn alle, die gegen Morgen wohnten.

Und seine Söhne gingen hin und machten ein Mahl, ein
jeglicher in seinem Hause auf seinen Tag, und sandten hin
und luden ihre drei Schwestern, mit ihnen zu essen und zu
trinken.

Und wenn die Tage des Mahles um waren, sandte Hiob
hin und heiligte sie und machte sich des Morgens früh
auf und opferte Brandopfer nach ihrer aller Zahl. Denn
Hiob gedachte: Meine Söhne möchten gesündigt und
Gott abgesagt haben in ihrem Herzen. Also tat Hiob
allezeit.

Es begab sich aber auf einen Tag, da die Kinder Gottes
kamen und vor den Herrn traten, kam der Satan auch unter ihnen. Der Herr aber sprach zu dem Satan: Wo
kommst du her? Der Satan antwortete dem Herrn und
sprach: Ich habe das Land umher durchzogen.

Der Herr sprach zum Satan: Hast du nicht acht gehabt

auf meinen Knecht Hiob? Denn es ist seinesgleichen nicht im Lande, schlecht und recht, gottesfürchtig, und meidet das Böse.

Der Satan antwortete dem Herrn und sprach: Meinst du, daß Hiob umsonst Gott fürchtet?

Hast du doch ihn, sein Haus und alles, was er hat, ringsumher verwahrt. Du hast das Werk seiner Hände gesegnet, und sein Gut hat sich ausgebreitet im Lande.

Aber recke deine Hand aus, und taste an alles, was er hat; was gilt's, er wird dich ins Angesicht absagen?

Der Herr sprach zum Satan: Siehe, alles, was er hat, sei in deiner Hand; nur an ihn selbst lege deine Hand nicht. Da ging der Satan aus von dem Herrn.

Des Tages aber, da seine Söhne und Töchter aßen und Wein tranken in ihres Bruders Hause, des Erstgeborenen, kam ein Bote zu Hiob und sprach: Die Rinder pflügten, und die Eselinnen gingen neben ihnen auf der Weide, da fielen die aus Saba herein und nahmen sie und schlugen die Knechte mit der Schärfe des Schwerts; und ich bin allein entronnen, daß ich dir's ansagte.

Da der noch redete, kam ein anderer und sprach: Das Feuer Gottes fiel vom Himmel und verbrannte Schafe und Knechte und verzehrte sie; und ich bin allein entronnen, daß ich dir's ansagte.

Da der noch redete, kam einer und sprach: Die Chaldäer machten drei Rotten und überfielen die Kamele und nahmen sie und schlugen die Knechte mit der Schärfe des Schwerts; und ich bin allein entronnen, daß ich dir's ansagte.

Da der noch redete, kam einer und sprach: Deine Söhne und Töchter aßen und tranken im Hause ihres Bruders, des Erstgeborenen, und siehe, da kam ein großer Wind von der Wüste her und stieß auf die vier Ecken des Hauses und warf's auf die jungen Leute, daß sie starben; und ich bin allein entronnen, daß ich dir's ansagte.

Da stand Hiob auf und zerriß sein Kleid und raufte sein Haupt und fiel auf die Erde und betete an und sprach: Ich bin nackt von meiner Mutter Leibe gekommen, nackt werde ich wieder dahinfahren. Der Herr hat's gegeben, der Herr hat's genommen; der Name des Herrn sei gelobt!

In diesem allem sündigte Hiob nicht und tat nichts Törichtes wider Gott.

Es begab sich aber des Tages, da die Kinder Gottes kamen und traten vor den Herrn, daß der Satan auch unter ihnen kam und vor den Herrn trat.

Da sprach der Herr zu dem Satan: Wo kommst du her? Der Satan antwortete dem Herrn und sprach: Ich habe das Land umher durchzogen.

Der Herr sprach zu dem Satan: Hast du nicht acht auf meinen Knecht Hiob gehabt? Denn es ist seinesgleichen im Lande nicht, schlecht und recht, gottesfürchtig, und meidet das Böse, und hält noch fest an seiner Frömmigkeit; du aber hast mich bewogen, daß ich ihn ohne Ursache verderbt habe.

Der Satan antwortete dem Herrn und sprach: Haut für Haut; und alles, was ein Mann hat, läßt er für sein Leben.

Aber recke deine Hand aus, und taste sein Gebein und Fleisch an; was gilt's, er wird dir ins Angesicht absagen?

Der Herr sprach zu dem Satan: Siehe da, er sei in deiner Hand; doch schone seines Lebens!

Da fuhr der Satan aus vom Angesicht des Herrn und schlug Hiob mit bösen Schwären von der Fußsohle an bis auf seinen Scheitel.

Und er nahm eine Scherbe und schabte sich und saß in der Asche.

Und sein Weib sprach zu ihm: Hältst du noch fest an deiner Frömmigkeit? Ja, sage Gott ab und stirb!

Er aber sprach zu ihr: Du redest, wie die närrischen Weiber reden. Haben wir Gutes empfangen von Gott und sollten das Böse nicht auch annehmen? In diesem allem versündigte sich Hiob nicht mit seinen Lippen.

Da aber die drei Freunde Hiobs hörten all das Unglück, das über ihn gekommen war, kamen sie, ein jeglicher aus seinem Ort, Eliphas von Theman, Bildad von Suah und Zophar von Naema. Denn sie wurden eins, daß sie kämen, ihn zu beklagen und zu trösten.

Und da sie ihre Augen aufhoben von ferne, kannten sie ihn nicht, und hoben auf ihre Stimme und weinten; und ein jeglicher zerriß sein Kleid, und sie sprengten Erde auf ihr Haupt gen Himmel;

und saßen mit ihm auf der Erde sieben Tage und sieben Nächte und redeten nichts mit ihm; denn sie sahen, daß der Schmerz sehr groß war.

Darnach tat Hiob seinen Mund auf und verfluchte seinen Tag. Und Hiob sprach:

Der Tag müsse verloren sein, darin ich geboren bin, und die Nacht, welche sprach: Es ist ein Männlein empfangen!

Derselbe Tag müsse finster sein, und Gott von oben herab müsse nicht nach ihm fragen; kein Glanz müsse über ihn scheinen! Finsternis und Dunkel müssen ihn überwältigen, und dicke Wolken müssen über ihm bleiben, und der Dampf am Tage mache ihn gräßlich!

Die Nacht müsse Dunkel einnehmen; sie müsse sich nicht unter den Tagen des Jahres freuen noch in die Zahl der Monden kommen!

Siehe, die Nacht müsse einsam sein und kein Jauchzen darin sein!

Es müssen sie verfluchen die Verflucher des Tages, und die da bereit sind, zu erregen den Leviathan!

Ihre Sterne müssen finster sein in ihrer Dämmerung; sie hoffe aufs Licht, und es komme nicht; und müsse nicht sehen die Wimpern der Morgenröte, darum daß sie nicht verschlossen hat die Tür des Leibes meiner Mutter und nicht verborgen das Unglück vor meinen Augen!

Warum bin ich nicht gestorben von Mutterleib an? Warum bin ich nicht verschieden, da ich aus dem Leibe kam?

Warum hat man mich auf den Schoß gesetzt? Warum bin ich mit Brüsten gesäugt?

So läge ich doch nun und wäre still; schliefe und hätte Ruhe, mit den Königen und Ratsherren auf Erden, die das Wüste bauen; oder mit den Fürsten, die Gold haben und deren Häuser voll Silber sind: Oder wie eine unzeitige Geburt, die man verborgen hat, wäre ich gar nicht, wie Kinder, die das Licht nie gesehen haben.

Daselbst müssen doch aufhören die Gottlosen mit Toben; daselbst ruhen doch, die viel Mühe gehabt haben.

Da haben doch miteinander Frieden die Gefangenen und hören nicht die Stimme des Drängers.

Da sind beide, klein und groß, und der Knecht ist frei von seinem Herrn.

Warum ist das Licht gegeben dem Mühseligen, und das Leben den betrübten Herzen (die des Todes warten, und er kommt nicht, und grüben ihn wohl aus dem Verborgenen, die sich sehr freuten und fröhlich wären, wenn sie ein Grab bekämen), dem Manne, dessen Weg verborgen ist, und vor ihm von Gott verzäunt ward?

Denn wenn ich essen soll, muß ich seufzen, und mein Heulen fährt heraus wie Wasser.

Denn was ich gefürchtet habe, ist über mich gekommen, und was ich sorgte, hat mich getroffen.

War ich nicht glückselig? War ich nicht fein stille? Hatte ich nicht gute Ruhe? Und es kommt solche Unruhe!

Da antwortete Eliphas von Theman und sprach:

Du hast's vielleicht nicht gern, so man versucht, mit dir zu reden; aber wer kann sich's enthalten?

Siehe, du hast viele unterwiesen und lässige Hände gestärkt; deine Rede hat die Gefallenen aufgerichtet, und die bebenden Knie hast du gekräftigt.

Nun es aber an dich kommt, wirst du weich; und nun es dich trifft, erschrickst du.

Ist nicht deine Gottesfurcht dein Trost, deine Hoffnung die Unsträflichkeit deiner Wege?

Gedenke doch, wo ist ein Unschuldiger umgekommen? Oder wo sind die Gerechten je vertilgt?

Wie ich wohl gesehen habe: die da Mühe pflügten und Unglück säten, ernteten es auch ein; durch den Odem Gottes sind sie umgekommen, und vom Geist seines Zorns vertilgt.

Das Brüllen der Löwen und die Stimme der großen Löwen und die Zähne der jungen Löwen sind zerbrochen.

Der Löwe ist umgekommen, daß er nicht mehr raubt, und die Jungen der Löwin sind zerstreuet. Und zu mir ist gekommen ein heimlich Wort, und mein Ohr hat ein Wörtlein davon empfangen.

Da ich Gesichte betrachtete in der Nacht, wenn der Schlaf auf die Leute fällt, da kam mich Furcht und Zittern an, und alle meine Gebeine erschraken.

Und da der Geist an mir vorüberging, standen mir die Haare zu Berge an meinem Leibe.

Da stand ein Bild vor meinen Augen, und ich kannte seine Gestalt nicht; es war still, und ich hörte eine Stimme:

Wie kann ein Mensch gerecht sein vor Gott? Oder ein Mann rein sein vor dem, der ihn gemacht hat?

Siehe, unter seinen Knechten ist keiner ohne Tadel, und seine Boten zeiht er der Torheit:

Wie viel mehr, die in Lehmhäusern wohnen und auf Erde gegründet sind und werden von den Würmern gefressen!

Es währt von Morgen bis an den Abend, so werden sie zerschlagen; und ehe sie es gewahr werden, sind sie gar dahin; und ihre Nachgelassenen vergehen und sterben auch unversehens.

Rufe doch! Was gilt's, ob einer dir antwortet? Und an welchen von den Heiligen willst du dich wenden?

Einen Toren aber erwürgt wohl der Unmut, und den Unverständigen tötet der Eifer.

Ich sah einen Toren eingewurzelt, und ich fluchte plötzlich seinem Hause. Seine Kinder werden fern sein vom Heil und werden zerschlagen werden im Tor, da kein Erretter sein wird.

Seine Ernte wird essen der Hungrige und auch aus den Hecken sie holen, und sein Gut werden die Durstigen aussaufen.

Denn Mühsal aus der Erde nicht geht und Unglück aus dem Acker nicht wächset; sondern der Mensch wird zu Unglück geboren, wie die Vögel schweben, emporzufliegen.

Ich aber würde zu Gott mich wenden, und meine Sache vor ihn bringen, der große Dinge tut, die nicht zu erforschen sind, und Wunder, die nicht zu zählen sind; der den

Regen aufs Land gibt und läßt Wasser kommen auf die
Gefilde; der die Niedrigen erhöht und den Betrübten em-
porhilft.

Er macht zunichte die Anschläge der Listigen, daß es
ihre Hand nicht ausführen kann.

Er fängt die Weisen in ihrer Listigkeit, und stürzt der
Verkehrten Rat, daß sie des Tages in der Finsternis laufen
und tappen am Mittag wie in der Nacht. Er hilft dem Armen von dem Schwert, von ihrem Munde und von der
Hand des Mächtigen;

und ist des Armen Hoffnung, daß die Bosheit wird
ihren Mund müssen zuhalten.

Siehe, selig ist der Mensch, den Gott straft; darum wei-
gere dich der Züchtigung des Allmächtigen nicht.

Hiob antwortete und sprach:

Höret doch meiner Rede zu, und laßt mir das anstatt
eurer Tröstungen sein!

Vertragt mich, daß ich auch rede, und spottet darnach
mein! Handle ich denn mit einem Menschen? oder warum
sollte ich nicht ungeduldig sein?

Kehret euch her zu mir; ihr werdet erstarren und die
Hand auf den Mund legen müssen.

Wenn ich daran gedenke, so erschrecke ich, und Zittern
kommt mein Fleisch an.

Warum leben denn die Gottlosen, werden alt, und
nehmen zu mit Gütern?

Ihr Same ist sicher um sie her, und ihre Nachkömmlinge
sind bei ihnen.

Ihr Haus hat Frieden vor der Furcht, und Gottes Rute
ist nicht über ihnen.

Seinen Stier läßt man zu, und es mißrät ihm nicht; seine
Kuh kalbt und ist nicht unfruchtbar.

Ihre jungen Kinder lassen sie ausgehen wie eine Herde,
und ihre Knaben hüpfen.

Sie jauchzen mit Pauken und Harfen und sind fröhlich
mit Flöten.

Sie werden alt bei guten Tagen und erschrecken kaum
einen Augenblick vor dem Tode, die doch sagen zu Gott:
»Hebe dich von uns, wir wollen von deinen Wegen nicht
wissen!

Wer ist der Allmächtige, daß wir ihm dienen sollten?
oder was sind wir gebessert, so wir ihn anrufen?«

Diogenes Laertios
Die ersten griechischen Philosophen

Im dritten Jahrhundert nach Christus schrieb Diogenes Laertios sein zehnbändiges Werk Leben und Meinungen berühmter Philosophen. *Es handelt sich vor allem um die griechischen Philosophen des sechsten und fünften Jahrhunderts vor Christi Geburt; das Thema der Sammlung war also, wenn man nicht auf das Jahrhundert genau rechnet, schon fast tausend Jahre alt. Trotzdem bleibt dies Kompendium eine Hauptquelle für die antike Philosophie. Die Aufzeichnungen sind höchst unkritisch. Die modernen Altphilologen beschäftigen sich sehr kritisch mit diesem Diogenes Laertios. Zum Beispiel der Altphilologe Friedrich Nietzsche.*

Im Jahre 1903 erschien, von dem deutschen Gräzisten Hermann Diels herausgegeben, eine dreibändige Sammlung griechischer Biographien und Bruchstücke unter dem Titel Die Fragmente der Vorsokratiker. *Die Zahl der aufgeführten Denker war auf dreiundachtzig gewachsen. Die Vorrede zur vierten Auflage ist datiert: »Berlin-Dahlem, Pfingsten 1922.« An diesem Tage starb Diels.*

Wir bringen zunächst einige Aphorismen in Diels Übersetzung und dann, was Diogenes Laertios über Anaximander, Anaximenes und Anaxagoras, den väterlichen Freund des Perikles, mitgeteilt hat. Über Thales schrieb er:

»Er war der erste, dem man den Namen eines Weisen gab.«

Anaximander: »Zu Anfang der Dinge ist das Unendliche. Woraus aber ihnen die Geburt ist, dahin geht auch ihr Sterben nach der Notwendigkeit. Denn sie zahlen einander Strafe und Buße für ihre Ruchlosigkeit nach der Zeit Ordnung.«

Anaximenes: »Wie unsere Seele Luft ist und uns dadurch zusammenhält, so umspannt auch die ganze Weltordnung Odem und Luft ... Die Luft steht dem Unkörperlichen nahe.«

Anaxagoras: »Das Sichtbare erschließt den Blick in das Unsichtbare.«

»In Kraft und Schnelligkeit stehen wir den Tieren nach, allein wir benutzen die uns eigene Erfahrung und Gedächtniskraft und Weisheit und Kunst, und so zeideln wir und melken wir und bringen auf alle Weise ihren Besitz in unsere Scheunen.«

»Jeder Geist ist von gleicher Art, der größere wie der kleinere.«

»Der Geist ist unendlich und selbstherrlich und mit keinem Dinge vermischt, sondern allein, selbständig, für sich.«

Nun also die Berichte des Diogenes Laertios:

Anaximander, des Praxiades Sohn, war ein Milesier. Er behauptete, Anfang und Urelement sei das Unbegrenzte, ohne Luft, Wasser oder sonst irgend etwas abzusondern. Die Teile seien wandelbar, das Ganze aber unwandelbar. Als Zentrum liegt in der Mitte die Erde in kugelförmiger Gestalt: der Mond leuchte mit geborgtem Licht, er werde von der Sonne erleuchtet, die Sonne aber sei nicht kleiner

als die Erde und sei das reinste Feuer. Er ist der Erfinder
der Sonnenuhr; er stellte sie auf einem geeigneten Platze in
Lakedaimon auf, wie Favorinus in seinen Geschichtlichen
Miscellen berichtet: sie ließ die Wendekreise und die Tag-
undnachtgleichen erkennen; auch Horoskope stellte er
her. Ferner gab er zuerst eine Zeichnung von dem Umfang
der Erde und des Meeres. Auch einen Himmelsglobus fertigte er an.

Von seinen Lehrmeinungen gab er einen zusammenfas-
senden Abriß, der auch dem Apollodoros aus Athen zu
Händen kam. Dieser berichtet in seinen Chronika auch, er
sei im zweiten Jahr der 58. Olympiade (547/46 vor Christus) vierundsechzig Jahre alt gewesen und bald darauf gestorben. Durch seine Singversuche, wird erzählt, habe er
das Gelächter der Kinder erregt; er aber habe auf die
Kunde davon gesagt: »Dank euch, ihr Kinder, denn ihr
gebt mir die Lehre, daß ich künftig besser singen muß.« Es
gab auch noch einen anderen Anaximander, einen Geschichtsforscher, der gleichfalls Milesier war und in ionischer Mundart schrieb.

Anaximenes, des Eurystratos Sohn aus Milet, war Schüler des Anaximander. Einige wollen ihn auch zum Schüler
des Parmenides machen. Er erklärt für den Anfang der
Dinge die Luft und diese für das Grenzenlose. Die Sterne,
sagte er, bewegen sich nicht unter der Erde, sondern (seitwärts) um die Erde herum. Er schrieb in ionischer Mundart, einfach und ungekünstelt. Er lebte, wie Apollodor
berichtet, zur Zeit der Eroberung von Sardes (durch Kyros 546 vor Christus) und starb in der 63. Olympiade
(528/25 vor Christus). Es hat auch zwei andere Männer
dieses Namens gegeben, beide aus Lampsakos, der eine ein
Rhetor, der andere ein Geschichtsforscher, Sohn einer
Schwester des Rhetors, des Verfassers der Schrift über die

Taten des Alexander. Anaximenes schrieb folgenden Brief an Pythagoras:

»Thales, des Examyos Sohn, hat hochbetagt kein glückliches Ende gehabt. Als er seiner Gewohnheit gemäß mit seiner Magd des Nachts aus dem Vorhof seines Hauses ins Freie hinausging, um die Sterne zu beobachten, stürzte er, in Betrachtung des Himmels verloren, einen Abhang hinab. Arme Milesier, deren Himmelskundiger auf diese Weise enden mußte! Wir aber, seine Schüler, wollen des Mannes eingedenk bleiben und ebenso unsere Kinder und Schüler, und wollen auch weiterhin seine Lehren als unser Wahrzeichen betrachten. Jede gemeinsame Untersuchung soll mit Thales anheben.«

Und ferner:

»Wie gut hast du daran getan – weit klüger als wir –, daß du deinen Wohnsitz von Samos nach Kroton verlegt hast, wo du in Ruhe lebst. Die Söhne des Aiakas richten unsägliches Unheil an, und die Milesier müssen sich nach wie vor von Tyrannen beherrschen lassen. Ein furchtbarer Gegner ist uns auch der Perserkönig, den wir nur dadurch befriedigen könnten, daß wir ihm tributpflichtig würden; indes die Ionier sind entschlossen, für die Freiheit aller den Kampf mit den Medern (Persern) auf sich zu nehmen. Ist es aber einmal zum Kriege gekommen, so ist jede Hoffnung auf Rettung geschwunden. Wie könnte es sich also Anaximenes noch in den Sinn kommen lassen, die Himmelsgeheimnisse zu erforschen, er, der angsterfüllt nur noch die Wahl sieht zwischen Tod und Knechtschaft? Du dagegen erfreust dich der herrlichen Verehrung der Krotoniaten und nicht minder der übrigen Italioten. Ja, auch aus Sizilien strömen dir Schüler zu.«

Anaxagoras, der Sohn des Hegesibulos oder Eubulos, stammte aus Klazomenai. Er war Schüler des Anaximenes und stellte zuerst der Materie den Geist zur Seite. Seine Schrift nämlich, durch anmutige und geistvolle Darstellung ausgezeichnet, hebt folgendermaßen an: Alle Dinge waren zusammen, dann kam der Geist dazu und ordnete sie. Daher ward auch er selbst Geist genannt, und Timon sagt in den Sillen von ihm:

Vom Anaxagoras sagt man: er war ein kräftiger Heros, Nannte ihn Geist, weil er geistvoll war, er führte auf einmal
Alles, was vorher verstreut und ungeordnet, zusammen.

Er ragte hervor durch Abkunft und Reichtum, aber auch durch Seelenadel: trat er doch sein väterliches Vermögen an seine Verwandten ab. Als ihm diese nämlich Vorwürfe machten wegen seiner Sorglosigkeit, sagte er: »Nun, warum übernehmt ihr denn nicht die Sorge an meiner Statt?«

Und schließlich sagte er sich völlig los davon und widmete sich ganz der Betrachtung der Natur, ohne sich um öffentliche Angelegenheiten zu bekümmern. So sagte er zu einem, der ihn fragte: »Hast du denn gar kein Herz für dein Vaterland?«, »Laß das gut sein; nichts liegt mir mehr am Herzen als mein Vaterland«, wobei er auf den Himmel wies. Er soll beim Übergang des Xerxes über den Hellespont zwanzig Jahre alt gewesen sein und zweiundsiebzig Jahre alt geworden sein. Apollodor behauptet in seinen Chronika, er sei geboren in der 70. Olympiade (500–497) und gestorben im ersten Jahr der 88. Olympiade (428). Als Philosoph trat er zuerst hervor in Athen in dem Archontat des Kallias (456 oder Kalliades 480) im Alter von zwanzig Jahren, wie Demetrios der Phalereer in seinem Archontenverzeichnis sagt; dort soll er dreißig Jahre geweilt haben.
Er erklärte die Sonne für eine glühend heiße, feurige

Eisenmasse, größer als der Peloponnes (andere nennen statt seiner den Tantalos – den Physiologen – als Urheber dieser Ansicht); der Mond aber, behauptete er, habe Wohnstätten und Hügel und Schluchten. Uranfänge seien die gleichartigen Körperchen (Homoiomerien); wie nämlich das Gold aus den sogenannten Körnchen bestehe, so sei das Ganze aus den gleichartigen kleinen Körpern zusammengesetzt. Der Anfang der Bewegung sei der Geist. Von den Körpern seien die schweren, wie zum Beispiel die Erde, in der unteren Region gelagert, die leichteren dagegen, wie das Feuer, in der oberen, Wasser und Luft in der mittleren. So nämlich habe das Wasser zu seiner Unterlage die Erde, die scheibenförmig flach sei, während das Wasser durch die Sonnenwärme in die Luft verdunste. Die Sterne hätten anfangs eine kuppelförmige Bewegung gehabt, so daß der stets sichtbare Pol der Zenit war, dann aber sei die Neigung eingetreten. Die Milchstraße sei ein Reflex der von dem Sonnenlicht nicht beleuchteten Sterne. Die Kometen entstünden durch das Zusammentreffen flammensprühender Planeten, und diese prallten, wie Funken dahinschießend, von der Luft ab.

Die Winde entstünden durch Verdünnung der Luft infolge der Sonnenwärme, Donner sei ein Zusammenstoß von Wolken, das Erdbeben ein Eindringen der Luft in das Erdinnere. Die lebenden Wesen entstünden aus dem Feuchten und Warmen und Erdartigen und weiterhin durch Zeugung auseinander. Das Männliche sei Erzeugnis der rechten Seite, das Weibliche der linken Seite.

Man sagt, er habe den Fall des Meteorsteins in der Nähe von Aigospotamos vorausgesagt, von dem er behauptete, er werde aus der Sonne herausfallen. Daher habe denn auch Euripides, sein Schüler, in seinem Phaeton die Sonne einen goldenen Klumpen genannt. Bei einem Besuche von

Olympia habe er dem Festspiele in einem Ledermantel
beigewohnt, wie in Erwartung von Regenwetter; und so
sei es auch gekommen. Als ihn einer fragte, ob die Berge
bei Lampsakos dereinst zu Meer werden würden, soll er
geantwortet haben: »Ja, wenn die Zeit nicht ausgeht.«
Und befragt, wozu er auf die Welt gekommen sei, sagte er:
»Zur Beobachtung von Sonne, Mond und Himmel.« Als
einer zu ihm sagte: »Du mußtest auf Athen verzichten«,
erwiderte er: »Nein, umgekehrt, Athen auf mich.« Als er
sich das Grabmal des Mausolos ansah, sagte er: »Ein kost-
spieliges Grab ist ein Bild versteinerten Vermögens.«
Einen, der es schwer beklagte, auf fremder Erde sterben
zu müssen, tröstete er mit den Worten: »Der Niederstieg
zum Hades ist allerwärts der gleiche.« Er scheint, wie Fa-
vorinos in seinen Geschichtlichen Miscellen sagt, der erste
gewesen zu sein, der darauf hinwies, daß die homerische
Poesie von Tugend und Gerechtigkeit handele, eine Absicht, die dann sein Freund, der Lampsakener Metrodoros, weiter ausgeführt habe, wie dieser sich denn auch zuerst bemüht habe um Aufklärung der Naturkenntnisse des
Dichters. Anaxagoras war auch der erste, der ein Buch in
Prosa herausgab. Silenos berichtet im ersten Buch seiner
Historien, im Archontat des Demylos sei ein Stein vom
Himmel gefallen; da habe Anaxagoras gesagt, der ganze
Himmel bestehe aus Steinen; nur durch den gewaltigen
Schwung der Kreisbewegung werde er zusammengehal-
ten; ließe dieser nach, so würde er zusammenstürzen.

Über seinen Prozeß lauten die Berichte verschieden. Sotion sagt in seinem Buche über die Sukzessionen der Philosophen, er sei von Kleon wegen Gottlosigkeit angeklagt
worden, weil er die Sonne für eine glühende Steinmasse
erklärt habe; nur durch das Eintreten seines Schülers Perikles für ihn sei er mit einer Strafe von fünf Talenten und

Verbannung davongekommen. Satyros dagegen behauptet in seinen Biographien, er sei von Thukydides, dem politischen Gegner des Perikles, angeklagt worden, und zwar nicht nur wegen Gottlosigkeit, sondern auch wegen Landesverrats an die Meder, und sei abwesend zum Tode verurteilt worden. Gleichzeitig mit seiner Verurteilung habe er auch Kunde erhalten von dem Tod seiner Söhne und seine Verurteilung mit den Worten aufgenommen: »Schon längst hat die Natur sowohl sie (die Richter) wie auch mich verurteilt«, den Tod der Söhne aber mit den Worten: »Ich wußte, daß sie als Sterbliche von mir erzeugt sind.« (Manche schreiben dies letztere Wort dem Solon, andere dem Xenophon zu.) Demetrios, der Phalereer, berichtet in seinem Buche über das Alter, Anaxagoras habe sie eigenhändig begraben. Hermippos berichtet in seinen Biographien, er sei als des Todes schuldig eingekerkert worden. Perikles aber sei vor das Volk getreten mit der Frage, ob man ihn (den Perikles) einer Schuld im Leben zeihen könne, und da sie stumm geblieben seien, habe er gesagt: »Nun, ich bin ja doch sein Schüler; laßt euch also nicht durch Verleumdungen dazu hinreißen, den Mann in den Tod zu stürzen, sondern folget mir und gebt ihn frei.« Und so ward er freigegeben. Er aber konnte sich über die ihm zugefügte Unbill nicht hinwegsetzen und starb durch eigne Hand. Hieronymos aber erzählt im zweiten Buch seiner Vermischten Denkwürdigkeiten, er sei, geleitet von Perikles, vor den Richtern erschienen, körperlich verfallen und abgemagert, so daß er seine Freilassung mehr dem Erbarmen als einem unbeeinflußten Richterspruch zu danken habe. Soviel über seinen Prozeß. Manche sprechen auch von einer Feindschaft mit Demokrit, weil dieser ihm eine Unterredung abgeschlagen habe.

Schließlich zog er sich nach Lampsakos zurück, wo er

starb. Als die dortigen Behörden ihn nach seinem letzten
Wunsche fragten, gab er zur Antwort: in seinem Todes-
monat sollten alljährlich sich die Kinder mit Spielen be-
lustigen dürfen. Noch jetzt wird dieser Brauch eingehal-
ten. Nach seinem Ende bestatteten ihn die Lampsakener
mit allen Ehren und schmückten sein Grab mit folgender
Inschrift:

»Friedlich ruht Anaxagoras hier, der Sucher nach
                                            Wahrheit.
Weit in den himmlischen Raum drang sein erleuchteter
                                            Geist.«

Auch von mir gibt es ein Epigramm auf ihn:

»Weil er als glühende Masse, als Stein die Sonne erklärte,
Ward Anaxagoras einst schroff mit dem Tode bedroht.
Doch es gelang seinem Freunde, dem Perikles, ihn zu er-
                                            retten,
Aber von eigener Hand starb er, der Weise, verzagt.«

Diogenes Laertios
Heraklit, der Dunkle

*K*ein anderer Vorsokratiker hat in der Geschichte des europäischen Philosophierens solch eine Rolle gespielt wie Heraklit von Ephesos, genannt »Der Dunkle«. Apollodor datiert seine ungefähre Lebenszeit von 544 v. Chr. bis 480.

Von seiner Schrift Über die Natur sind 130 Fragmente erhalten. Die Briefe sind zwar unecht, gehen aber auf gute Quellen zurück, so daß sie wohl eine historische Wahrheit enthalten. Zu den Heraklit-Sätzen, die Diogenes Laertios nicht zitiert, gehört der berühmteste: »Alles fließt, wir können nicht zweimal in denselben Fluß steigen.« Er steht den ionischen Naturphilosophen sehr nahe in dem Versuch, ein Element der Natur über alle anderen als Ursprung zu setzen. Es heißt: »Diese Welt, dieselbe für alle, hat weder der Götter noch der Menschen einer gemacht; sondern sie war immer und ist und wird ein ewig lebendes Feuer, nach Massen erglühend, nach Massen erlöschend.«

Er wurde bei Hegel, bei Schleiermacher, bei Lassalle, vor allem bei Nietzsche der große Kronzeuge für drei Kategorien: das Werden, die Dialektik (von Heraklit »das Gesetz der Gegensätzlichkeit«, »Streit« genannt, auch »Lauf und Gegenlauf«) und die aristokratische Haltung.

Wir könnten in ihm auch den Vater der geschichtsphilosophischen Zyklen-Theorie sehen. Und wenn man den Gott Loge in Wagners Ring hört, klingt er wie ein Heraklit-Schüler.

*Nicht zu verheimlichen ist, daß auch alle Propagandi-
sten irgendeines Krieges sich gern auf Heraklits Sentenz
berufen haben: »Der Streit ist das Gesetz der Welt und der
Krieg das Gemeinsame und der Vater und König aller
Dinge.«*

*Das nun erzählt Diogenes Laertios von »Heraklit, dem
Dunklen«:*

Herakleitos, des Blyson oder nach einigen des Heraklon
Sohn, stammte aus Ephesos. Seine Blütezeit fällt in die
69. Olympiade. Stolzen Sinnes wie kaum ein anderer
blickte er mit Verachtung auf die ihn umgebende Welt, wie
dies auch schon aus seiner Schrift hervorgeht, in der er
sagt: »Vielwisserei lehrt nicht Verstand haben. Sonst hätte
Hesiod es gelernt und Pythagoras, ferner auch Xenophanes und Hekataios.« Denn es bestehe »in einem, die Weisheit, die Vernunft zu erkennen, als welche alles und jedes
zu lenken weiß«. Auch sagte er: Homer verdiente, aus den
Preiswettkämpfen verwiesen und mit Ruten gestrichen zu
werden, und ebenso Archilochos. Ferner sagte er: »Fre-
velmut soll man eher löschen als Feuersbrunst«, und: »Das
Volk soll kämpfen um sein Gesetz wie um seine Mauer.«
Auch ergeht er sich in hartem Tadel gegen die Ephesier,
daß sie seinen Freund Hermodoros des Landes verwiesen,
mit folgenden Worten: »Recht täten die Ephesier, wenn
sie sich alle Mann für Mann aufhängten und den Unmündigen ihre Stadt überließen, sie, die Hermodoros, ihren
wackersten Mann, aus der Stadt gejagt haben mit den
Worten: ›Von uns soll keiner der Wackerste sein, wenn
schon, dann anderswo und bei anderen.‹« Als man ihn gemäß dem Ansehen, in dem er stand, ersuchte, als Gesetzgeber aufzutreten, wies er es mit Entrüstung von sich, weil
die Stadt bereits zu sehr der Strömung der schlechten Ver-

fassung anheimgefallen sei. Er wich dem Verkehr aus und spielte im Artemis-Tempel mit den Knaben Würfel, und als sich die Ephesier dort an ihn herandrängten, rief er ihnen zu: »Was wundert ihr euch, ihr heilloses Gesindel? Ist dies nicht eine anständigere Beschäftigung, als mit euch die Staatsgeschäfte zu führen?« Endlich wurde er des Zusammenseins mit den Menschen völlig überdrüssig, schied aus ihrer Gesellschaft aus und lebte einsam im Gebirge, sich von Gras und Kräutern nährend. Dadurch verfiel er der Wassersucht, kehrte in die Stadt zurück und fragte die Ärzte in rätselartigen Worten, ob sie aus Überschwemmung Dürre machen könnten. Da sie es nicht verstanden, grub er sich selbst in einem Kuhstall in den Rindermist ein in der Hoffnung, durch die Wärme werde das Wasser sich ausdunsten. Aber auch das half nichts. Er starb im sechzigsten Jahre. Unser Epigramm auf ihn lautet:

»Rätselhaft war mir oft Heraklit: wie konnt' er sein Leben
Nach so viel Mühe und Qual schließen mit solch einem
Tod?
Denn die unleidliche Krankheit durchtränkte den Körper
mit Wasser,
Löschte das Augenlicht und gab ihn der Finsternis preis.«

Hermippos aber berichtet, er habe die Ärzte gefragt, ob einer durch Druck auf seine Eingeweide das Wasser heraustreiben könne; als sie es verneinten, habe er sich in die Sonne gelegt und den Knaben befohlen, sie sollten ihn mit Rindermist bedecken; so sich abquälend, sei er am zweiten Tage gestorben und auf dem Markte beerdigt worden. Neanthes von Kyzikos dagegen behauptet, er sei, weil er den Mist nicht hätte entfernen können, liegengeblieben und, durch die Veränderung unkenntlich gemacht, von den Hunden verzehrt worden.

Schon von jung auf erregte er Aufsehen: als Jüngling erklärte er, nichts zu wissen, als reifer Mann dagegen, alles
zu wissen. Er ging bei niemandem in die Lehre, erklärte
vielmehr, er erforsche sich selbst und schöpfe sein ganzes
Wesen aus sich selbst. Sotion aber berichtet, nach der
Meinung einiger hätte er den Xenophanes gehört, und
Ariston behauptet in seinem Buche über Herakleitos, er
sei auch von der Wassersucht geheilt worden und an einer
anderen Krankheit gestorben; das wird auch von Hippo-
botos bestätigt.

Sein bekanntes Buch handelt im allgemeinen von der
Natur, gliedert sich aber in drei Teile, deren erster von
dem All, der zweite vom Staat, der dritte von der Gottheit
handelt. Er legte es im Artemis-Tempel nieder, absichtlich, wie einige meinen, in dunkler Sprache gehalten, damit nur die wirklich Berufenen sich mit ihm beschäftigten,
während ein zu volkstümlicher Ton seiner Schätzung
leicht Eintrag tun könnte. Auch Timon zeichnet ihn mit
ein paar Strichen:

»Unter ihnen erhob sich der Schreier, der Schmäher der
Menge, Herakleitos, der Rätselersinner.«

Theophrast schreibt es seiner Schwarzgalligkeit zu, daß
seine Ausführungen teils nur halbfertig seien, teils bald
dieses, bald jenes Gesicht zeigten. Antisthenes führt als
Zeichen seiner hohen Sinnesart in seinen Philosophenfol-
gen an, daß er zugunsten seines Bruders auf die amtliche
Königswürde verzichtet habe. Seine Schrift gelangte zu so
hohem Ansehen, daß es auch schülermäßige Anhänger
von ihm gab, die sogenannten Herakleiteer.

Seine Lehre läuft im ganzen auf folgende Punkte hinaus:
Alles entsteht aus dem Feuer und löst sich wieder in dieses
auf. Alles geschieht nach unverbrüchlicher Schicksals-

fügung, und durch Lauf und Gegenlauf wird alles in Einklang erhalten. Alles ist voll von Seelen und Dämonen. Auch über alle kosmischen Erscheinungen hat er seine Meinung geäußert, und daß die Größe der Sonne sich danach bestimmt, wie sie einem erscheint: »Der Seele Grenzen kannst du nicht ausfinden, und ob du jegliche Straße abschrittest; so tiefen Grund hat sie.«

Was die Lehre im einzelnen anlangt, so steht es damit so: Feuer ist der Grundstoff, und alle Naturvorgänge sind Umwandlungen des Feuers, die sich durch Verdünnung oder Verdichtung vollziehen; deutliche Darlegungen aber gibt er nicht. Alles geschieht nach dem Gesetz der Gegensätzlichkeit, und das Ganze ist in strömender Bewegung wie ein Fluß.

Das All ist begrenzt, und es ist nur eine Welt. Sie entsteht aus dem Feuer und löst sich nach Maßgabe gewisser Umläufe auch wieder in Feuer auf, ein Vorgang, der sich wechselweise im Verlaufe der ewigen Zeit immer wiederholt; dies geschieht nach unverbrüchlicher Schicksalsfügung. Von den Gegensätzen aber wird dasjenige Glied, welches zur Entstehung führt, Krieg und Streit genannt; dasjenige, welches zum Weltbrand führt, Eintracht und Friede, und die Umwandlung ist der Weg nach oben und unten; ihr gemäß bildet sich die Welt. Denn durch Verdichtung nimmt das Feuer Feuchtigkeit an, durch deren Zusammenschluß es Wasser wird. Verdichtet sich aber das Wasser, so wandelt es sich in Erde: dies ist der Weg nach unten. Anderseits wird die Erde flüssig, und so entsteht aus ihr das Wasser, aus diesem aber fast alles übrige; denn er führt es auf die Ausdünstung aus dem Meere zurück. Das ist der Weg nach oben. Ausdünstungen entstehen aus der Erde und aus dem Meere, die einen hell und rein, die anderen dunkel. Das Feuer vermehrt sich durch die hellen,

das Feuchte durch die anderen. Über die Natur des Umfassenden erklärt er sich nicht. Doch birgt es, meint er, in
sich Kähne, die mit ihrer hohlen Seite uns zugewandt sind;
in ihnen sammeln sich die hellen Ausdünstungen und entzünden sich zu Flammen; dies sind die Sterne. Am hellsten
und wärmsten ist die Flamme der Sonne. Denn die andern
Sterne sind weiter entfernt von der Erde, weshalb sie dann
schwächer sind an Licht wie an Wärme; der Mond aber,
der der Erde näher ist, bewegt sich nicht in der reinen Atmosphäre. Die Sonne bewegt sich in durchsichtiger und
reiner Atmosphäre, wie sie denn auch eine angemessene
Entfernung von uns hat. Daher spendet sie uns auch in höherem Maße Wärme und Licht. Sonnen- und Mondfin-
sternisse entstehen dadurch, daß die Kähne sich nach oben
drehen. Der monatliche Wechsel der Mondgestaltungen
ist darauf zurückzuführen, daß sich der Kahn bei ihm stetig ein wenig zur Seite wendet. Das Wechselspiel von Tag
und Nacht, der Ablauf der Monate, der Jahreszeiten, der
Jahre, der Regengüsse und Winde und was dahin gehört,
vollzieht sich nach Maßgabe der verschiedenen Ausdünstungen.

Dieselbe Ausdünstung nämlich, zur Flamme entzündet
in der Höhlung der Sonne, bringt den Tag; die entgegengesetzte läßt, nachdem sie das Übergewicht gewonnen, die
Nacht entstehen. Die Steigerung der Wärme aus dem
Leuchtenden macht den Sommer; die Vermehrung der
Feuchtigkeit aus dem Dunkeln führt zum Eintritt des
Winters. Dementsprechend erklärt er auch die übrigen Erscheinungen. Über die Natur der Erde spricht er sich nicht
aus, ebensowenig über die der Kähne. Das wären denn
seine Lehrmeinungen.

Was aber den Sokrates betrifft und die Äußerung, welche er tat, als er durch des Euripides Vermittlung, wie Ari-

ston sagt, mit der Schrift bekannt gemacht wurde, so haben wir in dem Abschnitt über Sokrates darüber das Nötigste mitgeteilt. Der Grammatiker Seleukos aber behauptet, ein gewisser Kroton berichte in seinem Taucher: ein gewisser Kartes habe die Schrift zuerst nach Hellas gebracht und dabei das Wort fallen lassen, es bedürfe einer Art delischen Tauchers, wenn man an ihr nicht ersticken wolle. Was ihren Titel anlangt, so lautet er nach den einen ›Musen‹, nach anderen ›Von der Natur‹; nach Diodotos aber ›Das scharfe Steuerruder nach des Lebens Ziel‹, noch nach anderen: ›Richtmaß für die Charakterbildung‹, ›Welt des Einen, dem sich alles fügt‹.

Gefragt, warum er schweige, soll er erwidert haben: »Damit ihr plappern könnt.«

Auch Dareios war voller Verlangen, ihn an sich zu ziehen, und schrieb folgenden Brief an ihn:

»König Dareios, Sohn des Hystaspes, entbeut dem Herakleitos, dem Weisen in Ephesos, seinen Gruß.

Du hast ein Buch geschrieben über die Natur, das schwer verständlich und schwer zu erklären ist. Deutet man es nun stellenweise genau nach deinen Worten, so scheint seine Bedeutung darin zu liegen, daß es eine Theorie der gesamten Welt sowie der in ihr sich abspielenden Erscheinungen bietet, die sich in der göttlichen Bewegung bekunden. Indes bei den meisten kommt man zu keinem sichern Urteil, so daß auch die größten Schriftgelehrten in Zweifel bleiben über die richtige Auslegung deiner Ausführungen. König Dareios nun, Sohn des Hystaspes, wünscht deiner Belehrung sowie griechischer Bildung teilhaftig zu werden. Mache dich also unverweilt auf, vor meinem Angesicht und in meinem königlichen Palast zu erscheinen. Denn die Hellenen, meist gleichgültig gegen ihre Weisen, beachten nicht die von diesen zu ernster

Aufnahme und Belehrung gegebenen Anweisungen. Bei
mir aber soll dir jede Ehre widerfahren: jeden Tag findest
du wohlgemeinte und ernste Ansprache sowie ein Leben,
das deinen Grundsätzen entspricht.«

»Herakleitos, der Ephesier, entbeut dem König Dareios,
des Hystaspes Sohn, seinen Gruß.

Alle, die hier auf Erden wandeln, bleiben der Wahrheit
und Gerechtigkeit fern, hängen ihr Herz vielmehr an Befriedigung ihrer Geldgier und Ruhmsucht infolge ihrer
elenden Unwissenheit. Ich aber übe strenge Entsagung gegenüber jeder Schlechtigkeit, meide die Befriedigung jedes
Neides, der sich bei mir geltend machen will, und gehe jeder Überhebung aus dem Wege; darum kann ich mich
nicht entschließen, nach dem Perserland zu kommen;
denn ich bin mit wenigem zufrieden, wie es meinem Wunsche entspricht.«

So zeigte sich der Mann auch einem König gegenüber.

Demetrios erzählt in den Homonymen, er habe auch
von den Athenern, bei denen er in höchstem Ansehen
stand, geringschätzig gedacht und habe, obschon von den
Ephesiern mißachtet, gleichwohl seiner Heimat den Vorzug gegeben. Auch der Phalereer Demetrios gedenkt seiner in der Apologie des Sokrates.

Sehr zahlreich ist die Schar seiner Ausleger. Zu ihnen
gehörten Antisthenes, Herakleides Pontikos, Kleanthes
der Pontiker und der Stoiker Sphairos; ferner Pausanias,
der sogenannte Herakleitist, sowie Nikomedes und Dio-
nysios. Von Grammatikern Diodotos, der behauptet, die
Schrift handle nicht von der Natur, sondern vom Staate,
die Ausführungen über die Natur hätten nur die Bedeutung eines Beispiels. Hieronymos aber sagt, der Jamben-

dichter Skythinos habe den Versuch gemacht, die Schrift
in Versen wiederzugeben. Es gibt viele Epigramme auf
ihn, darunter auch folgendes:

»Ich hier bin's, Heraklit; wozu euer Sticheln, ihr Toren?
Nicht euch galt mein Werk; denen nur, die mich verstehn.
Einen achte ich Tausenden gleich, die zahllose Menge
Acht' ich für nichts, und dies bleibt auch im Hades mein
Wort.«

Und ein weiteres:

»Nicht schnell wende die Blätter des Herakleitischen
Buches,
Steil und schroff ist der Pfad, den zu erklimmen es gilt.
Finsternis herrscht und düsteres Dunkel; doch führt ein
Geweihter
Dich durch das Buch, so strahlt's heller als Sonnenschein
dir.«

Es sind aber der Heraklite fünf gewesen: erstens der unsere
hier, zweitens ein lyrischer Dichter, von dem es ein Preislied auf die zwölf Götter gibt; drittens ein Elegiendichter
aus Halikarnaß, auf den Kallimachos folgende Verse gedichtet hat:

»Heraklit, die Kunde von deinem Tode, sie rührte
Mich zu Tränen, denn ich dachte der Zeiten, da wir
Plauderten, bis die Sonne sich neigte; aber nun bist du,
Freund aus Halikarnaß, Asche schon lange und Staub.
Deine Gesänge jedoch, sie werden nicht Beute des Hades,
Nein, sie bleiben verschont von seiner raubenden Hand.«

Viertens ein Lesbier, der eine Geschichte von Makedonien
geschrieben hat; fünftens ein gewerbsmäßiger Spaßma-
cher, der vorher Lautenschläger gewesen war.

Gotama Buddha
Das große Verhör über die Erlöschung

*D*ie *folgenden Abschnitte stammen* Aus dem großen Verhör über die Erlöschung Mahapirinib-Banasuttam des Pali-Kanons. *Ihr Thema: die letzten Tage des Gotama Buddha. Sie bilden das dritte Stück im zweiten Band der* Längeren Sammlung *der Reden; die Übersetzung ist von einem der gefeiertsten Übersetzer der letzten hundert Jahre geschaffen worden, von Karl Eugen Neumann.*

Die Entstehungsgeschichte dieses großen Dokuments ist, wie Karl Eugen Neumann sagt, »sehr einfach«:

»*Nach dem Tode des Meisters haben die Jünger auch noch die letzten Reden und Ereignisse nach altbewährter vedischer Methode ihrem Gedächtnisse fugenartig eingeprägt, wie sie ja schon vorher die Meisterreden ganz ebenso von Tag zu Tag und von Jahr zu Jahr rein bewahrt und erhalten hatten, indem bei den regelmäßigen Zusammenkünften vor und nach der Regenzeit, und wo sich außerdem wandernde Jünger aus den vier Weltgegenden trafen, eben immer ein jeder berichtete, was er selbst auf seiner mehr oder minder längeren Wanderschaft mit dem Meister von Angesicht vernommen hatte.*«

Das verbreiteten sie nun weiter – in der farbigen Umgangssprache, dem Pali. Als es veraltete und eine tote Sprache wurde, wandelte sich die Überlieferung in Gelehrtengut; was erzählt worden war, wurde nun auf Stein, Metall, Holz, Palmblattkarton fixiert – und ausgelegt. Diese

*Pali-Texte fanden ein Asyl in Ceylon, Burma und Siam;
um die Reden herum hatte sich schon in früher Zeit ein my-
thischer Rahmen gebildet, der aus der vedischen Kultur
stammte.*

Da hat denn der Erhabene eines Morgens sich gerüstet,
Mantel und Schale genommen und den Weg nach Vesali
beschritten, um Almosenspeise. In der Stadt von Haus zu
Haus tretend kehrte der Erhabene mit den erhaltenen
Brocken zurück, nahm das Mahl ein, ließ einen Elefanten-
blick über Vesali hingleiten und wandte sich nun an den
ehrwürdigen Anando:

»Dies wird, Anando, das letzte Gesicht des Vollendeten
gegen Vesali gewesen sein. Laß uns, Anando, nach dem
Krämerdorfe aufbrechen, dahin wollen wir gehn.«

»Wohl, o Herr«, sagte da aufmerksam der ehrwürdige
Anando zum Erhabenen. Da ist nun der Erhabene, von
einer zahlreichen Jüngerschaft begleitet, nach dem Krämerdorfe hingezogen. Bei dem Krämerdorfe hat dann der
Erhabene Rast gehalten. Dort nun wandte sich der Erhabene an die Mönche:

»Weil da, ihr Mönche, vier Dinge nicht verstanden,
nicht durchdrungen waren, ist eben diese lange Laufbahn
umwandelt worden, umkreist worden, von mir sowie von
euch; und welche vier? Weil, ihr Mönche, heilige Tugend
nicht verstanden, nicht durchdrungen war, ist eben diese
lange Laufbahn umwandelt worden, umkreist worden,
von mir sowie von euch; weil, ihr Mönche, heilige Vertiefung nicht verstanden, nicht durchdrungen war, ist eben
diese lange Laufbahn umwandelt worden, umkreist worden, von mir sowie von euch; weil, ihr Mönche, heilige

Weisheit nicht verstanden, nicht durchdrungen war, ist eben diese lange Laufbahn umwandelt worden, umkreist worden, von mir sowie von euch; weil, ihr Mönche, heilige Freiheit nicht verstanden, nicht durchdrungen war, ist eben diese lange Laufbahn umwandelt worden, umkreist worden von mir sowie von euch. Da ist jetzt, ihr Mönche, heilige Tugend verstanden, durchdrungen, heilige Vertiefung verstanden, durchdrungen, heilige Weisheit verstanden, durchdrungen, heilige Freiheit verstanden, durchdrungen, abgeschnitten der Daseinsdurst, versiegt die Daseinsader, und nicht mehr gibt es Wiedersein.«

Also sprach der Erhabene. Als der Willkommene das gesagt hatte, sprach fernerhin also der Meister:

> »Die Tugend, Tiefe, Weisheit, dann
> Und Freiheit, die zuhöchst besteht,
> Sie sind verstanden, Ding um Dinge: ––

> Von Gotamiden, reich an Ruhm,
> Der so als Meister hat gezeigt
> Den Jüngern, was zu wissen taugt,
> Der Leiden Tilger, auferwacht,
> Der Seher, selbst erloschen hin.«

Da hat denn noch der Erhabene, bei dem Krämerdorfe verweilend, also auch weiterhin den Mönchen lehrreiche Reden gehalten:

»Das ist Tugend, das ist Vertiefung, das ist Weisheit; in Tugend ausgediehene Vertiefung verleiht hohen Lohn, hohe Förderung, in Vertiefung ausgediehene Weisheit verleiht hohen Lohn, hohe Förderung, in Weisheit ausgediehenes Herz wird eben von allem Wahne frei, und zwar vom Wunscheswahn, vom Daseinswahn, vom Nichtwissenswahn.«

Nachdem nun der Erhabene bei dem Krämerdorfe nach Belieben geweilt hatte, wandte sich der Erhabene an den ehrwürdigen Anando:

»Laß uns, Anando, über Elefantendorf nach dem Mangodorfe gehn und über Rosenapfeldorf nach der Bhoger Burg aufbrechen, dahin wollen wir gehn.«

»Wohl, o Herr«, sagte da aufmerksam der ehrwürdige Anando zum Erhabenen. Da ist nun der Erhabene, von einer zahlreichen Jüngerschaft begleitet, nach der Bhoger Burg hingezogen. Bei der Bhoger Burg hat dann der Erhabene Rast gehalten, am Denkmal der Ananditen. Dort wandte sich der Erhabene an die Mönche:

»Vier wichtige Bezeugnisse will ich euch Mönchen hier aufweisen: das höret und achtet wohl auf meine Rede.«

»Gewiß, o Herr«, sagten da aufmerksam jene Mönche zum Erhabenen. Der Erhabene sprach also:

»Da mag wohl, ihr Mönche, ein Mönch etwa sagen: ›Von Angesicht hab ich es, Brüder, vom Erhabenen gehört, von Angesicht vernommen; das ist die Lehre, das ist die Zucht, das ist des Meisters Gebot.‹ Die Aussage eines solchen Mönches, ihr Mönche, ist weder zu billigen noch abzuweisen; ohne sie gebilligt, ohne sie abgewiesen zu haben, hat man sich da die bezeichnenden Sätze sorgfältig zu merken und in den Reden ihre Bestätigung, in der Zucht ihren Nachweis aufzufinden. Wenn man aber in den Reden ihre Bestätigung, in der Zucht ihren Nachweis aufzufinden sucht und sie nun weder in den Reden noch in der Zucht ihren Nachweis finden, so muß man dabei zu dem Schluß kommen: Freilich ist das eben nicht des Erhabenen Sprache, sondern ist von diesem Mönche schlecht aufgefaßt worden; so mögt ihr, Mönche, dieses dann verwerfen. Wenn man aber in den Reden ihre Bestätigung, in der Zucht ihren Nachweis aufzufinden sucht und sie nun gar

wohl in den Reden ihre Bestätigung und auch in der Zucht
ihren Nachweis finden, so muß man dabei zu dem Schluß
kommen: ›Freilich ist das eben des Erhabenen Sprache, ist
von diesem Mönche recht aufgefaßt worden.‹ Das mögt
ihr, Mönche, zum ersten als wichtiges Bezeugnis verwahren.«

Nachdem nun der Erhabene bei der Bhoger Burg nach Belieben geweilt hatte, wandte sich der Erhabene an den
ehrwürdigen Anando:

»Laß uns, Anando, nach Pava aufbrechen, dahin wollen
wir gehn.« »Wohl, o Herr«, sagte da aufmerksam der
ehrwürdige Anando zum Erhabenen. Da ist nun der Erhabene, von einer zahlreichen Jüngerschaft begleitet, nach
Pava hingezogen. Bei Pava hat dann der Erhabene Rast gehalten, im Mangohaine bei Cundo, dem Goldschmidt.

Es vernahm aber Cundo, der Goldschmidt: »Der Erhabene, heißt es, ist in Pava angekommen, hält bei Pava Rast,
im Mangohaine bei mir!« Da begab sich denn Cundo, der
Goldschmidt, zum Erhabenen hin, begrüßte den Erhabenen ehrerbietig und setzte sich beiseite nieder. Cundo, der
Goldschmidt, der da beiseite saß, wurde nun vom Erhabenen in lehrreichem Gespräche ermuntert, ermutigt, erregt
und erheitert. Also dann Cundo, der Goldschmidt, vom
Erhabenen in lehrreichem Gespräche ermuntert, ermutigt, erregt und erheitert war, sprach er zum Erhabenen also:

»Gewähre mir, o Herr, der Erhabene, die Bitte, morgen
mit der Jüngerschaft bei mir zu speisen.«

Schweigend gewährte der Erhabene die Bitte.

Nachdem nun Cundo der Goldschmidt, der Zustimmung des Erhabenen gewiß war, stand er vom Sitze auf,
begrüßte den Erhabenen ehrerbietig, ging rechts herum
und entfernte sich.

Am nächsten Morgen dann ließ Cundo, der Goldschmidt, in seiner Behausung ausgewählte feste und flüs-
sige Speise auftragen und reichlich dazu noch Ebermorcheln. Alsdann sandte er einen Boten an den Erhabenen
mit der Meldung: »Es ist Zeit, o Herr, das Mahl ist bereit.«
So begann denn der Erhabene vor Mittag sich zu rüsten,
nahm Mantel und Almosenschale und ging, von der Jüngerschaft begleitet, nach dem Hause, wo Cundo, der
Goldschmidt, wohnte. Dort angelangt, nahm der Erhabene auf dem angebotenen Sitze Platz. Alsbald nun
wandte sich der Erhabene an Cundo, den Goldschmidt:
»Was du, Cundo, an Ebermorcheln vorbereitet hast,
damit versorge mich; was aber an anderer fester und flüssiger Speise vorhanden ist, damit versorge die Jüngerschaft.«

»Wohl, o Herr«, sagte da gehorsam Cundo, der Goldschmidt, zum Erhabenen; und was an Ebermorcheln vorbereitet war, damit versorgte er den Erhabenen, was aber
an anderer fester und flüssiger Speise vorhanden war, damit versorgte er die Jüngerschaft. Da hat denn der Erhabene sich an Cundo, den Goldschmidt gewandt:

»Was dir, Cundo, an Ebermorcheln übrig geblieben ist,
das verscharr in der Grube: keinen seh' ich da, Cundo, in
der Welt mit ihren Göttern, ihren bösen und heiligen Geistern, mit ihrer Schar von Priestern und Büßern, Göttern
und Menschen, von dem das genossen und gänzlich verdaut werden könnte, den Vollendeten ausgenommen.«

»Gut, o Herr«, sagte da gehorsam Cundo, der Goldschmidt, zum Erhabenen; und was an Ebermorcheln noch
übrig war, das verscharrte er in der Grube. Dann kehrte er
zum Erhabenen zurück, verbeugte sich ehrerbietig vor
dem Erhabenen und setzte sich beiseite nieder. Da hat
denn noch der Erhabene Cundo, den Goldschmidt, der an

der Seite saß, in lehrreichem Gespräche ermuntert, ermutigt, erregt und erheitert, ist sodann aufgestanden und von dannen geschritten.

Da hat nun den Erhabenen nach dem bei Cundo, dem Goldschmidt, eingenommenen Mahle eine heftige Krankheit befallen, blutiges Erbrechen mit starken Schmerzen stellte sich ein, lebensgefährlich. Auch diese hat denn der Erhabene klar und wohlbewußt erduldet, ohne sich stören zu lassen.

Alsbald nun wandte sich der Erhabene an den ehrwürdigen Anando: »Laß uns, Anando, nach Kusinara aufbrechen, dahin wollen wir gehn.«

»Wohl, o Herr«, sagte da aufmerksam der ehrwürdige Anando zum Erhabenen.

Bei Cundo nach der Mahlzeit dann,
Beim Goldschmidt, hat man mir erzählt,
Erfuhr der Weise Krankheit bald,
Mit starken Schmerzen, sterbesiech.
Als wie bewirtet mit der Ebermorchel,
Befiel ein Übel arger Qual den Meister da;
Geplagt von Schluchzen hat der Herr gesprochen:
»Nach Kusinara weiter will ich wandern hin.«

Da ist denn der Erhabene vom Wege abgebogen, an den Fuß eines Baumes in der Nähe herangetreten und hat dann dem ehrwürdigen Anando gesagt:

»Sei so lieb, Anando, und spreite mir den Mantel vierfach gefaltet auf: ich bin erschöpft, Anando, und werde mich niedersetzen.«

»Wohl, o Herr«, sagte da gehorsam der ehrwürdige Anando zum Erhabenen; und er spreitete den Mantel vierfach gefaltet auf.

Um diese Zeit aber war Pukkuso, der Mallerprinz, ein Jünger des Alaro Kalamo, von Kusinara nach Pava unterwegs und reiste die Landstraße entlang. Es sah nun Pukkuso, der junge Maller, den Erhabenen unter einem Baume sitzen. Als er den Erhabenen gesehn hatte, kam er heran, begrüßte den Erhabenen ehrerbietig und setzte sich beiseite nieder. Beiseite sitzend sprach nun Pukkuso, der Mallerprinz, zum Erhabenen also:

»Erstaunlich, o Herr, außerordentlich ist es, o Herr, wie tief da, o Herr, der Frieden ist, in dem Pilger zu verharren vermögen. – Eines Tages einmal, o Herr, war Alaro Kalamo die Landstraße entlanggewandert, war dann vom Wege abgebogen und hatte sich in der Nähe unter einem Baume niedergesetzt, bis gegen Abend zu verweilen. Da sind nun, o Herr, an fünfhundert Karren gerade Alaro Kalamo gegenüber vorbeigefahren. Nun ist dann, o Herr, einer der Männer, den Spuren dieser Karrenkarawane immer nachfolgend, zu Alaro Kalamo herangekommen und hat also gefragt: ›Du hast wohl, o Herr, an fünfhundert Karren vorbeifahren sehn?‹ – ›Nichts hab' ich, Bruder, gesehn.‹ – ›Aber du hast doch, o Herr, den Lärm gehört?‹ – ›Nichts hab' ich, o Bruder, vom Lärm gehört.‹ – ›So hast du, o Herr, geschlafen?‹ – ›Nicht hab' ich, Bruder, geschlafen.‹ – ›Wie denn, o Herr; du warst bewußt?‹ – ›Gewiß, Bruder.‹ – ›So hast du, o Herr, bewußt und mit wachen Sinnen die fünfhundert Karren, die gerade gegenüber vorbeigefahren sind, weder gesehn noch auch den Lärm gehört: aber dein Mantel, o Herr, ist ja ganz mit Staub überdeckt.‹ – ›Freilich, Bruder.‹ Da wurde nun, o Herr, jenem Manne also zumute: ›Großartig ist es, unglaublich, in der Tat, wie tief da, fürwahr, der Frieden ist, in dem Pilger zu verharren vermögen: wo ja eben einer bewußt und mit wachen Sinnen fünfhundert Karren, die gerade

gegenüber vorbeifahren, weder zu sehn noch auch den
Lärm zu hören braucht.‹ Und nachdem er so für Alaro Kalamo hohe Begeisterung erkennen hatte lassen, ging er
weiter.«

»Wie denkst du darüber, Pukkuso, was mag da wohl
etwa schwieriger auszuführen, etwa schwieriger zu erwirken sein: daß einer bewußt und mit wachen Sinnen weder
zu sehn noch auch den Lärm zu hören vermöchte; oder
daß einer bewußt und mit wachen Sinnen im Gewittersturm, im wirbelnden Wolkenbruch, während Blitze herabfahren und der Donner krachend dareinschlägt, weder
zu sehn noch auch den Lärm zu hören vermöchte?«

»Was gälten da freilich, o Herr, fünfhundert Karren
oder sechshundert, siebenhundert Karren oder achthun-
dert, neunhundert Karren oder tausend oder hunderttausend Karren: vielmehr wäre das eben gar schwieriger auszuführen und schwieriger zu erwirken, daß einer bewußt
und mit wachen Sinnen im Gewittersturm, im wirbelnden
Wolkenbruch, während Blitze herabfahren und der Donner krachend dareinschlägt, weder zu sehn noch auch den
Lärm zu hören vermöchte!«

»Es könnte wohl sein, Anando, daß da jemand Cundo,
dem Goldschmidt, einen Vorwurf machen wollte: ›Das ist
dir, Bruder Cundo, übel geraten, das hast du schlecht getroffen, daß bei dir der Vollendete den letzten Almosenbissen zu genießen bekam und dann erloschen ist.‹ Einem
Vorwurfe nun, Anando, gegen Cundo, den Goldschmidt,
muß also vorgebeugt werden: ›Das ist dir, Bruder Cundo,
geraten, das hast du recht getroffen, daß bei dir der Vollendete den letzten Almosenbissen zu genießen bekam und
dann erloschen ist. Von Angesicht hab’ ich es, Bruder
Cundo, vom Erhabenen gehört, von Angesicht vernom-

men: zwei gibt es der Almosenbissen, beide gleich an
Lohn, beide gleich an Entgelt, die gleichsam mehr als andere Almosenbissen hohen Lohn, hohe Förderung verleihen: und welche zwei? Der Almosenbissen, nach dessen
Empfangnahme der Vollendete in der unvergleichlichen
vollkommenen Erwachung auferwacht, und der Almosenbissen, nach dessen Empfangnahme der Vollendete in
der von Hangen restlos reinen Art der Erlöschung zu erlöschen kommt, das sind die zwei Almosenbissen, beide
gleich an Lohn, beide gleich an Entgelt, die gleichsam
mehr als andere Almosenbissen hohen Lohn, hohe Förderung verleihen. Ein lebenverlängerndes Mittel hat der
ehrwürdige Cundo sich zubereitet, der Goldschmidt, ein
gesundheitförderndes Mittel hat der ehrwürdige Cundo
sich zubereitet, der Goldschmidt, ein Wohlsein bewir-
kendes Mittel hat der ehrwürdige Cundo sich zubereitet,
der Goldschmidt, ein Ruhm verschaffendes Mittel hat der
ehrwürdige Cundo sich zubereitet, der Goldschmidt, ein
himmelgewinnendes Mittel hat der ehrwürdige Cundo
sich zubereitet, der Goldschmidt, ein allversöhnendes
Mittel hat der ehrwürdige Cundo sich zubereitet, der
Goldschmidt. Einem Vorwurf, Anando, gegen Cundo,
dem Goldschmidt, muß also vorgebeugt werden.«
Da hat nun der Erhabene, in solcher Hinsicht eben dazumal tief aufatmend, dies verlauten lassen:

»Mein Tagewerk ist abgereift,
Zur Neige senkt mein Leben sich:
Von euch nun scheidend geh' ich hin,
In eigne Zuflucht eingekehrt.«

»Seid unermüdlich klar bewußt,
Ihr Mönche, tugendecht bewährt:

Geeinigt innen, recht gesinnt,
Laßt euch das Herz behütet sein.«

»In solcher Lehre, solcher Zuflucht
Wer unermüdlich ausbeharrt:
Geburtenwandel bald entflohn,
Zu Ende wirkt er alles Weh.«

Herodot
Von den Persern weiß ich

*H*erodot, der »Vater der Geschichte«, wie man ihn genannt hat (man müßte deutlicher sagen: der Geschichtsschreibung), wurde um 484 v. Chr. geboren und starb um
425 in Thurioi. Er reiste viel: nach Kleinasien, Ägypten,
Persien, an die Küstenländer des Schwarzen Meeres; und
was er auf diesen Reisen sah und hörte, gab er in einem un-
komplizierten, anekdotisch-novellistischen Stil in seinen
Historien wieder und beschrieb ausführlich die Sitten und
Gebräuche bei den Lydern, Persern, Ägyptern, Babyloni-
ern und Skythen.

Hegel sagte einmal: »Nur wenn man oben steht, kann
man die Sachen recht übersehen und jegliches erblicken,
nicht wenn man von unten herauf durch eine dürftige Öffnung geschaut hat.« Die ersten beiden Historiker standen
oben. Herodot, heißt es, stammte aus einer angesehenen
Familie, Perikles und Sophokles waren seine Freunde. Er
schilderte also die Perserkriege, durch die Väter und Großväter gegangen waren, und wie es in den Kreisen überliefert wurde, die führend an ihnen teilgenommen hatten.
Aber eigentlich war sein Thema der Kampf zwischen
Europa und Asien, in dem die Kriege zwischen Griechen
und Persern nur der letzte große Zusammenstoß waren.

Herodot nannte, was er aufschrieb: Histories apodexis;
er brachte schon im Titel zum Ausdruck, daß es sich hier
um Forschung, um Wissenschaft handle. Diese Absicht war

*das Neue. Vorher hatte es Homer gegeben, der auch Ge-
schichte geschrieben hatte – aber in Form von Legenden;
und auch Hesiod hatte Geschichte geschrieben – aber in
Form von Mythen. Die sogenannten Logographen hatten
dann Geschichten erzählt – aber ohne zu prüfen. Wieviel
auch Herodots Aufzeichnungen an Akribie fehlen mag,
mit ihm begann der Wille zur exakten Geschichtsforschung. Auch der Wille zur unterhaltenden Geschichtsschreibung. Es wird berichtet, daß er nach der Vorlesung
von Stücken aus seinem Werk den Staatspreis (10 Talente:
etwa 45 000 DM) erhalten habe. Im folgenden bringen wir
zwei charakteristische Stücke: das eine enthält die Gyges-
Anekdote, die in Deutschland vor allem durch Hebbels
Gyges und sein Ring bekannt ist; das andere beschreibt die
Sitten der Perser.*

Kandaules, welchen die Griechen Myrsilus nennen, hatte
die Herrschaft zu Sardes. Dieser Kandaules war in seine
Gemahlin sehr verliebt, und vor Liebe hielt er dieselbe für
die allerschönste Person. Unter seinen Trabanten stand
Gyges, ein Sohn des Daskylus, in besonderer Gnade bei
ihm, und er trug ihm die wichtigsten Verrichtungen auf.
Weil er nun von der Schönheit seiner Gemahlin über alle
Maßen eingenommen war und dieselbe sehr rühmte, sagte
er nicht lange nach seiner Vermählung (denn Kandaules
sollte unglücklich werden) zu diesem Gyges: »Gyges, du
glaubst wohl nicht, was ich dir von der Schönheit meiner
Gemahlin sage; denn die Ohren sind ungläubiger als die
Augen; mache doch, daß du sie nackend zu sehen be-
kommst.« Gyges erhob ein großes Geschrei und sagte:
»Herr, was ist das für eine tolle Rede, daß du mir befiehlst,

meine Königin nackend zu sehen? Eine Frau zieht mit ihrem Unterrocke zugleich die Schamhaftigkeit aus. Was schön sei, haben die Alten schon erkannt, und von diesen müssen wir es lernen; darunter aber gehört auch diese Regel: Ein jeder sehe auf das Seinige. Ich glaube gewiß, daß sie das schönste Weib ist, und bitte dich, nichts Unrechtmäßiges von mir zu verlangen.«

So widersetzte sich Gyges dem Begehren des Königs, weil er befürchtete, es möchte deswegen unglücklich gehen. Allein er bekam diese Antwort: »Gyges, sei unbesorgt und fürchte dich nicht vor mir, als wenn ich dich nur auf die Probe stellen wollte; auch nicht vor meiner Gemahlin, daß sie dir einiges Leid zufügen werde. Denn ich will die Sache so veranstalten, daß sie gar nicht erfahren soll, daß sie von dir gesehen worden. Ich will dich in dem Zimmer, in welchem wir schlafen, hinter die aufgemachte Tür stellen. Wenn ich drinnen bin, so wird auch meine Gemahlin in das Schlafzimmer kommen. Neben dem Eingange ist ein Stuhl, auf diesen wird sie die Kleider, welche sie auszieht, eins nach dem andern, legen und sich ganz ruhig von dir beschauen lassen. Wenn sie aber von dem Stuhle nach dem Bette geht und du hinter ihrem Rücken bist, so nimm dich ja wohl in acht, daß sie dich durch die Tür nicht weggehen sieht.«

Weil er nun keine Ausflucht mehr wußte, so ließ er sich die Sache gefallen. Kandaules führte den Gyges, als die Schlafzeit herbeikam, in das Zimmer; gleich darauf trat die Gemahlin auch hinein, welche denn Gyges, als sie sich ausgekleidet hatte, beschaute. Als sie ihm aber den Rücken zukehrte und nach dem Bett ging, schlich er sich hinaus. Allein sie sah ihn hinausgehen. Als sie nun merkte, was ihr Mann getan habe, erhob sie doch aus Schamhaftigkeit kein Geschrei und ließ auch nicht merken, daß sie etwas davon wisse, weil sie entschlossen war, sich an ihrem Gemahl zu rächen. Denn bei den Lydern und fast bei allen Asiaten ist es sogar für einen Mann schimpflich, sich nackend sehen zu lassen.

Sie entdeckte also damals nichts und hielt sich ganz stille; sobald es aber Tag geworden war, mußten sich diejenigen unter ihren Bedienten, welche sie für die treuesten ansah, bereithalten, und sie ließ den Gyges zu sich rufen. Er bildete sich nicht ein, daß sie etwas von dem, was geschehen sei, wüßte, und kam also nach ihrem Befehl. Denn er war auch sonst schon gewohnt gewesen, zu kommen, wenn ihn die Königin forderte. Als Gyges ankam, sagte sie zu ihm: ›Nun gebe ich dir, Gyges, die Freiheit, unter zwei Wegen, die dir offen stehen, einen zu wählen. Entweder nimm dem Kandaules das Leben und mich und das lydische Reich in Besitz, oder du mußt selbst alsobald sterben, damit du dem Kandaules nicht dergestalt gehorchst, auch künftig etwas zu sehen, welches dir nicht zukommt. Entweder der muß aus dem Wege geräumt werden, der dergleichen gewollt hat, oder du, der du mich nackend gesehen und ungeziemende Dinge getan hast.‹ Gyges stand erst eine Zeitlang in Verwunderung über diese Worte; darauf bat er sie fußfällig, ihn nicht zu nötigen, eine solche Wahl zu treffen. Allein er richtete nichts damit aus und sah, daß es schlechterdings gefordert werde, entweder seinen Herrn hinzurichten oder sich selbst hinrichten zu lassen. Er erwählte also seine eigne Erhaltung und tat diese Frage an sie: »Weil du mich nötigst, meinem Herrn das Leben zu nehmen und solches wider meinen Willen zu tun, so möchte ich wohl von dir hören, wie ich ihn überfallen soll.« Sie versetzte darauf: »An ebendem Ort sollst du ihn überfallen, wo er mich nackend gezeigt hat; und das kann geschehen, wenn er schläft.«

Als sie die Anstalten gemacht hatten und es Nacht wurde, säumte Gyges nicht. Denn es war kein anderes Mittel übrig, als daß er selbst oder Kandaules sterben mußte. Er folgte also der Königin in das Schlafgemach. Sie gab ihm einen Dolch und versteckte ihn hinter eben der Türe. Sobald nun Kandaules eingeschlafen war, schlich er hinzu, brachte ihn um und bekam die Gemahlin und das Reich: welcher Sache auch der parische Archilochus in seinem sechsfüßigen jambischen Gedichte gedacht hat.

Von den Persern weiß ich

Von den Persern weiß ich, daß sie nach den folgenden Gesetzen leben. Es ist bei ihnen nicht im Gebrauch, Bilder, Tempel und Altäre aufzurichten; sie beschuldigen vielmehr die, so es tun, einer Torheit, so daß ich glaube, daß sie nicht, wie die Griechen, die Meinung hegen, als wenn die Götter von den Menschen den Ursprung hätten. Sie haben den Gebrauch, auf die höchsten Berge zu steigen und zu opfern, und nennen den ganzen Umkreis des Himmels Jupiter. Sie opfern der Sonne, dem Monde, der Erde, dem Feuer, dem Wasser, den Winden. Das Opfern geschieht aber bei den Persern auf folgende Weise: Sie bauen keine Altäre, zünden aber auch kein Feuer an, wenn sie opfern wollen. Sie brauchen dabei kein Trank- noch Speiseopfer, keine Pfeifen noch Kränze. Wer aber einem von den Göttern opfern will, der führt das Vieh an einen reinen Ort, ruft Gott an und hat meistenteils seine Hauptdecke mit einem Myrthenzweige umwunden. Dem aber, welcher opfert, ist nicht erlaubt, für sich allein Gutes zu erbitten; sondern er bittet, daß allen Persern und insbesondere dem Könige Gutes widerfahren möge. Denn unter allen Persern ist er mitbegriffen. Wenn er aber das Opfer in kleine Stücke zerschnitten und das Fleisch gekocht hat, rupft er das zarteste Gras ab, besonders Klee, und auf dasselbe legt er alles Fleisch. Hat er nun das Fleisch darauf gelegt, so singt ein dabeistehender Magier von der Götterzeugung, und dieses nennen sie eine Beschwörung. Ohne einen Magier ist es nicht gebräuchlich, zu opfern. Nachdem der Opfernde eine kleine Zeit gewartet, trägt er das Fleisch weg und braucht es, wie er will.

Unter allen Tagen pflegt ein jeder seinen Geburtstag am meisten zu ehren; an demselben halten sie es für billig, mehr Speisen als an anderen aufzutragen. An diesem tragen die Reichen einen Ochsen, ein Pferd, ein Kamel, einen Esel, die ganz im Ofen gebraten sind, auf; die Armen aber nur geringe Schafe. Sie genießen wenig von den Speisen, aber viel von dem Nachtische, der eben nicht gut ist. Und daher sagen die Perser, die Griechen hörten auf zu essen, wenn sie noch hungrig wären, weil bei ihnen nach der Abendmahlzeit nichts Sonderliches aufgesetzt würde; würde aber was aufgetragen, so hörten sie nicht auf zu essen. Dem Weine sind sie sehr zugetan. Es ist ihnen aber nicht erlaubt, in Gegenwart eines anderen zu speien oder das Wasser zu lassen. Diese Dinge beobachten sie. Wenn sie stark trinken, pflegen sie die wichtigsten Dinge in Beratschlagung zu ziehen; was ihnen aber in dieser Beratschlagung gefällt, das trägt ihnen des folgenden Tages der Herr des Hauses, in welchem sie sich miteinander bereden, wieder vor. Gefällt es ihnen alsdann auch noch, wenn sie nüchtern sind, so richten sie sich darnach; gefällt es ihnen nicht, so lassen sie es gehen. Was sie aber nüchtern vorher beratschlagt haben, das untersuchen sie bei dem Trunke von neuem.

Begegnen sie einander unterwegs, so kann man leicht erkennen, ob sie einander gleich sind. Denn ehe sie einander anreden, küssen sie einander auf den Mund; ist aber der eine ein wenig geringer, so küssen sie die Backen; ist der eine viel niedriger, so fällt er vor dem anderen nieder und bückt sich gegen seine Füße. Diejenigen ehren sie am meisten, welche am nächsten bei ihnen wohnen, nächst diesen diejenigen, welche darauf folgen, und nach dieser Weise gehen sie fort; die am weitesten von ihnen wohnen, denen erweisen sie die wenigste Ehre. Denn sie meinen in allen Dingen, vor allen anderen Menschen den größeren Vorzug zu haben; die anderen kämen ihnen nach dem Verhältnis, wie gesagt worden, in der Tugend näher; die Schlimmsten wären diejenigen, welche am weitesten von ihnen wohnten. Unter der Regierung der Meder herrschte auch ein Volk über das andere, über alle insgesamt die Meder, aber besonders über diejenigen, welche ihnen am nächsten wären; diese wieder über ihre Grenznachbarn; diese ferner über die, so an sie am nächsten stießen. Auf ebendie Weise messen die Perser die Ehre ab. Denn die Herrschaft und die Statthalterschaften dieses Volkes erstreckten sich weit.

Fremde Sitte nehmen die Perser von anderen gern an. Sie tragen die medische Kleidung, weil sie dieselbe für schöner halten als ihre eigene, und in den Kriegen ägyptische Brustharnische. Sie suchen auch allerlei Arten der Ergötzlichkeiten, von denen sie nur hören, zu genießen und haben sogar von den Griechen die Knabenschänderei gelernt. Ein jeder von ihnen heiratet viele junge Weiber, und dabei haben sie noch viel mehr Kebsweiber.

Nach der Tapferkeit im Kriege wird es als eine Mannhaftigkeit angesehen, viele Söhne zu haben. Wer die meisten darstellen kann, dem sendet der König jährlich Ge-

schenke. In die Menge setzen sie die Stärke. Ihre Söhne
führen sie von dem sechsten Jahre bis zu dem einund-
zwanzigsten nur zu drei Dingen an: daß sie reiten, mit Bogen schießen und die Wahrheit reden lernen. Ehe einer
fünf Jahre alt wird, kommt er dem Vater nicht vor die Augen, sondern wird bei den Weibern erzogen. Dieses geschieht aus der Ursache, damit er dem Vater, wenn er unter dieser Erziehung stirbt, durch seinen Verlust keine
große Betrübnis erwecke.

Diese Gewohnheit lobe ich; ich lobe aber auch diese,
daß der König selbst bloß um einer einzigen Ursache willen niemand am Leben straft und daß auch keiner von den
Persern jemand von seinen Hausgenossen um einer Ursache willen allein allzu hart straft; sondern wenn er bei einer genauen Überlegung findet, daß die Übeltaten die ge-
leisteten Dienste an Menge und Größe übertreffen, so beweist er seinen Zorn an ihm. Niemand soll jemals seinen
Vater oder seine Mutter umgebracht haben, sondern wenn
dergleichen geschehen, habe man bei der Untersuchung
gefunden, daß solche Mörder notwendig untergeschoben
oder unehelich sein müßten; denn es sei gar nicht wahrscheinlich, daß der wahre Vater von seinem eigenen Kinde
umgebracht werden könne.

Von dem, was bei ihnen zu tun nicht erlaubt ist, darf
man auch nicht reden. Lügen wird von ihnen für die
schändlichste Sache gehalten; nächst diesem, Schulden zu
haben. Denn vieler anderer Ursachen zu geschweigen, so
glauben sie, wer schuldig sei, der müsse notwendig bisweilen eine Lüge sagen. Wer aber unter den Bürgern den Aus-
satz oder die Räude hat, der kommt nicht in die Stadt und
hat mit den anderen Persern keinen Umgang. Sie sagen,
wer gegen die Sonne sich versündige, der habe dergleichen
Krankheit. Einen Fremden aber, der damit befallen ist,

treiben viele aus dem Lande; desgleichen die weißen Tauben, wovon sie ebendie Ursache vorgeben. In einen Fluß
lassen sie ihr Wasser nicht, werfen auch den Speichel nicht
hinein, waschen die Hände nicht darinnen ab und tun
sonst nichts dergleichen; sondern verehren die Flüsse vor
allen anderen Menschen.

Diese Dinge kann ich mit Gewißheit von den Persern
sagen. Folgendes aber ist nicht so offenbar und kann nicht
mit solcher Gewißheit gesagt werden, daß man nämlich
den Leib eines verstorbenen Persers nicht eher begrabe,
bis er von einem Vogel oder Hunde zerfleischt werde. Daß
es die Magier tun, weiß ich gewiß; denn sie tun es heimlich. Den Leichnam bestreichen die Perser mit Wachs und
legen ihn so in die Erde. Die Magier sind von den anderen
Menschen, auch von den Priestern in Ägypten, weit unterschieden. Denn diese machen sich ein Gewissen daraus,
etwas Lebendiges zu töten, außer ihren Opfern. Die Magier aber töten alles mit eigener Hand, außer den Hunden
und Menschen. Ja sie sehen das als eine große Tat an, wenn
sie zugleich Ameisen und Schlangen und andere krie-
chende und fliegende Tiere umbringen. Dieses mag von
den Gebräuchen genug sein, wie sie von alters her eingeführt wurden.

Thukydides
Der Peloponnesische Krieg

*D*en »Peloponnesischen Krieg« schuf, wenn man sich übertrieben ausdrücken dürfte, Thukydides. Ohne ihn würde die Erinnerung nur eine Serie von Kriegen zwischen Athen und Sparta aufbewahren, die fast dreißig Jahre währten.

Er wurde um 460 geboren und überlebte seinen Krieg, der im Jahre 404 zu Ende war, etwa um ein halbes Jahrzehnt. Von seinem Leben ist nicht viel bekannt. Er stammte aus einem vornehmen Geschlecht, gehörte zur herrschenden Schicht und besaß ergiebige Goldbergwerke in Thrakien, die er in Erbpacht hatte. Im Krieg war er ein ›Stratege‹, das heißt, einer der zehn Offiziere, die das Oberkommando bildeten und in einem täglichen Turnus an die Spitze traten. In dieser Eigenschaft hatte er Pech. Er verbannte sich freiwillig.

Nach seinem Tod kam das unvollendete Werk heraus, das die Schriftgelehrten später in 8 Bücher einteilten. Sein Bericht geht nur bis zum Jahr 411; für die letzten sieben Jahre sind wir auf Xenophon angewiesen.

Im ersten der nun folgenden Stücke sagt er sein Thema an; im zweiten bekundet er seinen Willen zu wissenschaftlicher Nüchternheit. Er ist der erste, soweit man weiß, der den zufälligen Anlaß eines Krieges von den tieferen Gründen schied. Zu gleicher Zeit weist er hier auf seine künstlerische Technik hin. Obwohl er verspricht, nichts zu erfinden, charakterisiert er doch die Hauptpersonen durch Reden, die sie zwar nicht gehalten haben, aber wahrscheinlich so ähnlich gehalten hätten. Vor allem Perikles werden bedeutende Ansprachen in den Mund gelegt. Wir bringen als drittes Teile der Kriegsrede des berühmten Staatsmanns. Er ist gegen Schwäche, gegen Nachgiebigkeit, wir würden heute sagen: gegen appeasement. Er, der Repräsentant einer Seemacht, jubelt: »Herr des Meeres zu sein ist etwas Großes.« Er hat nicht viel Achtung für die Landmacht Sparta – und gibt viele Argumente, um seine Athener zu überzeugen, daß die Feinde überhaupt nicht imstande sind, einen Krieg zu führen. Zwei Jahre nach Ausbruch des Krieges starb Perikles an der Pest, der in Thukydides' Darstellung ein paar glänzende Seiten gewidmet sind.

Zunächst also der Text über Sinn und Anlage seines Werkes.

Thukydides von Athen erzählt in diesem Werke den Krieg, den die Peloponnesier und die Athener gegeneinander geführt haben. Er hat gleich beim Ausbruch desselben mit der Aufzeichnung begonnen; denn er sah voraus, daß es ein großer Krieg, der denkwürdigste von allen, die sich jemals ereignet, werden würde. Er schloß das daraus, daß beide in der Vollkraft ihrer Kriegsrüstung in den Kampf zogen und das übrige Hellas teils sofort, teils zögernd sich einem der beiden Kämpfer anschloß. In der Tat ist dieser Krieg die gewaltigste Erschütterung, die Hellas und ein Teil der Barbarenländer, ja fast die ganze Menschheit erlebt haben. Freilich habe ich von den Ereignissen der Vergangenheit und der fernen Vorzeit nichts Genaueres in Erfahrung bringen können, weil zu lange Zeit dazwischen liegt; aber nach den Zeugnissen, denen ich auf Grund meiner soweit wie möglich ausgedehnten Nachforschungen wohl Glauben schenken darf, kann ich nicht annehmen, daß damals große Dinge, weder große Kriege noch sonst große Ereignisse, vorgefallen sind.

Leichtsinnig sind die meisten bei Erforschung der Wahrheit und geben sich mit den ersten besten Nachrichten zufrieden. Gleichwohl wird, wer das, was ich dargelegt habe, auf Grund der angegebenen Beweise als richtig annimmt, nicht irre gehen. Er wird nicht den Dichtern glauben, die die alte Zeit in übertreibender Weise verherrlicht haben, noch den Erzählungen der Logographen, die mehr auf Unterhaltung einer lauschenden Menge als auf Wahrheit aus sind. Freilich läßt sich die Wahrheit nicht mehr ermitteln, da das meiste durch die Zeit entstellt und völlig ins Märchenhafte verkehrt worden ist. Er wird aber einsehen, daß ich nach den einleuchtendsten Zeugnissen mit genügender Sicherheit festgestellt habe, was sich nach so langer Zeit überhaupt feststellen läßt. Und es wird sich auf Grund der Tatsachen auch zeigen, daß der gegenwärtige Krieg wirklich bedeutender ist als alle vorangegangenen, unbeschadet der menschlichen Eigentümlichkeit, daß man jeden Krieg während seiner Dauer für den allergrößten hält und, wenn er vorüber ist, wieder mehr die älteren bewundert.

Was nun die Reden betrifft, die teils am Vorabend des Krieges, teils während desselben gehalten worden sind, so war es mir als Ohrenzeugen sowie meinen Berichterstattern unmöglich, den Wortlaut des Gesagten im Gedächtnis zu behalten. Daher habe ich die einzelnen Redner so sprechen lassen, wie es mir für die jeweilige Angelegenheit am angemessensten erschien, habe mich dabei aber so eng als möglich an den Inhalt des wirklich Gesprochenen gehalten. Die Vorgänge des Krieges dagegen habe ich nicht nach beliebigen Gerüchten, auch nicht nach eignen Vermutungen geschildert, sondern teils auf Grund eigner Erlebnisse, teils auf Grund von Berichten, die ich mit aller Sorgfalt in jeder Einzelheit nachgeprüft habe. Es waren das mühevolle Untersuchungen, weil die Augenzeugen dasselbe Ereignis verschieden erzählten, je nach ihrer Parteirichtung und ihrer Erinnerung. Für den festlichen Vortrag wird sich mein Werk nicht eignen, weil es bei dem Mangel an sagenhaften Schilderungen wenig unterhaltend ist; aber wer genaue Kunde von der Vergangenheit haben und daraus ein Urteil über ähnliche Ereignisse der Zukunft, wie sie das menschliche Leben mit sich bringt, gewinnen will, der wird mein Werk nützlich und brauchbar finden. Als einen Besitz von dauerndem Wert, nicht für die augenblickliche Wirkung habe ich es geschrieben.

Nun die Kriegsrede des Perikles:

Die Athener beriefen eine Volksversammlung und eröffneten die Beratung. Sie wollten einmal über das Ganze sich aussprechen und eine entscheidende Antwort erteilen. Viele traten auf und sprachen; beide Ansichten wurden vertreten, der eine forderte den Krieg, der andere meinte, der Beschluß über Megara dürfe den Frieden nicht stören und müsse aufgehoben werden. Da trat auch Perikles, Sohn des Xanthippos, auf, zu jener Zeit der erste Mann in Athen, mächtig in Wort und Tat. Er hielt etwa folgende mahnende Rede:

»Ich bin noch immer derselben Meinung, Athener: man
soll den Peloponnesiern nicht nachgeben! – Obwohl ich
weiß, daß die Menschen die Begeisterung, mit der sie sich
zum Kriege drängen lassen, im Kriege selber nicht bewahren und daß ihr Urteil sich wandelt, je nachdem der Verlauf günstig oder ungünstig ist. So kann ich euch auch
heute keinen wesentlich anderen Rat erteilen. Nur darf ich
die Forderung erheben, daß, wer uns zustimmt, auch dann
für die beschlossenen Maßregeln eintritt, wenn uns etwas
mißlingt, und daß, wer es nicht tut, sich auch dann nicht
einen Anteil an unserer Politik anmaßt, wenn die Dinge
gut gehn. Denn es kommt vor, daß der Gang der Ereignisse nicht minder unberechenbar ist als die Gedanken der
Menschen. Daher pflegen wir auch immer, wenn etwas
Unerwartetes und Widersinniges geschieht, die Schuld
daran dem Schicksal zuzuschreiben.«

»Die Lakedämonier haben schon früher bewiesen, daß
sie uns übel wollen, doch niemals klarer als jetzt. Während
es in dem Vertrage heißt, daß bei Streitigkeiten die schieds-
richterliche Entscheidung angerufen und angenommen
werden soll und daß beide Teile ihren Besitzstand behalten
sollen, haben sie niemals einen Schiedsspruch gefordert
noch sind sie, wenn wir ihn anboten, darauf eingegangen. Sie schaffen die Klagen gegen uns lieber durch das
Schwert als durch Worte aus der Welt und treten als Ge-
bietende, nicht mehr als Beschwerdeführende auf. Sie verlangen, daß wir die Belagerung von Potidaea aufgeben,
daß wir Aegina die Autonomie zurückgeben, daß wir den
Beschluß gegen Megara aufheben. Und jetzt kommen gar
die letzten Gesandten und stellen die Forderung, daß wir
sämtlichen Hellenen die Autonomie zurückgeben! Denke
niemand unter euch, daß wir um einer Kleinigkeit willen
den Krieg heraufbeschwören, wenn wir die Aufhebung

des Beschlusses gegen Megara *verweigern* – wovon, wie sie vorgeben, hauptsächlich die Entscheidung über Krieg und Frieden abhängt! Lasset ja nicht den Selbstvorwurf in euch Wurzel fassen, ihr hättet wegen einer kleinlichen Sache Krieg angefangen!

Diese kleinliche Sache ist die Bewährung und der Prüfstein für eure Gesinnung überhaupt. Wenn ihr hier nachgebt, werden sie sofort mit großen Forderungen kommen, weil sie meinen, die Furcht hätte euch gehorsam gemacht. Wenn ihr sie dagegen mit Entschiedenheit zurückweist, wird ihnen klarwerden, daß sie euch mehr als ihresgleichen behandeln müssen.«

»Darum überlegt euch jetzt auf der Stelle, ob ihr gehorchen wollt, ehe man euch etwas zuleide getan hat, oder ob ihr, wenn es doch einmal zum Kriege kommen soll – was ich für besser halte –, bei keinem Anlaß, sei er nun bedeutend oder unbedeutend, zurückweichen, sondern furchtlos eure Besitzungen behaupten wollt. Wenn von einem Gleichstehenden eine Forderung an mich gestellt wird, bevor noch rechtlich über die Sache entschieden ist, so bedeutet das Unterdrückung und Freiheitsberaubung, gleichviel ob es die erheblichste oder die unerheblichste Forderung ist.

Daß wir mit unseren Kriegsrüstungen und Hilfsquellen nicht hinter den ihrigen zurückstehen, werdet ihr erkennen, wenn ihr meine Darlegungen Punkt für Punkt anhört. Die Peloponnesier leben von der Arbeit ihrer Hände; weder die einzelnen noch die Gemeinden haben reiche Mittel.

Ferner haben sie keine Erfahrung in langdauernden, überseeischen Kriegen, weil sie ihre Grenzkriege untereinander aus Armut kurz abmachen müssen. Ein solches Volk aber vermag weder eine Flotte auszurüsten noch

häufig Landheere ins Feld zu schicken; denn die Leute
sind fern von ihrem Acker und sollen doch von deren Ertrag festgehalten werden, überdies wird ihnen der Seeweg
versperrt. Um einen Krieg durchzuführen, bedarf es eines
angesammelten Kriegsschatzes; zwangsmäßige Steuerer-
hebungen genügen nicht. Leute, die von der Arbeit ihrer
Hände leben, sind stets weit eher bereit, ihr Leben aufs
Spiel zu setzen als ihre Habe; jenes hoffen sie zuversichtlich aus den Kriegsgefahren davonzubringen, diese, fürchten sie, wird zu schnell aufgebraucht werden, zumal wenn
der Krieg, wie es zu geschehen pflegt, sich wider Erwarten
lange hinzieht.«

»In einer einzigen Schlacht können es die Peloponnesier
und ihre Verbündeten gewiß mit sämtlichen Hellenen aufnehmen; aber einen Krieg gegen ein überlegen gerüstetes
Volk führen können sie nicht, weil sie bei dem Mangel einer einheitlichen Befehlsstelle keine schnellen Entschlüsse
ausführen können und weil bei der allgemeinen Stimmbe-
rechtigung und der Stammesverschiedenheit jeder nur an
seinen eignen Vorteil denkt. Daher pflegt denn überhaupt
nichts Rechtes zustande zu kommen. Der eine möchte
möglichst grimmige Rache üben, der andre sein Eigentum
möglichst wenig der Gefahr aussetzen. Selten nur kommen sie zusammen und beraten dann die gemeinsamen
Angelegenheiten in einem kleinen Teil der Sitzungen, in
dem größeren verhandeln sie über die Angelegenheiten der
einzelnen Städte. Jeder meint, es werde nichts ausmachen,
wenn er auch nachlässig sei, die anderen hätten doch
wohl die Pflicht, für ihn mitzusorgen. Darunter, daß alle
so bei sich denken, leidet natürlich das Gesamtwohl
Schaden.«

»Das schwerste Hemmnis aber ist ihr Mangel an Geld,
dem sie nur sehr langsam und gemächlich abzuhelfen

suchen. Im Kriege aber wartet der Augenblick nicht: man
muß ihn beim Schopfe packen.«

»Aber auch vor dem Anlegen von Festungen haben wir
uns ebensowenig zu fürchten wie vor ihrer Flotte. Was die
Festungen betrifft, so hält es schon in Friedenszeiten
schwer, eine feste Stadt so anzulegen, daß sie unserem Angriffe standhält, geschweige denn auf feindlichem Boden;
überdies werden wir ebensogut Festungen anlegen wie
sie. Und errichten sie ein bloßes Kastell, so mögen sie allerdings einen Teil unseres Landes durch Ausfälle und
durch Aufnahme von Überläufern schädigen können; jedoch würde das kein Hindernis für uns bilden, nach ihrem
Lande zu fahren und ebenfalls Kastelle anzulegen, überhaupt durch unsere Flotte, die unsere Stärke ist, Vergel-
tung zu üben. Denn wir haben durch unser Seewesen mehr
Erfahrung in Landkriegen gewonnen als sie durch ihre
Landmacht im Seekriege. Und es wird ihnen nicht leicht
werden, sich Kenntnis und Erfahrung im Seewesen zu erwerben; denn auch ihr seid darin noch nicht vollkommen,
obwohl ihr euch schon gleich nach den Perserkriegen auf
den Ausbau der Flotte verlegt habt. Wie sollen denn Bauern, die mit dem Meere nicht vertraut sind, die außerdem
durch die Angriffe unserer zahlreichen Schiffe ständig gehindert werden, überhaupt zu üben und Erfahrung zu gewinnen, etwas Rechtes zustande bringen! Sollten sie selbst
den Kampf mit wenigen Schiffen aufnehmen und ihren
unkundigen Leuten durch den Hinweis auf ihre große
Zahl Mut machen, so werden sie sich doch gegen eine größere Flotte nicht regen, werden, weil es ihnen unmöglich
gemacht wird, sich zu üben, unwissend und dadurch auch
ängstlich bleiben. Schiffahrt und Seekrieg wollen gelernt
sein wie alles andere in der Welt; man darf sich nicht bloß
nebenher, wenn es sich gerade trifft, damit befassen, darf

sogar nicht einmal etwas anderes zugleich als Nebensache betreiben.«

»Und wenn sie die Schätze in Olympia und Delphi nehmen, um unsere geworbenen Seeleute durch höheren Sold zu sich hinüberzulocken, so würde auch das nur dann gefährlich für uns werden, wenn wir Bürger mit unseren Metoeken nicht imstande wären, eine der ihrigen ebenbürtige Flotte zu bemannen. Zum Glück sind wir es aber, und, was das Beste ist, wir haben schon jetzt Bürger als Steuermänner und sind mit zahlreicheren und tüchtigeren Mannschaften versehen als das ganze übrige Hellas. Und wenn es zum Kampfe kommt, wird gewiß kein einziger von den Söldnern sich entschließen, unserer und seiner Sache untreu zu werden und zu jenen überzulaufen, um ein paar Tage einen hohen Sold zu erhalten, also bessere Aussichten mit schlechteren zu vertauschen.«

»So ungefähr ist meiner Meinung nach die Lage der Peloponnesier. Was nun uns selber betrifft, so sind wir nicht nur von dem, was ich an den Peloponnesiern getadelt habe, frei, sondern haben auch vieles andere vor ihnen voraus. Wenn sie mit einem Heer gegen unser Land ziehn, ziehn wir mit einer Flotte gegen das ihrige; und es ist ein großer Unterschied, ob wir den Peloponnes oder sie Attika verwüsten, auch wenn wir nur einen Teil und sie das ganze Land verheeren. Denn sie haben keine anderen Gebiete, deren Ertrag ihnen kampflos zur Verfügung stände; wir dagegen haben viele solche Gebiete, auf den Inseln wie auf dem Festland. Herr des Meeres zu sein ist etwas Großes! Denket euch, wir wohnten auf einer Insel; wer wäre unbesieglicher als wir? Auch so müssen wir unsere Entschlüsse möglichst in diesem Sinne fassen, müssen Land und Dörfer im Stich lassen, Meer und Stadt zu behaupten suchen und dürfen uns nicht, im Eifer für die Erhaltung

jener, mit den überlegenen Peloponnesiern in eine
Schlacht einlassen. Denn wenn wir auch siegen, werden
wir doch von neuem mit einem nicht geringeren Heer zu
kämpfen haben, und wenn wir unterliegen, verlieren wir
auch unsere Hauptkraft, die Bundesgenossen. Denn diese
werden keine Ruhe halten, wenn wir zu einem Kriege gegen sie nicht mehr stark genug sind. Wir dürfen nicht über
Häuser und Äcker jammern, sondern allein über Menschen; denn jene schaffen uns keine Menschen, aber Menschen schaffen uns Häuser und Äcker. Wenn ich hoffen
könnte, euch dazu zu bewegen, würde ich vorschlagen,
daß wir selber hinausziehen und unser Land verwüsten,
damit die Peloponnesier erkennen, daß sie uns damit nicht
gefügig machen können werden.«

»Ich hätte noch manches andere anzuführen, was uns
den Sieg verheißt, vorausgesetzt, daß ihr während dieses
Krieges auf Neuerwerbungen verzichtet und euch nicht
mutwillig in Gefahren begebt. Ich fürchte mich weit mehr
vor unseren eigenen Fehlern als vor der Klugheit der Gegner. Jedoch werde ich mich darüber in einer anderen Rede,
wenn der Krieg erst einmal im Gange ist, aussprechen.
Jetzt sollten wir die Gesandten entlassen, und zwar mit
der Antwort: wir würden nicht mit dem Kriege den Anfang machen, aber uns wehren, wenn wir angegriffen
würden. Das ist eine ehrliche und unserer Stadt würdige
Antwort.«

»Aber das eine muß sich jeder sagen: der Krieg ist unvermeidlich! Wenn wir uns freiwillig und gern für ihn entscheiden, werden unsere Gegner desto mehr den Mut
verlieren; und aus den furchtbarsten Gefahren werden
unserer Stadt und jedem einzelnen die höchsten Ehren
erwachsen. Sind doch auch unsere Väter, die nicht in der
glücklichen Lage waren wie wir, sondern ihr Hab und

Gut im Stiche lassen mußten, den Persern nicht gewichen,
sondern haben, weniger durch Glück als durch ihre bessere Einsicht, weniger durch Truppenmassen als durch
ihren größeren Wagemut, die Barbaren besiegt und zu-
rückgeschlagen und unsere Stadt zu der heutigen Machtstellung emporgeführt. Ihnen müssen wir es gleichtun,
müssen uns gegen die Feinde mit allen Mitteln zur Wehr
setzen und alles daransetzen, unseren Nachkommen die
Stadt in unverminderter Macht zu hinterlassen.«

Platon
Das Gastmahl

*S*ymposium‹ bedeutet ›Zusammentrinken‹, wie das entsprechende lateinische *convivium* ›Zusammenleben‹. Das Wort ›Gastmahl‹ ist kein Äquivalent; die deutsche Sprache hat für das gesellige Trinken (nach dem Essen) kein treffendes Wort, weil es diese Einrichtung nicht gibt.

Ein erwählter Symposiarch bestimmte, in welchem Tempo getrunken werden, wer ein Lied vortragen, welches Thema im Gespräch behandelt werden sollte. Für die Unterhaltung mietete man auch Flötenspielerinnen, Tänzerinnen, Variété-Künstler und Pantomimen-Darsteller.

Als Kunstform wurde das ›Symposium‹ von Platon und Xenophon kreiert und dann später von Aristoteles, Epikur, Menippos und Plutarch verwendet.

Bei Platon nun ist man zur Nachfeier eines Tragödien-Siegs des Dichters Agathon im Hause des Siegers vereinigt. Das Thema des Abends ist der Eros: Aristophanes, Sokrates und andere Teilnehmer haben bereits ihre Ideen zum besten gegeben. Da erscheint Alkibiades und hält eine Rede auf Sokrates. Sie hat das Sokrates-Bild der Jahrhunderte stärker geprägt als irgendeine andere Charakteristik.

Also den Sokrates zu loben, ihr Männer, will ich so versuchen, durch Bilder, er wird nun wohl vielleicht glauben,
spöttischerweise, aber gerade zur Wahrheit soll mir das
Bild dienen und gar nicht zum Spott. Ich behaupte nämlich, er sei äußerst ähnlich jenen Silenen in den Werkstätten der Bildhauer, welche die Künstler mit Pfeifen oder
Flöten vorstellen, in denen man aber, wenn man die eine
Hälfte wegnimmt, Bildsäulen von Göttern erblickt, und
so behaupte ich, daß er vorzüglich dem Satyr Marsyas
gleiche. Daß du nun dem Ansehen nach diesem ähnlich
bist, o Sokrates, wirst du wohl selbst nicht bestreiten, wie
du ihnen aber auch übrigens gleichst, das höre demnächst.
Bist du übermütig oder nicht? Denn wenn du das nicht
eingestehst, will ich Zeugen beibringen. Oder etwa kein
Flötenspieler? Wohl ein weit bewunderungswürdigerer
als jener!

Jener nämlich bezauberte vermittels des Instruments die
Menschen durch die Gewalt seines Mundes und so noch
jetzt, wer seine Werke vorträgt. Denn was Olympos auf
der Flöte geleistet, schreibe ich dem Marsyas, seinem Lehrer, zu. Seine Werke also, es mag sie nun ein trefflicher
Flötenspieler vortragen oder eine schlechte Flötenspielerin, sind allein hinreißend und offenbaren, wer der Götter und ihrer Weihungen bedürftig ist, weil sie göttlich
sind. Du aber zeichnest dich um so viel vor jenem aus,
als du ohne Instrument durch bloße Worte dasselbe aus-
richtest.

Von uns wenigstens, wenn wir von einem andern auch
noch so trefflichen Redner andere Reden hören, macht
sich keiner, daß ich es gerade heraussage, sonderlich etwas
daraus. Hört aber einer dich selbst oder von einem andern
deine Reden vorgetragen, wenn auch der Vortragende wenig bedeutet, sei es nun Weib oder Mann, wer sie hört,

oder Knabe, alle sind wir wie außer uns und ganz davon hingerissen.

Ich wenigstens, ihr Männer, wenn ihr dann nur nicht glauben wollet, daß ich ganz und gar betrunken wäre, wollte es auch mit Schwüren bekräftigen, was mir selbst dieses Mannes Reden angetan haben und noch jetzt antun. Denn weit heftiger als den vom Korybantentanz Ergriffenen pocht mir, wenn ich ihn höre, das Herz, und Tränen werden mir ausgepreßt von seinen Reden; auch sehe ich, daß es vielen andern ebenso ergeht. Wenn ich dagegen den Perikles hörte, oder andere gute Redner, dachte ich wohl, daß sie gut sprächen, dergleichen begegnete mir aber nichts noch geriet meine Seele in Unruhe darüber und in Unwillen, daß ich mich in einem knechtischen Zustand befände. Von diesem Marsyas aber bin ich oft so bewegt worden, daß ich glaubte, es lohnte nicht, zu leben, wenn ich so bliebe, wie ich wäre. Und du wirst nicht sagen können, Sokrates, daß das nicht wahr wäre. Ja, auch jetzt noch bin ich mir sehr wohl bewußt, daß, wenn ich nur meine Ohren hergeben wollte, ich mich nicht würde halten können, daß mir nicht dasselbe begegnete. Denn er nötigt mich, einzugestehen, daß mir selbst noch gar vieles mangelt und ich doch, mich vernachlässigend, der Athener Angelegenheiten besorge. Mit Gewalt also, wie vor den Sirenen, die Ohren verstopfend, fliehe ich eiligst, um nur nicht immer sitzen zu bleiben und neben diesem alt zu werden. Und mit diesem allein unter allen Menschen ist mir begegnet, was einer nicht in mir suchen sollte, daß ich mich vor irgend jemand schämen könnte; indes vor diesem allein schäme ich mich doch. Denn ich bin mir sehr gut bewußt, daß ich nicht imstande bin, ihm zu widersprechen, als ob man das nicht tun müßte, was er anrät, sondern daß ich nur, wenn ich von ihm gegangen bin, durch die Ehrenbezeugungen des Volkes wieder überwunden werde. Also laufe ich ihm davon und fliehe, und wenn ich ihn wiedersehe, schäme ich mich wegen des Eingestandenen und wollte oft lieber sehen, er lebte gar nicht; geschähe es aber etwa, so weiß ich gewiß, daß mir das noch bei weitem schmerzlicher sein würde, so daß ich gar nicht weiß, wie ich es halten soll mit dem Menschen. Durch sein Flötenspiel also ist mir und vielen andern so mitgespielt worden von diesem Satyr. Höret aber noch weiter, wie ähnlich er dem ist, womit ich ihn verglichen habe, und wie wunderbare Eigenschaften er an sich hat. Denn das wißt nur, daß keiner von euch ihn kennt, sondern ich will ihn euch erst beschreiben, da ich einmal angefangen habe. Denn ihr seht doch, daß Sokrates verliebt ist in die Schönen und immer um sie her und außer sich ist über sie, und wiederum, daß er in allem unwissend ist und nichts weiß, wie er sich ja immer anstellt; ist nun das nicht recht silenenhaftig? Gewiß sehr. Denn das hat er nur so äußerlich umgetan, eben wie jene getriebenen Silenen, inwendig aber, wenn man ihn auftut, was meint ihr wohl, ihr Männer und Trinkgenossen, wie vieler Weisheit und Besonnenheit er voll ist? Wißt denn, daß es ihn nicht im mindesten kümmert, ob einer schön ist, er achtet das so gering, als wohl niemand glauben möchte, noch ob einer reich ist oder irgendeinen der von den Leuten am meisten gepriesenen Vorzüge hat. Er hält vielmehr alle diese Dinge für nichts wert und uns für nichts und verstellt sich nur gegen die Menschen und treibt Scherz mit ihnen sein Leben lang. Ob aber jemand, wenn er ernsthaft war und sich auftat, die Götterbilder gesehn hat, die er in sich trägt, das weiß ich nicht. Ich habe sie aber einmal gesehen, und so göttlich und golden und überaus schön und bewunderungswürdig kamen sie mir vor, daß ich glaubte, auf der Stelle alles tun zu müssen, was

nur Sokrates wünschte. Da ich nun glaubte, daß er sich
ernstlich Mühe gäbe um meiner Schönheit, hielt ich das für
einen herrlichen Fund und für ein überaus glückliches Ereignis, weil er nun in meiner Gewalt stände, wenn ich mich
dem Sokrates gefällig erwiese, alles zu hören, was er wüßte. Denn ich bildete mir wunder wieviel ein auf meine
Schönheit. In diesen Gedanken nun, da ich vorher nicht
pflegte ohne Diener mit ihm allein zu sein, schickte ich
einst den Diener weg und blieb ganz allein mit ihm. Denn
ich muß euch nur die ganze Wahrheit sagen. Allein
also, ihr Männer, waren wir zwei miteinander, und ich
meinte, er sollte mir nun gleich solche Dinge sagen wie
ein Liebhaber seinem Liebling in der Einsamkeit sagen
würde, und freute mich. Hieraus·aber wurde gar nichts,
sondern wie er sonst mit mir zu sprechen pflegte, brachte
er den ganzen Tag mit mir hin und ging fort. Nach diesem
forderte ich ihn auf, Leibesübungen mit mir anzustellen,
und übte mich mit ihm, um dadurch etwas zu erreichen.
Er trieb also mit mir Leibesübungen und rang öfters mit
mir ohne jemandes Beisein. Und was soll ich sagen? Ich
hatte nichts weiter davon. Da ich nun so auf keine Weise
etwas gewann, nahm ich mir vor, dem Manne mit Gewalt
zuzusetzen, und nicht abzulassen, da ich es einmal unternommen, sondern endlich zu erfahren, woran ich wäre.
Also lade ich ihn zur Mahlzeit, ordentlich wie ein Liebhaber seinem Liebling nachstellt. Auch das gewährte er mir
nicht einmal gleich, doch mit der Zeit ließ er sich überreden. Als er nun zum ersten Mal da war, wollte er nach der
Mahlzeit fortgehn, und damals schämte ich mich noch und
ließ ihn. Ein andermal aber stellte ich es listiger an und
sprach mit ihm, nachdem er gespeist, bis tief in die Nacht
hinein, und als er nun gehen wollte, nahm ich den Vorwand, daß es schon spät sei, und nötigte ihn, zu bleiben.

Also legte er sich nieder auf dem Polster neben dem meinigen, wo er auch bei der Mahlzeit gesessen hatte, und niemand sonst schlief in dem Gemach als wir. Bis hierher nun
könnte man die Sache noch unbedenklich jedermann erzählen; das folgende aber würdet ihr wohl nicht von mir
hören, wenn ich nicht zuerst nach dem Sprichwort der
Wein mit oder ohne Kinder die Wahrheit redete, und dann
auch eine herrliche Tat des Sokrates zu verbergen, wenn
man es übernommen hat, ihn zu loben, mir unrecht
schien. Auch geht es wie denen von der Natter Gebissenen
auch mir. Denn man sagt ja, wem dies begegnet ist, der
wolle niemandem sagen, wie ihm gewesen, als den ebenfalls Gebissenen, weil diese allein verstehen und verzeihen
könnten, was einer auch alles getan und geredet hat vor
Schmerz. Also auch ich, der ich noch empfindlicher gebissen bin und am empfindlichsten Ort, wo nur einer kann
gebissen werden, denn am Herzen oder an der Seele oder
wie man es nennen soll, bin ich verwundet von den Reden
der Weisheit, die sich an eine junge, nicht unedle Seele,
wenn sie einmal ergriffen, heftiger als eine Natter ansau-
gen und sie in Wort und Tat zu allem bringen können, und
da ich hier nur einen Phaidros und Agathon vor mir habe,
einen Eryximachos und Pausanias, Aristodemos und Aristophanes, und was soll ich den Sokrates selbst erst nennen
und die andern alle, denn ihr seid alle behaftet mit dieser
Wut und Schwärmerei der Philosophie: so sollt ihr es auch
alle hören; denn ihr werdet Nachsicht haben mit dem, was
ich damals tat und jetzt erzähle. Die Diener aber und wer
sonst ungeweiht und ungewandt ist, mögen sich den größten Riegel vor die Ohren schieben. Als nämlich, ihr Männer, das Licht nun ausgelöscht wurde und die Diener hin-
ausgegangen, dachte ich, nun dürfte ich nicht länger Umschweife mit ihm machen, sondern geradeheraus sagen,

wie ich es meinte. Ich stieß ihn also an und sagte: Sokrates,
schläfst du? – Nicht recht, sagte er. – Weißt du wohl, was
ich gesonnen bin? – Was doch? sprach er. – Du dünkst
mich, sagte ich, der einzige unter meinen Liebhabern zu
sein, der es wert ist, und mir scheint, als trügst du Bedenken, mit mir davon zu reden. Ich aber, wie ich gesinnt bin,
würde es für ganz unvernünftig halten, wenn ich dir auch
nicht hierin gefällig sein wollte, und in allem, was du irgend sonst von dem meinigen oder von meinen Freunden
brauchst. Denn mir ist ja nichts wichtiger, als daß ich so
trefflich werde als nur irgend möglich, und hierzu, glaube
ich, kann niemand mir mehr beförderlich sein als du. Also
würde ich, einem solchen Manne dies nicht zu gewähren,
mich weit mehr vor den Vernünftigen schämen, als es zu
gewähren vor dem großen Haufen der Unvernünftigen. –
Als er dies gehört, sagt er ganz spöttisch und so recht, wie
er pflegt: O guter Alkibiades, du scheinst wahrlich gar nicht
dumm zu sein, wenn das wahr ist, was du von mir sagst,
und es eine Eigenschaft in mir gibt, durch welche du besser
werden könntest und dann eine gar wunderbare Schönheit an mir erblicktest, die deine Wohlgestalt um gar vieles
übertrifft. Wenn du also dieses sehend in Gemeinschaft
mit mir treten und Schönheit gegen Schönheit austauschen
willst: so gedenkst du ja mich nicht wenig zu übervorteilen
und suchst für den bloßen Schein derselben das wahre Wesen der Schönheit zu gewinnen und denkst in Wahrheit
Gold für Kupfer einzutauschen. Aber du, Guter, überlege
es nur besser, ob du dich nicht irrst und eigentlich nichts
an mir ist. Das Auge des Geistes fängt erst an scharf zu sehen, wenn das Leibliche von seiner Schärfe schon verlieren
will, und davon bist du noch weit entfernt. – Darauf sagte
ich: Von meiner Seite steht es so, und ich habe nichts anders gesagt, als ich es meine. Du aber überlege es nun

selbst, wie du es für dich und mich am besten findest. – Ja, sagte er, das war wohl gesprochen, und wir wollen von nun an immer nach reiflicher Überlegung dasjenige tun, was hierin und in allem andern uns beiden das beste scheint. – Nach dieser Rede und Antwort nun, und nachdem ich meine Pfeile sozusagen abgeschossen, glaubte ich ihn doch getroffen zu haben, und ich stand auf, ohne daß ich ihn weiter zum Worte kommen ließ, warf dies mein Kleid über, denn es war Winter, und legte mich unter seinen Mantel, indem ich mit beiden Armen diesen göttlichen und in Wahrheit ganz wunderbaren Mann umfaßte, und so lag ich die ganze Nacht. – Und auch das, Sokrates, wirst du nicht sagen können, daß ich lüge. Und ohnerachtet ich dies alles getan, siegte er so sehr und verachtete und verlachte meine Schönheit und trieb Übermut, wiewohl ich doch glaubte, es wäre etwas damit, ihr Richter – denn Richter seid ihr über des Sokrates Hochmut –, wißt es nun, bei Göttern und Göttinnen, daß, nachdem ich so mit dem Sokrates geschlafen hatte, ich aufstand, ohne etwas weiteres, als wenn ich bei einem Vater oder älteren Bruder gelegen hätte. Hierauf also, wie meint ihr, daß mir zumute gewesen, der ich mich gekränkt glaubte und doch auch an des Mannes Natur und Besonnenheit und Tapferkeit mich erfreute, da ich einen solchen angetroffen, wie ich nie zu finden geglaubt an Weisheit und Beharrlichkeit, so daß ich weder wußte, wie ich ihm zürnen sollte und mich seinem Umgang entziehen, noch auch, wie ich ihn gewinnen könnte, Rat wußte. Denn das wußte ich wohl, daß er durch Gold noch viel weniger irgendwo verwundbar wäre als Aias durch Eisen, womit ich aber geglaubt hatte, daß er allein gefangen werde, dadurch war er mir doch auch entwischt. Ratlos also blieb ich und in der Gewalt des Menschen, wie nie einer in der eines andern gewesen ist.

Xenophon
Das Gastmahl

Im Jahre 1801 schrieb der Dichter Wieland in einem »Vorbericht« über Xenophons Gastmahl, daß man in diesem Werk des Sokrates-Schülers den Meister wahrer, lebendiger und zuverlässiger kennenlerne als in allen platonischen Dialogen zusammen. Selbstverständlich wußte Wieland, daß der bescheidene Xenophon kein Philosoph und Dichter war wie Platon. Aber er meinte, daß Xenophon uns Sokrates realistischer malt als der größere Schüler, dessen Bilder vom Lehrer nicht nur Dichtung und Wahrheit sind, sondern auch platonische Weiterentwicklung der sokratischen Lehre.

Xenophons recht unphilosophisches Gastmahl ist bedeutsam als Genrebild aus der Zeit vor 399. Alle Personen, die hier genannt werden, sind historische Figuren: Kallias, der Gastgeber, Sproß einer aristokratischen Familie, der durch den Tod seines Vaters zu Geld gekommen ist und seine Freunde hier fürstlich bewirten kann; Lykon, ein bejahrter Bürger aus Athen; Antisthenes, ein anderer Schüler des Sokrates, später Gründer jener Schule, deren Anhänger sich Zyniker nannten.

Xenophon, um 426 geboren – also zu der Zeit, in welcher das Gastmahl spielt, noch nicht 30 Jahre alt –, gehörte durch seine Familie zum attischen Adel, der mit Sparta sympathisierte. Er war kein Gelehrter wie Platon, sondern Sportsmann, Landwirt, Offizier. Als er neunundzwanzig war, lud ihn ein Freund nach Sardes ein. Von hier nahm er teil an dem Feldzug des jüngeren Kyros gegen den Perserkönig Artaxerxes. Nach dem Tode des Kyros in der Schlacht bei Kunaxa führte er 10 000 *giechische Söldner von Babylonien bis nach Thrakien. Das hat er in seinem bekanntesten Buch geschildert, das allen Gymnasiasten vertraut ist:* Anabasis.

Aus Athen verbannt wegen seiner Vorliebe für Sparta, lebte Xenophon dann auf einem Gute bei Olympia in Elis. Hier entstanden seine Werke: seine hellenische Geschichte, seine staatspolitischen Schriften, Agesilaos, Der Staat der Lakedämonier *und die* Kyropädie, *ein pädagogisch-politischer Tendenzroman, der älteste der Weltliteratur. Die Schriften, die um Sokrates, den Lehrer seiner Jugend, kreisen, heißen:* Memorabilia *(wie sie meist lateinisch genannt werden), seine Memoiren also, dann das* Gastmahl *und die* Apologie – *dieselben Titel also, die auch Platon gebrauchte.*

Lesen wir nun einen Abschnitt aus dem Gastmahl.

An schönen, vortrefflichen Menschen ist, finde ich, nicht immer nur der Ernst ihres bewußten Wirkens denkwürdig; man sollte auch die Erinnerung daran bewahren, wie sie sich in heiteren Stunden gegeben haben. Zu dieser Ansicht kam ich durch ein Erlebnis, von dem ich berichten will.

Es war an den Großen Panathenäen, beim Pferderennen; Kallias kam zusammen mit dem jungen Autolykos, um zuzuschauen. Als dann das Rennen vorbei war, ging er mit Autolykos und dessen Vater nach seinem Hause im Piräus; auch Nikeratos begleitete ihn. Da sah er Sokrates mit

Kritobulos, Hermogenes, Antisthenes und Charmides beieinander stehen; gleich hieß er einen Diener Autolykos und die andern führen, er selbst aber ging auf die Gruppe zu und sagte: Wie schön, daß ich euch treffe! Ich will nämlich Autolykos und seinen Vater bewirten. Nun denk' ich, wie herrlich das Fest werden müßte, wenn meinen Saal Männer schmückten von so lauterem Herzen wie ihr, lieber als Feldherren und Reiterführer oder Ämterjäger. – Sokrates antwortete: Immer spottest du von deiner Höhe herab über uns, weil du Protagoras viel Geld gegeben hast für den Geist, und Gorgias und Prodikos und vielen anderen, während du uns nur um so eine selbstgezimmerte Weisheit bemüht siehst. – Ja, sagte Kallias, und bisher habe ich noch meinen ganzen Geist vor euch versteckt; aber jetzt will ich, wenn ihr bei mir seid, mich vor euch zeigen, damit ihr seht, wie sehr ich ernst zu nehmen bin.

Die Freunde dankten für die Einladung, wollten sie aber natürlich zuerst nicht annehmen; wie sie aber sahen, daß er sehr verstimmt sein würde, wenn sie nicht kämen, gingen sie mit ihm. Und dann – sie hatten zum Teil geturnt und sich gesalbt, zum Teil auch gebadet – traten sie bei ihm ein. Autolykos setzte sich neben seinen Vater, während die anderen sich wie üblich lagerten.

Wer nun achtgab, was geschah, in dem konnte wohl der Gedanke aufsteigen, wie doch der Schönheit eine Art natürliches Königtum zukommt, zumal wenn einer dazu noch Scheu und Sitte hat wie Autolykos damals. Denn gleich wie ein Licht, das in der Nacht erglänzt, aller Augen anzieht, so leitete damals die Schönheit des Autolykos alle Blicke auf ihn hin; auch war von den Schauenden keiner, dem nicht in seiner Seele etwas widerfuhr durch ihn: die einen wurden schweigsamer, andere gebärdeten sich

irgendwie. Schweigsam waren sie nun also beim Mahl, als
wäre es ihnen so von einem Herrn befohlen.

Da pochte Philippos, der Possenreißer, ans Tor und
hieß den Pförtner drinnen melden, wer er sei und weshalb
er einkehren wolle; er sei mit allem Nötigen ausgerüstet,
um andrer Leute Mahlzeit zu verzehren, und auch sein
Bursch, sagte er, sei schon ganz schwach vom Nichts-Tra-
gen und Nichts-Frühstücken. Als das Kallias hörte,
sprach er: Nun denn, ihr Freunde, es ist häßlich, ein Obdach zu verweigern. Mag er hereinkommen. – Zugleich
schaute er auf Autolykos hin, offenbar um zu beobachten,
wie ihm der Spaß vorkäme. Philippos aber trat auf die
Schwelle des Saales, wo sie speisten, und sagte: Daß ich ein
Possenreißer bin, wißt ihr ja alle. Drum komm ich unbedenklich, weil ich es lustiger finde, ungeladen zum Essen
zu erscheinen, als wenn man sich bitten läßt. – So leg dich
nur hin, antwortete Kallias; wir sind auch wirklich alle,
wie du siehst, von Ernst ganz beladen, und vielleicht
könnte uns ein Scherz nicht schaden.

Wie sie nun speisten, begann Philippos gleich einen
Spaß vorzubringen – dafür pflegte man ihn ja zu Gaste-
reien einzuladen –, und als er damit kein Lachen hervor-
rief, verdroß es ihn sichtlich. Kurz darauf wollte er wieder
etwas Lustiges sagen, und da sie auch diesmal nicht über
ihn lachten, hörte er mittendrin auf zu essen und lag da,
verhüllten Hauptes. – Was ist dir, Philippos? fragte
Kallias. Tut dir vielleicht etwas weh? – Und er mit einem
tiefen Seufzer: Ja, weiß der Himmel, Kallias, und wie!
Denn seit das Lachen bei den Menschen ausstarb, ist's
vorbei mit mir. Früher wurde ich doch deswegen immer
zum Essen eingeladen, damit die Gäste ihren Spaß hätten
an meinen Witzen. Aber jetzt, weshalb sollte mich noch
jemand bitten? Ernsthaft zu sein ist mir nicht gegeben –

ebensogut könnte ich ein Unsterblicher werden –, und wegen der Gegeneinladung wird mich auch niemand auffordern; denn es wäre, wie jedermann weiß, gegen jede Regel, wenn in mein Haus ein Schmaus käme. – Während er so redete, schnupfte er, und seine Stimme klang ganz weinerlich. Da trösteten ihn alle, sie würden auch wieder lachen, er solle nur essen, und Kritobulos mußte sogar herausplatzen ob dieser Wehklage. Philippos hatte das Lachen kaum vernommen, so tauchte er wieder hervor, sprach seiner Seele Mut zu: Kommt Zeit, kommt Mahlzeit, und aß wieder.

Als dann die Tische weggeräumt waren und sie die Spende geopfert und das Gebet gesungen hatten, da kam zu ihrem Trinkgelage ein Mensch aus Syrakus, der hatte bei sich eine gute Flötenspielerin und eine Tänzerin von denen, die sich auf Gauklerstücke verstehen, und einen blühenden Knaben, der auch sehr schön tanzen und Leier spielen konnte. Deren Künste pflegte er für Geld vorzuführen. Nachdem ihnen nun die Bläserin auf der Flöte und der Knabe auf der Leier etwas vorgespielt und alle beide viel Beifall gefunden hatten, fing Sokrates an: Wirklich, Kallias, ganz vollkommen bewirtest du uns. Nicht genug, daß du uns ein tadelloses Essen aufgetischt hast, auch Augen- und Ohrenweide bescherst du uns.

Wie wär's, meinte Kallias, wenn wir uns noch Salböl bringen ließen, um uns auch noch am Wohlgeruch zu laben? – Niemals! versetzte Sokrates. Wie ein anderes Kleid den Weibern ansteht als den Männern, so ziemt auch ein anderer Duft dem Mann als dem Weib. Wird doch, einem Manne zu gefallen, kein Mann sich mit Riechöl salben. Für die Frauen freilich, zumal die jungvermählten, wie jetzt unser Nikeratos eine hat und Kritobulos – was braucht's da noch Salböl? Sie duften ja selber danach. Aber den

Ölgeschmack vom Ringplatz riechen die Frauen noch lieber als alle Essenzen und vermissen ihn auch mehr, wo er
fehlt. Duftet doch mit den Salben gleich einer wie der andere, sei er Sklave oder freier Mann; aber für den Geruch
von Freien-Mannes-Mühen braucht es wackere Betätigung und auch viel Zeit, bis einer so recht angenehm und
frei duftet. – Lykon warf ein: Nun, das wäre für die Jungen. Aber wir, die nicht mehr turnen, wonach sollen wir
denn riechen? – Nach Manneswert, beim Zeus, antwortete
Sokrates. – Und wo bekommt man dieses Parfüm? –
Traun, nicht bei den Salbenhändlern! – Sondern wo? – Wo
Theognis es sagt:

»Edle können dich lehren, was Adel ist, doch mit Geringen laß dich nicht ein: du verdirbst nur deine beßre Natur.«

– Und Lykon: Hörst du das, mein Sohn? – Zeus, ja, fiel
Sokrates ein, und er hält sich auch daran. Wenigstens als er
im Faust- und Ringkampf Sieger werden wollte, schaute er
mit dir aus, wer in dieser Kunst der beste Lehrer sei, und
ließ sich von dem unterweisen; und nun, da er männliche
Tugend gewinnen will, schaut er wieder aus, wer ihn darin
am schönsten fördern könnte, und mit dem wird er dann
zusammensein. – Da ließen sich nun viele vernehmen, und
der eine meinte wohl: Wo soll er nur dafür einen Lehrer
finden? Und ein anderer, das sei überhaupt nicht lehrbar,
und wieder einer, doch, man könne es lernen, so gut wie
sonst etwas.

Sokrates unterbrach sie: Wenn das so eine Streitfrage ist,
wollen wir sie für ein andermal zurücklegen; jetzt aber wollen wir uns dem Nächsten zuwenden. Ich sehe hier die
Tänzerin bereitstehen, und einer bringt ihr Reifen. – Nun
spielte die andere der Tänzerin auf, und einer stand neben
ihr und reichte ihr die Reifen, bis zu zwölf. Sie nahm sie im
Tanzen und warf sie wirbelnd hoch, wobei sie genau die

Höhe des Wurfes bemaß, um sie im Takt wieder aufzufangen. Da sprach Sokrates: Es gibt ja noch viele andere Zeichen, aber ihr seht es auch an dem wieder, was dieses Mädchen tut, daß die weibliche Natur der des Mannes nichts nachgibt, es fehlt ihr nur an Einsicht und Kraft. Wenn also einer von euch eine Frau hat, soll er ihr getrost jede Kenntnis oder Kunst beibringen, die er gern an ihr sähe. – Aber Sokrates, fragte da Antisthenes, warum, wenn du so denkst, erziehst du dann nicht auch Xanthippe, sondern hast an ihr das unleidlichste Weib, das es gibt und, glaub ich, auch je gab und geben wird? – Sokrates erwiderte: Wer ein Meister im Reiten werden will, tut sich ja, soviel ich sehe, auch nicht die langsamsten Pferde zu, sondern wilde, und denkt, wenn er die bändige, werde er mit den anderen leicht umgehn können. Und da ich mit Menschen umgehn und auskommen will, hab ich mir dieses Weib zugetan; denn das weiß ich, wenn ich sie aushalte, kann ich mich mit allen andern Menschen leicht vertragen. – Das schien allen eine treffende Antwort.

Darauf wurde ein Rad hereingetragen, rings besteckt mit aufrechten Schwertern. Über diese hinweg überschlug sich die Tänzerin, hinein und wieder heraus, so daß den Zuschauern angst wurde, sie möchte sich verletzen, aber sie vollführte alles sicher und keck. – Du, Antisthenes, rief da Sokrates, wer das gesehen hat, wird, denk ich, nicht mehr behaupten, Tapferkeit sei nicht lehrbar, wenn dieses Wesen, das doch ein Weib ist, sich so waghalsig in die Schwerter stürzt. – Antisthenes nahm's auf: Da wäre es wohl auch für unsern Syrakuser das beste, seine Tänzerin öffentlich vorzuführen mit dem Anerbieten, die Athener sollten ihm nur Geld geben, so wolle er es dahin bringen, daß sie alle, Mann für Mann, sich gegen feindliche Lanzen anzugehen getrauten. – Himmel! rief jetzt Philippos

dazwischen, da möcht ich auch dabeisein, wenn Peisan-
dros, der immer die Volksreden hält, lernen muß, köpf-
lings zwischen die Klingen zu springen, wo er jetzt nicht
einmal mit ausrücken will, weil er den Anblick von gefäll-
ten Lanzen nicht vertragen kann.

Nun tanzte der Knabe, und Sokrates meinte: Habt ihr
bemerkt, wie dieser schöne Bub doch noch schöner
scheint mit den Bewegungen, als wenn er stillehält? – Darauf Charmides: Das scheint mir ein Lob für seinen Tanz-
meister. – Ja, so meinte ich's, antwortete Sokrates. Denn
noch etwas ist mir aufgefallen, daß bei dem Tanz kein Teil
seines Körpers untätig bleibt, sondern Hals und Arme und
Beine, alles war zugleich in Bewegung, ganz wie man tanzen muß, wenn man seinen Körper leicht und geschmeidig
wünscht. Ich meinesteils, du Syrakuser, würde recht gerne
die Bewegungen von dir lernen. – Was willst du denn damit anfangen? fragte der. – Beim Zeus, tanzen. – Da lachten alle. Aber Sokrates fragte mit tiefernster Miene: Lacht
ihr über mich? Etwa darum, weil ich mit dieser Turnerei
meine Gesundheit pflegen und mit mehr Genuß essen und
schlafen möchte? Oder weil ich gerade auf solche Übungen aus bin, von denen mir nicht wie den Dauerläufern die
Schenkel dick werden, aber die Schultern schmal, auch
nicht, wie den Faustkämpfern, die Schultern fest, aber die
Schenkel dünn, sondern mir den ganzen Körper durchar-
beiten und alles ins Gleichgewicht bringen? Oder lacht ihr
darum, weil ich alter Mann mich nicht unter den Leuten
ausziehen und keinen Partner zu suchen brauche, sondern
ich habe Platz genug in einem Siebener-Eßzimmer (so wie
auch jetzt dem Jungen da unser Raum hier groß genug
war, drin zu schwitzen) und kann erst noch im Winter
drinnen turnen und, wenn es gar zu heiß ist, im Schatten?
Oder ist es zum Lachen, daß ich meinen Bauch, der das

Maß überschritten hat, etwas bescheidener machen möchte? Und wißt ihr denn nicht, daß mich hier unser Charmides neulich in der Früh beim Tanzen traf? – Ja, weiß Gott,
rief Charmides; zuerst erschrak ich und fürchtete für deinen Verstand. Als ich dich aber ähnlich reden hörte wie
jetzt, ging ich auch heim und tanzte zwar nicht, denn das
habe ich nie gelernt, aber ich turnte doch, das konnte ich. –
Drum! spottete Philippos; jetzt weiß man doch, wieso bei
dir Schenkel und Schultern so sichtlich im Gleichgewicht
sind – ich glaube, wenn du vor der gestrengen Marktpolizei das Untere gegen das Obere abwägest wie Brote, sie
müßten dich unsträflich finden. – Und Kallias sagte noch:
Du, Sokrates, mich mußt du dazurufen, wenn du tanzen
lernst; ich bin dann dein Gegenüber und Mitschüler.

Nun wurde die Lyra nach der Flöte gestimmt, und der
Knabe spielte darauf und sang so, daß alle voll Bewunderung waren. Dann begann Sokrates wieder zu reden: Ihr
seht, Freunde, wie schön diese Kinder uns zu ergötzen
wissen. Aber wir selber, das weiß ich, glauben doch noch
auf einer andern Stufe zu stehen als sie. Müssen wir uns da
nicht schämen, wenn wir nicht einmal versuchten, uns gegenseitig, da wir so beieinander sind, zu fördern oder zu
erheitern? Ich würde jetzt am liebsten Kallias beim Wort
nehmen. Er hat uns doch verheißen, wenn wir zum Essen
zu ihm kämen, wolle er uns seine Kunst vorführen. – Das
will ich auch, erwiderte Kallias, wenn ihr andern auch beisteuert, was jeder Gutes weiß. – Es wird sich keiner weigern, versprach Sokrates, zu bekennen, was für ihn das Beste ist, das er weiß. – So will ich euch also sagen, begann
Kallias, worauf ich mir am meisten zugute tue. Ich traue
mir zu, auf Menschen so zu wirken, daß sie mehr taugen. –
Ja, fragte Antisthenes, bringst du ihnen irgendeine handwerkliche Tüchtigkeit bei, oder lehrst du sie Tugend?

– Wenn Gerechtigkeit eine Tugend ist. – Und ob! erklärte Antisthenes, so zweifellos, wie sonst keine. Denn mit Mut und Klugheit kann einer allenfalls seine Freunde oder den Staat zu schaden bringen; aber Gerechtigkeit hat überhaupt keinen Berührungspunkt mit dem Unrechten.

Also sprich nun du, Nikeratos, was kannst du, um darauf stolz zu sein? – Und Nikeratos: Mein Vater, der sich sorgte, wie ich ein rechter Mensch würde, zwang mich, den ganzen Homer zu lernen, und noch heute könnte ich die ganze Ilias und Odyssee auswendig hersagen. – Und das, so warf Antisthenes ein, ist dir entgangen, daß die sämtlichen Rhapsoden diese Gedichte auch können? Kennst du nun ein einfältigeres Volk als die Rhapsoden? – Weiß der Himmel, gab Nikeratos zu, ich kenne keins. – Sokrates begütigte: Offenbar verstehen sie den tieferen Sinn nicht, während du dem Stesimbrotos und Anaximander und vielen andern viel Geld gegeben hast, so daß dir keine von Homers Kostbarkeiten entging. Und wie ist's mit dir, Antisthenes, was ist dein Stolz? – Mein Reichtum. – Gleich erkundigte sich da Hermogenes, ob er viel Geld habe. – Keinen Heller, schwur er. – So besitzest du viel Land? – Vielleicht würde es gerade reichen, sich drauf staubig zu machen. – Nun, und wie ist's mit dir, Charmides? Womit fühlst du dich groß? – Mich erhebt umgekehrt der Gedanke an meine Armut. – Zeus, rief Sokrates, was für ein angenehmer Besitz, den einem niemand neidet, niemand streitig macht; unbewacht bleibt er einem erhalten, und durch Vernachlässigung nimmt er zu! – Und nun, du selbst, Sokrates, fragte Kallias, worauf bist du stolz? – Da zog Sokrates sein Gesicht sehr feierlich in die Länge und sprach: Auf meine Kunst im Kuppeln. – Und als sie ihn auslachten, fuhr er fort: Ihr lacht, aber ich weiß, daß ich sogar sehr viel Geld verdienen könnte, wenn ich meine

Kunst gebrauchen wollte. – Und du, so wandte sich Lykon an Philippos, du schmeichelst dir natürlich damit, daß du die Leute zum Lachen bringen kannst. – Und mit mehr Recht, dächte ich, sagte Philippos, als der Schauspieler, der sich gewaltig erhaben dünkt, weil er so viele Menschen zum Weinen bringen kann. – Nun fragte Antisthenes: Willst du uns nicht auch sagen, Lykon, was dich stolz macht? – Und Lykon: Wißt ihr's denn nicht alle, daß es mein Sohn da ist? – Und den, meinte einer, gewiß sein Sieg. – Aber Autolykos sprach errötend: O nein, sicher nicht. – Da schauten alle hin, voll Freude, seine Stimme zu hören, und einer fragte ihn: Ja was denn, Autolykos? – Mein Vater, sagte er und schmiegte sich an ihn. Als das Kallias sah, rief er aus: Nein, Lykon, weißt du, daß du der reichste von allen Menschen bist? – Nein, staunte Lykon, davon hab ich ja noch gar nichts gewußt. – Merkst du denn nicht, daß du alles Gold des Schahs von Persien nicht eintauschen würdest gegen deinen Sohn? – Da hast du mich auf frischer Tat dabei ertappt, daß ich scheint's wirklich der reichste bin von allen Menschen. – Dann fragte Nikeratos: Hermogenes, und was ist dein größter Stolz? – Meiner Freunde Trefflichkeit und Macht, war seine Antwort, und daß sie trotzdem meiner achten mögen. – Da schauten alle zu ihm hin, und viele fragten ihn zugleich, ob er sie ihnen auch nennen wolle. Er versprach, daß er kein Geheimnis daraus machen werde.

Diogenes Laertios
Über Aristoteles

*E*in Philosophieprofessor unserer Tage, Martin Heidegger, sagte in einer Vorlesung über Aristoteles: »Er wurde geboren, arbeitete und starb.« Ein Journalist zitierte diesen Satz und kommentierte, er sei »auf frappierende Weise falsch«. Tatsächlich kann man schon bei dem ersten bekannten Aristoteles-Biographen, Diogenes Laertios, nachlesen, wieviel mehr in diesem Leben war als Geburt, Arbeit und Tod. Und wer auch nur in Aristoteles' Politik hineinsieht, wird erkennen, wie sehr dieser Zeitgenosse des Verfalls der griechischen Stadtstaaten und große Lehrer des Großen Alexander ein Leben jenseits von Geburt und Werk und Tod geführt hat.

In dieser Einleitung soll daher nur an den gewaltigen Enzyklopädisten und einflußreichen Metaphysiker erinnert werden, der die Philosophie in Ethik, Physik und Logik einteilte. Am wenigsten bekannt sind wohl noch seine naturwissenschaftlichen Schriften, welche die Forschung seiner Zeit zusammenfaßten in Büchern wie Über den Himmel, Über Entstehen und Vergehen, Über Meteorologie, Über die Seele, Über vergleichende Anatomie und Physiologie, Über die Teile der Tiere, Über Erzeugung der Tiere, Über den Gang der Tiere *und* Über die Pflanzen.

Berühmt bis heute ist sein Organon: zu deutsch ›Werkzeug‹ (das heißt: für das philosophische Denken); es lehrt, *wie man (formal) richtige Begriffe bildet, urteilt und schließt.* Ebenso bekannt wurde seine Erste Philosophie, *die man später* Metaphysik *nannte, weil sie gemäß einer Anordnung der Aristoteles-Forscher jenen Büchern folgte, die der Physik gewidmet waren. Mit ihren Kategorien von Stoff und Form, Entelechie und anderen teleologischen Vorstellungen beeinflußte Aristoteles'* Erste Philosophie *nicht nur den Thomismus bis zu diesem Tage, sondern auch nicht-thomistische Gelehrte bis zu Trendelenburg und Brentano.*

Durch die Jahrhunderte diskutiert wurden auch seine Ethiken mit ihrem Ideal einer goldenen Mitte zwischen Zuwenig und Zuviel. Von seiner Politik *ist nur noch ein Bruchstück,* Die Politik der Athener, *erhalten; das ganze Werk soll die Verfassungen von 158 Staaten beschrieben haben. Aristoteles stellte drei Verfassungstypen heraus: die Monarchie, die Aristokratie und einen gemischten Typ, den er »Politie« nannte. Daneben setzte er drei Degenerationserscheinungen dieser echten Staatsformen: die Tyrannis, die Oligarchie (eine Diktatur der Vermögenden) und die Demokratie (seine Bezeichnung für die Diktatur der Armen).*

Folgendes hat nun Diogenes Laertios über Aristoteles zu berichten:

Aristoteles, des Nikomachos und der Phaistias Sohn, stammte aus Stageira. Nikomachos war ein Sohn des Nikomachos, dieser ein Sohn des Machaon und dieser ein Sohn des Asklepios, wie Hermippos in seiner Schrift über Aristoteles berichtet. Des Aristoteles Vater Nikomachos lebte am Hofe des Makedonierkönigs Amyntas als dessen Arzt und Freund.

Aristoteles war derjenige unter den Schülern Platons, der ihm an Geisteskraft am nächsten stand. Er stieß beim Sprechen mit der Zunge etwas an, wie der Athener Timotheos in seinen Lebensbeschreibungen erzählt, auch war er schwach auf den Beinen, wie man sagt, und kleinäugig, kleidete sich aber stattlich und ließ es an Fingerringen und Haarpflege nicht fehlen. Er hatte auch einen Sohn Nikomachos von seiner Konkubine Herpyllis, wie Timotheos sagt.

Er trennte sich von Platon noch bei dessen Lebzeiten, so daß dieser gesagt haben soll: »Aristoteles hat gegen mich ausgeschlagen, wie es junge Füllen gegen die eigene Mutter tun.« Hermippos erzählt in den Lebensbeschreibungen, während einer Gesandtschaftsreise des Aristoteles zum König Philippos zur Wahrung der Interessen Athens sei Xenokrates zum Haupt der Akademie erhoben worden; als nun Aristoteles bei seiner Rückkehr die Schule unter der Leitung eines anderen gesehen hätte, habe er sich einen Garten des Lykeions zur Stätte seiner Lehrtätigkeit erwählt, wo er täglich bis zur Zeit des Salbens auf und ab wandelnd sich mit seinen Schülern in philosophischen Unterhaltungen ergangen habe. Daher der Name Peripatetiker (Herumwandler). Andere führen den Namen darauf zurück, daß er mit dem von einer Krankheit wiedergenesenen Alexander Spaziergänge unter lehrreichen Gesprächen gemacht habe. Als die Zahl der Schüler weiterhin wuchs, begann er seine Vorträge auch im Sitzen zu halten, was er mit den Worten einleitete:

»Xenokrates soll reden und ich schweige? Nein!«

Er übte seine Schüler in Behandlung aufgestellter Thesen, unterließ es aber nicht, sie zugleich nach der rhetorischen Seite hin zu schulen. Späterhin begab er sich zu dem Eunuchen Hermeias, dem Herrscher von Ateneus; einige

behaupten, dieser sei sein Geliebter gewesen, andere,
Hermeias habe sich mit ihm verschwägert und ihm seine
Tochter oder Nichte zur Frau gegeben, wie der Bericht des
Magnesiers Demetrios in seinem Homonymenbuch (Buch
über gleichnamige Dichter und Schriftsteller) lautet. Er
behauptet auch, Hermeias, von Abkunft Bithynier, sei
ehedem Sklave des Eubulos gewesen und habe seinen
Herrn umgebracht. Aristipp berichtet aber im ersten Buch
über die Schwelgerei der Alten, Aristoteles habe sich in die
Konkubine des Hermeias verliebt, Hermeias habe sie ihm
abgetreten, er habe sie geheiratet und im Überschwange
der Freude ihr ein Opfer dargebracht nach dem Muster
desjenigen, das die Athener der Eleusinischen Demeter
darbringen. Und dem Hermeias widmete er einen Lobge-
sang, der weiter unten mitgeteilt ist. Von da soll er sich
nach Makedonien zu Philipp begeben und den Unterricht
seines Sohnes Alexander übernommen haben. Auch soll er
ihn gebeten haben, seine Vaterstadt Stageira wiederherzustellen, die von Philipp zerstört worden war, die Bitte sei
ihm gewährt worden, und er sei auch ihr Gesetzgeber geworden. Trat er doch auch in seiner Schule als Gesetzgeber
auf nach dem Vorgang des Xenokrates, indem er alle zehn
Tage einen neuen Vorsteher erwählen ließ.

Nachdem er seine Aufgabe an Alexander erfüllt zu haben glaubte, siedelte er nach Athen über, nicht ohne ihm
seinen Verwandten, den Olythier Kallisthenes, empfohlen
zu haben. Da dieser dem König in seinen Reden zu freimütig gegenübertrat und sich den Warnungen des Aristoteles
nicht fügte, soll er (Aristoteles) ihn mit den Worten zu-
rechtgewiesen haben:

»Bald, mein Sohn, verblühet das Leben dir, so wie du
redest!« Und das traf denn auch zu. Er geriet nämlich in
den Verdacht, an dem Anschlag des Hermolaos gegen

Alexander beteiligt gewesen zu sein, und wurde, verlaust
und jeder Pflege bar, in einem eisernen Käfig herumge-
führt und schließlich einem Löwen vorgeworfen. So kam
er ums Leben.

Nach Athen übergesiedelt, blieb Aristoteles dreizehn
Jahre Leiter seiner Schule, bis er nach Chalkis entwich infolge einer Anklage, die der Oberpriester Eurymedos
oder, wie Favorin in seinen Vermischten Geschichten beschreibt, Demophilos gegen ihn wegen angeblicher Gottlosigkeit angestrengt hatte, auf Grund eines Lobgesanges
auf den vorhin genannten Hermeias sowie auch eines Epi-
grammes, das er auf dessen Statue in Delphi hatte setzen
lassen und das folgendermaßen lautete:

»Diesen brachte ums Leben der bogenkundige Perser
Mächtiger Herrscher dereinst wider der Götter Gebot.
Nicht mit der Lanze ward er erlegt im offenen Kampfe,
Nein, er ward durch die List eines Vertrauten gefällt.«
Hier starb er an einem Schierlingstrank, wie Eumelos in
dem fünften Buch seiner Geschichten erzählt, in einem Alter von 70 Jahren. Ebendieser behauptet auch, er habe sich
als Dreißigjähriger an Platon angeschlossen. Beides beruht
auf Irrtum. Er ist vielmehr nur 63 Jahre alt geworden, und
sein Anschluß an Platon erfolgte in seinem 17. Jahre.

Dies das Leben des Philosophen. Wir aber haben auch
Einblick tun können in das Testament des Mannes, das
etwa folgenden Wortlaut hatte:

»Hoffentlich geht alles gut; für den Fall aber, daß sich
etwas ereignen sollte, hat Aristoteles folgende letztwil-
lige Verfügung getroffen: Die Aufsicht über alles und in allen Stücken soll in der Hand des Antipater liegen. Bis zu
dem Zeitpunkt, wo Nikanor eintreten kann, sollen Vormünder sein Aristomenes, Timarchos, Hipparchos, Dio-
teles, Theophrastos, wenn er dazu bereit und es ihm mög-

lich ist, sowohl über die Kinder wie über die Herpyllis und den gesamten Nachlaß. Und ist das Mädchen herangereift, so soll sie dem Nikanor zur Gattin gegeben werden; stößt ihr aber etwas zu – was Gott verhüte und was nicht stattfinden wird – vor oder nach der Hochzeit, ohne daß noch Kinder vorhanden sind, so soll Nikanor Vollmacht haben, für den Sohn und das Übrige die nötigen Anordnungen zu treffen, so wie es seiner und unser würdig ist. Auch soll Nikanor Sorge tragen für das Mädchen und für den Knaben Nikomachos in einer für beide gebührenden Weise wie an Vater und Bruder Statt. Sollte aber dem Nikanor vorzeitig etwas zustoßen, was Gott verhüte, sei es vor der Hochzeit mit dem Mädchen, sei es nachher, ohne daß Kinder vorhanden sind, so soll den Anordnungen, die er etwa getroffen hat, Folge geleistet werden. Wünscht aber Theophrast, des Mädchens Gatte zu werden, so soll es gehalten werden wie bei der Ehe mit Nikanor; wo nicht, so sollen die Vormünder im Verein mit Antipater sowohl über das Mädchen wie über den Knaben in gemeinsamer Beratung ihre Anordnungen nach bestem Ermessen treffen. Es sollen aber die Vormünder und Nikanor bei ihren Maßregeln stets meiner und der Herpyllis als meiner treuen und fürsorglichen Genossin eingedenk sein sowie ihrer sonstigen Pflichten; und wünscht sie sich wieder zu verheiraten, so soll sie keinem Manne überlassen werden, der meiner nicht würdig wäre. Es sollen ihr aber außer dem, was sie früher empfangen, ein Talent Silber aus dem Nachlaß und, wenn sie es wünscht, drei Dienerinnen überlassen werden sowie die Magd, die sie hat, und der Bursche Pyrrhaios; und will sie in Chalkis wohnen bleiben, so soll ihr das im Garten liegende Gasthaus überlassen werden, oder wenn in Stageira, dann das väterliche Haus. Mag sie nun das eine oder das andere wollen, so sollen ihr die Vormünder das Haus mit den erforderlichen Gerätschaften ausstatten, geschmackvoll und den Wünschen der Herpyllis entsprechend. Nikanor soll auch Sorge tragen, daß der junge Myrmex in einer unser würdigen Weise wieder den Seinigen zugeführt werde mit allem, was wir ihm Zugehöriges in Empfang genommen haben. Ambrakis soll frei sein und, wenn meine Tochter heiratet, 500 Drachmen erhalten und eine Magd. Auch dem Simon soll man, abgesehen von dem früher zum Kauf eines Burschen ihm überwiesenen Geld, entweder einen Burschen kaufen oder Geld zum Kaufe geben. Tycho soll frei sein, sobald meine Tochter heiratet, ebenso Philon und Olympios und dessen Knäblein. Von den jungen Burschen, die den Dienst bei mir versehen haben, soll keiner verkauft werden, vielmehr sollen sie im Hausdienst verwendet werden; sind sie aber herangewachsen, so sollen sie nach Verdienst die Freiheit erhalten. Es soll auch Sorge getragen werden für Fertigstellung der Bildnisse, die dem Gryllion in Auftrag gegeben sind; nach ihrer Vollendung sollen sie gehörigen Ortes aufgestellt werden, das Bild des Nikanor und das des Proxenos, das ich in Auftrag zu geben mir vorgenommen, sowie das der Mutter des Nikanor. Und was das bereits vollendete Bildnis des Arimnestos anlangt, so soll es eine Aufstellung finden, die es zugleich als Denkmal erscheinen läßt, da er kinderlos gestorben ist. Auch soll ein Bildnis meiner Mutter der Demeter in Nemea geweiht werden oder wo es sonst gut scheint. Wo man mein Grab herrichtet, da sollen auch die ausgehobenen Gebeine der Pythias beigesetzt werden, wie sie es selbst angeordnet hat. Auch soll Nikanor für seine zu hoffende Rettung das Gelübde erfüllen, das ich für ihn getan habe: steinerne Bildsäulen, vier Ellen groß, dem rettenden Zeus und der rettenden Athene in Stageira.«

So steht es um sein Testament. Wie es heißt, fanden sich bei ihm auch Tiegel in großer Zahl vor, und wie Lukon behauptet, pflegte er sich in einer Wanne heißen Öls zu baden und das Öl dann zu verkaufen. Einige wollen auch wissen, er habe die Gewohnheit gehabt, sich einen Schlauch mit heißem Öl auf den Bauch zu legen, und wenn er sich zur Ruhe legte, habe er eine eiserne Kugel in die Hand genommen, unter der eine Schüssel aufgestellt war, um beim Falle der Kugel in das Gefäß durch den Schall geweckt zu werden.

Es werden auch folgende besonders treffende Aussprüche auf ihn zurückgeführt. Auf die Frage, was die Lügner für einen Gewinn von ihren Lügen haben, antwortete er: »Daß man ihnen nicht glaubt, auch wenn sie die Wahrheit sagen.« Als man ihm vorwarf, daß er einem Taugenichts ein Almosen gegeben, sagte er: »Mein Mitleid galt nicht seinem Verhalten, sondern dem Menschen.« Oft pflegte er zu seinen Freunden und Schülern, wo auch immer im Tageslicht er verweilte, zu sagen: »Das Gesicht empfängt sein Licht von der umgebenden Luft, die Seele aber das ihre von dem Unterricht.« Oft auch sagte er mit starker Betonung: »Die Athener hätten den Getreidebau und die Gesetze erfunden; allein das Getreide zwar wußten sie zu verwerten, nicht aber die Gesetze.« »Die Wurzeln der Bildung«, sagte er, »sind bitter, ihre Früchte aber sind süß.« Auf die Frage, was schnell veralte, sagte er: »Der Dank.« Gefragt, was die Hoffnung sei, sagte er: »Der Traum eines Wachenden.« Als ihm Diogenes eine getrocknete Feige reichte, sagte er sich, daß, wenn er sie nicht annähme, jener ein beißendes Wort gegen ihn in Bereitschaft hätte, er nahm sie also an mit den Worten, Diogenes sei nicht nur um seine Feige, sondern auch um sein Witzwort gekommen. Und als er ihm wieder eine reichte, nahm er sie, hob

sie nach Knabenart hoch in die Luft und gab sie mit den
Worten »O großer Himmelssohn« zurück. Dreierlei,
pflegte er zu sagen, ist nötig für die Erziehung und Geistesbildung: Naturanlage, Belehrung, Übung. Als er von
einem Verleumder hörte, der ihn verunglimpfte, sagte er:
»Wenn ich abwesend bin, mag er mir auch Geißelhiebe
verabreichen.« Die Schönheit, pflegte er zu sagen, sei eine
bessere Empfehlung als jeder Brief. Andere schreiben das
Wort in dieser Fassung dem Diogenes zu, während er
selbst die Wohlgestalt für ein Geschenk Gottes erklärt
hätte. Sokrates erklärte sie angeblich für eine Gewaltherrschaft (Tyrannis) von kurzer Dauer, Platon für ein Vor-
recht der Natur, Theophrast für einen schweigenden
Betrug, Theokrit für einen elfenbeinernen Schaden, Kar-
neades für ein Königtum ohne Leibwächter.

Auf die Frage nach dem Unterschied zwischen Gebildeten und Ungebildeten antwortete er: »Er ist so groß wie
der zwischen Lebenden und Toten.« Die Bildung, sagte
er, sei in glücklichen Zeiten eine Zierde, im Unglück eine
Zuflucht. Diejenigen Eltern, die ihren Kindern eine gute
Bildung gegeben hätten, seien weit achtungswerter als die,
welche sie bloß zeugten: denn die letzteren schenkten
ihnen nur das Leben, die ersteren aber den Vorzug, tadellos
zu leben. Zu einem, der sich seiner Abkunft aus einer großen Stadt rühmte, sagte er: »Nicht darauf kommt es an,
sondern darauf, daß man eines großen Vaterlandes auch
würdig sei.« Die Frage, was ist ein Freund?, beantwortete
er mit der Erklärung: »*Eine* Seele, die in zwei Leibern
wohnt.« Die Menschen, sagte er, seien teils so karg, als ob
sie ewig leben, teils so verschwenderisch, als ob sie im
nächsten Augenblick sterben würden. Als einer ihm die
Frage vorlegte: »Wie kommt es, daß wir mit schönen Leuten uns gern recht lange unterhalten?«, entgegnete er: »So

kann nur ein Blinder fragen.« Als ihm einer mit der Frage
kam, welcher Gewinn ihm aus der Philosophie erwachsen
wäre, sagte er: »Daß ich ohne Befehl tue, was andere nur
aus Furcht vor den Gesetzen tun.« Auf die Frage, wie die
Schüler sich am besten in ihrem Fortschreiten förderten,
antwortete er: »Wenn sie denen, die einen Vorsprung hätten, nacheilten, ohne auf die Rückständigen zu warten.«
Einen Schwätzer, der ihn mit seinem Gewäsch überschüttet hatte und fragte: »Ich bin dir doch nicht zur Last gefallen?«, fertigte er mit den Worten ab: »Nicht im mindesten,
denn ich habe gar nicht auf dich geachtet.« Auf den Vorwurf, den man ihm machte, daß er einem Unwürdigen
eine Unterstützung habe zuteil werden lassen – denn auch
in dieser Form tritt die Sache auf –, antwortete er: »Nicht
dem Menschen galt meine Gabe, sondern der Menschlichkeit.« Auf die Frage, wie wir uns gegen unsere Freunde zu
verhalten haben, erwiderte er: »Gerade so, wie wir wünschen, daß sie sich gegen uns verhalten.« Die Gerechtigkeit erklärte er für diejenige Seelentugend, die einem jeden
zuweist, was ihm gebührt. Als schönste Mitgabe für das
Alter erklärte er die Bildung. Favorin berichtet im zweiten
Buch seiner Denkwürdigkeiten, er habe immer wieder gesagt: »Viele Freunde, kein Freund«, ein Ausspruch, der
sich auch im siebenten Buche der Ethik findet. Das sind
die Denksprüche, die ihm beigelegt werden.

Aristoteles
Poetik

*S*ollte man innerhalb der europäischen Kultur einen Denker auszeichnen, der mehr als irgendeiner das Denken der Jahrtausende beeinflußt hat, so wäre es Aristoteles: seine Metaphysik, seine Logik, seine Ethik und nicht zuletzt auch seine Ästhetik. Von ihr ist ein größeres Fragment, die Poetik, überliefert. Dieses Bruchstück enthält vor allem zwei Theorien, die immer wieder referiert, interpretiert, begeistert repetiert und kritisiert worden sind. Die erste ist die Lehre, daß der Dichter ein besserer Historiker sei als der Geschichtsschreiber. Zur Zeit der Romantik, zur Zeit Hegels und des Enthusiasmus für das Historische machte sich dessen größter Feind, Schopenhauer, diese Auffassung des Aristoteles zu eigen in seinem Kampf gegen die Geschichtswissenschaft.

Eine zweite, noch einflußreichere These der Poetik sagt, die Tragödie sei »eine Darstellung, welche durch Erregung von Mitleid und Furcht die Entladung dieser Affekte herbeiführt«. Viele, die über die Tragödie nachdachten, gingen von diesem Satz aus: St. Augustin und Hume, Edmund Burke und Schelling, Nietzsche und Bergson; Goethe und Lessing übersetzten ihn neu und erörterten ihn. Schiller formulierte das Problem, das bereits Platon und Lukrez beschäftigt hatte, in dem Titel seines Essays Über den Grund unseres Vergnügens an tragischen Gegenständen.

Aristoteles sagt in dem uns erhaltenen Stück, aus dem wir im folgenden Auszüge bringen, nicht allzuviel, gibt aber dem Denken die richtige Richtung, indem er nach der Funktion der Tragödie fragt und sie in der »Katharsis« findet. Damit war er bereits weit hinaus über die zahllosen Professoren-Ästhetiker der Jahrtausende, speziell des 19. Jahrhunderts, die nach einem Leitz-Ordner suchten, in dem sie alle möglichen Arten von Stücken mit traurigem Ausgang übersichtlich ablegen konnten. Aristoteles war ganz gewiß auch Gelehrter genug, um seine Freude an brauchbaren Klassifikationen zu haben – insofern war er auch ein Vorgänger der braven Klassifikateure. Aber in seiner berühmten Wendung zeigt sich, wie wenig er darüber das Wesentliche vergessen hatte: daß die Kunst nicht nur dem Leben entstammt, sondern auch etwas für dieses Leben leistet.

Was die Entstehung der Poesie anlangt, so haben dabei wohl zwei Ursachen, und zwar solche von natürlicher Art, zusammengewirkt. Denn das Nachahmen ist dem Menschen angeboren und von Jugend auf vertraut; ragt er doch in Ansehung dieser Begabung und dadurch, daß er seine ersten Kenntnisse auf diesem Wege erwirbt, vor den anderen Lebewesen hervor; und nicht minder allgemein ist die Freude an Nachahmungen. Einen Beweis für das letztere gibt der Eindruck ab, den wir von Kunstwerken empfangen. Denn Dinge, deren Anblick uns in der Natur peinlich berührt, betrachten wir in ihren allergetreuesten Nachbildungen mit Vergnügen, so die widerwärtigsten Tiere oder auch Leichname. Auch dafür läßt sich ein Grund angeben, und zwar der folgende. Das Lernen ist nicht nur für die Jünger der Wissenschaft, sondern desgleichen für alle übrigen ungemein ergötzlich, wenngleich ihr Anteil daran nicht eben tief geht. Denn darum betrachtet man Nachbildungen mit Wohlgefallen, weil sich daraus ein Lernen ergibt und ein kombinierendes Erschließen dessen, was jegliches bedeutet (z. B. beim Porträt, daß dieser da eben jener ist); denn kennt jemand den Gegenstand nicht schon von früher her, so wird ihm das Abbild nicht als solches Vergnügen bereiten, sondern durch seine Technik oder durch das Colorit oder aus einem anderen derartigen Grunde. Da uns nun der Trieb zu nachahmender Darstellung von Natur aus eigen ist und nicht minder der Sinn für Musik und Rhythmus (und daß die Versmaße Teile der Rhythmen sind, ist ja klar), so haben die Menschen, durch die eigene Veranlagung dazu gedrängt und zumeist auf dem Wege stufenweiser Vervollkommnung, aus den bekannten rohen Stegreifversuchen die Poesie erzeugt.

Diese spaltet sich aber nach der ihren Pflegern eigenen Sinnesweise, indem die mehr zum Erhabenen Neigenden die edlen Handlungen und die Handlungen edler Personen darstellten, die trivialer Angelegten aber solche von Gemeinen, wobei diese zuerst Rügelieder dichteten, gleichwie andere Loblieder und Hymnen schufen. Von Vorgängern Homers nun kennen wir kein derartiges Dichtwerk; es wird aber wohl viele solche Dichter gegeben haben. Gehen wir aber von Homer aus, so können wir manches nennen, wie seine ›Margites‹ und derartiges mehr. In diesem Gebiete kam auch das ihm gemäße Versmaß auf, weshalb es jetzt das ›jambische‹ heißt, weil nämlich die Leute einander in diesem Maße mit Spottversen (›Jamben‹) verfolgten. Und so wurden die Alten zum Teil heroische, zum Teil Jambendichter. Gleichwie aber Homer im ernsten

Genre am meisten Dichter war – hat er doch allein nicht
nur vorzüglich gedichtet, sondern überdies auch dramatische Nachbildungen geliefert –, so hat er auch die Formen
des Lustspiels zuerst vorgezeichnet, indem er nicht das
Rügelied pflegte, sondern das Lächerliche in dramatischer
Gestalt zeichnete. Denn der »Margites« nimmt den Lust-
spielen gegenüber dieselbe Stellung ein wie Ilias und
Odyssee im Verhältnis zu den Trauerspielen. Nachdem
aber diese Gattungen der Poesie ans Licht getreten waren,
da dichteten die einen und die anderen je nach der Richtung ihrer Sinnesart Lustspiele statt der Spottgedichte und
Trauerspiele anstelle der Heldengedichte, weil diesen
Kunstformen eben mehr Größe und Ansehen innewohnte
als jenen. Die Frage freilich zu entscheiden, ob das Trauerspiel in der Ausbildung seiner Zweige nichts mehr zu wünschen übrig läßt, und zwar sowohl an sich selbst als mit
Rücksicht auf die mannigfaltige Artung des Theaterpubli-
kums, ist nicht dieses Orts. Hervorgegangen aber ist es jedenfalls aus Stegreifversuchen nicht minder als das Lust-
spiel, jenes nämlich aus den Vorträgen der Vorsänger im
Dithyrambos, dieses aus jenen in den Phallosliedern, die
noch jetzt in vielen Städten im Schwange sind. So ist das
Trauerspiel schrittweise herangewachsen, indem man jeden hervortretenden Keim zur Entfaltung brachte, und
nachdem es mannigfaltige Umwandlungen erfahren hatte,
blieb es stehen, sobald es seine naturgemäße Gestaltung
gewonnen hatte. So hat, um einige dieser Wandlungen
namhaft zu machen, Äschylos die Zahl der Schauspieler
von einem auf zwei erhöht, den Anteil des Chors verrin-
gert und dem Dialog die erste Rolle zugewiesen; drei
Schauspieler und die Kunst der Dekoration hat aber Sophokles eingeführt. Was das Wachstum ihrer Großartigkeit anlangt, so hat sich das Trauerspiel im Gegensatze zur

ursprünglichen Kleinheit der Fabeln und der zum Possen-
haften neigenden Artung der Diktion ihres satyrspielarti-
gen Ursprungs wegen erst spät zu höherer Würde erhoben. Die Vermehrung der Zahl der Akte endlich und alles
weitere, wie nämlich ein jegliches im Laufe der Zeit soll
vervollkommnet worden sein, gelte uns als gesagt; denn
alles im einzelnen durchzugehen, würde wohl allzuweit
führen.

Das Trauerspiel ist nämlich die Darstellung einer würdigen und in sich abgeschlossenen, eine gewisse Größe
besitzenden Handlung in verschönerter Rede, unter
partienweise gesonderter Verwendung der Verschöne-
rungsarten, nicht in erzählender Form, sondern durch
handelnde Personen – eine Darstellung, welche durch
Erregung von Mitleid und Furcht die Entladung dieser
Affekte herbeiführt. Unter verschönerter Rede verstehe
ich jene, welche Rhythmus, Tonsatz und Gesang besitzt;
unter partienweise gesonderter Verwendung der Verschö-
nerungsarten aber, daß einige Teile bloß in Versform, andere wieder in Gesangsform verlaufen.

Da nun die Darstellung durch handelnde Personen erfolgt, so ergibt sich zuvörderst als ein Bestandteil des
Trauerspiels der für das Auge berechnete szenische
Schmuck, desgleichen die Gesangskomposition und die
Diktion, da dies die Mittel der Darstellung sind. Unter
Diktion verstehe ich nicht die bloße Komposition der ver-
sifizierten Rede; was die Gesangskomposition ist, das
leuchtet jedem ein und bedarf daher keiner näheren Erklärung.

Da nun das Trauerspiel weiter die Darstellung einer
Handlung ist, eine solche aber durch irgendwelche han-
delnde Personen erfolgt, die notwendigerweise nach
Charakter und Intellekt qualitativ bestimmt sein müssen,

so ergeben sich naturgemäß zwei Ursachen der Handlungen, eben der Intellekt und der Charakter. Denn je nach der Beschaffenheit derselben legen wir auch den Handlungen bestimmte Eigenschaften bei, und aus dieser Artung der Handlungen ergibt sich der Erfolg und Mißerfolg aller handelnden Personen. Die Darstellung der Handlung nun ist gleichbedeutend mit der Fabel; ich verstehe hier nämlich unter Fabel die Komposition der Begebenheiten. Die Charaktere aber sind das, wonach wir den Handelnden eine bestimmte Beschaffenheit zusprechen. Die Gedankenschöpfung (oder Reflexion) endlich – das Widerspiel des Intellekts im Drama – umfaßt all das, wodurch die Personen in ihren Reden etwas beweisen oder auch eine Ansicht äußern. So ergeben sich denn mit Notwendigkeit sechs Bestandteile jedes Trauerspiels, auf Grund deren es diese oder jene Beschaffenheit besitzt, d. h. Lob oder Tadel verdient. Es sind dies: die Fabel, die Charaktere, die Diktion, die Reflexion, der szenische Apparat und die Gesangskomposition. Zwei Bestandteile nämlich gehören den Darstellungsmitteln an, einer der Darstellungsweise, drei den Darstellungsobjekten; und außer diesen gibt es keinen. Dieser bedienen sich nun nicht etwa wenige Dichter, sondern man darf wohl sagen, alle in allen Arten des Trauerspiels. Denn jedes solches Dichtwerk besitzt einen szenischen Apparat, Charaktere und Fabel, nicht minder Diktion, Gesang und Reflexion.

Aus dem Gesagten erhellt aber auch, daß nicht das die Aufgabe des Dichters ist, das Geschehene zu berichten, sondern solcherlei, was gegebenenfalls nach innerer Wahrscheinlichkeit oder Notwendigkeit geschehen würde. Denn der Geschichtsschreiber und der Dichter unterscheiden sich nicht durch den Gebrauch der ungebundenen und der gebundenen Rede. Ließe sich auch das Werk

Herodots in Verse bringen; es wäre in Versform nicht weniger Geschichte als in Prosa. Der Unterschied ist vielmehr dieser: Der eine berichtet das Geschehene, der andere solcherlei, was gegebenenfalls geschehen würde. Darum ist auch die Poesie eine philosophischere und eine ernstere Sache als die Geschichte. Denn jene befaßt sich mehr mit dem Allgemeinen, diese mit dem Einzelnen. Ein Allgemeines ist es, daß dem so oder so Gearteten solches oder anderes zu tun oder zu sagen notwendig oder naturgemäß ist; und das ist es, worauf die Poesie abzielt, wenn sie gleich ihren Personen individualisierende Namen beilegt. Das Einzelne aber ist es, was ein Alkibiades getan oder erlitten hat.

Da der Bau des schönsten Trauerspiels nicht ein einfacher, sondern ein verflochtener sein und furcht- und mitleiderregende Vorgänge nachbilden soll – was ja eben das Eigentümliche einer derartigen Darstellung ist –, so erhellt zuvörderst folgendes. Es dürfen weder die wackeren Männer einen Umschlag von Glück zu Unglück noch auch die schlechten von Unglück zu Glück erfahren. Denn jenes ist weder furcht- noch mitleiderregend, sondern entsetzlich, dieses das Alleruntragischste. Weist doch dieser Fall nichts von alledem auf, was Not tut; denn er ist weder menschenfreundlich noch auch furcht- und mitleiderregend. Endlich darf auch nicht der von Grund auf Böse aus Glück in Unglück geraten. Denn dieser Art des Aufbaues würde es zwar an Menschenfreundlichkeit nicht fehlen, wohl aber an Mitleid und Furcht – zwei Affekte, von denen der erste dem schuldlos Leidenden, der zweite dem Gleichartigen gilt, so daß hier für keinen von beiden Raum vorhanden ist. So bleibt denn der in der Mitte stehende Charakter übrig. Ein solcher ist aber jener, der weder durch Trefflichkeit und Gerechtigkeit hervorragt, noch auf Grund seines Unwertes und seiner Schlechtigkeit ins Unglück gerät; und zwar soll er zu den in großem Ansehen und in glücklicher Lebenslage Stehenden gehören, gleich einem Ödipus und Thyestes und anderen hochstehenden Mitgliedern derartiger Geschlechter. Die wohlgebaute Fabel muß also notwendig eine einfache und nicht, wie manche behaupten, eine doppelseitige sein; und der Umschlag darf nicht aus Unglück in Glück, sondern umgekehrt erfolgen, und zwar nicht durch Schlechtigkeit, sondern durch eine gewaltige Verfehlung eines Mannes von der angegebenen Art oder eines solchen, der allenfalls höher, keineswegs aber tiefer stehen darf.

Einen Beweis für die Richtigkeit dieser Lehre liefert der tatsächliche Gang der Entwicklung. Während nämlich die Dichter vordem alle beliebigen Sujets durchgekostet haben, bietet jetzt ein kleiner Kreis von Geschlechtern den Stoff für die schönsten Trauerspiele dar: ein Alkmeon, ein Ödipus, ein Orestes, ein Meleager, ein Thyestes, ein Telephos und wem es sonst beschieden war, etwas Schreckliches zu erleiden oder zu vollbringen. So gehört denn das kunstgerechte und schönste Trauerspiel dieser Kompositionsweise an. Den gleichen Irrtum begehen daher diejenigen, die es dem Euripides zum Vorwurf machen, daß er dies in seinen Trauerspielen tut und daß die große Mehrzahl derselben einen unglücklichen Ausgang hat. Denn dies ist, wie gesagt, das Richtige. Den stärksten Beweis hierfür liefert das folgende. Auf der Bühne üben derartige Werke, wenn anders die Aufführung nicht mißrät, die stärkste tragische Wirkung; und was Euripides betrifft, so bestellt er zwar im übrigen nicht alles aufs beste, aber er erweist sich doch als der tragischeste der Dichter.

Theophrast
Charaktere

Theophrast, der bekannteste Schüler des Aristoteles, wurde am berühmtesten mit seinem Buch Charaktere, *der ersten Typologie innerhalb unserer Kultur.*

Er wurde 371 geboren und starb 287. Nach Aristoteles' Tod wurde er Vorsteher der sog. peripatetischen Schule. Er schrieb vor allem naturwissenschaftliche Bücher über Zoologie, Botanik, Mineralogie etc. Sie sind höchstens den Historikern der jeweiligen Wissenschaften bekannt, während seine Charaktere *sich einen Platz in der Weltliteratur erobern konnten. Der Renaissance-Gelehrte Casaubonus nannte dies Werk das »goldene Büchlein«.*

Zu den Typen, die hier kurz und kritisch behandelt werden, gehören zum Beispiel ›Der Redselige‹, ›Der Aufschneider‹, ›Der Hochmütige‹, ›Der Exklusive‹, ›Der Heuchler‹, ›Der Schmeichler‹, ›Der Liebediener‹, ›Der Unzeitgemäße‹, ›Der Taktlose‹, ›Der Ungeschliffene‹, ›Der Gedankenlose‹, ›Der alte Narr‹, ›Der Kleinliche‹ und viele mehr. Diese Charaktere *setzten eine literarische Gattung in die Welt. Ihr Prachtstück sind die* Charaktere *des La Bruyère. Von ihm stammt auch eine* Rede über Theophrast, *die oft seiner Theophrast-Übersetzung und seinen eigenen* Charakteren *vorangestellt wird.*

Wir können in dieser Einleitung nicht auf die großartigen Essays des französischen Psychologen eingehen; zitiert sei aber ein Absatz über das Werk Theophrasts: »Dieses

Buch kann schwerlich für etwas anderes gelten als für den Anfang eines längeren Werks, das Theophrast unternommen hatte. Die Absicht dieses Philosophen war, über alle Tugenden und alle Laster zu handeln, und da er selbst an einer Stelle versichert, daß er ein so großes Unternehmen in einem Alter von neunzig Jahren beginne, so ist es offenbar, daß ihn ein plötzlicher Tod daran hinderte, es bis zum Ende durchzuführen. Die gewöhnliche Meinung ist allerdings, er habe ein Leben über hundert Jahre erreicht, und der heilige Hieronymus versichert in einem Brief an Nepontianus, er sei volle hundertsieben Jahre alt geworden: so daß ich nicht zweifle, daß ein alter Irrtum entweder in den griechischen Ziffern vorliegt, welche dem Diogenes Laertios, der nur von fünfundneunzig Jahren spricht, als Richtschnur dienten, oder in den ersten Manuskripten, die über diesen Geschichtsschreiber angefertigt wurden.«

Und La Bruyère weist besonders darauf hin, daß dieses kleine Fragment die Quelle aller komischen Darstellungen des Altertums gewesen ist.

Der Schwätzer

Die Geschwätzigkeit könnte, wenn man sie definieren wollte, eine Maßlosigkeit im Sprechen sein, der Schwätzer aber etwa von folgender Art: Einem, der ihm begegnet und mit ihm über irgend etwas ins Gespräch kommt, erklärt er sofort, das sei gar nichts, und er wisse alles besser, und wenn er ihn anhören wolle, werde er es erfahren. Und will der andere etwas einwenden, so fällt er ihm ins Wort: »Du behauptetest? Vergiß nicht, was du sagen wolltest«, oder: »Gut, daß du mich daran erinnerst«, und: »Es ist doch schön, wenn man sich einmal richtig aussprechen kann«, außerdem: »Was ich noch sagen wollte«, doch: »Du hast es gleich richtig erraten«, auch: »Ich war schon längst darauf gespannt, ob du auf dasselbe verfallen würdest wie ich.« Und mit noch anderen derartigen Redewendungen ist er stets bei der Hand, so daß, wer ihm begegnet, überhaupt nicht zu Wort kommen kann. Hat er sie so einzeln entwaffnet, bringt er es auch fertig, Leute anzugehen, die in größeren oder kleineren Gruppen beisammenstehen, und sie mitten in ihren Verhandlungen in die Flucht zu schlagen. Dann geht er in die Schulen und auf die Sportplätze und stört die Knaben in der Ausbildung, so viel schwätzt er den Turnmeistern und Lehrern vor. Und Leute, die zu verstehen geben, daß sie gleich weitermüßten, begleitet er ohne weiteres und bringt sie bis in ihre Wohnungen. Und wenn er etwas aus der Volksversammlung erfahren hat, so verbreitet er sich über Volksversammlungen im allgemeinen, dabei erzählt er von der damals unter Aristophons Archontat stattgefundenen Rednerschlacht, von dem Treffen der Lakedaimonier unter Lysander, und durch welche Reden er selbst einst beim Volke Beifall gefunden hat; zugleich aber streut er nebenbei in seine Erzählungen Anklagen gegen die Massen ein, so daß die Zuhörer sicher den Faden verlieren oder einschlafen oder ihn mitten in seiner Rede stehen lassen und auf und davon gehen. Bei Gerichtssitzungen hindert er am Urteil, im Theater am Zuschauen, beim Gastmahl am Essen, mit der Entschuldigung: »Schweigen ist schwer für einen Schwätzer«, seine Zunge sei immer locker, er könne nun einmal nicht schweigen, selbst wenn man ihn für geschwätziger halte als die Schwalben. Von seinen eigenen Kindern läßt er sich den Spott gefallen, die ihn, wenn sie einschlafen wollen, mit den Worten bitten: »Väterchen, uns etwas vorplaudern, damit wir schlafen können.«

Der Aufschneider

Die Aufschneiderei erscheint einfach als eine Vorspiege-
lung von Vorzügen, die man gar nicht hat, der Aufschneider aber ist etwa von folgender Art: Wenn er auf dem Ha-
fendamm steht, erzählt er den Fremden, daß von ihm viel
Feld auf dem Meere schwimme, und verbreitet sich über
den Umfang des Seedarlehensgeschäftes, wieviel er selbst
dabei schon verdient und verloren habe. Und während er
so mit dem Gelde herumwirft, schickt er seinen Sklaven
auf die Bank, wo er auf seinem Konto eine ganze Drachme
stehen hat. Einem zufälligen Reisegefährten ist er imstande, unterwegs aufzubinden, daß er die Feldzüge Alexanders mitgemacht habe und auf welchem Fuße er mit diesem gestanden und wieviel edelsteinbesetzte Pokale er
heimgebracht habe. Und was die Künstler in Asien anlan-
ge, so vertritt er natürlich die Behauptung, daß sie mehr
können als die europäischen, und das sagt er, ohne je aus
der Stadt hinausgekommen zu sein. Von Antipater, so
fährt er fort, habe er schon drei Briefe mit der Einladung,
nach Makedonien zu kommen, erhalten, und obwohl ihm
zollfreie Holzausfuhr angeboten worden sei, habe er doch
abgelehnt, damit er ja von niemandem verdächtigt werden
könne. »Da hätten die Makedonier eben weiter denken
müssen.« Während der Hungersnot habe er mehr als fünf
Talente zur Unterstützung bedürftiger Mitbürger aufge-
wendet, er könne nun einmal nicht nein sagen. Wenn er
mit Leuten, die ihn nicht kennen, beisammensitzt, fordert
er einen von ihnen auf, selbst nachzurechnen, und indem
er für sechshundert je eine Mine rechnet, wobei er von jedem einzelnen schier glaubwürdig den Namen anführt,
bekommt er sogar zehn Talente heraus. Dies, sagt er, habe
er allein für freiwillige Spenden ausgegeben, die Schiffs-

ausrüstungen und alle seine anderen öffentlichen Leistungen rechne er gar nicht. Kommt er auf den Pferdemarkt, so gibt er sich den Verkäufern gegenüber den Anschein, als ob er die edelsten Tiere kaufen wolle. In den Basaren wählt er Kleider bis zu zwei Talenten und schilt dann seinen Sklaven, daß er ihn ohne Geld begleite. Obwohl er in einem Miethause wohnt, erklärt er doch dem, der es nicht weiß, es sei das Haus von seinem Vater, er wolle es aber verkaufen, weil es für seine Gäste zu klein werde.

Der Eitle

Die Eitelkeit ließe sich etwa bezeichnen als ein Ehrgeiz, der sich in kleinlichen Dingen kundgibt, der Eitle ist aber etwa von folgender Art: Zum Mahle geladen, beansprucht er bei Tisch den Platz neben dem Hausherrn. Seinen Sohn führt er zur Haarschur nach Delphi. Als Diener muß er natürlich einen Neger haben. Wenn er hundert Drachmen zu zahlen hat, so läßt er es in neuer Münze anweisen. Er ist imstande, der Dohle, die er hält, ein Leiterchen zu kaufen und ein ehernes Schildchen machen zu lassen, mit dem sie auf dem Leiterchen auf und ab hüpfen soll. Hat er einen Ochsen geopfert, so umwindet er die Stirnhaut samt den Hörnern mit großen Binden und nagelt sie über dem Haustor an, damit jeder, der kommt, gleich sieht, daß er einen Ochsen geopfert hat. Hat er an einem öffentlichen Umzug der Ritter teilgenommen, dann gibt er dem Burschen alle seine Sachen zum Nachhausetragen, er selbst aber wirft sich seinen Zivilmantel um und spaziert in Sporen auf dem Markt herum. Ist sein Malteserhündchen verendet, so läßt er ihm ein Grabmal und ein Säulchen errichten mit der Inschrift: »Hier ruht Klados aus Malta.« Hat er im Asklepiostempel einen Erzfinger gestiftet, so putzt er ihn, bekränzt und salbt ihn alle Tage. Ist er an der Leitung der Volksversammlung beteiligt, so verlangt er von den Prytanen, daß er dem Volk das Ergebnis der Opfer verkünde; dann tritt er schön herausgeputzt und bekränzt vor das Volk und spricht: »Männer von Athen, wir, die Prytanen, haben der Göttermutter ein Opfer dargebracht, die Opfer sind würdig, die Opfer sind recht. Heil euch!« Und dann eilt er heim und erzählt seiner Frau, welchen Erfolg er gehabt habe. Sehr oft läßt er sich die Haare schneiden, hält viel auf weiße Zähne, wechselt die Kleider, auch wenn man sie noch ganz gut tragen kann, und salbt sich mit Wohlgerüchen; auf dem Markte geht er oft zu den Wechslern und hält sich in den Ringschulen auf, wo die Jünglinge gerade üben. Im Theater aber nimmt er bei den Vorstellungen in der Nähe der Feldherren Platz. Für sich kauft er nichts, Gastfreunden aber schickt er Geschenke nach Byzanz, lakonische Hunde bis nach Kyzikos, hymettischen Honig nach Rhodos; und wenn er dies tut, so erzählt er es in der Stadt herum. Natürlich ist er auch imstande, einen Affen zu halten, sich einen Tityros anzuschaffen, ferner sizilische Tauben, Würfel aus Gazellenknöcheln, runde thurische Ölfläschchen, gebogene Stöcke aus Lakedaimon, einen Vorhang, in dem Persermuster eingewebt sind, und einen kleinen, mit Sand bestreuten Hof als Ring- und Ballspielplatz. Und er geht umher und bietet ihn dann den Philosophen, Sophisten, Fechtmeistern und Musikern für ihre Veranstaltungen an; er selbst tritt bei den Vorführungen zuletzt ein, damit ein Zuschauer zum anderen sage: »Diesem gehört die Palästra!«

Der Wichtigtuer

Die Wichtigtuerei läßt sich einfach als ein gewisses Zuviel-
tun in Reden und Handeln bezeichnen, das allerdings guter Absicht entspringt, der Wichtigtuer aber ist etwa von
folgender Art: Er meldet sich und verspricht, was er später
nicht halten können wird. Gegen eine gerichtliche Entscheidung, die allgemein als gerecht anerkannt wird,
macht er eine Einwendung, erhält aber eine Abfuhr. Und
den Diener nötigt er, mehr Wein zu mischen, als die Gäste
trinken können. Streitende sucht er zu trennen, obwohl er
sie gar nicht kennt. Und er bietet sich zum Führer für
einen Abkürzungsweg an und weiß dann selbst nicht, wo
er gehen soll. Oder er begibt sich zum Befehlshaber und
fragt, wann er das Heer ausrücken zu lassen beabsichtige
und was er übermorgen für einen Befehl ausgeben werde.
Auch eilt er zu seinem Vater und sagt ihm, daß die Mutter
schon im Bette sei. Wenn der Arzt dem Kranken Wein zu
reichen verbietet, tut er es doch und erklärt, er wolle dem
Patienten damit wieder auf die Beine helfen. Und wenn
eine Frau gestorben ist, so läßt er auf ihr Grabmal den
Namen ihres Mannes, ihres Vaters, ihrer Mutter und ihren
eigenen und ihrer Heimat schreiben und außerdem hinzufügen, daß sie alle lauter brave Leute waren. Und wenn er
einen Eid ablegen soll, sagt er zu den Dabeistehenden:
»Oh, ich habe auch früher schon manchen Eid geleistet.«

Der Abergläubische

Den Aberglauben könnte man ohne Zweifel eine Furcht
vor dem Übernatürlichen nennen, der Abergläubische
aber ist etwa von folgender Art: Am Totentag wäscht er

sich die Hände mit Weihwasser und besprengt sich ganz damit, nimmt ein Lorbeerblatt in den Mund und geht so den ganzen Tag herum. Und wenn ihm ein Wiesel über den Weg läuft, so geht er nicht eher weiter, als bis ein anderer dort gegangen ist oder bis er drei Steine über den Weg geworfen hat. Findet er in seinem Hause eine Schlange, so ruft er, falls es eine Backenschlange ist, den Sabazios an, ist es eine »heilige«, so läßt er sofort an Ort und Stelle einen kleinen Tempel errichten. Und die geweihten Steine an den Kreuzwegen übergießt er beim Vorbeikommen mit Öl aus seinem Fläschchen, fällt auf die Knie und verrichtet ein Gebet, erst dann geht er weiter. Hat eine Maus einen Mehlsack durchgenagt, so geht er zum Zeichendeuter und fragt an, was in diesem Falle zu tun sei, und wenn der ihm antwortet, er möge den Sack dem Sattler zum Flicken geben, dann hört er nicht darauf, sondern macht kehrt und vollzieht den Reinigungsakt. Er liebt es auch sonst häufig, in seinem Hause Reinigungsopfer zu vollziehen mit der Behauptung, ein Hekatezauber habe das Haus verhext. Und falls, wenn er unterwegs ist, Eulen kreischen, so schrickt er zusammen und geht nicht anders weiter als mit einem: »Athena ist groß!« Er hütet sich ängstlich, ein Grabmal zu betreten, zu einem Toten oder zu einer Wöchnerin zu gehen mit der Begründung, er wolle sich lieber nicht verunreinigen. Und an jedem Vierten und Vierundzwanzigsten beauftragt er seine Leute, Wein zu kochen, er selbst besorgt Myrten, Weihrauch und Opferkuchen und bekränzt seine Hermaphroditen den ganzen Tag lang. Wenn er einen Traum gehabt hat, eilt er zu den Traumdeutern, Wahrsagern und Vogelschauern, um zu fragen, zu welchem Gott und zu welcher Göttin er zu beten habe; und um sich weihen zu lassen, begibt er sich zu den Winkelpriestern des Orpheus. Auch zu den Leuten, die sich fleißig mit Seewasser besprengen, darf man ihn zählen, und zwar wandert er jeden Monat mit seiner Frau, und wenn diese keine Zeit dazu hat, mit der Amme und den Kindern zum Meere. Und trifft er gelegentlich Knoblauchbekränzte, die sich auf den Dreiwegen herumtreiben, so wäscht er sich, heimgekommen, vom Kopf bis zu den Füßen, läßt Sühnepriesterinnen rufen und beauftragt sie, ihn mit Meerzwiebel oder mit einem jungen Hund zu behandeln. Sieht er aber einen Verrückten oder Epileptischen, so spuckt er sich erschauernd in den Bausch seines Gewandes.

Der Grobian

Die Grobheit ist eine Schroffheit im Umgang, besonders im Ausdruck, der Grobian aber etwa von folgender Art: Wird er gefragt: »Wo ist der oder jener?«, so entgegnet er: »Laß mich ungeschoren.« Wird er gegrüßt, so dankt er nicht. Hat er etwas zu verkaufen, so nennt er den Käufern keinen Preis, sondern fragt, was er dafür bekomme. Will ihm jemand eine Aufmerksamkeit erweisen und schickt ihm etwas zu einem Festtag, so läßt er sagen, daß er wohl nicht nötig habe, sich etwas schenken zu lassen. Wenn ihn einer aus Versehen schmutzig macht, anstößt oder auf den Fuß tritt, so läßt er keine Entschuldigung gelten. Fordert ihn ein Bekannter auf, zu einer Sammlung etwas beizusteuern, so sagt er erst, er gäbe nichts, hinterher kommt er aber doch und bringt einen Beitrag mit der Bemerkung, daß dieses Geld also auch noch hinausgeworfen sein solle. Stolpert er auf der Straße, flucht er womöglich auf den Stein. Auf jemanden längere Zeit zu warten, bringt er überhaupt nicht über sich. Zu singen, etwas vorzutragen oder mitzutanzen würde ihm nie einfallen. Selbst die Götter um etwas zu bitten ist ihm zuwider.

Der Schmarotzer

Das Schmarotzertum läßt sich als eine Verachtung der guten Nachrede um schimpflichen Gewinnes willen definieren, der Schmarotzer aber ist etwa von folgender Art: Er geht zunächst zu einem, den er schon einmal betrogen hat, um abermals von ihm zu borgen, und dann opfert er (mit dem geliehenen Geld) den Göttern; während er sein Fleisch einlagert und einsalzt, geht er selbst zu einem anderen Opferschmaus. Dort winkt er seinen Diener heran, nimmt Braten und Brot vom Tisch, gibt es ihm und sagt laut, damit es alle hören können: »Laß dir's gut schmecken, Tibeios.« Wenn er Essen einkauft, erinnert er auch den Metzger daran, wieviel er an ihm schon verdient hat, stellt sich dicht neben die Waage und wirft am liebsten ein Stück Fleisch oder wenigstens ein Markbein für die Suppe in die Schale dazu. Gelingt's, so ist es gut, wenn nicht, nimmt er ein Stück Gekröse von der Fleischbank und macht sich lachend davon.

Hat er für seine Gastfreunde Plätze im Theater besorgt, so weiß er es so einzurichten, daß er umsonst zuschauen kann, und am nächsten Tag nimmt er noch seine Söhne samt ihrem Hauslehrer mit. Hat einer billig eingekauft, verlangt er, er soll ihm davon auch etwas zukommen lassen. Er begibt sich auch in das Haus fremder Leute und leiht sich Gerste, manchmal auch Stroh, und mutet denen, die es ihm geliehen haben, überdies zu, daß sie es ihm auch noch zustellen. Er bringt es ferner fertig, an die Warmwasserkessel in der Badeanstalt heranzutreten und trotz des

Geschreies des Bademeisters mit dem Krug Wasser zu schöpfen und sich mit eigenen Händen zu übergießen, um schließlich auszurufen, daß er nun fertig sei, und beim Weggehen noch: »Trinkgeld gibt's keines!«

Epikur
Brief an Menoikeus

*E*pikur *wurde auf der jonischen Insel Samos geboren, im Jahr 341, sechs Jahre nach Platons Tod. Als er fünfunddreißig war, übersiedelte er mit seinen Schülern nach Athen. Die Wohlhabenden unter ihnen machten es ihm möglich, für den Schüler- und Freundeskreis ein großes Grundstück zu erwerben. Es soll einen ungewöhnlich schönen Garten gehabt haben. Danach nannte man Epikur und die Seinen »Die Philosophen vom Garten.«*

Sechsunddreißig Jahre lehrte er hier. Seine Schüler hingen leidenschaftlich an ihm, wie auch selbst ihre Frauen und Sklaven. Er starb mit 71 einen schweren Tod. Unter den überlieferten Fragmenten finden wir folgendes aus einem Brief an den Freund Idomeneus, geschrieben auf dem Sterbebett: »Indem ich den glückseligen Tag meines Lebens erlebe und zugleich beende, schreibe ich Euch dies. Harnzwangbeschwerden folgen einander und Durchfallschmerzen, die keine Steigerung in ihrer Stärke übrig lassen. Doch entgegen tritt alldem in meiner Seele die Freude über die Erinnerung an alle mir gewordenen Erkenntnisse. Bitte, sorge in einer Weise, die Deines von Jugend an bewiesenen Eintretens für mich und der Wahrheit würdig ist, für die Kinder unseres Metrodoros.«

Epikurs Hauptwerk heißt Die Natur. *Nur Stücke sind erhalten. Sie stammen aus einer (stark verkohlten) Bibliothek epikureischer Schriften, die man in der 79 n. Chr.*

*durch den Vesuv verschütteten Stadt Herculanum fand.
Die stärkste Verbreitung seiner Ideen verdankt er dem
großen Poem* De rerum natura, *das im ersten Jahrhundert
v. Chr. der römische Epikureer T. Lucretius Carus verfaßte. Atticus, Ciceros engster Freund, Vergil und Horaz
wurden von dieser Lehre stark beeinflußt.
Epikurs Schule blieb bis in die Ära der römischen Kaiser
am Leben. Im neunten Jahrhundert, in der Karolingerzeit, wurde das Gedicht des Lukrez wieder und wieder abgeschrieben. Diese Abschriften spielten in der Renaissance
eine große Rolle. Im 17. Jahrhundert gewann das Epi-
kur-Studium durch Pierre Gassendi einen neuen Auftrieb.
Am Ende des 19. Jahrhunderts erschien Hermann Useners*
Epicuräa *(1887), was die Epikur-Forschung wiederum
außerordentlich förderte. Wir bringen im folgenden Epikurs Brief an seinen wohl noch jungen Schüler Menoikeus.
Es ist das ausführlichste Dokument über die Lehre vom
Glück.*

Epikur wünscht seinem lieben Menoikeus Freude!

Mit dem Philosophieren soll man getrost schon in der
Jugend beginnen, aber im Alter auch nicht müde davon
ablassen. Denn um für seine seelische Gesundheit etwas zu
tun, ist keiner zu jung oder zu alt, und wer etwa meint, für
ihn sei es zum Philosophieren noch zu früh oder schon zu
spät, der könnte ebensogut behaupten, der richtige Zeitpunkt für seine Glückseligkeit sei noch nicht da oder
schon vorbei. Also, philosophieren muß der junge wie der
alte Mensch; dieser, damit er jung bleibt im dankbaren
Genuß des Guten, das die Vergangenheit ihm schenkte,
und jener, damit er furchtlos in die Zukunft blicken kann

und dadurch jung und alt zugleich ist. Freilich muß man sich beizeiten in dem üben, was Glückseligkeit verleiht, denn in ihr besitzen wir alles, und wem sie fehlt, der gibt sich ja doch alle Mühe, sie zu erwerben.

Darum tue Du, was ich Dir ständig anempfohlen habe, und übe Dich darin und sei gewiß, daß es die Grundbedingungen für ein wahrhaft schönes Dasein sind.

Vor allem glaube daran, daß die Gottheit ein unvergängliches und seliges Wesen ist – so jedenfalls läßt sich unsere Vorstellung von ihr ganz allgemein umreißen –, und hänge ihr nichts an, was ihrer Unvergänglichkeit zuwiderläuft oder was mit ihrer Seligkeit unvereinbar ist, vielmehr bringe zu ihr nur das in Beziehung, was ihrer mit Unvergänglichkeit gepaarten Seligkeit gemäß ist. Denn Götter gibt es, da wir sie doch offenbar zu erkennen vermögen. Nur sind sie nicht so, wie die große Menge sie sich vorstellt; so sind sie nicht, und nicht der ist gottlos, der die Gottesvorstellung der Masse beseitigt, sondern wer den Göttern die Ansichten der Masse anhängt. Was die Masse über die Götter aussagt, entspricht nämlich nicht der richtigen Gotterkenntnis, sondern falschen Vermutungen. Aus diesem Grunde sieht sie als Fügung der Götter an, was den Bösen an Üblem widerfährt oder was die Guten fördert. Sie empfindet eben als fremd, was nicht wie sie selber geartet ist, und läßt sich darum nur Götter gefallen, die ihresgleichen sind.

Ferner gewöhne Dich an den Gedanken, daß der Tod für uns ein Nichts ist. Beruht doch alles Gute und alles Üble nur auf Empfindung, der Tod aber ist die Aufhebung der Empfindung. Darum macht die Erkenntnis, daß der Tod ein Nichts ist, uns das vergängliche Leben erst köstlich. Dieses Wissen hebt natürlich die zeitliche Grenze unseres Daseins nicht auf, aber es nimmt uns das Verlangen, unsterblich zu sein; denn wer eingesehen hat, daß am Nichtleben gar nichts Schreckliches ist, den kann auch am Leben nichts schrecken. Sagt aber einer, er fürchte den Tod ja nicht deshalb, weil er Leid bringt, wenn er da ist, sondern weil sein Bevorstehen schon schmerzlich sei, der ist ein Tor, denn es ist doch Unsinn, daß etwas, dessen Vorhandensein uns nicht beunruhigen kann, uns dennoch Leid bereiten soll, weil und solange es nur erwartet wird.

So ist also der Tod, das schrecklichste der Übel, für uns ein Nichts; solange wir da sind, ist er nicht da, und wenn er da ist, sind wir nicht mehr. Folglich betrifft er weder die Lebenden noch die Gestorbenen; denn wo jene sind, ist er nicht, und diese sind ja überhaupt nicht mehr da.

Freilich, die große Masse meidet den Tod als das größte der Übel, sehnt ihn aber auch andererseits herbei als ein Ausruhen von den Mühsalen des Lebens. Der Weise dagegen lehnt weder das Leben ab noch fürchtet er sich vor dem Nichtmehrleben; denn ihn widert das Leben nicht an, und er betrachtet das Nichtmehrleben nicht als ein Übel. Und wie er beim Essen nicht unbedingt möglichst viel haben will, sondern mehr Wert auf die gute Zubereitung legt, so ist er auch beim Leben nicht auf dessen Dauer bedacht, sondern auf die Köstlichkeit der Ernte, die es ihm einträgt.

Wer nun aber verkündet, der junge Mensch müsse ein schönes Leben haben, der alte aber brauche einen schönen Tod, der ist albern, und zwar nicht nur, weil das Leben stets erwünscht ist, sondern auch darum, weil die Übung eines schönen Lebens gleichbedeutend ist mit der Vorübung für ein schönes Sterben. Noch viel minderer aber ist, wer da sagt:

»Schön ist's, gar nicht geboren zu sein . . .
Ist man geboren, aufs schnellste des Hades Tor zu durch-
schreiten.«

Ist dies nämlich eine wirkliche Überzeugung, warum gibt
er dann das Leben nicht auf? Das steht ihm ja frei, wenn er
es sich fest vornimmt. Redet er aber nur aus Spott so daher, dann gilt er bei denen, die solches Gerede nicht mögen, erst recht als Narr.

Wir dürfen eben nie vergessen, daß die Zukunft zwar
gewiß nicht in unsere Hand gegeben ist, daß sie aber
ebenso gewiß doch auch nicht ganz außerhalb unserer
Macht steht; so werden wir uns weder darauf verlassen,
daß eintritt, was wir erwarten, noch werden wir verzweifeln, als könne es überhaupt nicht eintreten.

Man muß sich aber auch darüber klarwerden, daß von
unseren Begierden die einen naturbedingt, die anderen
nichtig sind und daß von den naturbedingten ein Teil
notwendig, der andere eben nur natürlich ist, und schließlich, daß von den notwendigen einige zur Erlangung der
Glückseligkeit erforderlich sind, andere, um unsere Gesundheit vor Störungen zu bewahren, und wieder andere,
um überhaupt leben zu können. Bei unbeirrbarer Betrachtung der Begierden lernt man nämlich, jedes Streben und
jedes Meiden für die Gesundheit des Leibes und zur Wahrung der Seelenruhe zu nutzen, da diese beiden zusammen
das glückselige Leben ausmachen. All unser Tun richten
wir ja doch nur darauf, keinen Schmerz erdulden und
keine Angst empfinden zu müssen. Haben wir aber diesen
Zustand erst einmal erreicht, dann schwindet aller Aufruhr aus unserer Seele, da das Lebewesen sich nun nicht
mehr gleichsam darauf einstellen muß, was ihm etwa noch
fehle, und nichts mehr zu suchen braucht, womit es sein

körperliches und seelisches Wohlbehagen erst vollkommen zu machen hätte. Denn nach Freude verlangt es uns
nur, wenn wir sie schmerzlich vermissen; empfinden wir
aber diesen Schmerz nicht, dann entbehren wir auch die
Freude nicht mehr.

Darum behaupte ich, daß die Freude das A und O des
glückselig gestalteten Lebens ist. Sie kennen wir als unser
erstes angeborenes Gut, von ihr lassen wir uns bei unserem
Streben und Meiden leiten, und nach ihr richten wir uns,
alles andere Gut mit ihrem Maßstab messend. Und gerade
weil sie unser allererstes, naturgegebenes Gut ist, darum
streben wir auch nicht nach jeder Freude, sondern übergehen bisweilen viele, wenn uns von ihnen nur ein desto größeres Unbehagen droht. Ja, viele Schmerzen bewerten wir
mitunter sogar höher als Freuden, nämlich dann, wenn auf
eine längere Schmerzenszeit eine um so größere Freude
folgt. So bedeutet für uns also jede Freude, weil sie an sich
etwas Annehmliches ist, zwar gewiß ein Gut, aber nicht
jede ist erstrebenswert, wie umgekehrt jeder Schmerz
wohl ein Übel ist, aber darum doch nicht unbedingt vermieden werden muß. Unsere Aufgabe ist es, durch Ab-
wägen und Unterscheiden des Zuträglichen und Abträg-
lichen immer alles richtig zu bewerten, denn manchmal
bedienen wir uns des Guten gleich wie eines Übels und
umgekehrt.

Auch die Selbstgenügsamkeit halten wir für ein großes
Gut, doch nicht, damit wir uns unter allen Umständen am
wenigsten genügen lassen, sondern damit wir mit wenigem zufrieden sind, wenn wir nicht viel haben. Dabei leitet uns die Überzeugung, daß der einen reichen Aufwand
am stärksten genießt, der seiner am wenigsten bedarf, daß
alles Natürliche leicht zu beschaffen ist, das Sinnlose aber
schwer, und daß schließlich die schlichten Genüsse eben-

soviel Freude bereiten wie der größte Luxus, wenn nur das Schmerzgefühl des Entbehrens nicht aufkommt. Womit also gemeint ist, daß schon Brot und Wasser, wenn man sie zuvor entbehrte, einen Hochgenuß bereiten können. Außerdem fördert die Gewöhnung an eine einfache, nicht üppige Lebensweise die Gesundheit, befähigt den Menschen, unverdrossen zu leisten, was das Leben von ihm fordert, läßt uns die reicheren Genüsse, die uns dann und wann einmal geboten werden, um so stärker empfinden und unterstützt unsere Furchtlosigkeit gegenüber dem Zufall.

Wenn wir nun also sagen, daß Freude unser Lebensziel ist, so meinen wir nicht die Freuden der Prasser, denen es ums Genießen schlechthin zu tun ist. Das meinen die Unwissenden oder Leute, die unsere Lehre nicht verstehen oder sie böswillig mißverstehen. Für uns bedeutet Freude: keine Schmerzen haben im körperlichen Bereich und im seelischen Bereich keine Unruhe verspüren. Denn nicht eine endlose Reihe von Trinkgelagen und Festschmäusen, nicht das Genießen schöner Knaben und Frauen, auch nicht der Genuß von leckeren Fischen und was ein reich besetzter Tisch sonst noch zu bieten vermag, schafft ein freudevolles Leben, vielmehr allein das klare Denken, das allem Verlangen und allem Meiden auf den Grund geht und den Wahn vertreibt, der wie ein Wirbelsturm die Seelen erschüttert.

An allem Anfang aber steht die Vernunft, unser größtes Gut. Aus ihr ergeben sich alle übrigen Tugenden von selbst, ja sie ist sogar wertvoller als das Philosophieren, weil sie uns lehrt, daß in Freude zu leben unmöglich ist, ohne daß man ein vernünftiges, sittlich hochstehendes und gerechtes Leben führt, daß umgekehrt aber auch unmöglich ist, ein vernünftiges, sittlich hochstehendes und gerechtes Leben zu führen, ohne in Freude zu leben. Denn die Tugenden sind mit dem freudevollen Leben eng verwachsen, und dieses ist von jenen nicht zu trennen.

Wen glaubst Du noch höher stellen zu können als den, der von den Göttern fromm denkt, dem Tode allzeit furchtlos entgegensieht und das Ziel der Natur klar erkannt hat –

der erfaßt hat, daß das höchste Gut leicht zu erfüllen und leicht zu erwerben ist, wogegen das größte Übel entweder nur kurze Zeit währt oder nur kurzes Leid mit sich bringt –

der die von manchen als allgewaltige Herrscherin betrachtete Notwendigkeit verlacht – wäre es doch immer noch besser, dem alten Götterglauben zu huldigen, als sich der »Vorherbestimmung« der Naturphilosophen zu unterwerfen; jener bietet doch wenigstens noch die Aussicht, daß die Götter uns erhören, wenn wir sie verehren, während diese die unerbittliche Notwendigkeit schlechthin ist –

der im Zufall nicht, wie die breite Masse es tut, eine Gottheit sieht – eine Gottheit läßt nämlich nichts wahllos geschehen –, ihn aber auch nicht für einen ganz unsicheren Ausgangspunkt hält, denn er glaubt zwar nicht, daß den Menschen ein Gut oder Übel zum glückseligen Leben allein vom Zufall beschert wird, wohl aber, daß die Ansätze, aus denen große Güter und große Übel entstehen können, zufällig sein können –

und dem es schließlich lieber ist, bei richtiger Überlegung vom Zufall betrogen als bei falscher von ihm begünstigt zu werden – denn es ist besser, daß bei unserem Handeln der richtige Entschluß infolge eines Zufalls zu einem Mißerfolg führt, als wenn wir uns falsch entschieden und trotzdem durch den Zufall ein Erfolg herbeigeführt wird –!

Dies also, und was mit ihm verwandt, übe Tag und Nacht, allein und mit einem Gesinnungsgenossen, und Du wirst niemals, weder wachend noch schlafend, in Unruhe geraten, sondern wirst leben wie ein Gott unter Menschen. Denn keineswegs gleicht einem vergänglichen Lebewesen ein Mensch, der in unvergänglichem Besitztum lebt.

Der Prediger Salomon

Um die Zeit, da der Grieche Epikur in seinem Garten bei Athen lehrte – vielleicht ein bißchen, vielleicht eine ganze Weile später –, schrieb in Jerusalem oder in Alexandria ein Jude philosophische Aphorismen über das Glück und das Unglück. Der Verfasser nannte sich mit einem Schriftstellernamen: Kohelet. Kohelets Gott wurde: das Glück.

Es war innerhalb jener Kultur recht neu, daß hinter einem literarischen Werk ein Autor auftauchte. Die ganze babylonische Literatur ist anonym. Die Bibel, soweit sie aus der Zeit vor dem dritten Jahrhundert stammt, ist ein Almanach von literarischen Arbeiten, die ohne Titel und Verfassernamen erschienen. Erst die Griechen erfanden den Schriftsteller.

Die Züge Alexanders des Großen hatten die Vermischung griechischer und vorderasiatischer Kulturen eingeleitet. In Ägypten und Palästina waren griechische Städte entstanden. Und wahrscheinlich ist es griechischer Einfluß gewesen, daß nun in diesem gewaltigsten Preislied, das je dem Glück gesungen wurde, der Name dessen erschien, der es verfaßt hatte. Der jüdische Schriftsteller stellte sich seinen Lesern vor. »Dies sind die Reden Kohelets«, heißt es in der Einleitung.

Und dieser Kohelet gab sich nun gleich zwei Namen. Er nannte sich nicht nur Kohelet, sondern auch noch »Sohn Davids, des Königs zu Jerusalem«.

Noch deutlicher erklärte er dann: »Ich, Kohelet, war

König über Israel in Jerusalem.« Er gab also seine Aperçus
als ein nachgelassenes, bisher unbekanntes Werk des Königs Salomon aus, den die jüdische Tradition in den Jahrhunderten seit seinem Tod zum weisesten aller Menschen
erklärt hatte. Damit setzte der unbekannte Aphorismen-
Schreiber eine der langlebigsten literarischen Mystifikationen in die Welt.

Weshalb hat er das getan? Vielleicht war er ein erfolg-
loser Intellektueller und wollte seinen Einsichten dadurch
Beachtung schaffen, daß er sie dem hochberühmten königlichen Weisen zuschrieb. Ein Kommentator des Kohelet
bemerkte: diese Fälschung müsse im dritten Jahrhundert
vor Christus ein Aufsehen erregt haben, als wenn heute
eine Schlagzeile in den Boulevard-Blättern lautete: »Ein
verloren geglaubtes Werk des Königs Salomon entdeckt!
Der alte Weise lehrte: ›Alles ist eitel!‹ . . .«

Vielleicht aber war es gar nicht so sehr der Wunsch, diesen Aufzeichnungen Beachtung zu schenken, was Kohelet
zu dieser Maskierung trieb. Vielleicht trieb ihn vielmehr
die Vorsicht. Schließlich war es nicht sehr im Sinne der mosaischen Tradition, was er da über den Menschen und sein
Leben zum besten gab. Es war ganz gewiß nicht gut jüdisch, was er predigte.

Übrigens hat dieser Salomon-Kohelet noch einen dritten
Namen, unter dem die meisten ihn kennen. Sein griechischer Übersetzer taufte ihn: »Ecclesiastes«. Luther übersetzte: »Der Prediger Salomo.« Jenen Namen aber, mit
dem seine Mutter und sein Vater und seine Freunde ihn riefen, kennen wir nicht.

Dies sind die Reden des Predigers, des Sohns David, des Königs zu Jerusalem.

Es ist alles ganz eitel, sprach der Prediger, es ist alles ganz eitel.

Was hat der Mensch für Gewinn von all seiner Mühe, die er hat unter der Sonne?

Ein Geschlecht vergehet, das andere kommt; die Erde bleibt aber ewiglich. Die Sonne gehet auf und gehet unter und läuft an ihren Ort, daß sie wieder daselbst aufgehe.

Der Wind geht gen Mittag und kommt herum zur Mitternacht und wieder herum an den Ort, da er anfing.

Alle Wasser laufen ins Meer, doch wird das Meer nicht voller; an den Ort, da sie her fließen, fließen sie wieder hin.

Es sind alle Dinge so voll Mühe, daß es niemand ausreden kann. Das Auge siehet sich nimmer satt, und das Ohr höret sich nimmer satt. Was ist's, das geschehen ist? Eben das hernach geschehen wird. Was ist's, das man getan hat? Eben das man hernach wieder tun wird; und geschieht nichts Neues unter der Sonne.

Geschieht auch etwas, davon man sagen möchte: Siehe, das ist neu? Es ist zuvor auch geschehen in den langen Zeiten, die vor uns gewesen sind. Man gedenkt nicht derer, die zuvor gewesen sind; also derer, so hernach kommen, wird man nicht gedenken bei denen, die darnach sein werden. Ich, der Prediger, war König über Israel zu Jerusalem.

Und richtete mein Herz, zu suchen und zu forschen weislich alles, was man unter dem Himmel tut. Solche unselige Mühe hat Gott den Menschenkindern gegeben, daß sie sich drinnen müssen quälen.

Ich sah an alles Tun, das unter der Sonne geschieht, und siehe, es war alles eitel und Haschen nach Wind.

Krumm kann nicht schlicht werden noch der Fehl gezählet werden. Ich sprach in meinem Herzen: Siehe, ich
bin herrlich geworden, und habe mehr Weisheit denn alle,
die vor mir gewesen sind zu Jerusalem, und mein Herz hat
viel gelernt und erfahren.

Und richtete auch mein Herz drauf, daß ich erkennete
Weisheit, und erkennete Tollheit und Torheit. Ich ward
aber gewahr, daß solches auch Mühe um Wind ist.

Denn wo viel Weisheit ist, da ist viel Grämens, und wer
viel lernt, der muß viel leiden.

Ich sprach in meinem Herzen: Wohlan, ich will wohl
leben und gute Tage haben! Aber siehe, das war auch eitel.

Ich sprach zum Lachen: Du bist toll, und zur Freude:
Was machst du?

Da dachte ich in meinem Herzen, meinen Leib mit Wein
zu pflegen, doch also, daß mein Herz mich mit Weisheit
leitete, und zu ergreifen, was Torheit ist, bis ich lernete,
was den Menschen gut wäre, daß sie tun sollten, solange
sie unter dem Himmel leben.

Ich tat große Dinge; ich baute Häuser, pflanzte Wein-
berge.

Ich machte mir Gärten und Lustgärten und pflanzte allerlei fruchtbare Bäume drein;

Ich machte mir Teiche, daraus zu wässern den Wald der
grünenden Bäume;

Ich hatte Knechte und Mägde und auch Gesinde, im
Hause geboren; ich hatte eine größere Habe an Rindern
und Schlafen denn alle, die vor mir zu Jerusalem gewesen
waren;

Ich sammelte mir auch Silber und Gold und von den
Königen und Ländern einen Schatz; ich schaffte mir Sänger und Sängerinnen und die Wonne der Menschen, allerlei Saitenspiel;

Und nahm zu über alle, die vor mir zu Jerusalem gewesen waren; auch blieb meine Weisheit bei mir.

Und alles, was meine Augen wünschten, das ließ ich ihnen, und wehrte meinem Herzen keine Freude, daß es fröhlich war von aller meiner Arbeit; und das hielt ich für mein Teil von aller meiner Arbeit.

Da ich aber ansah alle meine Werke, die meine Hand getan hatte, und Mühe, die ich gehabt hatte, da war es alles eitel Haschen nach Wind und kein Gewinn unter der Sonne.

Da wandte ich mich, zu sehen die Weisheit und die Tollheit und die Torheit. Denn wer weiß, was der für ein Mensch werden wird nach dem König, den sie schon bereitgemacht haben?

Da sah ich, daß die Weisheit die Torheit übertraf wie das Licht die Finsternis;

Daß dem Weisen seine Augen im Haupt stehen, aber die Narren in der Finsternis gehen; und merkte doch, daß es einem gehet wie dem andern.

Da dachte ich in meinem Herzen: Weil es denn mir gehet wie dem Narren, warum habe ich denn nach Weisheit gestanden? Da dachte ich in meinem Herzen, daß solches auch eitel sei.

Denn man gedenkt des Weisen nicht immerdar, ebensowenig als des Narren, und die künftigen Tage vergessen alles; und wie der Narr stirbt, also auch der Weise.

Darum verdroß mich, zu leben; denn es gefiel mir übel, was unter der Sonne geschieht, daß alles eitel ist und Haschen nach Wind.

Und mich verdroß alle meine Arbeit, die ich unter der Sonne hatte, daß ich dieselbe einem Menschen lassen müßte, der nach mir sein sollte.

Denn wer weiß, ob er weise oder toll sein wird? Und

soll doch herrschen in all meiner Arbeit, die ich weislich getan habe unter der Sonne. Das ist auch eitel.

Darum wandte ich mich, daß mein Herz abließe von aller Arbeit, die ich tat unter der Sonne.

Denn es muß ein Mensch, der seine Arbeit mit Weisheit, Vernunft und Geschicklichkeit getan hat, dieselbe einem andern zum Erbteil lassen, der nicht dran gearbeitet hat. Das ist auch eitel und ein groß Unglück.

Denn was kriegt der Mensch von aller seiner Arbeit und Mühe seines Herzens, die er hat unter der Sonne?

Denn alle seine Lebtage hat er Schmerzen mit Grämen und Leid, daß auch sein Herz des Nachts nicht ruhet. Das ist auch eitel.

Ist's nun nicht besser dem Menschen, daß er esse und trinke, und seine Seele guter Dinge sei in seiner Arbeit? Aber solches sah ich auch, daß es von Gottes Hand kommt.

Denn wer kann fröhlich essen und sich ergötzen ohne ihn?

Denn dem Menschen, der ihm gefällt, gibt er Weisheit, Vernunft und Freude; aber dem Sünder gibt er Mühe, daß er sammle und häufe, und es doch dem gegeben werde, der Gott gefällt. Darum ist das auch eitel und Haschen nach Wind.

Ein jegliches hat seine Zeit, und alles Vornehmen unter dem Himmel hat seine Stunde.

Geboren werden und sterben, pflanzen und ausrotten, das gepflanzt ist,

Würgen und heilen, brechen und bauen,
Weinen und lachen, klagen und tanzen,
Steine zerstreuen und Steine sammeln, herzen und
ferne sein von Herzen,

Suchen und verlieren, behalten und wegwerfen,
Zerreißen und zunähen, schweigen und reden,
Lieben und hassen, Streit und Friede hat seine Zeit.
Man arbeite, wie man will, so hat man keinen Gewinn
davon.
Ich sah die Mühe, die Gott den Menschen gegeben hat,
daß sie drinnen geplagt werden.

Er aber tat alles fein zu seiner Zeit und läßt ihr Herz sich
ängsten, wie es gehen solle in der Welt; denn der Mensch
kann doch nicht treffen das Werk, das Gott tut, weder Anfang noch Ende.

Darum merkte ich, daß nichts Bessers drinnen ist denn
fröhlich sein und sich gütlich tun in seinem Leben.
Denn ein jeglicher Mensch, der da isset und trinkt, und
hat guten Mut in all seiner Arbeit, das ist eine Gabe
Gottes.

Ich merkte, daß alles, was Gott tut, das bestehet immer;
man kann nichts dazu tun noch abtun; und solches tut
Gott, daß man sich vor ihm fürchten soll.

Was geschieht, das ist zuvor geschehen, und was geschehen wird, das ist auch zuvor geschehen; und Gott
sucht wieder auf, das vergangen ist.

Weiter sah ich unter der Sonne Stätten des Gerichts, da
war ein gottlos Wesen, und Stätten der Gerechtigkeit, da
waren Gottlose.

Da dachte ich in meinem Herzen: Gott muß richten den
Gerechten und den Gottlosen; denn es hat alles Vornehmen seine Zeit und alle Werke.

Ich sprach in meinem Herzen: Es geschieht von wegen
der Menschenkinder, auf daß Gott sie prüfe, und sie sehen, daß sie an sich selbst sind wie das Vieh.

Denn es gehet dem Menschen wie dem Vieh; wie dies

stirbt, so stirbt er auch, und haben alle einerlei Odem; und der Mensch hat nichts mehr denn das Vieh; denn es ist alles eitel.

Es fähret alles an *einen* Ort; es ist alles von Staub gemacht und wird wieder zu Staub.

Wer weiß, ob der Odem der Menschen aufwärts fahre, und der Odem des Viehes unterwärts unter die Erde fahre?

So sah ich denn, daß nichts Bessers ist, denn daß ein Mensch fröhlich sei in seiner Arbeit; denn das ist sein Teil. Denn wer will ihn dahinbringen, daß er sehe, was nach ihm geschehen wird?

Ich wandte mich und sah an alles Unrecht, das geschah unter der Sonne, und siehe, da waren Tränen derer, so Unrecht litten und hatten keinen Tröster; und die ihnen Unrecht taten, waren zu mächtig, daß sie keinen Tröster haben konnten.

Da lobte ich die Toten, die schon gestorben waren, mehr denn die Lebendigen, die noch das Leben hatten;

Und besser denn alle beide ist, der noch nicht ist, und des Bösen nicht innewird, das unter der Sonne geschieht.

Ich sah an Arbeit und Geschicklichkeit in allen Sachen, da neidet einer den andern. Das ist auch eitel und Haschen nach Wind. Ein Narr schlägt die Finger ineinander und verzehret sich selbst.

Es ist besser eine Hand voll mit Ruhe, denn beide Fäuste voll mit Mühe und Haschen nach Wind.

Ich wandte mich und sah die Eitelkeit unter der Sonne.

Es ist ein einzelner, und nicht selbander, und hat weder Kind noch Bruder; doch ist seines Arbeitens kein Ende, und seine Augen werden Reichtums nicht satt. Wem arbeite ich doch und breche meiner Seele ab? Das ist auch eitel und eine böse Mühe.

So ist's ja besser zwei denn eins; denn sie genießen doch ihrer Arbeit wohl.

Fällt ihrer einer, so hilft ihm sein Gesell auf. Weh dem, der allein ist! Wenn er fällt, so ist kein andrer da, der ihm aufhelfe.

Auch wenn zwei beieinander liegen, wärmen sie sich; wie kann ein einzelner warm werden?

Einer mag überwältigt werden, aber zween mögen widerstehen; und eine dreifältige Schnur reißet nicht leicht entzwei.

Ein arm Kind, das weise ist, ist besser denn ein alter König, der ein Narr ist, und weiß sich nicht zu hüten.

Es kommt einer aus dem Gefängnis zum Königreiche; und einer, der in seinem Königreiche geboren ist, verarmet.

Und ich sah, daß alle Lebendigen unter der Sonne wandelten bei dem andern, dem Kinde, das an jenes Statt sollte aufkommen.

Und des Volks, das vor ihm ging, war kein Ende, und des, das ihm nachging; und wurden sein doch nicht froh. Das ist ja auch eitel und Mühe um Wind.

Bewahre deinen Fuß, wenn du zum Hause Gottes gehest, und komm, daß du hörest. Das ist besser denn der Narren Opfer; denn sie wissen nicht, was sie Böses tun.

Sei nicht schnell mit deinem Munde, und laß dein Herz nicht eilen, etwas zu reden vor Gott; denn Gott ist im Himmel, und du auf Erden; darum laß deiner Worte wenig sein.

Denn wo viel Sorgen ist, da kommen Träume, und wo viel Worte sind, da höret man den Narren.

Wenn du Gott ein Gelübde tust, so verzeuch nicht, es zu halten; denn er hat kein Gefallen an den Narren. Was du gelobest, das halt.

Es ist besser, du gelobest nichts, denn daß du nicht hältst, was du gelobest.

Theokrit
Die Zauberinnen

Theokrit, einer der bedeutendsten griechischen Dichter der hellenistischen Zeit, wurde 305 v. Chr. geboren; man weiß nicht, wann und wo er gestorben ist.

Überhaupt weiß man nicht viel über sein Leben. Es gibt ein Epigramm unter seinem Namen, das sagt:

»Ich bin nicht aus Chios, ich bin Theokrit, der Verfasser,
Bin ein Glied der vielzähligen Stadt Syrakus,
Bin Praxagoras' Sohn und der trefflichen Mutter Philine:
Kein unächtes Gedicht habe ich gezogen zu mir.«

Man schreibt dies Gedicht aber eher dem Artemidor zu, der im 2. Jahrhundert v. Chr. gelebt hat. Die Gelehrten sind nun der Ansicht, daß Theokrit nicht in Chios und nicht in Syrakus zur Welt kam, sondern auf der Insel Kos. Man hat seine Idyllen analysiert und auf diese Weise versucht, einiges über sein Leben zu eruieren.

Danach ist es wahrscheinlich, daß er auf der Insel seiner Geburt im Kreise seiner Familie und Freunde glücklich lebte, auch außerhalb seiner Heimat großes Ansehen genoß und mit den besten Dichtern seiner Zeit in Verbindung stand. Die Mäzene der Kunst jener Zeit waren mächtige Fürsten, wie dann später wieder in der Renaissance. Es scheint, daß Theokrit die Gunst des Hieron von Syrakus erlangt hat.

In der 16. Idylle haben wir eine Art von Bittgedicht an diesen mächtigen Herrscher, in dem sich Theokrit als armen, unterstützungsbedürftigen Mann darstellt. Es heißt da:

> »Wer von den Männern indessen, so viele der Morgen
> beleuchtet,
> Wird meine Huldigung gern ins Haus einlassen –
> Wer lebt jetzo so groß, wohlredende Liebe zu zollen?
> Weiß nicht!«

Und die Nachwelt weiß nicht, wie Hieron, der Tyrann, diesen Wink mit dem poetischen Zaunpfahl beantwortet hat.

Die Gattung, zu der man die Idyllen *des Theokrit rechnet, heißt die bukolische Poesie. Sie hatte unter anderem einen großen Einfluß auf die deutschen Bukoliker, auf die Hirtengedichte der Anakreontiker im 18. Jahrhundert. Aber Theokrit hat, ebenso wie Vergil, sehr realistisch unter der Maske von Hirten wohlbekannte Männer seiner Zeit porträtiert – und unter der Maske von Hirtinnen mit ihren Zaubereien die stärksten Liebesleidenschaften. Vielleicht ist die folgende Idylle mit dem Titel* Die Zauberinnen *eines der stärksten Liebesgedichte der Weltliteratur: die Sehnsucht eines Mädchens nach einem Liebhaber, der ihr untreu geworden ist, mit dem aufregenden, immer wiederkehrenden beschwörenden Refrain: »Drehhals, drehe den Mann von dannen zu meiner Behausung!«*

Die Zauberinnen

Reiche den Lorbeer her! Wo, Thestylis, wo ist der
Zauber?
Wickele rasch um die Wanne die Purpurwolle, den Schaf-
vlies!

Daß ich ihn banne, den Mann, der wegbleibt, der mich
                                                geliebt hat,
Der es vermocht, zwölf Tage bereits mich nie zu be-
                                                suchen,
Gar nicht mehr nachfragt, ob ich tot bin oder am Leben?
Nicht mehr ungestüm an die Tür schlägt! sicher woanders
Hin von dem Flattersinne der Lieb' und Neigung gerissen!
Morgen begeb' ich mich hin in den Timagetischen Turn-
                                                platz,
Ihm zu begegnen: wie sehr er mir wehtut, soll er erfahren!
Und jetzt will ich ihn bannen mit Zauber. O scheine, du
                                                Vollmond,
Scheine herab recht klar! Dir sing' ich meinen Gesang zu,
Dir und der Hekate drunten, vor welcher die Hunde erzit-
                                                tern,
Schreitet sie über die Gräber entschlafener Toten in
                                                Grüften.
Dich, Unheimliche, grüß' ich, und steh mir, Hekate,
                                                gründlich
Bei und mache die Mittel so kräftig wie jene der Kirke
Und Perimeda, der blonden! so stark wie die Zauber
                                                Medeas!

Drehhals, drehe den Mann von dannen zu meiner
                                                Behausung!
Erst soll brennen das Mehl im Feuer. So streue doch ein,
                                                du
Thestylis! Wo, Unselige, schweift dein Geist, so zerstreut,
                                                nur!
Treibst, Abscheuliche, du noch Hohn mit meiner Ver-
                                                zweiflung?
Streu, und sage dabei: Hier streu' ich des Delphis
                                                Gebeine!

Drehhals, drehe den Mann von dannen zu meiner
Behausung!
Delphis quält mich, den Delphis zu bannen verbrenn' ich
den Lorbeer.
Und gleichwie er so laut mit Geknister prasselt im Feuer
Und aufflammend im Nu keine Spur einer Asche zurück-
ließ,
Also schwinde dem Delphis das Fleisch in heimlicher
Flamme!
Drehhals, drehe den Mann von dannen zu meiner
Behausung!
Jetzo die Kleien verdampft! Du, Artemis, könntest den
Stahl selbst
Rücken, den ganz fühllosen, und was noch fester bestünde!
Thestylis, hörst du die Hund' in der Vorstadt heulen? Die
Göttin
Wandelt am Kreuzweg! hurtig, die ehernen Becken ge-
schlagen!
Drehhals, drehe den Mann von dannen zu meiner
Behausung!
Sieh, wohl schweigen die Wellen der See, wohl schweigen
die Winde,
Aber es schweigt niemals mein Kummer so tief in dem
Busen,
Ganz nur Flamme für ihn, ach leider, welcher mich armes
Mädchen, der Jungfrauenzierde beraubt, zur Schelmin
gemacht hat.
Drehhals, drehe den Mann von dannen zu meiner
Behausung!
Dreimal spend' ich das Naß, und dreimal ruf ich, o Göttin:
Mag ein Weib oder mag ein Mann an der Seite ihm ruhen,
Soll er derselben vergessen so schnell wie in Dia dem
Theseus

Schwand aus dem Sinn Ariadne, man sagt's, mit den lieb-
　　　　　　　　　lichen Locken.
Drehhals, drehe den Mann von dannen zu meiner
　　　　　　　　　Behausung!

Roßwut nennt sich ein Kraut in Arkadien, welches die
　　　　　　　　　Fohlen
Auf dem Gebirg allsamt toll macht und die hurtigen
　　　　　　　　　Stuten.
Ganz das wünsch ich am Delphis zu sehn, daß er her in das
　　　　　　　　　Haus rennt,
Recht einem Rasenden gleich, von dem salbenschimmern-
　　　　　　　　　den Turnplatz.
Drehhals, drehe den Mann von dannen zu meiner
　　　　　　　　　Behausung!

Hier vom Rocke des Delphis die Franse, der sie ver-
　　　　　　　　　loren,
Will ich zu Faden zerrupfen, hinein in die Flamme sie
　　　　　　　　　werfen!
Aber ach! leidige Liebe, wie hast du mir alles das rote
Blut aus dem Leibe gesogen, dich fest einbeißend wie Egel!
Drehhals, drehe den Mann von dannen zu meiner
　　　　　　　　　Behausung!
Und einen Molch zerstampf' ich, und bring ihm morgen
　　　　　　　　　den Mißtrank.
Thestylis, nimm dies Kraut und bestreich inzwischen die
　　　　　　　　　Schwelle
Meines Verräters, dieweil wir die Obmacht heute noch
　　　　　　　　　haben!
Spucke darauf und sprich: Die Gebeine des Delphis be-
　　　　　　　　　streich ich.
Drehhals, drehe den Mann von dannen zu meiner
　　　　　　　　　Behausung!

So! Jetzt bin ich allein: wo heb' ich den Schmerz meiner
Lieb' an?
Davon soll es geschehn, von dem Vorfall, der ihn gebracht
hat!
's kam die Reliquien-Träg'rin, die Eubuls-Tochter
Anaxo,
Her in den Artemis-Hain, als gar viel Tier' um die Göttin
Schwebten im Bittgang rings, und auch eine Löwin dar-
unter.
Sage, woher sie entstand, meine Lieb', o heiliger Voll-
mond!
Und meine Nachbarin grade, der Theucharis selige
Amme,
Bat mich, die Thrakerin, dringend und ließ nicht ab und
bewog mich,
Daß ich den Aufzug schaute: und ich unglückliches Wesen
Folgt' ihr: ein Schleppkleid nahm ich so hübsch vom feine-
sten Byssos,
Und den geborgten Talar der Klarista warf ich darüber.

Sage, woher sie entstand, meine Lieb', o heiliger Voll-
mond!
Als ich bereits in der Straß' halbwegs an dem Hause des
Lykon
War, so erblick' ich den Delphis, den Eudamippos und
Onas,
Denen der Bart hellblond wie von Ringelgolde sich
kräuselt
Und viel weißer die Brust als du selbst, schimmernder
Vollmond,
Wie sie vom Turnplatz eben, den rühmlichen Übungen,
kamen.

Sage, woher sie entstand, meine Lieb', o heiliger Vollmond!
Sehn und schwärmen und ganz in bangender Seele verloren
Sein, war Eins! Mir schwanden die Sinne, ich merkte von
jenem
Aufzug nichts mehr, weiß nicht, wie ich nach Hause gekommen,
Sondern ein prasselndes Fieber, das hatte mich plötzlich
verwandelt:
Also lag ich zu Bett zehn Tag', zehn Nächte beständig.

Sage, woher sie entstand, meine Lieb', o heiliger Voll-
mond!
Und meine Farbe verblich, so fahl wie der Thapsos, es fielen
Alle die Haare vom Haupte herunter, es blieben am End'
mir
Nichts als Haut und Gebeine! Wo ging, wo wandt' ich
mich nicht hin?
Wo verließ ich das Haus einer alten Besprecherin,
Zaub'rin?
Aber die Zeit ging hin, und Linderung spürte ich nirgends!
Sage, woher sie entstand, meine Lieb', o heiliger Voll-
mond!
Also gestand ich der Magd denn endlich die wahre Ge-
schichte.
Thestylis, schaffe mir Rat! geh! wider die schreckliche
Krankheit!
Ganz von dem Myndier bin ich besessen, ach, leider!
Wohlan denn,
Geh, und passe ihn ab in dem Timagetischen Turnplatz:
Dorthin pflegt er zu geh'n, dort macht's ihm Vergnügen
zu sitzen.

Sage, woher sie entstand, meine Lieb', o heiliger Voll-
mond!
Triffst du ihn irgend allein, dann winke verstohlen und sag
ihm
Leise: »Simätha begehrt dich zu sprechen«, und führe ihn
hierher.
Also sprach ich: sie ging und brachte den herrlichen
Jüngling
Delphis zu meinem Gemach: ich aber, sowie ich gewahrte,
Daß er die Schwelle der Tür überschritt mit schwebendem
Fuße –

Sage, woher sie entstand, meine Lieb', o heiliger Voll-
mond! –
Ich war über und über so kalt wie das Eis, von der Stirne
Rieselte quellender Schweiß in Tropfen wie herbstlicher
Regen,
Kein Wort bracht' ich hervor, auch nicht soviel wie ein
kleines
Kind, am Busen der Mutter im Schlummer gesunken, ver-
lautet,
Und mein blühender Leib war starr, einer Puppe ver-
gleichbar.

Sage, woher sie entstand, meine Lieb', o heiliger Voll-
mond!
Grad' an schlug er, mich nicht anblickend, die Augen zu
Boden:
Also saß er am Sofa, und sitzend begann er die Rede:
»Kamst mir gerade so weit, o Simätha, zuvor, wie ich
etwa
Über den schönen Philinos es neulich gewonnen im
Wettlauf,

Daß du mich, eh' ich von selber erschien, in die Wohnung
                                                    geladen.

Sage, woher sie entstand, meine Lieb', o heiliger Voll-
                                                    mond!
Denn, bei dem wonnigen Eros, ich wär', ja ich wäre ge-
                                                    kommen,
Selbdritt oder mit noch drei Freunden, noch heute des
                                                    Abends,
Hätt' im Busen gehabt Goldäpfel vom Dionysos,
Über dem Haar Weißpappel, den heiligen Kranz des
                                                    Herakles,
Schön ringsum durchflochten mit purpurfarbigen
                                                    Schleifen.
Sage, woher sie entstand, meine Lieb', o heiliger Voll-
                                                    mond!
Nehmet ihr dann mich auf, war's gut! denn ich heiße der
                                                    Hübsche,
Heiße der Hüpfende stets bei allen den Altersgenossen –
Durft' ich die reizenden Lippen nur einmal küssen, so
                                                    schlief ich:
Wurde ich aber verstoßen und blieb mir die Türe ver-
                                                    riegelt,
Wär' ich mit Beilen und Fackeln euch sicher zu Leibe ge-
                                                    gangen!

Sage, woher sie entstand, meine Lieb', o heiliger Voll-
                                                    mond!
Doch jetzt bin ich zuvörderst der Kypris zu Danke ver-
                                                    pflichtet
Und nächst ihr bist du's, die mich vom Feuer erlöst hat,
Liebliches Mädchen, indem du mich riefest zu deinem
                                                    Gemach, schon

Halbverbrannt beinahe! Das Feuer gewaltiger Liebe
Geht noch über die Glut vulkanischer Flammen; das fühl'
ich!

Sage, woher sie entstand, meine Lieb', o heiliger Voll-
mond!
Jungfrau'n treibt es in rasendem Wahn fort aus den
Gemächern,
Jagt von der Seite des Gatten das Eh'weib fort, aus dem
warmen
Bett mit Hast.« So sprach er, und ich leichtgläubiges
Mädchen
Nahm seine Hand und zog ihn nieder zu bauschigen
Pfühlen,
Und bald labte sich Brust an Brust, und die bebenden
Wangen
Glühten wie niemals sonst, und süßes Geflüster vereint'
uns:
Könnt' ich es dir ganz still zuflüstern, trautester Voll-
mond:
Alles das Höchste geschah, wir stillten das süße Ver-
langen!
Und nichts fand er zu tadeln an mir bis gestern, so wenig
Als ich selber an ihm: da kommt mir heute die Mutter
Meiner Bekannten, Melixo, der Viehmagd auf dem Ge-
höfte,
Früh am Tag, wo das Roßgespann zum Himmel empor-
stieg
Und vom Okean brachte die rosenbehängte Aurora,
Sagte mir dieses und jenes und daß mein Delphis verliebt
sei.
Ob es ein Weib oder Mann sei, welcher die Neigung
gefesselt,

Wußte sie nicht: nur so viel, daß er den Becher der Liebe
Immer sich rein einschenkt, austrinkt und am Ende da-
                                        vongeht.
Sagt' auch, ihm umhüllt so ein Handel die Wände mit
                                        Kränzen. ˙
Soviel hat mir die Fremde vertraut, und leider ist's richtig!
Dreimal kam er des Tags und viermal öfter zu mir sonst,
Ließ nicht selten die Flasche, die dorische, hier in Verwah-
                                        rung.
Und jetzt sind's zwölf Tage bereits, seitdem ich ihn nicht
                                        sah.
Hat er was anderes Liebes gefunden, und meiner ver-
                                        gessen?
Gut! jetzt bleibt er gebannt durch Zauber, und will er mich
                                        fürder
Kränken, er muß bei den Pforten der Höll' anklopfen, das
                                        schwör ich!
Solche verzweifelte Mittel bewahr' ich hier in der Kiste,
Die mich, o Königin, einst ein assyrischer Fremder gelehrt
                                        hat.
Göttin, gehabe dich wohl und lenke die Rosse hinab zum
Meer: ich will meine Qual, die ich auflud, tragen so weiter!
Leb, hellschimmernder Mond, nun wohl, lebt wohl, ihr
                                        Gestirne,
Die ihr die friedliche Nacht in gemessenen Schritten
                                        begleitet!

Bion und Moschos
Idyllen

Die bukolische Poesie der Griechen, als deren großen Dichter wir bereits Theokrit vorgestellt haben, hat eine lange Geschichte bis ins 18. Jahrhundert. Theokrit ist nicht ihr einziger Repräsentant, nur ist uns von ihm am meisten überliefert. Neben ihm stehen Bion und Moschos.

Das Wort ›bukolische Poesie‹ kommt vom griechischen ›Bukolos‹, der Hirt. Es handelt sich hier also um Hirten- und Schäferdichtung. Es wird berichtet, daß es bäuerlich-volkstümliche Gesänge zum Klang der Hirtenflöte schon in ältester Zeit gab, vor allem auf Sizilien; hier sollen sie auch zum ersten Male als Kunst entwickelt worden sein. Der älteste bekannte Vertreter dieser Poesie war Stesichoros aus Sizilien, etwa 600 v. Chr. Er führte eine Gestalt in die Literatur ein, die in mehr als zweieinhalbtausend Jahren immer wiederkehrte: den schönen Schäfer Daphnis. Er spielte eine Hauptrolle in dem bekanntesten Schäferroman des Altertums Daphnis und Chloe *(wahrscheinlich aus dem 3. Jahrhundert n. Chr.). Am 9. März 1831 erzählte Eckermann, daß er* Daphnis und Chloe *lese. »Das ist auch ein Meisterstück«, sagte Goethe, »das ich oft gelesen und bewundert habe, worin Verstand, Kunst und Geschmack auf ihrem höchsten Gipfel erscheinen und wogegen der gute Vergil freilich ein wenig zurücktritt.«*

»Dem guten Vergil« gelang erst um die Wende unserer Zeitrechnung, die bukolische Dichtung in die römische

Poesie einzuführen, in seinen Eklogen. *Bis zu dieser Zeit hatte Rom gerade für die Dichtung der griechischen Bukoliker nicht viel übrig. Solange es vor allem die Hauptstadt eines Bauernvolkes war, sah man in den Bukolikern gezierte Verfertiger von künstlichen Schäfern und Schäferinnen. Erst als Rom ein Straßenmeer – und die Sehnsucht nach der Einfachheit und dem Frieden des Landes immer größer wurde, hatte die Verkörperung dieser Sehnsucht im Gedicht eine Chance.*

Die bukolische Poesie wurde dann wieder aktuell im Italien des 15. und im Frankreich des 16. Jahrhunderts. Die französische Schäferdichtung war eine Nachahmung der griechisch–lateinisch–italienischen. Daphnis, Chloe und Phyllis erlebten ihre Auferstehung. In Deutschland kam diese Gattung im 18. Jahrhundert zur Blüte: bei Gottsched, Gleim, Gellert und Gessner – aber auch noch bei Dichtern wie Goethe und Wieland.

Es gibt einige biographische Angaben sowohl über Bion von Smyrna als auch über Moschos von Syrakus. Sie sind aber mehr oder weniger Konjekturen der Gelehrten, die sich nicht einigen können.

Bion von Smyrna
Der Vogelsteller

Sah im dichten Gehölz ein Vogelsteller, ein Knabe,
Während er Vögel belistet mit Leim, den gefiederten Eros
Auf einem Buchsbaum sitzen: und als er den Vogel ge-
                                                              wahrte,
War er entzückt: denn er schien ein großer und herrlicher
                                                              Vogel,
Und band übereinander sogleich seine sämtlichen Ruten

Und umlauerte hüben und drüben den hüpfenden Eros.
Endlich verdroß es den Knaben, indem kein Ende zu finden
War: fort warf er die Ruten und ging zum Alten, dem Pflüger,
Welcher die Kunst ihn eben gelehrt, und erzählt es demselben
Und wies ihm in den Zweigen den Eros. Aber der Alte
Schüttelte lächelnd das Haupt und erwiderte also dem Knaben.
Laß nur ab von der Jagd und bleib nur ferne dem Vogel!
Das ist ein tückisches Tier! Fleuch weit, und preise dich glücklich,
Wenn du ihn niemals fängst: und bist du zum Manne erwachsen,
Wird der, welcher dich jetzt weghüpfend meidet, von selbst wohl
Kommen und dir auf den Kopf sich setzen, bevor du es ahnest.

Die Schule des Eros

Trat in frühester Jugend zu mir die gewaltige Kypris,
Führt an der reizenden Hand, wie ein Kind unschuldig, den Eros
Niedergeschlagenen Blicks, und sprach mir folgende Worte:
Nimm hier, trautester Hirte, den Knaben und lehre ihn spielen.
Also sprach sie und ging. Ich aber begann meine Kuhreih'n
Alle den Eros zu lehren, ich Tor, als wollt' er sie lernen:
Pans Querpfeifen-Erfindung, Athenas Erfindung der Flöte,

Und wie Apollo die Laute erschuf und Hermes die Schild-
kröt.
All das lehrte ich ihn, der nicht im mindesten achtgab,
Sondern Liebesgetändel mir vorsang, Taten von seiner
Mutter mich lehrte genug, Liebschaften der Götter und
Menschen.
Und was ich selber den Eros gelehrt, das hab' ich ver-
gessen,
Was mich der Eros gelehrt, das Verliebte, das hab' ich
behalten.

Eros und die Musen

Eros, der grausame Gott, wird nicht von den Musen ge-
fürchtet,
Sondern geliebt von Herzen: sie gehn ihm nach auf den
Fersen:
Wessen Gemüt nichts weiß von Lieb', und zu singen ver-
sucht, dem
Weichen sie aus, den haben sie niemals Lust zu belehren:
Doch wer, tüchtig gedrillt vom Eros, lieblich und süß
singt,
Auf den strömen sie alle mit aller Gewalt ihres Wesens.
Und das kann ich bezeugen: das Wort ist lautere Wahr-
heit.
Sing' ich von anderen Menschen, von einem der himmli-
schen Götter,
Stammelt immer die Zunge und kann nicht singen wie son-
sten:
Aber beginn ich den Eros, den Lykidas nur zu besingen,
Dann strömt freudig und munter ein süßer Gesang von
den Lippen.

Moschos von Syrakus
Steckbrief auf den Eros

Laut rief einst nach dem Eros, dem eigenen Sohne, die
Kypris:
»Wer auf Wegen und Straßen den Eros schweifen gesehn
hat:
Mir, mir ist er entlaufen! ein Drangeld geb ich dem Finder:
Kypris gibt einen Kuß zum Lohn! und bringst du ihn
wieder,
Nicht einen hungrigen Kuß: du bekommst, mein Freund,
etwas mehr noch!
Gut ist der Junge gezeichnet, von zwanzigen leicht zu er-
raten:
Feuerrot seine Farbe, und nicht weiß: aber die Augen
Scharf durchdringend wie Blitze, der Sinn bös, süß das
Geplauder:
Denn nie redet er so, wie er denkt: gleich Honig die
Stimme,
Aber darin ist Galle: das Herz wild, tückisch: er redet
Kein wahrhaftiges Wort, spielt grausam, ein pfiffiger
Knabe.
Kecke verwegene Stirn, umwallt von herrlichen Locken,
Kleine und niedliche Händchen, mit denen er mächtig und
weit schießt,
Bis in den Acheron schießt und bis zum König der Hölle:
Unverhüllt ist der Leib, doch tiefversteckt die Gedanken.
Flattert herum, trotz Vögeln gefiedert, von einem zum
andern,
Männern sowohl als Frauen, und nistet sich ein in den
Busen;
Hat einen winzigen Bogen und über dem Bogen
Geschosse,

Schießt nur winzige Pfeile, doch dringen sie bis in den
                                                    Himmel:
Hat einen Köcher von Gold um die Schultern: drinnen die
                                                    bittern
Schmerzlichen Rohre, womit er mich oftmals selber ver-
                                                    wundet.
Grausam genug ist alles, doch brennt noch heißer das
                                                    kleine
Flämmchen darinnen, womit er den Helios selber in Brand
                                                    setzt.
Hast du den Flüchtling gefangen, so bind ihn ohne
                                                    Erbarmen.
Siehst du ihn weinen, so laß dich darum nicht irren, be-
                                                    wahr dich!
Lächelt er, zerr ihn fort! Und will er dich küssen, so hüt
                                                    dich!
Denn sein Kuß ist von Übel, und Gift, ja Gift seine
                                                    Lippen!
Spricht er vielleicht: Nimm hin! ich schenk dir all meine
                                                    Waffen«,
Rühre das Gaunergeschenk nicht an, das in Feuer ge-
                                                    tauchte!

Das Buch Esther

Das Buch Esther, *eines der spätesten Stücke der Bibel, hat es schwer gehabt, in die »Heiligen Schriften« aufgenommen zu werden und sich hier zu halten. Schon unter den Juden tauchten Zweifel über die Heiligkeit dieser Geschichte auf; vielleicht, weil hier weder von Gott noch von gottesfürchtigen Menschen die Rede ist – eher von einem Mädchen, das große Karriere machte; vielleicht auch, weil das Gemetzel, mit dem sich die Juden schließlich rächten, nicht sehr heilig ist. Dann ist die Geschichte von den frühen Christen zurückgewiesen worden und schließlich von der Nestorianischen Kirche.*

Die Juden führen auf die Esther-Geschichte das Purim-Fest zurück, das zuerst im ersten nachchristlichen Jahrhundert erwähnt wird. Aber die historische Herkunft dieses Feiertages ist ebensowenig klar wie die Bedeutung des Worts.

Die Erzählung verdankt ihren anhaltenden Erfolg wohl dem Umstand, daß sie drei ewige Motive darstellt: ein Mädchen aus den Reihen der Verfolgten wird durch die Liebe eines mächtigen Mannes zur mächtigsten Frau; der Sieg des Verfolgten über die Verfolger; und die Seligkeit der Rache. Die Gelehrten suchen die Wurzeln der Geschichte in babylonischer und persischer Mythologie. Ganz sichtbar ist, daß sie in den ewigen Tendenzen des Menschen wurzelt.

König Ahasveros hat die Königin Vasthi verstoßen, weil

*sie sich geweigert hat, an einem Bankett teilzunehmen,
und läßt nun unter den Jungfrauen des Landes nach einer
Nachfolgerin suchen.*

Es war aber ein jüdischer Mann zu Schloß Susan, der hieß
Mardochai, ein Sohn Jairs, des Sohnes Simeis, des Sohnes
des Kis, ein Benjaminiter, der mit weggeführt war von Jerusalem, da Jechonja, der König Judas, weggeführt ward,
welchen Nebukadnezar, der König zu Babel, wegführte.

Und er war ein Vormund der Hadassa, das ist Esther,
einer Tochter seines Oheims; denn sie hatte weder Vater
noch Mutter. Und sie war eine schöne und feine Dirne.
Und da ihr Vater und Mutter starben, nahm sie Mardochai
auf zur Tochter.

Da nun das Gebot und Gesetz des Königs laut ward und
viel Dirnen zuhaufe gebracht wurden gen Schloß Susan
unter die Hand Hegais, ward Esther auch genommen zu
des Königs Hause, unter die Hand Hegais, des Hüters der
Weiber.

Und die Dirne gefiel ihm, und sie fand Barmherzigkeit
vor ihm. Und er eilte mit ihrem Schmuck, daß er ihr ihren
Teil gäbe und sieben feine Dirnen von des Königs Hause
dazu. Und er tat sie mit ihren Dirnen an den besten Ort im
Frauenhaus.

Und Esther sagte ihm nicht an ihr Volk und ihre
Freundschaft; denn Mardochai hatte ihr geboten, sie sollte
es nicht ansagen. Und Mardochai wandelte alle Tage vor
dem Hofe am Frauenhaus, daß er erführe, ob's Esther
wohlginge und was ihr geschehen würde.

Da nun die Zeit Esthers herankam, der Tochter Abi-
hails, des Oheims Mardochais (die er zur Tochter hatte

aufgenommen), daß sie zum König kommen sollte, begehrte sie nichts, denn was Hegai, des Königs Kämmerer, der Weiber Hüter, sprach. Und Esther fand Gnade vor allen, die sie ansahen.

Es ward aber Esther genommen zum König Ahasveros ins königliche Haus im zehnten Monat, der da heißt Tebeth, im siebenten Jahr seines Königreichs.

Und der König gewann Esther lieb über alle Weiber, und sie fand Gnade und Barmherzigkeit vor ihm vor allen Jungfrauen. Und er setzte die königliche Krone auf ihr Haupt und machte sie zur Königin an Vasthis Statt. Und der König machte ein großes Mahl allen seinen Fürsten und Knechten – das war ein Mahl um Esthers willen – und ließ die Länder ruhen und gab königliche Geschenke aus.

Und da man das andere Mal Jungfrauen versammelte, saß Mardochai im Tor des Königs.

Und Esther hatte noch nicht angesagt ihre Freundschaft noch ihr Volk, wie ihr denn Mardochai geboten hatte; denn Esther tat nach dem Wort Mardochais, gleich als da er ihr Vormund war.

Nach diesen Geschichten machte der König Ahasveros Haman groß, den Sohn Hammedathas, den Agagiter, und erhöhte ihn und setzte seinen Stuhl über alle Fürsten, die bei ihm waren.

Und alle Knechte des Königs, die im Tor des Königs waren, beugten die Knie und fielen vor Haman nieder; denn der König hatte es also geboten. Aber Mardochai beugte die Knie nicht und fiel nicht nieder.

Da sprachen des Königs Knechte, die im Tor des Königs waren, zu Mardochai: Warum übertrittst du des Königs Gebot?

Und da sie solches täglich zu ihm sagten, und er ihnen nicht gehorchte, sagten sie es Haman an, daß sie sähen, ob solch Tun Mardochais bestehen würde; denn er hatte ihnen gesagt, daß er ein Jude wäre.

Und da Haman sah, daß Mardochai ihm nicht die Knie beugte, noch vor ihm niederfiel, ward er voll Grimms.

Und verachtete es, daß er an Mardochai allein sollte die Hand legen; denn sie hatten ihm das Volk Mardochais angesagt; sondern er trachtete, das Volk Mardochais, alle Juden, so im ganzen Königreich des Ahasveros waren, zu vertilgen.

Im ersten Monat, das ist der Monat Nisan, im zwölften Jahr des Königs Ahasveros, ward das Pur, das ist das Los, geworfen vor Haman, von einem Tage auf den andern und von Monat zu Monat bis auf den zwölften, das ist der Monat Adar.

Und Haman sprach zum König Ahasveros: Es ist ein Volk zerstreut und teilt sich unter alle Völker in allen Ländern deines Königreichs, und ihr Gesetz ist anders denn aller Völker, und tun nicht nach des Königs Gesetzen; es ziemt dem König nicht, sie also zu lassen.

Gefällt es dem König, so lasse er schreiben, daß man sie umbringe, so will ich zehntausend Zentner Silber darwägen unter die Hand der Amtleute, daß man's bringe in die Kammer des Königs.

Da tat der König seinen Ring von der Hand und gab ihn Haman, dem Sohn Hammedathas, dem Agagiter, der Juden Feind.

Und der König sprach zu Haman: Das Silber sei dir gegeben, dazu das Volk, daß du damit tust, was dir gefällt.

Da rief man die Schreiber des Königs am dreizehnten Tage des ersten Monats; und ward geschrieben, wie Haman befahl, an die Fürsten des Königs und zu den Landpflegern hin und her in den Ländern und zu den Hauptleuten eines jeglichen Volks in den Ländern hin und her, nach

der Schrift eines jeglichen Volks und nach ihrer Sprache,
im Namen des Königs Ahasveros und mit des Königs Ring
versiegelt.

Und die Briefe wurden gesandt durch die Läufer in alle
Länder des Königs, zu vertilgen, zu erwürgen und umzu-
bringen alle Juden, jung und alt, Kinder und Weiber, auf
einen Tag, nämlich auf den dreizehnten Tag des zwölften
Monats, das ist der Monat Adar, und ihr Gut zu rauben.

Also war der Inhalt der Schrift: daß ein Gebot gegeben
wäre in allen Ländern, allen Völkern zu eröffnen, daß sie
auf denselben Tag bereit wären.

Und die Läufer gingen aus eilend nach des Königs Wort,
und zu Schloß Susan ward das Gebot angeschlagen. Und
der König und Haman saßen und tranken; aber die Stadt
Susan ward bestürzt.

Da Mardochai alles erfuhr, was geschehen war, zerriß er
seine Kleider und legte einen Sack an und Asche und ging
hinaus mitten in die Stadt und schrie laut und kläglich.

Und kam bis vor das Tor des Königs; denn es durfte
niemand zu des Königs Tor eingehen, der einen Sack anhatte.

Und in allen Ländern, an welchen Ort des Königs Wort
und Gebot gelangte, war ein großes Klagen unter den Juden, und viele fasteten, weinten, trugen Leid und lagen in
Säcken und in der Asche.

Da kamen die Dirnen Esthers und ihre Kämmerer, und
sagten's ihr an. Da erschrak die Königin sehr. Und sie
sandte Kleider, daß Mardochai sie anzöge, und den Sack
von sich ablegte; er aber nahm sie nicht.

Da rief Esther Hathach unter des Königs Kämmerern,
der vor ihr stand, und gab ihm Befehl an Mardochai, daß
sie erführe, was das wäre und warum er so täte.

Da ging Hathach hinaus zu Mardochai in die Gasse der Stadt, die vor dem Tor des Königs war.

Und Mardochai sagte ihm alles, was ihm begegnet war, und die Summe des Silbers, das Haman versprochen hatte, in des Königs Kammer darzuwägen um der Juden willen, sie zu vertilgen, und gab ihm die Abschrift des Gebots, das zu Susan angeschlagen war, sie zu vertilgen, daß er's Esther zeigte, und ihr ansagte, und geböte ihr, daß sie zum König hineininge, und flehte zu ihm, und täte eine Bitte an ihn um ihr Volk.

Und da Hathach hineinkam, und sagte Esther die Worte Mardochais, sprach Esther zu Hathach und gebot ihm an Mardochai: Es wissen alle Knechte des Königs und das Volk in den Landen des Königs, daß, wer zum König hineingeht, inwendig in den Hof, er sei Mann oder Weib, der nicht gerufen ist, der soll stracks nach dem Gebot sterben; es sei denn, daß der König das goldene Zepter gegen ihn recke, damit er lebendig bleibe. Ich aber bin nun in dreißig Tagen nicht gerufen, zum König hineinzukommen.

Und da die Worte Esthers Mardochai angesagt wurden, hieß Mardochai Esther wieder sagen: Gedenke nicht, daß du dein Leben errettest, weil du im Hause des Königs bist, vor allen Juden;

denn wo du wirst zu dieser Zeit schweigen, so wird eine Hilfe und Errettung von einem andern Ort her den Juden entstehen, und du und deines Vaters Haus werdet umkommen. Und wer weiß, ob du nicht um dieser Zeit willen zur königlichen Würde gekommen bist?

Esther hieß Mardochai antworten:

So gehe hin und versammle alle Juden, die zu Susan vorhanden sind, und fastet für mich, daß ihr nicht esset und trinket in drei Tagen, weder Tag noch Nacht; ich und meine Dirnen wollen auch also fasten. Und also will ich zum König hineingehen wider das Gebot; komme ich um, so komme ich um.

Mardochai ging hin und tat alles, was ihm Esther geboten hatte.

In derselben Nacht konnte der König nicht schlafen und hieß die Chronik mit den Historien bringen. Da die wurden vor dem König gelesen, fand sich's geschrieben, wie Mardochai hatte angesagt, daß die zwei Kämmerer des Königs, Bightan und Theres, die an der Schwelle hüteten, getrachtet hätten, die Hand an den König Ahasveros zu legen.

Und der König sprach: Was haben wir Mardochai Ehre und Gutes dafür getan? Da sprachen die Diener des Königs, die ihm dienten: Es ist ihm nichts geschehen.

Und der König sprach: Wer ist im Hofe? Haman aber war in den Hof gegangen, draußen vor des Königs Hause, daß er dem König sagte, Mardochai zu hängen an den Baum, den er ihm zubereitet hatte.

Und des Königs Diener sprachen zu ihm: Siehe, Haman steht im Hofe. Der König sprach: Laßt ihn hereingehen!

Und da Haman hineinkam, sprach der König zu ihm: Was soll man dem Mann tun, den der König gerne wollte ehren? Haman aber gedachte in seinem Herzen: Wem sollte der König anders gern wollen Ehre tun denn mir?

Und Haman sprach zum König: Dem Mann, den der König gerne wollte ehren, soll man königliche Kleider bringen, die der König pflegt zu tragen, und ein Roß, darauf der König reitet, und soll eine königliche Krone auf sein Haupt setzen;

und man soll solch Kleid und Roß geben in die Hand eines Fürsten des Königs, daß derselbe den Mann anziehe, den der König gern ehren wollte, und führe ihn auf dem Roß in der Stadt Gassen, und lasse rufen vor ihm her: So wird man tun dem Mann, den der König gerne ehren will.

Der König sprach zu Haman: Eile und nimm das Kleid und Roß, wie du gesagt hast, und tu also mit Mardochai, dem Juden, der vor dem Tor des Königs sitzt; und laß nichts fehlen an allem, was du geredet hast!

Da nahm Haman das Kleid und Roß und zog Mardochai an, und führte ihn auf der Stadt Gassen und rief vor ihm her: So wird man tun dem Mann, den der König gerne ehren will.

Und Mardochai kam wieder an das Tor des Königs. Haman aber eilte nach Hause, trug Leid mit verhülltem Kopf, und erzählte seinem Weibe Seres und seinen Freunden allen alles, was ihm begegnet war. Da sprachen zu ihm seine Weisen und sein Weib Seres: Ist Mardochai vom Geschlecht der Juden, vor dem du zu fallen angehoben hast, so vermagst du nichts an ihm, sondern du wirst vor ihm fallen.

Da sie aber noch mit ihm redeten, kamen herbei des Königs Kämmerer und trieben Haman, zum Mahl zu kommen, das Esther zugerichtet hatte.

Und da der König mit Haman kam zum Mahl, das die Königin Esther zugerichtet hatte, sprach der König zu Esther auch des andern Tages, da er Wein getrunken hatte: Was bittest du, Königin Esther, daß man dir's gebe? Und was forderst du? Auch das halbe Königreich, es soll geschehen.

Esther, die Königin, antwortete und sprach: Habe ich Gnade vor dir gefunden, o König, und gefällt es dem König, so gib mir mein Leben um meiner Bitte willen und mein Volk um meines Begehrens willen; denn wir sind verkauft, ich und mein Volk, daß wir vertilgt, erwürgt und umgebracht werden. Und wären wir doch nur zu Knechten und Mägden verkauft, so wollte ich schweigen, so würde der Feind doch dem König nicht schaden.

Der König Ahasveros redete und sprach zu der Königin Esther: Wer ist der, oder wo ist der, der solches in seinen Sinn nehmen dürfe, also zu tun?

Esther sprach: Der Feind und Widersacher ist dieser böse Haman. Haman entsetzte sich vor dem König und der Königin.

Und der König stand auf vom Mahl und vom Wein in seinem Grimm und ging in den Garten am Hause. Und Haman stand auf und bat die Königin Esther um sein Leben; denn er sah, daß ihm ein Unglück vom König schon bereitet war.

Und da der König wieder aus dem Garten am Hause in den Saal, da man gegessen hatte, kam, lag Haman an der Bank, darauf Esther saß. Da sprach der König: Will er auch der Königin Gewalt tun bei mir im Hause? Da das Wort aus des Königs Munde ging, verhüllten sie Haman das Antlitz.

Und Harbona, der Kämmerer einer vor dem König, sprach: Siehe, es steht ein Baum im Hause Hamans, fünfzig Ellen hoch, den er Mardochai gemacht hatte, der Gutes für den König geredet hat. Der König sprach: Laßt ihn dran hängen!

Also hängte man Haman an den Baum, den er Mardochai gemacht hatte. Da legte sich des Königs Zorn.

Cicero
Über die menschlichen Pflichten

Marcus Tullius Cicero war der bedeutendste Redner Roms und der große Schriftsteller, dessen Latein so geschätzt wurde, daß man es als klassisch auszeichnete. Er gilt als Popularphilosoph, der griechisches Denken und griechische Weisheit in Schriften wie De senectute (Über das Greisenalter), De amicitia (Über die Freundschaft) aufs erfolgreichste verbreitete. Er ist auch diejenige antike Persönlichkeit, von der wir mehr wissen als von irgendeiner anderen. Geboren im Jahre 106 v. Chr., arbeitete er sich durch Talent, Fleiß und enormen Ehrgeiz herauf. Er wurde einer der angesehensten Anwälte und gelangte dann zu den höchsten Staatsämtern. Als Konsul deckte er die Verschwörung des Catilina auf. Er kam einigermaßen heil durch die Bürgerkriege, bis ihn Mark Anton nach der Ermordung Cäsars 43 v. Chr. ächtete und ermorden ließ. Dies Leben hat viele Erzähler zur Darstellung gereizt. Die letzte bekannte ist Max Brods Roman Armer Cicero.

Der dreihundert Druckseiten lange Brief Ciceros an seinen Sohn, aus dem wir Auszüge bringen, ist traditionsgemäß nur rein formal ein Brief; nur der Anfang und das Ende zeigen mehr vom Briefschreiber. Deshalb bringen wir gerade diesen Anfang und dieses Ende, weil sie ein flüchtiges, aber doch charakteristisches Selbstporträt Ciceros sind. Übersetzt wurde dieses Werk von dem deutschen Moralphilosophen Christian Garve, einem Zeitgenossen

Kants, der dazu Anmerkungen und Abhandlungen *schrieb, dreimal so lang wie Ciceros Buch.*

Im 19. Jahrhundert hatte man nicht viel für Cicero übrig; bekannt ist vor allem die geringe Schätzung, die Mommsen ihm entgegenbrachte. In unseren Tagen wird seine Bedeutung mehr und mehr erkannt. 1958 wurde, anläßlich der Feier des zweitausendsten Todestages, das Cicero-Zentrum in Rom gegründet. 1959 tagte in Rom der erste Internationale Cicero-Kongreß.

Nur ganz nebenbei möge angemerkt werden, weshalb ein bestimmter Schriftgrad, Buchstaben in Höhe von 4,511 mm, »cicero« genannt wird. Mit ihnen wurden im Jahre 1467 zum ersten Mal Cicerobriefe gedruckt, in der ersten Druckerei Roms.

Es kann dir zwar, mein Sohn, bei einem Lehrer wie Cratipp, den du jetzt schon ein Jahr gehört hast, und in einer Stadt wie Athen, weder an Unterricht in der Philosophie noch an Anleitung zu ihrer Ausübung fehlen. Niemand ist besser im Stande, dir die Grundsätze derselben beizubringen, als der erste; kein Ort geschickter, dir Beispiele von derselben zu geben, als die letztere. Allein mir selbst ist die Verbindung beiderlei Sprachen und Schriftsteller, der griechischen und lateinischen, nicht nur zum Studio der Philosophie, sondern auch zur Übung der Beredsamkeit so nützlich gewesen, daß ich glaube, dir ein ähnliches Verfahren anraten zu müssen, um zu gleicher Fertigkeit des Vortrages in beiden Sprachen zu gelangen.

Zu dieser Absicht, dünkt mich, sind meine Schriften unsern Landsleuten nicht wenig beförderlich gewesen; und viele nicht nur von denen, die mit der Sprache und den

Werken der Griechen unbekannt sind, glauben in denselben eine beträchtliche Hilfe, sowohl zur Einsicht der Sachen als zum Vortrag derselben, zu finden.

Nach meinem Willen sollst du also zwar den Unterricht des größten Philosophen unserer Zeit so lange genießen, als du selbst ihn dir wünschen wirst; und du bist verbunden, ihn zu wünschen, solange dein Zuwachs an Einsichten deine Mühe belohnt.

Indessen wird dir doch die Lesung meiner Schriften, in welchen Grundsätze herrschen, die von denen der Peripatetiker nicht weit abgehen (denn wir Akademiker bekennen uns sowohl als sie zur Schule des Sokrates und des Plato), gewiß nützlich sein – ob Wahrheiten daraus zu erlernen, magst du selbst beurteilen; – aber den Ausdruck in deiner Muttersprache wirst du sicher dadurch vollkommen machen. Man halte es nicht für Stolz, dieses zu sagen. Denn so gerne ich in Ansehung der philosophischen Einsichten vielen den Vorrang vor mir zugestehe, so glaube ich doch, daß ich das, was den Redner unterscheidet, den schicklichen, ordentlichen, anmutigen Ausdruck, mir als ein Eigentum anmaßen darf, da ich in der Bewerbung darum mein ganzes Leben zugebracht habe.

Ich bitte dich also sehr ernstlich, nicht nur meine gerichtlichen Reden, sondern auch meine philosophischen Schriften, die jenen bald an Anzahl gleichkommen werden, mit aller Aufmerksamkeit zu lesen. In jenen ist zwar mehr Feuer der Beredsamkeit: aber auch dieser ruhige, affektlose, niemals sich erhebende Vortrag verdient Achtung und Übung.

Und hier sei es mir erlaubt, anzumerken, daß, soviel ich weiß, unter den Griechen niemand vorhanden ist, der in beiden Gattungen gearbeitet; der zugleich die Beredsamkeit, die zu öffentlichen Geschäften gehört, und die, welche zum ruhigen Vortrag allgemeiner Wahrheiten nötig ist, geübt hätte. Man müßte dann den Demetrius Phalereus in diese Klasse einsetzen – einen scharfsinnigen Denker, aber keinen feurigen Redner; doch einen anmutigen, so daß man den Schüler des Theophrasts in ihm erkennen kann.

Zu welchem Grade der Vollkommenheit ich selbst in der einen oder andern Gattung gelangt sei, das überlasse ich andern zu beurteilen: soviel ist gewiß, ich habe in beiden gearbeitet. Indes bin ich überzeugt, daß es weder dem Plato, wenn er sich als Redner hätte zeigen wollen, an Kraft und Fülle des Ausdrucks würde gefehlt haben, noch dem Demosthenes an Genauigkeit, Zierlichkeit und Würde desselben, wenn er die vom Plato erlernten Sachen behalten oder sie vorzutragen Neigung gehabt hätte. Aristoteles und Isokrates sind in gleichem Falle. Jeder von ihnen hat sich auf seine Gattung allein eingeschränkt und die andere beiseite gesetzt.

Da ich mir nun vorgesetzt hatte, gegenwärtig etwas für dich zu schreiben, und dieser Schrift künftig mehrere folgen zu lassen, so glaubte ich den Anfang von einer Materie machen zu müssen, die deinem Alter und meinem in der Welt behaupteten Charakter am angemessensten wäre. Und von dieser Art ist, wie mich bedünkt, die Lehre von den Pflichten: eine Materie, die unter der Menge wichtiger und nützlicher Gegenstände, die von den Philosophen gründlich und beredt behandelt werden, doch von einem noch weiteren Umfange und ausgebreitetern Nutzen zu sein scheint als irgendeine andre. Denn es gibt keinen Teil des menschlichen Lebens, weder in öffentlichen noch in Privat-Geschäften, weder in Angelegenheiten des Staates noch der Familien, weder wenn man mit sich allein zu tun hat, noch wenn man mit andern in Verbindung tritt, der

nicht seine eignen Pflichten habe, in deren Beobachtung
allein die wahre Ehre des Menschen, so wie in ihrer Vernachlässigung seine Schande liegt. Um deswillen kommt
auch diese Untersuchung in den Lehrgebäuden aller Philosophen vor. – In der Tat, wer würde es wohl wagen, diesen
Namen zu führen, ohne Regeln des menschlichen Verhaltens gegeben zu haben? – Indessen gibt es gewisse Lehrgebäude, in welchen die Begriffe, von dem letzten End-
zwecke des Menschen, alle Moral untergraben. Denn wer
sein höchstes Gut so bestimmt, daß es mit der Tugend in
keinem notwendigen Zusammenhange steht, und also den
Wert aller Handlungen nach den äußeren Vorteilen, die sie
verschaffen, nicht nach ihrer innern Güte abmißt, der
kann, wenn er seinen Grundsätzen getreu bleibt, und
nicht die beßre Natur über die Theorie zuweilen die
Oberhand bekommt, weder der Gerechtigkeit noch der
Freigebigkeit noch der Freundschaft ergeben sein. Wenigstens kann er gewiß nicht tapfer sein, wenn er den Schmerz
für das größte Übel hält, noch mäßig, wenn er das höchste
Gut in das sinnliche Vergnügen setzt. Dies ist so einleuchtend, daß es keines Beweises bedarf; indessen habe ich es
doch an einem anderen Orte weitläufiger abgehandelt. In
diesen Lehrgebäuden also, wenn sie mit sich selbst übereinstimmend wären, sollte von den Pflichten gänzlich geschwiegen werden. Nur diejenigen Philosophen können
aus Gründen, im Zusammenhange mit ihren Lehrsätzen
und der Natur gemäß, über dieselben Vorschriften geben,
die das moralisch Gute für das einzige oder doch für das
vornehmste Gut halten. Die Stoiker, Peripatetiker und
Akademiker sind es also, für welche diese Untersuchung
eigentlich gehört. Denn Pyrrhons, Aristons und Herills
Meinungen sind schon längst allgemein verworfen; obgleich auch diese berechtigt wären von den Pflichten zu

reden, wenn sie nicht durch Leugnung alles Unterschiedes der äußern Dinge auch alle Wahl unter denselben unmöglich gemacht und also keinen Weg übrig gelassen hätten, das was Pflicht ist, ausfindig zu machen.

Für jetzt also, und in dieser Materie werde ich den Stoikern folgen: nicht um sie zu übersetzen, sondern um, wie ich es sonst getan habe, aus ihren Quellen so viel und auf die Weise zu schöpfen, als ich nach meinem Urteil für richtig, oder nach meinem Gefühl für gut halte.

Da also in dieser ganzen Abhandlung von den Pflichten die Rede sein wird, so ist es billig, vor allen Dingen zu erklären, was Pflicht sei; ein Umstand, der zu meiner Verwunderung vom Panaetius ausgelassen worden. Denn mit Recht soll jede methodisch angestellte Untersuchung von der Erklärung des Gegenstandes anfangen, um den Leser bestimmt wissen zu lassen, was eigentlich untersucht werden soll.

Die gesamte Lehre von den Pflichten zerfällt in zwei Hauptteile. Der erste ist theoretisch und enthält die Untersuchung vom höchsten Gute, und was damit zusammenhängt; der andere ist praktisch und enthält Vorschriften für die menschlichen Handlungen und Bedürfnisse des menschlichen Lebens. Zu dem ersten Teile gehören folgende Fragen: Sind alle pflichtmäßigen Handlungen vollkommen gute Handlungen? Ist eine Pflicht größer als die andre? und so fort. Der zweite Teil enthält die Bestimmung der verschiedenen Pflichten: – die, ob sie gleich insgesamt aus der Natur des höchsten Gutes folgen, und die Erreichung desselben zur letzten Absicht haben, doch unmittelbar sich weniger darauf, als auf die besonderen Verfassungen des menschlichen Lebens und der Gesellschaft zu beziehen scheinen und deswegen besonders abgehandelt werden können.

Es gibt noch eine andre Einteilung der Pflichten selbst. Die Stoiker machen nämlich einen Unterschied unter der mittlern oder gemeinen und zwischen der ganz vollkommnen Pflicht. Die vollkommene Pflicht nennen sie, was vollkommen recht ist. Die gemeine Pflicht aber nennen sie das Schickliche. Sie erklären beide so: Die vollkommne Pflicht bestehe in Handlungen, die durchaus gut sind, die gemeine Pflicht aber in solchen, die durch vernünftige Gründe gerechtfertigt werden können.

Die Überlegungen nun, nach welchen wir Entschlüsse zu Handlungen fassen, sind, dem Panaetius zufolge, von dreierlei Art. Entweder wird gefragt, ob die Sache, die den Gegenstand der Beratschlagung ausmacht, löblich oder tadelnswert, moralisch gut oder böse sei – und hier gibt es oft Gründe auf beiden Seiten; oder es wird untersucht, ob sie zu den Bedürfnissen, Bequemlichkeiten oder den Vergnügungen des Lebens – ob sie zu Ehre, Reichtum, Macht etwas beitrage oder nicht, mit einem Worte, ob sie nützlich oder unnützlich sei; oder endlich wird die Beratschlagung angestellt über den Fall des Widerspruchs, der sich zuweilen zwischen dem moralisch Guten und dem Nützlichen zu finden scheint. Wenn nämlich auf der einen Seite die Aussicht auf einen Vorteil uns anlockt, auf der andern die Schändlichkeit der Handlung uns abschreckt: so entsteht Streit und Unruhe im Gemüte, die nicht anders als durch Überlegung und durch Abwägung der beiderseitigen Gründe gehoben werden kann.

Bei dieser Einteilung sind zwei Glieder ausgelassen worden (ein Fehler gegen die erste logische Regel von den Einteilungen, welche verlangt, das Ganze, welches man teilt, völlig zu erschöpfen). Denn erstlich wird in Absicht der moralischen Güte der Handlungen nicht bloß überlegt, was gut oder böse, sondern auch, wenn zwischen zwei erlaubten Handlungen zu wählen ist, welche die bessere sei. Auf gleiche Weise ist zuweilen zwischen zwei nützlichen Sachen das Nützlichere zu bestimmen. Es ergeben sich also fünf Teile der Untersuchung, deren Panaetius nur drei angegeben hat. Zuerst muß von der moralischen Güte der Handlungen, und zwar an sich, und nach ihren Graden, zweitens von dem Nützlichen, auch auf doppelte Art, an sich und vergleichungsweise, endlich von der Entscheidung des Streits zwischen beiden gehandelt werden.

Und nun der Schluß des Briefes:

Um alles ins kurze zusammenzufassen: so wie ich zuvor behauptete, kein wahrer Vorteil könne mit der Pflicht streiten, so setz' ich jetzt hinzu, jede sinnliche Lust kann und muß oft mit der Pflicht streiten. Daher ist in meinen Augen Epikur selbst nicht so sehr zu tadeln als Calliphon und Dinomachus, die allem Streite dadurch ein Ende zu machen hofften, wenn sie das höchste Gut aus Tugend und Vergnügen zusammensetzten; eine Verbindung, die ebenso unnatürlich ist als die zwischen Tier und Mensch. Die Tugend willigt in keine solche Vereinigung; sie verschmäht sie, sie weist sie mit Unwillen zurück. – Überdies kann das höchste Gut, das höchste Übel nur eins sein; es darf also nicht aus mehrern, noch weniger aus ungleichartigen Dingen zusammengesetzt werden.

Doch diese Materie ist zu wichtig, um hier nur im Vorbeigehen abgehandelt zu werden. Jetzt zur Sache, wovon die Rede war. – Zur Beurteilung derjenigen Fälle, wo ein scheinbarer Vorteil mit der Pflicht streitet, habe ich oben hinlängliche Anweisung gegeben. Will man aber auch die

sinnliche Lust zu dem Scheinnutzen rechnen, so hat diese
alsdann mit der Tugend gar nichts gemein. Doch die Lust
kann nicht mit Recht den Namen des Nutzens bekommen. Sie ist höchstens – wenn der Nutzen die Speise sein
soll, welche uns nährt – nur die Würze, welche diese Speise
schmackhafter macht.

Hier, mein Sohn, hast du ein Geschenk von deinem Vater – nach meinem Urteile ein schätzbares Geschenk.
Doch du magst ihm nun einen Wert beilegen, welchen du
willst: so wirst du doch gewiß diesen drei Büchern als
Fremden, welche an dich empfohlen sind, neben den
Schriften des Cratippus, einen Platz bei dir erlauben. Und
so wie du zuweilen auch mein Zuhörer sein würdest, wenn
ich nach Athen gekommen wäre, woran mich nur die
deutlich unverkennbare Stimme meines Vaterlandes hindern konnte, die mich mitten auf dem Wege zu dir zurück-
rief, so widme nun diesem Werke, welches gleichsam
meine mündlichen Reden an dich überbringt, alle die Zeit,
welche du von allen deinen andern Arbeiten erübrigen
kannst, und die größtenteils von deinem eigenen Willen
abhängt.

Sehe ich, daß du an diesem Teile der Wissenschaft Vergnügen findest, so werde ich mich nächstens, wie ich hoffe, mündlich, und in der Entfernung mehrmalen schriftlich, davon mit dir unterhalten.

Lebe wohl, mein teurer Sohn, und sei meiner zärtlichen
Liebe versichert, die nur dadurch noch vermehrt werden
kann, wenn du an solchen Werken und Wahrheiten Geschmack findest.

Diodor von Sizilien
Geschichtsbibliothek

Die letzten Sätze der Einleitung, welche der Historiker
Diodor von Sizilien zu seinem großen Geschichtswerk geschrieben hat, lauten: »Nachdem ich nun alles gesagt habe,
was ich vorauszuschicken beabsichtigte, will ich die Ge-
schichtserzählung selber beginnen.« Was er vorausschick-
te, wird hier abgedruckt, denn diese Gedanken machte
sich der Mann, der die erste Weltgeschichte geschrieben
hat; Herodot und Tacitus und andere hatten es mehr oder
weniger nur mit Lokal-Geschichten zu tun.

Diodorus aber behandelte in seiner Bibliothek die Weltgeschichte vom Anfang der Welt bis zu Cäsars Gallischem
Krieg (also seiner Gegenwart; er lebte im ersten Jahrhundert v. Chr.). Er behandelte die Geschichte der Ägypter,
Assyrer, Babylonier, Meder und Inder: in vierzig Büchern. Nur Teile sind erhalten. Sie fesseln heute noch brei-
tere Kreise, weil sie ein Gemisch aus Haupt- und Staatsak-
tionen, Anekdoten und moralischen Reflexionen sind.

Der philosophische Gesichtspunkt dieses ersten Historikers der Weltgeschichte wird in der Einleitung sehr deutlich. Der Leser kann sich ein Bild machen, wie nah oder
fern ihm diese Gedanken sind, die im Lauf der Jahrhunderte dann immer wieder geäußert wurden. Wir heben
hier nur zwei hervor. Diodor glaubte, daß es nichts Nützlicheres gebe als die Geschichte zu studieren, denn das hieß
für ihn, mit den Erfahrungen vertraut werden, die andere

vor uns gemacht haben. Er war sehr zuversichtlich und glaubte, daß solche Kenntnisse sehr praktisch seien, weil man nicht dieselben Fehler noch einmal machen werde. Das ist das eine Zentrum seines Glaubens an die Weltgeschichte. Er schreibt, daß er dreißig Jahre darauf verwandt hat, um sich mit der Vergangenheit der Menschheit vertraut zu machen; teilweise fuhr er in die Länder, deren Geschichten er aufzeichnete. Sein Ziel aber war (und das war sein zweites Dogma), die Einheit und den Sinn der Menschengeschichte darzulegen – eine Aufgabe, die dann immer wieder in Angriff genommen worden ist: von Augustinus bis zur Geschichtsdeutung des deutschen Idealismus, die in Hegel und Marx gipfelte.

1. Wer die gemeinsame Geschichte der Menschheit schreibt, dem sollen billigerweise alle Menschen großen Dank wissen, weil er seine Ehre dareinsetzt, durch eigene Mühe und Arbeit dem allgemeinen Nutzen zu dienen. Durch sein Geschichtswerk nämlich teilt er den Lesern die schönste Erfahrung mit und lehrt so, was wahrhaft nützt, ohne daß der Belehrte darum erst Gefahren zu bestehen hat. Denn wer aus eigener Erfahrung klug werden will, lernt nur unter vieler Mühseligkeit und Gefahr das Nützliche in allen Dingen herausfinden, und darum heißt es auch vom vielerfahrensten Helden, daß er unter großer Mühsal und Not »vieler Menschen Städte gesehn und Sitte gelernet«. Die Einsicht aber in das Unglück sowie in die glücklichen Erfolge anderer Menschen, welche durch die Geschichte erteilt wird, gewährt uns Belehrung, ohne daß wir selbst dabei Schlimmes erfahren dürfen. Und nicht genug damit: die Geschichtsschreiber gehen auch darauf aus,

alle Menschen, die doch insgesamt untereinander verwandt sind, durch Raum und Zeit aber voneinander geschieden werden, als Glieder eines und desselben Ganzen
darzustellen, und dadurch erscheinen sie gleichsam als
Diener der göttlichen Vorsehung. Wie diese nämlich die
schöne Ordnung der sichtbaren Gestirne und die Natur
der Menschen unter das gleiche Gesetz und gemeinsame
Wechselbeziehung gestellt hat und so das All in immer
gleichem Kreislaufe bewegt, indem sie jedem Wesen zu-
teilt, was das ewige Verhängnis ihm bestimmt, so haben
auch die, welche die allgemeine Geschichte der bewohnten
Erde wie die eines einzigen Staates beschrieben haben, in
ihrem Werke ein einziges Gesetz und ein Gericht für alles
Geschehene aufgestellt. Es ist aber etwas Schönes darum,
wenn man sich an den Fehlern anderer ein Beispiel nehmen
und es selbst besser machen kann und wenn man in den oft
schwierigen Wechselfällen des Lebens nicht erst lange untersuchen darf, was zu tun ist, sondern nur das nachtun,
was andere schon mit Glück vorher getan haben. Ziehen
doch bei Beratungen alle das höhere Alter der Jugend vor,
wegen der Erfahrung, welche die Alten bei ihrer längeren
Lebensdauer voraushaben. Nun ist aber die Belehrung,
welche die Geschichte gewährt, um so viel höher als jene
Erfahrung zu schätzen, als die Zahl der Tatsachen größer
ist, die wir durch sie kennenlernen, und man darf darum
wohl annehmen, daß es für sämtliche Verhältnisse des Lebens nichts Nützlicheres gibt als die Kenntnis der Geschichte. Den Jüngeren gibt sie die Einsicht der Alten, den
Älteren vervielfacht sie die selbstgewonnene Erfahrung;
Privatleute macht sie zur Leitung der Staatsgeschäfte tüchtig, und die Staatslenker treibt sie durch Hoffnung auf unsterblichen Ruhm zu den herrlichsten Unternehmungen;
durch Ruhm und Ehre, die nach dem Tode winken, macht

sie auch den Krieger bereitwilliger, für das Vaterland in
Gefahr zu gehen, und die schlechten Menschen schreckt
sie durch die Vorstellung ewiger Schande davon ab, daß sie
dem Drange ihrer Schlechtigkeit und Feigheit nachgeben.

2. Überhaupt ist es der Ruhm des Namens, den die Geschichte verheißt, durch welchen die einen getrieben wurden, die Gründer von Städten zu werden, die anderen, Gesetze zu geben, welche die Sicherheit des Gemeinwesens
begründeten, und viele andere, ihren Eifer auf die Erfindung von Wissenschaften und Künsten zum Besten des
Menschengeschlechts zu wenden. Da aber in diesen Dingen zusammengenommen alle Glückseligkeit besteht, so
muß man das höchste Lob der Geschichte erteilen, welche
alle jene Dinge zumeist veranlaßt; denn wenn schon die
Erzählung von den Dingen der Unterwelt, die doch ihrem
ganzen Wesen nach erdichtet ist, so viel beiträgt, die Menschen fromm und gerecht zu machen, um wieviel mehr ist
man zu dem Glauben berechtigt, daß die Geschichte, die
Verkünderin der Wahrheit und gleichsam die Urquelle aller Weisheit, die Sitten der Menschen mehr und mehr zur
Schönheit und Tugend zu bilden vermag. Alle Menschen
leben ja ihrer natürlichen Schwäche wegen nur einen
höchst kleinen Teil des gesamten Weltlebens, und für alle
spätere Zeit sind sie tot. Wer also im Leben nichts Ruhm-
volles getan hat, dem stirbt mit dem Tode des Körpers zugleich auch alles andere ab, was noch Leben ist; wer sich
aber durch Tugend Ruhm erworben hat, dessen Taten
werden durch alle Ewigkeit genannt, überallhin und durch
alle Zeiten getragen durch den göttlichen Mund der Geschichte. Die anderen Denkmäler nämlich dauern nur
kurze Zeit, und mancherlei Zufälle können sie vernichten,
die Macht der Geschichte aber, die sich über die ganze

Erde erstreckt, zwingt die sonst alles vernichtende Zeit, von Geschlecht zu Geschlecht bis in alle Ewigkeit den Ruhm weiter zu überliefern. Aber auch um die Rede mächtig zu machen, trägt sie viel bei, und Herrlicheres als Redegewalt könnte einer wohl nicht leicht finden. Denn in ihr besteht der Vorzug der Hellenen vor den Barbaren, der Gebildeten vor den Ungebildeten, und nur durch sie allein vermag es der einzelne, die Menge zu bewältigen. Und überhaupt erscheint jedes Ding so, wie die Redegabe des Sprechenden es darzustellen vermag. Auch nennen wir treffliche Männer der Rede wert, als ob sie sich damit das höchste Lob ihrer Tugend erworben hätten. Die Redekunst zerfällt nun zwar in mehrere Teile, aber die Kunst der poetischen Rede ergötzt mehr, als daß sie nützte, und die der Gesetzgebung straft nur und lehrt nicht, und in gleicher Weise tragen auch die übrigen Teile zur Glückseligkeit entweder gar nichts bei, oder ihr Nutzen wird durch Schaden beeinträchtigt, und einige gehen sogar darauf aus, die Wahrheit zu entstellen. Die Geschichtsschreibung allein aber ist es, in welcher Rede und Tat zusammenstimmen, und ihre Darstellung der Dinge vereinigt in sich auch jeden anderen Nutzen.

3. Weil ich nun sah, daß den Geschichtsschreibern in der Tat die wohlverdiente Ehre zuteil wird, so habe auch ich mich zu einem ähnlichen Unternehmen angetrieben gefühlt. Indem ich nun die Werke derer, die vor mir Geschichte geschrieben haben, meiner Prüfung unterzog, mußte ich zwar im ganzen ihrer Absicht Beifall zollen, konnte aber nicht finden, daß ihre Art der Ausführung denjenigen Nutzen gewähre, den zu erreichen möglich ist. Denn während für die Leser der eigentliche Nutzen darin besteht, daß ihm möglichst zahlreiche und verschiedenar

tige Tatsachen vorgeführt werden, haben die meisten nur
die in sich abgeschlossenen Kriege eines Volkes oder eines
Staates beschrieben; nur wenige haben es unternommen,
alle Begebenheiten von den älteren Zeiten bis auf ihre eigenen Tage zu erzählen, und diese wieder haben entweder
die Zeitbestimmung für jedes Ereignis beizufügen unterlassen oder die Geschichte der Barbaren mit Stillschweigen
übergangen. Auch haben dieselben die alten Mythen und
Sagen wegen der Schwierigkeit ihrer Behandlung ganz
über Bord geworfen oder ihren ursprünglichen Plan doch
nicht durchgeführt, da sie mitten in ihrer Arbeit vom Tode
überrascht wurden. Von allen aber, welche die allgemeine
Geschichte in dieser Art zu behandeln unternommen haben, ist keiner bis über die Zeiten der Makedonier hinaus-
gegangen. Da also die Zeitbestimmungen wie auch die
Schilderung der Ereignisse selbst sich in vielen Werken
verschiedenartiger Verfasser zerstreut finden, so wird es
höchst schwierig, sich ein zusammenhängendes Bild zu
machen und das einzelne im Gedächtnis zu behalten. Als
ich nun die Darstellungsweise aller jener Schriftsteller geprüft hatte, beschloß ich, ein Geschichtswerk zu schreiben, welches den höchsten Nutzen in sich vereinigt und
zugleich den Leser am wenigsten verwirrt. Wer, von den
ältesten Zeiten beginnend, die uns überlieferten Ereignisse
aller Länder der Erde bis auf seine eigenen Tage herab, so
gut er es vermag, gleichsam wie die eines einzigen Staates
erzählt, der muß sich freilich, wie jedem einleuchtet, einer
großen Mühe unterziehen, aber er dürfte damit wohl auch
ein Werk geliefert haben, welches den Lese- und Lernbe-
gierigen den größten Nutzen gewährt, denn jeder kann aus
demselben das entnehmen, was ihm zu seinen eigenen
Zwecken förderlich ist, indem er wie aus einer reichen
Quelle schöpft. Wer aber die Geschichtsbücher so zahlrei-

cher Verfasser durchgehen wollte, dem würde es fürs erste
nicht leichtfallen, sich diejenigen Bücher zu verschaffen,
die ihm vonnöten wären, und dann würde ihm auch wegen
der ungleichartigen Behandlung und der großen Menge
dieser Schriftwerke die richtige Auffassung der Tatsachen
sehr schwergemacht werden. Ein Geschichtswerk hingegen, welches in umfassender und zusammenhängender
Darstellung Tatsache an Tatsache reiht, gewährt für das
Lesen die größte Bequemlichkeit und erleichtert das auf-
fassende Verständnis in sehr hohem Grade.

4. Da ich nun erkannte, wie nutzbringend die Ausführung eines solchen Werkes sei, zugleich aber auch, wieviel
Zeit und Mühe sie erfordere, so habe ich dreißig Jahre auf
diese Arbeit verwendet und unter vielen Mühseligkeiten
und Gefahren einen großen Teil Asiens und Europas be-
reist, um von den meisten und wichtigsten Gegenden eine
eigene Anschauung zu gewinnen. Denn gar viele Fehler
sind aus Unkenntnis der Örtlichkeit begangen worden,
und zwar nicht nur von mittelmäßigen Geschichtsschreibern, sondern auch von einigen der berühmtesten. Der
größte Sporn bei diesem Unternehmen war für mich die
Lust und Liebe zum Werke, die ja allen Menschen das unmöglich Scheinende vollbringen hilft; außerdem aber auch
die große Leichtigkeit, mit welcher man sich in Rom die
Behelfe zur Ausführung eines solchen Zweckes verschafft.
Denn die Macht dieser Stadt, welche sich bis an die Grenzen der Erde erstreckt, gewährte mir während eines längeren Aufenthalts daselbst Gelegenheit und Mittel in be-
quemster und reichlichster Weise. Gebürtig nämlich bin
ich aus Agyrion in Sizilien, habe mir aber im Umgang mit
den zahlreichen Römern auf der Insel große Fertigkeit in
ihrer Sprache erworben und konnte mir also aus den

Denkschriften, welche bei den Römern von langen Zeiten her aufbewahrt worden sind, eine genaue Kenntnis ihrer Geschichte erwerben. Begonnen habe ich mein Werk mit der Mythengeschichte der Hellenen und Barbaren und habe auch hier mit möglichster Sorgfalt geprüft, was die einzelnen Völker über die Urzeit berichten.

Mein Werk ist vollendet, die einzelnen Bücher aber sind bis jetzt noch nicht ausgegeben, und ich will deshalb hier über die Abteilungen des Ganzen einen kurzen Vorbericht geben:

I–VI. Die sechs ersten Bücher umfassen die Ereignisse vor dem Trojanischen Kriege und die mythische Geschichte, und zwar befassen sich die ersten drei mit der Urgeschichte der Barbaren und die drei folgenden mit der der Hellenen.

VII–XVII. In den elf folgenden Büchern habe ich die allgemeine Geschichte vom Trojanischen Kriege bis zum Tode Alexanders erzählt.

XVIII–XL. In den folgenden dreiundzwanzig Büchern habe ich alle übrigen Ereignisse bis zum Beginne des Krieges verzeichnet, der zwischen den Römern und Kelten ausbrach und in welchem Gajus Julius Cäsar, der seiner Taten wegen der Göttliche genannt wurde, als Feldherr die meisten und kriegerischsten Stämme der Kelten besiegt und unterworfen und die römische Herrschaft bis auf die Britannischen Inseln ausgedehnt hat. Seine ersten Taten aber geschahen im ersten Jahre der hundertundachtzigsten Olympiade, als Herodes zu Athen Archont war.

5. Was die Zeitabschnitte betrifft, welche dies Geschichtswerk umfaßt, so vermögen wir den vor dem Trojanischen Kriege nicht genau zu begrenzen, weil eine genügende Zahl fester Anhaltspunkte für jene Zeiten nicht gegeben ist; vom Trojanischen Kriege bis zur Rückkehr der Herakliden rechnen wir nach dem Athener Apollodoros achtzig Jahre; von diesem Zeitpunkt bis zur ersten Olympiade rechnen wir dreihundertachtundzwanzig Jahre, indem wir die Jahre der lakedämonischen Könige zusammenzählen; von der ersten Olympiade aber bis zum Beginn des Keltischen Krieges, wo wir unsere Erzählung beschließen, rechnen wir siebenhundertunddreißig Jahre, so daß unser ganzes Geschichtswerk in seinen vierzig Büchern tausendundhundertachtzig Jahre umfaßt, die Zeiten abgerechnet, welche die Ereignisse vor dem Trojanischen Kriege ausfüllen.

Diesen ausführlichen Bericht über die Abteilungen und die Grenzen des Werkes haben wir vorausgeschickt, teils um den Lesern eine Einsicht in den ganzen Plan zu geben, zum Teil aber auch, um denen, welche sich mit der Buchmacherei abgeben, das Verunstalten eines fremden Werkes zu wehren. Möge nun das, was in meinem Buche richtig und gut gesagt ist, nicht den Tadel des Neides herausfordern, und was darin versehen worden ist, sich der Berichtigung durch Kundigere erfreuen!

Cäsar
Der Gallische Krieg

Die bekannteste Darstellung Deutschlands aus römischer Zeit ist die Germania des Tacitus. Aber schon Cäsar hielt es in seinem Buch Der Gallische Krieg für »nicht unangebracht, die Sitten und Gebräuche Galliens und Deutschlands zu schildern und den Unterschied zwischen diesen beiden Völkern aufzuzeigen« (6. Buch). Der hier abgedruckte Text ist die älteste zusammenhängende, längere Nachricht über die Germanen. Cäsars Stil ist berühmt für seine Knappheit, Nüchternheit und Sachlichkeit.

Gajus Julius Cäsar wurde im Jahre 100 v. Chr. geboren. Er stammte aus dem Patrizier-Geschlecht der Julier, das bis auf Aeneas und Aphrodite zurückgeführt wurde. Cäsar schlug die Ämterlaufbahn ein, er wurde Quästor, Aedil und Prätor. Er genoß großes Ansehen beim Volk; ob er in die catilinarische Verschwörung verwickelt war, ist nicht zu erkennen. Im Jahre 60 schloß er mit Pompejus und Crassus das erste Triumvirat, 59 war er Konsul, 58 ging er, als Prokonsul auf fünf Jahre, nach Gallien, d. h. nach Oberitalien und der Provence. Das übrige Gallien eroberte er von 58 bis 51; im Jahre 54 war ihm das Kommando auf fünf Jahre verlängert worden. 55 und 53 ging er über den Rhein, 55 und 54 nach Britannien. De bello Gallico, heute als Werk eines eminenten Schriftstellers gewürdigt, war ursprünglich ein Rechenschaftsbericht, den er nach Rom schickte.

Nach dem Tode des Crassus (53) kamen Cäsar und Pompejus immer weiter auseinander. Als der Senat forderte, Cäsar solle sein Kommando niederlegen, überschritt dieser den Rubico und marschierte auf Rom. Das war der Beginn des Bürgerkrieges. Pompejus wich nach Griechenland aus. Cäsar folgte ihm über das Adriatische Meer, obwohl Pompejus' Flotte das Meer beherrschte. Im Jahre 48, in der Schlacht bei Pharsalos, wurde Pompejus besiegt. Er wurde auf seiner Flucht in Ägypten erstochen.

Cäsar folgte, kam in die ägyptischen Thronstreitigkeiten zwischen Kleopatra und Ptolemäus, entschied für sie und soll von ihr einen Sohn gehabt haben: Cäsarion. Die berühmteste dichterische Behandlung dieser Episode in Cäsars Leben ist Shaws Cäsar und Kleopatra. *Nachdem er noch den Sohn des Mithridates und einige pompejanische Heere geschlagen hatte, war er Herr Roms.*

Neben De bello Gallico *schrieb er noch* De bello civili, *die Geschichte des Bürgerkriegs. Einige literarische Werke sollen verlorengegangen sein. In den Jahren, die ihm noch verblieben, entfaltete er eine gewaltige Reformtätigkeit. Seine Tendenzen zur Autokratie schafften ihm viele Feinde. 60 Senatoren, an der Spitze Cassius und Brutus, verschworen sich gegen ihn. Am 15. März 44 wurde er ermordet.*

In ganz Gallien gibt es zwei Klassen von Menschen, die irgendwelche Geltung und Ehre genießen. Denn das niedere Volk nimmt beinahe die Stellung von Sklaven ein. Es darf von sich aus nichts wagen und wird auch zu keiner Versammlung hinzugezogen. Da die meisten durch Schulden, durch große Abgaben oder ungerechterweise von den

Mächtigeren bedrückt werden, begeben sie sich in den
Dienst der Vornehmen, die dann gegen sie dieselben
Rechte haben wie Herren gegen Sklaven. Aber von den
beiden Ständen ist der eine der der Druiden, der andere der
der Ritter. Die Druiden versehen den Gottesdienst, besorgen die öffentlichen und privaten Opfer und legen die
Religionssatzungen aus. Bei ihnen finden sich junge Männer in großer Zahl zur Unterweisung ein, und sie genießen
bei diesen hohes Ansehen. Denn bei allen öffentlichen und
privaten Streitigkeiten urteilen und entscheiden sie. Sie
setzen Belohnung und Strafe fest, wenn ein Verbrechen
begangen wurde, ein Mord geschah, Erbschafts- oder
Grenzstreitigkeiten ausbrechen. Fügt sich ein Privatmann
oder ein Volk ihrem Entscheid nicht, so schließen sie die
Betroffenen vom Gottesdienst aus. Dies bedeutet bei
ihnen die härteste Strafe. Die so Ausgeschlossenen gelten
als gottlose Verbrecher, ihnen gehen alle aus dem Wege,
ihre Annäherung und ihr Gespräch meidet man, um nicht
aus der Berührung mit ihnen Nachteil zu erleiden. An der
Spitze aller Druiden steht einer, der bei ihnen das höchste
Ansehen genießt. Nach seinem Tode tritt an seine Stelle
der, der unter den übrigen an Würde hervorragt, oder
wenn mehrere gleiche Bewerber da sind, entscheiden in
dem Wettstreit die Stimmen der Druiden, bisweilen gar
die Waffen. Sie tagen zu einer bestimmten Jahreszeit an
einer geheiligten Stätte im Lande der Carnuten, das ungefähr in der Mitte ganz Galliens liegt. Hier treffen sich von
überall alle, die Streitigkeiten haben, und beugen sich der
Entscheidung und dem Urteil der Druiden.

Die Druiden ziehen gewöhnlich nicht mit in den Krieg
und zahlen auch keine Abgaben wie die anderen, sind vom
Waffendienst befreit und genießen Freiheit von allen Leistungen. Durch so große Vorrechte verlockt, begeben

sich viele freiwillig in ihre Lehre oder werden von ihren Eltern und Verwandten hingeschickt. Sie sollen dort Verse in großer Zahl auswendig lernen; deswegen bleiben einige zwanzig Jahre in der Lehre. Sie halten es für Sünde, sie schriftlich niederzulegen, während sie fast in allen übrigen Angelegenheiten, in Staats- und Privatgeschäften, die griechische Schrift benützen. Sie scheinen mir aus zwei Gründen dies eingeführt zu haben: Sie wollen nicht, daß die Lehre unter der Menge verbreitet werde, noch daß die Schüler, sich auf das Geschriebene verlassend, das Gedächtnis weniger übten. In der Regel geschieht es bei den meisten, daß sie, gestützt durch das Geschriebene, im Lerneifer und im Gedächtnis nachlassen. Vor allem wollen sie die Überzeugung hervorrufen, daß die Seelen nicht vergehen, sondern nach dem Tode von einem zum anderen wandern. Sie glauben, daß man vor allem durch diese Lehre, wenn die Todesfurcht beseitigt sei, zur Tapferkeit angespornt werde. Viel disputieren sie außerdem über die Gestirne und ihren Lauf, über die Größe der Welt und der Erde, die Natur der Dinge und über das Walten und die Macht der Götter und teilen das der Jugend mit.

Der zweite Stand ist der der Ritter. Wenn ein Bedürfnis vorliegt oder ein Krieg ausgebrochen ist, stehen diese alle im Felde und haben, wie ein jeder von ihnen durch sein Geschlecht oder seine Mittel einflußreich ist, möglichst viele Gefolgsleute oder Hörige um sich. Darin erkennen sie den einzigen Einfluß und die einzige Macht.

Das ganze Volk der Gallier ist in hohem Maße religiösen Gebräuchen ergeben. Aus diesem Grunde opfern die, welche von schweren Krankheiten befallen sind und in Kampf und Gefahr schweben, anstelle der Opfertiere Menschen oder geloben deren Opfer und bedienen sich hierbei der Druiden als Opferpriester. Sie sind nämlich der

Ansicht, daß, wenn nicht für das Menschenleben wieder ein Menschenleben hingegeben werde, die waltende Macht der Götter nicht versöhnt werden könne. Sie haben auch von Staats wegen derartige Opfer. Die Opferung der bei Diebstahl, Raub oder anderen Verbrechen Ergriffenen ist nach ihrer Ansicht den unsterblichen Göttern angenehmer, aber sooft es an solchen Menschen fehlt, schreiten sie zur Opferung sogar Unschuldiger.

Unter den Göttern verehren sie am meisten Merkur. Er hat die meisten Bildnisse, ihn halten sie für den Erfinder aller Künste, ihn für den Führer auf Wegen und Wanderungen, ihm sprechen sie den größten Einfluß auf Gelderwerb und Handel zu. Nach ihm verehren sie Apollo, Mars, Jupiter und Minerva. Von diesen haben sie ungefähr dieselbe Vorstellung wie die anderen Völker: Apollo soll Krankheiten vertreiben, Minerva die Anfangsgründe des Handwerks und der Künste lehren, Jupiter die Herrschaft über die Götter ausüben, Mars Kriege führen. Ihm geloben sie, sooft sie einen Kampf beschlossen haben, meist die Kriegsbeute. Nach dem Sieg opfern sie erbeutete Tiere und bringen die übrige Beute an einen Ort. Es geschieht nur selten, daß jemand unter Mißachtung der Religion Erbeutetes bei sich zu verstecken oder das Geweihte wegzuschaffen wagt. Die furchtbarste, martervollste Hinrichtung ist hierfür festgesetzt.

Alle Gallier rühmen sich, vom Vater Dis abzustammen, und behaupten, das sei ihnen von den Druiden überliefert worden. Deswegen bestimmen sie alle Zeiträume nicht nach der Zahl der Tage, sondern der Nächte. Die Geburtstage, den Beginn der Monate und Jahre berechnen sie so, daß erst auf die Nacht der Tag folgt. In den übrigen Lebensgewohnheiten unterscheiden sie sich von den übrigen im allgemeinen dadurch, daß sie ihren Söhnen, außer

wenn sie erwachsen sind und das Kriegshandwerk ausüben können, öffentlich keinen Zutritt zu sich erlauben
und es für eine Schande halten, wenn man in der Öffentlichkeit einen Sohn im Kindesalter an der Seite seines Vaters sieht.

Die Männer legen so viel Geld, wie sie von ihren Frauen
als Mitgift erhalten haben, aus eigenem Vermögen nach
vorausgegangener Abschätzung mit der Mitgift zusammen. Über diese ganze Summe wird gemeinschaftlich
Rechnung geführt, und die Zinsen werden gespart; wer
den anderen überlebt, auf den geht beider Anteil samt den
Zinsen aus früheren Jahren über. Die Männer haben über
die Frauen wie über die Kinder Gewalt über Leben und
Tod. Wenn ein Familienvater vornehmeren Standes gestorben ist, kommen seine Verwandten zusammen und
unterwerfen, wenn etwas bei dem Tode verdächtig erscheint, die Frauen der peinlichen Frage wie die Sklaven
und töten sie, wenn etwas erwiesen ist, nach Folterung unter grausamen Martern durch Feuer. Die Leichenbegäng-
nisse sind im Verhältnis zur Kultur der Gallier prächtig
und kostspielig. Alles, was, wie sie glauben, dem Lebenden teuer war, werfen sie ins Feuer, auch Tiere, und es
wurden sogar kurz vor unserer Zeit Sklaven und Hörige,
die, wie bekannt war, ihm besonders lieb waren, nach Beendigung der Leichenfeier verbrannt.

In den Staaten, von denen es heißt, daß sie besonders
zweckmäßig verwaltet werden, gibt es die gesetzliche
Verordnung, daß jeder sofort der Obrigkeit meldet, was er
über Staatsangelegenheiten von den Grenznachbarn ge-
rüchtweise gehört hat, und es keinem anderen mitteilt.
Daß nämlich häufig unbesonnene und unerfahrene Menschen sich durch falsche Gerüchte einschüchtern und zu
überstürztem Handeln verleiten lassen und über wichtig-

ste Angelegenheiten einen Beschluß fassen, ist bekannt.
Die Obrigkeiten verschweigen, was ihnen gut, und teilen
der Menge nur mit, was ihnen nützlich erscheint. Über
Staatsangelegenheiten darf man nur in der Volksversammlung reden.

Die Germanen unterscheiden sich wesentlich von dieser
Lebensweise. Sie haben weder Druiden, welche die gottesdienstlichen Einrichtungen beherrschen, noch hegen
sie besondere Vorliebe für Opfer. Unter die Götter zählen
sie nur die, die sie sichtbar wahrnehmen und deren Eingreifen sie augenscheinlich erfahren, nämlich die Sonne,
das Feuer und den Mond. Die übrigen kennen sie nicht
einmal vom Hörensagen. Ihr ganzes Leben besteht in Jagd
und kriegerischem Treiben. Von klein auf sind sie auf
Strapazen und Abhärtung bedacht. Wer am längsten
keusch blieb, erntet bei ihnen den höchsten Ruhm. Hierdurch werde der Wuchs gefördert, wüchsen die Kräfte
und würden die Muskeln gestärkt. Vor dem 20. Lebensjahr Umgang mit einer Frau zu haben, halten sie für die
größte Schande. Dabei gibt es in dieser Beziehung kein
Verheimlichen, weil man in den Flüssen gemeinsam badet
und nur Felle oder kleine Pelzüberwürfe trägt, wobei ein
großer Teil des Körpers unbekleidet bleibt.

Ackerbau betreiben sie nicht mit Eifer, und der größere
Teil ihrer Nahrung besteht aus Milch, Käse und Fleisch.
Keiner hat einen abgegrenzten Grundbesitz oder eigene
Felder, sondern die Beamten und Fürsten teilen immer für
ein Jahr den Sippen und Geschlechtern und anderen Genossenschaften so viel Acker und an der Stelle zu, als sie
für gut befunden haben, und zwingen sie, ein Jahr später
anderswohin zu ziehen. Hierfür führen sie viele Gründe
an: Sie sollten nicht, durch anhaltende Gewohnheit verleitet, das Kriegshandwerk gegen den Ackerbau eintauschen,

sollten nicht danach streben, große Ländereien sich anzu-
eignen, und die Mächtigeren sollten nicht die Schwächeren
aus ihrem Besitz vertreiben. Sie sollten ferner nicht zu
sorgfältig bauen, um sich gegen Kälte und Hitze zu schützen. Es solle auch keine Geldgier groß werden, aus der
Parteien und Spaltungen entstehen. Man wollte das Volk
in Gleichheit zusammenhalten, wenn es sehe, daß sein Besitz dem der Mächtigsten gleiche.

Es gilt als höchster Ruhm für die Stämme, möglichst
weite Landstriche in ihrem Umkreis zu verwüsten und
dort Ödland zu haben. Das halten sie für ein Merkmal der
Tapferkeit, wenn die Nachbarn, aus ihrem Lande vertrieben, das Feld räumen und niemand wagt, sich in der Nähe
anzusiedeln. Zugleich glauben sie, dadurch in größerer Sicherheit zu sein, wenn ihnen die Furcht vor plötzlichem
Einfall genommen sei. Wenn ein Stamm einen Verteidi-
gungs- oder Angriffskrieg führt, werden Obrigkeiten gewählt, welche die Führung in diesem Krieg und Gewalt
über Leben und Tod haben. In Friedenszeiten gibt es keine
gemeinsame Staatsbehörde, sondern die Häuptlinge der
Bezirke und Gaue sprechen unter ihren Leuten Recht und
legen Streitigkeiten bei. Raubzüge außerhalb der Grenzen
eines jeden Stammes ziehen keine Schande nach sich, und
sie rühmen, daß sie zur Übung der Jugend und zur Bekämpfung des Müßigganges unternommen würden.
Wenn einer von den Vornehmen im Thing erklärt, er
werde die Führung übernehmen, und die, welche ihm folgen wollen, aufruft, da stehen die auf, die am Unternehmen und am Manne Gefallen finden, sagen ihre Teilnahme
zu und finden den Beifall der Menge. Wer von ihnen dann
nicht Gefolgschaft leistet, gilt als fahnenflüchtig und Verräter, und man spricht ihm das Vertrauen in allem ab.
Einen Gast zu verletzen, halten sie für Sünde. Wer aus

irgendeinem Anlaß, welcher es auch sei, zu ihnen kommt, den schützen sie vor Unrecht und halten ihn für unverletzlich. Ihm steht das Haus aller offen, und man teilt mit ihm die Nahrung.

Es gab vorher eine Zeit, da die Gallier die Germanen an Tapferkeit übertrafen, sogar angriffen und wegen Übervölkerung und Landmangels über den Rhein Kolonisten schickten. Und so besetzten die Volker-Tectosagen die fruchtbarsten Gegenden Germaniens um das Hercynische Waldgebirge und setzten sich dort fest. Dieser Volksstamm hielt sich bis zu dieser Zeit an seinem Wohnsitz und genoß den Ruhm höchster Gerechtigkeit und Kriegstüchtigkeit. Jetzt noch leben die Germanen in gleicher Mittellosigkeit, Bedürftigkeit und im geduldigen Ertragen von Mühseligkeiten wie früher, haben dieselbe Nahrung und Kleidung. Den Galliern aber führt die Nähe der Provinzen und die Kenntnis überseeischer Erzeugnisse vieles zum Wohlstand und Genuß zu. Nach und nach daran gewöhnt zu unterliegen und in vielen Schlachten besiegt, messen sie sich nicht einmal selber mit den Germanen an Tapferkeit.

Lukrez
Welt aus Atomen (De rerum natura)

Das Werk des römischen Dichters Lukrez Die Natur der Dinge, wie gewöhnlich übersetzt wird, ist zugleich eine der größten Dichtungen des römischen Volkes und eine der wichtigsten Quellen für die antike Theorie von den Atomen, wie sie Leukippos und Demokrit gelehrt haben. Als Schüler des Epikur hat Lukrez in seinem umfassenden Gedicht auch die Lehre des Meisters teilweise gründlicher übermittelt, als irgendein anderer antiker Autor: vor allem Epikurs Atheismus.

Einer der vielen Verehrer, die das Gedicht des Lukrez durch die Jahrhunderte gehabt hat, war Goethe. Er pries »sein hohes tüchtig-sinnliches Anschauungsvermögen« und die »lebendige Einbildungskraft, die das Angeschaute bis in die unschaubaren Tiefen der Natur verfolgt«.

Von dem Leben des Lukrez ist nur wenig bekannt. Er wurde 97 v. Chr. geboren und starb 55. Zur Zeit des Augustinus schrieb der Kirchenvater Hieronymus, Lukrez sei durch einen Liebestrank wahnsinnig geworden und habe sich in seinem 44. Jahr umgebracht. Neuerdings hat man den Verdacht, daß diese Information ein Racheakt der Christen gewesen sei, die den Gottesleugner haßten und sein Leben verleumdeten. Daß die Angaben über sein Dasein so ungewiß sind, wird auf mehrere Umstände zurückgeführt. Ein Weltanschauungsgedicht, wie Lukrez es geschrieben hatte, paßte nicht in diese römische Zeit hinein;

*es wurde zu seinen Lebzeiten gar nicht veröffentlicht. Au-
ßerdem war er politisch nicht tätig, so daß die Aufmerksamkeit nicht auf ihn gelenkt wurde.*

*Wir bringen im folgenden zunächst den Beginn des lan-
gen Gedichtes. Es ist an die »holde Venus« adressiert. Der
Dichter will, wie er hier schreibt, »das Wesen der Dinge«
zeigen und kündigt den Nachweis der Atome an, »aus denen alles Natur erschafft«.*

*Dann folgt eine Stelle aus dem 5. Buch, die sich mehr mit
dem Menschen selbst beschäftigt, vor allem mit seiner Erfindung der Götter. Es ist nun aber sehr wichtig, diesen
epikureisch-lukrezischen Atheismus in seinem zentralen
Motiv zu verstehen. Es gab viele verschiedene Atheismen
in der Geschichte, sie sind aus verschiedenen theoretischen
und praktischen Motiven entstanden. Dieser griechische
verdankt seinen Ursprung der Erkenntnis, daß die Furcht
vor den Göttern den Menschen das Leben verdüstert. Der
Nachweis, daß die Götter entweder nicht oder in abge-
schiedenen Räumen existieren, wo sie sich um die Menschen nicht kümmern, stand also im Dienst der Befreiung
von Angst und Furcht. Hineingeschrieben in diese Moral
gegen die Furcht ist die Geschichte des Menschen in ihren
vielen Wandlungen. Das weltanschauliche Poem des Lukrez ist auch eine unserer ersten Kulturgeschichten.*

Mutter der Römer du, du Wonne der Götter und
                                Menschen,
holde Venus, die unter den gleitenden Zeichen des
                                 Himmels
du das schiffebelebte Meer, die saatentragenden Lande
füllest mit Leben, da durch dich doch alles Belebte

wird empfangen und schaut, erstanden, das Leuchten der
Sonne
– vor dir, Göttin, fliehen die Winde, die Wolken des
Himmels,
vor dir und deinem Kommen, dir schickt duftende
Blumen
Künstlerin Erde, dir lacht hell die Fläche des Meeres,
und der Himmel strahlt dir, sanft von Licht übergossen.
Kaum ist nämlich der lenzliche Anblick des Tages eröffnet
und, entriegelt, herrscht das trächtige Wehen des Zephyrs,
zeigen die Vögel zuerst in der Luft, dich, Göttin, und
deine
Ankunft an, das Herz erschüttert von deinen Gewalten.
Dann durchtobt das Wild und das Vieh die üppigen
Weiden,
schwimmt durch reißenden Strom: von deinem Liebreiz
gefangen
folgt so jedes dir nach voll Begier, wohin du es führest.
Schließlich durch Meer und Berg und hin durch reißende
Ströme,
durch der Vögel belaubtes Heim und grünende Fluren
schüttest du allen ins Herz die sanft erregende Liebe,
wirkst, daß sie voll Begier nach Arten die Rassen vermehren –
da du also allein die Natur der Dinge regierest,
ohne dich nichts entspringt in des Lichtes göttliche
Reiche,
nichts auch üppig gedeiht, nichts Liebenswertes hervortritt,
möcht ich, daß du mir seiest Gefährtin beim Schreiben der
Verse,
die ich von der Natur der Dinge zu formen versuche
unserem Memmiussohn, den du bei jeglicher Lage

hast, mit jeglichem Ruhme geziert, hervorragen lassen.
Um so mehr gib, Göttin, den Worten ewigen Liebreiz,
wirk, daß in dieser Zeit die wilden Werke des Krieges
über die Länder und Meere hin tief entschlummern und
                                                            ruhen;
denn du allein vermagst die Menschen mit ruhigem
                                                            Frieden
zu erfreuen, da ja die wilden Werke des Kampfes
lenkt der waffenmächtige Mars, der oft sich in deinen
Schoß zurücklehnt, besiegt von ewiger Wunde der Liebe,
und so aufwärtsblickt, den runden Nacken zurückbiegt,
gierige Blicke in Liebe weidet, nach dir, Göttin, lechzend,
und es hängt am Mund dir der Atem des Rückwärtsge-
                                                            beugten.
Du, Göttin, ihn, den Ruhenden, sanft umfassend mit
                                                            deinem
heiligen Leib, laß aus dem Munde die liebliche Rede
strömen, erbitte, Erlauchte, den Römern heiteren
                                                            Frieden!
Denn weder wir können jetzt in solchen Nöten der
                                                            Heimat
dichten mit gleichem Mut noch des Memmius ruhmvoller
                                                            Nachwuchs
bei dieser Lage und Not dem Heile sich aller entziehen.
(Jede Natur der Götter muß nämlich für sich alleine
ihres unsterblichen Lebens in tiefstem Frieden genießen,
gern von unseren Dingen getrennt und weitab geschieden;
denn von jeglichem Schmerz befreit, befreit von
                                                            Gefahren,
selber durch eigene Macht vermögend, nicht unser
                                                            bedürftig,
wird von Verdienst sie weder gewonnen noch Zorne be-
                                                            rührt nur.)

Du im übrigen jetzt lenk offenes Ohr und den Geist mir
frei von Sorgen her zu der wahren Lehre der Dinge;
daß du meine Geschenke, in treuem Eifer gerichtet,
nicht, bevor verstanden sie sind, verachtet zurückläßt.
Denn über letzten Grund will dir von Himmel und
                                                  Göttern
ich zu sprechen beginnen, will zeigen der Dinge Atome,
aus denen alles Natur erschafft, vermehret und nähret,
in die zugleich sie Natur dann wieder vernichtet und auf-
                                                  löst;
sie sind gewohnt wir Stoff und Ursprungskörper der
                                                  Dinge
bei der Lehre Beweis zu heißen und Samen der Dinge
auch zu nennen und ebendiese zugleich zu bezeichnen
als die ersten Körper, weil alles aus jenen zuerst ist.

Also nahmen sie sich die Zuflucht, alles den Göttern
zuzuweisen, von ihrem Wink alles kreisen zu lassen.
Und in den Himmel verlegten sie Wohnsitz und Tempel
                                                  der Götter,
weil am Himmel dreht, wie man sieht, die Nacht und der
                                                  Mond sich,
Mond und Tag und Nacht und die strengen Zeichen der
                                                  Nächte,
nächtlich schweifende Fackeln des Himmels und fliegende
                                                  Flammen,
Wolken, Sonne, die Regen, Schnee, Wind, Blitze und
                                                  Hagel
und schnell rollendes Dröhnen und mächtiges Grollen des
                                                  Drohens.
O des unsel'gen Geschlechts der Menschen, da solches den
                                                  Göttern

zugeteilt es an Taten und bitteres Zürnen noch beigab!
Was für Klagen hat selbst es sich, was für Wunden geschaffen
uns, was für Tränen denen verursacht, die später als wir
sind!
Und es ist nicht frommer Sinn, verhüllt gesehen zu
werden,
wie man sich kehrt zu dem Stein, und allen Altären zu
nahen,
nicht, sich zu Boden zu werfen gestreckt und die Hände zu
breiten
vor den Tempeln der Götter, nicht, Altäre mit vielem
Blute von Tieren zu sprengen, Gebet an Gebete zu reihen,
sondern vielmehr mit befriedetem Sinn alles schauen zu
können.
Denn wenn blicken wir auf zu den Himmelsbereichen des
großen
Weltalls nach oben, dem Äther, mit funkelnden Sternen
beschlagen,
und es kommt in den Sinn der Sonne Bahn und des
Mondes,
dann beginnt in das Herz, die von anderen Leiden verdrängt war,
auch wieder jene Sorge das Haupt erwacht zu erheben,
daß nicht doch es gibt für uns eine göttliche Allmacht,
die mit verschiedner Bewegung die schimmernden Sterne
im Kreis dreht;
führt in Versuchung den zweifelnden Sinn doch die Armut
an Einsicht,
ob es gegeben einmal einen Tag der Geburt für das
Weltall
und zugleich, ob ein Ende es gibt, bis zu dem es vermöchten,

Mühen zu tragen die Mauern der Welt und die stille Bewegung,
oder, mit ewigem Heil auf göttliche Weise begnadet,
sie sind imstand, im ständigen Zuge der Zeit sich bewegend,
trotzig zu schneiden der mächtigen Zeit unermeßliche
Kräfte.
Außerdem: wem zieht sich das Herz nicht in Schauern zusammen
vor den Göttern, wem fahren die Glieder vor Angst nicht
zusammen,
wenn vom schrecklichen Schlag des Blitzes die trockene
Erde
bebt und dröhnender Donner den mächtigen Himmel
hindurchläuft?
Zittern nicht Völker und Stämme und ziehen ein nicht die
stolzen
Könige gar ihre Glieder, erschüttert in Furcht vor den
Göttern,
daß nicht etwa wegen schändlicher Tat oder herrischem
Worte
nahe gerückt ist die lastende Zeit der Zahlung der Sühne?
Auch wenn die höchste Gewalt auf dem Meer des stürmischen Windes
über die Flut hinfegt den Imperator der Flotte
mit den starken Legionen zugleich und samt Elefanten,
naht er nicht mit Gelübden dem Frieden der Götter und
sucht nicht
angstvoll Vergleich im Gebet mit den Winden und günstiges Wehen,
ganz umsonst, da gepackt ja vom stürmischen Wirbel er
oftmals
um nichts weniger wird zu des Todes Untiefen gerissen?

So sehr tritt die menschlichen Dinge geheime Gewalt oft
nieder und scheint die schönen Bündel und grausamen
Beile
unter die Füße zu stampfen und sich zum Spielball zu
machen.
Schließlich, wenn unter dem Fuß die gesamte Erde ins
Schwanken
kommt und, zerrüttet, die Städte zerfallen und zweifelnd
es drohen,
ist's dann erstaunlich, daß sich der Menschen Geschlechter verachten,
übrig gewaltige Mächte und übernatürliche Kräfte
lassen von Göttern drin in den Dingen, die alles regieren?
Übrigens: Erz und Gold und Eisen wurde gefunden
und des Silbers Schwere zugleich und des Bleies Befugnis,
als hatte Feuer verbrannt in Flammen mächtige Wälder
hoch in den Bergen, sei's, daß vom Himmel der Blitz war
geschlagen,
sei's, daß barbarischen Krieg sie führend untereinander
Feuer den Feinden ins Land gebracht hatten, Schreck zu
erregen,
sei's, daß, verlockt von der Güte des Bodens, die Absicht
sie hatten,
fruchtbare Fluren auszubreiten und Weiden zu schaffen,
sei's, wilde Tiere zu töten und reich sich an Beute zu
machen;
denn mit Grube und Feuer zu jagen ist früher entstanden,
als mit Netzen den Wald zu umstellen und Hunden zu
hetzen.
Was es auch war, aus welchem Grund die flammenden
Gluten
aus mit schrecklichem Prasseln den Wald gezehrt in den
tiefsten

Wurzeln hatten und ausgeglüht die Erde mit Feuer,
damals floß in glühenden Adern, sich sammelnd in hohle
Stellen des Bodens, von Gold ein schmales Gerinnsel und
                                                    Silber,
ebenso Erz und Blei. Wenn dieses erstarrt sie gesehen
später in heller Farbe am Boden gleißend erstrahlen,
hoben sie auf es, entzückt von glatter und schimmernder
                                                    Schönheit,
und sie sahen dabei, daß geformt es war nach dem gleichen
Aussehen, wie einer jeden der Lachen gewesen der Ein-
                                                    druck.
Da durchdrang es sie, daß dieses, durch Hitze verflüssigt,
könnte sich wandeln in jede beliebige Form und Er-
                                                    scheinung
und durchaus in noch so scharfe wie spitzige Enden
ausgezogen von Dolchen zu werden vermöchte durch
                                                    Hämmern,
so daß Waffen bereiten, daß Wälder fällen sie könnten,
Holz zu behauen und glatt die Balken zu schaben ver-
                                                    möchten,
sie zu durchbohren sogar, zu durchstoßen und Löcher zu
                                                    schlagen.
Und sie schickten sich an, es zu tun mit Silber und Golde
wie den unbändigen Kräften zuerst des kräftigen Erzes.
Ganz umsonst, da besiegt ja nachgab ihre Befugnis
und nicht genau so vermochten die harte Müh' sie zu
                                                    tragen.
Da stand höher im Wert das Erz, und Gold war verachtet
ob seiner Unbrauchbarkeit, mit stumpfer Schneide zer-
                                                    stoßen;
jetzt ist verachtet das Erz und das Gold gerückt an die
                                                    Spitze.
So verändert die rollende Zeit der Dinge Gezeiten.

Was im Preis stand hoch, verliert am Ende die Ehre;
weiter rückt anderes nach und steigt aus seiner Ver-
                                                    achtung,
täglich wird mehr es begehrt und, gefunden, blüht es in
                                                    hohem
Lob, steht unter den Menschen in staunenswerter Ver-
                                                    ehrung.

Sallust
Der Krieg gegen Jugurtha

Gajus Sallustius Crispius, *der 86 v. Chr. geboren und etwa 50 Jahre alt wurde, ist als der erste römische Historiker bezeichnet worden, dessen Werk einen künstlerischen Charakter hat. Bisweilen liest sich seine Geschichte wie ein historischer Roman. Als sein Meisterwerk bezeichnet man die* Historiae: *die Darstellung der Zeit von Sullas Tod bis zu Pompejus' Machtentfaltung (78–67). Außer Bruchstücken sind nur einige Reden und Briefe erhalten.*

Sallust begann mit zwei Monographien: der Verschwörung des Catilina *und dem* Krieg gegen Jugurtha. *Man sagt, er habe mit der Schilderung der catilinarischen Verschwörung Cäsar rehabilitieren wollen, der im Verdacht stand, in sie verwickelt gewesen zu sein. Ausgezeichnet sind die Charakteristiken; Sallust hatte eine große Reihe von erstklassigen Quellen, Zeugnisse der Zeitgenossen und seine eigene Erinnerung. Die Reden, die seine Bücher auszeichnen und im Altertum so berühmt waren, daß sie zum Schulgebrauch benutzt wurden, waren eigene Schöpfungen – auf der Basis von Dokumenten (gemäß der Methode seines Vorbilds Thukydides). Das zweite Werk war* Der Krieg gegen Jugurtha, *aus dem wir Auszüge bringen. Sallust hat selbst an Ort und Stelle Material zusammengebracht und einige afrikanische Dokumente übersetzen lassen. Diese Schrift ist seit ihrem Erscheinen als historisches Werk von hohem künstlerischem Rang angesehen worden.*

Von 111 bis 105 konnte Jugurtha, der König von Numidien (dem heutigen Algerien), dem römischen Heer trotzen, dessen Feldherrn er bestach. Sallust ging es nicht zuletzt darum, die Korruptheit der römischen Nobilität seit dem Punischen Krieg zu brandmarken.

Alle diese Schöpfungen des Historikers gehören dem zweiten Teil seines Lebens an. Als junger Mann durchlief er die Ämterlaufbahn, oft in seiner Karriere behindert durch die Ereignisse der Politik. Wieweit die Vorwürfe gegen ihn (zum Beispiel die Anklage auf Bestechlichkeit) berechtigt, wieweit sie von Parteigegnern erfunden sind, ist nicht festzustellen. Jedenfalls wurde er ein sehr reicher Mann. Nach Cäsars Tod zog er sich ins Privatleben zurück und legte die berühmten Sallustischen Gärten an, die später Nero besessen hat und dann Vespasian, Nerva und Aurelian.

Die nun folgenden ersten Seiten des Kriegs gegen Jugurtha sind besonders deshalb kennenswert, weil sie Einblick gewähren in die Weltanschauung des großen römischen Historikers aus der Zeit Cäsars.

Mit Unrecht beklagen sich die Menschen, ihre Natur werde bei ihrer Ohnmacht und kurzen Lebensdauer mehr vom blinden Zufall als von ihrer eigenen Kraft gelenkt. Denn bei einigem Nachdenken wird man finden, daß es im Gegenteil nichts Erhabeneres, nichts Herrlicheres gibt und daß es unsrer natürlichen Anlage weniger an Kraft und Zeit fehlt als am tatkräftigen Willen des einzelnen Menschen. Lenker aber und Leiter des menschlichen Lebens ist nur der Geist. Will dieser auf der Bahn der Tüchtigkeit dem Ruhm nachjagen, so hat er Kraft und Macht

und Vorzüge in Fülle und bedarf des Glückes nicht; denn
das kann Rechtlichkeit und Willenskraft und andre gute
Eigenschaften keinem geben oder nehmen. Ist aber der
Mensch im Banne böser Leidenschaften durch den kurzen
Genuß verhängnisvoller Ausschweifung zu Schlaffheit
und Sinnenlust herabgesunken und sind im trägen Nichtstun Kräfte, Zeit und Geistesgaben vergeudet, dann macht
man die Schwäche der Natur verantwortlich. Wenn die
Menschen ebensoviel Sorge um das Gute hätten, wie sie
sich eifrig um Verkehrtes und ganz Wertloses, ja vielfach
sogar um Gefährliches bemühen, so würden sie weniger
Sklaven als Herren ihres Geschickes sein und sich zu solcher Größe erheben, daß sie durch ihren Ruhm aus Sterblichen unsterblich würden.

Wie der Mensch zusammengesetzt ist aus Körper und
Geist, so richten sich alle unsre Vorzüge, all unser Dichten
und Trachten nach der Natur des Körpers oder der des
Geistes. Äußere Schönheit also, großer Reichtum, auch
Körperkraft und alles andere der Art schwindet in kurzer
Zeit dahin, aber glänzende Leistungen des Geistes sind unsterblich wie die Seele selbst. Kurz, alles, was entstanden
ist, muß wieder untergehen, und was wächst, muß altern;
der Geist aber, unzerstörbar und ewig, regiert das
menschliche Sein, er bewegt und beherrscht alles, ohne
selbst beherrscht zu werden.

Um so mehr muß man sich über die Unvernunft der
Leute wundern, die den Geist, das beste und herrlichste
Gut der menschlichen Natur, ohne Pflege und gleichgültig
verkümmern lassen – und dabei gibt es doch so viele und
mannigfaltige geistige Leistungen, die zum Gipfel des
Ruhmes führen!

Freilich erscheinen mir von diesen Leistungen Staats-
ämter und militärische Kommandos, überhaupt jede poli-

tische Betätigung heutzutage am wenigsten begehrenswert;
dem wahren Verdienst wird ja kein Ehrenamt verliehen,
und wer auf unehrlichem Wege dazu gekommen ist, der
darf sich deshalb weder sicher noch besonders geachtet
fühlen. Denn mit Gewalt das Vaterland oder die Väter zu
regieren, selbst wenn man es vermöchte und dadurch
Übelstände bessern könnte, ist doch mißlich, zumal da
Staatsumwälzungen immer zu Blutvergießen, Landesver-
weisung und anderen schlimmen Folgen führen.

Unter den übrigen geistigen Beschäftigungen ist die Geschichtsschreibung gewiß besonders wertvoll. Über ihre
Bedeutung haben sich schon viele geäußert, und so meine
ich darüber hinweggehen zu dürfen; es soll auch keiner
denken, ich wolle aus bloßer Überheblichkeit meine Lieb-
lingsbeschäftigung rühmend verherrlichen. Und doch
glaube ich, wegen meines Entschlusses, fern von politischer Betätigung mein Leben zu verbringen, werden manche meine wichtige und nützliche Arbeit als Müßiggang
bezeichnen, gewiß wenigstens solche, die es als höchste
Aufgabe ansehen, sich bei der Masse beliebt zu machen
und durch Speisungen ihre Gunst zu gewinnen. Wollten
diese Leute sich an die Zeiten erinnern, als ich zu Staatsämtern kam, an die ausgezeichneten Männer, denen dies
nicht geglückt ist, dann wieder an die Sorte von Menschen,
die später in den Senat gekommen sind, sie würden wahrhaftig einsehen, daß ich aus lobenswerten Gründen, nicht
aus Trägheit, meinen Lebensplan geändert habe und daß
dem Staate mehr Vorteil aus meinem sogenannten Müßiggang erwachsen wird als aus der Geschäftigkeit der anderen.

Den Krieg will ich beschreiben, den das römische Volk
mit dem Numiderkönig Jugurtha geführt hat, vor allem,
weil er schwer und blutig war und das Siegesglück oft

wechselte, sodann, weil man da zum ersten Male der Anmaßung des Adels begegnete; dieser Parteikampf machte
alle göttliche und menschliche Ordnung zuschanden und
steigerte sich zu solchem Wahnsinn, daß erst der Krieg
und Italiens Verwüstung dem inneren Zwist ein Ende
bringen sollten. Bevor ich aber mit einer solchen Darstellung beginne, muß ich ein wenig zurückgreifen, um alles
zum Verständnis klarer und einleuchtender zu machen.

Im zweiten Punischen Kriege, in dem der karthagische
Feldherr Hannibal die Kraft Italiens seit Roms Entwicklung zur Großmacht am stärksten geschwächt hatte, war
der Numiderkönig Masinissa von Publius Scipio, der später wegen seiner Verdienste den Beinamen Africanus bekam, zum Freund der Römer erklärt worden und hatte
sich durch viele Heldentaten ausgezeichnet. Aber das
Ende seines Lebens bedeutete zugleich das Ende seines
Reiches.

Später übernahm sein Sohn Micipsa die Herrschaft. Der
hatte zwei Söhne, Adherbal und Hiempsal; dem Jugurtha
aber, den Masinissa als Kind eines Nebenweibes von der
Thronfolge ausgeschlossen hatte, ließ er an seinem Hofe
die gleiche standesgemäße Erziehung geben wie seinen
eigenen Söhnen.

Als nun Jugurtha herangewachsen war, kraftvoll und
wohlgestaltet, vor allem aber geistig hochbegabt, da überließ er sich nicht verderblichem Wohlleben und Faulen-
zen, sondern übte sich nach der Sitte seines Volkes im
Reiten und Speerwerfen und Wettlaufen mit den Altersgenossen, und wenn er auch mehr Ruhm gewann als alle,
hatten ihn doch alle gern; sehr vieles tat er, und sehr wenig
sprach er von sich selbst. Gewiß freute sich Micipsa erst
darüber, denn er meinte, die Tüchtigkeit Jugurthas werde
seines Reiches Ruhm erhöhen; doch als er bei seinem

vorgerückten Alter und der Jugend seiner Kinder sehen mußte, wie der junge Mensch immer mehr und mehr an Bedeutung gewann, da geriet er darüber in Unruhe und machte sich viel böse Gedanken. Ihn schreckte die stürmische Begeisterung der Numider für Jugurtha, die ihn fürchten ließ, es könnte Aufruhr oder gar Krieg entstehen, wenn er einen solchen Mann arglistig beseitigte.

Als er sah, ein Mann, der bei seinen Landsleuten so beliebt war, könne nicht mit Gewalt und nicht mit List bezwungen werden, da beschloß er, ihn Gefahren preiszugeben und so das Schicksal zu versuchen; war doch Jugurtha persönlich tapfer und auf Kriegsruhm ganz versessen.

Als daher Micipsa im Numantinischen Kriege dem römischen Volke Reiterei und Fußtruppen zu Hilfe schickte, übergab er Jugurtha das Kommando über die nach Spanien gesandten Numider; er hoffte, dieser werde dort durch den glühenden Wunsch, Beweise seiner eignen Tapferkeit zu geben, oder durch die Grausamkeit der Feinde leicht ein Ende finden. Doch die Sache ging ganz anders aus, als er geglaubt hatte. Denn sowie Jugurtha bei seinem schnellen und scharfen Verstande den Charakter des damaligen Befehlshabers der Römer Publius Scipio und die Kampfesart der Feinde durchschaut hatte, war er durch unermüdliche Tätigkeit und großen Eifer, dazu durch pünktlichen Gehorsam und eine oft in Gefahren bewährte Unerschrockenheit bald so berühmt geworden, daß er der ausgesprochene Liebling unsrer Leute, der gefürchtete Schrecken der Numantiner wurde. Und wirklich war er, was doch ganz besonders schwierig ist, zugleich entschlossen im Kampf und umsichtig im Rat, zwei Vorzüge, von denen der eine meist Vorsicht in Furchtsamkeit, der andre Mut in Unbesonnenheit ausarten läßt. So ließ der Feldherr fast alle schwierigen Aufgaben durch Jugurtha

ausführen, er schenkte ihm seine Freundschaft und schloß
ihn von Tag zu Tag mehr ins Herz. Zu dieser Zeit waren in
unserem Heer mehrere Männer aus neuem und altem
Adel, denen Reichtum mehr galt als Anstand und Ehre,
herrschsüchtig daheim, anmaßend bei den Bundesgenossen, mehr bekannt als geachtet. Diese reizten Jugurtha,
der gewiß schon kein bescheidener Geist war, durch immer neue Versprechungen: wenn König Micipsa tot sei,
könne er allein Numidiens Herrscher werden; er selbst sei
ein ganzer Kerl, und in Rom sei für Geld alles zu haben.
Als aber Publius Scipio beschlossen hatte, in die Heimat
zurückzukehren, nahm er Jugurtha in sein Feldherrnzelt
beiseite und gab ihm dort unter vier Augen gute Worte, er
solle lieber durch Verdienste um den Staat als um einzelne
des römischen Volkes Freundschaft pflegen und sich nicht
daran gewöhnen, Leute zu bestechen; gefährlich sei es,
wenigen abzukaufen, was vielen gehöre. Wolle er seiner
bisherigen Haltung treu bleiben, so werde ihm Ruhm und
Reich von selber zufallen.

Nach solchen Worten entließ er ihn mit einem Briefe,
den er Micipsa überbringen sollte; dies war sein Inhalt:
»Dein Jugurtha hat im Krieg gegen Numantia höchsten
Mannesmut bewährt; ich weiß gewiß, daß Dir dies Freude
macht. Uns ist er wegen seiner Verdienste lieb und wert;
daß er es auch dem Senat und Volk der Römer werde, soll
unser eifrigstes Bestreben sein. Dich persönlich beglück-
wünsche ich als Dein alter Freund. Da hast Du einen Mann,
der Deiner und seines Großvaters Masinissa wert ist.«

Wie nun der König die ihm zugetragenen Gerüchte aus
des Heerführers Brief bestätigt fand, ließ er sich durch die
Tüchtigkeit und die Beliebtheit des Mannes bewegen, seinen Sinn zu ändern, und suchte Jugurtha durch freundliches Entgegenkommen zu gewinnen; er nahm ihn sofort

an Kindes Statt an und setzte ihn zugleich im Testament mit seinen Söhnen zum Erben ein.

Als er aber einige Jahre später, durch Krankheit und Alter geschwächt, das Ende seines Lebens nahen fühlte, soll er in Gegenwart seiner Freunde und Verwandten und auch seiner Söhne Adherbal und Hiempsal etwa folgende Worte zu Jugurtha gesprochen haben:

»Ein kleines Kind warst du noch, Jugurtha, hoffnungslos und ohne Mittel, als ich dich nach dem Tode deines Vaters an meinen Hof nahm; ich war der Meinung, ich würde dir wegen meiner Wohltaten gerade so lieb sein, als wenn ich dein eigener Vater wäre. Und darin habe ich mich nicht getäuscht. Denn erst kürzlich hast du – um von deinen anderen großen und glänzenden Verdiensten nicht zu reden – bei deiner Rückkehr von Numantia mir und meinem Reiche Ehre gebracht und durch deine Tüchtigkeit die Römer zu unseren allerbesten Freunden gemacht.

Jetzt, wo nach dem Laufe der Natur mein Lebensende bevorsteht, bitte und beschwöre ich dich bei meiner Rechten und bei meinem königlichen Wort: hab diese beiden lieb, die dir durch Geburt verwandt und durch meine Güte Brüder sind. Nicht Heere und nicht Schätze sind die Stützen des Thrones, sondern Freunde, die man sich nicht mit Waffen erzwingen noch mit Gold erkaufen kann; durch treue Dienste werden sie gewonnen. Wer ist aber ein besserer Freund als der Bruder dem Bruder? Ich hinterlasse euch ein Reich, das fest gefügt ist, wenn ihr rechte Männer seid, ohnmächtig aber, wenn ihr versagen solltet. Denn durch Eintracht gedeiht auch ein kleiner Staat, durch Zwietracht aber bricht selbst der größte zusammen.

Du, Jugurtha, mußt als der ältere und reifere mehr als diese beiden hier darauf bedacht sein, daß es nicht schlimm ausgeht. Denn bei jedem Streit erscheint der Mächtigere, mag ihm auch Unrecht geschehen, doch als der Schuldige, eben weil er die größere Macht besitzt. Ihr aber, Adherbal und Hiempsal, erweist diesem ausgezeichneten Manne Achtung und Ehrerbietung, nehmt euch seine Tüchtigkeit zum Vorbild und verhütet mit ganzer Kraft den Anschein, als seien angenommene Kinder besser als meine eigenen.«

Jugurtha durchschaute zwar die Unwahrhaftigkeit in den Worten des Königs; trotzdem gab er mit Rücksicht auf die gegenwärtige Lage eine freundliche Antwort. Micipsa starb nach einigen Tagen.

Man erwies ihm mit aller Pracht die letzten Ehren, wie es bei Königen Brauch ist, dann kamen die jungen Fürsten zusammen, um sich über alle Fragen miteinander zu verständigen. Hiempsal aber, der jüngste von ihnen, hatte eine trotzige Art und sah schon längst auf Jugurtha wegen seiner unedlen Abkunft hochmütig herab, weil er ihm mütterlicherseits nicht ebenbürtig war; so setzte er sich dem Adherbal zur Rechten, damit Jugurtha nicht in der Mitte von den dreien säße; denn dies gilt bei den Numidern als Ehrenplatz. Von seinem Bruder gedrängt, dem Alter nachzugeben, ließ er sich dann doch bewegen und rückte widerwillig auf die andre Seite. Als sie nun hier ausführlich über die Verwaltung des Reiches sprachen, warf Jugurtha unter anderm die Bemerkung hin, alle Beschlüsse und Verordnungen der letzten fünf Jahre müßten aufgehoben werden, denn in dieser Zeit sei Micipsa durch seine Altersschwäche nicht ganz zurechnungsfähig gewesen. »Das ist auch meine Meinung«, erwiderte Hiempsal, »denn in den letzten drei Jahren ist ja auch Jugurtha durch Adoption in die königliche Familie aufgenommen worden.« Dies Wort drang Jugurtha tiefer ins Herz, als einer je gedacht hätte. Von Groll und Furcht gepeinigt, bewegte er seit dieser Zeit nur eins in seinem Innern, all sein Dichten und Trach-

ten war darauf gerichtet, wie er Hiempsal überlisten könne. Als das zu langsam vorwärts ging und die Wut in seinem Herzen sich nicht legte, beschloß er, sein Vorhaben
durchzuführen, es gehe, wie es wolle.

Bei der eben erwähnten ersten Zusammenkunft der jungen Fürsten hatte man wegen Meinungsverschiedenheit
beschlossen, die Schätze zu teilen und jedem seinen bestimmten Teil des Reiches zuzuweisen. Für beide Maß-
nahmen wurde also ein Termin festgesetzt, zuerst jedoch
für die Verteilung des Geldes. Inzwischen gingen die Prinzen jeder für sich in eine Ortschaft, die den Schatzkam-
mern nahe lag. Hiempsal bewohnte zufällig in der Stadt
Thirmida das Haus eines Mannes, der dem Jugurtha als
sein treuster Trabant immer lieb und wert gewesen war.
Den bot ihm der Zufall als Werkzeug dar; so machte er
ihm reiche Versprechungen und veranlaßte ihn, unter dem
Vorwande, er wolle nach seinem Eigentum sehen, ins
Haus zu gehen und sich Nachschlüssel für die Türen zu
verschaffen – denn die richtigen Schlüssel wurden immer
dem Hiempsal übergeben –, im übrigen werde er selbst zur
rechten Zeit mit einer großen Schar dazukommen. Der
Numider tat rasch, was ihm aufgetragen war, und ließ Jugurthas Soldaten gemäß der Weisung nachts in sein Haus.
Kaum waren sie eingedrungen, da zerstreuten sie sich, um
den Fürsten zu suchen; jeden, der im Schlafe lag oder
ihnen entgegentrat, erschlugen sie, durchstöberten alle
Winkel, sprengten alle verschlossenen Türen auf und
brachten mit Lärm und Aufruhr alles durcheinander – da
fand man schließlich Hiempsal in der Kammer einer Magd
verborgen, wohin er sich gleich in seiner Angst und Unkenntnis der Örtlichkeit geflüchtet hatte. Die Numider
überbrachten seinen Kopf Jugurtha, wie ihnen befohlen
war.

Vergil
Aeneis

*P*ublius Virgilius Maro wurde 70 v. Chr. geboren und nur
49 Jahre alt. Er gehört zu den großen Poeten der Augustei-
schen Zeit. Er kam in einem kleinen Ort bei Mantua zur
Welt, lebte in seinen frühen Jahren meist auf dem Gut seines Vaters, wo er die Luft atmete, die uns aus den Eclogae
anweht. Er verlor seinen Hof, ging nach Rom und kam
hier in den Kreis des Mäcenas, der aus den Horaz-Oden
bekannt ist. Auf Veranlassung dieses Mäcenas verfaßte er
sein Gedicht über den Landbau (Georgica). Dann begann
er mit dem großen Poem, das seinen Ruhm begründete:
der Aeneis. Elf Jahre arbeitete er an diesem Werk. Der erste Gesang schildert, wie Aeneas, im siebenten Jahr nach
Trojas Zerstörung, auf der Fahrt von Sizilien nach Italien
durch einen Sturm nach Libyen verschlagen wird. Jupiter
tröstet die Venus über die Schicksale ihres Sohnes und sendet ihm Gott Merkur zu Hilfe, der ihm die neuangesiedel-
ten Karthager gewinnen soll.

Vergil hat im Mittelalter und in den Tagen der Renaissance einen einzigartigen Ruhm genossen; man sah in ihm
den größten aller Dichter. Die Aeneis galt Jahrhunderten
als ein Schatz von Weissagungen und als klassisches Epos,
das folgendermaßen beginnt:

Kampf sing' ich und den Mann, der einst vom Troer-
                                                    gestade
Schicksalhaft im Italerland Laviniums Küste
Anlief, flüchtig und weit zur See und zu Lande ver-
                                                    schlagen
Durch der Götter Gewalt und den Groll, den Juno ihm
                                                    nachtrug.
Viel auch litt er im Kriege, bevor die Stadt er gegründet
Und den Penaten ein Heim in Latium gab, dem die Väter
Albas, Latiums Volk und Romas Mauern entsprossen.

Muse, nun klär mir den Grund: was war, was kränkte die
                                                    Gottheit,
Sprich: was vergrämte das Herz der Göttergebieterin
                                                    also,
Daß durch soviel Leid den ehrfurchtseligsten Mann sie,
Soviel Mühe gejagt – kann so ein Himmlischer zürnen?

Eine versunkene Stadt, der Tyrier Siedlung, Karthago,
Schaute italienwärts, weit über die See, nach des Tibers
Mündungen, reich an Gut und hart in des Krieges Ge-
                                                    werke.
Juno liebte die Stadt, so heißt es, vor allen – es dünkte
Samos kaum sie so wert. Hier hing ihr heilig Gewaffen,
Stand ihr Wagen, und ihr das Reich der Völker zu geben,
Ließ' das Geschick es zu, war da schon Plan ihr und
                                                    Sorge.
Doch aus troischem Blute, vernahm sie, sollte ein Enkel
Kommen, dereinst die Tyrierburg in Asche zu legen,
Sollte ein Volk weitreichender Macht und stolzester
                                                    Siege
Sprossen dereinst zu Libyens Sturz – das spännen die
                                                    Parzen.

Also besorgt und des Krieges gedenk, den jüngst noch um
                                        Troja
Sie, die Tochter Saturns, durchkämpft den geliebten
                                        Argivern –
Trieb das troische Volk sie zürnend von Meere zu Meere,
Hielt, was den Danaern noch und Achill, dem grimmen,
                                        entkommen,
Sie so lang' von Latium fern – und Jahre um Jahre
Irrten sie über die See, ringsum vom Geschicke ver-
                                        schlagen:
Soviel Mühe war not, das Volk der Römer zu gründen.

Eben entschwand dem Blick Siziliens Küste, und fröhlich
Furchte, die Segel gebläht, das Erz die schäumende Salz-
                                        flut,
Als der Wunde gedenk, der nie sich schließenden, Juno
Bei sich sprach: »So soll mein Plan mir schändlich ver-
                                        derben,
Kann ich Italien nicht dem König der Teukrer ver-
                                        schließen?
Ja: mir wehrt's das Geschick! Und Pallas konnte die
                                        Flotte
Und der Argiver Geschlecht zugleich im Meere versenken
Wegen der Schuld und des Wahns allein des Oilischen
                                        Aiax!
Siehe, und ich, die ich der Himmlischen Königin, Jovis
Schwester und Gattin zumal, ich bin mit dem einen Ge-
                                        schlechte
Jahr um Jahr im Streit! Wer mag da künftig noch Junos
Gottheit ehren, wer trägt Bittopfer zu Junos Altar
                                        noch?«

So in lodernder Brust den Groll umwälzend, begab sie

Sich in der Wetter Gebiet, das schwanger von Sturmes-
gewüte,
Nach Äolien, wo in gewaltiger Höhle der König
Äolus sicher den Streit der Winde, der brausenden
Stürme
Bändigt mit seinem Gebot und zwingt durch Kerker und
Bande.

Ihn ging Juno an und sprach mit bittendem Worte:
»Äolus, gab der Vater der Götter, der König der
Menschen,
Macht dir, zu glätten die See und aufzuwühlen im
Sturme –
Ein mir verhaßtes Geschlecht durchmißt die Tyrrheni-
schen Fluten,
Trägt ins Italerland der Troer besiegte Penaten.
Packe sie an! Im Sturz der Wogen versenke die Schiffe
Oder zerwirf sie, und laß das Meer die Leiber ver-
schwemmen!«

»Dein«, sprach Äolus da, »o Königin, ist es zu sinnen,
Was dir genehm, und mein, zu hören und dir zu ge-
horchen.
Du gabst ja das Reich, das Szepter und Jupiters Huld
mir,
Ließest als Gast beim Mahl der olympischen Götter mich
liegen,
Setztest dem Wettergewölk und setztest den Winden zum
Herrn mich.«

Sprach's und schob und hob mit dem Schaft des Speeres
den hohlen
Berg in der Flanke empor. Da, wie zum Zuge geschlossen,

Stürmten die Winde heraus zum Spalt, die Erde um-
wirbelnd,
Stießen hinab aufs Meer und rissen vom untersten
Grunde,
Eurus und Notus zumal und in immer erneuerten Stößen
Afrikus dann, die Fluten empor und rollten sie strand-
wärts.
Rufen erscholl die Schiffe entlang, es ächzten die Taue,
Himmel entriß und Tag das Gewölk den Augen der
Teukrer,
Und schwarzschattende Nacht sank auf die Runde des
Meeres.
Donner entrollte dem Pol, und Blitze entflammten dem
Äther,
Ringsum sahen den Tod die Männer erschauernd vor
Augen.

Da, in kältendem Schreck, stand schlotternd Äneas, er-
seufzte,
Hub zum Himmel die Arme empor und betete also:
»Dreimal, viermal selig, wer immer vor Ilions hohen
Mauern und unter dem Blick der Väter dem Tode be-
gegnet!
O Tydide, o tapferster du des Danaervolkes,
Konnte auf Ilions Flur ich nicht, in ehrlichem Kampfe
Deiner gewaltigen Rechten erliegend, die Seele ver-
hauchen?«

Während er noch so sprach, fuhr Aquilo pfeifend dem
Segel
Quer in den Kurs und hob im Sturm die Flut zu den
Sternen,
Brach die Riemen und bot, den Bug abdrehend, die breite

Flanke dem flutenden Schwall jäh stürzender Wasser-
gebirge.
Dort hängt hoch auf dem Kamm ein Schiff, dort schleu-
dert die Woge
Gähnend es auf den eröffneten Grund und wirbelt den
Schlick auf.
Drei trieb Notus so vom Kurs ihm gegen die Klippen,
Mächtige Bänke inmitten der See, und Eurus verstürmte
Drei zurück in der Syrte Geseicht und – erbärmlicher
Anblick! –
Setzte sie auf den Strand und schloß sie in Wälle von Sand
ein.
Einen – die Lykier trug's, vom treuen Orontes ge-
leitet –
Traf – er mußte es sehn! – vom Kamm der stürzende Flut-
schwall
Prasselnd das Heck und warf den Mann vom Ruder zu
Boden
Und kopfüber hinab. Ein anderes drehte er dreimal
Wirbelnd um sich, und gurgelnd verschlang's der Strudel
des Meeres.

Doch nun merkte Neptun, daß da von mächtigem Brausen
Seine Gewässer zerquirlt, daß der Nordsturm los und die
letzten
Gründe der See durchwühlt – und zürnend erhob aus der
Woge
Er sein ruhiges Haupt, ringsum die Weite durch-
spähend.
Sah im ganzen Gebreit des Äneas Flotte zertrieben,
Von der Flut die Troer bedrängt und den Himmel ge-
borsten,
Und ihm hehlte sich nicht der Schwester erlistete Rache.

Zephyrus rief er und Eurus herbei und schalt sie und
drohte:
»So voll frevelnden Muts traut euere Sippe sich Macht
zu,
Daß ihr Winde, bevor ich's hieß, mir Himmel und Erde
Ineinander vermengt und solch ein Wasser mir auf-
türmt?
Trollt euch und meldet daheim und laßt dem König gesagt
sein:
Nicht ihm gab den Bereich des Meeres das Los und des
Dreizacks
Hohe Gewalt – nein, mir! Er walte im wilden Geklüfte,
Eurus, euerem Heim! Da brüste in steinerner Halle
Äolus sich und spiele den Herrn und hüte die Winde!«

Sprach's und stillte die Flut, noch eh' das Wort er ge-
sprochen,
Scheuchte das dicke Gewölk und gab der Sonne den Raum
frei.
Cymothoe zumal und Triton schoben die Schiffe
Stemmend vom scharfen Geklipp. Er selbst hob sie mit
dem Dreizack,
Lockerte rings die Seichten und wies zur Ruhe die
Wogen,
Und auf leichtem Gefährt durchglitt er der Wellen Ge-
kräusel.
(Wie man wohl im versammelten Volk es sieht, wenn der
Aufruhr
Züngelt, erregten Gemüts sich erhebt die niedere Masse:
Flammendes Kienholz fliegt und Gestein, Wut bietet die
Waffen –
Doch da erscheint ein Mann von Verstand und gewich-
tigem Ansehn,

Und nun schweigt sie zumal und steht mit horchendem
Ohre,
Während sein Wort sie lenkt und die Geister und Herzen
beruhigt:
Also zerrann das Toben der See, als der Vater der Wogen
Umschau über sie hielt und in heiterer Helle dahinflog,
Lockeren Zügels die Fahrt des Gespanns, des flüchtigen,
lenkend.)

Müde derweil vom Drang des Tages, verlangte Äneens
Schar des nächsten Gestades und steuerte Libyens Saum
an.
Eine geräumige Bucht schiebt dort ins Land sich, die Ein-
fahrt
Hütet ein Eiland ihr und macht sie zum sicheren Hafen,
Da an seinem Gebreit die Wogen sich brechen und
teilen.
Drohend entsteigen ihm dort und dort aufsteilende
Felsen,
Klippen zu Paar, davor am Fuß des Meeres Gewässer
Reglos schweigen, und schwarz umfaßt mit schwanken-
den Schatten
Droben den lichteren Raum des ragenden Haines Kulisse.
Jenseits klüftete weit zur Grotte der hagende Fels sich,
Sitze gewachsenen Steins darin und ein lauterer
Bronnen:
Freundlicher Nymphen Bezirk. Hier brauchen die rasten-
den Schiffe
Nicht der Taue und nicht des haftenden Zahnes der
Anker.
Hierhin lenkte Äneas, was ihm an Schiffen gerettet,
Sieben allein, und, beseelt vom Drang nach sicherem
Boden,

Sprangen die Troer hinaus, den Strand, den ersehnten, be-
tretend,
Betteten dort im Sand die salzfluttriefenden Glieder.

Doch nun erhob sich Achates und schlug vom Kiesel den
Funken,
Fing ihn in zündendem Laub und schichtete trockenes
Reisig
Um die Glut: da lohte es auf vom Feuer des Zunders.
Wasserverdorbenes Korn und Gerät zum Backen ver-
teilte
Er den Mühebeladenen dann, und sie nahmen den Vorrat,
Dörrten ihn an der Glut und mahlten ihn zwischen den
Steinen.

Aber Äneas bestieg derweil den Felsen und schaute
Über die Weite der See, vielleicht, daß er Antheus ge-
wahre,
Noch vom Winde gejagt und der phrygischen Völker
Biremen,
Capys und hoch am Heck des Caicus Ruder erspähe.
Nirgend, so weit er schaute, ein Schiff. Drei Hirsche in-
dessen
Sah zum Strande er ziehn, dahinter die Masse der Rudel,
Unabsehbar gereiht, durchs Tal sich äsend verbreiten.
Eilend gestrafft zum Schuß nahm da er Bogen und
schnelle
Pfeile zur Hand – vordem des treuen Achates Geschosse –
Traf und erlegte zuvor die leitenden Hirsche mit hohem,
Astreich trotzendem Haupt, dann mindere auch – und die
Rudel
Flohen vermischt vor seinem Geschoß in die Dickung,
und eher

Ruhte er nicht, bis daß er sieben der mächtigen Tiere
Niedergestreckt – so stimmte die Zahl zu den Schiffen –
                                                              und
Sie zum Hafen geschafft und unter die Seinen verteilt
                                                              hat.
Wein, in bauchige Krüge gefüllt vom guten Acestes,
Und an Trinakriens Strand den scheidenden Freunden ge-
                                                          spendet,
Gab er dann aus und sprach, das Herz der Zagenden
                                                        stärkend:
»Brüder, die ihr vordem schon reich im Leide befahren,
Ärgeres schon durchlebt – ein Gott wird einst es be-
                                                        enden –
(Die ihr hart der Scylla Wut und der heulenden Klippen
Säume gestreift und die Not zyklopischer Insel be-
                                                      standen:)
Rafft euch auf, und freudigen Muts laßt Trauer und
                                                        Sorge
Fahren! Auch dies mag einst uns freun, wenn sein wir ge-
                                                          denken.
Müssen wir doch hindurch durch solche Gefahren und
                                                        Wenden,
Daß in Latium wir zu Rast und Ruhe gelangen,
Wie das Geschick uns weist: daß Troja wieder erstehe.
Haltet denn aus und spart euch auf für bessere Zeiten!«
Also sprach er und zwang, selbst krank an lastender Sorge,
Sich zu heiterem Blick und barg den Gram in der Seele.

Jene bemächtigten sich der Beute, des winkenden Mahles,
Schälten sie aus der Haut und legten Gerippe und Fleisch
                                                            bloß,
Hüben zerlegten ein Tier sie, spießten die zuckenden
                                                          Stücke,

Schleppten die Kessel herbei und warteten drüben der
Feuer,
Streckten sich dann ins Kraut, die schwindende Kraft zu
erneuern,
Füllten mit Bacchus' firnem Getränk und saftigem Wild
sich.
Da nun der Hunger gestillt und auf die Tafel gehoben,
Suchten in langem Gespräch sie nach den vermißten Ge-
fährten,
Zweifelnd in Hoffnung und Furcht, ob sie noch hüben zu
finden,
Ob, nach drüben entrafft, umsonst die Geister sie
riefen.
(Fromm vor allen beklagte Äneas den kühnen Orontes
Nun, des Amycus Tod und nun das grimmige Schicksal,
Das ihm Lycus entriß, den Gyas, den wackren Clo-
anthus.)

Horaz
Satiren

Wer durch das deutsche humanistische Gymnasium ging, hat wahrscheinlich von keinem anderen griechischen oder römischen Schriftsteller so viel Zitate mit ins Leben genommen wie von Horaz.

Das berühmteste unter den berühmten ist das »Carpe diem« (Genieße den Tag), das seine Philosophie auf die kürzeste Formel brachte – und gleich die Botschaft der ersten Satire ist. In einem seiner Briefe gibt Horaz seiner Lebenslust diesen Ausdruck:

»Nimm du jede frohe Stunde,
die Gott dir schenkt, mit Dank an und verliere nie
das Gegenwärtige durch Entwürfe für
ein künftiges Vergnügen, sondern richte so
dich ein, daß, wo du immer lebst, du gern
gelebt zu haben sagen könntest.«

Nach dem Anfang der ersten Satire (die Reihenfolge der achtzehn Satiren stammt nicht von Horaz) bringen wir hier die ganze fünfte, das scherzhafte Tagebuch einer Reise des Dichters von Rom nach Brundisium (Brindisi).

Er machte diesen Ausflug im Gefolge seines Gönners Mäcenas, der dank seiner Freigebigkeit in die Weltgeschichte gekommen ist – sein Eigenname wurde ein Begriff: Mäzen. Er pflegte, wie es sich im kaiserlichen Rom für

*wohlhabende Herren schickte, mit einem ganzen Hofstaat
zu reisen, zu dem auch Horaz gehörte.*

*Quintus Horatius Flaccus wurde 65 als Sohn eines Frei-
gelassenen in Unteritalien geboren und starb 8 v. Chr. Er
studierte in Athen und wurde vom Cäsarmörder Brutus
für den Freiheitskampf gewonnen. Infolge der politischen
Ereignisse seines väterlichen Guts beraubt, lebte er als
Kanzleibeamter in Rom, gewann durch seine Dichtung
den kunstliebenden Mäcenas und erhielt von ihm das
kleine Landgut in den Sabinischen Bergen, das er so oft be-
sang und das 1911 ausgegraben wurde.*

*Begonnen hatte er mit Epoden oder Jamben (wie er sie
nannte): Spottversen nach dem Vorbilde des griechischen
Jambendichters Archilochos. Inhaltlich waren sie Angriffe
gegen persönliche Feinde oder Typen. Den Höhepunkt seines Schaffens erreichte er in den Carmina oder Oden; seine
Vorbilder waren Sappho, Alkaios und Anakreon und das
Thema: Liebe, Wein und Weisheit.*

Am höchsten geschätzt werden heute seine Satiren *und*
Episteln. *Der berühmteste dieser Briefe ist der letzte und
längste, seine* Ars poetica, *die auf die Geschichte der
Ästhetik einen ebenso nachhaltigen Einfluß gehabt hat
wie die* Poetik des Aristoteles.

Wie kommt es nur, Mäcenas? Keiner ist zufrieden mit dem
Lebenslose, wie eigne Wahl es ihm geschaffen oder äußere
Fügung es beschert hat; jeder preist die glücklich, die einen
anderen Lebensweg erkoren.

»Glückselig ihr Kaufleute!«, so seufzt mit der Jahre
wachsender Last der Soldat, dem mancherlei Strapazen die
Kraft der Glieder gebrochen. Das Gegenteil denkt der

Kaufmann auf See, wenn Stürme sein Schiff hin und her
schleudern. »Da hat Kriegsfahrt doch den Vorzug!«
spricht er. »Ist's nicht so? Die Heere rücken an, im
Augenblick folgt die Entscheidung: ein rascher Tod oder
Siegesjubel.« Den Landwirt preist der Rechts- und Geset-
zeskundige, sobald beim ersten Hahnenschrei der rat-
suchende Klient ihm die Tür stürmt. Der Bauer ist aufs
Stadtgericht entboten; Pfandleistung macht sein Kommen
unerläßlich: da beteuert er, gut habe es nur der Stadtbe-
wohner. Seufzer und Wünsche der Art sind so häufig.
Doch ich will dich nicht ermüden: höre, worauf ich hinaus
will. Gesetzt, ein Gott spräche: »Nun gut, ich will jetzt
euren Wunsch erfüllen; du, eben Soldat, sollst Kaufmann
sein; du, Rechtskundiger bisher, jetzt Landwirt: tauscht
die Rollen; ihr geht hier ab, ihr dort! – Heda, was steht ihr
noch?« Sie würden den Wunsch verleugnen; und doch
könnten sie jetzt ihr Glück haben! Ist es nicht begründet
und verdient, wenn Jupiter sie zornig anbläst und erklärt,
künftig werde er nicht so gefällig sein, Wünschen Gehör
zu schenken?
Der Mann dort, der mit hartem Pflug die unfügsame
Scholle bricht, hier der prellsüchtige Schenkwirt, der Soldat, die Schiffer, die waghalsig jedes Meer durcheilen, sie
tragen die Mühsal angeblich nur zu einem Zwecke: im Alter wollen sie sich in gesicherte Muße zurückziehn, sobald
sie Vorrat eingeheimst haben. Ihnen gilt als Musterbild die
winzige Ameise mit ihrer großen Arbeitskraft: sie schleift
ja mit dem Maule herzu, was sie nur kann, und tut es zu
dem Haufen, den sie aufbaut, in Voraussicht der Zukunft
und in wahrhafter Vorsorge. Aber sobald mit der Jahres-
wende der Wassermann trübe Zeiten bringt, kriecht sie
nirgends mehr hervor und ist klug genug, zu nutzen, was
sie früher gesammelt. Dich aber hält nicht heiße Sommers-

glut, nicht Winterfrost von der Jagd nach Gewinn zurück;
kein Feuer, keine Woge, keine Waffe ist dir ein Hindernis,
wofern nur der ›Andere‹ nicht reicher wird als du.

Welche Freude macht es dir, Unmengen Silbers und
Goldes angstvoll in heimlich geschaufelter Grube zu bergen, wo doch nur ein roter Heller bleibt, wenn du es zer-
splitterst? Ja, aber rührt man nicht daran, worin besteht
dann der Reiz des geschichteten Haufens? Mag deine
Tenne hunderttausend Scheffel gedroschen haben, darum
wird dein Magen nicht mehr fassen als der meine. Doch
eins sage mir: Was kommt bei naturgemäßer Lebenshal-
tung darauf an, ob man hundert, ob man tausend Morgen
unter dem Pfluge hat? »Es ist doch ein behagliches Gefühl,
so aus dem vollen zu schöpfen.« Vergönnst du uns, aus
kleinem Vorrat das gleiche Maß zu füllen, so wüßte ich
nicht, warum deine Speicher den Vorzug verdienten vor
unsern Mehlkisten. Es ist, wie wenn du frisches Wasser
brauchtest, nicht mehr als einen Krug oder einen Becher,
und nun sprächst: »Ich möchte lieber aus dem großen
Strome die gleiche Menge schöpfen als aus dem kleinen
Quell hier.« Die Folge ist, daß so manchen, der an maßloser Fülle sich labt, der reißende Aufidus fortschwemmt,
ihn mitsamt dem Uferrande. Aber wer nur das Wenige begehrt, was er braucht, der schöpft kein schlammgetrübtes
Wasser und verliert nicht sein Leben in den Wellen.

Verbreitet freilich ist der Einwand, den nur die falsche
Sucht eingibt: »Genug kann es niemals sein; denn soviel
Geld du hast, soviel giltst du in der Welt.« Wie soll man
dem Verrannten beikommen? Überlaß ihn seinem Elend: es
macht ihm ja Vergnügen. So pflegte in Athen, wie man er-
zählt, ein schmutzig reicher Geizhals das Urteil seiner
Mitmenschen mit Nichtachtung zu strafen; er sagte: »Die
Menschen da draußen zischen mich aus, aber daheim

klatsche ich mir selbst Beifall, sobald ich die Goldstücke in der Truhe beschaue.« In Durstes Qualen hascht Tantalus nach Fluten, die von seinen Lippen weichen – worüber lächelst du? Nur der Name ist verändert: du bist der Held der Sage. Eingesackt hast du, wo du konntest: da liegt nun Sack auf Sack gebettet und du oben darauf mit gierendem Munde; dabei mußt du die Goldschätze schonen wie Gottesschätze oder sie genießen wie Wandgemälde. Solltest du nicht wissen, welchen Wert die Münze hat, wozu sie verhilft? Brot mag man kaufen, Gemüse, einen Schoppen Wein, auch andern natürlichen Bedarf, den der Mensch nur ungern missen würde. Daß du schlaflos liegst in Todesängsten, dich Tag und Nacht graulst vor schändlichen Spitzbuben, vor Brandstiftungen, vor den Sklaven mit ihren Raub- und Fluchtgelüsten, ist das etwa Genuß? Von solchen Gütern, solchen Gaben möcht' ich doch stets recht wenig haben!

Hinter mir lagen die Tore der Großstadt; Aricia bot bescheidenes Quartier. Ein Gelehrter war mit mir, Heliodor, der größte Meister griechischer Redekunst. Dann ging's nach Forum Appii, wo es wimmelt von Schiffern und prellsüchtigen Schenkwirten. Die Strecke bis hierher hatten wir, als bequeme Leute, uns eingeteilt; dem Hochgeschürzten, der es eiliger hat als wir, ist sie eintägig: minder beschwerlich wird die Appia, wenn man langsam reist. Dort sperrte ich wegen des Wassers – weil es ganz abscheulich war – meinem Magen die Zufuhr: die Mitreisenden speisten; ich wartete in nicht sehr heiterer Seelenstimmung. Schon begann die Nacht ihre Schatten über die Lande zu breiten und mit Sternen das Firmament zu übersäen. Da erhob sich gewaltiges Schimpfen: unsere

Sklaven sagten den Schiffern Grobheiten, Schiffer den
Sklaven. »Hier anlegen!« »Willst du dreihundert Stück
einpacken?« »Halt da, genug jetzt!« Das Fahrgeld wird
abgefordert, das Maultier wird angeschirrt: eine volle
Stunde geht hin. Bösartige Schnaken und Sumpffrösche
verscheuchen den Schlaf, während an sein fernes Lieb der
Bootsmann denkt und, bezecht von reichlichem Fusel,
sein Lied singt; ein Passagier singt um die Wette mit.
Schließlich wird der Passagier müde und sinkt in Schlaf;
der faule Bootsmann läßt das Maultier grasen, bindet das
Leitseil an einen Stein und – rücklings liegt er da und
schnarcht.

Und schon graute der Tag, da merkten wir, unsere
Schute kam durchaus nicht vorwärts. Schließlich springt
ein Hitzkopf ans Land und walkt dem Maultier wie dem
Bootsmann Kopf und Lenden mit einem Weidenknüttel.
Es ward zehn Uhr, bis wir endlich aussteigen konnten.
Antlitz und Hände waschen wir in deinem klaren Quell,
Feronia. Darauf wird gefrühstückt; wir ziehen gemächlich
drei Meilen weiter, hinan zur weithin schimmernden Fel-
senhöhe, wo Anxur thront.

Hier wollte mein edler Gönner Mäcenas eintreffen und
mit ihm Coccejus, beide in hochwichtiger Sendung, beide
schon geübt, entfremdete Freunde zu versöhnen. Hier legte ich schwärzliche Salbe auf meine entzündeten Lidrän-
der. Gerade da kommt Mäcenas an; mit ihm Coccejus und
zugleich Fontejus Capito, ein Mann von feinstem Schliff,
Antonius' Freund, wie kein zweiter ihm nahestehend.

Nächster Ort Fundi; Stadtgewaltiger Aufidius Luscus.
Wir schieden gern wieder, doch belustigte uns der verstie-
gene Kanzleibeamte und seine Prunkentfaltung: Staats-
kleid, breiter Purpursaum und Pfanne mit feurigen Kohlen. Die Nacht verbringen wir ermüdet in der Stadt derer

von Mamurra: Murena bietet Unterkunft, Capito Bewir-
tung.

Der folgende Morgen leuchtet uns zum Tage schönster
Freude: denn in Sinuessa schlossen sich Plotius, Varius
und Vergil uns an, Freundesseelen ohne Fehl und Falsch:
edlere trug die Erde nimmer, und niemand ist ihnen dankbarer ergeben als ich. War das ein zärtliches, ein fröhliches
Begrüßen! Nichts acht' ich gleich dem Herzensfreunde,
solange noch mein Sinn gesund. – Dicht an der campani-
schen Brücke liegt ein bescheidenes Gehöft; das gab uns
Obdach, und die Hofleute lieferten die Gebühr an Holz
und Salz. Von da ging's nach Capua, und zeitig konnten
die Maultiere absatteln. Zum Spielplatz fühlt sich Mäcen
gezogen, zum Schlummerbett Vergil und ich; Lidentzün-
dung und Magenverstimmung will sich schlecht mit dem
Ballspiel vertragen.

Weiter nahm uns Coccejus' üppiges Landhaus auf; es
liegt am Berg, hoch über den Wirtshäusern von Caudium.
Jetzo sing mir, o Muse, in Kürze vom Kampfe des Witz-
bolds Sarmentus und des Messius, den man auch den Gok-
kel nennt; sag an, wer die Erzeuger der Streiter, die jetzt
sich maßen im Zanke. Des Messius erlauchte Ahnen sind –
Osker; Sarmentus' Herrin wandelt noch auf Erden: solches Ursprungs waren die Helden, die zum Kampfe
schritten. Sarmentus begann: »Welche Ähnlichkeit! Den
Gaul der Wildnis sehe ich vor mir!« Wir lachen; Messius
selbst sagt »es gilt« und macht eine drohende Kopfbewe-
gung. »Hu! Wäre auf deiner Stirn das Horn nicht ausge-
schnitten, was würdest du anrichten! Schon so, obwohl
verstümmelt, bist du fürchterlich mit deiner Drohgebär-
de!« Dem andern hatte eine Narbe die borstige Stirn in
dem Gesicht zur Linken schandbar entstellt. Auf die
Campanerkrankheit, auf die Erscheinung des Gegners

richteten sich noch viele Ausfälle. Dann bat er ihn, zu tanzen als Cyklop in Schäferstimmung: eine Schreckmaske, auch den tragischen Hochschuh könne er entbehren. Reichlich zahlte der Gockel heim. »Ob Sarmentus schon sein Gelübde erfüllt, seine Sklavenkette den Göttern des Hauses gestiftet habe? Daß er jetzt Kanzleibeamter sei, hebe die Anrechte seiner Herrin durchaus nicht auf. Was habe ihn überhaupt zum Ausreißen bestimmt? Er sei doch so dürr, so winzig, daß schon ein Pfund Brot ihn satt mache.« – Es war höchst vergnüglich, und so weilten wir lange beim Mahle.

Von dannen zogen wir gradeswegs gen Benevent, wo der diensteifrige Wirt beinahe abbrannte, als er die magern Drosseln überm Feuer drehte. Denn spielend hatte sich Vulkan der Fessel entrafft, und züngelnd leckte schon die Flamme bis an der alten Küche Dach. Es war ein rührendes Schauspiel, wie die Gäste in hungriger Hast und die Diener voll Angst das Essen retteten und alle sich beeiferten zu löschen.

Von nun an bot Apulien mir den Anblick altvertrauter Berge; doch haust hier der schwüle Scirocco, und wir wären nimmer hinaufgekeucht, hätte nicht nahe bei Trivicum uns ein Landhaus beherbergt. Tränen freilich kostete uns der Rauch; denn im Kamin schwelte feuchtes, grünbelaubtes Reisig. Hier war ich Tor genug, bis zu mitternächtiger Stunde auf eine wortbrüchige Schöne zu warten. Der Schlaf entrückte mich der Liebessehnsucht, aber Träume mit wüsten Gesichten befleckten mir Hemd und Leib.

In raschem Tempo fuhren wir der Meilen vierundzwanzig, um in einem Städtchen zu nächtigen, dessen Name im Verse nicht nennbar, im Rebus sehr leicht zu deuten: hier muß man kaufen, was sonst in der Welt geschenkt wird – das Wasser. Aber höchst vortrefflich ist das Brot: wer klug ist, pflegt, wenn er weiterwandert, noch auf den Schultern Vorrat mitzunehmen. Denn in Canusium ist das Brot steinhart, der Krug genausowenig wasserreich; Gründer des Ortes war vorzeiten der Held Diomedes. Hier flossen Tränen: Varius trennte sich von den Freunden, er selbst betrübten Herzens. Weiter nach Rubi. Bei Ankunft große Müdigkeit: lang war und schlimm der Weg, verschlimmert noch durch Regen. Folgenden Tages war das Wetter besser, die Straße noch kläglicher, bis zu den Mauern der fischreichen Seestadt Barium. Sodann kam Gnatia; bei den Quellnymphen steht es seit Erbauung in Ungnade. Zu lachen und zu scherzen gab uns die Stadt, da sie uns einzureden wünschte, daß hier sich ohne Feuer das Räucherwerk im Heiligtum verzehre. Das glaube Apella der Jude, ich nimmermehr. Denn, wie ich gelernt habe, leben die Götter in sorgenfreiem Ruhestand; und wenn im Naturlauf sich Seltsames begibt, so sind es nicht verstimmte Götter, die solches herabsenden vom hohen Himmelshaus.

Brundisium endet die vielen Meilen des Wegs und meine vielen Zeilen.

Titus Livius
Römische Geschichte

*Der römische Historiker Titus Livius, geboren 59 v.
Chr., gestorben 17 nach dem Beginn unserer Zeitrechnung, wurde in Padua geboren und lebte dann in Rom. Es
ist behauptet worden, daß er mit dem Kaiser Augustus von
seiten der Kaiserin Livia Drusilla verwandt gewesen sei;
aber das ist nicht erwiesen. Nach dem Tode des Kaisers, der
ihn offenbar sehr gefördert hatte, zog sich der Historiker
wieder in seine Vaterstadt zurück. Viel mehr ist von seinem
Leben nicht bekannt. In einem höchst umfangreichen
Werk behandelte er die Geschichte Roms von der Gründung der Stadt bis zum Tode des Drusus 9 v. Chr. Wahrscheinlich konnte er das Werk nicht bis in die Gegenwart
führen, weil er vorher starb. Alles in allem verfaßte er 142
Bücher, von denen nur ein Teil erhalten ist: nicht viel mehr
als 35, vom Beginn bis zum 3. Samniten-Krieg (293); und
dann vom 2. Punischen Krieg bis zur Unterwerfung Ma-
zedoniens (219–167).*

*Der Leser muß sich vergegenwärtigen, daß es vor dem
19. Jahrhundert kaum eine wissenschaftliche Geschichtsschreibung gab; erst in der jüngeren Vergangenheit wurden die kritischen Methoden (vor allem der Quellenkritik)
ausgebildet, die wir heute für eine Selbstverständlichkeit
halten.*

*Livius' Stärke, dessen Geschichte in den mythologischen
Zeiten Roms begann, liegt in seiner Fähigkeit, plastisch zu*

schreiben, so daß heute kleine Scharmützel innenpoliti-
scher Art und gegen äußere Feinde interessieren, die ohne
seine Gabe anschaulicher Darstellung nur noch dem
Fachmann lesbar wären.

Wir beginnen mit seiner Vorrede, die seinen moralischen
Standpunkt sehr klarmacht: er sieht zurück von einem
städtisch-dekadenten Rom, wie wir seine Deutung heute
bezeichnen würden, auf das tugendhaft-bäuerliche Volk
früherer Zeiten. So ist sein Werk romantisch in dem Enthusiasmus für die große Vergangenheit und in seiner Verachtung für »Geiz und Luxus« seiner Zeit.

Ob ich etwas Verdienstliches tun werde, wenn ich die
Geschichte des römischen Volkes vom Ursprunge Roms
an schreibe, weiß ich teils nicht gewiß, teils möchte ich
dies, wenn ich es wüßte, nicht behaupten. Man hat das,
wie ich sehe, schon längst, ja schon oft getan, weil immer
die neu auftauchenden Geschichtsschreiber entweder in
den Sachen selbst manches zu berichtigen oder in der
Kunst des Vortrags das ungeübte Altertum übertreffen zu
können glauben. Wie dem auch sein mag, es bleibt mir
doch die Freude, daß auch ich zur Erhaltung des Anden-
kens an die Taten des ersten Volkes der Erde nach meinen
Kräften beigetragen habe: und sollte bei der so großen
Menge von Schriftstellern mein Name im Dunkeln bleiben, so will ich mit dem Range und der Größe derer mich
trösten, die meinem Ruhme Eintrag tun. Außerdem habe
ich nicht nur einen Stoff von ungeheurem Umfange vor
mir, denn er führt mich über siebenhundert Jahre zurück,
und wuchs, so klein sein erster Anfang war, so empor, daß
er beinahe unter seiner Größe zu erliegen droht, sondern

es wird auch gewiß für die meisten meiner Leser die Urgeschichte Roms mit ihren nächsten Zeiträumen so unterhaltend nicht sein, weil sie zu der Neuzeit hineilen, wo die Kräfte eines Staates, dem Übermacht so lange schon eigen war, sich selbst verzehren. Ich hingegen will einen Lohn meiner Arbeit auch darin finden, daß ich mich von dem Anblick der Leiden, die unser Zeitalter seit so vielen Jahren sah, wenigstens so lange abwende, als ich mich mit ganzer Seele in jene Vorwelt versetze und noch von allen den Rücksichten frei bin, die den Geschichtsschreiber, falls sie ihn auch von der Wahrheit nicht ablenken, doch beunruhigen können.

Die mehr im Schmucke der dichterischen Erzählung als durch unverfälschte Denkmale der Geschichte auf uns gekommenen Angaben von Umständen, die sich länger oder zunächst vor Erbauung der Stadt ereignet haben sollen, will ich ebensowenig bekräftigen als widerlegen. Man hält es der alten Welt zugute, wenn sie durch die in die Begebenheiten der Menschen eingemischten Erzählungen von Göttern die Urgeschichte der Staaten ehrwürdiger zu machen sucht. Und soll irgendein Volk auf die Erlaubnis, Heiligkeit in seinen Ursprung zu tragen und göttlicher Einwirkung ihn zuzuschreiben, ein Recht haben, so hat das römische Volk des kriegerischen Ruhmes so viel, daß die Völker der Erde es ebenso willig sich gefallen lassen können, wenn es nun gerade den Mars für seinen und seines Stifters Vater erklärt, als sie sich seine Herrschaft gefallen lassen. Wie man diese und ähnliche Erzählungen beachten oder beurteilen werde, kann mir ziemlich gleichgültig sein. Aber darauf, wünschte ich, möge jeder seine ganze Aufmerksamkeit richten, wie die Lebensart, wie die Sitten waren; durch was für Männer und was für Mittel im Kriege und Frieden Rom seine Oberherrschaft erwarb und

erweiterte. Kommt dann die Zeit, wo die alte Zucht allmählich in Verfall geriet, so verfolge man mit Aufmerksamkeit die anfangs sich gleichsam aus ihren Fugen lö-
sende Sittlichkeit, wie sie nachher immer tiefer sank, dann
unaufhaltsam zusammenstürzte, bis wir endlich die Zeiten
erleben mußten, in denen wir weder unsere Verderbnis
noch die Mittel dagegen ertragen konnten. Und gerade
dies ist es, was uns die Geschichte zu einer so heilsamen
und fruchtbringenden Kenntnis macht, daß wir nämlich
die lehrreichen Beispiele aller Art wie auf einem glänzenden Bilde ausgeführt schauen und jeder daraus für sich und
seinen Staat das Nachahmungswürdige entnehme, und
was im Beginn wie im Ausgang widerwärtig ist, vermeide.

Übrigens täuscht mich entweder Vorliebe für meine
übernommene Arbeit, oder es war wirklich nie ein Staat
größer, ehrwürdiger, an edlen Beispielen reicher; es war
nie eine Stadt, in welcher sich Habsucht und Verschwendung so spät eingeschlichen hätten; nie eine, in welcher
Armut und Sparsamkeit so hoch und so lange geachtet
wurden. So unleugbar ist es, daß die Menschen um so viel
weniger begehrten, als sie weniger besaßen.

Doch Klagen, selbst dann nicht einmal angenehm, wenn
sie vielleicht auch nötig sein dürften, sollen bei einem so
wichtigen Vorhaben wenigstens nicht in den Anfang sich
mischen. Weit lieber würde ich, wenn es bei uns wie bei
den Dichtern Brauch wäre, unter vorbedeutenden Segens-
sprüchen beginnen, Göttern und Göttinnen Opfer verheißen und sie anrufen, der Unternehmung eines so großen Werkes einen gesegneten Fortgang zu verleihen.

Es folgt nun der Beginn des Zweiten Buches. *Der Zusammenhang soll hier kurz klargemacht werden. Man setzt die sagenhafte Gründung Roms auf das Jahr 753 an. Angeblicher Gründer und erster König soll Romulus gewesen sein, ein Abkömmling des Trojaners Äneas. Die Periode von 753 bis 510 wird als »Rom unter den Königen« bezeichnet, Romulus, Numa Pompilius und so weiter waren ihre Namen. Der letzte war Tarquinius Superbus, dem man nachsagt, daß er ein übermütiger Despot gewesen sei.*

Dies alles erzählt Livius in seinem Ersten Buch. *Das zweite beginnt mit der Vertreibung dieses Herrscherhauses im Jahre 510. Der Leiter des Volksaufstands soll Lucius Junius Brutus gewesen sein. Rom wird Republik. Brutus, das ist der Inhalt unserer Stelle, verpflichtet das Volk, keinen Alleinherrscher mehr zu dulden. Die Spannungen, die dann geschildert werden, entstehen aus den Konflikten zwischen der jungen Republik und der abgesetzten Dynastie nebst ihrem Adel.*

Die Taten des nunmehr selbständigen römischen Volkes im Frieden und Kriege, die der jährlich wechselnden Behörden und die Herrschaft der Gesetze, mächtiger als die von Menschen, werde ich von jetzt an beschreiben. Daß diese Freiheit erwünschter war, hatte die Härte des letzten Königs bewirkt. Denn die früheren haben so regiert, daß sie nicht mit Unrecht alle nach der Reihe für Erbauer, wenigstens der Teile der Stadt angesehen werden können, mit welchen sie, als neuen Wohnsitzen der von ihnen erhöhten Volkszahl, die Stadt erweitert haben, und es leidet keinen Zweifel, daß ebenderselbe Brutus, der durch Vertreibung des Königs Tarquinius sich so großen verdienten Ruhm erwarb, dies zum größten Nachteile des Staates getan

haben würde, wenn er, nach noch unzeitiger Freiheit lü-
stern, einem der früheren Könige die Regierung entwun-
den hätte. Die Freiheit selbst aber muß man mehr für darin
gegründet halten, daß die Regierung der Konsuln auf ein
Jahr festgesetzt wurde, als weil etwa an der königlichen
Gewalt das mindeste geschmälert wäre. Die ersten Konsuln hatten noch alle Rechte, alle Auszeichnung der Könige. Nur das verhütete man, daß das furchtbare Äußere dadurch verdoppelt würde, wenn sich beide die Rutenbün-
del vortragen ließen. Der Mitkonsul stand freiwillig nach
und überließ die Bündel das erste Mal dem Brutus, der die
Freiheit nicht eifriger gegründet haben konnte, als er sie
von nun an bewachte. Vor allen Dingen verpflichtete er
das Volk, solange es noch nach der neuen Freiheit haschte,
damit es sich auch künftig nicht durch Bitten oder Geschenke des Königs beugen ließe, durch einen Eid, nie einen König über Rom zu dulden. Ferner, um dem Senate
durch die Menge der Mitglieder mehr Stärke zu geben,
brachte er die unter den Hinrichtungen des Königs ver-
minderte Zahl der Senatoren durch Aufnahme der Vornehmsten des Ritterstandes wieder auf die volle Zahl von
dreihundert; und davon, sagt man, schreibe es sich her,
daß bei jeder Zusammenrufung Väter und Nachgewählte
in den Senat beschieden würden. Nachgewählte nämlich
nannte man die in den neuen Senat Aufgenommenen. Dies
war für die Einigkeit im Staate und für die Liebe der
Bürger zu den Vätern ein Mittel von außerordentlicher
Wirkung.

Sodann wurde für den Gottesdienst gesorgt; und weil
gewisse öffentliche Opfer immer von den Königen in Person verrichtet waren, so setzte man, damit die Könige
auch in keinem Stücke vermißt würden, hierzu einen Priester unter dem Namen ›der kleine Opferkönig‹ ein. Dies

Priestertum wurde dem Oberpriester untergeordnet, damit nicht etwa der Name durch eine damit verbundene höhere Ehre der Freiheit nachteilig würde, für die man damals vor allem besorgt war. Und ich möchte fast glauben, man habe die Sorge, sie gar zu sehr von allen Seiten auch durch die größten Kleinigkeiten zu sichern, übertrieben. War ihnen doch an dem andern Konsul, an dem sie weiter nichts zu tadeln fanden, sogar der Name unleidlich. Die Tarquinier, hieß es, hätten sich zu sehr an das Regieren gewöhnt. Priscus sei der erste gewesen, nach ihm habe zwar Servius Tullius geherrscht, aber Tarquinius der Stolze, weit entfernt, sich durch die eingeschaltete Regierung zur Aufgebung des Throns als eines fremden Eigentumes bestimmen zu lassen, habe ihn als ein seinem Stamme gebührendes Erbe durch Frevel und Gewalt wieder an sich gerissen. Nach Vertreibung Tarquinius des Stolzen sei die Regierung in den Händen eines Tarquinius Collatinus. Die Tarquinier hätten nicht gelernt, im Privatstande zu leben; der Name sei mißliebig, sei der Freiheit gefährlich.

Diese Reden wurden von denen, die vorläufig in der Stille die Stimmung des Volkes erfahren wollten, durch die ganze Stadt verbreitet; und als sie bei den Bürgern mit diesem Argwohne Eingang fanden, berief Brutus eine Versammlung. Hier las er gleich zuerst den Eid des Volkes vor, daß es keinen König und überhaupt niemand in Rom dulden wolle, von dem die Freiheit zu fürchten habe. Dies müsse das höchste Augenmerk bleiben und nichts als geringfügig angesehen werden, was darauf Beziehung habe. Ungern rede er weiter, um den Mann zu schonen; und er würde geschwiegen haben, wenn nicht die Liebe für das Ganze den Vorrang behielte. Das römische Volk glaube die Freiheit noch nicht ganz errungen zu haben. Der Stamm des Königs, der Name des Königs, befinde sich

nicht bloß im Staate, sondern sogar in der Regierung. Dies
sei der Freiheit nachteilig, dies sei ihr hinderlich. »Entferne du«, fuhr er fort, »Lucius Tarquinius, diese Furcht
freiwillig. Wir wissen es, wir bekennen es, du hast die Könige vertrieben. Kröne dein Werk und entferne den königlichen Namen. Dein Eigentum werden dir deine Mitbürger, wofür ich selbst sorgen will, nicht allein herausgeben,
sondern, wenn es dir an etwas fehlen sollte, es freigebig
vermehren. Gehe als Freund, befreie den Staat von seiner
vielleicht unbegründeten Furcht. Sie glauben nun einmal,
daß mit dem Tarquinischen Geschlechte zugleich das Königtum auswandern werde.«

Dem Konsul war der Antrag so neu und unerwartet,
daß ihm anfangs sein Staunen die Sprache versagte; und als
er anfangen wollte zu reden, umringten ihn die Ersten des
Staates mit derselben, noch dringender wiederholten Bitte. Freilich machten die übrigen weniger Eindruck auf ihn.
Als aber Spurius Lucretius, der ihnen allen an Jahren und
Würde überlegen und sein eigener Schwiegervater war,
ihn von mehreren Seiten, bald durch Bitten, bald durch
Zureden angriff, legte der Konsul, weil er doch befürchten
mußte, es könne ihm nächstens als Privatmann dasselbe,
zugleich mit dem Verluste seines Vermögens und ange-
hängtem Schimpfe widerfahren, sein Konsulat nieder,
schaffte all sein Hab und Gut nach Lavinium und verließ
die Stadt. Brutus trug durch einen Senatsbeschluß bei dem
Gesamtvolke darauf an, daß das ganze Geschlecht der Tarquinier für landesverwiesen erklärt wurde, und ließ sich
auf einem nach Zenturien gehaltenen Wahltage den Publius Valerius zum Mitkonsul geben, durch dessen Beistand er den König mit seiner Familie vertrieben hatte.

Obgleich niemand daran zweifelte, daß ein Krieg von
seiten der Tarquinier drohe, so brach dieser dennoch spä-

ter aus, als man erwartet hatte. Allein beinahe hätten sie die Freiheit, was sie gar nicht befürchteten, durch List und Verrat verloren. Unter den römischen Jünglingen gab es mehrere, und zwar vom höheren Range, die unter der königlichen Regierung bei ihren Ausschweifungen mehr Freiheit gehabt und als Altersgenossen und Gesellschafter der jungen Tarquinier sich gewöhnt hatten, auf königlichem Fuß zu leben. Jetzt, da alle gleiches Recht hatten, vermißten sie jene Ungebundenheit und führten unter sich darüber Klage, daß die Freiheit anderer für sie ein Sklavenleben geworden sei. Ein König sei doch ein menschliches Wesen; man könne auf ihn rechnen, möge es auf Recht oder Unrecht abgesehen sein; man könne sich bei ihm gelitten, ihn sich verbindlich machen; er könne zürnen und verzeihen und verstehe sich auf den Unterschied zwischen Freund und Feind. Gesetze hingegen wären ein taubes, unerbittliches Ding, dem Hilflosen heilsamer und erfreulicher als dem Mächtigen; sie wüßten nichts von Erlaß und Nachsicht, wenn man sich vergangen habe; es sei zu gewagt, wenn man, als Mensch so vielen Verirrungen ausgesetzt, sein Leben ganz der Unsträflichkeit zu verdanken haben wolle.

So mißvergnügt waren sie schon durch eigene Stimmung, als von der königlichen Familie Gesandte dazukamen, die, ohne eine Wiederaufnahme zu erwähnen, bloß die Herausgabe der Güter verlangten. Als sie ihr Begehren im Senate vorgebracht hatten, dauerte die Beratung darüber mehrere Tage, denn der Vorenthalt hätte ihnen einen Vorwand und die Verabfolgung Mittel und Hilfsquellen zum Kriege gegeben. Unterdes machten die Gesandten, der eine diesen, der andere jenen Versuch. Der Angabe nach bloß mit Betreibung der Rückgabe beschäftigt, schmiedeten sie insgeheim Pläne zur Wiedererlangung des

Thrones, und während sie dem Scheine nach bei den jungen Adligen der Sache wegen herumgingen, welche angeblich im Werke war, erforschten sie ihre Gesinnungen. An die, bei denen ihre Rede Gehör fand, gaben sie Briefe von den Tarquiniern ab und besprachen sich mit ihnen, wie man die königliche Familie heimlich bei Nacht in die Stadt einlassen könne.

Ovid
Heilmittel gegen die Liebe

*D*er *römische Dichter Ovid, Publius Ovidius Naso, wurde »der eigentlich moderne Dichter seiner Zeit, der Dichter des weltstädtischen Rom« genannt.*

Geboren im Jahre 43 v. Chr., gestorben 18 Jahre nach Beginn unserer Zeitrechnung, ist er neben vielem anderen auch der berühmteste Emigrant gewesen. Man machte im alten Rom einen Unterschied zwischen ›exilium‹ und ›relegatio‹ – einer Verbannung, die dem Verbannten nicht die Bürgerrechte kostete. Aber das war kein Trost für den Mann, der an Rom hing. Exiliert in das ferne Tomi, das heutige Konstanza am Schwarzen Meer, schrieb er die traurigsten Klagelieder eines nach der Heimat sehnsüchtigen Emigranten: die Tristia *und die* Epistulae ex Ponto *(die* Briefe aus dem Pontus). *Weshalb der Kaiser Augustus ihm diese Strafe zudiktierte, wissen wir nicht. Einige behaupten, wegen seiner unanständigen Lyrik. Aber das ist nicht bewiesen. So verbrachte er die letzten zehn Jahre seines Lebens fern dem Mittelpunkt der Kultur, der er angehörte und deren größte Zierde er war.*

Er war ein geborener Reimemacher. Er selbst sagte von sich: »*Wenn ich etwas zu schreiben versuchte, so wurde allemal gleich ein Vers daraus.*« *In der langen vierten Elegie der Sammlung* Tristia *hat er neben seinem Leben auch sein Dichten beschrieben. Zu seinen einflußreichsten Werken gehören die* Metamorphosen *(Verwandlungen), ein*

Zyklus von Sagen, die mit der Schaffung der Welt beginnen und mit der Verwandlung Cäsars in einen Stern enden. Daneben wären die Fasti *zu nennen, ein Festkalender, welcher die römischen Feste, ihre Ursprünge und die mit ihnen verbundenen Legenden beschreiben.*

*In seiner Jugend dichtete er Liebes-Elegien (*Amores), *dann fingierte Liebesbriefe von berühmten Frauen der legendären Zeit an ihre Liebhaber – und dann das Poem, das (mehr als ein anderes von ihm) durch die Zeiten gelesen und nachgeahmt wurde: die* Ars amatoria, *die* Liebeskunst: *eine Anleitung zum Verführen, die sich durchaus nicht im allgemeinen hielt und sehr detaillierte Rezepte verabfolgte.*

Weniger bekannt sind zwei Werke, die demselben Themenkreis angehören: Heilmittel gegen die Liebe *und* Gesichtspflege. *Aus diesen Werken bringen wir Ausschnitte. Die ganze Gruppe nannte Ovid* Juvenilia carmina – *man könnte beinahe übersetzen: Jugendsünden. Aber so jung war er nicht mehr, als er die* Liebeskunst *schrieb; er war bereits in den Vierzigern. Im Gegensatz zu diesem Werk, in dem er Männer und Frauen instruierte, wie sie im Liebeskampf vorgehen sollen, lehrte er in unseren* Remedia *(Heilmittel gegen die Liebe), wie man sich vor der Infektion durch die Liebe schützt.*

Von der kleinen Schrift Gesichtspflege, *die Fragment geblieben ist, schrieb der jüngste Übersetzer Josef Eberle: es habe ihm wohl mehr Zeit gekostet und Mühe gemacht, die paar Seiten ins Deutsche zu übersetzen, als Ovid, sie zu schreiben.*

Sie sind keine Dichtung, eher ein Kulturdokument, das uns zeigt, wie weit die Kosmetik damals schon war.

Heilmittel gegen die Liebe

Amor, nachdem er des Büchleins Verfasser und Titel
gelesen,
sagte: Man will scheint's Krieg, Krieg, wie ich sehe, mit
mir.
Zeihe, Cupido, doch solchen Frevels nicht deinen Poeten,
der schon, ich weiß nicht wie oft, wacker das Banner dir
trug.
Ich bin nicht Diomed, der deine Mutter verwundet,
daß sie auf Ares' Gespann floh in den Äther hinauf.
Jugend ist manchmal blasiert, doch ich war ein ständig
Verliebter,
heute noch, wenn du mich fragst, bin ich noch immer verliebt.
Ja, ich lehrte sogar die Kunst, dich gewogen zu machen,
was zuvor Trieb war und Drang, wurde Methode durch
mich.
Weder verrate ich dich noch meine eigenen Künste,
Bübchen, mein neues Gespinst dröselt das alte nicht auf.
Mögen sich glücklich Verliebte auch weiterhin freuen am
eignen Feuer,
und möge ihr Boot segeln mit günstigem Wind.
Dem nur, der leidet unter der Knechtschaft unwerter
Liebe,
komm ich mit Kunst und Geschick, daß er genese, zuhilf.
Hat es denn Sinn, daß dieser, den Hals in der würgenden
Schlinge,
hoch vom Balken herab baumle als Jammergestalt?
Oder daß jener die Brust sich durchbohre mit grimmigem
Eisen?
Freund du des Friedens, ich weiß, dir ist das Morden ver-
haßt.

Wer an der Liebe zu sterben befürchtet, sofern er nicht
                                                        aufgibt,
gebe sie auf, und es fällt niemandes Tod dir zur Last.
Knäblein, was anderes ziemte sich besser für dich, als zu
                                                        spielen?
Spiele; nur sanfte Gewalt steht dir den Jahren nach an.
Könntest zwar grad so die blanken Pfeile zum Kriege ge-
                                                        brauchen,
aber es scheut ja zum Glück blutigen Tod dein Geschoß.
Deinem Herrn Stiefpapa lasse die Schwerter und spitzigen
                                                        Speere,
er stolziert einher, siegreich, vom Morden noch rot.
Du jedoch pflege die Künste der Mutter, die friedlich uns
                                                        dienen,
haben doch diese noch nie Müttern die Söhne geraubt.
Schlag uns beim nächtlichen frohen Krawall die Tür ein
                                                        der Liebsten,
hilf uns mit Kranz und Gewind üppig behängen ihr Haus.
Bringe die schüchternen Mädchen mit Jünglingen heim-
                                                        lich zusammen,
laß sie mit listigem Wort täuschen den wachsamen
                                                        Freund.
Und den Verliebten laß schmeicheln und drohen der fühl-
                                                        losen Pforte;
läßt sie ihn dennoch nicht ein, schenk ihm ein schmach-
                                                        tendes Lied.
Solche Tränen erfreun und belasten dich nimmer mit Blut-
                                                        schuld,
Brände des gierigen Tods fach' deine Fackel nicht an.
Soweit ich selbst. Da regte Cupido die glitzernden
                                                        Schwingen:
Gut denn, vollende das Werk, sagte er, das du geplant.

Also, betrogene Jünglinge, kommt und vernehmt die
Rezepte,
die euch die Liebe so tief, ach, und so bitter enttäuscht.
Lernet genesen bei dem, bei welchem ihr lieben gelernt
habt;
die euch verwundet, die Hand, sie auch verschreibt die
Arznei,
trägt doch die Erde wie giftiges Unkraut so heilsame
Kräuter,
steht doch die Rose gar oft neben dem Nesselgestrüpp.
Eben der Speer des Peliden, der feindlich die Wunde geschlagen,
brachte dem Herkulessohn Heilung und Rettung danach.
Was ich den Jünglingen sage, das gilt für euch Mädchen
nicht minder,
Waffengleichheit besteh' zwischen den beiden Partein.
Scheint euch dies oder jenes zum eignen Gebrauch nicht
zu taugen,
nehmt's als Exempel, man kann mancherlei lernen daraus.
Heilsam dünkt mich der Vorsatz, die zehrende Glut zu ersticken,
niemals ordne der Geist sklavisch sich unter dem Trieb.
Phyllis lebte noch heute, wenn ich ihr Lehrer gewesen,
immer noch ging' sie den Weg, den sie gegangen neunmal.
Weder hätte vom Turme herab die sterbende Dido
ihren Aeneas geschaut, wie er die Segel gehißt,
noch der Schmerz die Medea gegen sich selber bewaffnet,
daß sie die Schuld des Gemahls rächte am eigenen Blut.
Unsere Lehre hätt' Tereus, so sehr Philomelen er liebte,
davor, in Vogelgestalt büßen zu müssen, bewahrt.
Gebt mir Pasiphae, und schon entsagt sie der Liebe des
Stieres;
mir überlassen verging' Phaedra ihr heilloser Hang.

Schicket mir Paris, und Helena findet zurück zu dem
                                    Gatten,
nicht wird dann Troja besiegt fallen von Danaerhand.
Hätte die frevelnde Skylla dieses mein Büchlein gelesen,
prangte des Nisus Haupt jetzt noch im Purpurgelock.
Meiner Führung vertraut und mäßigt den schädlichen
                                    Kummer,
alsdann möge mein Boot steuern den richtigen Kurs.
Damals, als Naso euch lieben gelehrt hat, ward er ver-
                                    schlungen,
Naso soll euch auch jetzt gradeso lesenswert sein.
Wie der Adsertor die Sklaven befreit, so ich von Bedrük-
                                    kung die Herren,
freilich bedarf es dazu, daß man auch selber es will.
Möge dein Lorbeer mich segnen bei diesem meinem Be-
                                    ginnen,
Phoebus, Erfinder des Lieds, Stifter der heilenden
                                    Kunst!
Beistand leihe dem Dichter sowohl wie dem helfenden
                                    Arzte,
beider Wirken und Werk stehen im Schutze von dir.
Fühlst du dich selber nun reif und bereit für meine Be-
                                    handlung,
tu, was ich sage, und gib erst mal den Müßiggang auf.
Er vor allem verleitet zur Liebe und hält sie im
                                    Schwange,
zeugt es und päppelt es auf, dieses so süße Gebrest.
Wenn du den Müßiggang meidest, erschlafft der Bogen
                                    Cupidos,
und seine Fackel entfällt machtlos und kalt seiner Hand.
So wie der Wein die Platane und so wie die Pappel das
                                    Wasser
oder das schwankende Rohr liebt den morastigen Grund,

gradeso Venus die Muße. Du wünschest dir: Schluß mit
der Liebe!
Nun, so sei tätig, das hilft! Liebe weicht jeglichem Tun.
Nichtstun und langes Liegen im Bett aus purer Lang-
weile,
Würfel und ein vom Wein völlig benommener Kopf –
davon schwindet bei heiler Haut das Mark in den
Knochen.
Amor, der nur darauf paßt, macht sich die Schwäche
zunutz.
Stets im Gefolge der Faulheit zu treffen, haßt er die
Schaffer;
laß drum dein Köpfchen nicht ruhn, füll's mit Beschäfti-
gung aus.
Gibt es nicht Markt und Gericht und Freunde, die deiner
bedürfen?
Dort suche Ehre und Glanz friedlich im schlichten
Zivil.
Oder tritt als Rekrut in des blutigen Kriegsgottes
Dienste,
dort wirst du bald von der Lust nur noch die Kehrseite
sehn.
Sieh, wie die Parther fliehen – welch großen Triumph wird
das geben!
Mitten im Feindheer pflanzt Cäsar die Feldzeichen auf.
So wie den Pfeilen der Parther halt stand auch denen
Cupidos,
zwei Trophäen zugleich bringst du den Göttern dann
heim.
Nur ein einziges Mal ließ Venus vom Speer sich ver-
wunden,
dann überließ sie gewitzt Schlachten zu schlagen dem
Mars.

Was den Aegisthus, so fragst du, zum Ehebruch habe
                                        verleitet?
Offenbar hatte er nichts andres und Beßres zu tun.
Seine Genossen lagen vor Troja, wo kaum es voranging,
Griechenlands ganze Macht war schon hinübergeschafft.
Krieg gab es keinen zu führen daheim, selbst wenn er ge-
                                        wollt hätt',
ebenso keinen Prozeß, Argos' Gerichtshof war leer.
Wollte er irgendwas tun, dann blieb ihm nichts andres als
                                        lieben.

Gesichtspflege

Lernet, ihr Mädchen, was euer Gesicht an Pflege er-
                                        fordert,
welches der sicherste Weg, der euch die Schönheit be-
                                        wahrt.
Pflege entlockt dem ärmlichen Boden die Gaben der
                                        Ceres,
rottet das Dornengestrüpp wuchernder Brombeeren aus.
Pflege verbessert die sauer schmeckenden Säfte des
                                        Obstes,
bringt dem verschnittenen Baum Hilfe mit edlerem Reis.
Pflege gefällt. Mit Gold bedeckt man die ragenden
                                        Dächer,
deckender Marmor verhüllt schmutziges Erdreich dem
                                        Blick.
Wolle, soll leuchten ihr Purpur, bedarf des öfteren
                                        Färbens,
Schmuck wird das Elfenbein erst, wenn es der Inder ge-
                                        schnitzt.
Einst unter Tatius legten vielleicht die sabinischen Weiber

mehr auf die Pflege des Felds als auf die eigene Wert.
Dazumal spann noch die Hausfrau, gebräunt und auf
hohem Gestühle
sitzend, mit eigener Hand fleißig das gröbliche Zeug,
schloß in den Pferch die tags von der Tochter gehüteten
Lämmer,
schürte mit Reisig und Holz, selber gespaltnem, den
Herd.
Dies sind die Mütter, die euch, ihr zierlichen Mädchen,
geboren,
die ihr mit goldnem Gewand euch zu umhüllen beliebt,
die ihr es schätzt, die duftende Haartracht beständig zu
wechseln,
und mit den Ringen der Hand unbedingt auffallen wollt.
Edelsteine, vom Osten geliefert, hängt ihr ums Hälschen,
dazu zwei solche ins Ohr, daß es sie grade noch trägt.
Aber der Wunsch zu gefallen ist schließlich bei Mädchen
verständlich,
wo doch die Mode der Zeit Gents aus dem Männervolk
macht.
Weibliches Vorbild poliert selbst an Gatten die Kanten
und Ecken,
bald hat der frauliche Schick nichts mehr vor Männern
voraus.
Wichtig ist nur, für wen sie sich schmücken und wen sie
erobern
wollen – es sei, Eleganz wäre als Sünde verpönt.
Noch auf dem Land frisiert man sich hin, der wilde Berg
Athos,
schlöß' er sie ab von der Welt, säh' sie geputzt und geschminkt.
Irgendwie macht es doch allen Vergnügen, sich selbst zu
gefallen,

vollends den Mädchen geht nichts über den eigenen Reiz.
Siehe den Vogel der Juno: bewundert man dessen Ge-
fieder,
spreizt er es prahlend und stellt wortlos die Schönheit zur
Schau.
Sie erweckt stärkres Verlangen in uns als die kräftigsten
Kräuter,
die mit beschwörendem Spruch sammelt der Zauberin
Hand.
Trauet den Kräutern nicht, Mädchen, und trauet nicht
Wundermixturen,
lasset vom giftigen Schleim rossiger Stuten die Hand.
Schlangen lassen sich nicht mit marsischem Zauberspruch
stückeln,
nimmer zur Quelle zurück wendet das Wasser den Lauf.
Wenn es auch keine Zimbeln mehr gäb' aus temesischem
Erze,
würfe das Rossegespann Lunas noch immer nicht um.
Darum sei erste Sorge euch Mädchen ein gutes Benehmen,
liebenswürdige Art fesselt in jedem Gesicht.
Solche Liebe besteht, doch Schönheit vergeht mit den
Jahren,
und das Gesicht, das gefiel, zeigt sich dann faltendurch-
furcht.
Einstens wird's dich verdrießen, dein Antlitz im Spiegel zu
schauen,
ach, und der Kummer darob schafft dir der Runzeln noch
mehr.
Einzig ein trautes Gemüt überdauert als Sieger die
Jahre:
weil es zu altern versteht, bleibt es der Liebe noch wert.
Lerne nun, wie dein Gesicht, nachdem sich die zierlichen
Glieder

just aus dem Schlafe gelöst, rosig zu strahlen vermag.
Gerste, auf Schiffen herübergeschickt von libyschen
Bauern,
mache von Hülsen und Spreu sorglich und säuberlich
frei.
Netze an Linsen das nämliche Maß vermittels zehn
Eiern –
aber die Gerste, geschält, wiege gerade zwei Pfund.
Ist das Gemenge in zugiger Luft am Ende getrocknet,
mahl's unter körnigem Stein, den dir die Eselin dreht.
Auch vom Geweih, das ein munteres Hirschlein erstmals
geworfen,
mische ein sechstel Pfund, das du zerstoßen, hinein.
Dann, nachdem du den Mehlstaub gut durcheinanderge-
rührt hast,
seihe das ganze Gemisch alsbald durchs löchrige Sieb.
Gib zwölf Zwiebeln dazu von Narzissen, doch ohne die
Schalen,
die du auf sauberem Stein fleißig gerieben von Hand.
Füge zwei Unzen hinzu von tuskischem Dinkel und
Baumharz,
Honig auch, neunmal so viel, werde daruntergemischt.
Jedes Gesicht, mit diesem Verschönerungsmittel be-
handelt,
strahlt aus dem Spiegel heraus blanker als dieser höchst-
selbst.
Stoße dich keineswegs daran, blasse Lupinen zu dörren
und, mit diesen zugleich, Bohnen zu rösten, die blähn.
Beides zusammen, bei nämlichen Teilen, mache sechs
Pfund aus,
laß in der Mühle sodann dieses vermahlen zu Mehl.
Nicht zu vergessen ist Bleiweiß und Schaum vom rötenden
Natron,

auch sei die Iris zur Hand, die aus Illyrien kommt.
Laß es von jugendlich kräftigen Armen zusammen ver-
reiben –
eine Unze genau sei das Verriebene schwer.
Diese Mixtur, vermischt mit dem Niststoff girrender
Vögel
– Meerschaum, wie man ihn nennt –, reinigt von Pickeln
die Haut.
Was davon meines Erachtens genüge, möchtest du wissen?
So viele Unzen genau, daß sie halbieren ein Pfund.
Aber damit sie sich binde und leicht auf der Haut sich verreibe,
gibt man den goldenen Seim attischer Waben hinzu.
Mag auch der Weihrauch die Götter und zornigen Mächte
besänften,
wirf in die Glut des Altars dennoch nicht allen hinein.
Mischest du also mit Weihrauch Geschwülste vertreiben-
des Natron,
sorge, daß jedes davon wiege ein Drittel vom Pfund.
Füge ein Viertel so viel an sauber entrindetem Baumharz
samt einem mäßigen Stück fettiger Myrrhe hinzu.
Dieses verreibe und laß es danach durchs Haarsieb pas-
sieren,
knetbar jedoch wird es erst, träufelst du Honig hinein.
Weiter empfiehlt es sich, Fenchel mit duftender Myrrhe zu
mischen
(nimm vom ersteren fünf Skrupeln, von letzterer neun)
und mit getrockneten Rosen (soviel in die Hand geht),
männlichen Weihrauch und Salz aus dem ammonischen
Sand;
endlich gieße den schleimigen Absud von Gerste darüber –
Weihrauch, Rosen und Salz, jedes sei gleich an Gewicht.

Schmierst du dir damit, und wär's auch nur kurz, das zarte
                                        Gesichtchen,
haftet und bleibt auf dem Teint kräftiges Rot dir zurück.
Eine hab' ich gekannt, die verrührte mit eisigem Wasser
Mohnmehl zu Brei und rieb damit die Bäckchen sich
                                        ein . . .

Philo von Alexandrien
Über die Weltschöpfung nach Moses

M an nennt ihn Philo von Alexandrien oder Philo, den Juden. Er war der Hauptvertreter der jüdisch-hellenistischen Philosophie.

Er wurde um 2 5 v. Chr. in Alexandria geboren, damals ein geistiges Zentrum der Juden im hellenisierten Osten. Sie waren aus diesen und jenen Gründen ausgewandert und schufen hier eine Kultur, die Jüdisches und Griechisches mischte. Die stärkste, einflußreichste Schöpfung aus diesem jüdisch-griechischen Geist wurde die sogenannte Septuaginta: *die griechische Übersetzung der Bibel. Sie ist aus dem Bedürfnis der jüdischen Gemeinden im hellenisierten Osten hervorgegangen: die zweite und dritte Generation konnte schon nicht mehr so gut Jüdisch wie Griechisch verstehen, die neue Muttersprache. Der Name ›Septuaginta‹ besagt: siebzig; siebzig Übersetzer sollen der Sage nach das Werk vollbracht haben. Fast die ganze jüdisch-hellenistische Literatur steht in engster Verbindung mit diesem Werk. Philo wurde der Klassiker dieses Schrifttums.*

Er soll aus einer vornehmen Familie stammen. Einmal erwähnt der Philosoph, daß er nach Rom reiste und nach Sitte der Väter im Tempel zu Jerusalem betete. Genaueres weiß man nur über seine Reise nach Rom im Jahre 40 n. Chr., als Delegierter der alexandrinischen Juden. Er hatte sich schon früher politisch betätigt. Jetzt war eine ge-

fährliche Situation entstanden. Unter dem Statthalter Flaccus kam es in Alexandria zu antisemitischen Ausschreitungen. So entschlossen sich die Juden, eine Abordnung von fünf Männern an den Kaiser Caligula nach Rom zu senden. Philo war ihr Führer. Flavius Josephus berichtet, daß auch eine griechische Gruppe nach Rom ging; an ihrer Spitze der judenfeindliche Grammatiker Apion.

Der größte Teil der Werke Philos ist auf unsere Tage gekommen. Mit seiner allegorischen Bibelauslegung hatte er einen großen Einfluß auf die Kirchenväter. Die wichtigste Gruppe seiner Schriften, aus denen wir Auszüge bringen, waren seine Kommentare zu den Fünf Büchern Mosis. *Er gibt eine systematische Darstellung des ersten Buches und der mosaischen Gesetzgebung, eine Beschreibung der Patriarchen, von der nur die Darstellung Abrahams und Josephs erhalten ist, und eine eingehende Erörterung des Dekalogs. Wir beschränken uns auf seine Exegese der Weltschöpfung.*

Seine Philosophie ähnelt in großen Zügen der Gedankenwelt Plotins, die besser bekannt ist. Er war eine Art von Theosoph. Wie später für Plotin, so war auch für Philo das Hauptproblem: wie kann ein jenseitiger Gott mit dem Diesseits in Beziehung treten? Wie die Mystiker legte er größeren Wert auf die Erfahrung Gottes als auf eine Wissenschaft von ihm. Er ist eher eine Quelle der Geschichte der Mystik als ein Ursprung der Theologie.

In seiner Logoslehre, die von platonischen Gedanken bestimmt ist, erkennt man deutlich den Willen zur Synthese von jüdischen und griechischen Elementen.

Manche Gesetzgeber haben das, was ihnen als recht galt, in ungeschminkter und einfacher Form angeordnet; andere haben ihre Gedanken in ein schwülstiges Gewand gekleidet und die Volksmassen betört, indem sie mit mythischen Gebilden die Wahrheit verhüllten. Moses aber hat beides vermieden, das eine, weil es unbedacht, bequem und unphilosophisch ist, das andere, weil es voll Lug und Trug ist; er hat vielmehr seinen Gesetzen einen sehr schönen und erhabenen Anfang gegeben, indem er weder ohne weiteres angab, was zu tun oder zu unterlassen sei, noch auch Mythen erdichtete oder die von andern verfaßten nacherzählte. Dieser Anfang ist höchst bewunderungswürdig, da er die Weltschöpfung schildert, um gleichsam anzudeuten, daß sowohl die Welt mit dem Gesetze als auch das Gesetz mit der Welt im Einklang steht. Die Schönheit der Gedanken dieser Weltschöpfung vermöchte kein Dichter und kein Schriftsteller würdig zu preisen; denn sie sind zu groß und zu erhaben, als daß sie mit den Organen eines Sterblichen erfaßt werden könnten. Allein deswegen dürfen wir uns nicht schweigend verhalten; wir müssen vielmehr aus Liebe zu Gott selbst über unsere Kraft hinaus sie zu schildern wagen, soweit der von Verlangen und Sehnsucht nach Weisheit beherrschte menschliche Geist vorzudringen vermag. Es muß jedoch zuvor noch etwas erwähnt werden, was nicht verschwiegen werden darf.

Es haben nämlich manche, weil sie die Welt mehr als den Weltschöpfer bewunderten, jene für unerschaffen und ewig erklärt, diesem aber, Gott nämlich, in unfrommer Weise völlige Untätigkeit angedichtet. Moses aber, der bis zum höchsten Gipfelpunkt der Philosophie vorgedrungen und durch göttliche Offenbarungen über die meisten und wichtigsten Dinge der Natur belehrt worden ist, erkannte

sehr wohl, daß in den existierenden Dingen das eine die
wirkende Ursache, das andere ein Leidendes sein muß,
und daß jenes Wirkende der Geist des Weltganzen ist, der
ganz reine und lautere, der besser ist als Tugend, besser als
Wissen, besser als das Gute an sich und das Schöne an sich,
nachdem es aber von dem Geiste bewegt und gestaltet und
beseelt worden, in das vollendetste Werk, in diese (sichtbare) Welt, sich verwandelte. Die aber von der Welt behaupten, daß sie unerschaffen sei, merken nicht, daß sie
das nützlichste und notwendigste der zur Gottesvereh-
rung führenden Dinge beseitigen, nämlich die Vorsehung.
Denn daß der Vater und Schöpfer um das Geschaffene sich
kümmert, lehrt die Vernunft; denn ein Vater hat doch die
Erhaltung seiner Kinder im Auge, ein Künstler die Erhaltung seiner Kunstwerke. Zu dem Nichtgewordenen dagegen hat derjenige, der nicht geschaffen hat, keinerlei Beziehung. Wertlos aber und unnütz ist die Ansicht, die in
dieser Welt wie in einem Staate Anarchie annimmt, so daß
sie keinen Aufseher, Lenker oder Richter hätte, von dem
alles gerechterweise regiert und geleitet werden muß. Der
große Moses dagegen erkannte, daß das Ungewordene,
Ewige, zu dem Sichtbaren ganz und gar nicht paßt; denn
alles mit den Sinnen Wahrnehmbare ist im Werden und in
Veränderung und bleibt niemals in demselben Zustand; er
schrieb daher dem Unsichtbaren und nur Gedachten als
verwandte Eigenschaft die Ewigkeit zu, während er dem
sinnlich Wahrnehmbaren den ihm zukommenden Namen
Genesis – Werden, Schöpfung – zuerteilte. Da nun diese
Welt sichtbar und sinnlich wahrnehmbar ist, so ist sie
notwendigerweise auch geschaffen; deshalb hat Moses mit
Recht auch die Erschaffung der Welt beschrieben und in
sehr würdiger Weise diese göttlichen Dinge behandelt.

In sechs Tagen, sagt er, ist die Welt geschaffen worden,

nicht etwa weil der Schöpfer einen Zeitraum dazu nötig
hatte, sondern weil für die Entstehung der Dinge eine bestimmte Ordnung nötig war. Zur Ordnung aber gehört
die Zahl, und von den Zahlen ist nach den Gesetzen der
Natur die für die Schöpfung passendste die Sechs. Wenn
man nämlich von der Eins an zählt, ist sie die erste vollkommene Zahl, da sie ihren Teilen gleich und aus ihnen
zusammengesetzt ist, nämlich aus der Drei als der Hälfte,
der Zwei als dem dritten Teil und der Eins als dem sechsten
Teil. Einem jeden der sechs Tage aber teilte er einige Teile
des ganzen Schöpfungswerkes zu, mit Ausnahme des ersten Tages, den er selbst, damit er nicht mit den anderen
zusammengezählt würde, nicht den ersten nennt, sondern
treffend als einen Tag bezeichnet, da er das Wesen der
Einheit in ihm erblickte und ihm deshalb diese Bezeichnung beilegte. Von dem Inhalt dieses Tages müssen wir
das anführen, was wir zu sagen imstande sind; denn alles
zu sagen ist unmöglich. Er ist nämlich vor allen bevorzugt
und umfaßt die Schöpfung der gedachten Welt, wie der
Bericht der Bibel über ihn besagt. Da Gott nämlich bei seiner Göttlichkeit im voraus wußte, daß eine schöne Nachahmung niemals ohne ein schönes Vorbild entstehen kann
und daß keines von den sinnlich wahrnehmbaren Dingen
tadellos sein würde, das nicht einem Urbilde und einer geistigen Idee nachgebildet wäre, bildete er, als er diese sichtbare Welt schaffen wollte, vorher die gedachte, um dann
mit Benutzung eines unkörperlichen und gottähnlichen
Vorbildes die körperliche – das jüngere Abbild eines älteren – herzustellen, die ebenso viele sinnlich wahrnehmbare Arten enthalten sollte, wie in jener gedachten vorhanden waren.

Wir dürfen jedoch weder sagen noch denken, daß die
aus den Ideen zusammengesetzte Welt sich an irgendei-

nem Orte befindet; wie sie entsteht, werden wir erkennen, wenn wir ein Gleichnis aus dem menschlichen Leben betrachten. Wenn eine Stadt durch die große Freigebigkeit eines Königs gegründet wird, so kommt ein geschulter Baukünstler, betrachtet das Klima und die günstige Lage des Ortes und skizziert zuerst bei sich nahezu sämtliche Teile der zu erbauenden Stadt, Tempel, Gymnasien, Amtsgebäude, Märkte, Häfen, Schiffswerften, Straßen, die Anlage der Mauern, die Errichtung von Häusern und öffentlichen Gebäuden; sodann nimmt er wie in einem Wachssiegel in seiner Seele die Formen aller Gegenstände auf und malt sich eine gedachte Stadt aus; und nachdem er deren Bilder durch das ihm angeborene Erinnerungsvermögen aufgefrischt und ihre Merkmale sich noch tiefer eingeprägt, beginnt er als tüchtiger Meister, das Auge auf das Musterbild gerichtet, mit dem Bau der aus Holz und Stein bestehenden wirklichen Stadt, indem er die körperlichen Gegenstände den einzelnen unkörperlichen Ideen vollkommen ähnlich bildet. Ähnlich haben wir uns die Sache auch bei Gott zu denken, daß er zuerst im Geiste eine gedachte Welt zusammensetzte und dann mit Benutzung jenes Musterbildes die sinnlich wahrnehmbare herstellte. Gleichwie nun die in dem Baumeister zuvor entworfene Stadt nur der Seele des Künstlers eingeprägt war, ebenso hat auch die aus den Ideen bestehende Welt keinen andern Ort als die göttliche Vernunft, die dieses alles geordnet hat. Wenn einer die Ursache erforschen will, warum eigentlich dieses All geschaffen wurde, so scheint er mir das Ziel nicht zu verfehlen, wenn er behauptet, gütig sei der Vater und Schöpfer; deshalb hat er seine vollkommene Natur nicht der Materie vorenthalten, die aus sich selbst nichts Edles hat, aber die Fähigkeit besitzt, alles zu werden. Denn von selbst war sie ungeordnet, eigenschaftslos, leblos, ungleich, voll Verschiedenartigkeit, Disharmonie und Mißklang; sie empfing aber ihre Veränderung und Umwandlung in die vorzüglichen Gegensätze, in Ordnung, Beschaffenheit, Beseeltsein, Gleichheit und Gleichartigkeit, Harmonie und Wohlklang. Von keinem Helfer – denn wer sonst existierte damals? –, sondern nur von sich selbst beraten, erkannte Gott, daß er mit reichen und verschwenderischen Gaben die Natur ausstatten müsse, die ohne göttliches Gnadengeschenk nicht imstande ist, irgend etwas Gutes von selbst zu erlangen. Allein nicht nach der Größe seiner Gnade – denn diese ist grenzenlos und unendlich – erweist er Wohltaten, sondern nach Maßgabe der Kräfte ihrer Empfänger. Will nun jemand einfachere Ausdrücke anwenden, so kann er wohl sagen, daß die gedachte Welt nichts anderes ist als die Vernunft des bereits welterschaffenden Gottes. Das ist Mosis Meinung, nicht etwa die meinige; sagt er doch im folgenden bei der Beschreibung der Schöpfung des Menschen ausdrücklich, daß dieser nach dem Ebenbilde Gottes gebildet wurde. Wenn aber schon der Teil Abbild eines Bildes ist, also auch die ganze Gattung, diese ganze sinnlich wahrnehmbare Welt, da sie ja größer ist als das menschliche Abbild, eine Nachahmung des göttlichen Bildes, so ist klar, daß das ursprüngliche Siegel, das Urbild, wie wir die gedachte Welt nennen, die Vernunft Gottes selbst ist.

Moses sagt: »Im Anfang erschuf Gott den Himmel und die Erde.« Darunter versteht er nicht, wie manche glauben, den Anfang hinsichtlich der Zeit. Wenn aber unter »Anfang« nicht der zeitliche zu verstehen ist, so wird natürlich der Anfang der Zahl nach gemeint sein, so daß »im Anfang schuf« dasselbe bedeutet wie »zuerst schuf« er den Himmel. In der Tat ist es vernunftgemäß, daß dieser als das vorzüglichste aller geschaffenen Dinge zuerst ins Dasein trat, da er die hochheilige Wohnung der sichtbaren und sinnlich wahrnehmbaren Götter sein sollte. Denn wenn auch der Schöpfer alles zugleich erschuf, so war doch nichtsdestoweniger Ordnung in der schönen Schöpfung; denn nichts ist schön bei Unordnung. Zuerst also erschuf der Schöpfer einen unkörperlichen Himmel und eine unsichtbare Erde und die Idee der Luft und die des leeren Raumes; von den beiden letzteren nannte er die eine »Finsternis«, da der Luftraum seiner Natur nach dunkel ist, die andere »Abgrund«, denn der leere Raum ist sehr tief und weit ausgedehnt. Dann schuf er die unkörperliche Substanz des Wassers und die des Lufthauches und als siebentes die Idee des Lichtes, das gleichfalls unkörperlich war, das gedachte Musterbild der Sonne und aller lichtspendenden Gestirne, die am Himmel entstehen sollten.

Eines besonderen Vorzugs wurden der Lufthauch und das Licht gewürdigt; jenen nannte er (den Hauch) Gottes, weil der Hauch das am meisten Lebenspendende und Gott der Urheber des Lebens ist; vom Lichte aber sagt er, daß es »außerordentlich schön« war; denn das gedachte Licht ist ein Abbild der göttlichen Vernunft, die seine Entstehung erklärt; es ist ein überhimmlisches Gestirn, die Quelle der sinnlich wahrnehmbaren Gestirne, die man treffend »Allglanz« nennen könnte, aus dem Sonne und Mond und die übrigen Planeten und Fixsterne je nach ihrer Kraft die angemessenen Lichtquellen schöpfen. Trefflich ist auch das Wort »Finsternis war über dem Abgrund«; denn die Luft ist gewissermaßen über dem Leeren, da sie ja in den ganzen weitausgedehnten, öden und leeren Raum eindrang und ihn erfüllte. Aber nach dem Aufleuchten des gedachten Lichtes wich die entgegengesetzte Idee, die Finsternis, zurück, indem Gott die beiden auseinanderrückte und trennte, da er die Gegensätze und den aus ihrer Natur folgenden

Widerstreit wohl kennt. Damit sie nun niemals mehr zusammentreffen und sich bekämpfen und statt des Friedens
der Krieg die Oberhand gewinne und Unordnung in die
Weltordnung hineinbringe, trennte er nicht nur Licht und
Finsternis, sondern errichtete auch inmitten der Abstände
Grenzmauern, durch die er ihre Endpunkte an der Berührung miteinander hinderte. Diese Grenzmauern sind
Abend und Morgen; dieser bringt die frohe Botschaft, daß
die Sonne bald aufgehen wird, und drängt allmählich die
Finsternis zurück, der Abend dagegen folgt auf die unter-
gehende Sonne und übernimmt mit Gelassenheit die
dichte Masse der Finsternis. Nachdem aber das Licht geschaffen, die Finsternis gewichen und entschwunden war,
Grenzmauern innerhalb ihrer Abstände errichtet waren,
nämlich Abend und Morgen, war notwendig ohne weiteres ein bestimmtes Zeitmaß vollendet, das der Schöpfer
»Tag« nannte, aber nicht den ersten Tag, sondern einen; so
nämlich ist er genannt wegen der Einzigkeit der gedachten
Welt, die die Natur einer Einheit hat.

Nun war die in der göttlichen Vernunft aufgebaute unkörperliche Welt vollendet, und nach ihrem Muster ward
alsdann die sinnlich wahrnehmbare in vollkommener Gestalt hervorgebracht.

Seneca
Über das glückliche Leben

Im Jahre 58 n. Chr. erschien in Rom ein Brief Über das glückliche Leben.

Diese Veröffentlichung wurde sehr beachtet. Sein Autor, Lucius Aennaeus Seneca, war der einflußreichste Schriftsteller jener Tage. Außerdem war er der mächtigste Mann im weiten römischen Reich – gleich nach dem Kaiser.

Eigentlich ist dieser sehr lange Brief, dessen erstes Drittel wir bringen, gar kein Brief. Er ist zwar an eine bestimmte Person gerichtet, an Senecas älteren Bruder Gallio; aber ganz unpersönlich, eher eine Abhandlung im Brief-Stil.

Als der hochberühmte Philosoph Seneca sie an die Öffentlichkeit brachte, war er in den Fünfzigern: ein kleiner, stämmiger, kahlköpfiger Herr mit sehr dunklen Augen, einem sehr fleischigen Genick und einem Spitzbart, der nur angedeutet war. Er war elegant, charmant, witzig und sehr in Mode; ein Glanzstück jeder feineren Gesellschaft.

Im spanischen Corduba geboren, war er lebenslang erfolgreich gewesen. Jetzt aber hat er es sehr nötig, über das Glück nachzudenken; denn der mächtige Hofmann und Erzieher Neros war vor dem ganzen Reich von einem Verwandten des Dichters Ovid verklagt worden: Bescheidenheit zu lehren und im ausschweifendsten Luxus zu leben. Seine drei Kaiser – erst Caligula, dann Claudius und schließlich Nero – hatten aus ihm einen Stoiker gemacht.

Seneca schrieb einmal: »Ich will mit derselben Miene die Ankündigung meines Todes anhören, mit der ich ihn über einen anderen verhänge und Zeuge davon bin.« Er hielt dann sein Versprechen. Nero sandte im Jahre 65 seinem siebzigjährigen Lehrer den Befehl, zu sterben. Die Schnitte, die Seneca seinen Venen beibrachte, halfen nicht viel; das Blut tröpfelte nur heraus. Der Schierling, den er nahm, wirkte nicht recht. Inzwischen diktierte er dem Sekretär seine letzten Betrachtungen. Schließlich brachte man ihn in ein Dampfbad. Er hatte es einst als überflüssigen Luxus genossen – und verketzert. Nun half es ihm zu sterben.

Seine Werke – Tragödien, Philosophische Schriften – *wurden durch die Jahrhunderte studiert. Am Ende des Mittelalters gab es an der Universität Piacenza eine »Professur für Seneca«. Sein Brief* Über das glückliche Leben *gehört zu jenen wichtigen philosophischen Dokumenten, die gelesen werden müssen im Lichte der Biographie des Philosophen: wie ist einer mit seinem Leben fertig geworden?*

Wer, mein Bruder Gallio, wünschte sich nicht ein glückliches Leben? Aber um zu erkennen, was uns zum Lebensglück verhelfen kann, dazu fehlt uns der richtige Blick. Nichts ist schwerer, als sich des glücklichen Lebens teilhaftig zu machen. Ja, je stürmischer man ihm zueilt, um so mehr entfernt man sich von ihm, wenn man den Weg verfehlt hat; führt dieser nach der entgegengesetzten Seite, so wird gerade die Eile der Grund, den Abstand zu vergrößern. Wir müssen uns also zunächst Klarheit verschaffen über Wesen und Beschaffenheit des Zieles; sodann gilt es, Umschau zu halten nach dem Wege, auf dem wir am schnellsten zu ihm gelangen können, wobei der Weg selbst, wenn er nur der rechte ist, uns zu der Erkenntnis verhelfen wird, wieviel wir täglich vor uns bringen und in welchem Maße wir dem Punkte näherkommen, nach dem uns unser natürliches Verlangen hintreibt. Solange wir kreuz und quer umherschweifen und uns nicht von einem Führer leiten lassen, sondern lediglich von dem einander heillos widersprechenden Geschnatter und Stimmengewirr der Menge, schwindet das kurze Leben unter lauter Fehltritten dahin, mag man sich auch Tag und Nacht um vernünftige Einsicht bemühen. Daher entscheide man sich über das Ziel und den Weg nicht ohne einen bestimmten Sachkundigen, der genau Bescheid weiß über die Richtung, in der wir uns vorwärts bewegen. Denn hier steht es nicht so wie bei sonstigen Wanderungen: bei diesen sichert uns irgendein Grenzweg, auf den man trifft, nebst der Nachfrage bei den dort Ansässigen, vor Irregehen, während hier gerade der betretenste und menschenreichste Weg am leichtesten täuscht. Auf nichts also müssen wir mehr achten als darauf, nicht nach Art des Herdenviehs der vorauslaufenden Schar zu folgen: wir würden dann nur den meist betretenen, nicht aber den richtigen Weg wählen. Und doch verwickelt uns nichts in größeres Unheil, als daß wir uns nach dem Gerede der Menge richten, in dem Wahne, das sei das Beste, was sich allgemeinen Beifalls erfreut und wofür sich uns viele Beispiele bieten, und daß wir nicht nach Maßgabe vernünftiger Einsicht, sondern des Vorganges anderer leben. Daher jene gewaltige Anhäufung stürzender Menschen, die einer über den anderen fallen. Was man bei tödlichem Menschengedränge sieht, wo die Menge sich staut und sich selbst zerquetscht – niemand stürzt, ohne zugleich einen anderen mit zu Fall zu bringen, und die Vordersten ziehen die Folgenden mit

sich –, das kann man durchgängig im Leben beobachten.
Keiner irrt nur für sich, sondern gibt zugleich Grund und
Veranlassung zum Irrtum anderer. Der blinde Anschluß
an die Vorhergehenden wirkt aber schädlich, und während
man lieber glauben als selbst denken will, kommt es nie zu
einem eigenen klaren Urteil über das Leben; immer hält
man es nur mit dem Glauben an andere, und so treibt denn
der von Hand zu Hand weitergegebene Irrtum mit uns
sein Spiel und bringt uns zum Absturz: die Beispiele anderer werden uns zum Verderben. Wir können Heilung finden; nur müssen wir uns absondern von der großen Masse.
Allein wie die Sache jetzt liegt, wirft sich die Volksmenge
zur Verteidigerin ihres eigenen Unheils gegen die Vernunft auf. Daher erlebt man ähnliches wie in den Wahlver-
sammlungen; wo sich die eigentlichen Macher der Wahl
selbst wundern, wenn infolge des Umschwunges der wan-
delbaren Volksgunst ihre eigenen Kandidaten zu Prätoren
gewählt worden sind. Ein und dieselbe Sache erhält unsere
Billigung, erhält unseren Tadel. Das ist der Ausgang jedes
Gerichtes, wo nach dem Gutdünken der Menge entschieden wird.

Wenn es sich um das Lebensglück handelt, darfst du mir
nicht mit einer Antwort kommen, wie sie bei den Abstimmungen im Senat üblich ist: »Auf dieser Seite scheint
die Majorität zu sein.« Denn eben darum ist sie die
schlimmere. Wo es sich um Fragen der Menschheit handelt, sind wir nicht in der glücklichen Lage, sagen zu können, daß der Mehrzahl das Bessere gefalle: der Standpunkt
der großen Masse läßt gerade den Schluß auf das Schlimm-
ste zu. Wir müssen also fragen, was zu tun das Beste,
nicht was das Gebräuchlichste ist, und was uns den Besitz
ununterbrochenen dauernden Glücks sichert, nicht was
dem großen Haufen, diesem verwerflichsten Ausleger der

Wahrheit, genehm ist. Zur großen Masse rechne ich aber ebensogut gekrönte Häupter wie Menschen im Kittel. Denn ich blicke nicht auf die Farbenpracht der Kleider, die dem Körper ein stattliches Aussehen verleihen; ich traue nicht den Augen, wo es sich um den Menschen handelt; ich habe eine bessere und zuverlässigere Leuchte, um Wahres und Falsches zu unterscheiden: es ist des Geistes Wert, den der Geist auffinden soll. Ist er – der Geist – einmal dazu gekommen, ruhig aufzuatmen und Einkehr in sich zu halten, wie wird er sich dann unter dem selbstbereiteten Druck der Folterqualen die Wahrheit gestehen! »Alles«, wird er sagen, »was ich bisher getan, o möchte es doch ungetan sein; überschlage ich im Geiste alles, was ich gesagt habe, so beneide ich die Stummen; alles, was ich mir gewünscht habe, erscheint mir wie ein Fluch aus dem Munde der Feinde; alles, was ich gefürchtet habe, gute Götter, wieviel geringer war das anzuschlagen als das, was ich mit heißem Verlangen mir vergebens herbeiwünschte! Mit vielen habe ich in Feindschaft gestanden und habe mich, dem Hasse entsagend, wieder mit ihnen versöhnt, sofern überhaupt unter Übeltätern von Versöhnung die Rede sein kann: meine Feindschaft mit mir selbst steht noch auf schwachen Füßen. Ich habe mir redlich Mühe gegeben, mich aus der großen Menge herauszuheben und durch irgendwelchen Geistesvorzug die Augen auf mich zu lenken. Und der Erfolg? Er war kein anderer als der, daß ich mich wohlgezielten Angriffen ausgesetzt sah und den Böswilligen die Blöße zeigte, wo sie mich packen konnten. Siehst du sie, die meine Beredsamkeit preisen, meinem Reichtum nachlaufen, um meine Gunst buhlen, meine Macht in den Himmel heben? Sie alle sind nichts anderes als entweder meine Feinde oder, was dasselbe besagt, sie können es sein; die Schar der Bewunderer ist nicht größer oder kleiner als der Neider. Warum richte ich mein Sinnen und Trachten nicht vielmehr auf etwas gut Erprobtes, dessen ich mir innerlich bewußt bin, statt auf etwas, womit ich nach außen hin Staat mache? All das, was die Augen auf sich zieht, was die Vorübergehenden haltmachen läßt, was der eine dem anderen staunend zeigt – es ist nichts als äußerer Glanz ohne jeden inneren Wert.«

Schauen wir also aus nach einem nicht äußerlich glänzenden Gut, sondern einem solchen, das in sich gefestigt und gleichmäßig ist und seine höhere Schönheit von weniger bemerkbarer Seite zeigt! Das laßt uns ausfindig machen. Und es liegt nicht in der Ferne; man muß nur wissen, wohin man die Hand strecken soll. Jetzt tappen wir gleichsam im Finsteren, haben das sehnsüchtig Gesuchte unmittelbar vor uns und gehen dicht daran vorüber. Doch um dir lange Umwege zu ersparen, will ich mich nicht auf die Meinungen anderer einlassen – denn es wäre eine zeitraubende Sache, sie aufzuzählen und zu widerlegen: laß dir meine Ansicht genügen. Wenn ich aber sage: *meine* Ansicht, so binde ich mich damit nicht an irgendeinen einzelnen Meister der Stoa; auch ich habe das Recht der eigenen Meinung. Daher werde ich mich an diesen oder jenen anschließen, werde einen anderen auffordern, einzelne Punkte seiner Meinung bestimmt hervorzuheben, und werde, wenn ich etwa erst zuletzt aufgerufen werde, nichts von dem, wofür sich meine Vorgänger ausgesprochen haben, verwerfen und nur erklären: »Ich stimme dafür, nur mit folgendem Zusatz.« Dabei halte ich mich, worin die Stoiker alle übereinstimmen, an die Natur. Von ihr nicht abzuirren, nach ihrem Gesetz und Beispiel sich zu bilden, das ist Weisheit. Glücklich also ist dasjenige Leben, das mit seiner Natur in vollem Einklang steht. Dies Ziel zu erreichen ist aber nicht anders möglich, als wenn zuvörderst der Geist gesund und im dauernden Besitz dieser seiner Gesundheit ist, wenn er ferner tapfer und voll Feuer ist, sodann auch im Leiden ein schönes Muster von Ergebenheit, in die Umstände sich schickend, achtsam auf den Körper und seine Bedürfnisse, doch nicht bis zur Ängstlichkeit, voll Bedacht auch für alles, was sonst zum Leben gehört, ohne die mindeste Überschätzung, bereit, des Schicksals Gaben zu nutzen, nicht aber, um sich zu ihrem Sklaven zu machen. Als Folge davon stellt sich – das ist dir auch ohne ausdrücklichen Hinweis darauf klar – andauernde Ruhe, verbunden mit dem Gefühl der Freiheit, ein, unter Fernhaltung von allem, was uns reizt oder in Schrecken versetzt. Denn ist der Reiz der Sinnengenüsse verschwunden, so stellt sich statt dessen, was kleinlich, hinfällig und eben durch seine Lasterhaftigkeit schädlich ist, eine erstaunlich frohe Stimmung ein, unerschütterlich und sich immer gleichbleibend, sodann Friede und Eintracht der Seele sowie hochherzige Gesinnung, verbunden mit Sanftmut; denn wilde Roheit hat ihren Ursprung immer nur in der Schwäche.

Man kann den Begriff des höchsten Gutes auch noch anders bestimmen, nämlich so, daß man denselben Inhalt mit anderen Worten umschreibt. Wird doch das nämliche Heer bald in gedehnterer, bald in mehr gedrängter Front aufgestellt und entweder in einer von den Flügeln nach dem Zentrum eingebogenen oder in gerader Linie formiert, wobei, gleichviel, wie es geordnet ist, seine Kraft sowie seine Bereitschaft, für dieselbe Sache einzutreten, die nämliche bleibt. Ähnlich steht es mit der Bestimmung des höchsten Gutes; das eine Mal kann sie in gegliederter und weitläufiger, das andere Mal in kurzer und gedrängter Form gegeben werden. Es kommt also auf dasselbe hinaus, wenn ich sage: »Das höchste Gut ist eine alles Zufäl-

lige gering achtende, nur an der Tugend sich erfreuende
Sinnesart« oder »eine unbeugsame Seelenkraft, kundig der
Dinge, bedächtig und ruhig im Handeln, voll Menschenliebe und fürsorgender Teilnahme für die Umgebung«.
Man kann auch so definieren, daß man sagt: »Glücklich ist
derjenige Mensch, für den es nichts Gutes und Übles gibt
als die gute und die schlechte Gesinnung, der der edlen
Sitte huldigt, dem nichts über die Tugend geht, den Schick-
salsfügungen nicht stolz, aber auch nicht verzagt machen,
der kein größeres Gut kennt als das, welches er sich selbst
geben kann, dem die wahre Lust die Verachtung der Lüste
ist.« Will man sich gehen lassen, so kann man das Nämliche ohne jede Schädigung oder Beeinträchtigung des Sinnes noch in diese und jene Form umgießen. Denn was
hindert uns, zu sagen, ein glückliches Leben habe seinen
Bestand in einer freimütigen, aufrechten, unerschrocke-
nen und standhaften Sinnesart, die, jeder Furcht, jeder
Begierde enthoben, begeistert ist für die Ehre als einziges
Gut, voll Abscheu gegen die Schande als einziges Übel,
während alles übrige nichts ist als eitel Tand, das Lebensglück weder beeinträchtigend noch erhöhend, kommend
und gehend ohne Vermehrung oder Verminderung des
höchsten Gutes? Ihm, der auf so festem Grund steht, muß
notwendig, mag er wollen oder nicht, heitere Stimmung
beständige Gefährtin sein sowie auch ein herzlicher, weil
aus dem Herzen kommender Frohmut: denn worüber er
sich freut, das darf er sein Eigentum nennen, und seine
Wünsche gehen nicht hinaus über das, worüber er zu
gebieten hat. Sollte solcher Besitz nicht in vollem Maße
aufwiegen die kümmerlichen, verächtlichen und rasch
vorüberschwindenden Reizungen unseres armseligen Körpers? Der nämliche Tag, an dem er die Lust zu seinem Gebieter macht, macht auch den Schmerz zu seinem Herrn.

Du hast ja doch ein offenes Auge für das Üble und Schändliche der Knechtschaft, in die derjenige sich begibt, den
Lust und Schmerz, diese unbeständigsten und zügellose-
sten Herrscher, abwechselnd in Beschlag nehmen. Also
gilt es, sich loszuringen, um den Weg der Freiheit zu gewinnen. Sie zu erlangen gelingt nur durch die Gleichgültigkeit gegen das Schicksal; dann wird sich jenes unschätz-
bare Gut einstellen, jene fest in sich gegründete Seelenruhe
und Geisteshoheit, jene erhabene und unerschütterliche
Freude, die nach Austreibung des Irrtums aus der Erkenntnis der Wahrheit entspringt, jene Herzlichkeit und
Gemütsheiterkeit, an der er seine Freude hat nicht als an
Gütern an sich, sondern als an Früchten des ihm als Eigentum zugehörigen Gutes.

Petronius Arbiter
Begebenheiten des Enkolp

*P*etronius Arbiter, gestorben 66 nach Christi Geburt, sehr
gebildet, sehr elegant, Intimus Neros, schrieb einen Zeit-
und Sittenroman, der, nur in Bruchstücken erhalten, für
eine der großartigsten Schöpfungen der römischen Literatur gilt. Es schildert in Ich-Form die Reiseerlebnisse eines
leichtsinnigen jungen Mannes und seiner drei Kameraden,
die – eine Parallele zu Poseidons Zorn auf Odysseus – vom
Zorn des Fruchtbarkeitsgottes Priapus umhergetrieben
sind. Das bekannteste Stück des Romans ist das sogenannte
»Gastmahl des Trimalchio«, in dem ein reicher Emporkömmling mit Humor verhöhnt wird.

Unsere Übersetzung stammt von dem bedeutenden, leider recht unbekannten deutschen Dichter Wilhelm Heinse
(1749 bis 1803). *1773* übersetzte er Petronius mit dem Titel:
Begebenheiten des Enkolp, aus dem Satiricon des Petron
übersetzt. Er schrieb dazu eine Einleitung, aus der wir zur
Einführung einiges abdrucken; es ist das auch eine gute
Gelegenheit für den Leser, einen nicht genug bekannten
Zeitgenossen Goethes kennenzulernen. Über Petronius
selbst berichtet Tacitus: »Er brachte den Tag mit Schlafen
zu und die Nacht mit Geschäften und den Freuden des Lebens. Andere Menschen werden durch Fleiß berühmt, dieser aber wurde es durch seine Untätigkeit ... Doch zeigte
er sich als Prokonsul in Bithynien und gleich darauf als
Konsul wie einen Mann, der fähig sei, wichtige Geschäfte

mit Munterkeit auszuführen. Nachdem er frei davon war, so zog ihn sein Hang zum Vergnügen wieder auf das Blumenlager einer verfeinerten Wollust, und er wurde unter die wenigen Günstlinge des Nero als Oberaufseher über seine Vergnügungen aufgenommen; und Nero hielt nichts für angenehm, als was ihm sein Petron dafür empfohlen hatte.«

Soweit Tacitus. Es folgt nun zunächst ein Abschnitt aus der Einleitung Wilhelm Heinses und dann der Beginn der Begebenheiten des Enkolp *von Petronius.*

Wenn das menschliche Geschlecht den Grad von Vollkommenheit, noch bei meinen Lebzeiten, wird erreicht haben, welchen Confucius und Sokrates und alle deren Nachfolger ihm wünschten – welchen Xenophon und der träumende Plato und Morus und der Verfasser des Jahres 2440 und besser als alle Helvetius und reizender als alle Wieland – in ihren goldenen Spiegeln den sehenden Erdenbürgern zeigten – und Pindar, Virgil und Horaz und Geßner, Wieland, Gleim und Jakobi und der achtzehnjahrhundertige Voltaire denen, die da hören, vorsangen –

Dann will ich grausamer als Gregor der Griechenverbrenner, unerbittlicher als der Pfarrer im Don Quischott mithelfen, ins Feuer werfen – alle Ausgaben des Petron, Lucian, Boccaz, Molza, Casa des Erzbischofes, Lazarelli, Berni, Bembo des Kardinals, Aretin, Dolce, des sechssinnichten Grecourt und des geliebten la Fontaine und Crebillon – alle Komödien – außer zwoen von Lessingen – alle Tragödien – außer denen des Shakespeare – und . . . und . . . und . . . – und alle Romanen – außer meinem Don Quischott, Tom Jones und Agathon! (Das könnt' ich unmög-

lich tun, und wenn man mich mit der Tortur dazu zwingen
wollte, daß ich nur einen davon, wie gewisse Zensoren an
der D., mit Füßen träte – welche Distelgeister!) – Und
kurz!

Alle Bibliotheken zusammen irgend hundert Bücher
noch ausgenommen. Denn fast alles, was gut und schön
geschrieben worden ist, entfernt uns von dem Genusse der
unschuldigen Freuden der Natur, wie Sirenengesänge den
Ulysses, auf Klippen, an welchen unsere Glückseligkeit
den erbärmlichsten Schiffbruch leidet; und dann waren die
Griechen die weiseste Nation, das auserwählte Volk der
Grazien und Musen, und hatten wenig Bücher, mit welchen Pedanten der Jugend ihr jugendliches Leben hätten
abstehlen können.

Aber da wir sehen und hören, daß alles Singen und Sagen der Weisen nichts fruchtet, daß alles seinen alten Gang
gehet – daß die schnurgeraden ordentlichen Republiken
des göttlichen Plato und des Bürgers des Jahres 2440 niemals gewesen sind und nie sein werden, solange uns nicht
ein Pygmalion die Gnade antut, uns in stählerne oder hölzerne Maschinen zu verwandeln, und solange nicht alle
Gegenden des Erdbodens den fünfundvierzigsten Grad
der Breite erhalten, so wollen wir uns denn auch keines
Verbrechens schuldig gemacht zu haben glauben, wenn
wir eine sehr wohlgeratene Übersetzung des Petronischen
Romans den ehrlichen Teutschen zu Nutz und Vergnügen
drucken lassen. – Wir würden es so nicht über das Herz
bringen können, einige von unsern Lieblingsautoren, welche wir oben, den strengen Herrn zu Gefallen, genannt
haben, auch in einem Elysium, wo sie selbst wären, ins
Feuer zu werfen.

Man dürfte wenig Bücher lesen, wenn man keines lesen
dürfte, woraus ein Narr oder Geck Gift für seines Geist-

leins Seligkeit holen könnte. Die besten Bücher können schaden. Wie mancher hat sich schon durch die Gesichter in der Offenbarung Johannis, einem der heiligsten Bücher nach der gründlichen Meinung der allergrößten Gottesgelehrten, die Nerven in seinem Gehirne verrückt! Soll man es deswegen nicht lesen und sich daraus herzlich erbauen? Hat nicht der tapfre Schweizer Lavater in diesem Buche die besten Gründe für das tausendjährige Reich der christlichen Kirche und die herrlichsten Aussichten in seine herrlichen ›Aussichten in die Ewigkeit‹ gefunden?

Wieviel gute Lehren kann man aus den Erzählungen des Boccaz und der Margarethe von Navarre und des Hanns la Fontaine und Rosts und Wielands lernen? Wie sehr kann man sich auch darüber erbauen und sich freuen? Welch eine selige Wonne kann man bei dem Sopha des Crebillon und seinem beliebten Schaumlöffel empfinden? Wenige unter uns Weibeskindern verstehen freilich die Kunst, wie die Bienen den Honig zu suchen! Aber liegt die Schuld an uns unschuldigen Übersetzern, Erzählern und Dichtern?

Die Dichter, Maler und Romanschreiber haben ihre eigene Moral. Es wäre eine sehr unbillige Forderung, wenn man von ihnen verlangte, sie sollten lauter Grandisonen, Madonnen und Kruzifixe und Messiaden zur Welt bringen. Die Moral der schönen Künste und Wissenschaften zeigt die Menschen, wie sie sind und zu allen Zeiten waren, in hervorstechenden Handlungen, allen Menschen zum Vergnügen, zur Lehre und Warnung.

Es ist einem Genie also erlaubt, alles zu beschreiben und zu malen, was geschehen ist und geschehen sein kann. Es ist ihm erlaubt, die schönsten und häßlichsten Handlungen und Gedanken der Menschen in den ausdrückendesten Worten zu erzählen und zu malen. Nur dann allein ist er strafbar, wenn er die abscheulichsten Laster als gute Handlungen anpreiset.

Nun ist die Hauptfrage: Was ist eine gute, was ist eine böse Handlung? Was ist Tugend?

Jetzt ist das weiter nichts als ein Wörtchen, womit die Schurken und Heuchler dieser Erde die unschuldigen Kinder, von der Natur zur Freude geschaffen, unglücklich zu machen suchen. Denn sie wissen nicht, was sie ist, und haben die süße Wonne nie empfunden, mit welcher sie alles, was in uns empfindet, entzücket. Ein Tugendhafter ist ein Geschöpf, welches bei jeder Gelegenheit in seinem reinen Busen ein süßes Wallen empfindet, welches ihn reizet, allen Geschöpfen Freude zu verschaffen und sich selbst zu freuen und alles Elend zu entfernen. Und auf diese Art kann man ein tugendhafter Mann sein und komische Erzählungen machen, wie Chaulieu und Voltaire dichten, und kurz! den Petron übersetzen. Diese Tugend reizt uns freilich nicht, einfältigen Vorurteilen, die zur Schande des menschlichen Geschlechts schon viele Galiläi und Cervantes unglücklich gemacht haben, Weihrauch als Göttern zu opfern. Der Tugendhafte verehret nur dann die Vorurteile, wenn sie glücklicher machen als die Wahrheit, an deren Stelle sie stehen.

Schon so lange hab' ich euch versprochen, meine Begebenheiten zu erzählen, daß ich es nicht länger verschieben kann. Wir wollen uns nicht allein, da wir glücklicherweise heute beisammen sind, von gelehrten Sachen unterhalten, sondern auch durch Scherze und angenehme Erzählungen ergötzen.

Sehr scharfsinnig hat Fabricius Vejento die Vorurteile, welche sich in die Religion eingeschlichen haben, angegrif-

fen und entdeckt, mit welcher betrügerischen Wut wahr-
zusagen die Priester von Geheimnissen und Wundern
plaudern, von welchen sie nicht ein Wörtchen wissen.
Aber ergreift unsere Sprecher eine andere Art von Wut,
die da schreien: Für die Freiheit des Vaterlandes empfing
ich diese Wunden! Dieses Auge habt ihr mir gekostet!
Gebt mir einen Führer, der mich zu meinen Kindern bringe, denn meine in zwei gehauene Kniescheiben können
mich nicht mehr aufrecht erhalten!

Noch erträglich wäre das, wenn es jungen Anfängern
den Weg zur Beredsamkeit bahnte; so aber richten sie so
viel mit diesem Schwulste von Worten und dem leeren Ge-
räusche von Sentenzen aus, daß die Jünglinge glauben,
wenn sie vor Gericht kommen, in einen andern Erdenkreis
versetzt zu sein. Auf diese Art müssen sie in den Schulen
zu Narren gemacht werden, weil sie nichts darinnen sehen
und hören, was bei uns andern Menschen im Gebrauch ist,
sondern Seeräuber, die mit Ketten am Ufer stehen; Tyrannen, welche Befehle schreiben, in welchen sie den Söhnen
gebieten, ihren Vätern die Köpfe herabzuschlagen; Ora-
kel, zu den Zeiten der Pestilenz gegeben, daß man drei
oder vier Jungfrauen opfern solle – lauter Bündelchen von
Honigwörterchen, lauter Perioden und Gedanken, die
nach lieblichen Brühen und Gewürzen riechen.

Deren Seelen damit genährt werden, können ebensowenig weise sein, als diejenigen einen scharfen Geruch haben, welche in den Küchen wohnen. Mit eurer Erlaubnis
sei es gesagt! Wir haben zuerst unter allen die wahre Beredsamkeit verloren; denn indem wir mit leichten und leeren Schällen etwas Kindisches hervorbringen wollen, haben wir es dahin gebracht, daß das Ganze der Rede ent-
nervt und schwächlich geworden ist.

Mit solchen Deklamationen übte man die Jünglinge

noch nicht, da Sophokles und Euripides Worte erfanden, mit welchen sie ihre großen Gedanken einkleiden wollten. Kein finstrer Pedant hatte das Genie ausgelöscht, da Pindar und die neun lyrischen Poeten mit Homerischen Versen donnern konnten. Und damit ich nicht allein die Poeten zum Zeugnis anführe, gewiß weder Plato noch Demosthenes bildeten sich auf diese Art. Eine erhabene und, wenn ich mich des Worts bedienen darf, eine keusche Rede ist nicht geschminkt und aufgeschwollen, sondern steigt durch ihre natürliche Schönheit empor.

Noch vor weniger Zeit wanderte diese aufgedunsene und regellose Geschwätzigkeit von Asien nach Athen und hauchte die in die Höhe steigenden Genien der Jünglinge wie eine Pestilenz an; zugleich wurde die wahre Beredsamkeit geschändet und überschrien.

Wer gelangte nach dieser Zeit zur Höhe des Thukydides? Wer zum Ruhme des Hyperides? Nicht einmal ein Gedicht von einer gesunden Farbe kam zum Vorscheine, sondern alles, gleichsam von einerlei Speise genährt, konnte nicht bis zum Alter reifen. Eben denselben Weg mußte die Malerei gehen, da die Ägypter so verwegen waren, diese große Kunst ins Kleine zu bringen. Dieses ohngefähr sprach auch ich einst, da Agamemnon zu uns kam und mit neugierigem Auge nachforschte, wem die Versammlung so fleißig zuhörte. Er litte nicht, daß ich länger unter der Galerie redete, als er selbst in der Schule geschwitzt hatte, sondern sagte zu mir: »Jüngling, weil du eine Rede wider die gemeinen Vorurteile hältst und, welches man sehr selten antrifft, gesunden Menschenverstand hast, so will ich dir das Geheimnis der Kunst entdecken.

Unsere Lehrer fehlen nicht so sehr, als du glaubst, bei diesen Redeübungen; sie müssen mit den Wütenden rasen. Wenn sie sich nicht nach dem Geschmacke der Jünglinge richteten, so würden sie endlich, wie Cicero weislich sagt, allein in ihren Schulen sein. Wie Schmeichler, welche nach den Tafeln der Reichen gelüstig sind, auf nichts eher denken als auf das, was sie ihren Zuhörern am gefälligsten zu sein glauben. – Denn auf eine andere Art würden sie ihr Verlangen nicht stillen können, wenn sie den Ohren nicht einige hinterlistige Nachstellungen gemacht hätten. – Ebenso auch ein Lehrer der Beredsamkeit; wenn er nicht gleich einem Fischer denjenigen Köder in den Hamen gehängt hat, von welchem er weiß, daß die Fischchen darnach begierig sind, so wird er ohne Hoffnung der Beute auf den Felsen verweilen.

Sie sind zu entschuldigen. Die Ältern aber verdienen die Peitsche der Satire, welche ihren Kindern mit den strengsten Befehlen verbieten, zur echten Kunst hinaufzusteigen. Ihre Hoffnungen beruhen auf einem närrischen Ehrgeize, und um ihre Wünsche so schnell als möglich erfüllt zu sehen, treiben sie sie mit rohem Geiste vors Gericht, und diese aufwachsenden Knaben sollen dann die wahre Beredsamkeit haben, welche sie selbst für das Allerhöchste halten. Wenn sie Grade in dem Studium derselben gestatteten, so, daß die Lehrlinge durch Lesung der besten Schriften anfingen, sich zu bilden, daß sie ihre Geister durch die Lehren der Weisheit in eine gute Verfassung brächten, Fehler ohne Barmherzigkeit ausstrichen, lange das studierten, was sie nachahmen wollten – kurz, wenn ihnen nichts schätzbar wäre, was den kindischen Leidenschaften der Jugend schmeichelt; so würde jene wahre, starke Beredsamkeit das alte Gewicht ihrer Majestät haben. So aber spielen die Knaben in ihren Schulen, und vor Gericht werden sie verspottet; und was schändlicher als alles ist, keiner will im Alter gestehen, was er vergebens erlernt hat.

Damit du nicht glauben mögest, daß ich den leichtferti-
gen Lucilius wegen seiner Verse aus dem Stegreife verach-
te, so will ich selbst wie er dir dieses stärker in Versen zu
sagen versuchen.

Der Jüngling, welchen hohe Kunst entzücket,
Der selbst Homer und Demosthen will werden,
Der lerne Mäßigkeit und die Paläste
Und stolzen Schlösser zu verachten – Wollust
Lock’ ihn mit Phrynens Armen nicht zu Schmäusen.
Falerner Schläuche dürfen nicht das Feuer
Von seinem Geiste löschen bei Verführern.
Sein Händeklatschen laß er nie erkaufen.
Er mag Athen, die Lieblingsstadt Minervens,
Tarent und der Sirenen Lust Neapel
Zu bilden seinen Geist erwählet haben,
So soll er hier zuerst den Musen opfern,
den Nektar des Homers begeistert trinken!
Dann lern’ er, was einst Sokrates gelehret!
Und nun ergreif’ er Demosthenens Waffen!
Aufmerksam wird das ganze Rom ihn hören,
Wenn er wie Demosthen nun römisch redet,
Wie Cicero erhaben, unbezwinglich –
Aus seinen Lippen wird die Suada reden!
Und wie Virgil wird dann er mit Entzücken
Uns Krieg und große Heldentaten singen.
O darnach strebe, Jüngling! Nektar wird dann
Aus deinem Busen quellen! Wie Apollo
Wirst du in Rom vergöttert herumwandeln!

Indem ich fleißig dieses mit anhöre, bemerkt’ ich nicht,
daß Ascylt sich aus dem Staube gemacht hatte; und indes
ich noch ganz erhitzt von diesem Gespräche auf und ab

gehe, kam ein Schwarm von jungen Gelehrten in die Galerie, von einer Rede, wie es schien, welche ein Gewisser aus dem Stegreife den Vorschlägen des Agamemnon entgegengesetzt hatte. Während der Zeit, da diese Jünglinge über den Inhalt derselben spotten und den ganzen Vortrag davon lächerlich machen, schlich ich mich glücklich davon und lief dem Ascylt nach. Aber da ich weder genau auf den Weg Achtung gab noch mich besinnen konnte, in welcher Gegend unsre Wohnung wäre, so kam ich immer wieder dahin, wo ich schon gewesen war. Endlich, von Laufen ganz ermüdet und schon vom Schweiße triefend, ging ich zu einem alten Weibchen, welches grüne Ware verkaufte, und fragt' es. »Liebes Mütterchen, ich bitte dich, weißt du etwa, wo ich wohne?« Es lächelte über diese possierliche Frage. »Warum sollt' ich es nicht wissen?« sagte das Mütterchen, stand auf und fing an, vor mir herzugehen. Ich hielt es für eine Wahrsagerin. Bald darauf, da wir in einen abgelegenen Ort gekommen waren, eröffnete das höfliche Weibchen eine verborgene Tür und sagte: »Hier mußt du wohnen!«

Flavius Josephus
Geschichte des Jüdischen Krieges

Herodes der Große, von dem im folgenden die Rede ist, wurde 37 geboren und starb 4 v. Chr. Als römischer Prokurator von Judäa war er der Nachfolger seines Vaters Antipater. Von Herodes stammt der Neubau des Tempels in Jerusalem. Unter seiner Regierung ereignete sich der bethlehemitische Kindermord, also auch die Geburt Christi, die man jetzt vier oder sechs Jahre vor unserer Zeitrechnung ansetzt. Die Hinrichtung seiner Gattin Mariamne, von der ebenfalls berichtet wird, ist dem Deutschen vertraut aus einem der bedeutendsten Dramen Friedrich Hebbels.

Die beiden folgenden Kapitel stammen aus der Geschichte des Jüdischen Krieges, in dem der Aufstand und die Niederwerfung der Juden durch Rom geschildert wird. Es ist die Geschichtsschreibung eines Augenzeugen, des Flavius Josephus. Er schrieb das Werk erst aramäisch und übersetzte es dann selbst ins Griechische. Außerdem verfaßte er eine Jüdische Archäologie, das heißt: eine Darstellung der Vorgeschichte von der Schaffung der Welt bis zu Kaiser Nero.

In einer Schrift Gegen Apion, das Haupt der alexandrinischen Antisemiten, suchte er die Juden zu schützen. In seiner Selbstbiographie rechtfertigte er seine romfreundliche Haltung während des Jüdischen Kriegs.

37 nach Christi Geburt geboren, kämpfte er ursprüng-

lich gegen Vespasian, wurde gefangengenommen, hielt sich im Lager des Titus auf und erlebte hier den Fall Jerusalems. So hielt er sich, wie er im Vorwort zum Jüdischen Krieg *schrieb, für bestimmt, diese Geschichte zu schreiben.*

»Der Krieg der Juden gegen die Römer«, heißt es da, »der an Bedeutung unter allen Kriegen zwischen einzelnen Städten oder Völkern nicht nur unsers Zeitalters, sondern auch vergangener Tage seinesgleichen sucht, ist zwar schon wiederholt beschrieben worden. Doch unternahmen dies teils solche Schriftsteller, die, ohne Zeugen der Ereignisse gewesen zu sein, aus bloßen Gerüchten törichtes, widerspruchsvolles Gerede sammelten und nach sophistischer Weise verarbeiteten, teils solche, die zwar mit dabei waren, aber aus Liebedienerei gegen die Römer oder aus Haß gegen die Juden es mit der Wahrheit nicht so genau nahmen, so daß ihre Schriften aus einem Gemisch von Anklagen und Lobhudeleien bestehen, historische Treue dagegen stark vermissen lassen. Aus diesem Grunde habe ich, Josephus, des Matthias Sohn, aus Jerusalem gebürtiger Hebräer und Priester, der ich im Anfange des Kriegs selbst gegen die Römer gekämpft und in seinem späteren Verlauf als unfreiwilliger Augenzeuge ihn mitgemacht habe, den Entschluß gefaßt, die Geschichte des Krieges, die ich schon früher den innerasiatischen Völkern in ihrer Muttersprache habe zugehen lassen, nunmehr auch für diejenigen, welche unter dem römischen Szepter leben, in griechischer Übersetzung zu bearbeiten.«

Josephus starb ungefähr im Jahre 97.

Im 15. Jahr seiner Regierung ließ Herodes das Tempelge-
bäude wieder instandsetzen und ummauerte ein Gebiet,
das doppelt so groß war wie das bis dahin bestehende, wobei er einen unermeßlichen Aufwand und eine beispiellose
Pracht entfaltete. Zeugnis dafür waren die mächtigen Säulenhallen rings um das Heiligtum und die nördlich angren-
zende Burg. Erstere ließ er von den Grundlagen auf neu
bauen, die Burg aber ließ er mit großen Kosten so wiederherstellen, daß sie den Königsschlössern in nichts nach-
stand; er nannte sie dem Antonius zu Ehren Antonia. Sein
eigenes Königsschloß legte er in der oberen Stadt an und
nannte die beiden größten und schönsten Gebäude, mit
denen nicht einmal der eigentliche Tempel verglichen
werden konnte, nach seinen hohen Freunden »Cäsareum«
und »Agrippeum«.

Aber nicht durch Gebäude allein hat er Gedächtnis und
Namen jener Männer in steinernen Lettern Dauer verliehen, sein Streben nach Ehre bezog auch ganze Städte in
dies Interesse ein. So befestigte er in Samarien eine Stadt
mit einer sehr schönen, zwanzig Stadien langen Ring-
mauer und brachte 6000 Ansiedler dorthin; er teilte ihnen
fruchtbarstes Land zu, errichtete inmitten der Neugrün-
dung einen mächtigen Tempel und weihte den umgebenden Tempelbezirk von drei Halbstadien dem Cäsar. Die
Stadt nannte er Sebaste. Ihren Einwohnern aber gewährte
er ein ausgezeichnetes Bürgerrecht.

Er schenkte seine Beachtung auch einer Stadt am Gestade, Stratonsturm mit Namen, die freilich ziemlich im
Rückgang begriffen, aber wegen ihrer günstigen Lage geeignet war, seine ehrgeizigen Pläne Gestalt werden zu lassen. Er baute sie ganz aus weißen Steinen wieder auf und
schmückte sie mit einem glänzenden Königspalast; darin
zeigte sich besonders sein natürlicher Hochsinn. Denn

zwischen Dora und Joppe, zwischen denen die Stadt liegt, war damals die ganze Küste hafenlos, so daß jeder, der an der phönizischen Küste entlang nach Ägypten segelte, das Schwanken in der offenen See auf sich nehmen mußte wegen der Bedrohung durch den Westwind, der, wenn er auch nur mäßig weht, die Wogen derartig gegen die Felsen wirft, daß die zurücklaufenden Wellen das Meer hoch aufpeitschen. Aber der König besiegte die Natur durch Aufwand und Ehrgeiz und legte einen Hafen an, der größer war als der Piräus, in seinen Einbuchtungen aber weitere tiefe Ankerplätze hatte.

Er brachte die Stadt dem ihm unterstellten Gebiet zu Nutz und Frommen dar, den Hafen den an jener Küste fahrenden Seeleuten, dem Cäsar aber die Ehre der ganzen Gründung; er nannte sie darum auch »Cäsarea«.

Die restlichen Anlagen, Amphitheater, Theater und Marktplätze errichtete er würdig des kaiserlichen Namens. Er stiftete für jedes fünfte Jahr Kampfspiele und nannte sie ebenfalls nach dem Kaiser. Als erster setzte er selbst zur Zeit der 192. Olympiade erhebliche Preise aus, so daß nicht nur die Sieger, sondern auch die Inhaber der zweiten und dritten Plätze die königliche Freigebigkeit erfuhren.

Seinen Eltern war er in echter Liebe, wie nur einer, zugetan. So gründete er zum Gedächtnis an seinen Vater in der schönsten Ebene seines Reiches eine Stadt, reich an Flüssen und Bäumen, die er Antipatris nannte. Die Burg oberhalb Jerichos legte er als eine an Stärke und Schönheit ausgezeichnete Festung an und weihte sie seiner Mutter, indem er ihr den Namen Kypron gab. Seinem Bruder Phasael weihte er den nach ihm genannten Turm in Jerusalem, über dessen Aussehen und großzügige Masse wir in der Folge berichten werden. Und eine andere Stadt gründete

er an dem Talweg von Jericho nach Norden und nannte sie
Phasaelis.

Nachdem er so die Verwandten und Freunde verewigt
hatte, vernachlässigte er auch nicht das Gedächtnis seiner
selbst, sondern baute im Gebirge nach Arabien zu eine Festung und nannte sie nach sich Herodeion. Den künstlich
in der Gestalt einer weiblichen Brust angelegten Hügel,
der 60 Stadien von Jerusalem entfernt war, nannte er
ebenso und rüstete ihn noch kostbarer aus. Er umgab die
Spitze nämlich mit runden Türmen und errichtete innerhalb der Mauern so kostbare königliche Paläste, daß nicht
nur das Innere der Gebäude einen glänzenden Anblick
bot, sondern auch die Außenmauern, Zinnen und Dächer
mit verschwenderischem Reichtum überschüttet waren.
Von fern her leitete er mit großen Kosten reichlich Wasser
heran und legte den Aufgang mit 200 Stufen aus schnee-
weißem Marmor an. Denn der Hügel war außerordentlich
hoch und dabei ganz von Menschenhand aufgeworfen. Er
errichtete ferner am Fuß auch noch andere Palastbauten,
die für den Bedarf der Hofhaltung und die Unterbringung
der Freunde Raum hatten, so daß die Feste in Anbetracht
ihrer vollständigen Ausstattung den Eindruck einer Stadt
machte, in Anbetracht ihrer Ausdehnung aber nur den einer königlichen Schloßanlage.

Nach so vielen Gründungen erwies er auch zahlreichen
auswärtigen Städten seine Hochherzigkeit. Den Städten
Tripolis, Damaskus und Ptolemais errichtete er Gymnasien, Byblos eine Stadtmauer, Berytos und Tyrus Hallen,
Säulengänge und Marktplätze, Sidon und Damaskus sogar
Theater, Laodicea am Meer eine Wasserleitung, Askalon
Bäder und kostbare Brunnen, dazu noch Kolonnaden von
bewundernswerter Kunstfertigkeit und Größe; einigen
aber schenkte er Haine und Rasenplätze. Viele Städte

empfingen aus seiner Hand Land, als wenn sie Teile seines Königreiches wären. Anderen Städten stiftete er dauernde Aufsichtsämter für alljährliche Wettspiele, wobei er dann, wie in Kos, auch Einkünfte für die Siegerauszeichnung sicherstellte, damit es daran niemals fehle. Getreide aber gewährte er vollends allen Bedürftigen, der Insel Rhodos spendierte er wieder und wieder Mittel zum Aufbau ihrer Schiffahrt, auch baute er dort das vom Feuer zerstörte pythische Heiligtum auf seine Kosten schöner wieder auf. Was müssen noch die Geschenke an die Lykier und die Bewohner von Samos erwähnt werden oder seine Großzügigkeit gegen ganz Ionien, wo nur jemand in Not war? Sind nicht Athen und Lakedämon, Nikopolis und Pergamon in Mysien voll von den Weihgeschenken des Herodes? Hat er nicht die Hauptstraße im syrischen Antiochien, die wegen ihres Schmutzes gemieden wurde, in einer Länge von 20 Stadien mit poliertem Marmor belegt und mit einer Säulenhalle von gleicher Länge zum Schutz gegen Regen versehen?

Ein erhebliches Hemmnis für seine Freigebigkeit bildete dabei die Sorge, nicht den Anschein zu erwecken, als sei er besonders beneidenswert oder als führe er etwas im Schilde, wenn er den Städten mehr Wohltaten erwies als ihre eigenen Besitzer.

Er verfügte über einen Leib, der seiner Seele entsprach; stets war er ein ausgezeichneter Jäger, dabei kam ihm seine Fertigkeit im Reiten in hohem Maße zustatten. So erlegte er einmal an einem einzigen Tage vierzig Stück Wild. Das Land hegt ja auch Schweine, vor allem aber ist es an Hirschen und Wildeseln reich. Als Krieger war er unüberwindlich. Auch schon bei den Wettspielen waren viele betroffen, wenn sie ihn sahen, wie sicher er den Speer warf und wie glücklich er als Bogenschütze sein Ziel traf.

Zu den Vorzügen des Leibes und der Seele kam hinzu, daß er immer Glück hatte; denn selten unterlag er im Krieg, und schuld an seinen Niederlagen war nicht er selber, sondern der Verrat weniger Leute oder die Voreiligkeit seiner Soldaten.

Die Erfolge nach außen ließ ihn das Geschick allerdings durch häusliche Nöte büßen, und das Unheil begann von seiten der Frau, um die er sich am meisten bemüht hatte. Denn als er zur Herrschaft gekommen war, entließ er die Gattin, die er vor seiner Erhebung geheiratet hatte, eine Jerusalemitin mit Namen Doris, und nahm Mariamne, die Tochter Alexanders, des Sohnes des Aristobulos, zur Frau; ihretwegen trafen Zwistigkeiten sein Haus, und zwar schon bald, besonders aber nach seiner Heimkehr aus Rom. Einmal nämlich verbannte er seinen und der Doris Sohn, Antipater, wegen der Söhne der Mariamne aus der Hauptstadt und gestattete ihm nur an den Festtagen den Zutritt. Sodann ließ er den Großvater seiner Gattin, Hyrkanos, der von den Parthern her zu ihm gekommen war, wegen Verdacht des Hochverrats hinrichten; diesen hatte Barzapharnes bei seinem Einfall in Syrien gefangengenommen, seine Stammesgenossen jenseits des Euphrat aber hatten ihn aus Mitleid freigebeten. Und wenn er auf die gehört hätte, die ihm zugeredet hatten, nicht zu Herodes zu gehen, würde er nicht ums Leben gekommen sein. Was ihn aber in den Tod trieb, war die Ehe seiner Enkelin; denn im Vertrauen auf diese Verbindung und vor allem aus Sehnsucht nach der Heimat war er gekommen. Er reizte den Herodes nicht dadurch, daß er selbst nach der Königswürde strebte, sondern weil ihm von Rechts wegen die Herrschaft zustand.

Zwei seiner fünf von Mariamne geborenen Kinder waren Töchter und drei Söhne. Von diesen starb der jüngste während seiner Erziehung in Rom, den beiden älteren gab er die Stellung von Erbprinzen, wegen der hohen Abkunft ihrer Mutter und auch deshalb, weil sie während seiner Königsherrschaft geboren wurden. Dazu brachte ihn stärker als die erwähnten Motive die Liebe zu Mariamne, die Tag für Tag in Herodes heftiger entbrannte, so daß er unempfindlich war für die Lasten, die ihm um der geliebten Frau willen auferlegt wurden. Denn der Haß der Mariamne gegen ihn war so groß wie seine Liebe zu ihr. Der Widerwille hatte seine gute Veranlassung in den Tatsachen; und weil sie sich wegen seiner Liebe sicher fühlte, warf sie ihm unverblümt vor, was er ihrem Großvater Hyrkanos und ihrem Bruder Jonathan angetan hatte. Denn auch diesen hatte er nicht geschont, obgleich er noch im jugendlichen Alter stand; er gab ihm, obwohl er erst 17 Jahre alt war, die hohepriesterliche Würde, tötete ihn aber unmittelbar nach dieser Ehrung, weil das festlich versammelte Volk über ihn, als er in heiligem Gewande zum Altar trat, in Tränen ausgebrochen war. Der junge Mann wurde in der Nacht nach Jericho geschickt und dort auf Befehl hin von den Galatern in einem Teich untergetaucht, bis er starb.

Deshalb machte Mariamne dem Herodes Vorwürfe und kränkte seine Schwester und Mutter mit verletzenden Schmähungen. Ihm war infolge seiner Leidenschaft der Mund verschlossen, die Frauen aber, aufs äußerste aufgebracht, verleumdeten sie des Ehebruchs in der Berechnung, damit den Herodes am ersten zur Tat treiben zu können. Neben anderen einleuchtenden Anschuldigungen klagten sie Mariamne an, daß sie ihr Bild nach Ägypten zu Antonius geschickt und sich so in maßloser Sinnlichkeit aus der Ferne einem Wüstling gezeigt habe, der auch in der Lage sei, seinen Willen durchzusetzen. Dies

traf den Herodes wie ein Blitz und beraubte ihn der Übersicht. Er war einerseits durch seine Leidenschaft besonders eifersüchtig, bedachte aber auch andererseits die
Gefährlichkeit der Kleopatra, um deretwillen der König
Lysanias und der Araber Malchos ums Leben gekommen
waren. Denn Maßstab für die Gefahr war ihm nicht der
Verlust der Gattin, sondern der Tod.

Im Begriff abzureisen, vertraute er dem Joseph, dem
Manne seiner Schwester Salome, seine Frau an; dieser war
zuverlässig und der Verschwägerung wegen ihm zugetan.
Im Geheimen gab er ihm den Auftrag, sie zu töten, wenn
ihn Antonius umbringen würde. Joseph aber enthüllte,
was er nicht sagen durfte, nicht böswillig, sondern um der
Frau die Liebe des Königs vorzustellen: er könne es nicht
ertragen, auch nur im Tode von ihr getrennt zu sein. Als
Herodes zurückkehrte und ihr während ihres ehelichen
Umgangs viele Liebesschwüre über seine Neigung zu ihr
ablegte und versicherte, daß er niemals eine andere Frau
geliebt habe, da sagte sie zu ihm: »Allerdings hast du durch
die Beauftragung Josephs deine Liebe zu uns bewiesen, als
du befahlst, mich zu töten.«

Er war augenblicklich außer sich, als er das Geheimnis
aus ihrem Munde vernahm; er schrie, Joseph würde auf
keinen Fall den Auftrag ausgeplaudert haben, wenn er sie
nicht verführt hätte; rasend vor Zorn sprang er vom Lager
auf und stürmte ziellos durch den Palast. Diese Gelegenheit für ihre Verleumdungen griff seine Schwester Salome
eilends auf und verstärkte den Verdacht gegen Joseph.
Herodes aber befahl im Wahnsinn maßloser Eifersucht,
auf der Stelle beide zu töten. Der Aufwallung folgte alsbald die Reue, und als der Zorn vergangen war, flammte
die Liebe erneut auf. So heftig war der Brand seiner Leidenschaft, daß er an ihren Tod gar nicht glauben wollte,

sondern, von Schmerz geblendet, sie ansprach, als ob sie lebe. Mit der Zeit wurde er über die Tatsächlichkeit seines Verlustes belehrt; seine Trauer aber blieb so stark, wie seine Liebe zur Lebenden gewesen war.

Plutarch
Moralische Schriften

*P*lutarch, *um 46 n. Chr. in Chaeronea geboren, im Jahre 120 gestorben, war einer der gelesensten Schriftsteller der römischen Kaiserzeit. Berühmt sind vor allem seine Le-*bensbeschreibungen in Parallelen, *von denen 46 erhalten sind. In jeder ist ein Grieche neben einen Römer gestellt, zum Beispiel Cicero neben Demosthenes, die beiden Grac-chen neben die griechischen Sozialreformer Agis und Kleomenes. Diese Biographien wollen unterhalten und be-lehren.*

Plutarch war wie Seneca ein Popularphilosoph, gesättigt mit Bildung, das heißt: griechischer Philosophie. Seine Es-says sind gesammelt unter dem Titel Moralia *und verbrei-ten sich über die verschiedensten Themen:* Über Kinderer-ziehung, Von der Bezähmung des Zorns, Von der Ge-mütsruhe, Vom Zufall, Ob ein Greis noch Staatsgeschäfte treiben soll *(im Gegensatz zu Montgomery sagt er: Ja).*

Er war ebensowenig wie Seneca ein originaler Denker und sprach das in einer autobiographischen Notiz deutlich aus. Da heißt es: »*Ich bin Archon meiner mir sehr ans Herz gewachsenen Vaterstadt Chaeronea, bin ein treuer Freund, und so weit nötig und möglich auch ein Helfer meines größeren griechischen Vaterlandes, stehe in engem Verhältnis zu Delphi und seiner ehrwürdigen Priester-schaft, bin aber zugleich auch ein Freund Roms sowie sei-ner mächtigen Herrscher, die mir wohlgesinnt und auf-*

*richtig beflissen sind, meine vermittelnden Dienste zum
Vorteil meines Vaterlandes, zum Wohle meiner Landsleute in Anspruch zu nehmen. Das wirksamste und vorzüglichste Mittel aber, um diese meine Pflichten zu erfüllen, zu denen als die nicht unbedeutendste auch die gegen
meine Familie als deren Leiter und Erzieher hinzukommt,
ist meine anhaltende und innige Beschäftigung mit der
Philosophie. Der Philosoph aber, dem von Jugend auf
meine Huldigung vor allem gegolten hat und gilt, ist der
göttliche Platon. Ihm verdanke ich es, daß ich mit Leib
und Seele der Wahrheit und der Gerechtigkeit ergeben bin.
Ich bin ein Kenner, Verehrer und Bewunderer seiner Philosophie sowie der Philosophie überhaupt. Aber es würde
wider mein Gewissen sein, mir mehr anzumaßen. Was ich
schriftstellerisch geleistet, ist guten Teils im Dienste der
Philosophie geschehen, deren Aufgabe es ist, die Menschen
aufzuklären und für das Gute zu begeistern. Auf den
Ruhm dagegen, der Philosophie neue Bahnen gewiesen zu
haben, leiste ich gern und entschieden Verzicht.«*

*Wie viele Platoniker durch die Jahrhunderte glaubte er,
seine Zugehörigkeit dadurch zu zeigen, daß er Epikur und
die Seinen attackierte. Er tat es vor allem in den Schriften:*
Beweis, daß man nach Epikur überhaupt nicht glücklich leben kann *und unter dem Titel einer rhetorischen
Frage:* Ob es eine richtige Vorschrift sei: lebe im Verborgenen.

*Wir entnehmen etwas aus dieser letzten Schrift, die zwar
Epikur nicht trifft, aber sehr gut die antiindividualistische
Tendenz des Römers zeigt, dem die Gesellschaft wichtiger
ist als der einzelne.*

Hat es seine Richtigkeit mit dem Satz »Lebe im Verborgenen«? – Nun, der Urheber dieses Satzes, wollte er denn
selbst im Verborgenen leben? Weshalb verkündete er ihn
denn? Doch nur, um der Welt das Geheimnis zu enthül-
len, daß er ein ungewöhnlich hervorragender Kopf sei.
Durch die Ermahnung zur Ruhmlosigkeit wollte er zu einem unverdienten Ruhme gelangen.

Von Leuten wie Philoxenos, des Eryxis Sohn, und Gna-
thon, dem Sizilier, erzählt man, sie hätten sich in ihrer
Freßbegier in die Schüsseln geschneuzt, um ihren Tisch-
genossen das Essen zu verekeln und sich allein mit dem
ganzen Tafelreichtum vollzustopfen; so suchen sie, welche ganz im Banne der Ruhmsucht stehen, den Ruhm anderer, in denen sie eine Art Nebenbuhler sehen, zu ver-
dächtigen, um selbst unbestritten im Besitze desselben zu
sein. Sie gleichen darin den Ruderern; wie diese, mit ihren
Blicken dem Heck des Schiffes zugewendet, mit ihrer Arbeit doch dem Fortkommen des Buges dienen, indem der
durch das Zurückdrängen erzeugte Wogendruck das
Schiff vorwärtstreiben soll, so jagen diejenigen, die solche
Lehren geben, gleichsam mit abgewandtem Gesicht dem
Ruhme nach. Was hätte denn Epikur sonst für einen
Grund, mit diesem Ausspruch hervorzutreten und eine
Schrift darüber zu verfassen und für künftige Zeiten herauszugeben, wenn er vor der Mitwelt verborgen bleiben
wollte, er, der nicht einmal vor künftigen Geschlechtern es
bleiben will?

Doch dem mag sein, wie ihm wolle. Aber der Grundsatz selbst, ist er nicht völlig verfehlt? Lebe im Verborgenen! Etwa wie ein Gräberdieb? Ist das Leben etwa eine
Schande, das den Blicken der Welt völlig entzogen werden
müßte? Meine Mahnung würde eher lauten: auch wenn du
ein Taugenichts bist, verstecke dich nicht, sondern laß

deine Blößen sehen, laß dich warnen, sei der Reue zugänglich! Bist du tüchtig, so werde nicht untüchtig, bist du auf schlechten Wegen, so laß dich auf bessere führen. Aber zunächst unterscheide doch und laß keinen Zweifel darüber, wem du diese Vorschrift gibst. Gibst du sie einem Unwissenden, einem Schurken, einem Trotzkopf, so könntest du ebensogut sagen: Halte dich verborgen, wenn du Fieber hast, wenn du von Sinnen bist, damit der Arzt nichts davon zu wissen bekomme, mach dich auf, verstecke dich in einem dunklen Winkel, wo du mitsamt deinem Leiden unbeachtet bleibst; diesem Beispiele folge auch du, der du durch deine Lasterhaftigkeit einer unheilbaren und vernichtenden Krankheit verfallen bist, verbirg deinen Neid, deinen Aberglauben wie einen krankhaften Puls in ängstlicher Furcht vor denen, die dir raten und dich heilen können. Im grauen Altertum stellte man die Kranken öffentlich aus, und jeder, der durch die Erfahrung am eigenen Leibe oder durch Dienste, die er anderen geleistet, imstande war, Abhilfe zu schaffen, erteilte den Bedürftigen seinen Rat. Auf diese Weise, sagt man, habe die Kunst durch gemeinsame Beiträge aus der Erfahrung so erhebliche Fortschritte gemacht. So sollte man auch eine verfehlte Lebensführung und die Leiden der Seele für jedermann sichtbar machen, um es zu ermöglichen, den Betreffenden bei näherer Untersuchung ihrer Seelenzustände zu sagen: du leidest an Jähzorn: dem ist durch folgende Mittel vorzubeugen. Oder: du leidest an Eifersucht: dagegen hilft das und das. Oder: du liebst: auch ich war einst verliebt, doch hab ich mich eines besseren besonnen. Jetzt leugnet, verbirgt, umhüllt man das Laster und senkt es nur immer tiefer in sich hinein.

Wenn du dagegen den Tüchtigen und Tatkräftigen rätst, verborgen und unbekannt zu bleiben, so sagst du einem

Epaminondas: »Werde kein Feldherr!«, einem Lykurg:
»Werde kein Gesetzgeber!«, einem Thrasybul: »Werde
kein Tyrannenmörder!«, einem Pythagoras: »Werde kein
Erzieher!«, einem Sokrates: »Werde kein Meister der belehrenden Unterhaltungskunst!«, und vor allem dir selbst,
Epikur: »Schreibe nicht an deine Freunde in Asien, wirb
nicht Schüler aus Ägypten an, mache dich nicht zum Trabanten der Jugend von Lampsakus, sende nicht Bücher in
alle Welt, um dein Licht allen leuchten zu lassen, gleichviel
ob Mann oder Weib, und triff keine Anordnungen über
dein Begräbnis.« Und was hat es mit den gemeinsamen
Schmausereien auf sich? Was mit den Zusammenkünften
der Anhänger und Schüler und der Schönen, was mit den
Unsummen von Zeilen an Metrodor, an Aristobul, an
Chaeredemos, die mit ausgesuchter Sorgfalt abgefaßt sind
in der Absicht, ihr Gedächtnis auch über den Tod hinaus
lebendig zu erhalten oder um die Tugend zur Vergessenheit, die Kunst zur Untätigkeit, die Philosophie zum
Schweigen und den glücklichen Tatendrang zur Nichtbe-
achtung zu verurteilen?

Willst du aus dem Leben die öffentliche Anerkennung
entfernen wie die Lichter vom Gelage, um alles der sinnlichen Wollust dienstbar zu machen, dann lebe im Verborgenen! So werde ich's sicherlich halten, wenn ich einmal
mit der Hetäre Hedeia oder Leontion zusammenleben
und der Tugend ins Gesicht spucken und das höchste Gut
im Fleisch und Sinnenkitzel finden will. Trägt man sich
mit dergleichen Absichten, ja dann bedarf es der Finsternis, dann ist Vergessenheit und Lichtscheu am Platz.
Preist man aber in der Naturbetrachtung Gott, Gerechtigkeit und Vorsehung, auf sittlichem Gebiet Gesetz, Gesellschaft und Staat, im Staat aber die Tugend und nicht den
Vorteil, was soll dann das Leben in der Verborgenheit?

Daß man auf niemanden erzieherisch einwirke, niemandem preiswert erscheine durch seine Tugend, niemandem ein anspornendes Muster werde? Wäre Themistokles den Athenern verborgen geblieben, so hätte sich Hellas niemals des Xerxes erwehrt, wenn Camillus den Römern, so wär's um Rom geschehen, wenn Platon dem Dion, wäre Sizilien nicht befreit worden. Wie aber das Licht uns nicht nur einander kenntlich, sondern auch nützlich macht, so gibt die öffentliche Anerkennung den Tugenden nicht bloß Ruhm, sondern auch einen Schauplatz der Tätigkeit. Hat doch Epaminondas in den vierzig Jahren seiner Unbekanntheit den Thebanern nichts genützt, während er später, nachdem er sich ihr Vertrauen erworben, die dem Untergang nahe Stadt rettete, ja auch das in Knechtschaft daniederliegende Griechenland befreite, indem er zur rechten Zeit seine Tugend im Lichte des Ruhmes leuchten ließ. Stumme Ruhe und ein im Lehnstuhl müßig hingebrachtes Leben läßt Leib und Seele dahinwelken; und wie stille Gewässer durch die Beschattung und infolge des unzureichenden Abflusses in Fäulnis übergehen, so wird auch in einem unregsamen Leben alle etwa angeborene und gegebenenfalls nutzbare Kraft dem Verderben und Absterben anheim gegeben. Siehst du nicht, daß bei Anbruch der Nacht sich ein gewisser Druck einstellt, der den Körper schwerfällig und die Seele der Tätigkeit abgeneigt macht? Daß die Denkkraft, sich gleichsam in sich selbst verkriechend, wie ein erlöschendes Feuer vor Trägheit und Erschöpfung sich nur noch in abgerissenen Bildern ergeht und nur erkennen läßt, daß der Mensch noch lebt?

Aber sobald die Sonne die täuschenden Träume verscheucht hat, in ihrem Aufgang nämlich, und sobald sie durch ihren Lichtglanz die Menschen wieder in Verkehr miteinander bringt und alle zum Gebrauch ihrer körperlichen und geistigen Kräfte anspornt, da werden die Menschen, mit Demokrit zu reden, neu denkend mit dem Tage, und durch den Gemeinschaftstrieb wie durch ein gespanntes Seil gezogen, erheben sie sich, der eine zu dieser, der andere zu jener Tätigkeit.

Ja, ich glaube, daß das Leben und überhaupt das Werden und Entstehen dem Menschen von Gott zuteil geworden sei, um sich bemerklich zu machen. Er bleibt aber unbemerkt und unbekannt, solange er, auf enge und kleine Verhältnisse beschränkt, sich in dem großen Ganzen bewegt. Wenn er sich aber mit seinesgleichen zusammentut und dadurch an Größe zunimmt, dann gewinnt er auch an Leuchtkraft, und so wird aus einem Unbekannten ein Wohlbekannter und aus einem Unsichtbaren ein Sichtbarer. Denn die Erkenntnis ist nicht der Weg zum Dasein, wie einige behaupten, sondern das Dasein der Weg zum Erkennen; denn die Erkenntnis schafft nicht das Werdende, sondern gibt nur Aufschluß darüber, wie auch der Untergang nicht eine Aufhebung des Seins in das Nichts ist, sondern eine Zurückführung des Aufgelösten in das Unerkennbare. Daraus erklärt sich auch der Beiname Delios und Pythios für den Apollon, den sie nach altüberlieferter Satzung für den Sonnengott halten; wogegen sie den Herrn der Unterwelt, mag er nun ein Gott oder ein Dämon sein, Hades (den Unsichtbaren) nennen, weil wir nach unserer Auflösung in das Unsichtbare wandern. Aus demselben Grunde haben vermutlich die Alten auch den Mann ›Phos‹ (Licht) genannt, weil durch die Verwandtschaft mit dem Licht einem jeden ein mächtiger Trieb zum Erkennen und Erkanntwerden eingepflanzt ist. Und was die Seele selbst anlangt, so erklären einige sie ihrem Wesen nach für Licht, wobei sie sich unter anderem vor allem darauf berufen, daß die Seele unter allen Dingen den Mangel an Erkenntnis am schwersten erträgt und jedes Dunkel haßt und vor der Finsternis sich entsetzt, dergegenüber sie nichts als Schrecken und Argwohn empfindet. Dagegen ist ihr das Licht so erwünscht und ersehnt, daß sie bei etwaigem Lichtmangel sogar an nichts anderem Freude hat, das auch ohne Licht an sich ganz erfreulich wäre; vielmehr ist es eben das Licht, das jedem Vergnügen, jeder Unterhaltung und jedem Genuß wie eine Allerweltswürze erst Heiterkeit und Innigkeit verleiht. Wer dagegen sich der Verborgenheit anvertraut, sich in Dunkel hüllt und sich lebendig begräbt, der muß schon seine Geburt als eine unerträgliche Last empfinden und auf das Dasein verzichten wollen.

Epiktet
Handbüchlein der Moral und Unterredungen

*M*an *weiß nicht viel vom Leben des Epiktet, der etwa 50 n. Chr. zu Hieropolis in Phrygien geboren wurde und 120 starb. Er kam als Sklave nach Rom und wurde von seinem Herrn, der ihn sehr schätzte, freigelassen. In Rom beeinflußte ihn der Stoiker Musonius Rufus so sehr, daß Epiktet dann neben Seneca und dem Kaiser Mark Aurel der einflußreichste Verkünder des Stoizismus wurde.*

Im Jahre 94 gab Domitian Befehl, daß alle Philosophen Rom und Italien zu verlassen hätten. Epiktet ging nach Nikopolis in Epirus, wo er sehr erfolgreich lehrte, aber in ärmlichen Verhältnissen lebte. Wahrscheinlich ist er dort gestorben. Er war unverheiratet. Von den mageren Details seiner Biographie ist noch zu erwähnen, daß er lahm gewesen sein soll.

Epiktet hat nichts geschrieben. Was wir von ihm besitzen, sind Nachschriften dessen, was er in seinen Vorträgen sagte, hergestellt von seinem bekannten Schüler Arrian. Diesem Historiker, dessen Geschichte des Alexander-Zuges eine wichtige Quelle unseres Wissens um Alexander den Großen ist, verdanken wir, was in Epiktets Handbüchlein der Moral und Unterredungen *gesammelt und durch die Jahrhunderte in immer wieder neuen Ausgaben gelesen worden ist. Ein sehr schmales Büchlein mit sehr großer Wirkung.*

Der Stoizismus, benannt nach der Stoa (Halle), in welcher der jüngere Zenon lehrte, entfaltete seit dem Jahre 310 v. Chr. eine durch die Jahrhunderte sich steigernde Wirksamkeit. In dieser Philosophie stand von Beginn an die Ethik an der Spitze. Wie für ihre Vorgänger, die Zyniker, wie auch für die Schule Epikurs stand im Mittelpunkt der moralphilosophischen Bemühungen das Problem: Wie werde ich glücklich? Die Lösung, auf die einfachste Formel gebracht, lautet: Mach dich unabhängig! Stell dich auf dich selbst, das heißt: auf das, was in deiner Macht ist! Um alles andere mache dir keine Sorgen, da du sowieso nichts tun kannst.

Eine der Praktiken der Stoiker war nun, auf alles, was nicht in der Macht des einzelnen steht, zu verzichten; oder besser: den Verzicht darauf einzuüben. Diese Lehre klingt nach Askese; aber es ist keine Askese aus Sinnen-Feindschaft, kein Verzicht um des Verzichtes willen, sondern um der Vermeidung des Unglücks willen. Das muß der Leser im Sinn behalten, wenn er die Lebensweisheit des Epiktet liest. Diese Askese hat nichts zu tun mit der Enthaltsamkeit, die im Glauben an die Sündhaftigkeit des Fleisches ihren Ursprung hat.

Besondere Lebensregeln

Nimm einen bestimmten Charakter an und eine Haltung, die du niemals aufgibst, ob du mit dir allein bist oder mit anderen Menschen zusammen.

Schweige zumeist; sprich nur das Notwendige und kurz. Sprich, wenn die Umstände es erfordern; aber nicht über die gewöhnlichen Gegenstände der Unterhaltung, über Zirkusspiele, Wettrennen, Ringkämpfer, über Essen und Trinken. Vor allem sprich nicht über deine Mitmenschen, sei es tadelnd oder lobend oder vergleichend. Vermagst du es, so lenke das Gespräch auf einen würdigen Gegenstand. Bist du aber unter Andersgesinnten, so schweige.

Lache nicht viel, nicht über alles und nicht überlaut.

Schwöre nicht! Wenn möglich überhaupt nicht oder doch so selten als nur möglich.

Einladungen zu Gastmählern bei andersgesinnten und ungebildeten Leuten schlage aus. Trifft es sich, daß du der Einladung nicht ausweichen kannst, so sei streng und aufmerksam gegen dich, daß du nicht in den gewöhnlichen Ton verfällst. Denn wisse: Ist einer unrein, so wird auch der beschmutzt, der mit ihm umgeht, mag er selbst auch rein gewesen sein.

Die Bedürfnisse des Leibes – Essen, Trinken, Kleidung, Wohnung, Gesinde – befriedige in der einfachsten Weise. Äußeren Glanz und Luxus laß beiseite.

Von sinnlicher Liebe halte dich vor der Ehe möglichst unberührt. Beachte jedenfalls die Sitte. Sei jedoch nicht gehässig gegen solche, die in diesem Punkte fehlen, und gefalle dir nicht in Vorwürfen. Rühme dich auch nicht deiner Enthaltsamkeit.

Sagt jemand zu dir: der oder jener hat dir Übles nachgeredet, so rechtfertige dich nicht erst lange, sondern antwor-

te: Er kennt eben meine andern Fehler nicht, sonst hätte er
wohl noch mehr gesagt.

Das Theater häufig zu besuchen ist nicht gerade nötig.
Tust du es, so richte dein Augenmerk nur auf dich selbst;
das heißt nimm, was vorgeht, ruhig hin, und laß den Sieger
Sieger sein. So wird deine innere Ruhe nicht gestört werden. Beifallsrufe, Gelächter, tiefere Bewegung vermeide
ganz und gar. Und beim Weggehen sprich nicht viel über
das Aufgeführte, soweit es dich nicht fördert. Denn sonst
offenbart sich, daß du dich zur Bewunderung des Schauspiels hast fortreißen lassen.

Vorlesungen der Schriftsteller besuche nicht aus bloßer
Gefälligkeit, und bewahre dabei deine würdige und gesetzte Haltung, ohne jedoch schroff zu sein.

Sollst du jemandem begegnen, besonders einem, den die
Leute für vornehm halten, so frage dich: Was hätten Sokrates oder Zeno in diesem Falle getan? Dann wirst du
nicht in Verlegenheit sein, wie du dem andern in würdiger
Weise begegnen sollst.

Mußt du zu einem Großen gehen, so sage dir: Er wird
nicht zu Hause sein; ich werde abgewiesen werden; seine
Tür wird mir verschlossen bleiben; er wird mich nicht
beachten.

Läßt es sich nicht umgehen, ihn zu besuchen, so nimm
hin, was geschieht, und sage nicht: Es war nicht der Mühe
wert. Das wäre niedrig und würde von Schwachheit gegenüber äußeren Verhältnissen zeugen.

Sprich nicht viel und über Gebühr von deinen eigenen Taten und Gefahren. Wenn es dir Vergnügen macht, von bestandenen Gefahren zu erzählen, so braucht es andern noch lange nicht angenehm zu sein, zu hören, was dir begegnet ist.

Vermeide es auch, schlechte Witze zu machen, denn die Gefahr liegt nahe, dabei gemein zu werden und dabei die Hochachtung deiner Mitmenschen zu verscherzen.

Hörst du unlautere Reden, so weise bei passender Gelegenheit den Sprechenden zurecht. Ist dies nicht möglich, so zeige wenigstens durch auffallendes Schweigen, Erröten und ernste Miene deine Mißbilligung.

Woran ein Philosoph zu erkennen ist

Nenne dich niemals einen Philosophen und sprich unter Ungebildeten nicht viel von philosophischen Lehren, sondern handle diesen Lehren gemäß. Bei einem Gastmahl zum Beispiel sprich nicht davon, wie man essen soll, sondern iß, wie man essen soll. Erinnerst du dich, wie auch Sokrates es vermieden hat, als Philosoph zu glänzen? Es kamen Leute zu ihm, die von ihm zu den Philosophen geführt zu werden wünschten, und er führte sie einfach hin. So wenig machte er sich daraus, daß man ihn übersah. Kommt also unter Laien das Gespräch auf ein philosophisches Thema, so schweige möglichst. Denn die Gefahr ist groß, daß du über Dinge redest, die du nicht verdaut hast. Wenn dann einer zu dir sagt: du weißt aber nichts, und du bist nicht aufgebracht darüber, so hast du den Anfang deiner Aufgabe erfaßt. Die Schafe beweisen dem Hirten nicht dadurch, daß sie das Futter wieder von sich geben, wieviel sie gefressen haben, sondern sie tragen Wolle und geben Milch. Also auch du blende die Laien nicht mit philosophischen Sätzen, sondern beweise ihre Wahrheit durch Taten.

Von dem, was in unserer Gewalt steht, und was nicht

Eins steht in unserer Gewalt, ein anderes nicht.

In unserer Gewalt steht unser Denken, unser Tun, unser Begehren, unser Meiden – alles, was von uns selber kommt. Nicht in unserer Gewalt steht unser Leib, unsere Habe, unser Ansehen, unsere äußere Stellung – alles, was nicht von uns selber kommt.

Was in unserer Gewalt steht, ist von Natur frei, es kann nicht gehindert und nicht gehemmt werden. Was nicht in unserer Gewalt steht, ist hinfällig, abhängig, steht in fremder Hand und kann gehindert werden.

Hältst du für frei, was seiner Natur nach unfrei ist, und für dein eigen, was fremd ist, so wirst du viel Verdruß haben, Aufregung und Trauer, und wirst mit Gott und allen Menschen hadern. Hältst du aber nur das Deine für dein eigen und Fremdes für fremd, so wird nie jemand dich zwingen, nie jemand dich hindern, du wirst nie jemand Vorwürfe machen, nie jemand schelten, nie etwas wider Willen tun. Niemand wird dir schaden, denn du wirst keinen Feind haben – nichts kann dir schaden.

Wenn du danach trachtest, darfst du nicht lässig sein. Du mußt alles andere dagegen gering schätzen, manches für immer lassen, manches für den Augenblick.

Wenn du aber daneben auch nach Ehrenstellen und Reichtümern jagst, so wirst du vielleicht, weil du zugleich jenes erstrebst, nicht einmal diese erlangen. Sicher wirst du das verfehlen, wodurch allein Glück und innere Freiheit kommen.

Gewöhne dich nun, bei jedem unangenehmen Ereignis zu sagen: Du bist nicht das, was du scheinst, sondern nur eine Vorstellung. Sodann prüfe es an den Regeln, die du gelernt hast, besonders an der ersten, indem du fragst: Gehört es zu dem, was in meiner Gewalt steht, oder nicht? Und gehört es zu dem, was nicht in deiner Gewalt steht, so sage zu dir selber: Es geht mich also nichts an!

Bedenke das Ende!

Wenn auf einer Seefahrt das Schiff am Lande hält, und du steigst aus, um Wasser zu holen, so magst du wohl nebenher eine Muschelschale auflesen oder einen Tintenfisch, dein Augenmerk aber muß aufs Schiff gerichtet sein, und du mußt dich immer wieder umsehen, ob nicht vielleicht der Steuermann ruft. Ruft er dich, so mußt du alles liegenlassen, damit du nicht gebunden in das Schiff geworfen wirst, wie es mit den Schafen geschieht.

Also auch im Leben. Wenn dir da, wie dort ein Fischlein oder eine Muschel, so hier ein Weib und Kind gegeben ist, so wird dir das kein Hindernis sein. Wenn aber der Steuermann ruft, so eile zum Fahrzeug, laß alles zurück und sieh dich nicht um. Und bist du alt, so entferne dich überhaupt nicht mehr weit vom Fahrzeug, damit du etwa gar ausbleibst, wenn du gerufen wirst.

Laß dich dein Ansehen im gewöhnlichen Leben nicht kümmern

Willst du in der Lebensweisheit fortschreiten, so merke weiter: rege dich nicht auf, wenn man dich im gewöhnlichen Leben für einfältig und unbeholfen hält. Du mußt nicht den Anschein erwecken, als verständest du etwas Rechtes. Und wenn es andern so scheint, so mißtraue dir selbst. Denn wisse: es ist nicht leicht, seine naturgemäße Haltung zu bewahren und auch dem gewöhnlichen Leben zu genügen. Es gibt nur ein Entweder-Oder; wer sich um das eine kümmert, der muß das andere lassen.

Lerne verzichten!

Merke: Benimm dich im Leben wie bei einem Gastmahl. Eine Speise wird herumgetragen und gelangt zu dir: du langst dir zu und nimmst mit Anstand davon. Sie wird vorübergetragen: du hältst sie nicht zurück. Sie ist noch nicht an dich gekommen: du unterdrückst dein Verlangen und wartest ruhig, bis sie an dich kommt. So mach es deinen Kindern, deinem Weibe, Ehrenstellen und Reichtümern gegenüber, und du wirst ein würdiger Tischgenosse der Götter sein. Nimmst du aber auch das nicht, was dir vorgesetzt wird, sondern läßt es vorübergehen, so bist du nicht bloß bei den Göttern zu Gast, sondern teilst mit ihnen ihre Macht. So handelten Diogenes, Herakles und ihresgleichen, und darum hießen sie mit Recht göttlich.

Was Mitleid heißt

Wenn du einen in tiefer Betrübnis um ein Kind siehst, das in die Ferne zieht, oder weil er sein Vermögen verloren hat, so gib acht, daß dich nicht die Vorstellung übermannt, es wäre ein Unglück. Du mußt vielmehr sogleich bei dir scharf sondern und zu dir sagen: Nicht das Geschehene betrübt diesen Mann – denn einen andern betrübt es ja auch nicht –, sondern nur seine Auffassung des Geschehenen. Soweit es nun mit Worten geht, magst du an seinem Leide Anteil nehmen, und wenn es nicht anders geht, magst du auch mit ihm seufzen. Deine Seele aber bleibe frei davon.

Was der Gedanke an den Tod lehrt

Tod, Verbannung, überhaupt alles, was furchtbar erscheint, halte dir täglich vor Augen. Vor allem den Tod. Das wird dich vor kleinlichen Gedanken bewahren und vor übermäßigen Begierden.

Verzichte auf Anerkennung der Außenwelt!

Wisse: Sobald du dich mit der Außenwelt einlässest und einem da draußen zu gefallen wünschest, so hast du deinen Halt verloren. Darum laß es dir genügen, ein Philosoph zu sein. Willst du aber irgendwem auch als Philosoph erscheinen, so betrachte dich selbst und sei zufrieden.

Was du kannst

Laß dich nicht beunruhigen von Gedanken wie den folgenden: Ohne Ehre werde ich leben und nirgends etwas gelten! Wie kann der Mangel an äußeren Ehren ein Unglück sein, da dich doch ein anderer ebensowenig in Unglück wie in Schande bringen kann? Es hängt doch nicht von dir ab, ob du ein Ehrenamt erlangst oder zu einem Essen geladen wirst. Wie kann dies also als Unehre empfunden werden? Und wie kannst du ›nirgends‹ etwas gelten, da du doch nur in dem etwas bedeuten sollst, was in deiner Macht steht? Und hier kannst du doch alles bedeuten.

Aber du kannst, sagst du, deinen Freunden so nicht helfen. Aber was nennst du helfen? Geld wirst du ihnen nicht geben können, und zu römischen Bürgern wirst du sie nicht machen können. Wer hat dir denn gesagt, daß dies in deiner Macht steht und nicht von andern abhängt? Wer aber kann einem andern geben, was er selbst nicht besitzt?

Erwirb es, sagt man, damit auch wir es besitzen.

Ja, wenn ich es erwerben kann, ohne meiner inneren Würde, meiner Redlichkeit, meiner Gesinnung etwas zu vergeben, so zeigt mir den Weg, so will ich's tun. Verlangt ihr aber, daß ich diese meine wahren Güter dahingebe, damit ihr eingebildete Güter erlangt, so seht ihr doch hoffentlich selbst ein, daß ihr unbillige und unverständige Forderungen stellt.

Was zieht ihr vor? Geld oder einen treuen würdigen Freund? Helft mir also lieber, daß ich ein solcher werde, und verlangt nicht, daß ich etwas tue, wodurch ich diese Eigenschaft verlieren muß.

Aber das Vaterland, wirfst du ein, wird von mir keinen Nutzen haben.

Ich frage dagegen: Nutzen welcher Art? Säulenhallen und Bäder wirst du ihm freilich nicht bauen können. Aber was hat das zu besagen? Der Schmied macht dem Vaterland auch keine Schuhe und der Schuster keine Waffen. Es ist genug, wenn jeder das Seine recht tut. Wenn du deinen Nächsten zu einem treuen und tüchtigen Bürger heranbildest – hat das Vaterland keinen Nutzen davon?

Ich dächte wohl.

Also wirst du ihm auch nicht unnütz sein.

Welche Stelle soll ich also im Staate einnehmen?

Diejenige, die du ausfüllen kannst, ohne Treue und Rechtschaffenheit dabei zu verlieren. Wenn du aber in der Absicht, dem Vaterland zu nützen, diese Eigenschaften einbüßt – was kannst du ihm dann nütze sein, wenn du weder Treu noch Glauben verdienst?

Suche das Glück in dir selbst!

Ein Ungebildeter erwartet keinen Nutzen oder Schaden von sich selber, sondern alles von außen. Der Philosoph erwartet allen Nutzen und allen Schaden von sich selber.

Der Fortschreitende tadelt und lobt niemanden, schilt niemanden, macht niemandem Vorwürfe und spricht nicht über sich selber, als sei er etwas Rechtes oder wisse etwas Rechtes. Wird er durch irgend etwas gehindert oder gehemmt, so sieht er die Ursache in sich selbst. Lobt ihn jemand, so lächelt er bei sich selbst über den, der ihn lobt; tadelt ihn jemand, so läßt er sich nicht auf eine Widerlegung ein. Er geht einher wie ein Kranker und hütet sich, zu bewegen, was noch nicht fest stehen kann. Jede Begierde hat er aus seinem Wesen verbannt, seine Abneigung auf das beschränkt, was naturwidrig ist und zu dem gehört, was nicht in seiner Macht steht. Sein Wollen ist in allen Dingen ohne Leidenschaft und darum um so beständiger und fester. Erscheint er töricht und unwissend, so macht ihm das keine Sorge. Aber vor sich selber ist er auf der Hut, wie vor einem Feinde und Verräter.

Tacitus
Germania

Tacitus' berühmte kleine Schrift Germania *ist eines der ersten Werke des römischen Historikers gewesen; es erschien etwa im Jahre 98 n. Chr. Es besteht aus zwei Teilen: einem allgemeinen und einem, der es mit den einzelnen Stämmen zu tun hat: mit den Batavern, Chatten, Friesen, Cheruskern, Cimbern, Sueben, Goten und vielen anderen. Wir bringen Ausschnitte aus dem ersten Teil, der gemeinsame Charakteristika herauszuarbeiten suchte. Im zweiten Teil findet sich auch eine Schilderung der Kriege, die zwischen den Römern und den Germanen vom Cimbernzuge an stattfanden.*

Es ist heute nicht mehr allgemein anerkannt, daß Tacitus mit dieser Schrift nicht so sehr ein uninteressiertes Bild von dem germanischen Nachbarn als ein Vorbild für die römischen Landsleute entwerfen wollte. Trotzdem braucht man dem Wandel in der Interpretation nicht zu folgen. Tacitus war ein Konservativer, ein Römer alten Gepräges, der die Sitten und Gebräuche des Roms seiner Zeit als Sittenlosigkeit brandmarkte. Vielleicht suchte er doch in der Germania *seinen Zeitgenossen ein Bild von einer unverdorbenen Nation zu geben; die rousseausche Vorstellung vom edlen Primitiven gab es wohl in jeder überzivilisierten Kultur.*

Viele Historiker lehnen diese Deutung heute ab. Nach ihnen war die Germania *eine Zusammenfassung von Mit-*

teilungen, *die Tacitus in seinen anderen Schriften nur gele-*
gentlich geben konnte. Man weist darauf hin, daß damals
ein Buch über die unruhigen Nachbarn ein echter Bedarf
war. Nerva war gestorben, und Trajan, den man sehn-
süchtig zurückerwartete, wurde in Köln aufgehalten; er
konnte nicht nach Rom zurückkehren, weil die Grenze ge-
gen die Germanen gefährdet war. So erfüllte die Schrift ein
Bedürfnis der Zeit, Näheres über ein Volk zu wissen, das
Rom so sehr beunruhigte.

Im 33. Kapitel schrieb Tacitus einen Satz, der wieder
von höchster Aktualität ist: »*Möchte doch, das ist mein*
Wunsch, den Germanen, wenn nicht Liebe zu uns, so doch
wenigstens der gegenseitige Haß erhalten bleiben; denn,
wenn das Schicksal einmal über uns hereinbricht, so kann
uns schon kein größeres Glück zuteil werden als die Zwie-
tracht unserer Feinde.«

Eine allgemein bekannte Tatsache ist es, daß die Völker
germanischen Stammes keine Städte bewohnen, ja nicht
einmal von unserer geschlossenen Bauart etwas wissen
wollen. Sie hausen vielmehr in Einzelhöfen, die sie bald
hier, bald dort anlegen, je nachdem ein Quell, ein Feld
oder eine Baumgruppe zur Ansiedlung einladet. Ihre Dörfer bauen sie nicht in der bei uns üblichen Weise, die Häuser Wand an Wand und straßenweise, sondern ein jeder
umgibt seinen Hof mit einem freien Raum, sei es, um ihn
gegen Feuersgefahr zu schützen, oder sei es, weil sie nicht
anders zu bauen verstehen. Auch verwenden die Germanen nicht Bruch- und Ziegelsteine, sondern vielmehr,
ohne Rücksicht auf schönes Aussehen, überall rohes
Holz. Doch bestreichen sie einige Stellen an der Außen-

seite ihrer Häuser sorgfältig mit einem so reinen und glänzenden Ton, daß es wie Bemalung und farbiges Linienwerk aussieht. Auch ist es in Germanien Sitte, unterirdische Räume anzulegen und sie mit einer starken Schicht Dünger zu überdecken. Diese Gruben benutzt man als Zufluchtsort in der Kälte des Winters und als Kornspeicher. In ihnen empfindet man die Kälte weniger, und fällt der Feind ins Land ein, so plündert er nur, was offen daliegt; die in jenen Höhlen verborgenen Schätze aber ahnt oder findet er nicht.

Als Oberkleid wird allgemein ein Mantel getragen, den man mit einer Spange oder auch mit einem Dorn zusammenhält. Nur mit einem solchen Mantel bekleidet, liegen die Germanen ganze Tage lang am Herdfeuer. Die Reichsten tragen zum Unterschied von den anderen ein Untergewand, das aber nicht, wie bei den Sarmaten und Parthern, lange und bauschig ist, sondern eng anliegt und die einzelnen Gliedmaßen scharf hervortreten läßt. Auch Pelze werden getragen. Dabei verwenden die Anwohner des Rheins und der Donau keine besondere Sorgfalt auf ihre Auswahl, wohl aber die Leute weiter im Innern des Landes, weil diese bei dem Fehlen von Handelsbeziehungen die Erzeugnisse einer verfeinerten Kultur nicht kennenlernen. Sie machen einen Unterschied zwischen den verschiedenen Tierarten und suchen den Fellen durch Besprenkeln das Aussehen von solchen überseeischer Tiere zu geben.

Die Tracht der Frauen unterscheidet sich von der der Männer lediglich dadurch, daß jene öfters leinene und bunt ausgeputzte Überwürfe tragen. Ferner hat ihr Untergewand keine Ärmel, so daß Ober- und Unterarm und der nächste Teil der Brust frei bleiben.

Gleichwohl werden die Ehen in Germanien streng heilig

gehalten, und in keinem Punkte verdienen die germanischen Sitten größeres Lob. Denn fast als die einzigen unter
allen Barbaren begnügen sich die Germanen mit einer
Frau. Die sehr seltenen Ausnahmen haben ihren Grund
nicht etwa in der Sinnlichkeit der betreffenden Männer,
sondern darin, daß man um ihrer einflußreichen Stellung
willen von verschiedenen Seiten um eine verwandtschaftli-
che Beziehung mit ihnen wirbt.

Die Mitgift bringt nicht die Frau dem Manne, sondern
der Mann der Frau. Dabei sind die Eltern und Verwandten
der Braut zugegen und prüfen die Gaben. Diese sind nicht
nach den Liebhabereien und Neigungen der Frau ausgewählt; auch sind sie nicht zum Schmucke der Neuver-
mählten bestimmt. Es sind vielmehr Rinder, ein gezäum-
tes Roß und ein Schild mit Frame und Schwert. Auf diese
Geschenke hin erhält der Bräutigam die Braut. Diese
bringt auch ihrerseits dem Manne ein Waffenstück zu.
Dergleichen Gaben gelten für das stärkste Band, für die
Schirmgötter des Ehebunds. Damit die Gattin nicht wäh-
ne, sie stehe außerhalb heldenhafter Gesinnung und der
Wechselfälle des Krieges, erinnert sie gleich der feierliche
Beginn ihrer Ehe daran, daß sie als Gefährtin des Mannes
in Mühen und Gefahren komme und sein Schicksal und
seine Wagnisse in Krieg und Frieden zu teilen habe; dies
künden ihr das Joch Ochsen, dies das gezäumte Roß, dies
die geschenkten Waffen. In dem Geiste soll sie leben und
sterben: was sie empfange, müsse von ihr unentweiht den
Kindern vererbt werden und wert sein, von einer Schwiegertochter empfangen und wieder deren Kindern übergeben zu werden. So lebt die Frau in wohlbehüteter Keuschheit, nicht verdorben durch unzüchtige Schauspiele oder
verführerische Gelage. Geheimer Briefwechsel ist Männern und Frauen in gleicher Weise unbekannt. So sind

denn auch, trotz der großen Bevölkerungszahl, Ehebrü-
che sehr selten. Die Bestrafung erfolgt auf der Stelle und
bleibt dem Manne überlassen. Vor den Augen ihrer Verwandten schneidet der Mann der Ehebrecherin das Haar
ab, reißt ihr das Gewand herunter, jagt sie aus dem Hause
und treibt sie unter Rutenschlägen durch das ganze Dorf.
Eine Frau, die ihre Keuschheit preisgibt, findet kein Erbarmen. Nicht Schönheit, nicht Jugend, nicht Reichtum
vermag ihr wieder einen Mann zu gewinnen. In Germanien lacht man nämlich nicht über das Laster; verführen
und sich verführen lassen heißt hier nicht dem Zeitgeist
huldigen.

Noch besser steht es um die Völkerschaften, bei denen
überhaupt nur Jungfrauen heiraten dürfen und eine Wiederverheiratung ausgeschlossen ist. Gleichwie die Frauen
hier den einen Leib und das eine Leben erhalten haben, so
bekommen sie nur den einen Gatten, damit kein Gedanke
und kein Gelüste über seinen Tod hinausgehe, damit sie
nicht den Ehemann, sondern gleichsam den Ehestand lieben.

Die Kinderzahl zu beschränken oder eins der Nachge-
borenen zu töten, gilt als eine Sünde. Mehr aber als anderswo durch gute Gesetze wird in Germanien durch gute
Sitten erreicht.

In den Häusern aller Stände wächst die Jugend in ihrer
dürftigen und groben Kleidung zu dem Gliederbau und
der Körpergröße heran, die wir kennen und bewundern.
Jedes Kind nährt die Mutter mit der eigenen Brust, keines
wird Mägden oder Ammen überlassen. Herren und
Knechte kann man nicht durch irgendwelche Feinheiten
der Erziehung unterscheiden. Zwischen dem gleichen
Vieh und auf dem gleichen Boden tummeln sich beide herum, bis das Jünglingsalter die Freigeborenen absondert

und die mannhafte Kraft ihnen Anerkennung verschafft. Spät erst lernen die Jünglinge die Freuden der Liebe kennen, weshalb auch ihre Manneskraft unerschöpflich bleibt.

Auch mit der Verheiratung der Jungfrauen hat man es nicht eilig. Sie verleben die gleiche Jugendzeit wie die Knaben und ähneln ihnen im hohen Wuchs. Ebenbürtig an Stärke, vermählen sie sich mit den jungen Männern, und der Eltern Kraft spiegeln die Kinder wider.

Die Schwestersöhne genießen bei ihrem Oheim mütterlicherseits dieselbe Ehre wie bei ihrem Vater. Einige Stämme betrachten Blutsverwandtschaft dieser Art sogar für heiliger und enger und richten sich bei der Forderung von Geiseln danach, gleich als ob so die Bürgschaft fester und auf weitere Kreise der Sippe ausgedehnt würde.

Erben und Rechtsnachfolger jedoch sind bei jedermann nur die eigenen Söhne, und ein Testament kennt man nicht. Sind keine Kinder da, so treten die nächsten Blutsverwandten als erbberechtigt ein: die Brüder, die Oheime väterlicher- und mütterlicherseits. Je mehr Blutsverwandte, je mehr Verschwägerte jemand hat, um so angenehmer ist sein Alter. Kinderlosigkeit bringt keinen Vorteil.

Übernehmen muß man die Feindschaften des Vaters oder überhaupt eines Blutsverwandten ebenso wie die Freundschaften; doch bestehen jene nicht unversöhnlich fort. Selbst Totschlag wird mit einer bestimmten Anzahl von Groß- oder Kleinvieh gesühnt, und an der Erhebung des Wergeldes nimmt die gesamte Verwandtschaft teil, zum Vorteile der Gemeinde; denn dort, wo ungebundene Freiheit herrscht, sind Fehden um so gefährlicher.

Geselligkeit und Gastfreundschaft pflegt kein anderes Volk mit größerer Hingebung. Irgendeinem Fremden Obdach zu verweigern gilt als Sünde. Jeder bewirtet sei-

nen Gast, so gut er kann. Sind die Vorräte aufgezehrt, so
geleitet ihn der bisherige Wirt zu einem anderen gastlichen
Dache. Uneingeladen treten beide in das nächste Gehöft
ein, ohne jedoch minder freundlich aufgenommen zu
werden. In Sache des Gastrechts macht eben niemand einen Unterschied zwischen Bekannten und Unbekannten.
Bittet der Fremde beim Abschied um ein Gastgeschenk, so
ist es Sitte, ihm seine Bitte zu erfüllen. Ebenso fordern
aber auch umgekehrt ohne jede Umstände die Wirte Geschenke von ihren Gästen. Sie haben ihre Freude an solchen Geschenken. Dabei rechnen sie die gegebenen dem
Gaste nicht an und fühlen sich ebensowenig durch Annahme von Geschenken irgendwie verpflichtet.

Unmittelbar nach dem Schlafe, den sie meist bis in den
Tag hinein ausdehnen, baden die Germanen, häufiger
warm als kalt, da es bekanntlich bei ihnen den größten Teil
des Jahres über Winter ist. Nach dem Baden frühstücken
sie, wobei jeder seinen besonderen Sitz und Tisch hat. Danach gehen sie an ihre Geschäfte, ebenso häufig aber auch
zu Schmausereien, und zwar stets in Waffen. Tag und
Nacht in einem fort zu zechen ist für niemand eine Schande. Streitigkeiten, die bei Trunkenen natürlich häufig vorkommen, enden nur selten in Schimpfreden, häufiger mit
Totschlag oder Verwundung. Auch über gegenseitige
Aussöhnung von Feinden, über Anknüpfung von Ver-
schwägerungen und über Anschluß an Fürsten, schließlich
auch über Krieg und Frieden, berät man sich zumeist bei
den Schmausereien. Man nimmt eben an, daß der Mensch
zu keiner anderen Zeit für aufrichtige Gedanken zugänglicher sei und sich zu keiner anderen Zeit für erhabene Gedanken leichter begeistere. Das Volk, weder verschmitzt
noch durchtrieben, offenbart eben noch die Geheimnisse
seines Inneren bei der zwanglosen Fröhlichkeit des Gela-

ges; offen und unverhüllt tritt dabei eines jeden Gesinnung zutage. Am folgenden Tag werden die Beratungen wiederholt; und beiderlei Zeiten haben ihren guten Grund: man hält Rat, wenn es unmöglich ist, sich zu verstellen, und man beschließt, wenn ein Irrtum ausgeschlossen ist.

Als Getränk dient den Deutschen ein Saft aus Gerste oder Weizen, der infolge von Gärung bis zu einem gewissen Grade dem Weine ähnelt. Die Anwohner des Rheins und der Donau kaufen auch wirklichen Wein.

Die Speisen sind einfach: wildes Obst, frisches Wildbret oder geronnene Milch. Mit einfachen und ohne Reizmittel zubereiteten Speisen stillen die Germanen ihren Hunger. Dem Durste gegenüber bewahren sie nicht dieselbe Mäßigung. Wollte man ihrer Trunksucht nachgeben und ihnen zu trinken verschaffen, soviel ihr Herz begehrt, so würden sich ihre Laster ebensogut zu ihrer Überwältigung eignen wie die Waffen.

Von Schaustellungen kennen die Germanen nur eine Art, die bei jedem festlichen Gelage vorgeführt wird. Nackte Jünglinge, die dies als Spiel betreiben, tanzen zwischen Schwertern und zum Stoß eingelegten Framen herum. Durch Übung haben sie es zu Kunstfertigkeit und dadurch wieder zu Anmut gebracht. Sie betreiben aber ihre Kunst nicht zum Erwerb oder um Geld; den einzigen Lohn ihres außerordentlich verwegenen Mutwillens finden sie im Vergnügen der Zuschauer.

Dem Würfelspiel huldigen sie merkwürdigerweise in nüchternem Zustande, als ob es sich um ein ernsthaftes Geschäft handele, und zwar in blinder Leidenschaft hinsichtlich des Gewinnes und Verlustes, daß sie nach Verlust ihrer gesamten Habe mit dem letzten entscheidenden Wurfe um ihre Freiheit und Person spielen. Wer verliert, geht freiwillig in die Knechtschaft; wenn auch jünger und stärker, läßt er sich binden und verkaufen. Derart ist, auch in einer so verwerflichen Sache, ihre Hartnäckigkeit, sie selbst nennen es Treue. Derartige Knechte verhandeln die Germanen nach auswärts, um der Schande überhoben zu sein, die einem solchen Gewinne anhaftet.

Die übrigen Sklaven verwenden sie nicht wie wir, die wir die Dienstleistungen in ganz bestimmter Weise unter das Gesinde verteilen, sondern jeder Sklave hat sein eigenes Haus und seinen eigenen Hof, wo er herrscht. Sein Herr legt ihm eine bestimmte Leistung an Korn oder Vieh oder Zeug auf wie einem Pächter, und nur so weit geht des Sklaven Dienstpflicht. Im übrigen werden die Geschäfte des Hauses von der Frau und den Kindern besorgt.

Daß ein Sklave geschlagen, gefesselt oder mit Zwangsarbeit bestraft wird, kommt nur selten vor. Nicht ungewöhnlich ist es aber, daß der Herr einen Sklaven tötet, nicht in strenger Zucht, sondern in einem Wutanfall, wie er wohl einen persönlichen Feind erschlägt, nur daß er bei der Tötung eines Sklaven straffrei ausgeht.

Die Freigelassenen stehen nicht viel höher als die Sklaven. Selten nur haben sie einen gewissen Einfluß im Hause, niemals jedoch in der Gemeinde, außer bei den von Königen beherrschten Völkern. Hier nämlich steigen sie auch über Freigeborene und Adlige empor. Bei den übrigen Stämmen ist die untergeordnete Stellung der Freigelassenen ein Beweis für die freiheitliche Verfassung des Landes.

Geldgeschäfte zu machen und das Kapital durch Zinsen zu vergrößern ist den Germanen etwas Unbekanntes. Deshalb werden solche Geschäfte auch noch weniger betrieben, als wenn sie ausdrücklich verboten wären.

Das zum Ackerbau bestimmte Land wird in einem Umfange, der der Anzahl der Bebauer entspricht, von diesen allen in Besitz genommen und alsbald unter Berücksichtigung des Ranges und der Würde der einzelnen aufgeteilt. Die weite Ausdehnung der Feldmark erleichtert die Teilung. Jahr für Jahr bebaut der einzelne ein anderes Stück seines Feldes und läßt immer noch Land brach liegen. Denn die Germanen nützen die Fruchtbarkeit und den großen Umfang ihrer Ländereien nicht aus, etwa in der Weise, daß sie Obstbaumpflanzungen anlegen, Wiesen abgrenzen und Gärten künstlich bewässern. Nur Getreide wird dem Boden abgefordert. Daher unterscheiden sie auch nicht so viele Jahreszeiten wie wir. Winter, Frühling und Sommer sind ihnen bekannte Begriffe; des Herbstes Name dagegen ist ihnen ebensowenig bekannt wie sein Segen.

Die Apostelgeschichte des Lukas

Da es keine Schrift gibt, die Jesus zugeschrieben wird, erhalten die Apostel, die in ihren Biographien seine Worte und sein Leben beschrieben haben, eine besondere Bedeutung. Sie haben aber nicht Geschichte im kritischen Sinne des Wortes schreiben wollen, sondern vielmehr Bekenntnisse zu einem Mitmenschen und dem Gottessohn, seinen Lehren und Taten auf Erden.

So schildert sie auch die Apostelgeschichte: nicht so sehr als Berichterstatter denn als Jünger. Ihre Aufgabe war nicht, neutral darzustellen, sondern, wie es am Ende des Johannis-Evangeliums, des jüngsten der vier Evangelien, heißt: zu berichten »auf daß ihr glaubt, Jesus sei Christus, der Sohn Gottes«.

Das Wort ›Apostel‹ hieß ursprünglich Gesandter, ein Mann, der eine Sendung hat. Es wurde dann später für viele verwandt, die eine christliche Mission hatten. Zunächst gebrauchte man es für die siebzig Anhänger Christi, speziell aber für die zwölf, die Jesus schon ausgezeichnet hatte; man sagt, sie entsprächen den zwölf Stämmen Israels. Unter diesen zwölf war Petrus der erste. Paulus gehörte nicht zu den Aposteln, die Jesus persönlich gekannt haben.

Trotzdem ist in der Apostelgeschichte von ihm mehr die Rede als von allen anderen Aposteln. Es wird vermutet, daß diese Apostelgeschichte um 100 geschrieben worden ist, vielleicht in Mazedonien; möglicherweise geht sie zurück auf Berichte eines Reisegefährten namens Lukas. Sie *ruht wohl zum guten Teil auf den Fundamenten, die Paulus geschaffen hatte. Auf Grund der Überlieferung und der Vorstellungen, die damals in der Luft lagen, glaubte er, daß Jesus vor der Zeit seiner Geburt ein göttliches Dasein gehabt hat, auf die Erde kam und im Gehorsam gegen Gott bis zum Kreuztod lebte. Im Korintherbrief heißt es: »Gott war in Christo und versöhnte die Welt mit ihm selber.«*

Die folgenden Stellen schildern Christi Himmelfahrt, wie Matthias zum Apostelamt gewählt wurde, Petrus' Predigt und die Heilung eines Lahmen.

Die erste Rede hab ich getan, lieber Theophilus, von alledem, das Jesus anfing, beides, zu tun und zu lehren.

Bis an den Tag, da er aufgenommen ward, nachdem er den Aposteln, welche er hatte erwählt, durch den heiligen Geist Befehl getan hatte,

Welchen er sich nach seinem Leiden lebendig erzeigt hatte durch mancherlei Erweisungen, und ließ sich sehen unter ihnen vierzig Tage lang, und redete mit ihnen vom Reich Gottes,

Und als er sie versammelt hatte, befahl er ihnen, daß sie nicht von Jerusalem wichen, sondern warteten auf die Verheißung des Vaters, welche ihr habt gehört, von mir;

Denn Johannes hat mit Wasser getauft; ihr aber sollt mit dem heiligen Geist getauft werden nicht lange nach diesen Tagen.

Die aber, so zusammenkommen waren, fragten ihn und sprachen: Herr, wirst du auf diese Zeit wieder aufrichten das Reich Israel?

Er sprach aber zu ihnen: Es gebührt euch nicht, zu

wissen Zeit oder Stunde, welche der Vater seiner Macht vorbehalten hat;

Sondern ihr werdet die Kraft des heiligen Geistes empfangen, welcher auf euch kommen wird, und werdet meine Zeugen sein zu Jerusalem und in ganz Judäa und Samarien und bis an das Ende der Erde.

Und da er solches gesagt, ward er aufgehoben zusehends, und eine Wolke nahm ihn auf vor ihren Augen weg.

Und als sie ihm nachsahen wie er gen Himmel fuhr, siehe, da standen bei ihnen zwei Männer in weißen Kleidern,

Welche auch sagten: Ihr Männer von Galiläa, was stehet ihr, und sehet gen Himmel? Dieser Jesus, welcher von euch ist aufgenommen gen Himmel, wird kommen wie ihr ihn gesehen habt gen Himmel fahren.

Da wandten sie um gen Jerusalem von dem Berge, der da heißt der Ölberg, welcher ist nahe bei Jerusalem, und liegt einen Sabbat-Weg davon.

Und als sie hineinkamen, stiegen sie auf den Söller, da denn sich aufhielten Petrus und Jakobus, Johannes und Andreas, Philippus und Thomas, Bartholomäus und Matthäus, Jakobus, des Alphäus Sohn, und Simon Zelotes und Judas, des Jakobus Sohn.

Diese alle waren stets beieinander einmütig mit Beten und Flehen samt den Weibern und Maria, der Mutter Jesu, und seinen Brüdern.

Und in den Tagen trat auch Petrus unter die Jünger, und sprach: Ihr Männer und Brüder, es mußte die Schrift erfüllt werden, welche zuvor gesagt hat der Heilige Geist durch den Mund Davids von Judas, der ein Vorführer war derer, die Jesum fingen;

Denn er war zu uns gezählt, und hatte dies Amt mit uns überkommen.

Dieser hat erworben den Acker um den ungerechten

Lohn, und ist abgestürzt und mitten entzwei geborsten, und all sein Eingeweide ausgeschüttet.

Und es ist kund geworden allen, die zu Jerusalem wohnen, also daß dieser Acker genannt wird auf ihre Sprache: Hakeldama, das ist, ein Blutacker.

Denn es steht geschrieben im Psalmbuch: »Seine Behausung müsse wüste werden, und sei niemand, der darin wohne«, und: »Sein Bistum empfange ein anderer.«

So muß nun einer unter diesen Männern, die bei uns gewesen sind die ganze Zeit über, welche der Herr Jesus unter uns ist aus- und eingegangen,

Von der Taufe des Johannes an bis auf den Tag, da er von uns genommen ist, ein Zeuge seiner Auferstehung mit uns werden.

Und sie stellten zwei, Joseph, genannt Barsabas, mit dem Zunamen Just, und Matthias,

Beteten und sprachen: Herr, aller Herzen Kündiger, zeige an, welchen du erwählt hast unter diesen zweien,

Daß einer empfange diesen Dienst und Apostelamt, davon Judas abgewichen ist, daß er hinginge an seinen Ort.

Und sie warfen das Los über sie; und das Los fiel auf Matthias; und er ward zugeordnet zu den elf Aposteln.

Und als der Tag der Pfingsten erfüllt war, waren sie alle einmütig beieinander.

Und es geschah schnell ein Brausen vom Himmel, als eines gewaltigen Windes, und erfüllte das ganze Haus, da sie saßen.

Und es erschienen ihnen Zungen zerteilt wie von Feuer; und sie setzten sich auf einen jeglichen unter ihnen;

Und sie wurden alle voll des Heiligen Geistes, und fingen an, zu predigen mit andern Zungen, nachdem der Geist ihnen gab auszusprechen.

Es waren aber Juden zu Jerusalem wohnend, die waren

gottesfürchtige Männer, aus allerlei Volk, das unter dem Himmel ist.

Da nun diese Stimme geschah, kam die Menge zusammen, und wurden bestürzt; denn es hörte ein jeglicher, daß sie mit seiner Sprache redeten.

Sie entsetzten sich aber alle, verwunderten sich, und sprachen untereinander: Siehe, sind nicht diese alle, die da reden, aus Galiläa?

Wie hören wir denn ein jeglicher seine Sprache, darin wir geboren sind?

Parther und Meder und Elamiter, und die wir wohnen in Mesopotamien und in Judäa und Kappadozien, Pontus und Asien, Phrygien und Pamphylien, Ägypten und an den Enden von Libyen bei Kyrene und Ausländer von Rom,

Juden und Judengenossen, Kreter und Araber; wir hören sie mit unseren Zungen die großen Taten Gottes reden.

Sie entsetzten sich aber alle, und wurden irre, und sprachen einer zu dem andern: Was will das werden?

Die andern aber hatten's ihren Spott und sprachen: Sie sind voll süßen Weins.

Da trat Petrus auf mit den Elfen, erhub seine Stimme, und redete zu ihnen: Ihr Juden, liebe Männer, und alle, die ihr zu Jerusalem wohnet, das sei euch kund getan, und lasset meine Worte zu euren Ohren eingehen.

Denn diese sind nicht trunken, wie ihr wähnet; sintemal es ist die dritte Stunde am Tage;

Sondern das ist's, das durch den Propheten Joel zuvor gesagt ist: »Und es soll geschehen in den letzten Tagen, spricht Gott, ich will ausgießen von meinem Geist auf alles Fleisch; und eure Söhne und eure Töchter sollen weissagen, und eure Jünglinge sollen Gesichter sehen, und eure Ältesten sollen Träume haben;

Und auf meine Knechte und auf meine Mägde will ich in denselben Tagen von meinem Geiste ausgießen, und sie sollen weissagen;

Und ich will Wunder tun oben im Himmel und Zeichen unten auf Erden, Blut und Feuer und Rauchdampf;

Die Sonne soll sich verkehren in Finsternis und der Mond in Blut, ehe denn der große und offenbare Tag des Herrn kommt;

Und soll geschehen, wer den Namen des Herrn anrufen wird, soll selig werden.«

Ihr Männer von Israel, höret diese Worte: Jesum von Nazareth, den Mann, von Gott unter euch mit Taten und Wundern und Zeichen erwiesen, welche Gott durch ihn tat unter euch,

Denselben habt ihr genommen durch die Hände der Ungerechten, und ihn angeheftet und erwürget.

Den hat Gott auferweckt, und aufgelöst die Schmerzen des Todes, wie es denn unmöglich war, daß er sollte von ihm gehalten werden.

Denn David spricht von ihm: »Ich habe den Herrn allezeit vorgesetzt vor mein Angesicht; denn er ist an meiner Rechten, auf daß ich nicht bewegt werde.

Darum ist mein Herz fröhlich, und meine Zunge freuet sich; denn auch mein Fleisch wird ruhen in der Hoffnung.

Denn du wirst meine Seele nicht dem Tode lassen, auch nicht zugeben, daß dein Heiliger die Verwesung sehe.

Du hast mir kundgetan die Wege des Lebens; du wirst mich erfüllen mit Freuden vor deinem Angesichte.«

Ihr Männer, liebe Brüder, lasset mich frei reden zu euch von dem Erzvater David. Er ist gestorben und begraben, und sein Grab ist bei uns bis auf diesen Tag.

Da er nun ein Prophet war, und wußte, daß ihm Gott

verheißen hatte mit einem Eide, daß die Frucht seiner Lenden sollte auf seinem Stuhl sitzen;

Hat er's zuvor gesehen, und geredet von der Auferstehung Christi, daß seine Seele nicht dem Tode gelassen ist, und sein Fleisch die Verwesung nicht gesehen hat.

Diesen Jesum hat Gott auferweckt; des sind wir alle Zeugen.

Nun er durch die Rechte Gottes erhöhet ist und empfangen hat die Verheißung des Heiligen Geistes vom Vater, hat er ausgegossen dies, daß ihr sehet und höret.

Denn David ist nicht gen Himmel gefahren. Er spricht aber: »Der Herr hat gesagt zu meinem Herrn: Setze dich zu meiner Rechten,

Bis daß ich deine Feinde lege zum Schemel deiner Füße.«

So wisse nun das ganze Haus Israel gewiß, daß Gott diesen Jesum, den ihr gekreuzigt habt, zu einem Herrn und Christus gemacht hat.

Da sie aber das hörten, ging's ihnen durchs Herz, und sprachen zu Petrus und zu den andern Aposteln: »Ihr Männer, liebe Brüder, was sollen wir tun?«

Petrus sprach zu ihnen: »Tut Buße, und lasse sich ein jeglicher taufen auf den Namen Jesu Christi zur Vergebung der Sünden, so werdet ihr empfangen die Gabe des Heiligen Geistes.

Denn euer und eurer Kinder ist diese Verheißung, und aller, die ferne sind, welche Gott, unser Herr, herzurufen wird.«

Auch mit viel andern Worten bezeugte er und ermahnte und sprach: »Lasset euch erretten aus diesem verkehrten Geschlecht.«

Die nun sein Wort gerne annahmen, ließen sich taufen; und wurden hinzugetan an dem Tage bei dreitausend Seelen.

Sie blieben aber beständig in der Apostel Lehre und in der Gemeinschaft und im Brotbrechen und im Gebet.

Es kam auch alle Seelen Furcht an; und es geschahen viel Wunder und Zeichen durch die Apostel.

Alle aber, die gläubig geworden waren, waren beieinander und hielten alle Dinge gemein.

Ihre Güter und Habe verkauften sie und teilten sie aus unter alle, nach dem jedermann not war.

Und sie waren täglich und stets beieinander einmütig im Tempel, und brachen das Brot hin und her in Häusern.

Nahmen die Speise und lobten Gott mit Freuden und einfältigem Herzen, und hatten Gnade bei dem ganzen Volk. Der Herr aber tat hinzu täglich, die da selig wurden, zu der Gemeinde.

Petrus aber und Johannes gingen miteinander hinauf in den Tempel um die neunte Stunde, da man pflegt zu beten.

Und es war ein Mann, lahm von Mutterleibe, der ließ sich tragen; und sie setzten ihn täglich vor des Tempels Tür, die da heißt die schöne, daß er bettelte das Almosen von denen, die in den Tempel gingen.

Da er nun sah Petrus und Johannes, daß sie wollten zum Tempel hineingehen, bat er um ein Almosen.

Petrus aber sah ihn an mit Johannes und sprach: »Siehe uns an!«

Und er sah sie an, wartete, daß er etwas von ihnen empfinge.

Petrus aber sprach: »Silber und Gold habe ich nicht; was ich aber habe, das gebe ich dir: im Namen Jesu Christi von Nazareth, stehe auf, und wandle!«

Und griff ihn bei der rechten Hand, und richtete ihn auf. Alsobald standen seine Schenkel und Knöchel fest;

Sprang auf, konnte gehen und stehen und ging mit ihnen in den Tempel, wandelte und sprang und lobte Gott.

Und es sah ihn alles Volk wandeln und Gott loben.

Sie kannten ihn auch, daß er's war, der um das Almosen gesessen hatte vor der schönen Tür des Tempels; und sie wurden voll Wunderns und Entsetzens über das, das ihm widerfahren war.

Als aber dieser Lahme, der nun gesund war, sich zu Petrus und Johannes hielt, lief alles Volk zu ihnen in die Halle, die da heißet Salomos, und wunderten sich.

Als Petrus das sah, antwortete er dem Volk: »Ihr Männer von Israel, was wundert ihr euch darüber? oder was sehet ihr auf uns, als hätten wir diesen wandeln gemacht durch unsre eigene Kraft oder Verdienst?

Der Gott Abrahams und Isaacs und Jakobs, der Gott unsrer Väter, hat seinen Knecht Jesus verklärt, welchen ihr überantwortet und verleugnet habt vor Pilatus, da der urteilte, ihn loszulassen.

Ihr aber verleugnet den Heiligen und Gerechten, und batet, daß man euch den Mörder schenkte;

Aber den Fürsten des Lebens habt ihr getötet. Den hat Gott auferweckt von den Toten; des sind wir Zeugen.«

Plinius d. J.
Briefe

*G*ajus *Plinius Caecilius Secundus, Plinius der Jüngere, wurde 62 n. Chr. geboren und starb im Jahre 113. Er war der Neffe des älteren Plinius, des großen Naturforschers.*

Der Jüngere war ein beliebter Anwalt und ein erfolgreicher Staatsmann, der seine Laufbahn mit dem Konsulat des Jahres 100 krönte. Berühmt ist er bis heute wegen seiner Briefe, die er für die Öffentlichkeit schrieb. Wir bringen zuerst den ersten und achten. Es sind keine Prosadichtungen, sondern Kulturdokumente, die uns mit vielen Aspekten der damaligen Zivilisation vertraut machen. Diese Kunstbriefe sind gemischt mit echten Schreiben, zum Beispiel seiner Korrespondenz mit Kaiser Trajan, zur Zeit, als Plinius Statthalter von Bithynien war. Auch gibt es zwei berühmte Briefe über die Behandlung der Christen. Wir schließen mit dem einen von diesen beiden, dem siebenundneunzigsten des Zehnten Buches (nach der Einteilung seiner Briefe), eines der interessantesten Dokumente aus der frühen Geschichte des Christentums.

Wir zitieren im folgenden, was über die Briefe in einer aus dem Englischen übersetzten deutschen Ausgabe von 1782 gesagt worden ist: »Die Verbindungen zwischen den Briefen über einerlei Gegenstand sind so gänzlich abgebrochen, daß die Schönheit und Einheit der Erzählung durchaus zerstört ist. Es ist wahrscheinlich, daß die ganze Sammlung nicht auf uns gekommen ist; und wir haben große

Ursache zu bedauern, daß nicht ein Brief von einem seiner Korrespondenten, Trajan ausgenommen, unsere Zeiten erreicht hat. Unter diesen und anderen nachteiligen Umständen sind die Werke des jüngeren Plinius erschienen. Er wird einigermaßen von dem größeren Namen des Cicero verdunkelt; und der Charakter seines Oheims, des älteren Plinius, der bekannter und berühmter war, ist dem Neffen von nachteiligen Folgen gewesen.«

Die Themen, die in den Briefen behandelt werden, sind sehr verschiedener Art. Einige sind dem Römischen Senat gewidmet und den verschiedenen Gesetzen und Freiheiten Roms; einige beschäftigen sich mit Fragen des Stils; einige schildern Charaktere und Orte; und wieder andere sind Briefe der Höflichkeit, Familienbriefe – und haben Themen, von denen die alte englische Biographie sagt, sie seien »mehr Flecken als eine Ehre seines Charakters«. Doch dann wird das wiederum zum Teil zurückgenommen: »Aber mitten unter seinen Tändeleien«, heißt es in der strengen Lebensbeschreibung, »behauptet er immer Zierlichkeit und Artigkeit; und bei aller seiner Eitelkeit unterläßt er nie, die Vollkommenheiten seiner Freunde zu preisen, ja selbst zu verherrlichen. Eine solche Sinnesart ist ein starker Beweis von einem sehr vortrefflichen Herzen.«

Erster Brief: An Septicius

Deiner schon mehrmals gegebenen Anregung folgend, meine besonders sorgfältig geschriebenen Briefe zusammenzustellen und zu veröffentlichen, komme ich jetzt nach. Weil ich nun keine geschichtliche Darstellung geben wollte, habe ich die zeitliche Reihenfolge ihrer Entstehung

unbeachtet gelassen und sie so aneinandergereiht, wie ich
sie gerade zur Hand hatte. Ich wünsche nur, daß Du
schließlich nicht doch noch den Rat bereuen mußt, den Du
mir erteilt hast, und ich dessen Befolgung. In dem Falle besteht wohl die Möglichkeit, daß ich auch diejenigen Briefe
noch durchsehe, die bisher unbeachtet daliegen, und ich
würde dann auch die nicht unterschlagen, die ich etwa in
Zukunft noch schreiben werde. Gehab Dich wohl!

Achter Brief: An Pompeius Saturninus

Gerade zur rechten Zeit kam mir Dein Brief, in dem Du
mich batest, Dir etwas von meinen schriftlichen Arbeiten
zu schicken. Ich hatte das eben vor. Du hast mir also gewissermaßen mitten im Lauf noch einmal die Sporen gegeben, aber damit zugleich auch Dir die Möglichkeit abgeschnitten, mir eine ablehnende Antwort zu erteilen.
Ebenso hast Du mir die Scheu genommen, ein solches An-
sinnen an Dich zu stellen. Denn ich brauche mich jetzt gar
nicht zu zieren, das anzunehmen, was Du mir angeboten
hast; und Du darfst Dich nicht weigern, das zu bewilligen,
was Du selbst dringend erbeten hast. Von einem Menschen, der auch dem Müßiggang huldigt, kannst Du natürlich nicht verlangen, daß er Dir gleich ein ganz neues Werk
vorlegt. Ich bin nämlich im Begriff, Dich zu bitten, noch
einmal die Rede durchzusehen, die ich vor meinen Landsleuten bei der Übergabe einer Bibliothek gehalten habe.
Zwar erinnere ich mich, daß Du Dir darüber schon Notizen gemacht hast, aber nur allgemein. Deshalb bitte ich
Dich jetzt, Deine Aufmerksamkeit nicht nur dem Ganzen
zuzuwenden, sondern auch den Einzelheiten mit der gewohnten Genauigkeit nachzugehen. Denn es steht mir ja

auch nach Deiner Korrektur immer noch frei, die Schrift
zu veröffentlichen oder zurückzuhalten. Möglicherweise
ist sogar die Art Deiner Nachkorrektur bei meiner Un-
schlüssigkeit in der Frage der Veröffentlichung entscheidend, je nachdem Du sie dazu für reif erachtest oder sie
durch Deine Verbesserung dazu machst. Gleichwohl liegen die Gründe für meine Unentschlossenheit nicht so
sehr in der Schrift selbst als in der Art des Stoffes. Dieser
ist nämlich sozusagen etwas zu ruhmsüchtig und prahle-
risch, und das wird meine sonstige Zurückhaltung doch
belasten, mag meine Schreibart auch noch so anspruchslos
und schlicht sein. Denn schließlich bin ich ja genötigt, neben der Freigebigkeit meiner Eltern auch von meiner eigenen zu sprechen. Das ist für mich eine mißliche und gefährliche Angelegenheit, wenn sie auch durch die Zwangs-
lage eine milde Beurteilung erfährt. Schon Lobreden auf
andere hört man im allgemeinen nicht gern. Wie schwer ist
es aber erst, einen Weg zu finden, daß eine Rede nicht lästig wird, wenn man von sich selbst oder von seinen Angehörigen spricht. Man betrachtet schon die moralische
Würde selbst mit neidischem Blick und hört erst recht
nicht gern deren Lob und Preis. Nur die edlen Taten, die
in der Stille und Verborgenheit gehalten werden, verklei-
nert und zerpflückt man nicht. Deshalb war ich schon oft
im Zweifel darüber, ob ich nicht etwas, was es auch sei,
nur für mich hätte schreiben müssen oder auch für andere.
Für das erste spricht der Umstand, daß das meiste, was zur
Ausführung einer Sache erforderlich ist, nach der Vollendung weder denselben Nutzen noch das gleiche Wohlgefallen beibehält. Um nun nicht noch von weither Beispiele
heranzuholen: Was war wohl (für unseren Zweck) dienli-
cher, als meine Freigebigkeit durch eine schriftliche Darstellung begründen zu lassen? Dadurch erreichte ich zu-

nächst einmal, daß ich mich mit edlen Gedanken befaßte, zum zweiten, daß ich durch die längere Beschäftigung damit auch eine klare Anschauung davon gewann, und zuletzt ging ich so der Reue aus dem Wege, die sich sonst wohl als Begleiterin einer ziemlich plötzlichen Freigebigkeit einzustellen pflegt. Hieraus erwuchs eine gewisse Übung darin, das Geld zu verachten. Wohl hat die Natur alle Menschen dazu angehalten, am Gelde zu hängen, mich aber hat die Liebe zur Freigebigkeit, über die ich viel und lange nachgedacht habe, aus den schmutzigen Fesseln der Geldgier befreit. Und der Akt meiner Freigebigkeit schien um so löblicher zu sein, als er nicht einer augenblicklichen Geberlaune entsprang, sondern einer reiflichen Überlegung.

Zu dieser Begründung kam noch hinzu, daß ich nicht etwa Schau- und Kampfspiele versprach, sondern jährliche Zuschüsse für die Erziehung gut begabter Kinder. Augen- und Ohrenschmaus bedarf so wenig einer besonderen Empfehlung, daß die Redner die Begeisterung dafür nicht wecken, sondern eher eindämmen müßten. Soll aber jemand die Mühseligkeit und Anstrengung einer guten Ausbildung mit willigem Herzen auf sich nehmen, so kann man das nicht nur durch besondere Vorteile erreichen, sondern dazu bedarf es auch noch fein abgewogener Ermunterungen. Die Ärzte geben Heilmittel, die übel schmecken, mit aufmunternden Sprüchen. Um so mehr mußte ich bei meinem Vorhaben, eine zwar dem Gemeinwohl dienende, aber durchaus nicht volkstümliche Schenkung zu machen, diese durch eine schwungvolle Rede populär werden lassen. Ich mußte mir ja besonders Mühe geben, daß meine Stiftung, die doch zunächst nur für Familien mit Kindern gedacht war, auch bei den Kinderlosen Anklang fand und die ehrende Auszeichnung, die zu-

nächst nur wenigen zugute kam, auch von allen übrigen
geduldig durch entsprechende Verdienste erstrebt würde.
Doch wie ich seinerzeit bei der Bekanntgabe von Zweck
und Ziel meiner Stiftung mehr auf das Gemeinwohl als auf
meinen Ruhm bedacht war, so befürchte ich jetzt, da ich
die Veröffentlichung meiner damaligen Rede plane, es
könnte vielleicht so aussehen, als hätte ich dabei nicht so
sehr die Nützlichkeitsrücksicht auf andere als vielmehr
mein eigenes Ansehen im Auge gehabt. Daneben überlege
ich mir, daß der Ruhm einer guten Tat, je edler die Gesinnung dabei ist, mehr im guten Gewissen als in der öffentlichen Anerkennung liegt. Ruhm darf nur eine Folge, niemals aber Selbstzweck sein. Und folgt zufällig einer guten
Tat der Ruhm nicht, so bleibt sie deshalb doch nicht weniger rühmenswert. Diejenigen aber, die ihre guten Taten
rühmend hervorheben, von denen glaubt man nicht, daß
sie ihre Taten rühmen, weil gerade sie diese vollbracht haben, sondern man nimmt an, daß sie solche nur geleistet
haben, um sich ihrer rühmen zu können. Auf diese Art
verliert das, was in der Rede eines Fremden als großartig
erschienen wäre, jeden Wert, sobald es von dem vorgetragen wird, der es selbst vollbracht hat. Wenn die Menschen
nämlich eine echte Leistung auch nicht einfach aus der
Welt schaffen können, so ziehen sie doch gegen deren
prahlerische Hervorhebung gern zu Felde. Vollbringt man
aber etwas, über das Verschwiegenheit herrschen soll, so
wird es einfach getadelt! Leistet man etwas Rühmliches, so
meckert man darüber, daß es nicht verschwiegen worden
ist.

Mich behindert aber noch ein besonderer Grund (bei
der Veröffentlichung meiner damaligen Rede). Ich habe
sie nämlich nicht vor der breiten Öffentlichkeit, sondern
vor den Dekurionen gehalten, also nicht auf einem öffent-

lichen Platz, sondern im Rathaus. Ich befürchte deshalb, es könnte doch ein Widerspruch darin liegen, daß ich damals bei meinem mündlichen Vortrag der Zustimmung oder den Zwischenrufen aus dem Wege gegangen bin, jetzt aber, bei der Veröffentlichung der Rede, gerade danach strebe. Damals hielt ich das Volk, für das doch meine Schenkung bestimmt war, außerhalb des Tores und der Mauern der Curia, um nicht in den Verruf ehrgeizigen Strebens zu kommen; jetzt aber (bei der Publikation der Rede) bemühe ich mich sogar darum, um auch diejenigen, für die bei meiner Stiftung gar nichts herausspringt außer einem guten Beispiel, für mich zu gewinnen. Nun kennst Du die Gründe meiner Bedenken.

Auf jeden Fall aber werde ich Deinem Ratschlage folgen, dessen Gewicht alle meine eigenen Gründe ausgleicht. Leb wohl!

Siebenundneunzigster Brief: An Traianus

Gnädigster Herr! Ich bin gewohnt, Dir über alle Vorgänge zu berichten, bei denen für mich irgendein Punkt nicht ganz klar ist. Wer könnte auch meine Bedenken besser in die richtigen Bahnen lenken und mich in meiner Unwissenheit besser belehren!

Untersuchungen gegen Christen habe ich noch nie mitgemacht und weiß deshalb auch nicht, was man zu bestrafen oder zu untersuchen pflegt oder wie weit (man dabei gehen soll). Ebenso habe ich große Bedenken gehabt, ob nicht der Unterschied des Lebensalters auch eine Verschiedenheit der Bestrafung erforderlich mache oder ob die Jugend und die gereifteren Menschen nicht unterschiedlich zu behandeln seien; ob man gegen Reuige

Nachsicht üben soll oder ob es dem, der einmal Christ war, keinen Vorteil bringt, wenn er aufgehört hat, es zu sein; ob schon der Name bestraft werden soll, ohne daß andere Verbrechen damit verbunden sind, oder ob die Verbrechen nur geahndet werden, wenn sie mit dem Namen »Christi« in Beziehung stehen.

Vorerst habe ich bei denen, die mir als Christen angegeben wurden, folgendes Verfahren angewandt: Ich fragte, ob sie Christen seien. Gaben sie das zu, so fragte ich unter Androhung der Todesstrafe auch zum zweiten- und zum drittenmal. Blieben sie bei ihrem Geständnis, so ließ ich die Strafe vollziehen. Die Sache, zu der sie sich bekannten, mag sein, wie sie will, für mich stand ohne jeden Zweifel fest, daß ihr Ungehorsam und ihr unbeugsamer Starrsinn bestraft werden mußten. Andere wieder, die an dem gleichen Wahnsinn leiden, habe ich als römische Bürger nur aufschreiben lassen, um sie nächstens nach Rom zurückzuschicken. Weil sich nun das Verbrechen durch die Verhandlung weiter verbreitete, wie das ja meist so geschieht, kam es zu mehreren Zwischenfällen. Es wurde mir eine anonyme Schrift vorgelegt, in der die Namen von vielen Personen standen, die bei der Vernehmung abstritten, Christen zu sein. Weil sie dann nach dem Text, den ich ihnen vorlas, die Götter anriefen, Deinem Bildnis, das ich zu diesem Zweck mit den Götterbildern hatte herbeibringen lassen, Weihrauch und Wein opferten und außerdem Christus verfluchten, hielt ich es für richtig, sie zu entlassen.

Eine andere Gruppe der vom Angeber als Christen bezeichneten Personen bekannte sich als solche, verleugnete es aber gleich wieder. Sie seien es zwar gewesen, hätten es dann aber wieder aufgegeben, einige vor drei, andere vor noch mehr, wieder andere sogar vor zwanzig Jahren.

Auch sie alle verehrten Dein und der Götter Bildnisse und fluchten auf Christus. Sie versicherten aber, ihre größte Schuld oder auch Verirrung sei es gewesen, daß sie an einem bestimmten Tage schon vor dem Hellwerden zusammengekommen seien und Christus als einem Gotte zu Ehren einen Wechselgesang angestimmt hätten. Durch einen Eid wären sie untereinander gebunden, nicht etwa zu etwas Verbrecherischem, sondern zu folgendem: weder Diebstahl noch Raub noch Ehebruch zu begehen, niemals ein gegebenes Wort zu brechen, niemals hinterlegtes Gut abzuleugnen, wenn es zurückverlangt wird. Danach wären sie gewohnheitsmäßig auseinandergegangen, dann aber wieder zu einem ganz einfachen und harmlosen Mahle zusammengekommen. Nach meinem Edikte, in dem ich Deinem Befehle gemäß alle privaten Vereinigungen verboten hatte, wären sie nicht mehr zu diesen Zusammenkünften gegangen. Für um so notwendiger aber hielt ich es, bei zwei Mägden, die als Bedienstete bezeichnet wurden, die Wahrheit auch durch Foltern zu erforschen. Ich fand aber weiter nichts als einen verschrobenen und maßlosen Aberglauben. Deshalb habe ich die förmliche Untersuchung vertagt, um noch eilig Deinen Rat einzuholen. Denn die ganze Angelegenheit schien mir einer Beratung durch Dich wohl wert zu sein, besonders wegen der vielen dabei gefährdeten Menschen jeden Alters, Standes und Geschlechtes. Diese gefährliche Seuche des Aberglaubens verbreitet sich nämlich nicht nur in den Städten, sondern auch in den Dörfern und auf dem platten Lande. Aber ich glaube, man kann sie doch noch eindämmen und Abhilfe schaffen. Eines ist jedenfalls sicher: Man fängt allmählich wieder an, die fast verlassenen Tempel wieder zu besuchen und seit langem ausgesetzte feierliche Opferhandlungen wiederaufzunehmen. Hier und da wird auch

mal wieder ein Opfertier gekauft. In der Vergangenheit
fand sich nur ganz selten ein Käufer dafür. Hieraus läßt
sich doch wohl schließen, welche große Zahl von Menschen wieder auf den rechten Lebensweg gebracht werden
kann, wenn man ihnen nur die Möglichkeit zur Reue gibt.

Sueton
Gajus Julius Cäsar

*G*ajus Suetonius Tranquillus, geboren um 75 n. Chr.,
*wurde fünfundsiebzig Jahre alt. Er war für wenige Jahre
Geheimschreiber des Kaisers Hadrian.*

Von seinen Büchern sind fast vollzählig erhalten die
Biographien der zwölf Cäsaren, *beginnend mit Gajus Julius Cäsar. Von einem anderen Werk,* Berühmte Männer,
sind nur wenige Stücke aus dem Kapitel Über die Poeten
*vorhanden; zum Beispiel die Darstellung von Terenz und
Horaz.*

*Sueton hat mit seiner leichten Art, über geschichtliche
Persönlichkeiten zu schreiben, großen Einfluß ausgeübt.
Sehr stark bestimmt wurde von ihm das Buch* Geschichtsschreiber der Kaiserzeit. *Und viel später war noch Ein-
hart, der Darsteller Karls des Großen, von ihm abhängig.*

*Man kann Sueton kaum einen Historiker nennen. Seine
Darstellungen sind unkritische Erzählungen – Wahrheit
und Klatsch über das Privatleben seiner Figuren. Er hat
manchen Tratsch in Umlauf gesetzt, der nun schon fast
zwei Jahrtausende umläuft. So weist Lessing in seinen* Eh-
renrettungen des Horaz *darauf hin, daß Sueton an dem
schlechten Ruf, den Horaz durch die Jahrhunderte genoß,
schuld ist.*

*Man darf Sueton nicht an dem historischen Denken
messen, wie es in Europa seit der Romantik ausgebildet
wurde, und an einer Geschichtsforschung, die nicht viel*

älter als ein gutes Jahrhundert ist. Aber ohne ihn wäre un-
ser Wissen vom ersten nachchristlichen Jahrhundert Roms
viel geringer; er ist in mancher Beziehung der einzige,
durch den wir Details über viele einflußreiche Figuren je-
nes Jahrhunderts wissen.

Wir bringen nun seine Beschreibung des Gajus Julius
Cäsar.

Er wird geschildert als ein Mann von hohem Wuchse, weißer Hautfarbe, wohlgerundet schlanken Gliedern, einem
etwas vollen Gesicht, schwarzen lebhaften Augen und von
guter Gesundheit, nur daß er in der letzten Zeit an plötzlichen Ohnmachten und unruhigen Träumen zu leiden
pflegte. Auch von der Epilepsie ward er zweimal bei öffentlichen Versammlungen befallen. In der Schönheits-
pflege des Körpers war er fast zu peinlich, so daß er sich
nicht nur sorgfältig scheren und rasieren, sondern, wie
ihm einige nachgesagt haben, sogar die einzelnen Haare
am übrigen Körper ausrupfen ließ und sich über die Ent-
stellung durch eine Glatze gar nicht zufriedengeben konnte, zumal da er über sie häufige Witze seiner Verkleinerer
erfahren mußte. Daher hatte er sich gewöhnt, das spärli-
che Haar über den Scheitel von hinten nach vorn zu legen:
und von allen Ehrenbezeichnungen, die Senat und Volk
ihm zuerkannt hatten, nahm und benutzte er keine lieber
als das Recht, stets einen Lorbeerkranz zu tragen. Auch in
bezug auf seine Tracht erzählt man Eigentümliches von
ihm. Er trug nämlich das senatorische, mit breitem Pur-
purstreif versehene Unterkleid an den bis auf die Hände
reichenden Ärmelenden mit Fransen besetzt und nie anders als oberhalb des Streifens, und zwar sehr lose gegür-

tet. Hierauf bezieht sich das von Sulla einmal geäußerte Wort, der die Aristokraten oft ermahnte: »sich vor dem schlechtgegürteten Burschen in acht zu nehmen«.

Seine Wohnung hatte er zuerst in der Suburastraße in einem bescheidenen Hause, seit seiner Wahl zum Oberpriester aber auf der Heiligen Straße in einem dem Staate gehörigen Palaste. Daß er ein großer Freund einer prächtigen und geschmackvollen Einrichtung gewesen ist, haben viele berichtet. Eine Villa am Nemisee, die er von den Fundamenten an neu erbaut und mit großen Kosten vollendet hatte, ließ er, wie erzählt wird, weil sie seinem Geschmack nicht völlig entsprochen hatte, gänzlich niederreißen, obwohl er damals noch ein unbedeutender Mann und tief verschuldet war. Auf seinen Feldzügen soll er überall kostbare Marmorfliesen und Mosaikfußböden mit sich geführt haben.

Nach Britannien soll er in der Hoffnung, dort Perlen zu finden, gegangen sein, deren Gewicht er, wenn er ihre Größe verglich, zuweilen mit eigner Hand abwog. Gemmen, getriebene Gefäße von edlem Metall, Statuen und Gemälde kaufte er, wie man berichtet, stets mit leidenschaftlichem Eifer an; für wohlgebildete und sorgfältig unterrichtete Sklaven zahlte er Preise von so ungeheurer Höhe, daß er sich selbst darüber schämte und den Betrag in seinen Rechnungsbüchern zu verzeichnen verbot.

Was seine Tafel betrifft, so hielt er deren in den Provinzen ständig zwei: eine, an der die höheren Militärs und die gebildeten Griechen seines Gefolges, und eine zweite, an der vornehme Römer vom Zivil mit den ersten des Provinzialadels speisten. Dabei hielt er seine Haushaltungsbedienten in kleineren wie in größeren Dingen in so genauer, ja sogar strenger Ordnung, daß er den Bäcker, der seinen Tafelgästen heimlich anderes Brot als ihm selbst vorlegte, in den Stock legen ließ und einen seiner Lieblingsfreigelassenen, der die Frau eines römischen Ritters verführt hatte, obschon niemand als Kläger auftrat, mit dem Tode bestrafte.

Den Ruf seiner Keuschheit verletzte zwar außer der Gemeinschaft mit Nikomedes nichts, doch blieb jener Vorwurf schwer und dauernd haften und setzte ihn allseitiger Schmähung aus. Ich übergehe des Calvus Licinius allbekannte Verse:

> »Was nur Bithynien
> Und Cäsars Buhler je besessen hat.«

Ferner die Senatsreden Dolabellas und Curios des Vaters, in denen ihn Dolabella »die königliche Mätresse«, »die Innenseite des Königsbettes«, Curio gar »den Stall des Nikomedes« und »das bithynische Bordell« genannt hat. Auch gedenke ich nicht der Edikte des Bibulus, in denen dieser seinen Kollegen öffentlich als die »bithynische Königin« und als einen Menschen bezeichnete, »dem ehemals ein König am Herzen gelegen, jetzt die Königsherrschaft«. Es war das um dieselbe Zeit, wo, wie Marcus Brutus erzählte, auch ein gewisser Octavius, der sich, weil er zeitweise geisteskrank war, viel Freiheit in Reden erlaubte, in großer Gesellschaft erst den Pompejus als »König« und darauf den Cäsar als »Königin« begrüßte. Allein Gajus Memmius beschuldigte ihn sogar, daß er bei einer zahlreichen Tafelgesellschaft, an der mehrere Kaufherren aus Rom, deren Namen er nennt, teilnahmen, mit den anderen Lustknaben dem Nikomedes Mundschenkdienste geleistet habe. Cicero nun gar begnügte sich nicht damit, in einigen seiner Briefe zu erzählen: Cäsar, im Purpurgewande von Trabanten in das Schlafzimmer geführt, habe die Blüte seiner Jugend und seine Abstammung von der

Venus auf dem goldnen Königsbette bithynischer Beflekkung hingegeben, sondern sagte ihm sogar einmal im Senat, als Cäsar die Sache der Nysa, der Tochter des Königs, verteidigte und dabei die ihm vom Könige erwiesenen Dienste geltend machte: Laß doch dies beiseite, bitt ich dich! Es ist ja bekannt, was er dir und du ihm geleistet hast. Bei dem gallischen Triumphe endlich ließen seine Soldaten unter anderen lustigen Gassenhauern, dergleichen sie noch jetzt hinter dem Triumphwagen hersingen, auch jene allbekannten Verse hören:

»Gallien unterwarf der Cäsar, Nikomedes Cäsarn einst.
Siehe, Cäsar triumphiert jetzt, der die Gallier unterwarf!
Nikomedes triumphiert nicht, der den Cäsar unterwarf.«

Daß er der Liebeslust ergeben gewesen und für sie viel Geld verschwendet habe, ist die allgemeine Meinung, sowie auch, daß er sehr viele Frauen vornehmer Geburt verführt habe, darunter die Postumia des Servius Sulpicius, die Lollia des Aulus Gabinus, die Tertulla des Marcus Crassus, sogar des Gnäus Pompejus Gattin, die Mucia. Wenigstens hat Pompejus von den beiden Curios, Vater und Sohn, den Vorwurf hören müssen, daß er die Tochter desselben Mannes, um dessentwillen er eine Frau verstoßen, die ihm drei Kinder geboren, und den er oft seufzend seinen Ägisth genannt hat, später aus Begierde nach Macht zum Weibe genommen habe. Vor allen anderen aber liebte er die Mutter des Marcus Brutus, Servilia, der er nicht nur schon während seines ersten Konsulats einen Perlenschmuck für sechs Millionen Sesterzien kaufte, sondern ihr auch im Bürgerlichen Kriege, außer anderen Schenkungen, in den öffentlichen Versteigerungen die bedeutendsten Landgüter für einen Spottpreis zuschlug, und als bei dieser Gelegenheit viele sich über den geringen Preis

wunderten, äußerte Cicero überaus witzig: Der Kauf ist
noch viel besser, als ihr wißt, denn die Tertia ist abgezo-
gen. Es herrschte nämlich der Glaube, Servilia suche auch
ihre Tochter Tertia mit Cäsar in ein Verhältnis zu bringen.

Nicht einmal in den Provinzen waren die Ehefrauen vor
ihm sicher, wie das folgende Distichon beweist, das die
Soldaten gleichfalls bei dem gallischen Triumphe sangen:

»Städter, wahret eure Weiber, unser Kahlkopf ziehet ein!
Was in Gallien du verhurt hast, nahmst du hier auf Borg!«

Auch Königinnen waren Gegenstand seiner Neigung;
zum Beispiel Eunoe, die Gattin des Maurenkönigs Bogud,
denen er beiden, wie Naso berichtet, sehr häufige und
wahrhaft unermeßliche Geschenke machte. Vor allen aber
liebte er die Kleopatra, in deren Gesellschaft er oft bis an
den hellen Morgen tafelte und mit der er in ihrem großen
Prachtschiffe, das mit einer kostbar eingerichteten Kajüte
versehen war, durch ganz Ägypten bis beinahe nach
Äthiopien reiste, wobei er sich nur durch die Weigerung
des Heeres, ihm weiter zu folgen, zur Umkehr bewegen
ließ. Endlich lud er sie sogar nach Rom ein und überhäufte
sie bei ihrem Abschiede mit Ehrenbeweisen und Geschenken, willigte auch ein, daß ein Sohn, den sie geboren hatte,
seinen Namen erhielt. Von dem melden denn auch einige
griechische Schriftsteller, daß er Cäsars Ebenbild an Gestalt und Gang gewesen sei. Marcus Antonius versicherte
dem Senate, daß Cäsar ihn anerkannt habe, wie dem Gajus
Matius, dem Gajus Oppius und den übrigen Vertrauten
Cäsars bekannt sei. Doch veröffentlichte der genannte Gajus Oppius, als bedürfe die Sache einer Ablehnung oder
Abwehr, eine Schrift unter dem Titel: »Beweis, daß der
von Kleopatra dafür ausgegebene nicht Cäsars Sohn ist.«
Helvius Cinna, der Volkstribun, äußerte gegen viele, er

habe ein in aller Form abgefaßtes Gesetz in Händen gehabt, das er nach Cäsars Befehl in dessen Abwesenheit habe publizieren sollen: daß es (ihm), um Kinder zu zeugen, freistehen solle, welche und so viel Frauen er wolle, zu heiraten. Und um gar keinen Zweifel darüber zu lassen, daß der Ruf der unnatürlichen Unkeuschheit und ehebrecherischer Verbindungen brennend an ihm haftete, erwähne ich, daß Curio der Vater ihn in einer seiner Reden »den Mann aller Weiber und das Weib aller Männer« nennt.

Seine Mäßigkeit im Weingenusse haben selbst die Feinde nicht in Abrede gestellt. Es ist ein Wort Catos: Cäsar allein von allen sei nüchtern an den Umsturz der Republik gegangen. Und was das Essen anlangt, so belehrt uns Gajus Oppius über seine Gleichgültigkeit gegen Tafelgenüsse durch die Erzählung, daß er einst, als bei einem Gastgeber altes Öl statt frischem bei Tafel gereicht und von allen Anwesenden abgelehnt wurde, allein reichlicher als gewöhnlich davon genommen, damit es nicht aussehe, als mache er dem Wirte den Vorwurf der Nachlässigkeit oder des Mangels an Lebensart.

Uneigennützigkeit bewahrte er weder in seinen Militärkommandos noch in seinen Zivilämtern. Wie einige in ihren Denkwürdigkeiten nachgewiesen haben, nahm er als Prokonsul nicht nur in Spanien von den Verbündeten Geld, das als Beihilfe zur Bezahlung seiner Schulden zusammengebettelt wurde, sondern plünderte auch in Lusitanien einige Städte, obschon sie sich keinerlei Ungehorsams schuldig gemacht und ihm bei seiner Ankunft sofort die Tore geöffnet hatten, wie eroberte Orte aus. In Gallien raubte er die mit Weihgeschenken gefüllten Heiligtümer und Tempel der Götter aus und zerstörte die Städte öfter um der Beute als um eines Vergehens willen. Daher hatte er bald so viel Überfluß an Gold, daß er es zu dreitausend Sesterzien das Pfund in ganz Italien und in den Provinzen als Ware feilbieten ließ. In seinem ersten Konsulat stahl er dreitausend Pfund Gold aus dem Kapitol und ersetzte es durch ebensoviel vergoldetes Kupfer. Er verkaufte Bündnisse und Königreiche, wie er denn allein dem Ptolomäus nahe an sechstausend Talente in seinem und des Pompejus Namen abnahm. Und in der späteren Zeit bestritt er die schweren Kosten der Bürgerkriege und den Aufwand der Triumphe und öffentlichen Feste mit Hilfe der offenbarsten Erpressungen und Tempelräubereien.

In der Beredsamkeit und Kriegskunst hat er den Ruhm der Größten erreicht oder übertroffen. Seit seiner Anklage Dolabellas zählte man ihn im Publikum unbedenklich zu den vorzüglichsten Anwälten. Jedenfalls sagt Cicero bei der Aufzählung der Redner in der an Brutus gerichteten Schrift: er sähe keinen, dem Cäsar zu weichen habe, und fügt hinzu: er besitze eine gewählte, glänzende, ja selbst erhabene und sozusagen adlige Weise des Ausdrucks und Vortrags. Und in einer Zuschrift an Cornelius Nepos drückt er sich über ihn mit den Worten aus: »Wie? Welchen Redner von allen, die nichts als Redner gewesen sind, willst du diesem vorziehen? Wer ist ihm überlegen an Schärfe oder an Reichtum der Gedanken? Wer an Schmuck oder Eleganz des Ausdrucks?« Als Muster in der Beredsamkeit scheint er in seiner Jugend den Cäsar Strabo erwählt zu haben, aus dessen Rede ›Für die Sardinier‹ er manche Stellen wörtlich in seiner Divination benutzt hat. Beim Vortrage war seine Stimme helltönend, seine Körper- und Handbewegungen feurig, ohne gegen die Schönheit zu verstoßen. Er hat einige Reden hinterlassen, unter denen sich jedoch mehrere unechte befinden. Die Rede für den Quintus Metellus hält Augustus mit gutem

Fug vielmehr für eine Aufzeichnung durch Geschwind-
schreiber, die des Redners Worte ungenügend nachschrie-
ben, als für eine von Cäsar selbst besorgte Ausgabe. Denn
auf einigen Exemplaren finde ich nicht einmal den (richtigen) Titel: ›Rede für den Metellus‹, sondern (den unrichti-
gen): ›Rede, die Cäsar für den Metellus verfaßt hat‹, während doch Cäsar in ihr die sprechende Person ist, der den
Metellus und sich dazu gegen die Anschuldigungen ihrer
gemeinschaftlichen Widersacher verteidigt. Auch die
Rede ›Vor den Soldaten in Spanien‹ hält derselbe Augustus
kaum für ein Werk Cäsars; doch gibt es zwei unter diesem
Titel: eine, die er vor der ersten, die andere, die er vor dem
Beginn der zweiten Schlacht gehalten haben soll; und doch
sagt Asinius Pollio von der letzteren Schlacht: der Angriff
der Feinde sei ein so plötzlicher gewesen, daß Cäsar nicht
einmal Zeit gehabt habe, eine Anrede an seine Soldaten zu
halten.

Auch historische Denkwürdigkeiten seiner Taten:
›Vom Gallischen Kriege‹ und ›Vom bürgerlichen Kriege‹,
den er gegen Pompejus geführt hat, hat er hinterlassen;
denn über den Verfasser des ›Alexandrinischen‹, ›Afrika-
nischen‹ und ›Ägyptischen Krieges‹ ist man ungewiß. Andere halten dafür, daß Oppius, andere, daß Hirtius, der
auch das letzte und unvollendete Buch des ›Gallischen
Krieges‹ ergänzt haben soll, sie verfaßt habe. Von Cäsars
›Denkwürdigkeiten‹ sagt Cicero in dem zuvor erwähnten Buche: »Er hat Denkwürdigkeiten geschrieben,
die das höchste Lob verdienen; sie sind einfach, korrekt
und anmutig; aller Redeschmuck ist wie ein Kleid abge-
streift. Und doch hat er, während er anderen bloß Materialien zu einer wirklichen Geschichtsdarstellung liefern
wollte, nur Hohlköpfen vielleicht einen Gefallen erwiesen,
die es sich etwa beikommen lassen werden, seine schlichte

Darstellung mit ihren Friseurkünsten aufzuputzen; jeden Menschen von gesundem Geschmacke dagegen hat er vom Schreiben abgeschreckt.« Von denselben Denkwürdigkeiten rühmt Hirtius: »Das allgemeine Urteil ist so einstimmig in ihrer Bewunderung, daß es aussieht, als sei (durch sie) den Schriftstellern die Möglichkeit, denselben Gegenstand zu behandeln, viel mehr genommen als gegeben. Und doch ist unsere Bewunderung noch größer als die des übrigen Publikums.«

Lukian
Der ungebildete Büchernarr

Wir wissen über das Leben des römischen Satirikers Lukian eine ganze Menge Details durch den Kompilator Suidas. Aber vieles ist pure Erfindung, und anderes hat nur einen kleinen historischen Kern.

Als sicher werden folgende Daten angenommen: er wurde ca. 120 n. Chr. in Samosata, der Hauptstadt der syrischen Provinz Roms, geboren und starb 60 Jahre später. Er selbst berichtet, daß seine Eltern in ärmlichen Verhältnissen lebten; nachdem er einiges Elementare gelernt hatte, wurde er zu seinem Onkel, einem Marmorpolier, in die Lehre gegeben.

Er begann zu reisen. In Griechenland konnte er sich nicht durchsetzen; wahrscheinlich, weil er als halber Barbar nicht viel Sympathie erweckte. Er wandte sich nach Gallien – nach Toulouse, Lyon und Marseille, das man schon zu Ciceros Zeiten das gallische Athen nannte. Die Sophisten-Kultur blühte. So sammelte auch er Schüler um sich und hielt öffentliche Schau- und Prunkreden über die verschiedensten Themata.

Dann kehrte er, berühmt und reich, in seine Vaterstadt Samosata zurück. Er ging abermals nach Griechenland, weil es ihn an der Peripherie der römisch-griechischen Kultur nicht hielt. Von seinen späteren Jahren wird berichtet, daß er eine Stelle in der Gerichtsdirektion Ägyptens bekam. Suidas, der Kompilator, berichtet, er sei von wüten-

*den Hunden zerrissen worden, weil er sich ohne Respekt
über die Christen geäußert habe. Aber diese Information
gehört eher in die Kirchengeschichte.*

*Die literarische Form, die er vor allem ausbildete, war
die Satire. Seine bekanntesten Schöpfungen auf diesem
Gebiet sind die* Totengespräche *und die* Hetärengesprä-
che. *Im übrigen mokierte er sich über einen guten Teil der
zeitgenössischen Kultur: über die Hohlheit ihrer philosophischen Theorien und über den religiösen Aberglauben
sowohl des Heidentums als auch des Christentums.*

*Lukian spielte eine große Rolle zur Zeit der Aufklärung.
Vor allem las man im 18. Jahrhundert seine* Göttergesprä-
che *in der Übersetzung Wielands.*

Wir bringen den Anfang seines satirischen Essays Der
ungebildete Büchernarr.

Wenn du eifrig die schönsten Bücher zusammenkaufst, so
hoffst du auch für einen Mann von Bildung zu gelten; allein das mißglückt dir; und diese Neigung überführt dich
gerade gewissermaßen deiner Bildungslosigkeit. Ja, du
kaufst gar nicht einmal die schönsten, sondern glaubst
dem ersten besten, der sie lobt, und bist ein wahrer Fund
für lügenhafte Anpreiser und ein barer Schatz für die
Buchhändler. Woher solltest du denn zu unterscheiden
vermögen, welche Bücher alt und wertvoll und welche
schlecht und nichtsnutzig sind, wenn du nicht bei der Prüfung die Motten zu Rate ziehst und es daraus schließest,
daß sie zerfetzt und zerfressen sind? Wie wolltest du über
ihre Korrektheit und Zuverlässigkeit ein Urteil haben?
Doch angenommen, daß ich dir zugestehe, du weißt zu
unterscheiden, welche Exemplare Kallinus so zierlich als

möglich oder welche der gepriesene Attikus mit aller Sorgfalt geschrieben hat, was nützt dir, du sonderbarer Kauz,
ein solches Besitztum? Von ihrer Schönheit weißt du
nichts und wirst von ihr ebensowenig Genuß haben als ein
Blinder von der Schönheit seiner Geliebten. Zwar siehst
du in deine Bücher mit offenen Augen hinein, bis du genug
hast, und liesest wohl einiges flüchtig, so daß das Auge
immer dem Munde weit voraus ist; das genügt mir aber
noch lange nicht, wenn du nicht die Vorzüge und die Fehler einer jeden Stelle einsiehst und erkennst, welches der
Sinn des Ganzen ist, wie die Worte gestellt sein müssen,
wo der Schriftsteller den Regeln der Kunst genau entsprochen hat und was verfälscht, unecht und mißlungen ist.
Wie nun? Willst du uns sagen, du weißt es, ohne es gelernt
zu haben? Woher, wenn du nicht auch, wie jener Hirte,
von den Musen einen Lorbeerzweig bekommen hast?
Denn vom Helikon, wo die Göttinnen sich aufhalten sollen, hast du, denk' ich, niemals gehört und mit solchen
Dingen in deiner Jugend dich nicht beschäftigt. Ein
Mensch wie du darf die Musen nicht einmal nennen, ohne
ihren Namen zu entweihen. Jenem Hirten, einem abge-
härteten, dicht behaarten, von der Sonne stark gebräunten
Manne, erscheinen sie ohne Zaudern, einem wie dir – bei
den Grazien erlaß es mir, für jetzt alles deutlich zu sagen! –
würden sie sich gar nicht einmal nähern wollen, sondern
einen solchen würden sie, anstatt ihm einen Lorbeer zu
reichen, mit Tamarisken- oder Malvenzweigen davontrei-
ben, damit er weder den Olmeios noch die Hippokrene
verunreinige, aus welchen Quellen sie den Herden oder
unschuldigen Hirten ihren Durst zu löschen erlauben.
Wenn du in solchen Dingen auch sehr unverschämt und
frech bist, so wirst du doch niemals zu behaupten wagen,
daß du Bildung genossen oder dich jemals des nahen Um-

ganges mit Büchern befleißigt oder daß du den und den
Lehrer gehabt hast oder mit dem und dem in die Schule gegangen bist. Aber durch dies eine, daß du viele Bücher besitzest, hoffst du alles das wieder einzuholen. Meinetwegen sollst du von Demosthenes alles vollständig haben, was
der Redner mit seiner eigenen Hand geschrieben hat, und
die Geschichte des Thukydides, die von Demosthenes
achtmal zierlich abgeschrieben gefunden wurde, ja alles
das, was Sulla aus Athen nach Italien schickte, was wird es
dir zur Bildung helfen, selbst wenn du auf Manuskripten
anstatt auf Matratzen schläfst oder sie zusammenleimst und
mit ihnen behangen herumgehst? Denn der Affe bleibt immer ein Affe, wie das Sprichwort sagt, mag er auch goldene
Kleinodien an sich haben. Ebenso hast du jetzt stets ein
Buch in der Hand und liesest darin, du weißt aber nichts
von dem, was du liesest, sondern spitzest nur die Ohren wie
ein Esel beim Zitherspiel. Denn wenn das Besitzen von
Büchern den, der sie hat, auch gebildet machen möchte, so
wären sie in der Tat ein wertvoller und ein nur euch Reichen zugänglicher Besitz, wenn ihr die Bildung nun wie
eine Ware vom Markte kaufen und uns Arme überbieten
könntet. Doch wem fiel es jemals ein, bei Buchhändlern
und Antiquaren, die so viele Bücher besitzen und verkaufen, Bildung zu suchen? Zu welchem Behufe kaufst du sie
also, falls du nicht etwa glaubst, daß schon die Bücher-
schränke selbst, die so viele Schriften der Alten enthalten,
etwas von Bildung und Gelehrsamkeit abbekommen haben? Ist es dir recht, so antworte mir einmal, oder, da du
dazu nicht befähigt bist, so nicke mir lieber dein Ja oder
Nein auf meine Fragen mit dem Kopfe zu! Wenn jemand,
der nicht die Flöte spielen kann, die Flöte des Timotheus
oder die des Ismenias, die dieser für sieben Talente in Ko-
rinth kaufte, an sich brächte, würde er deshalb auch die

Flöte spielen können? Oder würde ihm ein solches Besitztum nichts nützen, da er es nicht kunstgemäß zu gebrauchen versteht? Du hast brav mit dem Kopf geschüttelt: ohne es gelernt zu haben, könnte er nicht spielen, selbst wenn er die Flöte des Marsyas oder Olympus besäße. Weiter: wenn jemand den Bogen des Herakles bekäme und dabei kein Philoktet wäre, um ihn spannen und sicher treffen zu können, was meinst du von dem? Daß er eine Tat zutage fördern würde, die eines Schützen würdig ist? Du verneinst auch dies. Ebenso, wenn einer, der nicht steuern kann, ein in bezug auf Schönheit oder Sicherheit vortrefflich ausgerüstetes Schiff, oder einer, der sich im Reiten nicht geübt hat, ein medisches oder gar ein von den Kentauren selbst abstammendes oder ein mit der Schönheitskrone gezeichnetes Pferd bekäme, so würde es sich bei beiden, denk' ich, herausstellen, daß keiner etwas mit seiner Sache zu machen weiß. Nickst du mir auch dazu dein Ja zu? Nun, so folge mir und bejahe desgleichen folgendes! Wenn ein ungebildeter Mensch, wie du, viele Bücher kauft, regt dieser dadurch nicht nur zu Witzen über seine Bildungslosigkeit an? Was trägst du Bedenken, dies gleichfalls zu bejahen? Es ist, denk' ich, ein augenfälliger Beweis, und jeder, der es sieht, hat sogleich die Bemerkung zur Hand: »Was hat der Hund im Bade zu tun?«

Vor nicht langer Zeit gab es in Asien einen reichen Mann, der das Unglück gehabt hatte, auf einer Reise durch die Kälte beide Füße zu verlieren. Um dem Mangel einigermaßen abzuhelfen, hatte er sich hölzerne Füße machen lassen, mit denen er nun umherging, indem er sich auf zwei Sklaven stützte. Das Lächerliche dabei war, daß er stets die schönsten neuen Stiefel kaufte und darauf den größten Fleiß verwandte, seine hölzernen Füße immer mit möglichst schönem Zeuge geschmückt zu haben. Tust du

nicht ganz dasselbe? Dein Verstand ist hinkend und
schwerfällig; und trotzdem kaufst du goldene Schuhe, in
denen kaum einer mit gesunden Gliedern einherschreiten
könnte. Unter den anderen Büchern hast du auch mehrere
Exemplare des Homer gekauft; laß dir den zweiten Gesang aus der Ilias vorlesen, wobei du dich um das übrige
nicht zu kümmern hast, denn es geht dich nichts an: er hat
aber einen albernen Demagogen mit verkrüppeltem, ent-
stelltem Körper geschildert. Wenn nun dieser so gestaltete
Thersites die Rüstung des Achilles bekäme, glaubst du,
daß er dann deshalb auf der Stelle schön und stark sein
werde? Das wirst du nicht sagen; er wird sich vielmehr lächerlich machen, wenn er unter dem Schilde daherhinkt
und infolge seiner Schwere auf die Nase fällt und beim
Aufblicken unter dem Helme seine schielenden Augen
zeigt, den Panzer auf den Buckel seines Rückens hebt, die
Beinschienen schlotternd nachschleppt und überhaupt sowohl ihrem Verfertiger als ihrem Besitzer Schande macht.
Merkst du nun nicht, daß es dir ebenso geht, wenn du ein
sehr schönes Buch mit purpurner Einfassung und golde-
nem Knopfe in der Hand hast und es durch barbarischen
Vortrag so verhunzest und verdrehst, daß die Gebildeten
dich auslachen und nur deine Schmeichler dich loben?
Und auch diese sehen einander oft an und müssen lachen.

Ich will dir etwas erzählen, was in Pytho geschah: Ein
in seiner Stadt angesehener Mann aus Tarent, mit Namen
Euangelus, bekam Lust, in den Pythischen Spielen sich
um den Sieg zu bewerben. Weil ihn die Natur weder zur
Kraft noch zur Schnelligkeit mit sonderlichen Anlagen
ausgestattet hatte, so verzichtete er gleich anfangs auf die
gymnischen Wettkämpfe; von den verfluchten Schurken,
die er um sich hatte und die ihn in den Himmel erhoben
und Bravo schrien, sowie er nur das geringste zu präludie-

ren anfing, ließ er es sich in den Kopf setzen, daß er leicht mit der Zither und im Gesange den Sieg erringen werde. Er kam also in einem höchst glänzenden Aufzuge nach Delphi und zog namentlich durch einen prachtvollen goldenen Lorbeerkranz, an dem anstatt der Beeren Smaragden von gleicher Größe angebracht waren, die Augen aller auf sich. Die Zither selbst, ein reines Wunder von Schönheit und Kostbarkeit, bestand aus gediegenem Golde und war mit Gemmen und mannigfaltigen Edelsteinen und darunter mit den Figuren der Musen, des Apollo und des Orpheus geschmückt, so daß alle, die sie sahen, sie nicht genug anstaunen konnten. Als nun endlich der Tag des Wettkampfes erschien, so traten drei Bewerber auf: den Euangelus traf das Los, als zweiter zu singen, und zwar nach dem Thebaner Thespis, der ziemlichen Beifall geerntet hatte. Von Gold und Edelsteinen, Smaragden, Beryllen, Hyazinthen und so fort sowie von dem Purpur des Gewandes, welches unter dem Golde hervorschimmerte, umglänzt, tritt er ein. Als er durch dies alles das Theater geblendet und die Erwartungen aller aufs höchste gespannt hatte und es nun endlich ans Singen und Zitherspielen gehen mußte, so hebt er mit einem Vorspiel ohne Harmonie und Ordnung an, sprengt gleich durch zu ungestüme Behandlung der Zither drei Saiten und fängt in Mißtönen mit einer feinen Stimme zu singen an, so daß alle Anwesenden in ein Gelächter ausbrachen, die Kampfrichter aber aus Unwillen über diese Unverschämtheit ihn mit Peitschenhieben aus dem Theater trieben.

Dieser Euangelus gleicht dir auf ein Haar, insofern du gegen das Hohngelächter der Zuschauer ebenso gleichgültig bist wie er.

Es möchte nicht unzeitig sein, dir ein lesbisches Märchen aus alter Zeit zu erzählen. Als die Thrakerinnen den

Orpheus zerrissen hatten, soll sein Kopf samt der Laute in den Hebrus gefallen und von ihm in den sogenannten schwarzen Golf getragen sein; der Kopf schwamm auf der Laute und sang, wie es heißt, ein Klagelied über den Tod des Orpheus; die Laute, deren Saiten die Winde bewegten, stimmte darin ein, und so näherten sich beide mit Gesang der Insel Lesbos. Die Lesbier hoben sie auf und beerdigten den Kopf, wo jetzt der Tempel des Dionysos ist; die Laute weihten sie in das Heiligtum des Apollo, und sie blieb lange erhalten. Späterhin vernahm Neanthus, der Sohn des Tyrannen Pittakus, diese Dinge von der Laute, daß sie wilde Tiere, Bäume und Steine bezaubert und sogar nach dem Tode des Orpheus ohne eine berührende Hand gespielt habe: so wandelte ihn der Wunsch an, sie zu besitzen; er bestach den Priester mit großen Summen und beredete ihn, eine ähnliche andere Laute unterzuschieben und ihm die des Orpheus zu geben. Als er sie bekommen, hielt er es nicht für sicher, sie in der Stadt zu gebrauchen; nachts trug er sie unter seinem Gewande in die Vorstadt, zog sie hervor und fing an zu spielen. Allein der kunstlose, unmusikalische Jüngling täuschte sich: er hatte gehofft, die Laute werde ihm in wunderlieblichen Klängen ertönen, durch die er alle entzücken und bezaubern und als Erbe der Musik des Orpheus glücklich sein würde, und nun brachte er ein elendes Geklimper hervor, bis die Hunde, deren es daselbst viele gab, auf den Lärm herbeiliefen und ihn zerrissen, so daß sein Los in dieser Beziehung dem des Orpheus glich und daß er wenigstens die Hunde gegen sich zusammengerufen hatte.

Doch was rede ich dir von Orpheus oder Neanthus? Es gab ja zu unserer Zeit und gibt noch wohl jemand, der die Lampe des Stoikers Epiktet, obwohl sie nur von Ton war, für 3000 Drachmen kaufte. Vermutlich hoffte auch dieser, wenn er in den Nächten bei jener Lampe läse, so würde ihm auf der Stelle Epiktets Weisheit im Schlafe zuteil werden, und er würde diesem allgemein bewunderten Greise ähnlich sein. Noch neulich kaufte ein anderer den Stock des Kynikers Proteus, den dieser, als er in das Feuer sprang, aus der Hand gelegt hatte, für ein Talent, bewahrt dieses Kleinod auf und zeigt es, wie die Tegeaten das Fell des Kalydonischen Ebers, die Thebaner die Knochen des Geryones und die Bewohner von Memphis die Locken der Isis; der Herr dieses bewundernswürdigen Besitztums selber aber übertraf sogar dich an Bildungslosigkeit und Gemeinheit. Begreifst du, in wie jämmerlicher Verfassung du dich befindest und daß du in Wahrheit mit dem Stock auf den Kopf verdienst?

Was in aller Welt hoffst du von deinen Büchern, daß du fortwährend beschäftigt bist, sie aufzurollen, zusammenzukleben, zu beschneiden, sie mit Safran und Zedernöl zu bestreichen, sie in Pergament einzufassen und Knöpfe anzustecken? Was sollen sie dir nützen? Hast du besser sprechen gelernt, weil du sie kaufst? Du bist ja stummer als die Fische. Du lebst so, wie man es schicklicherweise gar nicht sagen darf; du wirst von allen wegen deiner Gemeinheit wütend gehaßt, so daß man vor den Büchern so weit als möglich Reißaus nehmen müßte, wenn sie einen derartig machen würden. Anerkanntermaßen ist es zweierlei, was man von den Alten lernen kann, wie man sprechen und wie man handeln muß, indem man das Beste nachahmt und das Schlechtere vermeidet; wenn aber die Bücher jemand weder zu dem einen noch zu dem andern etwas nützen, wozu kauft er sie sonst, als zum Spielzeug für die Mäuse und zur Nahrung für die Motten und damit die Sklaven Schläge bekommen, weil sie dieselben nicht genug in acht nehmen?

Mark Aurel
Selbstbetrachtungen

*Marcus Aurelius, aus altem plebejischem Geschlecht 121
geboren, sorgfältig erzogen und von Kaiser Hadrian pro-
tegiert, wurde auf dessen Rat von Antonius Pius adoptiert
und im Jahre 161 Kaiser. Man nennt ihn den »Weisen auf
dem Thron«. Seine Weisheit – nämlich die stoische – legte
er in den berühmten* Selbstbetrachtungen *nieder, aus denen wir Auszüge bringen. Sie sind vor allem von Seneca
und Epiktet beeinflußt.*

*In einer Kurzbiographie über ihn heißt es: »Gegen
eigene Neigung, nur aus Pflichttreue, führte er während
eines großen Teils seiner Regierungszeit Kriege«: nämlich
gegen die Parther, gegen die Markomannen und viele andere germanische Stämme. Ein interessanter Satz, der das
Schicksal des Weisen auf dem Thron, das Schicksal eines
Philosophenkönigs beleuchtet. Mark Aurel starb im Jahre
180 in Vindobona, dem heutigen Wien.*

*Unter den Mark-Aurel-Statuen, die erhalten sind, ist
die Reiterstatue auf dem Kapitolplatz in Rom am bekanntesten.*

Von meinem Großvater Verus habe ich gelernt, leutselig
und sanftmütig zu sein.

Vom ruhmvollen Gedächtnisse meines Vaters erhielt ich

den Antrieb zu einem bescheidenen und zugleich männlichen Wesen.

Meine Mutter flößte mir den Sinn ein für Frömmigkeit, Freigebigkeit und Enthaltsamkeit nicht nur von bösen Taten, sondern auch von bösen Gedanken, überdies Liebe zu einer einfachen und mäßigen, von der Üppigkeit der Reichen abweichenden Lebensweise.

Meinem Urgroßvater habe ich es zu verdanken, daß ich keine öffentliche Schule zu besuchen brauchte, vielmehr zu Hause den Unterricht guter Lehrer genießen durfte und daneben einsehen lernte, daß man in solchen Dingen keine Ausgaben sparen soll.

Mein Erzieher ermahnte mich, weder für die Grünen noch für die Blauen im Zirkus Partei zu nehmen und ebensowenig für die Rundschilde als für die Langschilde unter den Gladiatoren, dagegen an Ausdauer in Anstrengungen, Zufriedenheit mit wenigem und an Selbsttätigkeit mich zu gewöhnen, mich nicht in fremde Angelegenheiten zu mischen und gegen Verleumdungen mein Ohr zu verschließen.

Diognetus warnte mich vor dem Trachten nach eitlen Dingen und dem Glauben an das Gerede der Gaukler und Schwarzkünstler von Verschwörungen, Geisterbann und dergleichen Dinge, vor der Wachtelpflege und ähnlichen Liebhabereien, und lehrte mich, Freimütigkeit zu ertragen und mit der Philosophie mich zu befreunden. Auf seinen Rat hörte ich den Bacchius, hierauf den Tandasis und Marcianus, schrieb als Knabe Dialoge und verlangte für mich bloß ein Feldbett und eine Tierhaut zum Nachtlager und was sonst noch zur Lebensweise griechischer Philosophen gehört.

Von Rusticus stammt bei mir die Überzeugung, ich müsse an meiner Besserung und Charakterbildung arbei-

ten, dagegen die Abwege leidenschaftlicher Sophisten
vermeiden, dürfe auch nicht über leere Theorien schriftstellern noch mit der Miene eines Sittenpredigers Reden
vortragen, noch in augenfälliger Weise den Büßer oder
Menschenfreund spielen. Desgleichen solle ich mich von
rhetorischem und poetischem Wortgepränge und sonstiger Schönrednerei fernhalten, auch zu Hause nicht im
Staatskleide einherschreiten noch anderes derart treiben.
Von ihm lernte ich auch einfache, kunstlose Briefe schreiben, wie er selbst einen von Sinuessa aus an meine Mutter
schrieb, meinen Widersachern und Beleidigern bereitwillig und versöhnlich entgegenkommen, sobald sie selbst
geneigt wären, wieder einzulenken, Schriften aufmerksam
lesen, mich nie mit oberflächlicher Betrachtung zufriedengeben und Schwätzern nicht vorschnell beipflichten.
Er hat mich auch mit Epiktets Abhandlungen bekannt gemacht, die er mir aus seiner Hausbibliothek mitteilte.

Von Apollonius habe ich die freie Denkart, die ohne
Wanken doch bedachtsam ist und nicht im mindesten etwas anderes als die Vernunft sich zum Leitstern wählt sowie den steten Gleichmut unter den heftigsten Schmerzen,
beim Verlust eines Kindes, in langwierigen Krankheiten.
Er war mir ein lebendiges Beispiel, wie man zugleich in
hohem Grade eifrig und doch nachsichtig sein könne. Ich
sah in ihm einen Mann, der bei seinem Unterricht sich
nichts verdrießen ließ und der dabei auf seine Geschicklichkeit und Gewandtheit im Lehrvortrag durchaus nicht
eingebildet war. Er zeigte mir endlich auch, wie man sogenannte Gefälligkeiten von Freunden hinzunehmen habe,
ohne dafür knechtisch unterwürfig zu werden noch auch
sie unerkenntlich außer acht zu lassen.

Von Sextius lernte ich wohlwollend sein, an seinem Beispiel, meinem Hause als Vater wohl vorstehen; ihm ver-

danke ich den Vorsatz, der Natur gemäß zu leben, eine
ungekünstelte Würde des Benehmens und die Sorgsamkeit
im Erraten von Freundeswünschen, die Geduld gegen
Unwissende und gegen Leute, welche gedankenlosem
Wahne frönen, endlich die Kunst, mich in alle Menschen
zu schicken. Daher lag im Umgang mit ihm selbst mehr
entgegenkommende Freundlichkeit als in aller Schmeichelei, und doch stand er zu gleicher Zeit bei denselben Menschen in größter Achtung. Er befähigte mich, die zur Lebensweisheit erforderlichen Grundsätze auf eine überzeugende und regelrechte Art aufzufinden und zu ordnen, nie
dem Zorne oder einer anderen Leidenschaft Raum zu geben, aber zugleich mit dieser völligen Leidenschaftslosig-
keit die Regungen der zärtlichsten Liebe zu verbinden und
mich eines guten Rufes, jedoch ohne viel Aufhebens und
eines reichen Wissens, aber ohne Prahlerei, zu befleißigen.

Von Alexander, dem Grammatiker, lernte ich, mich des
Tadels und verletzender Vorwürfe gegen Leute, welche
einen fremdartigen und sprachwidrigen oder übelklingen-
den Ausdruck vorbrachten, zu enthalten, vielmehr durch
die Wendung der Antwort oder der zustimmenden Bestätigung oder der gemeinschaftlichen Untersuchung über
die Sache selbst, nicht über den Ausdruck, oder sonst
durch eine derartige passende, beiläufige Erinnerung es
ihnen nahezulegen, wie sie sich hätten ausdrücken sollen.

Fronto verhalf mir zur Einsicht, daß Mißgunst, Ränke-
sucht und Heuchelei die Folgen der Willkürherrschaft
seien und daß im allgemeinen diejenigen, welche bei uns
Edelgeborene heißen, weniger Menschenliebe besitzen als
andere.

Alexander, der Platoniker, gab mir die Anweisung,
nicht oft und nie ohne Not mündlich oder schriftlich jemand zu erklären, daß ich für ihn keine Zeit habe, und

nicht auf solche Weise unter dem Vorwande dringender
Geschäfte die Erfüllung der Pflichten beständig zurückzuweisen, welche die Verhältnisse zu unseren Mitmenschen uns auferlegen.

Mein Bruder Severus war mir ein Vorbild in der Liebe
zu meinen Angehörigen sowie der Wahrheit und des
Rechtes. Durch ihn wurde ich bekannt mit einem Thrasea,
Helvidius, Cato, Dion und Brutus und gewann eine Vorstellung von einem Staate, der nach gleichen Gesetzen und
nach dem Grundsatze der Bürger- und Rechtsgleichheit
verwaltet, und von einem Reiche, wo die Freiheit der Bürger höher denn alles geachtet wird. Von ihm wurde ich
ferner angeleitet, in standhafter Verehrung der Philosophie zu beharren, wohltätig und freigebig zu sein, von
meinen Freunden das Beste zu hoffen und auf ihre Liebe zu
vertrauen, auch etwaige Mißbilligung ohne Rückhalt gegen sie auszusprechen und ihnen offenherzig kundzutun,
was ich von ihnen und was nicht erwarte, ohne sie dies erst
lange erraten zu lassen.

Maximus überzeugte mich von der Pflicht der Menschen, sich selbst zu beherrschen, sich durch nichts vom
rechten Wege abbringen zu lassen, unter allen Umständen
und namentlich in Krankheit guten Mutes zu bleiben, einen aus Milde und Würde gemischten Charakter anzueig-
nen und ohne Murren die vorliegenden Geschäfte zu besorgen. Von ihm selbst glaubte jedermann, er rede, wie er
denke, und tue nichts von dem, was er tue, in schlimmer
Absicht. Nie ließ er sich von Bewunderung oder Staunen
hinreißen, nie war er ratlos, niedergeschlagen, scheinbar
freundlich oder zornig oder in schlechter Laune. Wohltätig, versöhnlich, ein Feind der Lüge, gewährte er das Bild
eines geraden Mannes, an dem nichts zu bessern ist. Nie
glaubte jemand, von ihm verachtet zu sein, und nie wagte

es jemand, sich über ihn zu erheben. Auch im Scherze beobachtete er jederzeit den Anstand.

Das Leben meines Vaters war für mich eine Schule der Milde und doch zugleich auch unerschütterlicher Beständigkeit in allem, wofür er sich einmal nach reiflicher Überlegung entschieden hatte. Er war unempfindlich gegen jede Eitelkeit auf anscheinende Ehrenbezeigungen, ein Freund der Tätigkeit und unverdrossen darin, hörte gern gemeinnützige Vorschläge anderer an, ließ sich durch nichts abhalten, jeden nach Verdienst zu behandeln, wußte recht wohl, wo man die Zügel anziehen und wo nachlassen müsse. Von der Knabenliebe entwöhnt, hatte er nur noch Sinn fürs Gemeinwohl; seinen Freunden erließ er den Zwang, immer mit ihm zu speisen oder auf seinen Reisen ihn stets zu begleiten; diejenigen aber, welche dringender Umstände wegen hatten zurückbleiben müssen, fanden ihn bei seiner Rückkehr gleichgestimmt. In seinen Erwägungen prüfte er zuerst gründlich, bestand aber dann auch auf ihrer Ausführung; auch trat er nie vor der Zeit von der Untersuchung zurück, noch begnügte er sich mit den ersten besten Einfällen. Seine Freunde suchte er sich zu erhalten und wurde ihrer weder überdrüssig, noch war er unvernünftig für sie eingenommen. In jeder Lage zufrieden, war er stets heiter; auf die Zukunft nahm er von ferne schon Bedacht und machte ohne viel Aufhebens sich auf die geringsten Vorfälle gefaßt. Alles Zujauchzen und jede Schmeichelei wies er zurück. Auf die Staatsbedürfnisse war er jederzeit wachsam und haushälterisch beim Ausgeben öffentlicher Gelder und ließ den Tadel solcher Grundsätze willig über sich ergehen. Um die Gunst der Götter buhlte er ebensowenig auf abergläubische Weise als um die Gunst der Menschen durch Künste der Gefallsucht oder durch Begünstigung des Pöbels; vielmehr war er in allem nüchtern und fest, nirgends unanständig, noch neuerungssüchtig. Die Güter, welche das Leben angenehm machen und die ihm das Glück in Fülle darbot, benutzte er ebenso fern von Übermut als von Ausflüchten und genoß daher das Vorhandene ebenso ungesucht, als er das Fehlende nicht vermißte. Niemand konnte von ihm sagen, er sei ein Sophist oder ein Schwätzer oder ein Pedant; vielmehr mußte jeder zugestehen, er sei ein Mann von reifem Verstand und großer Vollkommenheit, erhaben über Schmeichelei und gleich geschickt, eigene wie fremde Angelegenheiten zu besorgen. Zudem wußte er den Wert wahrer Freunde der Weisheit zu schätzen, ohne die anderen herabzusetzen oder sich von ihnen verleiten zu lassen. Dabei war er umgänglich und liebte den Scherz, jedoch ohne Übertreibung. So pflegte er auch seines Leibes mit Maßen, nicht wie ein Mensch von zu großer Lebenslust, um ihn herauszuputzen; aber ebensowenig vernachlässigte er ihn, weshalb er bei der ihm eigentümlichen Aufmerksamkeit der Heilkunst mit ihren inneren und äußeren Mitteln sehr selten bedurfte.

Insbesondere aber ist an ihm das zu rühmen, daß er Männern, welche in etwas eine vorzügliche Stärke besaßen, wie in der Beredsamkeit, der Gesetzeskunde, der Sittenlehre oder in anderen Fächern, ohne Neid den Vorrang einräumte und ihnen sogar dazu behilflich war, daß jeder nach dem Maße seiner besonderen Geschicklichkeit Anerkennung fand. Obgleich er alles gemäß den Einrichtungen der Vorfahren behandelte, so vermied er doch selbst den Schein der Anhänglichkeit an dieselben. Überdies hielt er sich fern von Wankelmut und Unbeständigkeit und verweilte gern an denselben Orten und bei denselben Geschäften, kehrte auch nach den heftigsten Anfällen von Kopfschmerzen mit verjüngter Kraft alsobald wieder zu seinen gewohnten Arbeiten zurück. Nie hatte er viele Geheimnisse, im Gegenteil sehr wenige, und sehr selten, und diese betrafen nur das Gemeinwohl. Bei Veranstaltung öffentlicher Spiele, Ausführung von Gebäuden, Austeilung von Spenden und ähnlichem zeigte er sich verständig und gemäßigt und als ein Mann, der bei seinem Tun allein die Pflicht, nicht aber den durch Handlungen zu gewinnenden Ruhm im Auge hatte. Er badete nie zur Unzeit, war auch nicht baulustig und ebensowenig auf Leckerbissen, auf Gewebe und Farbe seiner Kleider als auf Schönheit seiner Sklaven bedacht. Meistens trug er eine Toga von der untern Villa zu Lorium und ein Unterkleid von Lanuvium und nicht ohne sich zu entschuldigen einen Oberrock aus Tusculum; und so war sein ganzes Benehmen. Nichts Unfreundliches noch auch Ungeziemliches, Ungestümes, noch etwas war an ihm zu entdecken, wovon man hätte sagen können: »Es war von Übermaß«, sondern alles wohl und gleichsam bei guter Muße überlegt, unerschütterlich geordnet, fest und mit sich selbst übereinstimmend. Und so konnte man denn auf ihn anwenden, was von Sokrates berichtet wird, daß er Dinge zu entbehren und zu genießen gewußt habe, bei deren Entbehrung sich viele schwach und bei deren Genuß sie sich unmäßig verhalten. Dort aber mutig zu ertragen, hier nüchtern zu bleiben, verrät einen Mann von vollendeter und unbesiegbarer Geistesstärke, und in diesem Lichte zeigte er sich während der Krankheit des Maximus.

Den Göttern verdanke ich es, daß ich rechtschaffene Großväter, rechtschaffene Eltern, eine rechtschaffene Schwester, rechtschaffene Lehrer, rechtschaffene Hausgenossen, Verwandte, Freunde, ja fast durchaus rechtschaffene Menschen um mich gehabt habe, aber auch das, daß ich gegen keinen derselben zu einem Fehltritt durch

Übereilung mich verleiten ließ, obgleich ich hierzu die Anlage in mir trug, vermöge deren ich bei gegebenem Anlaß etwas dergleichen hätte tun können. Doch die Huld der Götter verhütete das Zusammentreffen von Umständen, wodurch ich überwältigt worden wäre. Ihnen verdanke ich es, daß ich bei der Geliebten meines Großvaters nicht noch länger aufgezogen ward; daß ich meine Jugendreinheit bewahrte; daß ich nicht vor der Zeit meine Manneskraft verschwendete, sondern sie sogar über die Zeit hinaus aufsparte; daß ich einem Herrn und Vater untergeordnet war, der jeden Keim des Übermutes in mir vertilgen und mich zu der Überzeugung erheben konnte, daß man, ohne Leibwächter, Feiergewänder, Fackeln, Statuen und ähnlichen Aufwands zu bedürfen, am Hofe leben und sich beinahe wie ein Privatmann einschränken könne, ohne deshalb der Würde und dem Ernste in Erfüllung seiner Herrscherpflichten gegen das Gemeinwesen etwas zu vergeben. Den Göttern verdanke ich es auch, daß mir ein Bruder beschieden ward, der durch sein sittliches Benehmen mich zur Sorgfalt für mein Inneres aufmunterte und zugleich durch seine Achtung und Zuneigung mich erfreute; daß mir Kinder geboren wurden, welche geistig nicht unbegabt, körperlich nicht verkrüppelt waren; daß ich in der Rede- und Dichtkunst und in den anderen Wissenschaften keine größeren Fortschritte machte, die mich bei der Wahrnehmung eines glücklichen Fortschreitens vielleicht zu sehr gefesselt haben würden; daß ich unverweilt meine Erzieher zu den Ehrenstellen, welche sie gerade mir zu wünschen schienen, erhoben habe, ohne sie mit der Hoffnung hinzuhalten, ich werde das, weil sie für solche noch zu jung sind, erst in der Folgezeit tun. Auch dafür sei ihnen Dank, daß ich den Apollonius, Rusticus, Maximus kennenlernte; daß ich mich über die Art und Weise eines naturgemäßen Lebens lebhaft und oft in Gedanken beschäftigte; daß von seiten der Götter und der von dorther stammenden Gaben, Hilfeleistungen, Eingebungen nichts mich hinderte, alsbald der Natur gemäß zu leben, wenn ich nicht durch eigne Schuld und durch Nichtbefolgung der göttlichen Mahnungen, fast möchte ich sagen: Offenbarungen, darin zurückbleiben wollte; daß mein Körper bei einer solchen Lebensweise so lange ausdauerte; daß ich weder die Benedicta, noch den Theodotus berührt habe und auch von meinen späteren Liebesfiebern genesen bin; daß ich, obgleich oft ungehalten auf Rusticus, mir doch nichts weiter erlaubt habe, was ich jetzt bereuen müßte; daß meine Mutter, die so jung sterben sollte, doch noch in ihren letzten Jahren mit mir zusammen wohnen durfte; daß, so oft ich einen Armen oder sonst einen Hilfsbedürftigen unterstützen wollte, ich nie hören mußte, meine Geldmittel gestatteten eine solche Unterstützung nicht, und daß ich selbst nie in die drückende Lage geriet, um von einem anderen etwas annehmen zu müssen. Den Göttern verdanke ich den Besitz einer Gemahlin, die so lenksam, so zärtlich liebend, so einfach ist, ihnen den Reichtum an geeigneten Erziehern für meine Kinder, ihnen endlich, daß ich bei meiner Neigung zur Philosophie keinem Sophisten in die Hände fiel, auch nicht im Lesen von Schriften, Auflösung von Trugschriften, Untersuchungen über die Gestirne ein müßiges Leben führte. Ja, zu diesem allem bedurfte es des Beistandes der Götter und des Glückes.

Apulejus
Der goldene Esel

Die Sektion für Altertumswissenschaft bei der Deutschen Akademie der Wissenschaften in Berlin begann ihre Reihe Schriften und Quellen der Alten Welt mit dem berühmten Roman des Apulejus Metamorphosen oder Der goldene Esel. Rudolf Helm, der diesen Band lateinisch und deutsch herausgegeben hat, schreibt im Vorwort: »Die neue Reihe der zweisprachigen Ausgaben eröffnet ein einzigartiges Werk des Altertums, der einzige ganz erhaltene komische oder Sittenroman, den wir besitzen; denn Petrons realistischer und satirischer Roman ist ja nur in Bruchstücken überliefert. Apulejus' Metamorphosen aber besitzen wir vollständig und haben in ihnen ein lebendiges Bild des antiken Lebens in seiner ganzen Mannigfaltigkeit und seiner schillernden Buntheit. Wir sehen die vornehme Gesellschaft wie die bittere Armut, Edelmut und Lüsternheit, Frivolität und Priestertrug, Zauberei und fromme, religiöse Hingabe, das qualvolle Dasein der Sklaven und die Volksbelustigungen, Räuberwesen und Frechheit der Soldateska, kurz, während wir den zum Esel verwandelten Menschen auf seiner Wallfahrt begleiten, rollt sich ein wesentlicher Teil des menschlichen Lebens in all seinen Schattierungen vor uns ab.« In der Mitte aber steht die berühmteste dieser Geschichten, Amor und Psyche, *Satire, Märchen und Burleske in einem.*

Apulejus wurde im zweiten nachchristlichen Jahrhun-

dert geboren: *in der römischen Kolonie Madaura, in der Provinz Afrika. In Karthago und in Athen wurde er erzogen. Er machte lange Reisen, die ihn nach Asien führten. Sein besonderes Interesse galt den mystischen Kulten. Er wurde oft der schwarzen Magie beschuldigt und in schwere Prozesse verwickelt.*

Weder sein Leben noch seine übrigen Werke leben im Gedächtnis weiter. Nur sein Goldener Esel, *dieser erste große Abenteuerroman, wurde Teil der Weltliteratur. Er ist immer wieder übersetzt und neugedruckt worden und hat zu allen Zeiten begeisterte Liebhaber gefunden. So bat zum Beispiel Flaubert in der Zeit, als er* Madame Bovary *schrieb, seine Freundin Louise Colet immer wieder, ihre Gäste nach dem* Goldenen Esel *zu fragen; er würde sie nach ihrer Begeisterung für dies antike Buch einschätzen.*

Wir bringen im folgenden einen Teil des letzten Kapitels. Lucius, der Held des Romans, ein junger Mann aus angesehenem Hause, begibt sich auf Geschäftsreisen. Durch seinen Hang zur Magie gerät er in abenteuerliche Gesellschaft und wird auf Grund eines Versehens in einen Esel verwandelt. Nachdem er als Esel die merkwürdigsten Abenteuer, Gefahren und bittere Enttäuschungen erleben mußte, hat er schließlich nur noch den einen Wunsch, seine menschliche Gestalt wiederzuerlangen oder zu sterben.

Ungefähr um die erste Nachtstunde wurde ich durch ein jähes Erschrecken aus dem Schlafe erweckt. Eben stieg in vollem Glanze der Mond aus den Meeresfluten herauf.

Die Majestät dieses hehren Wesens erfüllte mich mit tiefster Ehrfurcht. Und überzeugt, daß alle menschlichen Dinge durch seine Allmacht regiert werden, bediente ich mich der feierlichen Stille der Nacht, mein Gebet an das holdselige Bild dieser hilfreichen Gottheit zu verrichten.

Flugs schüttelte ich jeglichen Rest von Trägheit ab, stand munter auf, badete mich, um mich zu reinigen, im Meere, und nachdem ich mein Haupt siebenmal unter die Fluten getaucht (welches die Zahl ist, die der göttliche Pythagoras als die schicklichste zu gottesdienstlichen Verrichtungen angibt), betete ich zur heiligen Göttin also:

»Königin des Himmels! Du seiest nun die allernährende Ceres, des Getreides erste Erfinderin; oder du seiest die himmlische Venus oder des Phöbus Schwester, oder du seiest endlich die dreigestaltige Proserpina: Göttin, die du mit jungfräulichem Scheine alle Regionen erleuchtest und nach der Sonne Umlauf dein wechselndes Licht einteilest, unter welchem Namen, unter welchen Gebräuchen, unter welcher Gestalt dir die Anrufung immer am wohlgefälligsten sein mag: Hilf mir in meinem äußersten Elende! Stehe mir bei, daß ich nicht gänzlich zugrunde gehe! Nach so vielen, so schwer überstandenen Trübsalen verleihe mir endlich Ruhe und Frieden! Ich habe genug des Jammers, genug der Gefahren! Nimm von mir hinweg die schändliche Tiergestalt! Laß mich wieder werden, was ich war; laß mich Lucius werden und gib mich den Meinigen wieder! Oder hab' ich irgendeine unversöhnliche Gottheit ohne mein Wissen beleidigt – ach, so sei lieber mir erlaubt zu sterben denn also zu leben, o Göttin!«

Nachdem ich solchergestalt gebetet und mein Leid geklagt hatte, kehrt' ich auf meinen vorigen Ruheplatz zurück, und ein süßer Schlaf bemächtigte sich aufs neue meiner Sinne.

Kaum war ich eingeschlummert, siehe, so erhub sich eine göttliche Gestalt mitten aus dem Meere. Erst zeigte sich ihr selbst den Göttern ehrwürdiges Antlitz; darauf entstieg nach und nach ihr ganzer Körper den Wellen. Das herrliche Gebilde schien vor mir stillezustehen.

Ich will versuchen, euch diese wunderbare Erscheinung zu schildern, wenn anders die Armut menschlicher Sprache zur Beschreibung hinreicht oder die mir erschienene Gottheit mir Fülle der Beredsamkeit will angedeihen lassen.

Reiche, ungezwungene Locken spielten sanft in angenehmer Verwirrung um den Nacken der Göttin. Ihren hohen Scheitel schmückte ein vielförmiger Kranz mit mancherlei Blumen. Über der Mitte der Stirne glänzte mit blassem Scheine eine flache Rünne nach Art der Scheibe des Mondes, darumher auf beiden Seiten sich gewundene Schlangen gleich Furchen zogen und drüber hin, wie bei der Ceres, Kornähren gelegt waren.

Ihr Kleid war feiner Kattun, der bald weiß, bald gelb, bald rosenrot wechselte. Es umhüllte sie ein Mantel von blendender Schwärze, der unter den rechten Arm weg über die linke Schulter geschlagen war; der Zipfel, wie der Schild eines Kriegers über den Rücken zurückgeworfen, fiel in mannigfachen Falten hinab.

In ihren Händen führte die Göttin weit voneinander verschiedene Dinge. Denn in der Rechten hielt sie eine goldene Klapper, durch deren schmales Blech, das sich wie ein Gürtel zusammenbog, einige Stäbe gezogen waren, die einen hellen Klang gaben, wenn der Arm die drei Saiten in Schwingung versetzte. Von der Linken aber hing ihr ein goldnes Trinkgeschirr herab, über dessen Handhabe an der Seite, wo sie sichtbar war, eine Schlange sich emporreckte mit hocherhobenem Haupte und geschwollenem Nacken.

Ihre ambrosiaduftenden Füße deckten Schuhe, aus Blättern der Siegespalme geflochten.

Also geschmückt und Arabiens Wohlgeruch um sich
her verbreitend, würdigte die hohe Göttin mich folgender
Anrede:

»Schau! Dein Gebet hat mich gerührt. Ich, Allmutter
Natur, Beherrscherin der Elemente, welche unter so mancherlei Gestalt, so verschiedenen Bräuchen und vielerlei
Namen der ganze Erdkreis verehrt – die Besitzer der ältesten Weisheit, die Ägypter, geben meinen wahren Namen
mir: Königin Isis –, ich erscheine dir aus Erbarmen über
dein Unglück. Stelle ein dein Trauern, dein Klagen! Der
Tag deines Heils ist da, kraft meiner Allmacht; öffne nur
deine betrübte Seele meinem göttlichen Gebote!

Der Tag, welcher auf diese Nacht folgt, ist mir durch
uralte Gewohnheit geheiligt. Die Winterstürme sind vorüber; des Meeres Ungestüm hat sich gelegt; die Schiffahrt
beginnt: Meine Priester weihen mir ein neugezimmertes
Schiff und opfern mir die Erstlinge jeglicher Ladung. Erwarte ihren heiligen Zug. Auf mein Geheiß wird der
Hohepriester einen Rosenkranz in der rechten Hand am Sistrum hangen haben. Dränge nur unverzüglich dich durch
die Menge hindurch, gehe im Vertrauen auf meinen Schutz
getrost dem Zuge entlang, bis du dich so nahe beim Hohenpriester befindest, daß du unterm Scheine eines Hand-
kusses unvermerkt einige Rosen ihm rauben kannst: Sofort
wirst du die Gestalt dieses garstigen, mir längst verhaßten
Tieres ablegen! Fürchte bei Ausführung dieses meines Gebots keine Schwierigkeit! Denn in diesem selbigen Augenblicke, da ich hier vor dir stehe, bin ich auch dort meinem
Hohenpriester im Traume gegenwärtig und offenbare
ihm, was geschehen wird und wie er sich dabei zu verhalten habe. Auf meinen Befehl soll vor dir das herzudrän-
gende Volk Platz machen. Niemand soll bei der frohen
Feierlichkeit und dem festlichen Schauspiele Scheu vor

diesem deinem häßlichen Ansehen tragen, noch soll irgendein böser Ausleger deine plötzliche Umwandlung boshafterweise verunglimpfen. Nur sei eingedenk und verliere nicht aus deinem Gedächtnis, daß mir von nun an deine übrigen Tage bis auf deinen letzten Odemzug verbürgt sind! Denn billig bist du derjenigen, durch deren Wohltat du wieder unter die Menschen zurückkehrst, dein ganzes Leben schuldig. Inzwischen wirst du glücklich, wirst du rühmlich unter meinem Schutze leben, und wenn du hier deinen Weg vollendet hast und zur Unterwelt hinabwandelst, so wirst du auch dort, auf jener unterirdischen Halbkugel, mich, die du vor dir siehst, als ein Bewohner der elysischen Gefilde fleißig anbeten und meiner Huld dich zu erfreuen haben.«

Nachdem die ehrwürdige Gottheit also huldreich zu mir gesprochen, wich sie in sich selbst zurück.

Unverzüglich war mein Schlaf dahin, und voller Furcht und Freude stand ich auf.

Kurze Zeit darauf, als das schwarze Gewölk der Nacht verschwunden und die goldne Sonne hervorging, da sah man alle Landstraßen mit einer großen Menge Leute angefüllt, die zur heiligen Feierlichkeit allerorten herzukamen.

Alles und jegliches schien mir dermaßen mit der Fröhlichkeit meines Herzens zu sympathisieren, daß nicht allein die Tiere aller Arten, sondern auch die Häuser, ja der Tag selbst mich heiterer und vergnügter anzulächeln schienen. Anstatt des gestrigen rauhen Nebels wallten milde, gelinde Lüfte. Überall, von Frühlingsluft begeistert, stimmten die Vögel angenehme Konzerte an und begrüßten der Gestirne Mutter, die Fürstin der Zeiten und des Weltalls Beherrscherin mit lieblichem Gesange. Auch fruchttragende und andere, nur schattengebende Bäume, erweckt vom Hauche der Mittagswinde, wiegten mit sanftem Wohllaute ihre Zweige, prangend mit den glänzenden Knospen junger Blätter. Jeglicher brausende Sturm schwieg; das Meer, keine düsteren Wogen auftürmend, spülte ruhig an das Gestade, und der Himmel, von Wolken rein, schimmerte im blendenden Glanze seines eignen Lichtes.

Siehe, da erschien allgemach der lustige Vortrab des heiligen Aufzuges. Ein jeder ging nach seiner Phantasie aufs komischste maskiert. Der eine, mit einem Degengehänge über die Schultern, stellte einen Soldaten vor; der andere, einen Säbel an der Seite und einen Jagdspieß in der Hand, war ein Jäger. Ein dritter, in goldnen Schuhen, von einem seidnen Gewande umflossen, mit dem köstlichsten Geschmeide geschmückt, die Haare um den Kopf in Flechten gewunden, schwebte als ein Fräulein einher. Noch ein anderer, mit Halbstiefeln, Schild, Helm und Dolch ausgerüstet, schien eben aus der Fechterschule zu kommen. Einer war auch da, der, mit einem purpurverbrämten Kleide angetan, Liktoren mit den Faszes vor sich her, eine Magistratsperson machte. Nicht minder sah man einen mit Mantel, Stock, Pantoffeln und langem Ziegenbarte den Philosophen spielen.

Nach diesen Possen, die dem umherschwärmenden Volke unsägliches Vergnügen machten, kam endlich die feierliche Prozession meiner Schutzgöttin einhergezogen. Weiber in blendend weißen Gewändern, bekränzt mit jungen Blüten des Frühlings, bestreuten den Weg, welchen der heilige Zug nahm. Einige hatten elfenbeinerne Kämme in den Händen und taten mit Gebärden und Bewegung ihrer Arme und Finger, als schmückten sie das königliche Haar der Isis. Noch andere besprengten die Gassen mit allerhand wohlriechenden Salben und mit köstlichem Balsam. Allerlei liebliche Instrumente und

Pfeifen ließen sich nun hören. Ein Chor der auserlesensten
Jugend vermählte seine Stimme mit ihren süßen Weisen
und sang ein Lied, dessen Inhalt die Präludien zu feierli-
cheren Gebeten bildeten. Bei diesen Sängern befanden sich
die Pfeifer des großen Serapis. Auf Querpfeifen, die nach
der rechten Seite gehalten wurden, bliesen sie die beim
Dienste dieses Gottes üblichen Melodien. Jetzt kamen
Herolde, die mit weitschallender Stimme ausriefen:
»Platz, Platz für die Heiligtümer!« Hierauf strömten die in
den heiligen Gottesdienst Eingeweihten einher. Alle trugen leinene Kleider von blendender Weiße, die Weiber das
gesalbte Haar in durchsichtigen Flor eingehüllt, die Männer das Haupt so glatt geschoren, daß der Scheitel glänzte.
Diese irdischen Gestirne der erhabenen Religion machten
mit ehernen, silbernen, ja auch goldnen Sistren eine sehr
hellklingende Musik. Allein die Oberpriester, in einem
nahe anliegenden Gewande von weißer Leinwand, das ihnen bis auf die Füße hinabging, trugen die Symbole der
allgewaltigen Götter. Der erste hielt eine helleuchtende
Lampe von Gold und in der Gestalt eines Nachens, in dessen Mitte eine breite Flamme aus einer Öffnung hervorlo-
derte. Der zweite führte in beiden Händen Altäre, die
Hilfsaltäre heißen, weil die Göttin sich vorzüglich hilf-
reich zu denselben herabzuneigen würdigt. Der dritte
hielt einen Palmzweig, dessen Blätter sauber aus Gold gearbeitet waren, nebst einem geflügelten Schlangenstab,
gleich dem des Merkurius. Der vierte trug das Sinnbild der
Billigkeit zur Schau: eine nachgebildete offne linke Hand
mit ausgestreckten Fingern; denn da die Linke von Natur
unbehend und langsam ist, so scheint sie der Billigkeit angemessener als die Rechte. Unmittelbar darauf sah man die
Götter selbst, die sich gefallen ließen, auf den Füßen sterb-
licher Menschen einherzuwandeln. Da war, mit schreckli-

chem, langhalsigem Hundskopfe, der Bote der Ober- und Untergötter. Er trug sein halb schwarzes, halb goldnes Antlitz empor und schwang in der Linken einen Caduceus und in der Rechten einen grünen Palmzweig. Dicht hinter ihm folgte eine Kuh in aufrechter Stellung, das segenvolle Bild der allgebärenden Göttin. In seinem Schoße hielt ein anderer Glückseliger des höchsten Wesens ehrwürdiges Bild. Es war eine kleine, aus schimmerndem Golde sehr künstlich gebildete Urne mit rundem Boden, auswärts mit den wundersamen Götterbildern der Ägypter bezeichnet. Ganz zuletzt erschien der Trost, die Hilfe, welche mir die mitleidige Göttin verheißen. Mein Heil in Händen, trat der Hohepriester einher. Vollkommen der göttlichen Offenbarung gemäß trug seine Rechte ein Sistrum für die Göttin und für mich einen Kranz, einen wahrhaftigen Siegeskranz. Inzwischen ließ ich mich nicht von jäher Freude hinreißen und stürzte blindlings hinzu, damit ich nicht die Ordnung und Andacht der Prozession stören möchte, wenn ich ungestüm angelaufen käme, sondern so gesetzt, so ehrfurchtsvoll, als immer ein Mensch hätte tun können, schlich ich mich ganz geduckt allgemach hinan, indem auf göttliche Eingebung mir das Volk auf beiden Seiten auswich.

Da gemahnte es den Hohenpriester sofort seines nächtlichen Gesichts. In sichtbarer Verwunderung, daß alles genau mit demselben übeinträfe, blieb er stehen, reichte mir von selbst die Rechte hin und hielt den Kranz mir dicht vor den Mund.

Zitternd und unter dem gewaltigsten Herzklopfen ergriff ich mit gierigen Lippen den aus den schönsten Rosen gewundenen Kranz und verschlang ihn hastig. Stracks ward erfüllt die himmlische Verheißung!

Zusehends fiel die häßliche Tiergestalt von mir ab. Es

verging das schmutzige Haar. Die Haut verdünnte sich. Aus den Hinterhufen drängten sich Zehen hervor. Zu Händen, mit Fingern versehen, wurden die Vorderhufe. Der lange Hals verkürzte sich. Kopf und Gesicht wurden rund. Die ungeheuern Ohren nahmen ihre vorige Kürze wieder an.

Es staunte das Volk. Aller Hände waren gen Himmel gestreckt, und man hörte nur einen Schrei des Erstaunens ob dem so großen Wunder.

Mein Herz vermochte eine so plötzliche, so überschwengliche Freude nicht zu fassen. Starr und stumm stand ich da und wußte nicht, was ich zuerst sagen, womit ich die wiedererhaltene Stimme und Sprache am glücklichsten versuchen und mit welchen Worten ich der wohltätigen Göttin meinen Dank zu erkennen geben sollte.

Nun hub der Hohepriester mit fröhlichem Gesichte und begeistert über meine Menschwerdung also an:

»Willkommen, o Lucius, nach so viel und mancherlei bestandenen Abenteuern, nach so wilden erlittenen Stürmen und Ungewittern des Schicksals, willkommen im Hafen der Ruhe, willkommen am Altare der Barmherzigkeit! Schau, trotz deiner Geburt, deines Standes, deiner großen Gelehrsamkeit selbst bist du auf der schlüpfrigen Bahn der Jugend geglitten und hast einen unseligen Vorwitz teuer bezahlt. Und trotz seiner Blindheit, seiner Bosheit, seiner Schadenfreude hat das feindselige Glück durch die schlimmsten Widerwärtigkeiten dich hieher zu deinem Heile geführt. Es gehabe sich nun wohl und gehe und übe an andern Wut und suche andere Gegenstände für seine Grausamkeit! Wer, wie du, von unserer erhabenen Göttin zum Diener erkoren, der stehet außer der Macht desselben. Mag es dir noch so sehr durch Räuber, durch wilde Tiere, durch Sklaverei, durch mühselige Märsche, durch

tägliche Todesgefahr mitgespielt haben – der Tyrannei des
blinden Wesens ist nun ein Ende. Du bist in den Schutz einer sehenden Gottheit aufgenommen, die auch die übrigen
Götter durch den Schein ihres Lichtes erleuchtet! Nimm
denn eine fröhliche Miene an und begleite mit Frohlocken
das Gepränge deiner göttlichen Wohltäterin. Es sehen
dich die Ungläubigen, sehen dich und erkennen ihren Irrtum! Schauet auf, ihr Unglückseligen! Sehet da des durch
die Allmacht der großen Isis vom Elend erretteten Lucius'
Triumph über das Unglück! Doch um so sicherer, um
desto beschirmter forthin zu wandeln, so verleibe dich, o
Lucius, auf der Stelle userm heiligen Orden ein! Unter-
ziehe freiwillig dich mit unbedingtem Gehorsam usern
gottesdienstlichen Satzungen, bis für dich der glückliche
Augenblick kommt, da du das feierliche Gelübde wirst
ablegen dürfen! Je früher du dich der Göttin weihest, je
süßere Früchte wirst du für deine hingegebene Freiheit
einernten.«

Nachdem der Hohepriester also mit heiliger Salbung gesprochen, schwieg er keuchend. Ich aber mischte mich
unter die Geweihten und begleitete den heiligen Zug.

Tertullian
Die zwei Bücher an seine Frau

Quintus Septimus Tertullianus Florens *wurde ca. 160 n.
Chr. als Sohn eines Unteroffiziers der Garnison von Karthago geboren. Er wurde 60 Jahre alt. Die erste Hälfte seines Lebens brachte er in Rom zu, die zweite in Karthago.*

*Nur einige Tatsachen sind aus seinem Leben bekannt.
Im Jahre 166 sah er in Rom parthische Gefangene, die an
ihren Stiefeln statt Knöpfen kostbare Perlen trugen. Im
Jahre 180 starb der Kaiser Mark Aurel; in Rom nahm der
Oberpriester der Kybele die üblichen Fürbitten für den
Kaiser vor, ritzte sich die Arme und opferte sein Blut. Noch
nicht vierzig Jahre alt, war Tertullian ein vermögender
Privatmann in seiner Geburtsstadt Karthago.*

*Spätestens 196 wurde er Christ, weshalb ist nicht be-
kannt. Daß er öffentlich nicht in der üblichen Staatsklei-
dung der höheren Stände, der Toga, erschien, sondern
über der Tunika nur das sogenannte Pallium trug, eine Art
Mantel, das Kennzeichen der Philosophen, wird auf seine
Hauptaktivität jener Jahre zurückgeführt.*

*Mit den Christen zerstritt er sich und schloß sich einer
Sekte an, die als Montanismus bezeichnet wurde; separati-
stische Tertullianisten existierten noch zur Zeit Augustins.
Der Montanismus war eine enthusiastisch-apokalyptische
Sekte, vertreten durch Montanus und die Prophetinnen
Prisca und Maximilla, die von Phrygien ihren Ausgang
nahm und sich schnell durchs ganze römische Reich*

verbreitete. Montanus war der erste in einer langen Reihe christlicher Ketzergestalten.

Tertullian besaß eine hervorragende griechische und lateinische Bildung. Besonders Platon, die Stoa und die medizinischen Schriften der Alten hatte er studiert. Dann widmete er sich in Rom und Karthago juristischen Studien.

Er verfaßte unter anderem eine folgenreiche Apologetik *und wurde der Schöpfer der Theologie im Abendland und der lateinischen Kirchensprache. Nur das Christentum habe die Wahrheit. Die griechische Philosophie sei Häresie, Dämonenwerk. Er nahm bereits den berühmten Satz »Credo quia absurdum« vorweg mit dem vielleicht noch radikaleren: »Certum est, quia impossibile est« = »Es ist gewiß, weil es unmöglich ist.«*

Er hat in vielen Essays die christliche Morallehre festgelegt: Über die Schauspiele, Über die Geduld, Über den weiblichen Putz. *Es ist vor allem das asketische Christentum, das seine Züge trägt. Wir bringen hier Auszüge aus dem ersten Buch seiner Schrift* Die zwei Bücher an seine Frau. *Er macht hier sein Testament, indem er ihr sagt, wie sie sich nach seinem Tode verhalten soll. Sie starb jedoch vor ihm.*

Es ist dies Schreiben also an seine Witwe adressiert. Sie soll nicht wieder heiraten. Und er spricht im folgenden dann Ideen aus, die innerhalb des Christentums eine große Bedeutung erlangt haben. Die Ehe ist eine notwendige Pflanzstätte des Menschengeschlechts; vollkommener ist freilich der Zustand der Jungfräulichkeit. Ist man aber erst einmal Witwe, so ist die Wiederverheiratung geradezu eine Sünde. Keine der vielen Argumente dagegen sind stichhaltig. Ganz gewiß ist dieser testamentarische Brief für einen besonderen Fall geschrieben und behandelt vor allem die Situation der Witwe.

Ich habe es, meine teuerste Mitdienerin im Herrn, schon jetzt für angemessen erachtet, festzusetzen, wie Du Dich nach meinem Hintritt aus dieser Zeitlichkeit, für den Fall, daß ich eher abgerufen würde, einrichten sollst, und Deiner Gewissenhaftigkeit anzuempfehlen, daß Du diese Festsetzung beobachtest. Haben wir doch schon mit den zeitlichen Dingen so viel zu tun und wollen wir, daß für jedes von uns beiden gesorgt sei. Wenn wir für solche Angelegenheiten Urkunden errichten, warum sollten wir nicht noch viel mehr in Betreff der göttlichen und himmlischen Dinge für die nach uns kommende Zeit Vorsorge treffen und sozusagen zum voraus ein Legat bestimmen?

Ich schreibe Dir also vor, nach meinem Hinscheiden mit aller Enthaltsamkeit, deren Du fähig bist, jeder ehelichen Verbindung zu entsagen. Mir wirst Du dadurch nichts geben als nur, daß Du Dir nützest. Übrigens wird den Christen, die aus der Zeitlichkeit geschieden sind, keine Wiederherstellung ihrer Ehen für den Tag der Auferstehung verheißen; denn sie sind zu engelhafter Natur und Heiligkeit umgewandelt. Mithin gibt es dann keine Bekümmernis mehr, welche aus der Eifersucht von Fleisch und Blut ihren Ursprung hätte. Jedoch es steht Dir frei zu untersuchen, ob mein Rat Dir und jedem Gott angehörigen Weibe von Nutzen ist.

Wir verwerfen die Verbindung zwischen Mann und Weib keineswegs. Sie ist von Gott gesegnet als die Pflanzstätte des menschlichen Geschlechts und erfunden, um den Erdkreis zu bevölkern und die Zeit des Bestehens der Welt auszufüllen. Darum ist sie auch erlaubt, aber nur eine einzige. Denn Adam war auch der einzige Ehemann der Eva, und Eva seine einzige Ehefrau, das eine Weib, die eine Rippe. Überhaupt lesen wir nirgends etwas von einem Verbote des Heiratens, da es ja etwas Gutes ist.

Indessen wir erfahren vom Apostel, was besser sei als
dieses Gut. Er erlaubt zwar zu heiraten, gibt aber der Enthaltsamkeit den Vorzug: das eine wegen der uns nachstel-
lenden Versuchungen, das andere wegen der Bedrängnis
der Zeiten. Wenn man den Grund eines jeden dieser beiden Aussprüche betrachtet, so erkennt man mit Leichtigkeit, daß uns die Erlaubnis des Heiratens nur notgedrungen gewährt sei. Was aber die Not gewährt, das entwertet
sie auch.

Man kann sagen: wofür man erst einer Erlaubnis bedarf,
das ist nicht gut. Wieso denn? Für das, was erst erlaubt
wird, gibt es immer eine Veranlassung zur Erteilung der
Erlaubnis, welche verdächtig ist. Das Vorzüglichere aber
braucht nicht erst von jemand erlaubt zu werden – weil es
unbedenklich und wegen seiner Einfachheit an sich klar
ist. Es ist nicht erlaubt, Dinge zu begehren deshalb, weil
sie nicht verboten wurden. Und doch liegt gewissermaßen
ein Verbot derselben darin, daß ihnen andere vorgezogen
werden. Denn in dem den höhern Gütern erteilten Vorzug
liegt ein Abraten von den niedern. Wollen wir dem
Apostel Gehör geben, so laßt uns, der geringern Güter
vergessend, zu den höhern die Hände ausstrecken und
Nacheiferer nach bessern Gaben sein. So legt er uns zwar
keine Schlinge um, aber er zeigt uns, was das Nützliche
sei, wenn er spricht: »Die Unverehelichte denkt an das,
was des Herrn ist, daß sie an Leib und Seele heilig sei, die
Verehelichte dagegen ist besorgt, wie sie ihrem Gatten gefalle.« Im übrigen gestattet er überall die Ehe nur in der
Weise, daß er lieber sähe, wenn wir seinem Beispiel nach-
strebten. Glücklich, wer Paulus gliche!

Allein es steht geschrieben, das Fleisch ist schwach, und
daraufhin machen wir es uns in gewissen Dingen etwas
leicht. Wir lesen aber doch auch, daß der Geist stark sei,

denn beides steht in einer und derselben Sentenz nebeneinander. Das Fleisch ist ein irdischer Stoff, der Geist ein
himmlischer. Warum also sind wir immer mehr geneigt,
zu entschuldigen, und schieben das vor, was in uns
schwach ist, anstatt die Rechte des Stärkern aufrechtzuerhalten? Warum hat nicht das Himmlische vor dem Irdischen den Vorrang? Wenn der Geist, edler wegen seiner
Abkunft, stärker ist als das Fleisch, so ist es ja unsere
Schuld, wenn wir dem Schwächeren nachgeben. Zwei Arten menschlicher Schwäche machen, daß denen, welche
außer der Ehe leben, das Heiraten als notwendig erscheint.
Die erste ist eine sehr mächtige, nämlich die Begierlichkeit
des Fleisches, die zweite die Begierde dieser Welt. Beide
müssen von uns als Dienern des Herrn, welche der Wollust so gut wie der Hoffart des Lebens entsagt haben, verworfen werden.

Die Begierlichkeit des Fleisches schützt die Triebe des
blühenden Alters vor; sie gibt vor, daß ein Mann für das
schwache Geschlecht als Autorität und zur Stütze notwendig sei, schon um als Schutz gegen böse Zungen zu
dienen. Und Du nun? – Gegenüber solchen Einflüsterun-
gen halte Dir die Beispiele unserer Schwestern vor, deren
Namen beim Herrn aufgezeichnet sind, die, nachdem sie
ihre Männer verloren, bei keiner Gelegenheit, die ihnen
Schönheit oder blühendes Alter bot, der Heiligkeit untreu
geworden sind. Sie wollen lieber mit Gott vermählt sein.
Mit ihm leben sie in Gemeinschaft, mit ihm unterhalten
sie sich, mit ihm gehen sie Tag und Nacht um, ihm bringen sie ihr Gebet als Mitgift zu. Durch die Beispiele
solcher Frauen wirst Du Dich in der Nachahmung der
Enthaltsamkeit üben, durch geistige Begierden die
fleischliche Begierlichkeit unterdrücken und die zeitlichen und vorübergehenden Wünsche der Jugend und

Gestalt durch die unsterblichen Güter aufwiegen und ausrotten.

Die Begierlichkeit der Welt aber bedient sich der Beweggründe des Ehrgeizes, der Habsucht, der Ruhmsucht
und der Unzulänglichkeit der eigenen Mittel, um dadurch
die Notwendigkeit einer Heirat nahezulegen, und stellt es
als Seligkeit hin, in einer andern Familie Einfluß zu haben,
sich auf das Vermögen des andern zu stützen, seinen Putz
aus fremdem Besitz zu bestreiten und Aufwand machen zu
können. Solche Berechnungen liegen uns Christen fern,
weil wir uns keine Sorgen über den Lebensunterhalt machen; es müßte denn sein, daß wir den Verheißungen Gottes, seiner Fürsorge und Vorsehung mißtrauten, obschon
er verbietet, um Nahrung und Kleidung für den morgigen
Tag besorgt zu sein, und zu wissen versichert, was jeder
von seinen Dienern bedarf, nämlich nicht etwa schwere
Halsgeschmeide, Unwillen erregende Kleiderpracht, gallische Maulesel und deutsche Sänftenträger, was alles den
Ehrgeiz nach Heiraten anfacht, sondern Genügsamkeit,
welche sich für die Einfachheit und Sittsamkeit schickt.
Denke an das Himmlische, und Du wirst das Irdische verachten. Für eine vor Gott besiegelte Witwenschaft ist weiter nichts nötig als Ausharren.

Uns ist in der Enthaltsamkeit vom Herrn des Heiles ein
Mittel gezeigt worden, zur ewigen Seligkeit zu gelangen,
unsern Glauben an den Tag zu legen, unser jetziges Fleisch
zur künftigen Überkleidung mit Unverweslichkeit hinzustellen und zu empfehlen, sowie endlich den Willen Gottes
abzuwarten. Über letztern Punkt fordere ich Dich noch
auf, nachzudenken, nämlich darüber, daß niemand aus
dieser Zeitlichkeit abgerufen wird als nach dem Willen
Gottes, da ja nicht einmal ein Blatt vom Baume fällt ohne
ihn. Derselbe, der uns in die Welt setzt, muß es notwendig

auch sein, der uns daraus abruft. Wenn also ein Ehemann
durch den Willen Gottes hinscheidet, so ist durch den Willen Gottes auch die Ehe geschieden. Warum wolltest Du
das wiederherstellen, dem Gott ein Ende gemacht hat?
Warum verschmähst Du die Dir angebotene Freiheit, indem Du das Joch der Ehe wieder auf Dich nimmst? »Bist
du durch die Ehe gebunden«, heißt es, »so begehre keine
Lösung, bist du der Ehe ledig, so begehre nicht die Ge-
bundenheit.« Denn wenn Du gleich durch die Wiederverheiratung keine Sünde begehst, so heißt es doch, daß Bedrängnis durch das Fleisch folgen werde. Darum wollen
wir die Gelegenheit zur Enthaltsamkeit, sobald sie sich
darbietet, nach Kräften lieben und uns damit befreunden,
so daß wir, was wir in der Ehe nicht vermocht haben, in
der Witwenschaft erreichen. Man muß die Gelegenheit ergreifen, welche uns dessen entledigt, was die Notwendigkeit uns auferlegt hatte.

Wie sehr eine zweite Heirat den Glauben herabsetzt,
wie sehr sie der Heiligkeit widerstrebt, das zeigt die Disziplin der Kirche und die Vorschrift des Apostels, wenn er
die zweimal Verheirateten nicht zu Vorsteherämtern zuläßt, wenn er keine Witwe in den Witwenstand aufzunehmen gestattet als nur Witwen eines einzigen Mannes; denn
vor Gott darf nur ein reiner Altar aufgestellt werden.

In Betreff der Ehren, welche der Witwenstand beim
Herrn genießt, haben wir gleich einen seiner Aussprüche,
den er durch seinen Propheten gibt, zur Hand: »Handelt
gerecht gegen die Witwe und den Unmündigen, alsdann
kommet und wir wollen rechten, spricht der Herr.« Den
Schutz dieser beiden Klassen übernimmt der Allvater, da
sie in Ermanglung menschlicher Hilfe in entsprechendem
Maße der göttlichen Barmherzigkeit überlassen sind. Siehe, wie er den Wohltäter der Witwe mit sich auf eine Linie

stellt! Wie angesehen muß die Witwe sein, da ihr Verteidiger mit dem Herrn rechten soll! So viel ist, glaube ich, den Jungfrauen nicht eingeräumt. Obwohl ihre gänzliche Unversehrtheit und vollständige Heiligkeit das Angesicht Gottes ganz aus der Nähe sehen soll, so ist doch der Witwenstand etwas Mühevolleres, da es leicht ist, nicht zu begehren, was man nicht kennt, und zu verschmähen, was man niemals gewünscht hat. Ruhmvoller dagegen ist eine Enthaltsamkeit, die ihr Recht kennt, die weiß, was sie gesehen hat. Die Jungfrau könnte man allenfalls für glückseliger halten, dann aber die Witwe für strebsamer, weil erstere das Gute immer gehabt, letztere aber, was ihr gut ist, gefunden hat; in jener wird die Gnade, in dieser die Starkmut gekrönt. Manche Dinge sind nämlich Früchte der göttlichen Freigebigkeit, andere aber unseres Strebens. Was vom Herrn verliehen ist, wird durch seine Gnade geleitet, was vom Menschen ergriffen wird, das erhält durch den Eifer seine Vollendung. Beeifere Dich also um der Tugend willen der Enthaltsamkeit, welche die Sittsamkeit befördert, der emsigen Tätigkeit, welche das müßige Umhergehen abschneidet, und der Bedürfnislosigkeit, welche die Welt verachtet. Suche Umgang und Gespräch, welche Gottes würdig sind, eingedenk des Sprüchelchens, das durch den Apostel geheiligt ist: »Böse Gesellschaften verderben gute Sitten.« Umgang mit Klatschsüchtigen, Schwätzerinnen, Müßiggängerinnen, Trinkerinnen und Neugierigen steht dem Vorsatze der Witwenschaft am meisten im Wege. Durch die Geschwätzigkeit finden Worte, die der Schamhaftigkeit entgegen sind, Eingang, durch den Müßiggang halten sie vom Ernst ab, bei den Trinkgesellschaften flüstern sie alles mögliche Böse ein, durch neugierige Klatscherei tragen sie Stoff für die lüsterne Eifersucht zusammen. Keine Frau dieser Art versteht zum Lobe der einmaligen Verheiratung ein Wort zu sprechen.

Dieses, meine teuerste Mitdienerin, lege ich Dir schon jetzt ans Herz, indem ich es nach dem Vorgange des Apostels etwas weiter ausgeführt habe. Doch werden Dir diese Zeilen auch zum Troste gereichen, indem Du, wenn es so kommen sollte, mittels ihrer das Andenken an mich erneuern wirst.

Plotin
Enneaden

*P*lotinos, geboren um 205 n. Chr. in Ägypten, gestorben
270 in Kampanien, ist der bedeutendste Philosoph der
hellenistischen Zeit. Seine Wirkung strahlte aus durch
die Jahrhunderte: auf das Christentum, auf die lange
Geschichte der Mystik. Entscheidende Kategorien des
deutschen philosophischen Idealismus stammen aus dem
Neu-Platonismus, den Plotin im dritten Jahrhundert ausbildete.

Mit 28 begann er in Alexandrien Philosophie zu hören.
Ammonias Sakkas war sein Lehrer. Elf Jahre blieb Plotin
bei ihm, so sehr befriedigte ihn seine Lehre. Dann schloß er
sich dem Feldzug des Kaisers Gordianus gegen die Perser
an, mit der Absicht, bei dieser Gelegenheit indische und
persische Philosophie zu studieren. Aber ein Krieg ist offenbar nicht die günstigste Situation für solch ein Unternehmen – speziell nicht, wenn er verloren wird.

Im Jahre 244 ging er nach Rom. Hier entstand seine be-
deutende Schule. Unter seinen vielen Hörern gab es eine
Reihe von hochgestellten Persönlichkeiten, zum Beispiel
den Kaiser Gallienus und seine Gemahlin Selonina. Der
Kaiser war ihm so freundlich gesinnt, daß er beabsichtigte,
dem Philosophen seinen Lieblingswunsch zu erfüllen: die
Gründung einer Stadt nach dem Muster der platonischen
Republik.

270, während einer schweren Krankheit, siedelte der

*Philosoph auf das Landgut eines Schülers über. Dort
starb er.*

*Sein System war das letzte bedeutende des ausgehenden
Altertums. Sein Schüler Porphyrios beschrieb sein Leben
und teilte sein Werk, 54 Bände, in 6 Enneaden ein, das
heißt: sechsmal neun Abteilungen. Von dieser Neun-Ein-
teilung stammt der Titel Enneaden. Sie geben eine Mischung von Monismus und Dualismus: Gott und Welt sind
voneinander getrennt, haben aber einen entwicklungs-
mäßigen Zusammenhang: alles Geschehen ist irgendwo
auf der Linie zwischen der Gottheit und der Schöpfung.*

*Die Gottheit ist unerkennbar; erkennbar sind nur ihre
Emanationen. Die erste ist die Welt-Seele, die erste Stufe
ihrer Verminderung. Dann geht es abwärts zur Welt der
verschiedenen Erscheinungen. Der tiefste Punkt ist in der
Materie erreicht. Dem Weg hinab entspricht der Weg empor. Das Eingehen der Seele in den Körper ist eine Ver-
schuldung. Hier setzt die Ethik ein. Sie ist die Triebkraft
des Weges hinauf, zurück zur Gottheit. Wir bringen Auszüge aus dem Kapitel ›Anweisung zur Schau‹.*

Das weiter hinauf liegende Schöne, das zu erblicken der
Wahrnehmung nicht mehr vergönnt ist – ohne die Handhabe der Sinne sieht es die Seele und spricht es an: zu seiner
Betrachtung muß man hinaufsteigen und die Wahrnehmung unten bleiben lassen. Wie über das sinnlich Schöne
nicht sprechen kann, wer es nicht gesehen oder nicht als
schön begriffen hat, also etwa ein Blindgeborener, so kann
auch über die Schönheit geistiger Tätigkeiten nicht sprechen, wer nicht diese Schönheit geistiger Tätigkeiten und
Wissenschaften und ähnlicher Dinge in sich aufgenommen

hat; vielmehr muß man sehend sein mit dem Vermögen, mit dem die Seele derartige Dinge schaut, und wenn man sie erblickt, sich freuen, entzückt und gepackt sein, denn nun rührt man an das eigentliche Schöne. Betroffenheit, süße Erschütterung, Verlangen, Liebe, lustvolles Beben, das sind Empfindungen, die gegen jegliches Schöne eintreten müssen. Auch gegen das nicht Sichtbare kann man sie erleben, es erleben sie auch eigentlich alle Seelen, aber stärker die liebebewegteren unter ihnen, so wie die leibliche Schönheit alle sehen, aber nicht alle in gleicher Stärke von ihr gestachelt werden, sondern einige in besonders starkem Maß, von denen man spricht: sie lieben.

Die nun also liebebewegt sind auch gegen das Nichtsinnliche, die muß man fragen: »Was empfindet ihr gegenüber dem, was man schöne Tätigkeiten nennt, gegenüber den schönen Sitten, dem zuchtvollen Charakter, überhaupt bei tugendhafter Leistung und Gesinnung und bei der Schönheit der Seelen? Und wenn ihr euch selbst erblickt in eurer eigenen inneren Schönheit, was empfindet ihr, warum seid ihr dabei in Schwärmerei und Erregung und sehnt euch nach dem Zusammensein mit eurem Selbst?« Das nämlich sind die Empfindungen dieser echten Liebebewegten. Und was ist es, woran sie solches empfinden? Nicht Gestalt, nicht Farbe, nicht irgendeine Größe, sondern die Seele, in sich tragend die Selbstzucht und den Glanz der andern Tugenden: in euch selbst wahrzunehmen oder beim andern zu schauen Großherzigkeit, gerechten Sinn, lautere Selbstzucht, die Tapferkeit, die Würde und die Ehrfurcht, all das in einem ruhigen, von keiner Wallung und keiner Leidenschaft erregten Seelenzustand, und über ihm leuchtend den Geist, denn gottgleichen – das ist es, was wir bewundern und lieben; aber wieso nennen wir das schön? Was ist es, das aus allen den

Tugenden gleich wie ihr Licht hervorleuchtet? Laß uns
denn einmal das Gegenteil ins Auge fassen, das Häßliche
in der Seele, und es dem Schönen gegenüberstellen; denn
es könnte wohl zu unserer Untersuchung beitragen, wenn
klar wird, was das Wesen des Häßlichen ist und weshalb.
Nehmen wir also eine häßliche Seele, zuchtlos und ungerecht, voll von Begierden, von Wirrnis, in Ängsten aus
Feigheit, in Neid aus Kleinlichkeit, all ihre Gedanken,
soweit sie überhaupt denkt, sind irdisch und niedrig, ver-
zerrt in allen Stücken, unreinen Lüsten verfallen. Eben
dies Häßliche nun, müssen wir von ihm nicht sagen, daß es
ihr hinzutritt als ein eingeschlepptes Übel? Denn es entstellt sie und durchsetzt sie mit viel Schlimmem, daß ihr
Leben und ihr Wahrnehmen nicht mehr rein ist, sondern
durch die Beimischung des Übeln verdunkelt und reichlich mit Tod durchsetzt, daß sie nicht mehr die Ruhe hat,
in sich selbst zu verweilen, da sie immer nach außen, zum
Niedern, Dunkeln hingezerrt wird. Da sie also verunreinigt ist, hat sie durch die Vermischung mit dem Niederen
eine fremde Gestalt angenommen. So tritt, wenn einer in
Lehm oder Schlamm eintaucht, seine vorige Schönheit
nicht mehr in Erscheinung, sondern man sieht nur das,
was von Schlamm oder Lehm an ihm haftet. So dürfen wir
wohl mit Recht die Häßlichkeit der Seele als eine fremde
Beimischung, eine Hinwendung zum Leib und Stoff bezeichnen, und es bedeutet also häßlich sein für die Seele
nicht rein und ungetrübt sein wie Gold, sondern mit
Schlacke verunreinigt; entfernt man nur die Schlacke, so
bleibt das Gold zurück und ist schön. So ergeht es auch der
Seele: löst sie sich von den Begierden, die sie durch zu innige Gemeinschaft mit dem Leib erfüllen, dann hat sie das
Häßliche, das ihr aus einem fremden Sein kommt, abgelegt.

So ist denn also, wie es die Lehre der Alten sagt, die
Züchtigkeit und Tapferkeit und auch die Weisheit selber
eine Reinigung. Was ist denn wahre Selbstzucht anderes
als keine Gemeinschaft pflegen mit den Lüsten des Leibes,
sie fliehen, da sie des Reinen unwürdig sind? Tapferkeit
ferner heißt den Tod nicht fürchten, der Tod aber ist die
Getrenntheit der Seele vom Leibe: davor fürchtet sich der
nicht, der es liebt, allein mit seiner Seele zu sein; und See-
lengröße bedeutet ja doch Verachtung der Erdendinge;
und Weisheit ist Denken in Abneigung gegen das Untere,
und führt die Seele zum Oberen hinauf.

Durch solche Reinigung wird die Seele völlig frei vom
Leibe, geisthaft und ganz dem Göttlichen angehörig, aus
welchem der Quell des Schönen kommt. Deshalb heißt es
denn auch mit Recht, daß für die Seele gut und schön werden Gott ähnlich werden bedeutet, denn von ihm stammt
das Schöne und überhaupt die eine Hälfte des Seienden;
oder vielmehr ist das wahrhaft Seiende das Schöne, das
nicht wahrhaft Seiende aber das Häßliche, und das ist zugleich das ursprünglich Böse; so ist auch anderseits Gutes
und Schönes, Gutheit und Schönheit identisch. Als das erste ist anzusetzen die Schönheit, welche zugleich das Gute
ist; von daher wird der Geist unmittelbar zum Schönen,
und durch den Geist ist die Seele schön; und die Leiber
schließlich, welche man schön nennt, macht die Seele
dazu; denn da sie ein Göttliches ist und gleichsam ein
Stück des Schönen, so macht sie das, was sie anrührt und
bewältigt, schön.

Steigen wir also wieder hinauf zum Guten, nach welchem jede Seele strebt. Wir erlangen es, indem wir hinauf-
schreiten nach oben, uns hinaufwenden, bis man dann,
beim Aufstieg an allem, was Gott fremd ist, vorübergehend, mit seinem reinen Selbst jenes Obere rein erblickt,

ungetrübt, einfach, lauter. Wenn man dieses erblickt – von
welcher Liebe, welcher Sehnsucht wird man da ergriffen in
dem Wunsch, sich mit ihm zu vereinigen, und wie lustvoll
ist die Erschütterung! Wer es nämlich noch nicht gesehen
hat, strebt zu ihm als zum Guten; wer es aber erblickte,
der darf ob seiner Schönheit staunen. So geht es denen,
welchen die Erscheinung eines Gottes oder Daimons begegnet ist, sie können die Schönheit anderer Leiber nicht
mehr wie sonst bejahen. Sieht er nun also jenes, welches allen Dingen die Schönheit spendet, sie ihnen mitteilt, und
verweilt er in der Schau dieses Hohen und genießt seiner
und wird ihm ähnlich, was für eines Schönen bedarf er da
noch? Denn dies selber, da es in höchstem Maße Schönheit
ist, macht die, welche es lieben, schön und macht sie lie-
benswert. Darum denn auch »der größte, höchste Wettkampf der Seelen geht«, um dessentwillen ja die ganze Anstrengung geschah, nicht verlustig zu gehen dieser Schau,
welche den, der sie erlangt, selig macht. Wem es aber nicht
glückt, der ist wahrhaft unglücklich; denn nicht wer
schöne Farben und schöne Leiber, nicht wer Macht, Ämter, den Königsthron nicht erlangt, ist unglücklich, sondern allein wer dies eine nicht erlangt.

Aber welches ist nun der Weg, welches das Mittel? Wie
kann man eine überwältigende Schönheit erschauen, die
gleichsam drinnen bleibt im heiligen Tempel und nicht
nach außen hinaustritt, daß sie auch ein Ungeweihter
sehen könnte? So mache sich denn auf und folge ihr ins
Innere, wer's vermag, und drehe sich nicht um nach der
Pracht der Leiber wie einst. Denn wenn man Schönheit an
Leibern erblickt, so darf man ja nicht sich ihr nähern, man
muß erkennen, daß sie nur Abbild, Abdruck, Schatten ist,
und fliehen zu jenem, von dem sie das Abbild ist. Und
worin besteht diese Flucht, und wie geht sie vor sich? Wir

werden in See stechen wie Odysseus von der Zauberin
Kirke oder von Kalypso; er war's nicht zufrieden zu bleiben, obgleich er die Lust hatte, die man mit Augen sieht,
und der Fülle wahrnehmbarer Schönheit genoß. Dort
nämlich ist unser Vaterland, von wo wir gekommen sind,
und dort ist unser Vater. Was ist es denn für eine Reise,
diese Flucht: Nicht mit Füßen sollst du sie vollbringen,
denn die Füße tragen überall nur von einem Land in ein
anderes, du brauchst auch kein Fahrzeug zuzurüsten, du
mußt dies alles dahinten lassen und nicht blicken, sondern
nur gleichsam die Augen schließen und ein anderes Gesicht statt des alten in dir erwecken, welches jeder hat, aber
wenige brauchen's. Und was sieht dies innere Gesicht?
Wenn es eben erweckt ist, kann es den Glanz noch nicht
voll erblicken; so muß die Seele das Gesicht gewöhnen,
daß es zuerst die schönen Tätigkeiten sieht, dann die schönen Werke, nicht welche die Künste schaffen, sondern die
Männer, die man gut nennt. Und dann blick auf die Seele
derer, die diese schönen Werke tun. Wie du der herrlichen
Schönheit ansichtig werden magst, welche eine gute Seele
hat? Kehre ein zu dir selbst und sieh dich an; und wenn du
siehst, daß du noch nicht schön bist, so tu wie der Bildhauer, der von einer Büste, welche schön werden soll, hier etwas fortmeißelt, hier etwas ebnet, dies glättet, das klärt: so
meißle auch du fort, was unnütz, und richte, was krumm
ist, das Dunkle säubere und mach es hell und laß nicht ab,
bis dir hervorstrahlt der göttliche Glanz der Tugend. Wenn
du, so geworden, dich selbst erblickst, dann bist du selber
Sehkraft, gewinnst Zutrauen zu dir, bist so hoch gestiegen
und brauchst nun keine Weisung mehr, sondern blicke
unverwandt, denn allein ein solches Auge schaut die große
Schönheit. Kein Auge könnte je die Sonne sehen, wäre es
nicht sonnenhaft; so sieht auch keine Seele das Schöne,

welche nicht schön geworden ist. Es werde also einer zuerst ganz gottähnlich und ganz schön, wer Gott und das
Schöne schauen will. Dann wird er im Emporsteigen zuerst zum Geist gelangen und wird dort alle schönen Formen sehen und sagen, das sei die Schönheit: die Ideen; die
Wesenheit aber jenseits des Geistes nennen wir das Gute,
und sie hat das Schöne wie eine Decke um sich; sie ist also
das erste Schöne; trennt man das Geistige ab, so muß man
den Ort der Ideen als das geistige Schöne ansehen, als das
Gute aber das Jenseitige, welches Quell und Urgrund des
Schönen ist; oder man muß das Gute und das erste Schöne
gleichsetzen: nur muß in jedem Falle das Schöne in den
jenseitigen Bereich gehören.

Ein Panorama europäischen Geistes

Texte aus drei Jahrtausenden

Ausgewählt und vorgestellt von
Ludwig Marcuse

Band II
Von Augustinus bis Hegel

Diogenes

Eine editorische Notiz, Nachweise
und Personenregister zu Band I–III
finden sich am Schluß des dritten Bandes
›Von Karl Marx bis Thomas Mann‹
Redaktion: Claudia Schmölders
Die jedem Beitrag *kursiv* vorangestellten
Einführungstexte von Ludwig Marcuse
erschienen erstmals in der Diogenes Ausgabe 1977

Inhalt

Augustinus
Bekenntnisse

Ein Zeitgenosse, der die Entwicklung dieses Aurelius Augustinus beobachtet hätte, wäre bestimmt nicht auf den Gedanken gekommen, daß dieser Mann den Kurs seines Daseins plötzlich mit einem tollen Ruck in die entgegengesetzte Richtung bringen würde.

Er hatte doch eigentlich ein schönes, glückliches Leben geführt? Was hatte ihm gefehlt? Er war zur Welt gekommen an der Peripherie des weiten Römischen Reiches, in Nordafrika. Diese Peripherie hatte einen glänzenden Mittelpunkt: die Stadt Karthago, die von Kaiser Augustus wiederaufgebaut und eine der blühendsten Großstädte des Reichs geworden war. Hier hatte der junge Mensch eine vorzügliche Ausbildung bekommen. Vater Patricius ist zwar nur ein geringer Bürger des kleinen Örtchens Thagaste gewesen. Aber er war sehr ehrgeizig für seinen Sohn: der Junge sollte lernen, »möglichst gut und fortreißend« zu reden. Und da der Kleine begabt war mit Phantasie, Urteilskraft und Ehrgeiz, machte er schnell Karriere. Sein Leben wurde schon früh sehr erfolgreich.

Er hat auch Schwierigkeiten gehabt. In Karthago waren seine Studenten so rüpelhaft, daß ganze Horden in seine Vorlesungen einbrachen: nicht um zu lernen, sondern um Unfug zu stiften. Und als er dann nach Rom ging, weil man ihm sagte, daß es dort um die Moral der jungen Leute besser stünde, gab es neuen Ärger. So ging er nach Mailand. Aber aller Ärger wurde wettgemacht durch das reiche Leben in den Städten, deren intellektuelle Elite sein Kreis war, und er teilte ihren

Genuß an Essen, Mädchen und Büchern. Aber er war, unbefriedigt, auf der Suche nach einem unveränderlichen Glück.

In Mailand nahm sein Leben eine Wendung. 33 Jahre war er alt, im Jahre 386. Und er erlebte sein Damaskus, wie er es in den Bekenntnissen *später beschrieben hat. Da war er bereits Bischof von Hippo – er hält Rückschau auf sein Leben als einen Aufstieg von der Sünde zum richtigen Weg. Er schrieb in diese »großartigen Konfessionen« beides hinein: seine Jahre der Lust, der Freude an allen sinnlichen Genüssen, seinen Enthusiasmus für den ketzerischen Intellekt, der vor keiner Idee zurückschreckt, und zugleich sein enthusiastisches Bekenntnis zum Gott der Christenheit, den er nach seinem dreiunddreißigsten Jahr erfuhr: eine Bastion des beständigen Glücks, das er gesucht hatte.*

Unter seinen Altersschriften ist der Gottesstaat *am bekanntesten. Diese erste große Geschichtsphilosophie des Abendlandes wirkte auf die kommenden Jahrhunderte so stark wie nur noch Platons und Aristoteles' Werk.*

Im Jahre 430 – seinem Todesjahr – lagen die Vandalen vor seiner Stadt Hippo. Sie verwüsteten das Land und zerstörten die Kirchen. »Ich höre nicht auf zu weinen«, schrieb er, »bis ich vor ihn treten kann. Der Durst, der mich verbrennt und der mich unaufhaltsam zur Quelle meiner Liebe hinzieht, dieser Durst wird immer verzehrender in mir, wenn sich mein Heil noch lange verzögert.«

Wir bringen nun einen Auszug aus dem dritten Buch.

1. Sehnsucht nach Liebe

Ich kam nach Karthago. Es brodelte um mich her von schändlichem Liebestreiben – wie das Wallen in einem kochenden Kessel. Noch liebte ich nicht und liebte doch Liebe, und aus tiefgeheimem Ungenügen haßte ich mich, daß mir zu wenig am Genügen lag; ich suchte, das Lieben liebend, was ich lieben könnte. Denn Hunger war da wohl in meinem Innern nach der Speise für das Innere, nach Dir selbst, mein Gott, und in diesem Hunger wollte ich doch nicht essen; ja ich war ohne Verlangen nach unvergänglicher Nahrung – nicht als wäre ich ihrer voll gewesen, nein, ich war um so tiefer von ihr angewidert, als ich ihrer leer war. Und also fand sich übel meine Seele, und voller juckender Schwären warf sie sich nach draußen in ihrer Gier, sich – jammervoll genug – zu scheuern an den Sinnendingen. Aber sie mußten doch Seele haben, denn anders könnte man sie nicht lieben!

Lieben und geliebt werden war mir erhöhte Lust, wenn ich auch des Liebenden Leib genoß. So vertrübte ich das Rinnsal freundschaftlicher Fühlung mit dem Schlamm sinnlichen Begehrens, und ihren reinen Glanz verwölkte ich durch die Dünste aus dem Unterreich der Lüstigkeit. Ich stürzte mich auch in ein Liebesverhältnis, nach dessen Fessel mich verlangte. Mein Gott, mein Erbarmen, wieviel Galle – wie gut Du bist! – sprengtest Du mir in diese Süße! Ja, ich ward geliebt, ich gelangte heimlich zur Vereinigung im Genuß, ich ließ mich vergnügt in die Bande von Not und Jammer schlagen, nur um gepeitscht zu werden mit den glühenden Eisenruten der Eifersucht, des Argwohns, des Befürchtens und Zürnens und Zankens.

2. Theaterleidenschaft

Es riß mich fort das Theater mit seinen Spielen, voll von Bildern meines Elends.

Wie kommt es, daß der Mensch dort schmerzlich fühlen will, wenn er Trauriges und Tragisches sich ansieht? Er möchte es gewiß nicht an sich selbst erleiden, und gleichwohl, als Zu-

schauer will er Schmerz dabei empfinden, und gerade der
Schmerz ist sein Genuß. Was ist das, wenn nicht Irrsinn zum
Erbarmen? Denn um so mehr wird einer davon bewegt, je
mehr er selbst an solchen Leidenschaften krankt. Freilich,
man macht einen Unterschied und spricht von Leid, wenn
man's an sich selbst erlebt, von Mitleid, wenn man es an anderen miterlebt. Aber was ist das schließlich für ein Mitleid mit
dem vorgemachten Leben in Dichtung und Theater? Da wird
der Zuschauer nicht zum Helfen aufgerufen, nur zum
Schmerzempfinden eingeladen. Und werden die Geschichten
von Menschenleid, ob frei erdichtet oder voreinst geschehen,
so dargestellt, daß der Zuschauer nicht zu seiner Rührung
kommt, geht er verdrießlich und absprechend davon; wird
ihm aber ans Herz gegriffen, so bleibt er gefesselt sitzen und
hat sein Vergnügen.

Also Tränen liebt man und Schmerzen – und es will doch
gewiß jeder Mensch sich freuen. Wie nun? Da doch keiner
gern Leid hat, aber doch gern Mitleid und dies ohne Schmerz
nicht sein kann – liebt man aus diesem einen Grund auch
Schmerzen?

Ist also Mitleid zu verwerfen? Mitnichten! Also mag es
bisweilen auch Liebe zu Schmerzen geben. Aber hüte dich
vor der Unreinheit, meine Seele!

Mitleiden ist mir auch heute nicht fremd. Aber damals, im
Theater, freute ich mich mit den Liebenden, wenn sie, ob-
zwar es nur scheinweise auf der Bühne geschah, in Schanden
einander genossen; mußten sie aber voneinander lassen, so
war ich wie aus Mitleid betrübt: doch am einen wie am andern
hatte ich mein Vergnügen. Dagegen heute habe ich tieferes
Mitleid mit einem, der im Schändlichen seine Freude findet,
als mit einem andern, der ein hartes Los zu tragen glaubt, weil
ihm eine verderbliche Lust entgeht und ein erbärmliches
Glück entschwindet, und das ist gewiß das wahre Mitleid,
aber von Lust am Schmerz ist da nichts zu spüren. Denn mag
sich, was die Liebespflicht betrifft, ein gutes Zeugnis geben,

wer über einen Unglückseligen Schmerz empfindet, so sähe
es ein Mensch von herzensechtem Mitleid doch lieber, es
wäre überhaupt nicht da, was ihn schmerzlich berühren muß.
Ja, nur wenn es ein übelwollendes Wohlwollen gibt – was
doch nicht sein kann –, kann einer, der wirklich und aufrichtig Mitleid hat, sich wünschen, daß es Unglückliche gebe, um
für sein Mitleid da zu sein. So gibt es wohl etwelchen
Schmerz, der sich bejahen, aber keinen, der sich lieben läßt.
Und deshalb ist bei Dir, Herr und Gott, der Du die Seelen
liebst, das Erbarmen weit, weit tiefer, reiner, unverweslicher
als unser Mitleid, weil Du von keinem Schmerz versehrt
wirst. »Und wo ist der Mensch, der dies vermöchte?«

Ich aber, ich Armer, liebte damals die schmerzliche Rührung und suchte mir, was sich beschmerzen ließe. Was Wunder auch, daß ich armes Schaf, entlaufen Deiner Herde, überdrüssig Deiner Hut, von häßlicher Räude befallen wurde?
Daher mein süchtiger Hang zum Schmerzlichen, freilich
nicht Schmerzen, die mir tiefer gegangen wären – denn ich
hätte nicht gern erlitten, was ich gern im Spiele sah –, Schmerz
vielmehr, der beim Hören und Vorstellen nur obenhin mich
jucken sollte. Aber was dem folgte – wie es eben geht, wenn
man sich mit Nägeln kratzt –, war hitzige Geschwulst und
Eiter und ekler Fluß.

So war mein Leben; war's noch ein Leben, mein Gott?

3. Der Verwüster

Und es umkreiste mich in ferner Höhe der Flügelschlag Deiner getreuen Erbarmung. Wie groß auch die Sünden waren,
in die ich mich vergeudete, wie frevlerisch der Fürwitz, dem
ich nachgab, bis daß er mich Ungetreuen, der Dich verließ,
zutiefst hinabzog in den schleichlings umgarnenden Dienst
der Dämonen, denen ich Huldigungsopfer brachte durch
meine schlechten Taten: es traf mich doch in all dem Deine

Peitsche! Ich erfrechte mich, sogar bei der Feier Deiner Gottesdienste, in den Wänden Deiner Kirche, im Gelüsten nach der tödlichen Frucht gleich auszuhandeln, wie wir uns ihren Genuß verschaffen könnten. Du hast mich dafür gezüchtigt, Deine Strafen waren schwer, aber ein Nichts, gemessen an meiner Schuld, o Du übergroße Erbarmung, mein Gott, meine Rettung vor argen Verderbern, unter denen ich mich herumtrieb, das dreiste Haupt zurückgeworfen für den Lauf weit fort von Dir, ein Mensch, der die eigenen Wege liebt, nicht die Deinen, der – ein entlaufender Sklave – seine Freiheit liebt.

Auch mit jenen Studien, die man die höheren nennt, war es im ganzen nur auf »die kampferfüllten Gerichtshallen« abgesehen: dort wollte ich glänzen, um so ruhmreicher, je gewandter ich das Recht verdrehen würde. So groß ist die Verblendung der Menschen: sie rühmen sich noch ihrer Verblendung. Und schon galt ich was in der Schule des Rhetors und freute mich dessen höchlich und schwoll von Selbstgefühl, immerhin, Du weißt es, Herr, war ich viel gesetzter und stand völlig fern dem Unfug, wie ihn die ›Eversoren‹ (Verwüster) trieben – diese abscheuliche und teuflische Bezeichnung ist ja gleichsam das Kennwort feiner Bildung –, in deren Gesellschaft ich lebte in schamloser Scham darüber, daß ich nicht so war wie sie. Und doch verkehrte ich mit ihnen und hatte manchmal wohl auch Gefallen an ihrer Freundschaft, wenngleich ihr Treiben mich immer abstieß, ich meine die lärmenden Auftritte, in denen sie unverschämt gegen die Anständigkeit unerfahrener Neulinge den Kampf eröffneten, um sie durch grundlos höhnende Beschimpfung aus der Fassung zu bringen und so die Freuden ihrer Bosheit zu genießen. ›Verderber‹ – kein Name träfe sie besser. Sie sind selber schon grundverdorben und entartet, die Beute unvermerkt betrügender Geister, die sich, hohnkichernd und übertölpelnd, genau dieselbe Schadenfreude machen, andere spottlachend zu übertölpeln.

4. Der ›Hortensius‹

In solcher Gesellschaft studierte ich damals, in noch ungefestigtem Alter, die Lehrbücher der Redekunst, in der mich auszuzeichnen mein ganzer Ehrgeiz war, als verwerfliches, windiges Wunschbild vor Augen die Triumphe menschlicher Eitelkeit. Im Verlauf des gewohnten Lehrgangs war ich schon an die Schrift eines gewissen Cicero gelangt, dessen Sprache fast allgemein bewundert wird – nicht so freilich seine Gesinnung; jene Schrift aber hat zum Gegenstand die Aufmunterung zur Philosophie und führt den Titel ›Hortensius‹.

Sie gab meinem Gemütsleben eine andere Richtung, meinen Gebeten die Richtung auf Dich selbst, o Herr, und machte, daß mein Wünschen und Sehnen nun auf anderes ging. Es schwand mir mit einem Schlag alle Hoffnung auf Nichtiges, mit ungemeiner Bewegung des Herzens verlangte ich nach dem Unvergänglichen der Weisheit, und ich begann aufzustehen, um zu Dir zurückzukehren. Denn nicht um meine Sprache zu schleifen, las ich wieder und wieder dieses Buch, und nicht wie, sondern was es zu mir sprach, hatte es mir angetan.

O wie brannte ich, mein Gott, wie brannte ich, mich wieder aufzuschwingen, weg vom Irdischen, zu Dir, und wußte doch nicht, was Du mit mir wolltest. Denn »ihren Sitz hat die Weisheit bei Dir«; ›Liebe zur Weisheit‹ aber besagt das griechische Wort Philosophie, und zu dieser Liebe entflammte mich jene Schrift. Es gibt Verführer durch Philosophie, Leute, die mit dem hehren, lockenden, ehrenreichen Namen ihre Irrtümer schminken und herausputzen, und fast alle von dieser Sorte, Zeitgenossen des Buches und Frühere, werden darin aufgeführt und dargestellt, und so fällt von dort ein Licht auf die heilsame Warnung, die Dein Geist durch Deinen treuen und frommen Knecht ergehen läßt: »Sehet zu, daß euch niemand einfange durch Philosophie und leere Trügerei, die auf menschliche Überlieferung sich gründet, auf die

Naturmächte dieser Welt, und nicht auf Christus, in dem
doch allein die ganze Fülle der Gottheit leibhaftig wohnt!«

Aber mir – Du weißt es, Licht meines Herzens –, mir waren diese Apostelworte damals noch gar nicht bekannt, und
doch hatte ich an jener Aufforderung Ciceros allein schon
darum meine Freude, weil ihr Wort mich erweckte, begeisterte, befeuerte, nicht für diese oder jene Philosophenschule,
sondern für die Weisheit selbst, was sie auch sei, mich zu entscheiden, sie zu erstreben, sie zu erlangen, sie festzuhalten
und mit aller Kraft an mein Herz zu schließen. Nur das eine
dämpfte mich bei all meiner Feurigkeit: der Name Christi
kam dort nicht vor. Denn diesen Namen meines Heilands,
Deines Sohnes, hatte mein Herz in der ersten Zarte kindlich
schon mit der Muttermilch getrunken und behielt ihn tief im
Grunde, und noch so Gelehrtes, Ausgefeintes und Redliches
ohne diesen Namen konnte mich nicht völlig hinnehmen.

5. Enttäuschung an der Bibel

Daher beschloß ich, mich der Heiligen Schrift zu widmen, um
zu sehen, wie es mit ihr wäre. Und siehe! Da ist etwas, was die
Hochmütigen nicht heranläßt und sich auch den Kleinen nicht
enthüllt, sondern nieder ist fürs Eingehen, beim Vorangehen
erhaben wird und sich ins Geheimnis schleiert; und ich, wie ich
damals war, hätte nicht vermocht, hineinzugelangen oder den
Nacken zu beugen, um in der Sache voranzukommen. Denn
nicht so, wie ich jetzt davon rede, urteilte ich damals, als ich
mich der Schrift zuwandte, vielmehr erschien sie mir unwürdig, mit der Würde des Ciceronischen in Vergleich zu treten;
ja, mein geschwelltes Pathos sträubte sich wider ihre unschein-
bare Weise, und meine Sehkraft reichte nicht in ihr Inneres hinein. Und gerade ihre Art wäre es gewesen, zu wachsen mit den
Kleinen, ich aber hielt es unter meiner Würde, ein Kleiner zu
sein; vom Hochmut nur geschwollen, deuchte ich mich groß.

6. *Im Bann der Manichäer*

Und also verfiel ich hochmutverrückten Menschen, Menschen des Stoffglaubens und des Irrgeschwätzes. Ihr Mundwerk waren Teufelsschlingen, der Köder war bereitet unter Zutat von Silben Deines Namens und der Namen unsers Herrn Jesus Christus und des Parakleten, unsers Trösters, des Heiligen Geistes. Diese Namen führten sie beständig im Munde, aber nur zu Hall und Schall von ihrer Zunge; das Herz war leer an Wahrheit. Und doch war ihre Losung: »Wahrheit, Wahrheit«, und sie redeten mir viel davon, aber bei ihnen war sie nirgends. Sie schwätzten irrgläubig nicht nur über Dich, der Du in Wahrheit die Wahrheit bist, auch über die Elemente dieser Welt – Deine Schöpfung –, eine Sache, in der ich auch über das richtig von Philosophen Gesagte noch hätte hinausgehen sollen aus Liebe zu Dir, mein Vater, gut über alles, Urgrund der Schönheit alles Schönen.

O Wahrheit, Wahrheit, wie innig schmachtete mein Herzinnerstes schon damals nach Dir, wenn mir diese Menschen immer wieder, immer anders gewendet, mit dem bloßen Stimmschall und in vielen großmächtigen Büchern ihr Getön von dir machten! Und das war das Geschirr, in dem sie mir, dem Menschen voll Hunger nach Dir, statt Deiner nur Sonne und Mond vorsetzten, die schöne Werke Deiner Hände sind, gewiß, doch eben bloß Dein Werk, nicht Du, und auch sie nicht Deine erstigen; denn erstiger als die sichtbar körperhaften Werke, so herrlich sie leuchten am Himmel, sind Deine geistigen. Aber auch sie, diese ursprünglichen, meinte ich nicht, wenn mich hungerte und dürstete: das warst Du selbst, o Wahrheit, in der es »keinen Wandel gibt noch Beschattung im Umlauf der ›Gestirn‹-Bewegung«. Und was man weiter in jenem Geschirr noch auftischte, waren scheinschöne Attrappen, so daß es immer noch besser war, seine Liebe gleich an die Sonne dort zu hängen, die wenigstens auch fürs Auge hier ein Wahres ist, als an jenes Falsche, Ausgeburten des vom

Augentrug berückten Geistes. Und gleichwohl, Dich darin
vermeinend, aß ich, nicht eben gierig, da es in meinem Munde
nicht nach Deiner Wirklichkeit schmeckte – denn dies Chi-
märische warst ja auch nicht Du –, und statt mich zu nähren,
zehrte es mich aus.

Boethius
Trost der Philosophie

*B*oethius, *mit den vier Vornamen: Ancius, Manlius, Torquatus, Severinus, war römischer Staatsmann und Philosoph in der Zeit der sogenannten Völkerwanderung. Er wurde um 480 geboren als Mitglied einer reichen und angesehenen Familie. Nach philosophischen und mathematischen Studien wurde er im Jahre 510 Konsul. Er war ein Freund des Theoderich, der ihn 524 wegen angeblichen Hochverrats gegen die Goten hinrichten ließ.*

Die geistesgeschichtliche Bedeutung von Boethius beruht auf seiner Übersetzung und Erläuterung der Werke des Aristoteles und Platon sowie der Schriften von Euklid, Archimedes, Ptolemäus und Porphyr ins Lateinische.

Während seiner schweren Kerkerhaft entstand die Schrift De consolatione philosophiae *(Trost der Philosophie),* ein eklektischer Platonismus. Boethius identifiziert die christliche Gottheit mit dem platonischen Weltschöpfer. Der Philosoph verlangt freiwillige Unterordnung unter den göttlichen Plan des Weltgeschehens. Den äußeren Gütern wird ein wesentlicher Wert abgesprochen.*

Dieser Trost der Philosophie, *dessen Beginn wir hier abdrucken, wurde eins der meistgelesenen Bücher des Mittelalters. Der im Jahre 901 verstorbene Alfred der Große übersetzte es ins Angelsächsische, Notker Labeo 1022 ins Althochdeutsche. »Der letzte Römer und der erste Scholastiker«, wie man ihn nannte, ist heute in alle Weltsprachen übersetzt.*

Die Wirkung, die er durch die Jahrhunderte ausgeübt hat,

*geht wohl zum guten Teil von den emotionellen Elementen
dieser Trostschrift aus: sie beginnt mit den Klagen eines Menschen, der Hilfe sucht. Die Funktion der Philosophie als Trö-
sterin der Leidenden manifestiert sich bis zu diesem Tage in
dem Schrifttum, das man auch als ›Lebensweisheit‹ bezeichnet hat.*

Der ich Gesänge vordem in blühendem Eifer vollendet,
Wehe, wie drängt das Geschick traurige Weisen mir auf.
Also schreiben mir vor voll Schmerz die verwundeten
                                                    Musen,
Tränen von echtestem Leid haben ihr Antlitz genetzt.
Konnte sie doch allein der Schrecken nimmer besiegen,
Als Gefährten nur sie folgten allein meinem Pfad.
Was die Zierde einst war glückselig blühender Jugend,
Ist dem trauernden Greis Trost noch in Todesgefahr.
Unvermutet erschien vom Leide beschleunigt das Alter,
Jahre häufte der Schmerz auf das ermüdete Haupt,
Von dem Scheitel zu früh ergrauend wallen die Locken,
Schlaff erzittert und welk mir am Leibe die Haut.
Seliger Tod, der sich nicht drängt in die Freuden der
                                                    Jugend,
Der dem Trauernden nur häufig gerufen erscheint.
Ach, er wendet sein Ohr verschlossen dem Flehen der Armen,
Grausam weigert er stets Ruhe dem weinenden Aug'.
Schon da das wankende Glück noch flüchtige Güter ge-
                                                    spendet,
Schien das Haupt mir versenkt fast in der Stunde der Angst.
Jetzt da es wolkenverhüllt das trügende Antlitz gewendet,
Da mir das Leben verhaßt, schleppt sich unselig die Zeit.
Warum prieset ihr einst mich oft so glücklich, o Freunde?
Wer so stürzte, der stand niemals auf sicherem Fuß.

Während ich solches schweigend bei mir selbst erwog und meine tränenvolle Klage mit Hilfe des Griffels aufzeichnete, schien es mir, als ob zu meinen Häupten ein Weib hinträte von ehrwürdigem Antlitz, mit funkelndem und über das gewöhnliche Vermögen der Menschen durchdringendem Auge, von leuchtender Farbe und unerschöpfter Jugendkraft, obwohl sie so bejahrt war, daß sie in keiner Weise unserem Zeitalter anzugehören schien. Ihr Wuchs war von wechselnder Größe; denn bald zog sie sich zum gewöhnlichen Maß der Menschen zusammen, bald aber schien sie mit dem Scheitel den Himmel zu berühren; und als sie noch höher ihr Haupt emporhob, ragte sie in den Himmel selbst hinein und entzog sich so dem Blick der Menschen. Ihre Rechte trug Bücher, ihre Linke aber ein Zepter.

Als sie die Dichtermusen, die mein Lager umstanden, erblickte, sprach sie erregt, mit finsteren Blicken: Wer hat diesen Dirnen der Bühne den Zutritt zu diesem Kranken erlaubt, ihnen, die seinen Schmerz nicht nur mit keiner Arzenei lindern, sondern ihn obendrein mit süßem Gifte nähren möchten? Sind sie es doch, die mit dem unfruchtbaren Dorngestrüpp der Leidenschaften die fruchtreiche Saat der Vernunft ersticken, die der Menschen Seelen an die Krankheit gewöhnen, nicht sie davon befreien. Drum hinweg, ihr Sirenen, überlaßt ihn meinen Musen zur Pflege, zur Heilung!

So gescholten senkte jener Chor tief bekümmert die Blicke, Erröten verriet ihre Scham, so gingen sie traurig über die Schwelle hinaus. Ich aber, dessen Antlitz ein Nebel hüllte, so daß ich nicht unterscheiden konnte, wer diese Frau von so gebietender Würde sei, heftete mein Auge auf die Erde und begann schweigend abzuwarten, was sie nun weiter tun werde. Da trat sie näher an mich heran, setzte sich auf das Ende meines Bettes und sprach: Bist du es, der du einst mit unserer Milch genährt, mit unserer Speise erzogen, zu mannbarer Geisteskraft gereift warst? Hatten wir dir doch Waffen gegeben, die dich, hättest du sie nicht vorher fortgeworfen, durch

ihre nie besiegte Festigkeit beschützt hätten. Erkennst du
mich nun?

Als ich nun die Augen auf sie wandte, meinen Blick auf sie
heftete, sah ich meine Nährerin wieder, an deren Herde ich
von Jugend auf erwachsen war, die Philosophie. Und wie,
sprach ich, du bist in diese Einsamkeit meines Kerkers gekommen, du, die Meisterin aller Tugend, hast dich von deinem hohen Wohnsitz herabgelassen? Oder bist du mit mir
angeklagt, wirst auch du von falschen Anschuldigungen verfolgt?

Sollte ich dich, meinen Zögling, verlassen, antwortete jene,
sollte ich nicht die Bürde, die du um meines verhaßten Namens willen auf dich genommen hast, in gemeinsamer Mühe
mit dir teilen? Meinst du denn, daß erst jetzt, wo die Sitten
verderbt sind, die Weisheit von Gefahren bedrängt sei? Haben wir nicht auch bei den Alten schon vor der Zeit unseres
Plato oft den großen Kampf mit der Unbesonnenheit der
Dummheit gekämpft?

Warum strömen deine Tränen? »Sprich aus und verbirg es
nicht im Geist.« Wenn du Hilfe des Arztes erwartest, so offenbare deine Wunde.

Da sammelte ich im Geiste alle meine Kräfte: Erschüttert
dich nicht schon der Anblick dieses Ortes? Ist das wohl jene
Gelehrtenstube, in der du dich so oft bei mir niederließest
und das Wissen von menschlichen und göttlichen Dingen mit
mir erörtertest? War so meine Haltung, meine Miene, als ich
mit dir der Natur Geheimnisse erforschte, als du mein Wesen
und den ganzen Plan meines Lebens nach dem Musterbilde
einer höheren Ordnung formtest? Tragen wir nun solchen
Lohn davon?

Und du hast mit eigenem Munde Platos Ausspruch bekräf-
tigt: »Glücklich würden die Staaten sein, wenn die Philosophen sie lenkten oder ihre Lenker sich der Philosophie be-
fleißigten.« Aus desselben Mannes Munde hast du erklärt,
daß es zwingender Grund für die Weisen sei, die Staatsleitung

zu ergreifen, damit sie nicht Schurken und Verbrechern das Steuer der Städte überlassen und dadurch den guten Bürgern Unheil und Verderben bereitet werde. Diesem Geheiß bin ich gefolgt: nichts anderes hat mich zum Amte geführt als das Streben, das allen Guten gemein ist. Daher jene schwere unversöhnliche Zwietracht mit den Unredlichen, daher – das danke ich der Freiheit des Gewissens – meine stete Nichtachtung, bei den Mächtigen anzustoßen, wenn es galt, das Rechte zu wahren.

Wie oft habe ich mein Ansehen für die Armen eingesetzt, die durch die Habgier der Barbaren gequält wurden, und habe sie vor Gefahr beschützt! Daß die Güter der Untertanen durch Räubereien der Privaten wie durch Steuern des Staates zugrunde gerichtet wurden, habe ich ebenso, wie die es litten, mit Schmerz empfunden. Als zur Zeit schwerer Hungersnot ein harter, ja unausführbarer Aufkauf befohlen war, nahm ich im Interesse des allgemeinen Nutzens den Kampf mit dem Präfekten auf, stritt vor dem Ohr des Königs und setzte es durch, daß die Lieferung nicht eingetrieben wurde. Habe ich so nicht Feindschaft genug auf mich gehäuft? Aber bei den andern hätte ich wohl sicherer sein sollen, ich, der ich mich bei den Höflingen aus Gerechtigkeitsliebe nie um meiner Sicherheit willen geschont habe.

Aber du fragst nach der Hauptsache, welchen Verbrechens wir angeklagt sind? Wir sollen die Rettung des Senates gewollt haben. Du wünschest zu wissen, auf welche Art? Wir werden beschuldigt, einen Angeber verhindert zu haben, Beweisstücke auszuliefern, durch die der Senat auf Majestätsbeleidigung angeklagt werden könnte. Ja, ich habe es gewollt und werde niemals aufhören, es zu wollen. Sollte ich gestehen? Oder soll ich es ein Unrecht nennen, die Rettung jenes Standes gewünscht zu haben? Freilich, er hat es durch seine Beschlüsse über mich zustande gebracht, daß es jetzt ein Unrecht ist. Doch die sich stets selbst belügende Torheit kann die Verdienste der Tatsachen nicht verwandeln, und ich

glaube nach Sokrates' Entscheidung, daß es nicht erlaubt sei,
weder die Wahrheit zu verhehlen, noch die Lüge zuzulassen.
Auch habe ich den wahren Verlauf der Sache, damit er der
Nachwelt nicht verborgen bleibe, dem Griffel und damit dem
Gedächtnis vertraut.

Was soll ich nun von den gefälschten Briefen sagen, in denen ich, wie die Beschuldigung lautet, die römische Freiheit
erhofft habe? Der Betrug würde offen zutage liegen, wenn ich
mich des Bekenntnisses des Angebers selbst, das doch in allen
Rechtssachen die höchste Kraft hat, hätte bedienen dürfen.

Du erinnerst dich, als zu Verona der König, rachgierig
nach dem Untergang aller, die Majestätsanklage gegen Albi-
nus auf den ganzen Senat ausdehnen wollte, wie ich die
Unschuld des Senates auf Gefahr meiner eigenen Sicherheit
verteidigt habe. Du weißt, daß ich hiermit nur die Wahrheit
verkünde und daß ich mich niemals mit Selbstlob gebrüstet
habe. Aber welch ein Ausgang unserer Unschuld bereitet ist,
siehst du. Statt der Belohnung wahrer Tugend erdulden wir
die Strafe eines falschen Verbrechens. Nun werden wir aus
einer Entfernung von etwa fünfhundert Meilen stumm und
unverteidigt wegen allzugroßen Eifers für den Senat zu Tod
und Ächtung verdammt. O über sie, die es verdienten, daß
niemand eines gleichen Verbrechens überwiesen werden
könnte!

Aber als Gipfel aller unserer Leiden kommt noch hinzu,
daß die Menge in ihrer Schätzung nicht den Verdienst der Sache, sondern den Ausgang des Geschicks ins Auge faßt und
nur das für vorgesehen hält, was das Glück auszeichnet. Daher rührt es, daß von allem zuerst der gute Ruf den Unglücklichen verläßt. Das ist die äußerste Bürde widrigen Schicksals:
Wenn sich an die Unglücklichen eine Beschuldigung heftet,
so müssen sie das, was sie erdulden, auch verdient haben. So
habe ich, aus meinen Gütern vertrieben, meiner Würden entkleidet, in meinem Rufe geschändet, für Wohltat das Todesurteil davongetragen. Die Guten liegen danieder, hinge-

streckt vom Schrecken über unsere Gefahr; die Verruchten spornt Straflosigkeit, jede Schandtat zu wagen, und Belohnung, sie zu vollführen; die Unschuldigen aber sind beraubt nicht nur der Sicherheit, nein, sogar der Verteidigung. Darum will ich aufschreien:

Schöpfer des sternenfunkelnden Kreises,
Der du vom ewigen Thron hernieder
Lenkst den Himmel wirbelnden Schwunges,
Zwingst Gestirne streng in Gesetze,
Daß jetzt voll die leuchtende Scheibe
Ab vom Strahle des Bruders gewendet,
Luna auslöscht die kleineren Sterne,
Dann erbleichend mit dunkelnder Sichel
Phöbus näher einbüßt ihr Leuchten.
Und was in erster nächtlicher Stunde
Frostig aufwärts als Hesperus steiget,
Dann als Luzifer wechselt die Zügel,
Vor dem Aufgang des Phöbus erbleichend.
Wenn das Laub im Froste zerstoben,
Zwingst den Tag du in kürzere Schranken;
Und erscheint dann glühend der Sommer,
Treibst zur Eile du nächtliche Stunden;
Regelst mit deiner Macht die Gezeiten,
Jagt des Boreas' Brausen die Blätter,
Führt die zarten zurück der Zephir;
Was Arctur als Saaten gesehen,
Reift in Sirius' Glut zu Ähren.
Nichts ist frei von alten Gesetzen,
Nichts weicht ab von eigenen Bahnen.
Alles führst du zu sicheren Zielen,
Nur des Menschen Handeln verschmähst du,
In verdiente Maße zu zwingen.
Warum wechselt schlüpfrig das Glück uns
Immer die Lose? Es trifft Unschuld'ge

Oft die Strafe, dem Frevler gebührend.
Nahe den Thronen spreizen verderbte
Sitten sich, sie treten mit Füßen
Heilige Nacken, unseligen Wechsels.
Tugend birgt sich verstoßen im Finstern,
Leuchtend im Dunkeln, Gerechte leiden
Strafe des Bösen!
Nicht Betrug schadet ihnen, nicht Meineid,
Ausgeschmückt mit der Farbe der Lüge.
Da nach Belieben sie nützen die Kräfte,
Freut sie's, sich Könige zu bezwingen,
Die unzählige Völker fürchten.
O schau her auf die arme Erde,
Der du knüpfst der Schöpfung Gesetze,
Wir, nicht schlechtester Teil deines Werkes,
Treiben um auf dem Meer des Geschickes.
Zähme die reißenden Fluten, o Herrscher,
Wie du lenkst den unendlichen Himmel,
Füge die Erde in feste Gesetze!

Hildegard von Bingen
Briefe

Die Geschichte der deutschen Mystik ist fast 900 Jahre alt. Im zwölften Jahrhundert lebte Hildegard von Bingen, im dreizehnten Meister Eckhart, im vierzehnten der Autor der Theologia Deutsch, *die* Luther *sehr beeinflußte, im fünfzehnten Thomas a Kempis und Nikolaus von Kues, im sechzehnten Paracelsus, im siebzehnten Jakob Böhme und Angelus Silesius, im achtzehnten Spener, im neunzehnten Franz von Baader ... Und der Einfluß der Mystik auf die deutsche Geistesgeschichte erstreckte sich sowohl auf die großen Philosophen des Idealismus, von Kant bis zu Schopenhauer, ja bis zu Nietzsche, als auch auf die Romantiker.*

Es begann mit Nonnen wie Hildegard von Bingen, die zwischen 1098 und 1179 lebte. Hier finden wir schon alle Merkmale der Mystik, die später der Religionspsychologe William James in vier Charakteristiken zusammenfaßte:

1. *Kein adäquater Ausdruck für Gott wird für möglich gehalten.*
2. *Der mystische Zustand bringt nicht nur Visionen und Gefühle, sondern auch Einsichten.*
3. *Der mystische Zustand ist ein vorübergehender.*
4. *Die Passivität wird betont, wenn sie auch willentlich herbeigeführt wird.*

Alle diese Züge sind schon bei Hildegard von Bingen zu finden, die zu Boeckelheim an der Nahe geboren wurde, 1147 ein Kloster auf dem Ruppertsberg bei Bingen gründete und als Äbtissin starb. Ihr Hauptwerk hat den Titel Scivias.

*Es sind uns auch 426 Briefe überliefert, eine Korrespondenz
mit Päpsten, Bischöfen, Äbten, Prälaten, Mönchen und Nonnen; die meisten sind echt.*

*Die »Prophetissima teutonica«, wie man sie nannte, wird in
diesem Briefwechsel sehr deutlich: eine führende Anstaltslei-
terin und Pädagogin, die bisweilen robust, manchmal sogar
grob spricht, immer aber mit Autorität. Wir bringen im Folgenden zuerst ein Stück aus einem schwärmerischen Brief an
sie, der einen der sichtbarsten Züge dieser Mystikerinnen
zeigt: wie sie den Willen zur Askese verbinden mit einer Sinnlichkeit, die in Freundschaft zueinander und der Liebe zu
Christus ihren Ausdruck findet. Man beachte, wie die Nonne
im selben Atem von der »unsauberen Form dieses Leibes«
spricht und dann von dem »süßen Anblick« schwärmt, den
Hildegard ihr bietet; auch von Christi »Umarmungen«, die
Hildegard vergönnt seien.*

*Der Briefwechsel zwischen Hildegard und der Äbtissin
Tagswind vom Kanonenstift St. Maria zu Andernach, den wir
hier abdrucken, bringt eine scharfe Kritik an Hildegard in
Form einer demütigen Huldigung. Die Äbtissin hat zweierlei
zu rügen:*

1. daß sich die Nonnen Hildegards zu sehr putzen,
*2. daß, wie wir heute sagen würden, ihre Nonnen alle der
   herrschenden Schicht angehören und nicht den Kommunismus der Frühzeit erkennen lassen.*

*Hildegards Antwort ist klassisch: die ewige Antwort, die der
Wirklichkeit Rechnung trägt und die Tendenzen der Feindschaft gegen alles irdische Leben wie gegen jede geistliche und
weltliche Hierarchie abbiegt.*

Die Nonne G. an Hildegard

Ich möchte glauben, es wäre besser für mich gewesen, wenn ich Dich niemals gesehen und wenn ich niemals gefühlt hätte, wie Du für mich ein so gütiges, so mütterliches Herz hast, als daß ich jetzt, durch so weite Entfernung räumlich von Dir getrennt, ohne Aufhören Dich wie eine Verlorene betrauere. Ich hoffe aber zu meinem Gotte, deshalb ›meinem‹, weil ich nichts Teureres habe, er werde mich nimmer die unsaubere Form dieses Leibes ablegen lassen, bevor er mich noch einmal durch Deinen süßen Anblick und Deine honigfließende Rede erfreut hat. Wenn aber dies infolge meiner Sünden nicht geschehen sollte, wird er doch darin, daß ich auf seine Liebe vertraue, meine Hoffnung nicht täuschen, sondern mir gestatten, Dich dort zu sehen, wo wir niemals von seinem Anblick getrennt werden. Was soll ich mehr sagen? Ich bitte Dich, auserwählteste Mutter, Du wollest geruhen, für mich bei ihm zu bitten, in dessen Umarmungen Du beständig weilst und unter dessen Schatten Du, wie ein Hirschlein, ausruhst vor der Hitze der Versuchungen und Laster. Bitte ihn für mich, daß er mir, die noch irrt und ihn sucht, aber ach, gar nicht findet, sich offenbare, so daß ich ihn finde, und daß er mich zuweilen ruhen lasse unter dem Schatten dessen, den ich ersehen. Leb wohl!

Äbtissin T. von Andernach an Hildegard

Der Oberin der Christusbräute, Hildegard, wünscht T., Oberin der Schwestern zu Andernach, sie möge einst im Himmelreich mit den höchsten Geistern vereinigt werden. Der gefeierte Ruf Eurer Heiligkeit, weithin verbreitet, hat auch uns einiges Wunderbare und Staunenswerte zu Ohren gebracht und hat die Vorzüglichkeit Eurer überaus großen Frömmigkeit und Eures einzigartigen Vorgehens unserer

Wenigkeit aufs höchste empfohlen. Aus dem Zeugnis vieler
Menschen haben wir erfahren, daß Euch von den himmlischen Geheimnissen sehr vieles den Menschen Schwerver-
ständliche und Seltsame auf göttliche Weise zum Niederschreiben geoffenbart wird; und was Ihr zu tun habt, werde
nicht durch menschliche Überlegung, sondern durch göttliche Belehrung geregelt. Auch folgendes ist uns von Euren
Gewohnheiten zur Kenntnis gekommen, nämlich daß Eure
Jungfrauen an Festtagen zum Schmuck weiße Gewänder und
auf dem Haupte schicklich gewundene Kränze haben, denen
beiderseits und hinten Engelsbilder eingefügt sind, während
an der Stirne schicklich die Figur eines Lammes befestigt ist;
außerdem seien die Finger der Schwestern mit Ringen geschmückt. Alles dies beziehet Ihr, wie wir glauben, auf die
Liebe zum himmlischen Bräutigam. Denn sonst wäre es angemessen, daß Frauen sich mit Zurückhaltung kleiden, nicht
aber sich mit gekräuselten Haaren, mit Gold, Perlen und
kostbaren Stoffen schmücken.

Ferner, und das scheint uns nicht minder wunderbar als alles
Vorhergehende, führt Ihr in Eure Genossenschaft nur Frauen
von angesehenen Geschlechtern und von Stand ein. Auch
darüber verwundern wir uns höchlichst. Dennoch wissen
wir, daß Ihr dies aus einem vernünftigen Grunde tun werdet,
da Euch doch gar wohl bekannt ist, daß der Herr selbst in die
erste Kirche Fischer und einfache, arme Leute erwählte. Der
heilige Petrus sagte ja zu den später bekehrten Heiden: »Ich
habe in Wahrheit erfahren, daß bei Gott kein Ansehen der
Person gilt.« Überdies seid Ihr gewiß nicht der Worte unein-
gedenk, die der Apostel zu den Korinthern spricht: »Nicht
viele Mächtige, nicht viele Vornehme, sondern was in dieser
Welt niedrig und verächtlich ist, hat Gott auserwählt.« Wir
haben nach unserem Vermögen alle Vorschriften der früheren
Väter, nach denen sich alle, am meisten die geistlich Gesinn-
ten, richten sollen, fleißig erforscht, wissen aber, daß Eure
Vorschriften durchaus richtig und heilig sind. Die große

Neuartigkeit Eures Vorgehens, o verehrungswürdige Braut
Christi, geht unvergleichlich weit über die Fassungskraft unserer Wenigkeit hinaus und erfüllt uns mit nicht geringer
Verwunderung. Und so freuen wir unbedeutenden Frauen-
zimmerchen uns mit Euch herzlichst über Eure Fortschritte,
möchten aber doch in dieser Sache von Euch Genaueres erfahren; deshalb beschlossen wir, einen Brief an Eure Heiligkeit zu richten, und bitten hiermit demütig und ergebenst,
Eure Würde möge geruhen, uns nächstens zu antworten, wie
der Orden durch jene Einrichtungen gewinnen kann. Lebet
wohl und seid unser eingedenk in Eueren Gebeten!

Hildegard an Äbtissin T.

Die lebendige Quelle spricht: Das Weib soll sich in seinem
Zimmer verborgen halten und große Zurückhaltung bewahren . . . Deshalb soll ein Weib seine Haare nicht hoch tragen,
noch sich schmücken, noch irgendwie feine Kränze und
Goldsachen verlangen, außer entsprechend dem Willen ihres
Mannes, wie es ihm in rechtem Maße gefällt. Auf eine Jungfrau hat dies keinen Bezug, sondern diese steht in der schönen
Einfalt und Unversehrtheit des Paradieses, das niemals dürr
erscheinen, sondern stets in voller Frische der Blüte bleiben
wird. Der Jungfrau ist keine Bedeckung des Haares in ihrer
Blüte vorgeschrieben, aber mit eigenem Willen bedeckt sie
sich in tiefster Demut. Denn der Mensch wird die Schönheit
seiner Seele verbergen, damit nicht der Falke sie durch den
Hochmut raube. Im Heiligen Geist sind die Jungfrauen der
Heiligkeit und Morgenröte der Jungfräulichkeit verbunden.
Deshalb ziemt es sich, daß sie dem höchsten Priester nahen
wie ein Gott geweihtes Brandopfer. Darum geziemt es sich
auch, nach einer im geheimnisvollen Hauche Gottes erhaltenen Erlaubnis und Offenbarung, daß die Jungfrau ein
glänzend weißes Kleid anlege, als klaren Hinweis auf das

Verlöbnis mit Christus; und sie sehe zu, daß ihr Geist in unversehrter Unverdorbenheit gefestigt werde. Sie muß auch erwägen, wer derjenige sei, mit dem sie verbunden worden ist, wie geschrieben steht: »Sie haben seinen Namen und den Namen seines Vaters auf ihren Stirnen geschrieben.« Und wiederum: »Sie folgen dem Lamme, wohin es auch gehe.«

Gott unterscheidet auch, macht Unterscheidungen bei jeder Person, so daß der mindere Rang nicht über den höheren emporsteige, wie Satan und der erste Mensch taten, die höher fliegen wollten, als sie gestellt waren. Welcher Mensch würde wohl seinen ganzen Viehstand in *einen* Stall versammeln, Ochsen, Esel, Schafe, Böcke, ohne dadurch Schaden zu tun? Deshalb soll auch in diesem Falle, im Klosterleben, eine Sonderung stattfinden, damit nicht verschiedenartiges Volk, zu *einer* Herde vereinigt, im Stolz der Überhebung und wegen der Schmach der Ungleichheit zerspalten werde, und vorzüglich damit nicht die Ehrbarkeit der Sitten zerstört werde, wenn sie sich in gegenseitigem Hasse zerfleischen, indem ein höherer Rang über einen niederen herfällt oder der niedere sich über den höheren erheben will. Auch Gott hat unter dem Volke auf Erden Unterschiede festgestellt, und ebenso im Himmel, wo er Engel, Erzengel, Throne, Herrschaften, Cherubim und Seraphim sonderte. Diese alle werden von Gott geliebt, haben aber dennoch keine gleichen Beziehungen ... Dieses ist vom lebenden Lichte gesagt worden, und nicht von einem Menschen. Wer es hört, der sehe und glaube, woher es kommt.

Caesarius von Heisterbach
Wunderbare und denkwürdige Geschichten

Caesarius von Heisterbach, geboren um 1180, gestorben im Jahre 1240, ein Zisterzienser, wurde durch seine geistlichen Anekdoten-Sammlungen berühmt. 1222 erschien der Dialogus miraculorum, 1225 die acht Bücher der Miraculorum, ein Kompendium des Aberglaubens seiner Zeit.

Wahrscheinlich ist Caesarius in Köln geboren; jedenfalls war er schon in frühen Jahren dort. Gern berichtet er aus seiner Knaben- und Schülerzeit: wie sie in den bischöflichen Palast liefen, um einen berühmten Mann zu sehen – oder auf die Richtstätte, wo ein Dieb gerädert wurde. »Als Knabe hörte er«, wie Alexander Kaufmann in den Annalen des Historischen Vereins für den Niederrhein 1888 berichtet, »eine Rede des Kardinals Heinrich von Albano, welchen Klemens III. nach Deutschland geschickt hatte, um gegen Saladin das Kreuz zu predigen, und sah, wie mehrere Personen sich mit dem Kreuz bezeichnen ließen.«

Um das Ende des Jahres 1198 wurde er in die Abtei Heisterbach aufgenommen. Dort blieb er bis zu seinem Tode als Novizenmeister und Prior. Bisweilen begleitete er die Äbte auf Visitationsreisen. Im übrigen führte er das Leben eines beschaulichen Klosterbruders und eifrigen Schriftstellers.

Sein Orden widmete ihm folgenden Nachruf: »Der selige Caesarius, Prior in Heisterbach, ein Mann, ausgezeichnet durch Frömmigkeit und Wissenschaft, welcher die Taten der heiligen Väter mit frommer Sorgfalt sammelte und der Nachwelt befahl. Selbst den Fußstapfen derselben folgend, glänzte er in Deutschland durch mannigfache Tugenden und

Wunder; im Geruch der Heiligkeit vollendete er den glücklich durchgefochtenen Kampf in seinem Orden.«

Sein Hauptwerk, der Dialogus, *ist in 12 Bücher eingeteilt, und zwar nach Themen. 42 Stücke schildern, wie einzelne Personen dazu kamen, in den Orden einzutreten; das zweite Buch ist der Zerknirschung gewidmet, das dritte der Beichte und so weiter. Der enthusiastische Herausgeber meint, man könne diesem gewaltigen Material eine Sammlung ›Schatzkästlein eines rheinischen Hausfreundes aus dem 12. und 13. Jahrhundert‹ entnehmen. Andere Partien sind offenbar weniger hausfreundlich. Denn der Herausgeber von 1888 versichert, daß viele Stücke so heikle Themen berühren, daß sie selbst bei nicht prüden Lesern Anstoß und Ärgernis erregen würden. Was wir vor uns haben, ist eine Enzyklopädie der dicksten Aberglauben des Mittelalters.*

Aber sind sie auch alt, so sind sie doch nicht veraltet. Noch 1960 beschäftigte sich eine Fernsehsendung aus der Lüneburger Heide mit Hexenverfolgungen in unseren Tagen. Und zweitens haben viele moderne Geisteswissenschaften aus dem Köhlerglauben tiefe Einsichten geholt, vor allem psychologischer Art. Richtig ausgewertet, ist das Buch des Caesarius von Heisterbach eine Fundgrube kulturgeschichtlichen und tiefenpsychologischen Materials. Stilistisch aber hat es den Reiz des Mangels an raffinierter Zurechtmachung.

Vom Clevischen südwärts bis Aachen

Von einem leichtsinnigen Mädchen und von einem zersprungenen Stein:

Unser Novize Allard besitzt, wie er uns selbst erzählt hat, eine Tante namens Jutta, die, wenn sie auch, bevor sie ins Kloster getreten, ihre Reinheit bewahrt hat, doch in ihrem äußeren Benehmen leichtsinnig, ja leichtfertig erschien; sie

war nämlich in heiratsfähigem Alter. Als sie einmal mit ihren
Schwestern Spiele machte, kam ihr Bruder dazu, ein sehr
strenger und ernster Geistlicher, welchen die Leichtfertigkeit
seiner Schwester tief schmerzte. Da ging er an einen Fluß,
holte einen sehr harten Kieselstein und sagte: »Eher zer-
springt dieser Stein in meiner Hand, als daß meine Schwester
Jutta ein gesetztes Benehmen annimmt und Nonne wird.«
Gott wollte jedoch zeigen, daß man den Menschen nicht bloß
nach seinem Äußeren beurteilen soll: sofort zersprang der
Stein in der Hand des Priesters. Jutta, sowohl betroffen über
die Worte des Bruders als erschüttert durch das an jenem
Stein bewirkte Wunder, verzichtete auf Ehe und Weltleben
und nahm im Nonnenkloster Bedburg den Schleier. Den
Stein bewahrt sie noch heute als Zeugnis für ihre Reinheit und
ihre Bekehrung.

Von einem Laienbruder in Camp, welcher durch den
Wahn, er werde Bischof von Halberstadt, an den Galgen gekommen ist:

Von einem Priester unseres Ordens, einem wahrheitslie-
benden Manne, der auch in der Sache vollkommen unterrichtet war, habe ich folgende Geschichte gehört. Zu Camp, einem in der Diözese Köln gelegenen Kloster unseres Ordens,
hatte ein Laienbruder von den Mönchen, welche sich bisweilen mit ihm unterredeten, so viel gelernt, daß er die Heilige
Schrift lesen konnte. Hierdurch verlockt und berückt, fing er
an, sich heimlich allerlei Bücher abschreiben zu lassen, und
begann damit zugleich, sich gegen das Verbot Eigentum zu
besitzen, zu versündigen und an letzterem sein Ergötzen zu
haben. Als man dem Laienbruder, der wahrlich nicht zu diesem Zwecke ins Kloster getreten war, solcherlei Studium verbot, wurde er in Folge seiner ungeregelten Lernbegierde zum
Abtrünnigen, machte jedoch, da er schon etwas zu alt war,
keine besondern Fortschritte. Reumütig kehrte er in sein
Kloster zurück, ging ein zweites und gar ein drittes Mal
durch, um weltliche Schulen zu besuchen, von denen er aber

stets wieder heimkehrte, und häufte so für den Teufel Stoff in Menge, ihn zu berücken und zu betrügen. Dieser erschien ihm nun auch in der Gestalt eines Engels und sprach: »Lerne tüchtig, denn es ist von Gott bestimmt, daß du einmal Bischof von Halberstadt werden sollst.« Der Narr merkte nicht die Fallstricke des Teufels, sondern bildete sich ein, um seinetwegen würden sich die alten Wunder erneuern. Was nun? Eines Tages erschien der Verführer bei dem Bruder und sagte mit lauter Stimme und freudigem Antlitz: »Heut ist der Bischof von Halberstadt gestorben. Mach dich eiligst auf zur Stadt, welcher dich Gott zum Herrn bestimmt hat! Sein Wille ist unabänderlich.« – Stille machte sich jener Unglückliche aus dem Kloster fort und blieb über Nacht im Hause eines braven Priesters in der Nähe von Xanten. Damit er jedoch an seinem Bischofssitz der Würde entsprechend auftreten könne, stand er vor Tagesanbruch auf, richtete sich das schöne Pferd des Priesters her, zog den Mantel dieses Herrn an, stieg auf und ritt davon. Die Leute des Hauses bemerkten am Morgen sogleich den Diebstahl, setzten dem Dieb nach und nahmen ihn gefangen. Er wurde vor das weltliche Gericht gebracht und verurteilt; so hat er nicht als Bischof den bischöflichen Ehrensitz bestiegen, sondern ist als Dieb den Galgen hinaufgezogen worden.

Von einer Witwe, die bei einer Feuersbrunst dem Brande ihre Maßkrüge entgegenhielt:

In der kaiserlichen Stadt Duisburg lebte eine Witwe, welche Bier braute und ausschenkte. Als nun einmal ein Brand in der Stadt ausbrach und das Feuer dem Hause jener Witwe näher und näher kam, da nahm diese, weil keine menschliche Hülfe zu erwarten stand, ihre Zuflucht zur göttlichen Hülfe. Sie ergriff ihre Maßkrüge, mit welchen sie ihren Kunden zu messen pflegte, stellte sie vor die Tür den Flammen entgegen und betete in ihres Herzens Einfalt: »Gerechter und barmherziger Gott, wenn ich je in diesen Gefäßen falsches Maß gegeben habe, soll dies Haus verbrennen. Tat ich jedoch, was recht ist in deinen Augen, so flehe ich zu deiner Gerechtigkeit: schaue in dieser Stunde barmherzig auf meine Not und verschone mich wie meine Habe!« Merkwürdiger Glaube der Frau, wunderbare Barmherzigkeit des Allmächtigen! Er, der gesprochen hat: »Mit welchem Maße ihr messet, mit dem wird euch gemessen werden« – gebot, als ob ihn die Bitte der gläubigen Witwe bestimmt hätte, dem alles umher verzehrenden Feuer plötzlich Halt, und jedermann erstaunte, als die wilde Lohe brennbare Stoffe zwar beleckte, aber nicht in Brand setzte.

Wie die Nonne Elisabeth durch den Teufel zu leiden hat:
In demselben Kloster Hoven wurde eine Nonne Elisabeth häufig durch den Teufel belästigt. Als sie ihn einst im Schlafsaal erblickte und erkannt hatte, gab sie ihm eine tüchtige Ohrfeige. »Warum schlägst du mich so?« frug der Teufel. – »Weil du mich so oft belästigst«, erwiderte die Nonne. – »Gestern«, versetzte der Teufel, »habe ich deine Mitschwester, die Sängerin, weit mehr belästigt; sie hat mir aber doch keine Ohrfeige gegeben.« Daraus ergibt sich, daß Zorn, Haß, Ungeduld und ähnliche Sünden häufig durch den Teufel hervorgerufen werden. – Als dieselbe Schwester Elisabeth ein anderes Mal die Matutin versäumt hatte – es geschah, wie sich zeigen wird, auf Veranlassung des Teufels – und sie schleunigst, eine brennende Ampel in der Hand, zur Glocke eilte, erblickte sie, eben im Begriff, zur Kirchentür hineinzugehen, einen Mann mit geschlitztem Oberkleid; im Glauben, es sei ein männliches Wesen eingedrungen, stürzte sie sich entsetzt rücklings die Treppe des Schlafsaals hinab, so daß sie mehrere Tage in Folge des Sturzes wie des Schreckens krank darniederlag. Auch die Äbtissin, über den Vorfall im höchsten Grade entsetzt, wurde krank; als sie jedoch die Veranlassung des Geschreis wie des Sturzes vernommen und ihr die Nonne die Erscheinung berichtet hatte, endete diese ihren Bericht mit den Worten: »Wenn ich gewußt hätte, daß es der Teufel war und kein Mann, würde ich ihn noch einmal mit einer

tüchtigen Ohrfeige bedacht haben.« »Der Herr hatte mit
Kraft ihre Lenden gegürtet und ihre Arme gestärkt.«

Von einem Konversen, welchen, als er schlief, eine der
Jungfrauen aus der Gesellschaft der heiligen Ursula geküßt
hat:

Als ein Konverse unseres Ordens einige Häupter von Jungfrauen aus der Gesellschaft der heiligen Ursula in sein Kloster
zu bringen hatte, wusch er diese Häupter mit Wein und küßte
sie dann inbrünstig. In der Nacht darauf erschien ihm, als er
schlief, eine sehr schöne Jungfrau, umfaßte ihn und sagte:
»Gestern, als du mein Haupt wuschest, hast du mich so inbrünstig geküßt; empfange dafür einen Gegenkuß von mir!«
Der Konverse, seines Ordensgelübdes gedenkend, fuhr, um
dem Kusse der Jungfrau auszuweichen, eiligst mit dem Kopfe
zurück und erwachte bei dieser Bewegung. Sofort aber wurde
ihm klar, daß alles nichts weiter als ein Traum gewesen war.

Von einer Dame, welche dadurch geheilt wurde, daß unser
Abt sie mit den Fingern berührte, mit welchen er den Leib des
Herrn berührt hatte:

Als ich dieses Jahr mit meinem Herrn Abt Heinrich zu
Walberberg war, litt eine geachtete Dame, die Schwägerin des
genannten Herrn Abts, an der Krankheit, welche die Ärzte
Bräune nennen. Sie litt so heftige Schmerzen, daß sie weder
etwas genießen noch schlafen konnte; Hals und Kinnbacken
waren geschwollen und mit einer flammenden Röte übergossen. Verwandte und Freunde waren außer sich vor Kummer
und gaben wenig mehr für ihr Leben. Der Abt wurde aufgefordert, sie zu besuchen, und erschrak heftig, als er sie in diesem Zustand erblickte. Er fühlte das tiefste Mitleiden mit ihr,
jedoch seine Hoffnung auf Christum setzend, berührte er auf
ihren Wunsch mit seinen Fingerspitzen die kranken Stellen
und rief mit lauter Stimme: »So wahr ich heute mit diesen
Fingern den Leib des Herrn berührt habe, so wahr möge die
Leidende von ihrer Krankheit genesen!« Dies geschah zur
Abendzeit; in der Nacht aber verfiel die Kranke in einen sanf-

ten Schlummer und sah im Traume einen Geistlichen, der ganz wie der Abt ihren kranken Hals berührte und dann sprach: »Stehe auf, du bist genesen!« Erfreut wachte sie bei diesen Worten auf, fing an, Eiter auszuwerfen und fühlte sofort sich besser. Bei dieser zweiten Berührung, so erschien es ihr, war das Geschwür aufgebrochen und hatte sich entleert. Als wir sie am Morgen aufsuchten, um ihr Trost zuzusprechen, erzählte sie uns frohlockend, was sie während des Traumes gesehen hatte, und behauptete zugleich, jener Geistliche müsse der Abt gewesen sein.

Von einem Menschen, welcher unter dem Schein heiliger Einfalt in Bonn viele getäuscht hat:

Vor noch nicht vielen Jahren kam ein scheinheiliger Mensch nach Bonn und täuschte, indem er Einfalt heuchelte, sehr viele durch Beten, Wachen und Fasten. Da die Stiftsherren jenes Ortes ihn für den hielten, für welchen er sich ausgab, übergaben sie ihm die Verwaltung des Armenhospitals; auch mehrere Weltleute vertrauten ihm Gelder an. Nach kurzer Frist aber begann der Betrüger in seiner erheuchelten Strenge nachzulassen; er fing an, Wein zu trinken, Fleischspeisen zu essen, seltener zu beten, länger zu schlafen. Als man ihm hierüber Vorwürfe machte, erklärte er: »Ich habe von einem Priester für einige Zeit solche Verhaltensmaßregeln erhalten.« Was nun weiter? Schließlich entwich er heimlich, nahm das ihm anvertraute Geld mit und bewies so durch die Tat, wie verderblich das Laster der Heuchelei ist. Als der Dekan Christian hiervon hörte, sagte er: »Ja, ihr Brüder, sicher werde ich nie meine Seele für die eines andern hergeben.«

Von einer Frau zu Are, welche, vom Teufel umarmt, nach wenigen Tagen gestorben ist:

Eine in der Nähe des Schlosses Altenahr wohnende Frau hatte einen dem Trunk sehr ergebenen Mann. Sie pflegte nie zu Bette zu gehen, bevor derselbe nicht aus dem Wirtshaus heimgekommen war. Als sie nun wiederum eines Nachts, nachdem sie den Teig zum Brotbacken fertiggemacht, er-

müdet vor ihrer Haustür saß und auf ihren Mann wartete, sah
sie zwei Gestalten in weißen Gewändern herankommen; eine
derselben aber stürzte auf die Frau zu und umschlang sie mit
den Armen. Auf das Geschrei der Frau verschwanden beide
Gestalten. Sie floh ins Haus; kaum jedoch daß sie Licht sah,
fiel sie besinnungslos zu Boden. Nach wenigen Tagen ist sie
gestorben.

Von einem Weibe zu Breisig, das in der Beichte bekannt
hat, sieben Jahre mit einem Inkubus gesündigt zu haben:

Im Dorf Breisig, das in der Nähe des Schlosses Rheineck
gelegen ist, war vor 12 Jahren, wie mir unser mit der Sachlage
vertrauter Mönch Arnold erzählt hat, eine Frau, welche
durch einen Inkubus ins Verderben gestürzt worden ist. Als
sie eines Tags in einer Schenke saß, fühlte sie sich plötzlich
von einer großen Schwäche befallen, und da sie zu sterben befürchtete, bat sie um einen Priester. Als sie ihm gebeichtet,
wie ihr der Teufel mitgespielt und wie sie mit demselben sieben Jahre lang in jenem schauderhaften fleischlichen Verhältnis gestanden, versagte ihr die Stimme und gab sie während
der Beichte den Geist auf. Als sie durch den Vater aller Geilheit mit dieser unglaublichen Lust gequält wurde, hat sie
niemandem etwas davon gesagt oder hat es vielmehr nicht
gewagt; am glaublichsten ist, daß sie an jener sträflichen Liebe
ihr Ergötzen gehabt hat.

Von einer Nonne, welche, am Glauben zweifelnd, sich in
die Mosel stürzte:

Vor einigen Monaten wurde eine Nonne, eine Frau in vor-
gerücktem Alter und, wie man glaubte, von großer Heiligkeit, so vom Geiste des Mißtrauens, der Zweifelsucht, des
Unglaubens und der Gotteslästerung erfaßt und gepeinigt,
daß sie vollständiger Trostlosigkeit anheimfiel. An allem, was
sie von Kindheit an geglaubt hatte und glauben mußte, fing
sie an zu zweifeln und konnte nicht mehr dazu gebracht werden, die heiligen Sakramente zu empfangen. Als die Schwestern und ihre leiblichen Nichten sie frugen, warum sie so

verhärtet sei, erwiderte sie: »Ich gehöre zu den Verworfenen, zu den Verdammten.« Eines Tages sagte der in hohem Grade bestürzte Prior zu ihr: »Schwester, wenn du aus diesem Zustand der Ungläubigkeit und Gottentfremdung nicht wieder zu dir kommst, lasse ich dich, wenn du gestorben bist, auf dem freien Felde begraben.« Zu diesen Worten schwieg sie, behielt sie aber fortwährend im Sinn. Einige der Schwestern wollten einmal irgendwohin fahren; da folgte ihnen jene Nonne heimlich bis an das Ufer der Mosel, an welcher jenes Kloster gelegen ist, und als der Nachen sich vom Ufer entfernt hatte, stürzte sich die Unglückliche in den Fluß. Jene, welche im Fahrzeug waren, hörten das Geräusch, sahen sich um, meinten aber, es wäre ein Hund ins Wasser gesprungen. Ein in der Nähe befindlicher Mann eilte schnell an die Stelle, und als er bemerkte, es sei ein Mensch ins Wasser gestürzt, sprang er eiligst in den Fluß und zog jene Nonne, die bereits am Ersticken war, heraus. Alle erschraken im höchsten Grade; man wandte Mittel an, und nachdem sie das eingeschluckte Wasser wieder von sich gegeben hatte und wieder reden konnte, frug man sie: »Aber, Schwester, warum hast du so etwas Entsetzliches begangen?« Sie antwortete: »Jener Herr« – und dabei deutete sie mit dem Finger auf den Prior – »hat mir gedroht, er würde mich nach meinem Tode auf dem offenen Felde beerdigen lassen; darum wollte ich lieber in den Untiefen des Flusses untergehen als gleich einem wilden Tier auf dem freien Felde eingescharrt zu werden.« Man brachte sie in das Kloster zurück und bewachte sie sorgfältiger als bisher. Diese Frau war seit ihrer Kindheit im Kloster gewesen; sie war eine reine Jungfrau, fromm und der Andacht ergeben, ja sogar strenge; alle von ihr erzogenen Mädchen zeichneten sich durch Zucht und Frömmigkeit aus. Ich hoffe deshalb, daß Gott, der so barmherzig ist, der seine Erwählten auf allerlei Weise versucht, der sie in seiner Barmherzigkeit aus dem Wasser errettet hat, sie in Anbetracht ihres frühern gottgefälligen Wirkens nicht zu Grunde gehen lassen wird.

Bonaventura

Bonaventura, der heilige Bonaventura, wurde 1221 in Bagnorea (Toskana) geboren und starb 1274. Sein ursprünglicher Name war Johannes Fidanza. Ein General des Franziskanerordens und Kardinal, repräsentierte er die ältere Richtung der Scholastik; im Gegensatz zu seinem Freund Thomas von Aquin erneuerte er die neuplatonisch-augustinische, nicht-aristotelische Tendenz. Sehr im Gegensatz zur zeitgenössischen Mystik unterstrich er die gewaltige Distanz zwischen Mensch und Gott. Ihm war es ein Wunder, daß Gott sich um den Menschen kümmere. Seine große Wirkung erstreckte sich über Jahrhunderte, bis zur Romantik, wo er in Wackenroder einen hymnischen Anbeter fand.

Ganz gewiß wird manchen Zeitgenossen, der die folgenden Anweisungen Bonaventuras nicht nur als kulturhistorisches Dokument nimmt, vor allem jenes Element stören, das man heute ohne jede Differenzierung als ›Quietismus‹ bezeichnet. Es ist deshalb nicht ganz unnütz, bei dieser Gelegenheit sich etwas genauer diese Art von Passivität anzusehen.

Sie ist keineswegs passiv in moralischer Hinsicht. Sie ist sehr aktiv in der Forderung eines unablässigen Kampfes gegen »Bosheit und Schlechtigkeit« (wie es heißt); auch des Kampfes für brüderliches Verhalten. Quietismus predigen diese Lehren nur von unserem modernen Standpunkt aus, der sich unter Besserung vor allem politische Besserung vorstellt; der nicht so sehr die Änderung des einzelnen, der in dieser Stunde lebt, in Betracht zieht als die menschlichere Gesellschaft, die morgen sein soll.

Bonaventuras Empfehlung: »sich loszulösen von der Welt«

(nach dem Wort des Propheten, das er zitiert), bedeutet (in seinen Worten): »*lösen die Bande der Bosheit, losmachen die niederdrückenden Fesseln*«. *Nicht aber bedeutet dies Sich-Loslösen von der Welt: in einen Elfenbeinturm gehen und sich um die Sorgen der Welt nicht kümmern, sondern den Ausbeutern die Welt überlassen. Dies Sich-Loslösen von der Welt ist vielmehr der Ausdruck für den individuellen Kampf gegen das Böse in der Welt, von dem Bonaventura wohl annimmt, daß man es nur persönlich und nur für sich besiegen kann.*

Ob Ratschläge wie die, welche Bonaventura im folgenden gibt, und ob ein guter Teil des Christentums nicht objektiv eine quietistische Funktion gehabt hat, ist eine andere Frage. Ganz gewiß lag eine solche politische Konsequenz außerhalb des Bewußtseins von Lehrern wie Bonaventura. Man könnte zugespitzt vielleicht sagen: Die sich entwickelnde, änderungsbedürftige und änderungsfähige Gesellschaft und ihre Bedeutung für das Individuum war noch nicht entdeckt.

Wenn man aber diese heute unabweisbar sich darbietenden Zusammenhänge zwischen dem Sich-Lösen von der Welt und ihrer Preisgabe an die Tyrannen nicht in den Vordergrund rückt, wird man Bonaventuras Appell zur »*Tröstung der Brüder*«, *wird man seinen Aufruf, daß man ihnen* »*mit Dienst und Hilfe zur Seite*« *stehe, wird man sein Gebot,* »*daß man die Ehren fliehen soll*«, *als Teile einer großen, sehr lebendigen Morallehre empfinden.*

Seinem in Christus geliebten Bruder M. wünscht Bruder Bonaventura, sein Mitbruder im Herrn, daß, nachdem in jeglicher Weise von ihm »der alte Mensch abgelegt«, er für Christus lebe und sterbe für die Welt.

Du, mein geliebter Bruder im Herrn, hast zur Zeit, da ich noch in deiner Gegenwart weilte, mich inständigst gebeten, daß ich dich späterhin mit einigen kürzeren geistlichen Ermahnungen brieflich heimsuche. Nun weiß ich zwar, mein Bruder, daß du mit diesen Worten »glühende Kohlen sammelst auf meinem Haupte«. Dennoch aber – da du in liebevoller Inständigkeit meiner Härte Stolz mit dem Flehen deiner Demut soweit wenigstens besiegt hast, daß ich ebendies schon versprach, worum du batest (ob es zwar durchaus gebührlicher wäre, wenn ich von dir dergleichen empfinge, als daß ich dir in solcher Weise eine Richtschnur gebe) –, da nun einmal die Beharrlichkeit deines andachtvollen Anliegens mich dazu treibt, töricht zu werden in dieser Hinsicht, so will ich nach meinen Kräften, wie immer es gehen mag, das versuchen, wozu du mich aufforderst, ohne dir aber etwas anderes, Besonderes, zu schreiben als das zwar Rohe und Einfältige, das ich für mich selbst zusammenzustellen gedachte, wovon dir das meiste schon wohlbekannt ist. Indessen aber – ich spreche zu deiner Liebe, mein Teuerster –, da keiner, nach der Lehre gewisser Erfahrung, in vollkommener Weise Gott zu dienen vermag, wenn er nicht von Grund aus Sorge trägt, sich loszulösen von der Welt, so tut es not, wenn anders wir nachfolgen wollen dem Herrn, unserem Erlöser, daß wir dem Worte des Propheten gehorchen und »lösen die Bande der Bosheit, losmachen die niederdrückenden Fesseln«, um so, ungehemmt durch irdisches Treiben, mit freiem Schritt dem Erlöser zu folgen. Denn, nach des Apostels Zeugnis, soll ja »kein Streiter Gottes sich in weltliche Geschäfte verwickeln«.

Nie also laßt uns erlauben, daß um irgendein geschaffenes Ding, es sei denn, insofern es in uns der göttlichen Liebe und Hinneigung Gefühl erweckt, unser Herz sich in Sorge befinde, da der vergänglichen Dinge vielfältige Verschiedenheit, mehr als pflichtgemäß beachtet, nicht allein durch Zerstreuung des Geistes die gnadenvolle Ruhe des Gemütes stört, sondern sogar, indem sie im Geiste Phantasmen erzeugt, durch stürmischer Erschütterungen Beschwerde dieselbe gewaltsam vertreibt. Sondern laßt uns vielmehr – ablegend aller irdischen Neigungen Bürde, fern von allen Zögerns Beschwertheit – hineilen zu dem, der uns zu sich lädt, in welchem ist der Seelen reichste Erquickung und der »höchste Frieden, der allen Sinn übersteigt«.

»Kommet her zu mir«, so spricht er, »alle, die ihr mühselig und beladen seid, und ich will euch erquicken!« O Herr, wessen bedarfst du? Weshalb rufst du, was ist dir gemein mit uns? O wahrhaft Stimme der Liebe! »Kommet zu mir«, so spricht er, »und ich werde euch erquicken.« O wunderbare Herablassung unseres Gottes! O unaussprechliche Liebe! Denn wer hat je solches getan? Wer ähnliches jemals gehört, oder wer gesehen? Siehe, er lädt ein die Feinde, er muntert auf die Schuldigen, er lockt zu sich die Undankbaren! »Kommet«, so spricht er, »zu mir alle! Und lernet von mir! Nehmet mein Joch auf euch, und ihr werdet Ruhe finden für euere Seelen!« O süßeste Worte, o liebliche Worte, Worte, die umbilden zu Gott, »schärfer durchdringend als jedes zweischneidige Schwert«, das innerste Mark des Herzens verwundend, und, erfüllt von alles übersteigender Süßigkeit, »hingeben bis zur Scheidung von Seele und Geist«! Wache nun auf, o christliche Seele, zu lieben so große Güte, zu verkosten so große Süßigkeit, zu genießen so holden Duft. Sicherlich, wer diese nicht fühlt, der ist krank, ist von Sinnen, ist schon nahe dem Tode. Entbrenne, ich bitte dich, meine Seele, schwill über, werde ganz süß in deines Gottes Barmherzigkeit, in deines Gottes Milde, in deines Bräutigams Liebe; niemand möge dich hindern einzutreten, zu halten, zu verkosten.

Die allgemeinen Merkpunkte:

Gemeint sind hier gewisse Tugenden, wohlanstehend den Jünglingen und wie eine Stufenleiter des Heiles, über welche sie ohne Zweifel zur Vollkommenheit der Tugenden und zum höchsten Gipfel der Herrlichkeit hinansteigen können, wofern sie sich treu in ihnen geübt – nämlich: eine heilige Schamhaftigkeit in all ihren Worten und Taten, Zurückhaltung in der Rede, Raschheit im Gehorchen, Häufigkeit des

Gebetes, Fliehen des Müßiggangs und der Zerstreuung, reines und häufiges Bekennen der Sünden, freudiges Dienen und
Meiden unfruchtbarer Gesellschaft. Es sind dies gleichsam
blitzende Perlen, die ihren Eigentümer Gott und Engeln und
Menschen zur Freude machen.»Wenn es jedoch Ihm gutge-
schienen, der dich von deiner Mutter Leibe her ausgesondert
und dich berufen hat durch seine Gnade: daß er in dir offenbare das Bild seines Sohnes«, aus jammervoller ägyptischer
Knechtschaft hinaus dich führend »in die Freiheit der Kinder
Gottes«, und schon auf den Weg des neuen Menschen du begonnen hast deinen Fuß zu setzen, auf den Pfad der Demut,
der mitten inne zwischen Furcht und Liebe gegründet; so
wirst du alsdann – über eben jenen Weg der Demut zu Erha-
benerem steigend auch in Höherem dich üben können. Hierüber werden einige Merkpunkte im folgenden aufgezeichnet.

Die besonderen Merkpunkte:
   1. Über die Abtötung der Begierden
   Zum ersten ist dies vor allem notwendig, daß du in deinem
Begehren den Spuren folgest des Erlösers, der Art, daß du –
deine ganze Hoffnung befestigt haltend am Herrn – von allen
Tröstungen dieser Welt all deine Hoffnung von Grund aus
ablösest.
   2. Von der Ausrottung der Laster
   Das zweite ist, daß du von allen Lastern und bösen Begierden, insoweit die menschliche Verfassung es zuläßt, dich völlig zu reinigen suchst, so daß »nach Ausfegen des alten Sau-
erteigs der« gesamten »Bosheit und Schlechtigkeit du wan-
delst in Erneuerung des Lebens« in der Nachfolge Christi;
denn hast du zuvor nicht jene Ketten der Bosheit gebrochen,
so wird deine Seele, in Nebeln beschwert, zu dem Himmlischen nicht sich erheben können.
   3. Von der Zerschneidung der Fesseln
   Das dritte ist, daß du von dir ablösest alle äußere Fessel, so
daß dein Gemüt völlig an Gott gefesselt werden könne.

4. Von dem geduldigen Ertragen der Trübsale

Das vierte: daß du aus Liebe zum Höchsten alle Verfolgungen dieser Welt mit Gleichmut ertragest, ja selbst, wenn möglich, nach ihnen dich sehnst und nur in Christi Leid deine Wonne findest, daß du, zeitliche Fröhlichkeit von dir weisend, in Trübsalen sogar voller Heiterkeit seiest, indem du dafür hältst: sie seien dir alle zur Läuterung von Vergehungen und zum Gewinn deiner Seele bereitet.

5. Daß du über nichts dich beklagest

Das fünfte: daß du, wohl wissend, wie sehr du deinen und aller Wesen Schöpfer beleidigt, für dich von keinem Geschöpfe Rechenschaft forderst.

6. Von der Armut und Selbstverachtung

Das sechste: daß du dir selbst zur Verachtung seist und auch wünschest, von allen verachtet zu werden, daß du, nacheifernd der heiligsten Armut, in allem, was dich betrifft, aus ganzem Vermögen an das Rauhe, Geringe und Dürftige dich haltest – dies aber nicht bei den anderen verlangest, sondern, glücklich und erfreut über jede Tröstung der Brüder, ihnen, wenn nötig mit Dienst und Hilfe zur Seite stehest, indem du sie jeder Tröstung für würdig erachtest; es mag denn, was ferne sei, so offenbar dir an jemand eine Beleidigung Gottes vor Augen stehen, daß ihm jede Entschuldigung mangelt. Über diese aber sollst du in Mitleid und Furcht aus innerstem Herzen trauern, so sehr du vermagst.

7. Daß man die Ehren fliehen solle

Das siebente: daß du – zu aller Zeit in der Furcht lebend – die Schmeichelwerke der Welt, Ehren, Ruhm oder Gunst und die Winde der Eitelkeit gleichwie tödliche Pest gänzlich fliehst, aus allem Vermögen, und ständig gesammelt in dir selbst, allezeit auf der Hut vor dir seiest; denn, wenn du in vollkommener Weise über dich selbst den Sieg erlangt, wird kein, sei es innerer sei es äußerer Feind, fernerhin dir noch Schaden zufügen.

8. Über die wahre Demut

Das achte: daß du aus Liebe zu jenem, der, obwohl Herr
über alles, was im Himmel, auf Erden und unter der Erde, für
uns hat angenommen des niedrigsten Knechtes Gestalt, in ihr
aus freiem Willen der Menschen Gewalt unterworfen, in
Demütigung deiner selbst jeden Menschen nehmest für deinen Herren, dich selbst aber wahrhaft für jeglichen Wesens
Diener erachtest in allen Dingen. So wirst du auch stets Ruhe
und Frieden mit allen erlangen und durchaus nichts von Ärgernis wissen.

9. Von dem Frieden der Seele und wie man ihn bewahren solle

Das neunte: daß du nichts von jenen Dingen berührest, die
nicht dich durch ihren geistlichen Nutzen berühren. Dies besagt: daß du um keine Sache dich sorgest noch in irgend etwas, sei es ein Inneres, sei es ein Äußeres, wie immer dich
verwickelst, wo du nicht findest deiner Seele Gewinn, noch
auch in dergleichen von irgend jemand dich verwickeln lassest; ein wunderbares Geheimnis nämlich liegt hier verborgen, unsichtbar denen, die ohne Erfahrung.

10. Von der Bewachung der Sinne

Das zehnte: daß du Gesicht und »Mund« und den übrigen
Sinnen des Leibes auf jede Art »eine Wache setzest«, so daß
du nichts mehr fürder sehen, hören und berühren willst, als
was von Nutzen für deine Seele. Auch deine Zunge sollst du
völlig in Schranken halten, so daß du gar nichts redest, es sei
denn gefragt, und durch Not oder augenscheinlichen Nutzen
gezwungen, doch dann mit heiliger Scheu und Furcht und
geistiger Süße, kurz und in Demut, wenn möglich stets alle
Vielzahl der Wörter vermeidend und jeden Anlaß hierzu nach
Möglichkeit abschneidend.

11. Von der Einsamkeit und den Nachtwachen

Das elfte: daß du, nach gnadenvoller und heiliger Einsamkeit Sehnsucht tragend, zu jeder Zeit der Nachtwachen
Übung dir kostbar sein lassest, indem du stets in ihnen Gott

deine Gebete darbringst in achtsamer Erwägung der Worte,
in andachterfüllter Glut und in tiefster Demut.

12. Von dem göttlichen Offizium

Das zwölfte: du sollst, wenn du das göttliche Offizium zu
verrichten hast, so in dir selbst zur Ruhe gelangen, daß du,
unbewegbaren Sinns den himmlischen Geheimnissen oblie-
gend und aller irdischen Dinge vergessend, jenem Gebet mit
so großer Andacht, Ehrerbietung, Freude und Furcht dich
hingibst, wie wenn du, unter der Engel Scharen gestellt, dem
göttlichen Angesicht selbst dein Lob mit jenen vereint in voller Gegenwart darbrächtest.

14. Daß man das Zusammensein mit Frauen fliehen solle

Das vierzehnte: daß du allenthalben die Frauen und bartlo-
sen Jünglinge, es sei denn im Falle der Notwendigkeit oder
eines offensichtlichen Nutzens, insgesamt meiden sollest. Einen erwähle, wo du auch seist, dir zum Vater, einen heiligen
Mann, wohl unterscheidend, mild und gütig, unterrichtet
mehr in der Erfahrung eigenen Werkes als in Erhabenheit der
Rede, der dich durch wirksames und feuriges Wort und Beispiel zur Liebe Gottes anleite und entflamme, bei dem du in
all deinen Nöten Zuflucht und geistlichen Trost zu finden
vermögest.

15. Daß Verdrossenheit und Traurigkeit zu fliehen sei

Das fünfzehnte: daß du, jegliches Erkalten in Verdrossenheit und Traurigkeit, worin verborgen ist der Weg der Ver-
störung, »der da führt zum Tode«, auf das entschiedenste
und nachdrücklichste von dir schüttelnd, nach innen wie
nach außen in Heiterkeit stets und in Ruhe lebest. Niemandem sollst du irgendwie widersprechen oder Widerstand leisten in irgend etwas, vielmehr auf jede Art in allem mit allen
in Frieden sein, sofern es nur nicht dem Lobe Gottes oder
dem Heil der Seele entgegensteht.

17. Von der Bewachung des Herzens

Das siebzehnte: daß deinem Herzen, indem du es hütest
mit aller Wachsamkeit und es nur den geistlichen Übungen

weihest, keinerlei Bilder der sichtbaren Dinge sich einprägen, damit es, fern von allen Geschöpfen, dem geöffnet sein könne in Freiheit, der da ist ihrer aller Schöpfer.

18. Von der Liebe zu den Nächsten

Das achtzehnte: daß du, hinblickend auf das Abbild und Gleichnis der göttlichen Majestät in allen Menschen, so sehr alle insgesamt mit der Zärtlichkeit innerster Liebe umfassest und für sie alle, besonders aber die Schwachen und Bedürftigen jeglicher Art, Fürsorge tragest, sofern dir nur für die geistlichen Dinge hier nicht schädliche Zerstreuung erwächst: »gleichwie eine« gute »Mutter liebt« und versorgt »ihr einziges« vor allen geliebtes »Kind«.

21. Daß du Tröstungen und Betrübnisse geheimhalten sollst

Das einundzwanzigste: daß du geistliche Tugenden oder Gnaden, welche in dir oder durch dich die Barmherzigkeit Gottes zu wirken sich würdigt, desgleichen auch Trübsale, Kämpfe, Tugendvorsatz und ähnliche Dinge vor allen geheimzuhalten suchest, soviel du vermagst, dies freilich ausgenommen, was du deinem Priester in der Anklage deiner selbst zu entdecken hast; es sei denn, daß du es einem besonders vertrauten, bewährten Freunde um des geistlichen Nutzens willen enthüllest, einem solchen, von dem du glaubst, daß sein Rat und seine Belehrung in derartigen Dingen für dich etwas fruchten könne. Mit Eifer sei stets bedacht, überall Zeit zu erbeuten; damit du frei dem gewohnten Gebet und der Heiligen Betrachtung obliegen könnest und »in Einsamkeit ruhend erhoben« werdest in Sehnsucht zu jenem, was oben ist.

Meister Eckhart
Rechtfertigungsschrift

Meister Eckhart (1260–1327), der große Dominikaner und einer der einflußreichsten Denker und Prediger der deutschen Geschichte, einer der hervorragendsten Wortschöpfer des philosophischen Deutsch, mit seiner Metaphysik noch den philosophischen deutschen Idealismus beherrschend, ein einflußreicher Administrator innerhalb seiner Kirche und seines Ordens, wurde am Ende seines Lebens als Häretiker angeklagt. Er starb während des Prozesses.

Die Anklageschrift des ersten Zensors bestand aus vier Partien:

1. aus den 15 beanstandeten Sätzen des Trostbuchs;
2. aus den 6 beanstandeten Sätzen einer Apologie *des* Trostbuchs;
3. aus den 12 beanstandeten Sätzen des Genesiskommentars;
4. aus den 12 Sätzen der Predigten.

Wir bringen einige Sätze aus diesen Predigten zusammen mit Eckharts Antwort. Am 26. September 1326 überreichte Eckhart der Kommission seine Rechtfertigungsschrift. *Vielleicht werden manche Leser denken, es ginge hier um sehr spitzfindige Fragen der Theologie, die heute ohne jedes Interesse sind. Sie sind aber auch für die, welche sich für metaphysische Fragen nicht interessieren, von außerordentlichem geistesgeschichtlichem Interesse.*

Die Methode Eckharts ist nicht, seine Metaphysik systematisch darzustellen und der herrschenden entgegenzusetzen. Er beruft sich nach mittelalterlichem Gebrauch auf die kirch-

lichen Klassiker – so wie das auch heute noch sogar außerhalb der Kirche, im Marxismus üblich ist. Das verdeckt etwas den revolutionären Charakter seiner Philosophie. Tatsächlich führt von seinen Gedanken ein direkter Weg nicht nur zu Hegel, sondern bis zu Feuerbach, der in der Religionsgeschichte die Geschichte der menschlichen Seele sah. Vielleicht darf man zugespitzt sagen: mit Eckhart zerging die Vorstellung von einem fernen Gott.

Insofern sollte man die Kirche in Schutz nehmen, welche diese Wendung spürte. Es mag in diesem Prozeß um Meister Eckhart auch sehr viel allzu Menschliches im Spiel gewesen sein: Neid auf den erfolgreichen, populären Prediger und die Rivalitäten zwischen den Orden. Aber der schwere Konflikt ist ohne die speziellen Feindschaften jener Tage zu erklären. All die subtilen Interpretationen in unserem Text haben den einen Ursprung: Eckharts Gewißheit, daß Gott und sein Sohn und der Heilige Geist nicht in einer andern Sphäre leben als der Mensch; daß sie gewissermaßen Sehnsüchte, Zielpunkte, Ideale des Menschen sind, obwohl Eckhart das so nicht hätte ausdrücken können. Diese Konzeption ist selbstverständlich eine Auflösung jener Transzendenz, die im Mittelpunkt des Christentums seiner Zeit und nicht nur seiner Zeit stand.

Besonders sollte man seine Definition der Häresie beachten. Er war kein Häretiker in seinem Sinn, weil ihm seine Interpretation des Christentums keine Interpretation war, sondern selbstverständlich die Wahrheit. Aber auch die Kirche, die ihn als Häretiker verfolgte, hatte (historisch) recht. Er brachte die Auflösung der Fundamente, auf der sie ruhte. Seine Vorstellung vom Menschen als einem werdenden Gott war das Ende der ewig unveränderlichen, überirdischen Dreieinigkeit.

Die Verteidigung Eckharts

Gegeben im Jahre des Herrn 1326 am 26. September, dem Tage, der zur Beantwortung der Sätze festgesetzt ist, die aus den Schriften und Aussprüchen Meister Eckharts sowie aus Predigten entnommen sind, die ihm zugeschrieben werden – Sätze, die gewissen Leuten als irrig und, was schlimmer ist, der Häresie verdächtig erscheinen, wie sie sagen.

Ich, besagter Bruder Eckhart aus dem Predigerorden, antworte darauf:

Erstlich erkläre ich öffentlich vor Euch Kommissären, Meister Renher von Friesland, Doktor der Theologie, und Bruder Petrus de Estate, neuerlich Kustos der Minoritenbrüder: In Anbetracht der Freiheit und der Privilegien unseres Ordens bin ich nicht gehalten, vor Euch zu erscheinen noch auch die gegen mich erhobenen Vorwürfe zu beantworten, zumal ich nie der Häresie beschuldigt worden oder jemals in solchem Rufe gestanden bin, wofür mein ganzes Leben und meine Lehre Zeugnis gibt, und ich stehe damit im Einklang mit der Ansicht meiner Brüder des ganzen Ordens und des Volkes beiderlei Geschlechtes im gesamten Bereich der ganzen Nation.

Daraus ist zweitens offenkundig, daß der Auftrag, der Euch von dem Ehrwürdigen Vater, dem Herrn Erzbischof von Köln, erteilt wurde (dessen Leben Gott erhalten möge), keinerlei Kraft hat. Entstammt er doch falscher Einflüsterung, einer üblen Wurzel also, einem schlimmen Baume. Wenn ich geringeren Ruf beim Volke genösse und minderen Eifer für die Gerechtigkeit hätte, fürwahr, ich bin überzeugt, daß von meinen Neidern derartiges nicht gegen mich wäre versucht worden. Indessen kommt es mir zu, dies geduldig zu tragen. Denn »selig sind, die um der Gerechtigkeit willen leiden«, und »Gott züchtigt einen jeglichen Sohn, den er annimmt«, nach dem Wort des Apostels. So kann ich denn mit Recht mit dem Psalmisten sagen: »Ich bin auf Züchtigungen

gefaßt.« Es wurden ja auch schon früher einmal die Meister
der Theologie zu Paris von der Obrigkeit mit der Prüfung der
Werke so hoch berühmter Männer wie des heiligen Thomas
von Aquin und des Herrn Bruder Albert (des Großen) beauftragt, als wären sie verdächtig und irrig gewesen, und auch
gegen Sankt Thomas persönlich ist oftmals von vielen geschrieben, geredet und öffentlich gepredigt worden, daß er
Irrtümer und Irrlehren schriftlich und mündlich vorgetragen
habe. Aber mit des Herrn Hilfe wurden sowohl in Paris wie
auch vom Papste selbst und von der Römischen Kurie sein
Leben wie seine Lehre gebilligt.

Nach diesen Vorbemerkungen antworte ich nun auf die
mir zur Last gelegten Sätze. Die besagten Sätze, 49 an der
Zahl, zerfallen in vierlei Gruppen:

Erstens werden 15 Sätze angeführt, die einem von mir verfaßten Buche entnommen sind, das mit den Worten »Bene-
dictus Deus« beginnt;

zweitens werden vorgelegt sechs Sätze, die aus einer gewissen Antwort von mir oder aus meinen Worten entnommen
wurden;

drittens werden angeführt 12 Sätze, entnommen der ersten
Auslegung, die ich über die Genesis verfaßt habe – dabei
wundert mich nur, daß dem Inhalt meiner verschiedenen Bücher nicht mehr entgegengehalten wird; steht doch fest, daß
ich hundert und mehr Dinge geschrieben habe, die dieser
Leute Unwissenheit weder begreift noch versteht;

viertens werden angeführt 16 Sätze, die aus mir zugeschriebenen Predigten entnommen sind.

Was nun die erste, zweite und dritte Gruppe betrifft, so erkläre und bekenne ich, daß ich solches gesagt und geschrieben
habe, und ich erachte – wie aus meiner Darlegung hervorgehen wird –, daß alles darin wahr ist, obschon manches ungewohnt, schwierig und subtil ist.

Wenn gleichwohl in den obgenannten oder in anderen
meiner Worte und Schriften etwas falsch wäre – was ich nicht

sehen kann –, so bin ich allzeit bereit, einer besseren Einsicht nachzugeben. Denn »kleine Geister (wie ich bin) bemeistern nicht große Dinge, und schon beim Versuch unterliegen sie, wenn sie wagen, was über ihre Kräfte geht«, schreibt Hieronymus an Eliodor: Irren kann ich, aber nicht ein Häretiker sein. Denn das erste betrifft den Verstand, das zweite aber den Willen.

Zu den Sätzen aus Predigten

Ich bin von Rechts wegen ebensowenig gehalten, mich wegen der Sätze zu verteidigen, die aus mir zugeschriebenen Predigten entnommen sind – denn allenthalben wird auch von Geistlichen, Studierenden und Gebildeten verstümmelt und falsch weitergegeben, was sie gehört haben. Nur das eine habe ich zu bemerken, daß ich keinen dieser Sätze, so wie sie angeführt werden, soweit sie einen Irrtum enthalten oder nach Häresie schmecken, innerlich glaube noch geglaubt oder gepredigt habe.

Ich trete jedoch dafür ein, daß in manchen von ihnen immerhin etwas Wahres berührt wird, was bei richtiger und gesunder Auslegung sich aufrechterhalten läßt. Es gibt ja »keine falsche Lehre, der nicht ein Körnchen Wahrheit untermischt wäre«, wie Augustinus in einer Homilie sagt. Wo solche Sätze aber einen Irrtum einschließen oder wenigstens in den Seelen der Zuhörer hervorrufen, verwerfe und verabscheue ich sie. Aber da bin es nicht ich, dem solcher Irrtum oder solche Irrtümer von irgendwelchen Neidlingen angerechnet werden könnte oder dürfte, wie auch Augustinus (De Trinit. 1, 3) bemerkt: »Ich glaube, daß manche, und gewiß nicht die Schwerfälligsten im Geist, an vielen Stellen meiner Schriften mir Gedanken unterschieben werden, die ich niemals hatte, oder auch Gedanken mir absprechen werden, die ich hatte. Aber wer möchte nicht einsehen, daß ich nicht für den Irrtum verantwortlich bin, wenn solche, die mir zu folgen meinen, unvermerkt in irgendein Mißverständnis geraten, wo ich gezwungen war, durch gewisse unzugängliche und dunkle Gebiete meinen Weg zu nehmen? Hat doch auch niemand ein Recht, den heiligen Verfassern der göttlichen Offenbarung die zahlreichen und mannigfachen Irrtümer der Häretiker zur Last zu legen, weil diese alle aus den hl. Schriften ihre falschen, trügerischen Ansichten zu verteidigen suchen.«

Dennoch will ich ein übriges tun und für die einzelnen Sätze noch gesondert Rede und Antwort stehen.

1. Wenn es heißt: »Der Vater zeugt in mir seinen Sohn« usw., so ist zu bemerken, daß dieser Satz mehreres besagen kann:

Das eine wäre, daß der Mensch, der in Gottes Liebe und Erkenntnis steht, zu nichts anderem wird, als was Gott selbst ist. Dies erkläre ich für gänzlich falsch, und ich habe solches weder gesagt noch geglaubt, noch geschrieben oder gepredigt. Es ist irrig und, wenn in verwegener Vermessenheit behauptet, häretisch – denn ohne dies letztere ist kein Irrtum Häresie. Das ergibt sich auch aus Augustinus (-Gratian), c. 24, p. 3: »Wie der Apostel sollst du jemand erst nach wiederholter Zurechtweisung als Häretiker meiden« – und das Wort ›Häretiker‹ erklärt die Glosse: »Einer, der seinen Irrtum hartnäckig verteidigt.« Und weiter unten heißt es im selben Kapitel: »Wer aber seine Behauptung, mag sie auch falsch und verkehrt sein, ohne Hartnäckigkeit vertritt, in Bereitschaft, sie zu verbessern, ist keinesfalls den Häretikern zuzurechnen.« Und weiter sagt Augustinus (-Gratian) im 31. Kapitel: »Solche, die in der Kirche Christi einer Krankheit oder Verdorbenheit anrüchig sind, sind Häretiker, wenn sie der belehrenden Zurechtweisung trotzig widerstehen und ihre verpesteten und todbringenden Lehren nicht ausmerzen wollen, sondern fortfahren, sie zu verteidigen.« Soweit Augustinus.

Wohl aber kann man sagen, daß, wer in wahrer Gotteserkenntnis und -liebe steht, mit Gott vereinigt, nach Gott gestaltet und gewissermaßen vergöttlicht ist, sofern in ihm Gottes Ähnlichkeit ist und folglich Gott selbst in seinem Ähnlichkeitsgebilde ist.

Was im übrigen die *Sache* betrifft, die in diesem ersten Satz aufgestellt wird, so muß man wissen, daß ohne Zweifel Gott, und zwar der eine – weil es keinen anderen gibt –, in einem jeden Seienden enthalten ist »nach Macht und Gegenwart und Wesen«. Gott ist das Sein; er ist nicht dieses oder jenes, sondern das Sein schlechthin und absolut, und immer und überall ist er in allem und lauter und einfach. Und was immer Gott ist, das ist er immer und überall; wo immer eine Person ist, da ist notwendig auch die andere, weil nie und nirgends eine ohne die andere ist; sonst wären sie notwendig gesondert. Und darum ist notwendig die eine Person in der anderen, und eine jede Person ist durchaus der gleiche Gott. Denn die drei Personen sind *ein* Gott, auf jede Weise ungeteilt, der ungezeugte Vater und der gezeugte Sohn; und der Vater ist nur Vater als ungezeugt-zeugender, und der Sohn nur Sohn, sofern er gezeugt ist, und zwar als alleiniger, weil er Gott ist. Wo immer daher Gott ist, da ist der Vater, der ungezeugt-zeugende, und wo immer Gott ist, da ist auch der gezeugte Sohn. Wenn daher Gott in mir ist, so zeugt Gott Vater auch in mir seinen Sohn, und in mir ist auch der gezeugte Sohn, der eine, ungeteilte, denn es gibt keinen anderen Sohn in der Gottheit als den einen, und der ist Gott.

Ferner ist zu merken, daß der »Sohn« im eigentlichen Sinn in der Gottheit ist, und zwar als einziger, wie gesagt. Er ist »der Eingeborene im Schoß des Vaters« (Joh. 1), d. i. in seinem Innersten; er, das Ebenbild Gottes des Unsichtbaren, »der Erstgeborene vor aller Kreatur« (Kol. 1), er, das »Wort, das im Anfang war und das Gott war« (Joh. 1). Und weil er allein »Sohn« im wahren Sinn, darum auch »Erbe« im Ursinn (Gal. 4), und daher kommt es, daß niemand außer ihm Erbe oder Sohn ist, sondern nur *durch* ihn und *in* ihm, als Glied von ihm durch *Gnade* und heilige Liebe. Wie immer wir also »Söhne« sein mögen – sofern wir viele und gesondert sind, sind wir doch nicht »Erben«, weil wir in Wahrheit auch nur insoweit Söhne sind, als wir durch die in uns sich vollziehende Kindschaftsannahme jenem Ein- und Erstgeborenen gleichgestaltet werden, wie das Unvollkommene dem Vollkommenen, das zweite dem ersten, das Glied dem Haupte – weshalb er ja auch »Erstgeborener« heißt. Deshalb fügt bezeichnenderweise der Apostel, nachdem er gesagt hatte: »Wenn Söhne, so auch Erben«, hinzu: »Erben zwar Gottes, aber Miterben Christi« (Röm. 8).

Was die Behauptung betrifft, die dem Satze sich anschließt: »Gott (Vater) zeugt mich als seinen Sohn . . . ohne allen Unterschied« – so hat dies auf den ersten Blick eine üble Färbung. Aber es ist doch wahr, weil Gott Vater in mir seinen Sohn zeugt und *durch* diesen nämlichen Sohn und *in* ihm *mich* selbst als seinen Sohn in ihm zeugt; und der Sohn, der in mir gezeugt ist, ist der Sohn ohne allen Unterschied der Natur *dem Vater gegenüber; einer,* ungeschieden, ohne jede Unterscheidung, nicht einer in mir und ein anderer in einem anderen Menschen; desgleichen ungeschieden, nicht getrennt oder gesondert *von mir,* als wäre er gleichsam gar nicht in mir; ist er doch als Gott in allem und überall. Dies halte ich für wahren und gesunden Christenglauben, und das heißt Gott in seinem einzigen Sohne die Ehre geben, durch den uns der Vater wiedergeboren und in seiner unaussprechlichen Liebe zu Kindern angenommen hat. Mit dem Gesagten stimmt auch überein, was der hl. Thomas lehrt: I 2, q. 108, a. 1.

Was aber an letzter Stelle im gleichen Satze folgt: »Wir werden umgestaltet und verwandelt in Gott«, ist ein Irrtum. Denn der heilige oder gute Mensch, wer immer er auch sei und wie innig er auch mit Gott verbunden sein mag, wird doch nicht selbst Gott und nicht selbst Christus oder Erstgeborener, noch auch werden *durch ihn* die anderen gerettet, noch ist er »das Ebenbild Gottes« als sein eingeborener Sohn, sondern er ist »nach seinem Bilde«, ein »Glied« dessen, der in Wahrheit und vollkommen »der Sohn, der Erstgeborene und der Erbe« ist, während wir die »Miterben« sind, wie gesagt. Und das will das Bild sagen, von dem die Rede ist: Wie nämlich viele Brote auf verschiedenen Altären verwandelt werden in ihn selbst, den wahren, einzigen Leib Christi, der von der Jungfrau Maria empfangen und geboren wurde und unter Pilatus gelitten hat – wobei jedoch die sinnenfälligen Zeichen der einzelnen Stücke erhalten bleiben –, so wird auch unser Geist durch die Kindschaftsgnade und werden wir überhaupt dem wahren Sohn Gottes geeint als Glieder des einen Hauptes der Kirche, das Christus ist.

2. Wenn es im zweiten Satz heißt: »Der edle Mensch ist nicht damit zufrieden (daß er der eingeborene Sohn sei . . . er möchte auch Vater sein)« usw., so ist das dem Wortlaut nach Irrtum, wenn es nicht, wie bei Augustinus (De Trinit. 9, 12) besagen will, daß vom Erkannten einerseits und vom Erkennenden anderseits sozusagen ein Sproß entsteht, der Erkennendem und Erkanntem gemeinsam zugehört. So trifft es auch zu zwischen Schauendem und Geschautem und scheint der Fall zu sein zwischen Sinnesobjekt und Sinn im Zustand der Tätigkeit, wie der Philosoph sagt. Und das Bild ist in uns vollkommener, wenn die Seele Gott erkennt, denkt und liebt, als wenn sie sich selbst denkt und liebt, wie Augustinus und die Lehrer sagen. Das zu berücksichtigen und dem Volk zu lehren ist gar nützlich und leitet zum sittlichen Leben und guten Wandel an, sofern es den Menschen antreibt, häufig und gern an Gott zu denken und ihn mehr als sich selbst oder sonst etwas Geschaffenes zu lieben.

Man könnte auch sagen: die Seele verlangt, sich mit Gott in seiner *Ganzheit* zu einen, so wie er in sich ist und nicht Teile hat, so daß etwas von ihm Vater und etwas anderes Sohn wäre, sondern ein und derselbe in seiner Ganzheit ist *Vater* als Zeugender, und durchaus derselbe in seiner Ganzheit ist *Sohn* als Gezeugter, und ein und derselbe in seiner Ganzheit

ist heiliger *Geist* als Gehauchter. Wenn also die Seele mit Gott
in seiner Ganzheit eins zu werden verlangt, so verlangt sie
nicht nur eins zu werden mit dem Sohne, sondern auch mit
dem Vater und dem Heiligen Geist, weil der eine und nämliche Gott Vater und Sohn und heiliger Geist ist und diese drei
ein ungeteilter Gott sind.

3. Wenn es im dritten Satz heißt: »Die Tugend hat ihre
Wurzel im Grunde der Gottheit versenkt« usw., so ist zu sagen, daß es wahr ist und auf dasselbe hinausläuft, was Plotin
über die vier Stufen der Tugenden lehrt, nämlich die bürgerliche, reinigende, die des geläuterten Gemütes und die vorbild-
liche – worüber auch Thomas I 2, q. 61 im letzten Abschnitt
handelt. Und das ist gar nützlich zur Empfehlung der wahren
Tugend der Liebe, deren Wurzel und letzter Grund der
Hl. Geist ist. Somit soll, wie »die Wasser zurückkehren zur
Quelle, von der sie entsprungen sind«, der Mensch um den
Besitz der Liebe besorgt sein. Denn die Wurzel aller Liebe ist
Gott, und er ist selbst »die Liebe«. »Wer in der Liebe bleibt,
der bleibt in Gott und Gott in ihm.«

4. Wenn es heißt: »Der demütige Mensch ist Gottes so
mächtig (wie Gott seiner selbst)« usw., so ist dies dem Wortlaut nach Irrtum. Aber das ist wahr, daß Gott dem Demütigen seine Gnade gibt, wie Jakobus und Petrus bezeugen. Soviel aber ein Mensch an Gnade besitzt und soweit er Gottes
»Sohn« ist, soviel vermag er über Gott und dessen Werke,
weil er ja nichts anderes will und nicht auf andere Weise, als
was Gott will und tut.

Dante
Das neue Leben

Dante und Beatrice gehören zu jenen Liebespaaren, von denen man nicht recht weiß, wie weit sie Wahrheit und wie weit sie Dichtung sind: Heloise und Abälard, Laura und Petrarca, Beethoven und seine ›unsterbliche Geliebte‹ gehören in diesen Kreis. Es gibt eine gewaltige Beatrice-Literatur; aber die Gelehrten können sich nicht einigen. Manche halten Beatrice für eine Allegorie, andere erzählen ihre Biographie sehr detailliert.

Wer kein Dantekenner ist, darf sich in den Streit der Meinungen nicht einmischen. Aber wir bringen im folgenden die ersten Seiten aus Dantes Frühwerk Das neue Leben *(La vita nuova), die vielleicht dem Leser Gelegenheit geben, sich selbst ein Urteil zu bilden. Sieht es hier nicht fast so aus, als sei Beatrice eine Art platonischer Idee, die große Liebe, im Verhältnis zu der all jene sehr greifbaren Damen, in die der Jüngling sich verliebte, so etwas waren wie Zweige an einem Baum, der nie greifbar wurde?*

Ob sich diese große Liebe an einem achtjährigen Mädchen in Fleisch und Blut entzündet hat, ist eine andere Frage.

Boccaccio schildert sehr konkret die erste Begegnung im Jahre 1274 zwischen dem Kind und dem Knaben: »Während der Jahreszeit, in der die Milde des Himmels mit ihrem Schmuck die Erde aufs neue bekleidet und ringsum alles durch den bunten mit dem Grün der Blätter vermischten Schmelz die Blumen erheitert, war es der Brauch in unserer Stadt, bei Männern und Frauen, daß alle ohne Unterschied, jedes in

seinem Stadtteile, in einzelnen Gesellschaften zusammenka-
men und sich erlustigten.

So hatte denn unter anderen auch Folco Portinari, in jener
Zeit ein gar angesehener Mann unter seinen Mitbürgern, zufällig am ersten Abend des Maimonds die umwohnenden
Nachbarn zu gemeinsamer Festfreude im eigenen Hause versammelt. Unter diesen war auch Alighieri und, wie kleinere
Kinder ihre Eltern – insbesondere zu festlichen Orten – zu begleiten pflegen, war diesem auch Dante, der sein neuntes Jahr
noch nicht vollendet hatte, gefolgt. Da geschah es, daß letzterer, gemischt unter andere seines Alters, deren – so Knaben als
Mädchen – viele in dem Hause des Festgebers zugegen waren,
sich mit ihnen nach dem ersten Male, soviel sein zartes Alter
vermochte, vergnügte. Unter den Kindern aber war auch ein
Töchterlein jenes Folco, Bice mit Namen – denn so ward sie
statt mit dem eigentlichen Namen Beatrice genannt –, von
etwa acht Jahren, gar zierlich nach Mädchenweise, in ihrem
Wesen voll Adels und von großer Anmut, in Betragen und
Worten ernst und bescheiden, mehr, denn ihre wenigen Jahre
erwarten ließen.« So geht es weiter. Diese Darstellung gilt
heute als romanhaft.

Die Gelehrten hingegen zitieren vor allem Stellen aus der
Göttlichen Komödie, Beatrice betreffend, und nehmen sie für
historische Wahrheit. Im allgemeinen hat man sich auf eine
bestimmte Dame aus Florenz geeinigt, von der man annimmt, daß sie sich verheiratete und am 9. 6. 1290, also schon
in ihren Zwanzigern, starb.

Vielleicht kommt man nirgends so nah an die Wahrheit als.
in den Stücken, die hier abgedruckt sind. Sie sollen durch ein
Gedicht eingeleitet werden, das der große, verliebte Dante
Alighieri später dieser Schrift der frühen Jahre als Geleitwort
schenkte:

>   »Die ihr die Liebe kennt, ihr edeln Frauen,
>   Euch sei gewidmet dieses ›Neue Leben‹,

In eure zarten Hände laßt mich's geben,
Des Geist und Herz sich köstlich dran erbauen.

Die Göttliche Komödie schafft euch Grauen,
Ich weiß es wohl – die Hölle macht euch beben,
Der Berg der Läuterung kann euch nicht erheben,
Das Paradies sehnt ihr euch nicht zu schauen.

Hier aber grüßt euch eine Dichterliebe,
Wie reiner, keuscher keine Hand sie schriebe;
Als jungen seht ihr hier den alten Dante.

Er stimmt ein Loblied an auf Frauentugend,
Die Schönheit preist er und die Herzenstugend –
All das, wofür von je der Mann entbrannte.«

Das neue Leben

In jenem Teile des Buches meiner Erinnerung, dem nur wenig Lesenswertes voransteht, findet sich eine Rubrik, die da lautet: Incipit vita nova (hier beginnt ein neues Leben). Und unter dieser Rubrik finde ich die Worte geschrieben, die ich in diesem Büchlein aufzuzeichnen gedenke. Und wenn nicht wörtlich, so doch wenigstens ihrem Sinne und Inhalt nach.

Schon war zum neuntenmal seit meiner Geburt der Himmel des Lichtes seinem Kreislauf zufolge beinahe zu demselben Punkt zurückgekehrt, als mir zum erstenmal die herrliche Gebieterin meines Geistes erschien, die von vielen, die nicht wußten, wie sie zu nennen wäre, Beatrice geheißen wurde. Sie weilte damals schon so lange in diesem Leben, daß sich seit ihrer Geburt der Sternenhimmel um den zwölften Teil eines Grades gen Osten bewegt hatte, so daß sie ungefähr im Beginn ihres neunten Lebensjahres stand, als sie mir erschien und ich

sie ungefähr gegen Ende meines neunten Jahres erblickte. Sie
erschien mir, angetan mit einem Gewande von edelster Farbe:
blutrot; bescheiden und ehrbar, gegürtet und geschmückt
nach der Weise, die ihrem kindlichen Alter ziemte. In diesem
Augenblick, das muß ich wahrhaftig bekennen, begann der
Geist des Lebens, der in des Herzens geheimster Kammer
wohnt, so heftig zu zittern, daß er sich mir in den leisesten
Pulsen furchtbar offenbarte. Und zitternd sagte er die folgenden Worte: Ecce deus fortior me, qui veniens dominabitur
mihi (siehe, der Gott, der stärker ist als ich, kommt, um mich
zu beherrschen).

Im gleichen Augenblick begann sich der Geist der Sinne
sehr zu wundern, der in jener erhabenen Kammer thront, zu
der alle Empfindungsgeister ihre Wahrnehmungen hinauftra-
gen, und indem er sich besonders zu den Geistern des Gesich-
tes wandte, sprach er dies: Apparuit iam beatitudo vestra
(schon erschien eure Wonne). Darauf begann der Geist der
Natur, der dort wohnt, wo sich unsere Ernährung vollzieht,
zu weinen, und weinend sprach er: Heu miser! Quia frequen-
ter impeditus ero deinceps (ach, ich Armer! Wie oft werde ich
von jetzt an behindert werden). Von dieser Stunde an, sage
ich, beherrschte Amor meine Seele, die sich ihm rasch anver-
lobte, und er begann eine solche Macht und sichere Herrschaft über mich zu gewinnen durch die Kraft, die ihm meine
Fantasie eingeräumt hatte, daß ich vollkommen nach seinem
Gefallen zu tun gezwungen wurde. Amor gebot mir zu vielen
Malen, daß ich trachten sollte, den jugendfrischen Engel zu
schauen. Und also ging ich in meinem Knabenalter gar oftmals aus, um sie zu suchen. Und ich sah sie auch und fand an
ihr ein so edles und preiswürdiges Betragen, daß auf sie völlig
das Wort des Dichters Homer angewandt werden konnte: Sie
scheint nicht die Tochter eines sterblichen Menschen zu sein,
sondern die eines Gottes. Und mag auch durch ihr Bild, das
mich unablässig begleitet, nur der Übermut Amors über mich
geherrscht haben, so war es doch von so edler Art, daß es

Amor niemals duldete, mich ohne den treuen Rat der Vernunft in all jenen Dingen zu leiten, wo solchen Rat zu vernehmen heilsam sein mochte. Doch weil das Überwinden von Leidenschaften und Handlungen in einer so frühen Jugend manchem als Fabelwerk erscheinen könnte, so will ich davon schweigen und viele Dinge übergehen, die ich aus derselben Quelle schöpfen könnte, aus der diese stammen, und komme nun zu jenen Worten, die in meinem Gedächtnisse unter wichtigeren Merkzeichen eingetragen stehen.

Als so viele Tage verflossen waren, daß gerade neun Jahre seit der oben beschriebenen Erscheinung jener Holdseligsten verstrichen waren, da geschah es am letzten dieser Tage, daß mir die Wunderherrliche begegnete, in das allerstrahlendste Weiß gekleidet und inmitten zweier edler Frauen reiferen Alters. Und da sie die Straße einherging, wandte sie ihre Augen nach der Stelle, wo ich zaghaft und schüchtern stand. Und in ihrer unaussprechlichen Liebenswürdigkeit, die jetzt im Reiche der Ewigkeit nach ihrem Wert belohnt ward, grüßte sie mich so tugendlich, daß ich den Gipfel aller Seligkeit erreicht zu haben meinte. Die Stunde, da mich ihr süßer Gruß traf, war genau die neunte des Tages, und da es zum erstenmal geschah, daß ihre Worte den klingenden Weg an mein Ohr gefunden hatten, so überwältigte mich ein solches Wonnegefühl, daß ich wie berauscht aus der Menge eilte und in die Einsamkeit meines Zimmers entfloh, um hier an die Liebenswürdigste zu denken.

Und wie ich so an sie dachte, überkam mich ein süßer Schlummer, in dem mir ein wunderbares Gesicht erschien. Es war mir, als sähe ich in meinem Gemach eine feuerfarbene Wolke, darin ich deutlich eine gebieterische Gestalt erkannte, von furchtbarem Anblick für jeden, der sie sah. Jedoch schien der Gebieter selbst von solcher Freude erfüllt zu sein, daß es wie ein Wunder war, und in seinen Worten drückte er mancherlei aus, was ich nicht verstand, bis auf weniges.

Und unter diesem wenigen verstand ich deutlich: Ego

dominus tuus (ich bin dein Herr)! In seinen Armen aber
glaubte ich ein nacktes Weib schlafen zu sehen, das nur ganz
leicht in ein blutrotes Gewebe gehüllt war. Und als ich sie mit
vieler Aufmerksamkeit betrachtete, erkannte ich, daß es die
Herrin des Heiles war, die mich tags zuvor holden Grußes
gewürdigt hatte. Er aber schien in der einen seiner Hände etwas zu halten, das über und über glühte, und es war mir, als
spräche er die Worte: Vide cor tuum (sieh hier dein Herz)!
Als er so eine Zeitlang verweilt hatte, schien es mir, daß er die
Schlafende aufweckte und sich viele Mühe gab, sie durch die
Kraft seines Geistes dazu zu bewegen, daß sie jenes Etwas
äße, das in seinen Händen brannte; und sie aß es zuletzt mit
Widerstreben. Danach aber währte es nicht lange, und seine
Fröhlichkeit verwandelte sich in bitterstes Weinen, und weinend nahm er das Weib wieder in seine Arme und ent-
schwebte mit ihr, wie es mir vorkam, gen Himmel. Darauf
aber ergriff mich eine solche herzbeklemmende Angst, daß
der leise Schlaf, in dem ich befangen war, nicht länger stand-
hielt und ich erwachte.

Alsbald begann ich dem nachzudenken und fand, daß die
Stunde, als mir jenes Gesicht erschienen war, die vierte der
Nacht, also, wie deutlich zu sehen, die erste der neun letzten
Nachtstunden gewesen war. Und indem ich über die Erscheinung nachsann, nahm ich mir vor, es viele wissen zu lassen, die berühmte Reimkünstler jener Zeit waren. Und da ich
nun damals schon aus eigenem Antrieb die Kunst, gereimte
Verse zu dichten, erprobt hatte, so beschloß ich, ein Sonett zu
machen, darin ich alle Getreuen der Liebe grüßen und bitten
wollte, daß sie mir mitteilen möchten, was sie über mein
Traumgesicht dächten. Und da begann ich folgendes Sonett:

»Im Namen und im Geist der Liebe sei
Gegrüßt ein jeder, der auf diese Zeilen
Sinndeutend eine Antwort kann erteilen,
Wenn er der Liebe dient, von Makel frei.

In hellerm Licht erglomm der Sterne Reih,
Der dritte Teil der Nacht war im Enteilen,
Da kam der Liebe Geist, bei mir zu weilen –
Noch schaudert die Erinnerung dabei.

Er trug im Arm, gehüllt in ein Gewand
Die Herrin, deren Auge Schlummer deckte;
Mein Herz hielt lächelnd er in seiner Hand.

Er rief sie wach. Und ob sie Graun empfand,
Vom glühnden Herzen zwang er die Erschreckte
Zu essen – drauf er weinend mir entschwand.«

Dieses Sonett wurde vielfach und in verschiednem Sinne gedeutet. Unter denen, die Antwort gaben, befand sich auch
der, den ich den ersten meiner Freunde nenne und der auch
die einzig richtige Antwort erteilte. Er schrieb damals ein
Sonett, das mit den Worten begann: »Du sahest, wie
mir scheint, den ganzen Wert.« Und um diese Zeit ungefähr wurde der Grund unsrer Freundschaft gelegt, als er
erfuhr, daß ich es gewesen sei, der ihm das Sonett gesandt
hatte. Die wahre Deutung dieses Traumes erkannte damals
niemand, jetzt ist der Sinn auch dem Einfältigsten offenbar.

Seit dieser Vision fing mein Naturgeist an, in seinem Wirken behindert zu werden, weil sich die Seele gänzlich in die
Gedanken an die Allerholdseligste verlor. Davon wurde ich
in kurzer Zeit so schwach und hinfällig, daß viele Freunde
bekümmert waren über mein Aussehen, und viele Neider sich
bemühten, von mir zu erfahren, was ich doch andern ängstlich verbergen wollte. Auf Eingebung der Liebe, die mich
nach dem Rate der Vernunft leitete, erwiderte ich auf ihre
arglistigen Fragen, daß die Liebe mich dahin gebracht habe.
Ich sagte: die *Liebe*. Denn sie stand mir ja so deutlich im Gesicht geschrieben, daß ich sie doch nicht gut verbergen

konnte. Und wenn sie weiter fragten: »Wem gilt die Liebe,
die dich so verzehrt?«, sah ich sie lächelnd an und schwieg.

Eines Tages geschah es, daß jene Allerholdseligste in einem
Raume saß, wo Lieder zum Preise der Himmelskönigin zu
hören waren, und ich befand mich an einer Stelle, von der aus
ich meine himmlische Wonne sehen konnte. Und zwischen
ihr und mir, in der Mitte der geraden Linie, saß eine edle
Dame von sehr anmutigem Gesicht, die mich oftmals ansah
und sich über mein Schauen, das ihr zu gelten schien, so verwunderte, daß wieder viele ihre auf mich gerichteten Blicke
bemerkten. Und so sehr wurde darauf acht gegeben, daß ich
beim Verlassen dieses Raumes hinter mir sagen hörte: »Sieh
nur, wie der sich um jene Frau verzehrt.« Aber als sie ihren
Namen nannten, bemerkte ich erfreut, daß sie von jener sprachen, die sich inmitten meiner Gesichtslinie befunden hatte,
die von der holdseligsten Beatrice ausging und in meinen Augen endigte.

Das beruhigte mich gar sehr, da ich nun gewiß war, daß
sich an diesem Tage durch mein Schauen mein Geheimnis den
andern nicht verraten hatte. Und ohne Zaudern beschloß ich,
jene liebliche Frau zum Deckmantel der Wahrheit zu benützen, und in kurzer Zeit stellte ich das so geschickt an, daß die
meisten Personen, die mich beobachteten, mein Geheimnis
zu kennen glaubten. Durch diese Frau verbarg ich meine
wahre Neigung einige Monate und Jahre lang, und um die
andern noch sicherer in ihrer Vermutung zu machen, verfaßte
ich für sie einige Sächelchen in Reimen, die hier mitzuteilen
nicht in meiner Absicht liegt, es sei denn nur insoweit, als sie
sich auf jene allerlieblichste Beatrice beziehen. Und darum
werde ich sie alle unterdrücken, und nur einiges weniges davon niederschreiben, was ihr zum Preise gereichen kann.

Ich sage: in jener Zeit, wo diese Dame als Vorwand für
meine so große Liebe diente – wenigstens von meiner Seite
aus –, wandelte mich eines Tages die Lust an, den Namen jener Holdseligen preisend zu verewigen und ihm die Namen

vieler anderer Frauen und vor allem auch den Namen dieser
edeln Dame anzufügen. So wählte ich denn die Namen von
sechzig der schönsten Frauen der Stadt, darin meine Herrin
nach dem Willen des höchsten Gottes ihre Heimat gefunden
hatte, und verfaßte eine Epistel in der Form einer Serventese,
die ich hier nicht niederschreiben mag. Ich hätte überhaupt
dieses Gedichtes keine Erwähnung getan, wenn ich nicht
hätte bemerken wollen, daß sich's, als ich es verfaßte, wun-
derbarerweise begab, daß der Name meiner Herrin an keine
andre Versstelle passen wollte als gerade an die neunte Stelle
in der Reihe jener Frauennamen.

Nun begab sich's, daß die Dame, die mir meine Neigung so
lange verbergen half, die erwähnte Stadt verlassen und in ein
fernes Land ziehen mußte. Hierüber war ich denn sehr er-
schrocken, weil ich eine so schöne Schutzwand eingebüßt
hatte, und ich wurde weit betrübter, als ich selbst vorher geglaubt hätte. Und da ich bedachte, daß die Leute mein Ver-
steckspiel zu rasch durchschauen würden, wenn ich ihrer Abreise nicht mit gebührendem Schmerze gedächte, so beschloß
ich, dies in einem Sonett zu beklagen, das ich hier aufschreiben will, weil meine Herrin der unmittelbare Anlaß zu gewissen Worten dieses Sonettes war, wie es jedem, der es versteht,
deutlich werden wird. Und so verfaßte ich folgendes Sonett:

»Ihr, die ihr dürft der Liebe Wege gehen,
Steht still hier, um zu sehen:
Gibt's größeren Schmerz, als ich ihn nenne mein?
Nur kurz Gehör will ich von euch erflehen,
Dann werdet ihr verstehen,
Daß ich wohl Tür und Herberg jeder Pein!

Liebe – kann ich mich des je würdig sehen? –
Ließ huldvoll es geschehen,
Daß Freuden meinem Leben Wert verleihn.
Oft blieb man hinter mir schon flüsternd stehen:

›Welch Glück ward dem zu Lehen,
Daß er so fröhlich darf im Herzen sein?‹

Nun ist mein selig Hoffen all verschwunden;
Was aus der Liebe Schatz ich durft verschwenden,
Zerrann mir in den Händen –
Arm bin ich, bettelarm in diesen Stunden.

Der Reiche birgt – sah er sein Glück sich wenden –
Aus Scham Verlust, den schmerzlich er empfunden:
So lach ich meiner Wunden
Und aller Tränen, die nicht wollen enden!«

Nach der Abreise dieser edeln Dame gefiel es dem Herrn der
Engelscharen, eine liebliche vornehme Jungfrau, die eine
Zierde der obengenannten Stadt war, zu seiner Herrlichkeit
abzuberufen. Ich sah ihren entseelten Körper liegen, umgeben von vielen bitterlich weinenden Frauen. Und als ich mich
nun erinnerte, sie in Gesellschaft meiner Allerholdseligsten
gesehen zu haben, konnte auch ich mich der Tränen nicht
länger erwehren. Noch weinend nahm ich mir vor, einige
Worte über ihren Tod zu sagen in Anbetracht des beneidens-
werten Umstandes, daß ich sie manchmal mit meiner Herrin
zusammen gesehen hatte. Ich deutete das in dem letzten Teil
meiner Worte an, wie es deutlich heraushören kann, wer
mich versteht. Ich schrieb zwei Sonette. Das erste lautet:
Weinet, Liebende – das zweite: O Tod, du Feind des Mitleids
und Despot!
    Einige Tage nach dem Tode dieser Jungfrau mußte ich eine
Reise antreten in die Gegend, wo nun die liebreizende Dame
lebte, die meiner Liebe so lange als Schutz und Deckmantel
gedient hatte. Aber das Ziel meiner Reise war nicht so entle-
gen als ihr neuer Aufenthalt. Obgleich ich in zahlreicher Begleitung reiste, mißfiel mir die Trennung doch so sehr, daß
die Seufzer kaum die Angst zu erleichtern vermochten, die

ich im Herzen empfand, je mehr ich mich von meiner Seligkeit entfernte. Da erschien mir im Geiste der süße Herr, der
mich durch die Tugend der holdseligsten Frau beherrschte.
Gleich einem Pilger trug er leichte, notdürftige Kleidung. Er
schien bekümmert und sah zur Erde nieder. Manchmal, wie
es mir vorkam, wandte er auch seine Blicke auf den schönen
Fluß, der klar und schnell neben meinem Wege dahinströmte.

Da war mir's, als ob er mich riefe und zu mir spräche: »Ich
komme von jener Dame, die dir so lange als Vorwand diente,
und ich weiß, daß ihre Rückkunft für die nächste Zeit nicht in
sichrer Aussicht steht. Darum trage ich dein Herz, das du ihr
auf meinen Antrieb scheinbar zuwandtest, zu einer andern,
die deinem Zwecke ebenso dienen wird, wie jene es getan
hat.« Er nannte sie mir, so daß ich sie leicht erkennen konnte.
»Willst du aber von meinen Worten etwas erzählen, so tue es
so, daß niemand die erheuchelte Liebe durchschauen kann,
die du für jene zur Schau trugst, und die nun dieser andern zu
zeigen für dich von Nutzen sein wird.«

Nach diesen Worten verschwand plötzlich die ganze Vision. Infolge der großen Gemütsbewegung, in die mich
Amor versetzt hatte, war mein Aussehen ganz verändert, und
ich ritt diesen Tag sehr nachdenklich weiter, von gar vielen
Seufzern begleitet.

Bald nach meiner Rückkehr suchte ich die Dame auf, die
mir der Geist der Liebe auf dem Seufzerwege gekennzeichnet
hatte. Nur kurz will ich berichten, wie ich meinen Zweck
bald so vollkommen erreichte, daß die ganze Stadt mehr als
schicklich davon sprach, was mir oft das Herz schwer machte. Infolge dieser übertriebenen Gerüchte, die mich schmählich verleumdeten, geschah es, daß mir die Allerholdseligste,
die eine Feindin alles Bösen und Königin der Tugend ist, bei
der nächsten Begegnung ihren süßen Gruß verweigerte, der
für mich der Inbegriff aller Seligkeit war.

Theologia Deutsch

*D*ie Schrift Theologia Deutsch *beginnt: »Hier hebt sich an der Frankfurter und sagt aus gar hohe und gar schöne Dinge von einem vollkommenen Leben.« Und weiter heißt es in der Vorrede über diesen ›Frankfurter‹: »Dieses Büchlein hat der allmächtige ewige Gott ausgesprochen durch einen weisen einsichtigen wahrhaftigen gerechten Menschen, seinen Freund, der da vorzeiten gewesen ist ein Deutschherr, ein Priester und Custos in der Deutschherrn Haus zu Frankfurt; und lehret gar manche köstliche Erkenntnis göttlicher Wahrheit und besonders, wie und woran man erkennen möge die wahren rechten Gottesfreunde, und auch die unrechten falschen freien Geister, die der heiligen Kirche gar schädlich sind.«*

Diesem Frankfurter Deutschherrn spürte die Forschung bis in unsere Tage nach. Er ist einer der einflußreichsten Autoren gewesen, die Brücke zwischen Mystik und Protestantismus. Die Handschrift der Theologia Deutsch *stammt aus dem Jahre 1497. Der Verfasser wird wahrscheinlich das Werk, das man dann* Theologia Deutsch *nannte, in der zweiten Hälfte des vierzehnten Jahrhunderts niedergeschrieben haben. Tauler war ihm bekannt und beherrschte seine Gedanken- und Gefühlswelt. Man nimmt an, daß der Verfasser des Büchelchens, ein Dominikaner, die Ordensschwestern im Sinne der Gedankengänge, die hier aufgezeichnet sind, betreut hat.*

1516 gab Luther das Buch heraus unter dem Titel: Eyn geystlich edles Buchleynn. Von rechter underscheyd und vorstand. Was der alt und new mensche sey. Was Adams und was gottis kind sey und wie Adam ynn uns sterben und Christus ersteen sall. *Luther gab in seinen frühen Jahren diese Schrift immer wieder heraus und leitete sie enthusiastisch ein.*

Das Verhältnis des Reformators zu ihr änderte sich, als der Protestantismus immer dogmatischer wurde und die Mystik immer mehr mit den Täufern und anderen Schwarmgeistern identifizierte. Sie lasen wohl besonders den Satz: »Gäbe es den Eigenwillen nicht, so gäbe es auch kein Eigentum.« Je schärfer diese Kämpfe wurden, um so mehr rückte man von diesem Traktat ab. Am stärksten wurde die Abwehr gegen die Theologia Deutsch *bei Calvin, dessen theokratische Organisation diese freischwebende, zum Kommunismus tendierende Religiosität ganz und gar nicht vertragen konnte. Er schrieb 1559 an die französische Gemeinde in Frankfurt darüber: »Wenn ich jemals in Sachen des Wort Gottes etwas verstanden und verkostet habe, so wünschte ich, daß die Autoren die Finger davon lassen. Denn obgleich keine offenkundigen Irrtümer darin sind, so sind es doch Späße, durch Satans Hinterlist hervorgebracht, um die ganze Einfalt des Evangeliums zu verwirren. Wenn ihr aber etwas näher zuseht, so werdet ihr finden, daß sie Gift sind, so tödlich, daß ihre Verbreitung der Vergiftung der Kirche gleichkommt. Darum, meine Brüder, vor allen Dingen bitte und ermahne ich euch im Namen Gottes, wie die Pest zu fliehen alle, die versuchen, euch mit solchem Unflat anzustecken.« Die protestantische Mystik, wie sie sich in Franck, Schwenckfeld, Weigel manifestierte, wurde im wesentlichen von dieser kleinen Schrift bestimmt; ebenso dann der Pietismus des siebzehnten Jahrhunderts.*

Wir bringen zunächst die ersten Seiten, welche die Spekulation des Frankfurters charakterisieren; dann eine längere Stelle über den ›Eigenwillen‹, deren Thema die gesamte Philosophie durchzieht: von den frühesten Idealisten bis zu den zeitgenössischen Existentialisten und Marxisten – der Zwist zwischen dem falschen Willen und dem rechten. Die Vokabeln wechseln, die Probleme bleiben.

Sanktus Paulus spricht also: »Wenn das Vollkommene kommt, so verwirft man das Unvollkommene und das Stückwerk.« Nun merke: Was ist das Vollkommene und was das Stückwerk? Das Vollkommene ist eine Wesenheit, die in sich und in ihrem Wesen alle Wesenheiten einbegriffen und beschlossen hält; und ohne die und außerhalb deren kein wahres Sein besteht; und in der alle Dinge ihr Leben haben. Denn sie ist aller Dinge Wesen und ist in sich unwandelbar und unbeweglich: und wandelt und bewegt doch alle andern Dinge. Aber das Stückwerk oder das Unvollkommene ist das, was aus diesem Vollkommenen geursprungt ist oder wird, so wie ein Glast oder Schein ausfleußt aus der Sonne oder einem Licht; und erscheint als Etwas, dies oder das, und heißet Kreatur. Und von allen diesen Teilheiten ist keine das Vollkommene; also ist auch das Vollkommene von diesen Teilheiten keine. Die Teilheiten sind ergreifbar, erkennbar und aussprechbar; aber das Vollkommene ist allen Kreaturen unergreifbar, unerkennbar und unaussprechbar, gemäß ihrem Kreatursein. Darum nennt man das Vollkommene ›Nichts‹: denn es ist nicht von ihrer Art, darum kann die Kreatur, als Kreatur, es nicht erkennen noch begreifen, nicht benennen oder in Gedanken fassen.

Nun: »Wenn das Vollkommene kommt, so verschmäht man das Stückwerk.« Wann kommt es aber? Ich sage: wenn es, soviel als möglich ist, erkannt, empfunden und gekostet wird in der Seele. Das Nichtkommen liegt ganz an uns und nicht an ihm. Denn gleicherweise wie die Sonne die ganze Welt erleuchtet und dem einen so nahe ist als dem andern, so sieht sie doch ein Blinder nicht. Da fehlt es aber nicht an der Sonne, sondern an dem Blinden. Und gleicherweise, wie die Sonne ihren klaren Schein nicht verbergen kann – sie muß die Welt erleuchten, woanders der Himmel geläutert und gereinigt ist: also will sich auch Gott, der das höchste Gut ist, vor niemand verbergen, woanders er eine Seele in Andacht findet, die da gänzlich gereinigt ist von allen Kreaturen. Denn soviel wir uns entledigen von den Kreaturen, alsoviel werden wir empfänglich des Schöpfers, und das nicht weniger noch mehr. Denn soll mein Auge etwas sehen, so muß es gereinigt werden oder gereinigt sein von allen andern Dingen; denn soll Hitze und Licht eingehen, so müssen notwendig Kälte und Finsternis ausgehen: das kann nicht anders sein! Nun könnte man sagen: »Wenn nun das Vollkommene unerkennbar und unergreifbar ist für alle Kreaturen und die Seele doch eine Kreatur ist, wie mag es dann in der Seele erkannt werden?« Antwort: darum sagt man ja: gemäß ihrem Kreatursein. Das heißt soviel als alle Kreatur in ihrer Kreatürlichkeit und Geschaffenheit, denn aus ihrer Ichheit und Selbstheit ist es ihr unmöglich. Denn wo in einer Kreatur dies Vollkommene erkannt werden soll, da muß Kreatürlichkeit, Geschaffenheit, Ichheit, Selbstheit und dergleichen alles aufgegeben und zunichte werden. Dies meint das Wort Sankt Pauls, »wenn das Vollkommene kommt«, das ist: wenn es erkannt wird, »so wird das Stückwerk«, das ist: Kreatürlichkeit, Geschöpflichkeit, Ichheit und Begehrlichkeit, »alles verschmäht und für nichts gehalten«. Alldieweil man von diesen Dingen etwas hält und daran hängt mit Liebe, Freude, Lust oder Begierde, so bleibt uns das Vollkommene unerkannt. Nun könnte man auch sagen: »Du sagst, außer diesem Vollkommenen sei kein Wesen, und sagst doch wiederum, aus ihm fließe etwas: was nun ausgeflossen ist, ist das außer ihm?« Antwort: darum sagt man: außer ihm oder ohne es gibt es wahres Wesen nicht! Was nun ausgeflossen ist, das ist nicht wahres Wesen und hat kein ander Wesen als im Vollkommenen, sondern es ist Zufälliges oder Glast oder Schein, der nicht Wesen ist und nicht Wesen hat, anders denn beim Feuer, da der Glast ausfleußt so wie bei der Sonne oder einem Licht.

Man sagt, es sei nichts in der Hölle so viel vertreten wie der Eigenwille. Das ist wahr. Denn sie ist nichts andres als der Eigenwille, und gäbe es keinen Eigenwillen, so gäbe es auch keine Hölle und keinen Teufel. Wenn man sagt, Luzifer sei

vom Himmelreich abgefallen und habe sich von Gott abge-
kehrt und dergleichen, das heißt nichts andres als: er wollte
seinen eignen Willen haben und wollte nicht eines Willens
sein mit dem ewigen Willen. So war es auch mit Adam im Paradies. Und wenn man Eigenwille sagt, so meint man: anders
wollen als der einige und ewige Wille Gottes will.

Was ist aber das Paradies? Das ist alles, was da ist; denn al-
les, was da ist, das ist gut und erfreulich. Darum heißt es und
ist es wohl ein Paradies. Man sagt auch, das Paradies sei eine
Vorstadt des Himmelreichs. So ist alles, was da ist, wohl eine
Vorstadt des Ewigen und der Ewigkeit, und besonders, was
man in der Zeitlichkeit und den zeitlichen Dingen und an den
Kreaturen von Gott und der Ewigkeit wahrnehmen und erkennen mag. Denn die Kreaturen sind eine Weisung und ein
Weg zu Gott und zu der Ewigkeit. So ist denn dies alles eine
Vorburg und Vorstadt der Ewigkeit; und darum mag es wohl
ein Paradies heißen und auch sein. Und in diesem Paradies ist
alles erlaubt, was darin ist, ausgenommen ein Baum und seine
Frucht. Das bedeutet folgendes. In allem, was da ist, ist nichts
verboten und ist nichts, das Gott entgegen ist, als eines allein,
das ist der Eigenwille, oder daß man anders wolle als der
ewige Wille will. Das ist zu beherzigen. Denn Gott spricht zu
Adam, das heißt zu jedem Menschen: »Was du bist, was du
tust oder lässest oder was geschieht, das ist alles unverboten
und erlaubt, wofern es nicht aus deinem Willen geschieht,
sondern aus meinem Willen.« Was aber geschieht aus deinem
Willen, das ist alles wider den ewigen Willen; nicht als ob alle
Werke, die da geschehen, wider den ewigen Willen seien,
sondern wenn sie geschehen aus einem andern Willen oder
anders denn aus dem ewigen und göttlichen Willen.

Nun möchte man fragen: »Wenn denn dieser Baum, das ist
der Eigenwille, Gott und dem ewigen Willen so zuwider ist,
warum hat ihn dann Gott erschaffen und hat ihn in das Paradies gesetzt?« Die Antwort lautet: welcher Mensch und welche Kreatur zu erfahren und zu wissen begehrt den heim-

lichen Rat und Willen Gottes, also daß er gern wollt wissen, warum Gott dies oder das tue oder lasse und dergleichen, der begehrt nichts anderes als Adam tat und der Teufel. Und so lange dies Begehren währt, wird es ihm nimmer kund, und dieser Mensch ist nichts anderes als Adam oder der Teufel. Denn diese Begierde geht selten auf etwas anderes, als daß man Lust davon habe und damit prahle, und das ist richtige Hoffart. Ein wahrer demütiger, erleuchteter Mensch begehrt nicht von Gott, daß er ihm seine Heimlichkeit offenbare, also daß er frage, warum Gott dies oder das tue und verhänge oder lasse und dergleichen mehr; sondern es kümmert ihn, wie er allein Gott gefallen möge und an sich selber zunichte und willenlos werde, und daß der ewige Wille in ihm lebe und ihn ganz in der Gewalt habe, ungehindert von allem andern Willen, uns wie dem ewigen Willen durch ihn und in ihm genug geschehe.

Doch kann man auch etwas andres auf diese Frage antworten und sprechen: das Köstlichste und Lustvollste, das es in der Kreatur gibt, ist Erkenntnis oder Vernunft und Wille, und diese beiden gehören zusammen: wo das eine ist, da ist auch das andere. Und wären die beiden nicht, so gäbe es auch keine vernünftige Kreatur, sondern bloß Vieh und viehische Art. Und das wäre ein großer Mangel, Gott könnte dann das Seine nicht erlangen und seine Eigenschaften, davon zuvor gesagt ist, nicht zum Wirken bringen, was doch notwendig und erforderlich ist zu seiner Vollkommenheit. Sieh, nun ist Erkenntnis und Vernunft mit dem Willen geschaffen und verliehen; sie soll den Willen lehren und auch sich selber, daß weder Erkenntnis noch Wille aus sich selber ist und daß ihrer keins sich selber gehören noch aus sich selber sollen und wollen, keins um seiner selbst willen sich nützen oder gebrauchen darf. Sondern von dem sie sind, des sind sie auch, und dem sollen sie gelassen sein und wieder darein fließen, und an sich selber sollen sie zunichte werden, das heißt in ihrer Selbstheit. Hier nun ist noch etwas zu erwägen, besonders von dem

Willen. Der ewige Wille, der in Gott ursprünglich und wesentlich ist und ohne alles Werk und Wirken, derselbe Wille
ist im Menschen oder in der Kreatur wirkend und wollend,
denn dem Willen gehört es zu und ist ihm eigen, daß er wollen
muß. Und wäre das nicht, was sollt er anders? Es wäre ja ganz
vergebens, sollte er kein Wirken haben. Und dies kann nicht
geschehen ohne Kreatur. Darum muß die Kreatur da sein,
und Gott will sie haben, damit dieser Wille sein Eigenwerk
darin habe und wirke, der doch in Gott ohne Wirken ist und
bleiben muß. So ist denn der Wille in der Kreatur, den man
einen geschaffenen Willen heißt, ebensowohl Gottes wie der
ewige Wille, und nicht Eigentum der Kreatur. Weil Gott
ohne Kreatur nicht wirkend und bewegend wollen kann,
darum will er es tun in und mit den Kreaturen. Darum sollte
die Kreatur mit demselben Willen nicht wollen, sondern Gott
sollte allein wirkend wollen mit diesem Willen, der im Menschen ist und doch allein Gott angehört. Und wo das rein und
ganz so wäre in einem Menschen, da würde gewollt nicht von
dem Menschen, sondern von Gott, da wäre der Wille nicht
Eigenwille und es würde auch nichts anderes gewollt als was
Gott will. Denn Gott wollte selber da und nicht der Mensch,
und der Wille wäre einig mit den ewigen Willen und wäre dareingeflossen.

Im Menschen aber wäre und verbliebe Liebe und Leid,
Wohl und Weh und dergleichen. Denn wo der Wille wirkend
will, da gibt es Liebes oder Leides; ist es, wie der Wille will, so
ist's ihm lieb, und ist er anders als er will, das ist ihm leid, und
auch dies Lieb und Leid ist nicht des Menschen, sondern Gottes. Der Wille ist ja nicht des Menschen, sondern Gottes,
drum ist das Lieb und Leid auch sein, und nichts wird beklagt
als allein, was wider Gott ist. So gibt's auch keine Freude
denn allein aus Gott und aus dem, was Gottes ist. Wie es nun
mit dem Willen steht, so auch mit Erkenntnis, Vernunft,
Kraft, Liebe und was im Menschen ist, das alles ist Gottes und
nicht des Menschen. Und wo das geschähe, daß der Wille

Gott also ganz überlassen wäre, da würde das andere allzumal auch überlassen, da käme Gott zu all dem Seinen, und des Menschen Wille wär nicht Eigenwille. Sieh, in solcher Absicht hat Gott den Willen geschaffen, nicht aber damit er eigen sein sollte.

Nun kommt der Teufel und Adam, das ist die falsche Natur, und nimmt diesen Willen an sich und macht ihn sich zu eigen und nützt ihn für sich selber und für ihre Zwecke. Und dies ist das Verderben und das Unrecht, der Biß, womit Adam in den Apfel biß, und dies ist verboten; denn es ist wider Gott. Und darum, dieweil und wo immer der Eigenwille ist, da kehrt nimmer wahre Liebe, wahrer Friede, wahre Ruhe ein. Das ersieht man am Menschen und am Teufel. So ersteht da wahrlich nimmer wahre Seligkeit, weder in der Zeit noch in der Ewigkeit, wo dieser Eigenwille herrscht, das heißt die Aneignung, daß man sich den Willen anmaßt und zu eigen nimmt. Und wenn er nicht abgetan wird in der Zeit, sondern mit fortgenommen aus der Zeit, so ist vorauszusehen, daß er niemals überwunden werden kann. So erwächst dort auch in Wahrheit nimmer Genügen und Friede, Ruhe und Seligkeit.

Das ersieht man am Teufel. – Wäre nicht Vernunft und Wille in den Kreaturen, Gott wäre und bliebe unbekannt und ungeliebt, ungelobt und ungeehrt, und alle Kreaturen wären nichts wert und taugten Gott zu gar nichts. Sieh, damit ist geantwortet auf die Frage. Wär jemand, der sich bessern wollte durch diese langen und vielen Worte, die doch kurz und nütze sind vor Gott, das wäre Gott lieb.

Was frei ist, das ist niemands Eigen, und wer es eigen macht, der tut unrecht. Nun ist unter allem Freien nichts freier oder gleich frei wie der Wille, und wer den eigen macht und läßt ihn nicht in seiner edlen Freiheit, in seinem freien Adel und seiner freien Art, der tut gar unrecht. Das tut der Teufel und Adam und alle ihre Nachfolger. Aber wer den Willen läßt in seiner edlen Freiheit, der tut recht; und das tut

Christus und alle seine Nachfolger. Wer den Willen seiner edlen Freiheit beraubt und macht ihn eigen, der muß auch den Lohn tragen, daß er mit Sorgen und Kümmernis, mit Ungenügen, Unfrieden, Unruhe und allem Unglück behaftet ist, und das bleibt und währt in Zeit und in Ewigkeit. Wer aber den Willen in seiner freien Art läßt, der hat Genügen, Frieden, Ruhe und Seligkeit in Zeit und in Ewigkeit. Wo und in welchem Menschen der Wille nicht angeeignet wird, sondern bleibt in seiner edlen Freiheit, da ist dann der wahre freie, ledige Mensch, von dem Christus spricht: »Die Wahrheit soll euch frei machen.« Und gleich danach: »Wen der Sohn frei macht, der ist wahrlich frei.«

Und nun weiter! In welchem Menschen der Wille seine Freiheit genießt, da tut er sein Eigenwerk, nämlich wollen, und mag er da ungehindert wählen, was er will, so wählt er doch stets das Edelste und Beste in allen Dingen, und alles, was nicht edel und gut ist, das ist ihm zuwider und schafft ihm Jammer und Klage. Und je freier und ungehinderter der Wille ist, um so weher tut ihm das Nichtgute, Unrecht, Untugend, kurz alle Bösheit und alles was Sünde heißt und ist, und je größer ist darob sein Jammern und Klagen. Das sieht man an Christus. In ihm war der Wille so frei, ungehindert und unangeeignet wie nie in einem Menschen je und immer. So war auch Christi Menschheit die allerfreieste und ledigste Kreatur, und trug doch größte Klage, Jammer und Leid um die Sünde (das ist um alles, was wider Gott ist), die in einer Kreatur nur möglich sind.

Aber wo man sich Freiheit anmaßt, also daß nicht Jammer und Klage sei um die Sünde und was wider Gott ist, wo man verlangt, man solle um alles achtlos und unbekümmert sein und müsse in der Zeit schon sein wie Christus war nach seiner heiligen Auferstehung, da ist nicht wahre göttliche Freiheit aus wahrem göttlichen Licht, sondern eine natürliche, unrechte, falsche und betrogene Freiheit aus natürlichem, falschem, betrogenem Licht.

Gäbe es den Eigenwillen nicht, so gäbe es auch kein Eigentum. Im Himmel gibt es nichts Eigenes, drum herrscht dort Genügen, wahrer Friede und alle Seligkeit. Wär da einer, der sich Eigentum anmaßte, der würde gleich hinausgestoßen in die Hölle und würde ein Teufel. Aber in der Hölle will jeder seinen eignen Willen haben, drum herrscht da lauter Unglück und Unseligkeit. So ist's auch in der Zeitlichkeit. Wäre aber jemand in der Hölle, der ohne Eigenwillen wäre oder würde und ohne Eigentum, der käme aus der Hölle in das Himmelreich. Nun steht der Mensch in dieser Zeitlichkeit zwischen dem Himmelreich und der Hölle und kann sich kehren, zu welchem er will. Denn je mehr Eigentum, um so mehr Hölle und Unseligkeit, und je weniger Eigenwillen, um so weniger Hölle und näher dem Himmelreich. Und möchte der Mensch in dieser Zeitlichkeit gänzlich ohne Eigenwillen und ohne alles Eigentum sein, ledig und frei aus wahrem göttlichen Licht und Liebe von Grund aus: ihm wäre das Himmelreich gewiß. Wer etwas Eigenes hat oder will oder wünscht, der ist selber eigen, und wer nichts Eigenes hat oder will und nichts zu haben begehrt, der ist ledig und frei und niemands Eigen.

Alles was hier geschrieben ist, das hat Christus gelehrt mit Worten und hat es auch vollbracht in Werken wohl vierthalb und dreißig Jahr. Und er lehrt es uns mit kurzen Worten, da er spricht: »Folge mir nach!«

Aber wer ihm folgen soll, der muß alle Dinge lassen; denn in ihm waren alle Dinge so gänzlich gelassen wie niemals je und immer sonst in einer Kreatur. Auch muß, wer ihm folgen will, das Kreuz auf sich nehmen, und das Kreuz ist nichts andres als das Christusleben; denn das ist ein bitteres Kreuz für alle Natur. Darum spricht er: »Wer nicht alles verläßt und das Kreuz auf sich nimmt, der ist mein nicht würdig und ist mein Jünger nicht und folgt mir nicht nach.« Die freie falsche Natur wähnt wohl, sie habe alle Dinge gelassen; sie will aber das Kreuz nicht und sagt, sie habe genug davon gehabt und bedürfe sein nimmer, und also ist sie betrogen. Denn hätte sie je das Kreuz geschmeckt, sie möchte es nimmermehr lassen. Wer an Christum glaubt, der muß alles das glauben, was hier geschrieben steht.

Thomas a Kempis
Von der Nachfolge Christi

Thomas a Kempis ist der bekanntere Name für Thomas Hemerken, der im Jahre 1380 in Kempen am Niederrhein geboren wurde. Mit neunzehn Jahren trat er in das Kloster der Augustiner Chorherren auf dem Agnetenberg bei Zwolle ein. Er wurde zum Priester geweiht, widmete sich der Seelsorge und starb 1471 als Subprior seines Klosters. In sieben Bänden sind Thomas Hemerken a Kempis' opera omnia erschienen. Sein bekanntestes Werk ist De imitatione Christi *(Von der Nachfolge Christi), ursprünglich als Erbauungsbuch für Mönche geschrieben und bis zum heutigen Tage eines der populärsten Bücher der christlichen Trostliteratur, aus dem wir hier die Anfangskapitel abdrucken.*

Im Zusammenhang mit diesem verbreitetsten Brevier ist die Frage nicht uninteressant: Was brachte und was bringt ihm bis zu unseren Tagen den Enthusiasmus von Millionen? Es ist ein schlichtes Buch, jedem verständlich. Es ist ein undogmatisches Buch, mehr ein Ratgeber für die Lebensführung als eine Aussage über die transzendente Welt. Es vermittelt nicht subtile Einsichten, sondern löst Konflikte, aus denen jeder herauskommen möchte. Es polemisiert nicht nur gegen kompliziertes Wissen, auch gegen die Überschätzung jeden Könnens außer dem einzigen, das Thomas für wichtig hielt: der Kunst, mit sich ins reine zu kommen. Ein heutiger Thomas würde wahrscheinlich gegen die großmächtigste Technik, das glänzendste Können unserer Tage zu Felde ziehen; dem Mittelalter lag das noch fern. Er schreibt auch gegen den Ästhetizismus; in Thomas' Worten: gegen die »Wohlgesetztheit der

*Rede«, gegen den »Prunk des Wortes«, weil sie nicht das her-
vorbringen, worauf es ihm und seinen vielen Lesern allein
ankommt: Seelenfrieden. Man versteht viele christliche Er-
bauungsbücher nicht, wenn man sie nicht in Parallele setzt
mit der heutigen enormen Literatur über das Thema: Wie
werde ich glücklich?*

*Es ist viel hergemacht worden von der asketischen Tendenz
des Christentums, von seinem Kampf gegen die Leidenschaften, vor allem die Liebesleidenschaft – auch bei Thomas ist
eine Warnung vor »weltlicher Vertraulichkeit mit Frauen«.
Aber das finden wir auch bei dem antichristlichen Schopenhauer, denn das Motiv ist hier wie dort der Seelenfrieden.
Auch ist in diesem Zusammenhang die Funktion des »Gehorsams« interessant, der hier empfohlen wird. Er hat innerhalb
des Christentums verschiedene Bedeutungen, bei Loyola eine
völlig andere als bei Thomas, der schreibt: »Es ist viel leichter,
Knecht zu sein als Herr.« Auch der Gehorsam steht hier im
Dienste des inneren Friedens.*

*Heute ersetzen bisweilen östliche Schriftsteller die ›Nach-
folge Christi‹; zum Beispiel Krishnamurti. Sie sagen nicht
›Gott‹ und ›Christus‹, aber ihre Gebote und Verbote sind dieselben. Die Imitatio Christi gehört zu jener Literatur, welche
(mit einem sehr beliebten modernen Ausdruck) die Entfrem-
dung aufheben will: die Fremdheit sich und anderen gegenüber.*

»Wer mir nachfolgt, wandelt nicht in Finsternis.« Das sind
Christi eigene Worte, mit denen Er uns ermutigt, seiner Lebensart getreulich nachzufolgen, sofern wir wahrhaft im
Lichte wandeln und von aller Blindheit des Herzens befreit
sein wollen. So muß es also unser höchstes Streben sein, uns
in die Betrachtung des Lebens Jesu Christi zu versenken.

Christi Lehre steht über allen Lehren der Heiligen; und ist

einer von Christi Geist erfüllt, so wird er die Lebenskraft gewahr werden, die darin verborgen ist. Doch so eben ist es: Viele hören gar oft die Frohbotschaft und spüren trotzdem das heilige Feuer nicht in sich, da sie Christi Geist noch nicht haben. Wer aber des Heilands Worte ganz und gar verstehen will, der muß sein ganzes Leben nach Christi Leben zu formen trachten.

Was nützte es dir, über die Dreieinigkeit gelehrte Reden zu führen, wenn du der Demut ermangeltest, ohne die du der Dreieinigkeit ferne stündest? Nein, gescheite Worte machen dich nicht zum Heiligen und nicht zum Gerechten, aber ein Leben der Tugend macht dich zu Gottes Freund. Mir wäre es viel lieber, lebendige Empfindung der Buße selbst zu spüren, als recht gelehrt darüber reden zu können. Trügst du die ganze Bibel und alle Sprüche der Gelehrten als geistigen Besitz in dir, was nützte dir all dies ohne die gnadenvolle Liebe Gottes? Ja, »Eitelkeit der Eitelkeiten, alles ist Eitelkeit«, außer der Liebe zu Gott und dem »Dienst an ihm allein«. Das fürwahr ist der Gipfel der Weisheit, auf dem Wege gebührender Geringwertung der Welt zum himmlischen Reiche zu streben!

Ein leerer Wahn ist es, nach vergänglichem Reichtum die Hand auszustrecken und darauf seine Hoffnung zu bauen, ein leerer Wahn, nach äußerer Ehre zu geizen und sich zu erhöhen, ein Wahn, dem Fleischgelüst nachzugeben und nach Freuden zu jagen, die schwere Strafe nach sich ziehen müssen, ein Wahn, ein langes Leben zu wünschen, ohne sich über den sittlichen Wert dieses Lebens auch nur Gedanken zu machen, ein Wahn, nur für das Gegenwärtige zu sorgen, ohne an das Kommende zu denken; ein leerer Wahn, daran sein Herz zu hängen, was eilenden Flugs vorüberzieht, statt dorthin zu trachten, wo unvergängliche Freude währt. Denke oft an das bekannte Wort: »Das Auge wird nicht satt vom Sehen, das Ohr nicht satt vom Hören.« Darum laß nicht ab, dein Herz von allem Hang zum Irdischen zu lösen und es zum Ewigen zu wenden! Denn wer nur seinem eigenen Fühlen folgt, befleckt sein Gewissen und geht der göttlichen Gnade verlustig.

»Jeder Mensch hat einen angeborenen Wissensdrang«; doch was nützt alles Wissen ohne Gottesfurcht? Wahrhaftig, besser ein demütiger, aber gottergebener Narr als ein hochmütiger Gelehrter, der, ohne auf seine Seele zu achten, die Bahn der Gestirne berechnet. Wer sich selbst genau erkennt, verliert an Wert in seinen eigenen Augen und hat keine Freude mehr an Ehren, die die Welt ihm spendet. Und wenn ich die Welt mit meinem Wissen umfaßte und »hätte die Liebe nicht«, was nützte es mir vor Gott, der mich nur nach meinem Handeln richten wird?

Beruhige deinen allzu großen Wissensdrang: Er lenkt dich gar sehr vom Wesentlichen ab und gibt dich der Täuschung preis. Wer vieles weiß, will auch als weise gelten und in aller Munde sein. Doch Dinge gibt es, deren Erkenntnis der Seele nur allzu wenig oder gar nicht frommt. Wer aber anderen Dingen nachgeht statt solchen, die seinem Heile dienen, ein Tor ist der fürwahr! Von vielen Worten wird die unsterbliche Seele nicht satt, doch eine Labe für den Geist ist ein Leben der guten Tat; und ein reines Gewissen erfüllt uns mit lebendigem Vertrauen zu Gott.

Je umfassender und je tiefer dein Wissen ist, um so schwerer wiegt deine Verantwortung, wenn deine Heiligkeit nicht deinem Wissen entspricht. Darum tu dir nichts zugute auf jegliches Wissen und Können; mit Argwohn betrachte vielmehr alle dir gegebene Einsicht. Wenn du wähnst, vieles zu wissen und es in seiner ganzen Tiefe zu erfassen, so sei dennoch überzeugt, daß es noch unendlich mehr gibt, was deiner Einsicht verborgen ist. »Hinweg mit allem Wissensstolz«, gestehe lieber, daß du nichts weißt! Was willst du dich über deinen Nächsten erheben, wenn offenbar so viele zu höherem Wissen und tieferer Einsicht in das ewige Gesetz vorgeschritten sind. Wenn du mit Gewinn etwas wissen und lernen willst, dann laß es dir angelegen sein, unbekannt und für nichts geachtet zu leben.

Erkenne dich selbst ganz und gar und achte dich gering, das ist die tiefste und wichtigste Lehre! Nichts halte von dir selbst, von deinem Nächsten aber denke immer edel und gut, das ist eine hohe Weisheit und Vollkommenheit! Und sähest du deinen Nachbarn offen in Sünde wandeln und schwere Schuld auf sich laden, du dürftest dich dennoch nicht besser dünken. Denn du weißt nicht, wie lange du im Guten zu verharren vermagst. Hinfällige Menschen sind wir alle, doch für hinfälliger als dich selbst erachte niemanden!

Glücklich der, dessen Lehrmeisterin die Wahrheit ist, und zwar sie selbst in ihrer Unverfälschtheit und ohne das Mittel vergänglicher Zeichen und Worte! Denn unser Denken trügt uns oft, und unsere Sinne haben enge Grenzen. Was nützt es uns, tief zu schürfen nach verborgenen und dunklen Dingen, über die von uns am Tage des Gerichts niemand Rechenschaft verlangt? Welche Torheit, zu mißachten, was wirklich nützt und frommt, und sich mit abseitigen, ja schadenbringenden Dingen eifrig zu befassen! »Blinde sind wir so, samt unseren Augen.«

Und was kümmern wir uns ferner um Gattungen und Begriffe? Wem das ewige Wort zu Herzen spricht, für den ist die Menge der Lehrmeinungen überflüssig. Es strömt uns doch alles aus dem einen Wort zu, und alles gibt Zeugnis von dem einen Wort: »In Ihm ist der Anfang«, und so spricht es auch zu uns. Ohne dieses Wort gibt es kein Erkennen und kein rechtes Urteilen. Für wen alles in dem Einen ist, und wen alles zu dem Einen hinanzieht, und wer alles in dem Einen sieht, nur der kann beharren in seinem Herzen und nur der kann verharren in Gottes Frieden.

Du Gott und Wahrheit zugleich, mache mich eins mit Dir in ewiger Liebe! Oft bin ich überdrüssig des vielen Lesens und Hörens; in Dir ist ja alles begriffen, was ich wünsche und wonach ich mich sehne. Schweigen sollen alle weisen Lehrer,

stille sein soll alle Kreatur vor Deinem Angesicht; Du allein
sprich zu mir!

Je mehr der Mensch mit sich selbst eins geworden ist und
Einfalt in seinem Herzen Platz gefunden hat, desto mehr und
desto Höheres durchdringt er mühelos mit seinem Geist;
denn von oben erhellt ihn das Licht des Erkennens. Ein lauterer, einfältiger und beharrlicher Sinn zerstiebt nicht in vielerlei Werken; alles geschieht nämlich bei ihm zur Ehre Gottes,
und er bemüht sich, alle Eigensucht abzulegen. Woher
kommt die größere Beschwernis als von deiner eigenen uner-
töteten Leidenschaft? Ein guter, gotterfüllter Mensch schafft
zuerst in seinem Inneren Ordnung unter den Werken, die er
nach außen wirken muß; und nicht sie leiten ihn nach den Begierden seiner bösen Neigung, sondern er selbst beugt sie unter das Urteil der rechten Vernunft. Wer steht in grimmige-
rem Kampf, als wer sich selbst zu besiegen trachtet? Und das
sollte auch wirklich unsere tägliche Arbeit sein: über uns
selbst zu siegen und uns immer mehr in Gewalt zu bekommen
und irgendeinen Fortschritt zu machen.

Aller irdischen Vollkommenheit haftet eine Unzulänglichkeit an; und all unser Sinnen und Trachten entbehrt irgendwie
einer freien Sicht. Demütige Selbsterkenntnis ist dir ein siche-
rerer Weg zu Gott als tiefschürfendes Forschen nach Weisheit.
Das bedeutet keinen Vorwurf für die Wissenschaft wie für jedes einfache Erkennen, das an sich gut und in Gottes Plan gegründet ist; aber immer muß ein gutes Gewissen und ein
rechtschaffenes Leben höhere Bedeutung für dich haben.
Weil aber die Menschen sich immer wieder eher um das Wissen als um ein Leben der Tugend bemühen, deshalb verfallen
sie oft dem Irrtum und bringen fast keine oder nur geringe
Frucht.

Ja, wenn die Menschen ebenso viel Sorgfalt daran setzten,
ihre Fehler mit der Wurzel auszujäten und dafür Tugenden
einzupflanzen, wie sie für die Lösung geistreicher Fragen übrig haben, dann gäbe es nicht so viel Bosheit und Ärgernis im

Volke und keine solch schweren Irrungen in geistlichen Gemeinschaften. Sicher wird es am Jüngsten Tage nicht heißen: Was habt ihr gelesen? Sondern einzig: Was habt ihr getan? Und nicht: Wie geistreich waren deine Worte? Sondern nur: Wie gottgefällig war dein Leben? Sag an, wo sind nun alle dir in diesem Leben so vertrauten Herren und Meister, jene Leuchten der Wissenschaft? Schon sitzen andere auf ihren Lehrstühlen, und wer weiß, ob diese an ihre Vorgänger überhaupt noch denken. In ihrem Leben schienen sie etwas zu bedeuten, und nun ist es stille um sie geworden.

Wie rasch vergeht doch die Herrlichkeit dieser Welt! Wenn doch ihr Leben und ihr Wissen eins gewesen wären! Dann fürwahr hätten sie das Rechte erforscht und gelehrt. Doch wie viele gehen an ihrem eitlen Wissen schon in dieser Welt zugrunde, da sie die Gottesknechtschaft für gering achten! Und weil sie einen großen Namen über die Demut des Herzens stellen, so »schwinden sie dahin samt ihrem Denken«! In Wahrheit aber ist nur groß, wer eine große Liebe hat, wer sich selbst in seinen Augen erniedrigt und den Gipfel aller Ehren für nichts achtet. Und in Wahrheit weise ist nur, wer alles Irdische »für Kot ansieht, damit er Christus gewinne«. Und wahrhaft weise ist nur, wer Gottes Willen tut und auf seinen eigenen Willen verzichtet.

»Man soll nicht jedem Wort und jeder inneren Regung trauen«, sondern mit Vorsicht und Langmut alles Vorhaben vor Gott erwägen. Wie schlimm, daß man gar oft vom Mitmenschen das Schlechte leichter als das Gute glaubt und spricht; so schwach sind wir geworden! Doch vollkommene Menschen glauben nicht so leicht jedem Schwätzer; sie wissen nämlich, wie sehr menschliche Schwäche zum Bösen neigt und wie wenig sicher sie ist in der Rede.

Es ist eine tiefe Weisheit, im Handeln sich nicht zu überstürzen und nicht starrköpfig in seiner eigenen Meinung zu verharren. Dazu gehört es auch, nicht jedem beliebigen Menschenwort zu vertrauen und, was wir gehört und geglaubt

haben, sogleich bereitwillig anderen mitzuteilen. Berate dich
mit einem weisen und verantwortungsbewußten Manne und
suche lieber, dich von einem Besseren belehren zu lassen, als
deinen eigenen Eingebungen zu folgen.

Ein rechtes Leben macht den Menschen weise vor Gott und
erprobt in vielem. Je demütiger einer vor sich selbst ist, je er-
gebener Gott gegenüber, um so größer wird seine Weisheit
sein in allem und um so tiefer sein Frieden.

Einzig die Wahrheit ist es, was wir uns von den heiligen
Schriften erwarten sollen, nicht der Prunk des Wortes. Nur in
dem Geiste dürfen wir jedes heilige Buch lesen, in dem es geschrieben ist. Dabei sollen wir mehr auf die Nützlichkeit sehen als auf die Wohlgesetztheit der Rede. Mit gleichem Eifer
sollen wir erbauliche und schlichte Bücher zur Hand nehmen
wie die gewaltigen Werke tiefgründigen Geistes. Der Name
des Verfassers und sein Ansehen in der Literatur seien dir
ohne Bedeutung; einzig die Liebe zur unverfälschten Wahrheit führe dich zum Buch. Frage nicht nach der Person des
Schriftstellers, sondern richte dein Augenmerk nur auf seine
Aussage.

Menschen kommen und gehen, aber »die Wahrheit des
Herrn währt in Ewigkeit«, ohne Ansehen der Person spricht
Gott zu uns in vielerlei Zungen. Unsere Neugierde macht uns
das Lesen oft schwer, da wir verstehen und geistreich zerglie-
dern wollen, worüber wir in Bescheidenheit hinweggehen
sollten.

Ist es dir wirklich um den Fortschritt zu tun, dann lies
demütigen, bescheidenen und getreuen Sinnes und verzichte
stets auf den Schein der Gelehrsamkeit! »Stelle gern Fragen,
doch höre schweigend« auf die Worte der Heiligen! Und laß
dich die Gleichnisse der Alten nicht verdrießen; nicht ohne
tiefen Grund sind sie uns geschenkt!

Sooft der Mensch seine Begierde aus innerer Ungeordnet-
heit heraus auf etwas richtet, überkommt ihn sogleich eine
tiefe Unruhe. Stolz und Habsucht lassen einen niemals zur

Ruhe kommen; wer aber arm und demütig ist im Geiste, der weilt in der Fülle des Friedens. Und wer noch nicht gänzlich sich selbst erstorben ist, gerät leicht in Versuchung und strauchelt an geringfügigen Dingen. Ein Mensch von schwachem Geiste, der zudem noch dem Fleisch und den Sinnen verhaftet ist, kann sich nur schwer von den irdischen Begierden gänzlich lösen. Deshalb überkommt ihn oft Traurigkeit, wenn er sich ihnen zu entziehen sucht, und leicht erfüllt ihn auch Unwille, sobald ihm einer widerspricht.

Hat er aber seiner Begierde nachgegeben, so fühlt er sich gleich schuldig und spürt die Last des Gewissens, weil er seiner Leidenschaft folgte, die nichts zu tun hat mit dem inneren Frieden, den er gesucht. Im Kampf mit unseren Leidenschaften erringen wir echten Herzensfrieden, nicht aber in knechtischer Unterwerfung. Dem Herzen eines fleischlichen und Äußerlichkeiten hingegebenen Menschen ist der Friede fern; aber in einem Herzen, das in geistlicher Begierde glüht, da ist seine Heimat.

Ein Narr, wer auf Menschen und auf alles Irdische seine Hoffnung baut! Schäme dich nicht, aus Liebe zu Jesus Christus, anderen zu dienen und als Bettler zu erscheinen in dieser Welt!

Doch bleib du nicht auf dich selbst gestellt, sondern auf Gott setze dein Hoffen! Tu, was an dir ist, und Gott wird deinem guten Willen beistehen. Traue nicht deiner Weisheit, noch dem Scharfsinn irgendeines Menschen; halte dich vielmehr an Gottes Gnade, der den Demütigen hilft und die Selbstgerechten demütigt.

»Bist du mit Reichtum gesegnet, dann rühme dich dessen nicht«, und prahle nicht mit mächtigen Freunden; dein Ruhm sei Gott allein, der alles gibt und dazu sich selbst noch geben will. Brüste dich nicht mit dem Ebenmaß und der Schönheit deines Leibes; eine geringe Krankheit kann alles entstellen und zerstören.

Und gefalle dir nicht in deiner Geschicklichkeit und in

deinem Talente, sonst mißfällst du Gott, dem alles zugehört, was immer von Natur aus Gutes an dir ist.

Halte dich nicht für besser als andere, sonst möchtest du vielleicht vor Gott geringer gelten, der »weiß, was im Menschen ist«. Und erhebe dich auch nicht ob deiner guten Werke; denn Gott urteilt anders als die Menschen. Er, dem oft ein Greuel ist, was den Menschen wohlgefällt!

Und ist etwas Gutes an dir, so halte von andern noch Besseres – um deiner Demut willen! Es ist kein Schaden, wenn du dich allen hintansetzest; es ist aber höchst schädlich, wenn du dich auch nur über einen einzigen erhebst.

Immerwährender Friede ist nur mit der Demut; in einem stolzen Herzen aber flackert oft falscher Eifer und ruheloser Zorn.

»Nicht jedem Menschen öffne dein Herz«, doch mit einem weisen und gottesfürchtigen Manne besprich deine Not! Mit jungen und fremden Leuten laß dich wenig ein; schmeichle nicht den Reichen, und mit den Großen der Erde hab wenig zu schaffen. Doch suche Umgang mit demütigen und einfältigen, gottesfürchtigen und gesitteten Menschen, und mit ihnen sprich immer wieder von erbaulichen Dingen!

Gehe allzu weltlicher Vertraulichkeit mit Frauen aus dem Weg, die guten aber empfiehl alle im Gebet dem Herrn! – Gott allein und seinen Engeln wünsche vertraut zu sein, unnötige Bindung an Menschen aber fliehe!

Liebe freilich müssen wir allen schenken, doch Vertraulichkeit ist vom Übel. Gar oft kommt es vor, daß ein Unbekannter im Licht des guten Rufes uns entgegenleuchtet, doch kommt er näher, verdunkelt sich sein Glanz vor unserm Auge. – Zuweilen dünkt uns auch, daß andere Freude hätten an unserer Freundschaft. In Wirklichkeit aber beginnen wir, ihnen lästig zu werden, da ihnen unsere Charaktermängel aufgefallen sind.

Es ist etwas sehr Großes, im Gehorsam zu stehen und unter einem Vorgesetzten zu leben, ohne sein eigener Herr zu sein;

es ist nämlich viel leichter, Knecht zu sein als Herr. Viele freilich stehen im Gehorsam, mehr weil es die Not von ihnen
fordert, als weil es die Liebe ihnen gebietet, und sie fürwahr
leben in Mühsal und neigen zur Klage. Und sie werden auch
nie die Freiheit des Geistes erlangen, ohne daß sie sich aus
ganzem Herzen um Gottes willen unterordnen.

Versuch's, wo du willst: Du wirst nirgends Ruhe finden als
in demütiger Unterwerfung. Magst du dir anderwärts dein
Glück erträumen, schon viele ließen sich so täuschen.

Es ist nun einmal so, daß jeder gern nach seinem eigenen
Sinne handeln möchte und denen lieber folgt, die seiner Meinung sind. Wenn aber Gott selbst in unserer Mitte weilt, dann
müssen wir doch wohl bisweilen von unserer eigenen Meinung lassen, wenn anders wir das hohe Gut des Friedens
schätzen. Wer ist so weise, daß er alles vollkommen wissen
könnte? Drum trau dem eigenen Sinn nicht allzusehr, sondern vernimm auch gern die Meinung anderer!

Ist deine Meinung gut und du gibst sie trotzdem um Gottes
willen preis und hörst auf einen anderen, so wirst du größeren
Nutzen davon haben.

Denn oft schon habe ich gehört, um wieviel sicherer es ist,
auf einen Rat zu hören und ihn hinzunehmen, als ihn erteilen
zu müssen. – In der Tat kann es vorkommen, daß deine Meinung richtig ist; aber einem anderen sich nicht zu beugen,
wenn gar Vernunft und triftige Gründe dafür sprechen – das
ist ein Zeichen von Überheblichkeit und Starrsinn.

Halte dich fern von dem lauten Getriebe der Menschen, so
gut du kannst! Denn es ist gar hinderlich für das geistliche Leben, sich an weltliche Dinge zu verlieren, und möchten sie in
noch so harmloser Absicht sich aufdrängen. Gar schnell verfallen wir nämlich der befleckenden Fessel eitlen Tandes.
Hätte ich doch öfter geschwiegen, und wäre ich den Menschen aus dem Weg gegangen!

Aber warum reden wir denn so gerne und schwatzen aneinander hin, wenn wir doch so selten ohne Befleckung des

Gewissens zum Schweigen zurückkehren? Nur deshalb, weil
wir von uns gegenseitig Trost und Erleichterung suchen, indem wir einander unser von vielerlei Gedanken bedrängtes
Herz ausschütten. Und gar viel wollen wir darüber reden und
nachdenken, was uns sehr am Herzen liegt, oder was unseren
Sinnen zuwider ist.

Aber ach! Eitel und fruchtlos ist oft all dies. Denn ein solch
äußerer Trost ist kein geringer Schaden für den inneren, von
Gott kommenden Trost.

So müssen wir also »wachen und beten«, daß uns die Zeit
nicht müßig entschwinde. Ist es erlaubt und nützlich zu reden, dann sprich, was der Erbauung dient!

Üble Gewohnheit und mangelndes Interesse an unserem
Fortschritt trägt viel zur Unbeherrschtheit unserer Rede bei.
Dem geistlichen Fortschritt aber kommt es nicht wenig zustatten, in Ehrfurcht von geistlichen Dingen zu sprechen, besonders dann, wenn sich Menschen gleichen Herzens und
gleichen Geistes in Gott vereinigen.

Viel Frieden wäre unser, wenn wir uns nicht um anderer
Menschen Worte und Werke kümmern wollten, die mit uns
gar nichts zu tun haben. Wie sollte einer lange in Frieden leben können, der sich in fremde Geschäfte mischt, der außerhalb seiner selbst nach Betätigung sucht und nur wenig oder
selten sich innerlich sammelt? Selig die Einfältigen, denn sie
werden die Fülle des Friedens besitzen!

Warum sind einzelne Heilige in der Schau des Ewigen so
weit vorgedrungen? Weil sie sich alle Mühe gaben, alle irdischen Begierden in sich abzutöten. So konnten sie aus ganzem
Herzen Gott allein anhangen und in Freiheit sich selbst gehören. Wir geben uns zu sehr unseren eigenen Neigungen hin
und widmen vergänglichen Dingen zu viel Sorge. Selten bezwingen wir auch nur einen einzigen Fehler vollkommen,
und es fehlt uns am heiligen Eifer, täglich besser zu werden;
und so bleiben wir denn gar kalt und untätig.

Wären wir uns selbst gänzlich abgestorben und im Innern

nicht so in Unordnung, dann könnten wir von göttlichen Dingen innewerden und von der Anschauung Gottes etwas erahnen. Das einzige und größte Hindernis aber liegt darin, daß wir nicht frei sind von Leidenschaften und Begierden und daß wir nicht damit Ernst machen, den Weg heiliger Vollendung zu beschreiten. Sobald uns auch nur ein kleines Hindernis entgegentritt, lassen wir uns sogleich aus der Bahn werfen und nehmen zu menschlicher Tröstung unsere Zuflucht.

Setzten wir aber alles daran, wie Helden im Kampfe auszuharren, wir würden wirklich »die Hilfe des Herrn von oben gewahr werden«. Denn Er ist bereit, denen zu helfen, die da ringen und auf Seine Gnade bauen, Er, der uns auch den Anlaß zum Kampfe gibt, damit wir uns bewähren.

Sehen wir aber den Fortschritt in unserem geistlichen Leben nur in äußerlichen Formen, dann wird unsere innere Gottverbundenheit bald am Ende sein. Wir müssen vielmehr die Axt an die Wurzel des Übels legen, auf daß wir, befreit von unseren unreinen Leidenschaften, zum Frieden des Herzens gelangen.

Wollten wir jedes Jahr nur einen einzigen Fehler mit der Wurzel ausrotten, so würden wir bald vollkommene Menschen werden. So aber will es uns oft im Gegenteil bedünken, daß wir uns am Anfang unserer inneren Umkehr reiner und besser vorkamen als nach vielen Jahren geistlichen Lebens. Täglich sollte unsere innere Glut und unser Fortschritt wachsen; so aber gilt es schon als eine Großtat, wenn man auf der ersten Stufe des Eifers zu verharren vermag. Gebrauchten wir nur mäßig Gewalt am Anfang unseres Weges, mit Leichtigkeit und in Freude könnten wir dann später jede Schwierigkeit bewältigen.

Schwer ist es, von der Gewohnheit zu lassen; aber noch schwerer ist's, gegen seinen eigenen Willen anzukämpfen. Aber wirst du nicht Herr über Kleines und Leichtes, wie solltest du den schwereren Kampf meistern? Widerstehe im Anfang deiner Neigung und leg die üble Gewohnheit ab, auf daß

sie dich nicht etwa unvermerkt einem größeren Übel zu-
treibe. Oh, wolltest du doch bedenken, welchen Frieden du
dir selbst und welche Freude du deinen Mitmenschen bereiten könntest, sofern es gut um dich stünde; ich glaube, noch
eifriger würdest du dann alles tun für dein geistiges Wachstum.

Nikolaus von Kues
Über das Wissen vom Nichtwissen

*N*ikolaus Chrypffs *oder Krebs aus Kues an der Mosel im Trierischen starb 1464 als Bischof von Brixen, dreiundsechzig Jahre alt. Sein geistesgeschichtlicher Ort ist die Wende von der Theologie zur Philosophie, vom Mittelalter zur Renaissance. Er ist stark abhängig von Meister Eckhart, vor allem in seiner negativen Theologie. Er ist einer der ersten deutschen Erkenntnistheoretiker, weil er nicht mehr naiv metaphysiziert, sondern nach der Möglichkeit unseres Wissens von Gott fragt. Er ist auch einer der ersten deutschen Dialektiker, indem er in der coincidentia oppositorum, in der Aufhebung der Gegensätze, Gott findet. Obwohl er noch viel spekuliert, ist er mit seiner Resignation der absoluten Wahrheit gegenüber einer der frühesten und größten Vorgänger Kants. Sein bedeutendstes Werk, aus dem wir einen kurzen Abschnitt bringen, heißt* De docta ignorantia, Über das Wissen vom Nichtwissen. *Es erschien im Jahre 1440.*

Nietzsche schrieb: »Seit Copernicus rollt der Mensch aus dem Zentrum ins x.« *Aber Kopernikus war sich der Mittelpunktlosigkeit unseres menschlichen Daseins noch nicht bewußt, obwohl er die Entdeckung machte, aus welcher man diese Konsequenzen zog. Dagegen zog sie bereits Nikolaus von Kues, der lange vor ihm lebte. Er war zwar kein Vorläufer der astronomischen Entdeckungen, aber des Gefühls der Mittelpunktlosigkeit, welches den neuen Entdeckungen folgte. Was man für eine Folge hält, war also vielleicht die Ursache.*

Einer der größten Gegner des Kusaners, der Scholastiker

Johann Wenck von Herrenberg, Professor in Heidelberg, warf ihm vor, daß er die Möglichkeit der Erkenntnis leugne. In demselben Sinn nannte man 300 Jahre später Kant den »Alleszermalmer«.

Wir bringen zuerst eine Stelle aus der Schrift Über das Wissen vom Nichtwissen *– eine Wendung, die Nikolaus nicht geprägt hat. Augustinus hatte schon über das ›demütige Eingeständnis der Unwissenheit‹ geschrieben. Nikolaus beschrieb die Situation, in welcher ihm die Erleuchtung seines Lebens gekommen war; es war auf einer Seereise von Byzanz nach Italien; damals geleitete er Kaiser und Patriarchen zum Konzil von Ferrara, auf dem die Wiedervereinigung der östlichen und westlichen Kirche verhandelt werden sollte. Sehr interessant ist dieser Ursprung seiner Skepsis: Einsicht in die Relativität der Lehrmeinungen. Sollte einmal die Geschichte der Skepsis geschrieben werden, so wird Nikolaus von Kues einer ihrer leuchtendsten Repräsentanten sein.*

Bald nach der Veröffentlichung seines berühmtesten Buches erschien seine Schrift Über die Vermutungen, *ein Lehrstück, gerichtet an den Studienfreund und Kampfgenossen Giuliano Cesarini. Unser zweiter Abschnitt ist dieser Arbeit entnommen. Einer ihrer Kernsätze lautet: »daß die Genauigkeit der Wahrheit unerreichbar ist«, »daß der Mensch nur in der Weise der Vermutung zu wahren Aussagen gelangen kann«. Diese Abhandlung ist höchst aktuell in einer Zeit, in welcher der Begriff ›Wahrscheinlichkeit‹ den Begriff ›Gesetz‹ ersetzt hat.*

Schließlich folgen noch einige Seiten aus dem Dialog Der Laie und die Weisheit; *hier entwickelt der Kusaner in leicht verständlicher Form seine Grundgedanken.*

Wissen ist Nichtwissen

Durch göttliches Geschenk wohnt allen Dingen ein natürliches Streben nach der höchsten möglichen Vollkommenheit inne, die eines jeden Wesensbestimmung zuläßt. Zu diesem Ziel hin streben sie und haben die dafür geeigneten Hilfsmittel, darunter einige auch die Urteilskraft. Sie dient dem Streben nach Erkenntnis, damit dieses nicht vergeblich sei, sondern in dem geliebten Gegenstand, seinem Wesenszug folgend, Ruhe finde. Wenn dieses Ziel vielleicht nicht erreicht wird, so muß das an zufälligen Ursachen liegen, etwa daran, daß ein Schwächezustand den Geschmacksinn oder eine Meinung die Vernunft irreführt. Daher sagen wir, daß die gesunde, freie Vernunft unermüdlich das Wahre zu erreichen sucht, indem sie alles prüfend durchläuft und es in liebevoll umfassendem Zugriff erkennt, und wir hegen keinen Zweifel daran, daß das unbedingt wahr ist, dem kein gesunder Verstand die Zustimmung verweigern kann. Alle Wahrheitssucher aber beurteilen das Ungewisse, indem sie es in vergleichende Beziehung zu einem vorausgesetzten Gewissen bringen. Jede Untersuchung bedient sich also des Vergleichs und der Verhältnisbeziehung. Wenn das Gesuchte unmittelbar mit dem Vorausgesetzten in vergleichende Beziehung gesetzt werden kann, so läßt sich leicht ein sicheres Urteil gewinnen; wenn wir aber vieler Mittelglieder bedürfen, entsteht Schwierigkeit und Mühe. Dies ist aus der Mathematik bekannt, wo sich ja die früheren Sätze leichter auf die ersten, völlig evidenten Prinzipien zurückführen lassen, die späteren Sätze schwerer, weil nur vermittels der früheren.

Jede Untersuchung beruht also auf einer leicht oder schwer herzustellenden vergleichenden Beziehung. Das Unendliche als solches ist deshalb unbekannt, da es sich jedem Vergleich entzieht. Vergleichbarkeit besagt aber Übereinstimmung in einem Punkt und zugleich Andersheit; sie kann nicht ohne die Zahl verstanden werden. Die Zahl schließt nämlich alles ein, was in vergleichende Beziehung gesetzt werden kann; insofern waltet sie also nicht nur in der Quantität, sondern in allem, was irgendwie nach Substanz oder Eigenschaft übereinkommen oder abweichen kann. Dies führte wohl Pythagoras zu dem Urteil, daß aller Dinge Sein und Erkenntnis auf der Macht der Zahlen beruhe.

Die körperlichen Dinge aber mit Genauigkeit zusammenzustellen, und das Bekannte mit dem Unbekannten zur genauen Deckung zu bringen, übersteigt das Vermögen der menschlichen Vernunft. Daher meinte Sokrates nur dies zu wissen, daß er nichts wisse, während der weise Salomo bekannte, alles sei schwierig und in Worten nicht ausdrückbar; und ein anderer Mann von göttlichem Geiste sagte, die Weisheit und der Sitz der Einsicht seien vor den Augen aller Lebenden verborgen. Selbst der immer in die Tiefe dringende Aristoteles sagt in der ›Ersten Philosophie‹, daß sogar bei den an sich einsichtigsten Dingen uns solche Schwierigkeiten begegneten wie einer Eule, die die Sonne zu sehen versuchte. Wenn dies so ist, bleibt nur, da das Verlangen nicht vergeblich in uns ist, daß wir nach dem Wissen vom Nichtwissen trachten. Wenn wir dies zur Fülle erreichen, werden wir die wissende Unwissenheit erlangen; denn selbst der wissensbegierigste Mensch kann nicht zu größerer Vollkommenheit aufsteigen, denn als höchst wissend in der Unwissenheit, die ihm eigentümlich ist, befunden zu werden. Und um so wissender wird er sein, je mehr er um seine Unwissenheit weiß. Um dieses Zieles willen habe ich die Mühe auf mich genommen, einiges weniges über die wissende Unwissenheit zu schreiben.

Über die Vermutungen

Da sich gerade die Gelegenheit bietet, will ich hier über den Begriff der Vermutung handeln. Ich bin mir bewußt, daß dieser Begriff durch die Mangelhaftigkeit des menschlichen Leistungsvermögens im allgemeinen, dazu noch durch die Schwäche eines nicht gerade scharfen Geistes im besonderen, nicht zu voller Klarheit gebracht ist. Dennoch habe ich im Vertrauen auf Eure umfassende Bildung die Ausführung gewagt. Was sich berichtigen und verbessern läßt, mögt Ihr aus erleuchteter Einsicht und gereiftem Geiste selbst hinzutun. Wenn ein so angesehener Mann seine Aufmerksamkeit und bessernde Sorge ihr zuwenden wird, kann diese Anleitung zu einer noch unerschlossenen Kunst trotz ihrer Unvollkommenheit nicht vergeblich sein. Ermutigt also durch Eure Autorität alle, die diesen kurzen und direkten Weg zur Erschließung des Höchsten gehen wollen.

Anhand meiner früheren Schrift über die ›Wissende Unwissenheit‹ habt Ihr viel klarer und deutlicher, als ich es darzustellen vermochte, eingesehen, daß die Genauigkeit der Wahrheit unerreichbar ist. Daraus ergibt sich, daß der Mensch nur in der Weise der Vermutung zu wahren Aussagen gelangen kann. Denn im Erfassen des Wahren gibt es eine unaufhörliche Steigerung. Deshalb steht auch unser tatsächliches Wissen in keinem Verhältnis zu jener höchsten, für den Menschen unzugänglichen Wissenschaft, und die Unsicherheit unseres schwächlichen Erfassens läßt unsere Feststellungen hinter der reinen Wahrheit als bloße Vermutungen des Wahren zurückbleiben.

Die unerreichbar eine Wahrheit wird also nur in der Unangemessenheit der Vermutung erkannt. Erst nach diesem Leben werden wir sie, statt in der Unangemessenheit der Vermutung, in ihrer einfachsten Einheit selbst erschauen. Nun ist aber der geschaffene Geist mit seiner endlichen Kraft in jedem einzelnen auf je eigene Weise tätig, so daß es keine Übereinstimmung unter den Vermutungen aller gibt; und es muß bei verschiedenen Menschen die eine unerfaßbare Wahrheit notwendig in graduell verschiedenen, untereinander unvergleichbaren Vermutungen sich finden. Einer mag ihr näher kommen als der andere, aber keiner erreicht sie.

Was ich hier mitteile, habe ich meinem schwachen Geist nach Kräften und mit nicht geringer Denkmühe abgerungen; es sind meine Vermutungen, die vielleicht bei größerer Macht der Einsicht sehr unzulänglich erscheinen mögen, die aber doch – wenn ich auch fürchten muß, daß viele sie wegen ihrer Nichteinfügbarkeit in die überlieferten Denkformen verachten werden – überlegeneren Geistern dienlich sein können, in der Art einer nicht ganz unbekömmlichen Nahrung, die umzuwandeln wäre in klarere Geistigkeit. Wer von dieser geistigen Nahrung sorgfältig und besonnen genießt, erlangt eine hilfreiche Stärkung, mag ihm zuerst auch alles wirr und durch Neuerung sogar anstößig erscheinen.

Die Jüngeren und noch Unerfahrenen will ich so zur Aufweisung des Verborgenen anleiten, daß sie allmählich zu Unbekannterem voranschreiten. Ausgehend von der Darstellung und Erklärung meiner eigenen Vermutungen, werde ich in allgemein verständlichem Vorgehen durch Beispiele bis zu einer Kunst der Vermutung überhaupt führen. Erst dann werde ich einige Proben der fruchtbaren Anwendung zur Stärkung wahrheitsdurstiger Seelen geben.

Der Laie und die Weisheit

Auf dem Forum Romanum begegnete ein schlichter und ungelehrter Mensch einem wohlhabenden Lehrer der Redekunst und sprach ihn freundlich lächelnd an.

Laie: Deine Unnahbarkeit verwundert mich. Du hast dich geplagt mit dem Lesen unzähliger Bücher und bist doch noch nicht zur Bescheidung gelangt. Die Wissenschaft dieser Welt, in der du alle zu überragen meinst, ist vor Gott doch nur eine Torheit, die den Menschen bläht. Die wahre Wissenschaft aber macht bescheiden. Ich wünschte, daß du dich ihr widmetest, denn sie ist ein Schatz der Freude.

Redner: Was maßest du dir an, du armer ungebildeter und unwissender Mensch, daß du das Studium der Wissenschaften so herabsetzt, ohne das doch kein Fortschritt möglich ist?

Laie: Es ist keine Anmaßung, sondern Nächstenliebe, was mir gebot, nicht zu schweigen. Ich sehe, wie du ganz aufgehst in dem Suchen nach Weisheit und wie du viel vergebliche Mühe daran wendest. Davor will ich dich bewahren, wenn ich es kann, indem ich dich auf deinen Irrtum stoße; du wirst dich freuen, diesen alten Fesseln zu entfliehen. Die Lehrmeinung überlieferter Autorität hat dich an der Leine, so wie ein Pferd, das von Natur frei ist, an die Futterkrippe gebunden, nur das frißt, was ihm vorgesetzt wird. Dein Geist nährt sich von den geltenden Autoritäten, einer ihm fremden, nicht naturgemäßen Nahrung.

Redner: Wo soll denn die Nahrung der Weisheit sonst zu finden sein, wenn nicht in den Werken der Weisen?

Laie: Ich sage ja nicht, daß sie dort gar nicht sei, sondern nur, daß das nicht ihr naturgemäßer Fundort sei. Jene, die zu allererst über die Weisheit etwas schreiben wollten, fanden doch auch nicht in Büchern – die es eben noch nicht gab – die entsprechend förderliche Nahrung, sondern kamen durch eine ihrer Natur gemäße Kost zur Reife. Und sie überragen alle anderen, die aus Büchern weiterzukommen glauben, bei weitem an Weisheit.

Redner: Sicher kann man auch ohne das Studium der Wissenschaften einiges wissen; aber nicht über die schwierigen und wesentlichen Fragen, denn bei diesen kommt man nur Schritt für Schritt voran.

Laie: Eben das meinte ich, wenn ich sagte, du ließest dich von Autorität führen und verführen. Irgend jemand schrieb etwas nieder, und du glaubst ihm. Ich aber sage dir: die Weisheit schreit draußen auf den Gassen. Sie verkündet, daß ihre Wohnung in der höchsten Höhe sei.

Redner: Du bist zwar ein ungebildeter Mensch, und doch glaubst du, wie ich höre, wissend zu sein.

Laie: Darin unterscheiden wir uns vielleicht gerade: du hältst dich für wissend, obwohl du es nicht bist, während ich wohl einsehe, wie unwissend ich bin, und mich daher bescheide. Und eben darin bin ich der Wissendere von uns beiden.

Redner: Wie kannst du denn zum Wissen um deine Unwissenheit gekommen sein, da du doch so ungebildet bist?

Laie: Nicht aus deinen Büchern, sondern aus denen Gottes.

Redner: Und welche sind das?

Laie: Die er mit eigener Hand geschrieben hat.

Redner: Und wo findet man sie?

Laie: Allerwegen.

Redner: Dann also auch hier auf dem Forum?

Laie: Sagte ich nicht, die Weisheit schreie auf den Gassen?

Redner: Ich wünschte, sie zu hören.

Laie: Wenn deine Bereitschaft frei von bloßer Neugierde des Forschens wäre, könnte ich dir Bedeutendes mitteilen.

Redner: Kannst du das nicht schnell erledigen, damit ich merke, worauf du hinauswillst? Ja? Dann laß uns in die nächstgelegene Baderstube gehen; wir können dort im Sitzen mit mehr Ruhe uns unterhalten.

Der Vorschlag gefiel; sie traten ein und nahmen mit dem Blick auf das Forum Platz.

Laie: Ich sagte dir, die Weisheit schreie auf den Gassen und verkünde, ihre Wohnung sei in der höchsten Höhe. Ich will versuchen, dir das auszulegen. Sage mir zuvor: Was siehst du hier auf dem Forum? Was geht hier vor?

Redner: Ich sehe, wie Geld gezählt, Ware abgewogen, Öl abgemessen wird und ähnliches.

Laie: All das sind Leistungen jener Vernunft, durch die sich der Mensch über das Tier erhebt. Zählen, wiegen, messen kann kein Tier. Achte nun aber auf das, was diesen

Leistungen zugrunde liegt und worin sie bestehen. Was
sagst du?

Redner: Es ist das Unterscheiden.

Laie: Richtig. Wodurch aber unterscheidet man? Zählt
man nicht durch die Eins?

Redner: Inwiefern?

Laie: Ist nicht eins einmal die Eins, zwei zweimal die Eins,
drei dreimal die Eins und so weiter?

Redner: So ist es.

Laie: Durch die Eins also vollzieht sich alles Zählen?

Redner: Es scheint so.

Laie: Und so, wie die Eins das Prinzip der Zahl, ist die
kleinste Gewichtseinheit das Prinzip des Wiegens, die kleinste Maßeinheit das Prinzip des Messens. Die Gewichtseinheit
sei die Unze, die Maßeinheit das Petit. Wird dann nicht durch
die Unze alles gewogen und durch das Petit alles gemessen, so
wie durch die Eins alles gezählt wurde? Von der Eins stammt
die Zahl, von der Unze das Gewicht, vom Petit das Maß. Ja,
schon in der Eins ist die Zahl enthalten, in der Unze das Gewicht, im Petit das Maß. Oder nicht?

Redner: Doch, es ist so.

Laie: Wie kommt man nun aber zu diesen Einheiten?

Redner: Ich weiß es nicht. Ich weiß nur, daß man an die
Einheit nicht durch die Zahl herankommt, weil ja die Zahl
erst von der Eins ausgeht, und so auch bei den anderen Einheiten.

Laie: Ausgezeichnet. Das Einfache geht dem Zusammengesetzten notwendig voraus, und dieses folgt also erst auf jenes. Folglich kann man mit dem Zusammengesetzten nicht
das Einfache messen, sondern umgekehrt. Daraus ergibt sich,
daß das, was allem Zählen zugrunde liegt und worin es besteht, durch die Zahl selbst nicht erreicht werden kann.
Ebenso mit dem Prinzip des Wiegens und dem des Messens.

Redner: Das ist mir klar.

Laie: Diese Verkündung der Weisheit auf den Gassen

übertrage nun auf das Niveau jener höchsten Höhe, in der die
Weisheit zu Hause ist. Du wirst dann viel Beglückenderes als
in all deinen prunkvollen Büchern finden.

Redner: Du mußt schon deutlicher auseinandersetzen,
worauf du hinauswillst, wenn ich dich verstehen soll.

Laie: Wenn du das nicht aus aufrichtigem Antrieb sagst,
kann ich dir nicht weiter dienlich sein. Die Geheimnisse der
Weisheit sollten nicht allen beliebig preisgegeben werden.

Redner: Ich bin sehr begierig geworden, dir zuzuhören.
Schon das wenige bisher hat mich entflammt; es kündigt sich
darin Bedeutendes an. Ich bitte dich also: Setze das Begonnene fort.

Laie: Ich bin mir nicht sicher, ob ich recht daran tue, derartige Geheimnisse zu entblößen und leichthin solche Ab-
gründe aufzutun. Trotzdem kann ich es nicht für mich behalten, wenn ich dir damit dienlich sein kann. Sieh, Bruder, die
höchste Weisheit ist dies: zu wissen, wie in den eben bespro-
chenen Gleichnissen das Unberührbare, ohne daran zu rühren, berührt werden kann.

Redner: Was du sagst, klingt wunderlich und ungereimt.

Laie: Das ist ja gerade der Grund, weshalb das Geheimnis
nicht jedermann mitgeteilt werden sollte: Es erscheint ungereimt, wenn es verbreitet wird. Du nimmst daran Anstoß,
daß ich etwas in sich Widerspruchvolles gesagt habe. Du
sollst die Wahrheit hören und kosten! Nun sage ich, daß das,
was ich eben über die Eins, die Unze und das Petit erörtert
habe, auch für alles andere Seiende hinsichtlich seines letzten
Grundes gilt. Denn jener letzte Grund von allem, durch den
und in dem und aus dem alles Begründbare begründet ist,
kann durch nichts von ihm Begründetes selbst erreicht werden. Zwar wird durch ihn, in ihm und aus ihm alles nur Erkennbare erkannt; er selbst aber ist jeder Erkenntnis unzugänglich. Ebenso wird durch ihn und in ihm und aus ihm alles
nur Sagbare gesagt; er selbst aber entzieht sich jeder Aussage.
Durch ihn und in ihm und aus ihm hat alles Bestimmbare

seine Bestimmung, alles Endliche seine Grenze; er selbst jedoch ist durch keine Bestimmung bestimmbar und durch keine Grenze begrenzbar. Unzählige ähnliche, ganz und gar wahre Formulierungen könnte man finden und alle Werke der Rhetorik damit anfüllen und dazu wieder zahllose andere hinzufügen. Daraus magst du ersehen, in welcher Höhe die Weisheit wohnt. Die höchste Höhe ist die, wo es nichts mehr darüber gibt. Nur die Unendlichkeit ist diese Höhe.

Die Weisheit, die alle Menschen kraft ihres Wesens begehren und aus innerstem Antrieb suchen, wird nur in dem Wissen gefunden, daß sie höher ist als alles Wissen und für das Wissen unerreichbar und für jede Sprache unaussprechlich, für jede Einsicht uneinsichtig und für jedes Maß unermeßlich, für jede Grenze unabgrenzbar und für jede Bestimmung unbestimmbar, für jedes Verhältnis unverhältnismäßig und für jeden Vergleich unvergleichlich, für jede Darstellung undarstellbar und für jede Formung unförmig; durch keine Bewegung zu bewegen, für keine Vorstellungskraft vorstellbar, für keine Empfindung empfindbar, für keine Anziehung anziehbar; für keinen Geschmack zu schmecken und für kein Gehör zu hören und für kein Auge zu sehen und für kein Begreifen begreiflich. Die Weisheit kann weder bejahend noch verneinend beurteilt werden, sie entzieht sich jedem Zweifel und jeder Lehrmeinung. Weil keine Beredsamkeit sie zum Ausdruck bringen kann, gibt es kein Ende dieser Formulierungsversuche. In allem Denken bleibt das undenkbar, wodurch, worin und woraus alles ist.

Redner: Dies geht freilich weit über das hinaus, was ich von dir zu hören erwartete. Laß, bitte, nicht nach, mich dahin zu führen, wo ich mit dir ein wenig von solchen höchsten Betrachtungen aufs Süßeste verkosten kann. Ich sehe ja, daß du gar nicht genug bekommen kannst, über diese Weisheit zu sprechen. Nur der höchste Genuß bewirkt dies, wie ich glaube; würdest du nicht schon innerlich ihn spüren, wäre das Thema für dich nicht so anziehend.

Laie: Die Weisheit ist ein unvergleichlicher Genuß des Geistes. Nicht die sind weise, die nur kritisch urteilen wollen und bloß im Wort, nicht aber im Genuß darüber sprechen. Nur diejenigen sprechen aus ihrem Genuß über die Weisheit, die durch sie alles derart wissen, daß sie nichts von allem wissen.

Alles innere Genießen geschieht durch die Weisheit, in ihr und aus ihr. Sie selbst jedoch, die in der höchsten Höhe wohnt, ist in keinem Genuß zu genießen. Im Nichtgenießen wird sie genossen, da sie über alles Genießen, Empfinden, Denken und Einsehen hinausragt. Wie der Duft gleichsam ein Vorgeschmack von etwas dem Schmecken Unerreichbarem sein kann, so ist dieses von ferne nichtgenießende Genießen zu verstehen. Und so wie der Duft, aus dem Duftstoffe vervielfältigt und von einem Träger aufgenommen, uns anzieht, so daß wir ihm zueilen – zum Beispiel durch den Duft eines mit Salböl Gesalbten zu dem Salböl selbst –, so ist es auch mit der ewigen und unendlichen Weisheit. Sie strahlt an allem wider und zieht uns an durch einen Vorgeschmack in ihren Wirkungen, so daß wir uns wundersam nach ihr selbst sehnen. Sie ist das eigentliche Leben des erkennenden Geistes, der in sich einen ihm eingewurzelten Vorgeschmack trägt, kraft dessen er mit solcher Anstrengung nach der Quelle seines Lebens forscht; ohne diesen Vorgeschmack würde er nicht danach suchen und das Gefundene nicht erkennen. Deshalb also drängt der Geist nach der Weisheit, weil sie sein eigentliches Leben ist. Und obwohl sie unzugänglich bleibt, ist es doch genußvoll für den Geist, zum Ursprung seines Lebens unermüdlich hinzustreben. Denn zum Leben selbst emporzusteigen bedeutet, immer glücklich zu leben.

Christoph Kolumbus

*E*s *ist viel darüber gestritten worden, in welchem Lande Christoph Kolumbus zur Welt gekommen ist. In seinem ersten Testament vom 22. Februar 1498 heißt es: »In Genua geboren«, und die Forschung hat nach langen Diskussionen diese Angabe akzeptiert.*

Als Geburtstag hat man jetzt die Zeit zwischen dem 25. August und dem 31. Oktober 1451 ermittelt. Die Kolumbuslegende, die er selbst lanciert hat, machte aus seinen Vorfahren adlige Admiräle. Tatsächlich war sein Vater Wollweber, ein angesehenes Mitglied der Tuchmacherzunft, und der Sohn lernte das Weberhandwerk.

Kolumbus erhielt eine streng katholische Erziehung und wurde ein frommer Katholik; sein Lieblingsprophet war Jesaja. Er lernte Rechnen, Lesen und Schreiben auf lateinisch, denn es gab noch keine italienische Schriftsprache, und das Genuesische wurde als Schriftsprache nicht verwandt.

Erst von Lissabon aus, wo er in portugiesischen Diensten stand, machte er größere Seefahrten. Um 1479 heiratete er Felipa Moniz, die ihm ein Jahr später einen Sohn gebar und bald darauf starb. Um die Mitte des Jahres 1481 verließ er Portugal und ging nach Spanien.

Es begannen die sieben schweren Jahre des Kampfes mit dem spanischen Hof; er wollte einen Auftrag und Geld, um den Seeweg nach Indien zu entdecken. In Córdoba lernte er die zwanzigjährige Beatrice Enriquez de Harana kennen. Zwei Jahre später schenkte sie ihm einen Sohn; weshalb er sie nicht geheiratet hat, wissen wir nicht.

An einem Sommertag des Jahres 1486 stand Kolumbus das

erste Mal vor den ›Katholischen Königen‹, Ferdinand von Aragonien und Isabella von Kastilien. Las Casas berichtet über die Jahre des Wartens, die folgten, mit diesen Sätzen: » Er begann einen schrecklichen, fortwährenden, schmerzensreichen und endlosen Kampf zu führen; ein mit scharfer Klinge geführter Kampf hätte nicht so unerbittlich und grausam sein können wie jenes unablässige Ringen mit den vielen Menschen, die er überzeugen sollte, ohne daß sie ihn verstanden, die sich aber anmaßten, alles besser zu wissen: jener stille Kampf mit den zahlreichen Gegnern, denen er geduldig antworten mußte, ohne daß sie begriffen, wer er war, die ihm ohne Achtung und mit beleidigender Rede begegneten, so daß er in der Seele betrübt war.«

Im Jahre 1490 empfahl der sogenannte ›Talavera‹-Ausschuß, seine Pläne abzulehnen. Die Katholischen Könige vertrösteten ihn auf die Beendigung des Krieges gegen die Mauren. Am 2. Januar 1492 kapitulierte Granada, die letzte Festung des Islam im katholischen Spanien. Wenige Tage drauf erhielt Kolumbus die Nachricht, sein Projekt sei endgültig abgelehnt. Er verließ Spanien, um nach Frankreich zu gehen. Da holte ihn ein königlicher Bote vier Meilen hinter Santa Fé ein und brachte ihn zurück.

Es ist eine Legende, daß Isabella ihre Juwelen versetzte, um Kolumbus zu finanzieren. Wahr ist vielmehr, daß das Geld aus Steuergeldern aufgebracht wurde, die im voraus erhoben worden waren. Die Motive der Könige waren Gold und Propaganda des christlichen Glaubens; es gibt keinen Grund, daran zu zweifeln, daß beide Antriebe gleich stark waren – auch bei Kolumbus, bei dem noch die Entdeckerlust hinzukam.

Wir bringen im folgenden:

1. Den Wortlaut des Passes, den ihm seine Auftraggeber mitgaben;

2. Das Vorwort zu seinem Tagebuch;

3. Sein letztes Testament.

Kolumbus starb im Jahre 1506.

Allen Erlauchten und Hochberühmten Königen und deren Nachfolgern, Blutsverwandten und unseren liebwerten Freunden entbieten Ferdinand und Isabella, von Gottes Gnaden König und Königin von Kastilien usw., Glück und Gesundheit. Dasselbe auch allen erlauchten, achtbaren, edlen und ausgezeichneten Personen, Herzögen, Marquisen, Grafen, Vizegrafen, Baronen, Landherren und sonstigen Herren, den uns befreundeten und wohlgeneigten Personen, den Kapitänen, Schiffseignern aller Schiffe mit zwei oder drei Rudern und jeden anderen Schiffes, das vertragsgemäß fährt, sowie auch allen unseren Beamten und Untertanen irgendeines Amtes, Grades, Einflusses, Ansehens, Ranges oder Berufes sowie allen und jedem von den Personen, die diesen unseren Brief sehen.

Wir schicken den edlen Mann Christoph Kolumbus mit drei ausgerüsteten Karavellen durch die ozeanischen Meere nach Indien (»ad partes Indie«) zwecks einiger Unterhandlungen zur Verbreitung des göttlichen Wortes und rechtmäßigen Glaubens als auch zum Nutzen und Vorteil unserer selbst. Und wenn wir auch glauben, daß Ihr um unserer Sache und Freundschaft willen ihm Schutz gewähret, wenn er zufällig durch Gewässer, Häfen, Strandgebiete, Ländereien, Städte und verschiedene andere Teile Eurer Königreiche, Fürstentümer, Herrschafts- und Rechtsprechungsgebiete kommen müßte, so bitten wir doch sehr, daß er gute Behandlung für sich und seine Schiffe, Leute, Waffen, Hab und Gut und alles, was er mit sich führt, genießen möge. Daher bitten wir auch inständig, Erlauchteste und Hochberühmte Könige und Eure

Nachfolger und alle Personen von Rang und Ruf, den vorbe-
nannten Christoph Kolumbus, wenn er in Eure Gebiete, Kü-
sten, Länder, Städte und Gerichtsbarkeitsbezirke kommt,
aufzunehmen mitsamt seinen drei Karavellen und seinem Gefolge, uns zu Gefallen als unseren Abgesandten und ihm nicht
nur in Eure Königreiche, Fürstentümer, Städte, Garnisonen,
Häfen und Strandgebiete Zugang zu gewähren, sondern ihn
auch frei mit seinen Karavellen und anderen Fahrzeugen ziehen zu lassen mitsamt den bei sich geführten Waren und Gütern. Auch möget Ihr ihm Eure Hilfe, Euren Rat und Beistand angedeihen lassen und ihm durch Eure gütige Erlaubnis
es erleichtern, sich und seine erwähnten Schiffe mit allen Le-
bensnotwendigkeiten auf eigene Rechnung zu versehen, und
ihm Führung und Schutzgeleit zur ungehinderten Fortsetzung seines Weges geben.

Durch all dies werdet Ihr uns, wie wir hoffen, große Genugtuung bereiten, und wenn es eintreten sollte, daß Eure Untertanen zu uns übers Meer kommen, so werden wir sie als besonders Empfohlene betrachten, nicht nur weil das bei uns Sitte
ist, sondern auch weil wir Euch besonders hochschätzen.

Und Ihr, unsere Beamte und Untertanen, werdet es ge-
nauestens erfüllen und keinerlei Strafen auf Euch ziehen, die
wir den Zuwiderhandelnden kraft unseres Amtes und Willens
näher bezeichnet haben.

Gegeben in der Stadt Granada am 17. April im Jahre des
Herrn 1492

Ich der König.   Ich die Königin.
          Im Auftrage des Königs und der Königin
                       Juan de Coloma.

Aus dem Bordbuch des Kolumbus:
Vorwort
Im Namen unseres Herrn Jesus Christus
Alldieweil Ihr, die christlichsten und hocherhabenen, ur-

mächtigen Fürsten, der König und die Königin von Spanien und den Inseln im Meer, unser Herr und unsere Herrin, in diesem Jahr 1492, nachdem Eure Majestäten den Krieg mit den Mauren beendet hatten, die in Europa herrschten, und nachdem sie ihn in der mächtigen Stadt Granada zum Abschluß brachten, wo in diesem Jahr am zweiten Tag des Monats Januar durch die Gewalt der Waffen ich die königlichen Banner aufgepflanzt sah auf den Türmen der Alhambra (welche die Zitadelle dieser Stadt ist) und ich den König der Mauren erblickte, wie er zu den Toren der Stadt schritt und die königlichen Hände Eurer Majestäten und des Prinzen, meines Herrn, küßte, und alldieweil bald darauf in demselben Monat ich Euren Majestäten Kenntnis gegeben hatte von den Ländern in Indien und von einem Fürsten, den man den ›Großkan‹ nennt, was in unserer Sprache ›König der Könige‹ heißt, welcher ebenso wie seine Vorfahren viele Male nach Rom gesandt hatte, um Lehrer in unserem Heiligen Glauben zu suchen, die ihn darin unterrichten sollten, die ihm aber der Heilige Vater niemals geschickt hatte, so daß viele Menschen verlorengingen durch Götzendienst und Irrlehren.

Und alldieweil Eure Majestäten, als katholische Christen und Fürsten, dem Heiligen Christlichen Glauben treu ergeben, seine Verfechter und Widersacher der Sekte Mohammeds und seiner Irrlehren, beschlossen hatten, mich, Christoph Kolumbus, auszusenden in die Regionen Indiens, wo ich besagte Fürsten, Völker und Länder sehen sollte, ihrer aller Neigungen zu erkunden und die Art, in welcher ihre Bekehrung zu unserem Heiligen Glauben durchgeführt werden möge, und da sie mir befahlen, nicht auf dem Landwege (wie gewöhnlich) nach dem Orient zu reisen, sondern auf einem Wege westwärts, den bis zu diesem Tage kein Mensch genommen hat –

Haben nunmehr, nachdem alle Juden aus Euren Reichen und Besitzungen vertrieben sind, Eure Majestäten mir in demselben Monat anbefohlen, mich mit einer ausreichenden

Flotte in besagte Regionen Indiens zu begeben, wofür sie mir
viele Belohnungen gewährten und mich dergestalt ehrten,
daß ich mich mit einem Adelstitel belegen darf und Kommandierender Admiral des Weltmeeres sowie Vizekönig und
Gouverneur auf Lebenszeit aller Inseln und Festländer bin,
die von mir entdeckt und gewonnen werden sollten im Weltmeer, ferner bewilligten, daß mein ältester Sohn mir nachfolgen und meinen Rang fortvererben sollte immerdar –

Worauf ich aus der Stadt Granada abgereist bin am 12. Mai
des Jahres 1492, einem Sonntag, und in der Stadt Palos, einem
Seehafen, anlangte, wo ich drei Schiffe für die See ausrüstete,
die gut geeignet waren für solch ein Unternehmen, und hierauf bin ich dann von diesem Hafen abgefahren, gut versorgt
mit viel Proviant und mit zahlreichen Seeleuten an Bord, am
dritten Tage des Monats August des genannten Jahres, einem
Freitag, eine halbe Stunde vor Sonnenaufgang, und ich
machte mich auf den Weg nach den Kanarischen Inseln, die
Euren Majestäten gehören und die im genannten Ozean liegen, um von dort aus Kurs zu nehmen auf Indien, bis ich es
erreiche, um die Briefe Eurer Majestäten den Fürsten zu
überreichen und auf diese Weise die mir gegebenen Befehle
auszuführen.

Zu Urkund dessen habe ich den Plan gefaßt, alles genaue-
stens niederzuschreiben auf dieser Reise von Tag zu Tag, was
ich tue und sehe und was mir begegnet, so wie es sich nun zeigen wird. Und außer dem, edle Fürsten, was ich jeden Abend
über die Ereignisse eines jeden Tages und jeden Tag über die
Fortschritte der Fahrt in der Nacht niederschreiben werde,
will ich eine neue Seekarte anfertigen, auf der ich die ganze
See und alle Länder im Weltmeer nach ihrer richtigen Lage
und Peilung einzeichnen werde, und ferner will ich ein Buch
verfassen und darin alles so beschreiben, daß ein wahres Bild
entsteht bis zu den Breiten nördlich vom Äquator und den
westlichen Längen; doch vor allem ist es von größter Bedeutung, daß ich den Schlaf fliehe und mich unablässig mit der

Navigation beschäftige, denn dieses ist nötig. All das wird mir große Mühe machen.

Das Testament des Kolumbus:
  Zusatz, verfaßt in Segovia am 25. August 1505, beglaubigt in Valladolid am 19. Mai 1506, am Tage vor seinem Tod.
  Als ich im Jahre 1502 von Spanien abfuhr, setzte ich eine Verfügung auf und errichtete ein Majorat über meine Güter. Ich ordnete an, was mir zum Wohl meiner Seele, zum Dienst des ewigen Gottes, zu meiner Ehre und der Ehre meiner Nachfolger nützlich schien. Diese Schrift hinterlegte ich im Kloster von Cuevas in Sevilla beim Bruder Don Gasparo Gorricio, zusammen mit anderen Schriften und mit den Privilegien und Dokumenten, die ich vom König und der Königin, meinen Herren, erhalten habe. Diese Verfügungen bestätige ich hiermit und schreibe zur Ergänzung und Erklärung meiner Absichten das folgende nieder, ich befehle, es so zu erfüllen, wie es mein Wille ist.
  Meinen lieben Sohn Don Diego setze ich als Erben aller meiner Güter und Ämter ein, die ich zu ewigem und erblichem Rechte habe; und wie ich es bei der Einsetzung des Majorates anordnete, soll mein Sohn Don Fernando das Erbe erhalten, wenn mein Sohn Don Diego keinen männlichen Erben haben sollte; sollte Don Fernando keinen männlichen Erben haben, erbt mein Bruder Bartolomeo in gleicher Weise, hätte auch er keinen männlichen Erben, erbt mein anderer Bruder, und so soll die Erbschaft jeweils auf den nächsten männlichen Blutsverwandten meines Stammes übergehen, und das soll ewig gelten. Es soll keine Frau erben, wenn nicht der ganze Mannesstamm erloschen ist; sollte dies eintreffen, dann erbt die nächste Blutsverwandte meines Stammes.
  Ich befehle meinem Sohn Don Diego oder seinen Erben, das genannte Majorat nicht zu mindern, sondern im Gegenteil zu mehren, um mit dessen Ertrag und mit seiner Person

und seinen Fähigkeiten dem König und der Königin, unseren Herren, zu dienen und beizutragen zum Gedeihen des christlichen Glaubens.

Als ich dem König und der Königin, unseren Herren, Indien schenkte – ich sage schenkte, denn es ist offenbar, daß ich es ihnen durch den Willen Unseres Herrgotts als eine Sache gab, die mein Eigentum war; und das darf ich wohl behaupten, denn ich fiel Ihren Hoheiten deswegen beschwerlich, Indien war unbekannt, und der Weg war allen denen, mit denen man darüber sprach, verborgen –, gaben ihre Hoheiten zum Zwecke dieser Entdeckungsfahrt nicht mehr als eine Million Maravedis aus und wollten nicht mehr dafür aufwenden, während ich nicht nur meine Idee und meine Person dafür einsetzte, sondern auch gezwungen war, den Rest aufzubringen. So gefiel es Ihren Hoheiten, mir als meinen Anteil von Indien, Inseln und Festland westlich einer Linie, die sie 100 Seemeilen von den Azoren und Kapverdischen Inseln von Pol zu Pol ziehen ließen, ein Drittel und ein Achtel von allem zuzusprechen, und dazu noch den Zehnten von allem, was man in jenen Ländern findet, wie das aus meinen Privilegien und Gnadenbriefen deutlich hervorgeht.

Da man bis jetzt den Ertrag, den Indien abwerfen würde, noch nicht ermitteln konnte, und in der Hoffnung, daß durch Gottes Barmherzigkeit dieser Ertrag sehr groß sein wird, stelle ich hiermit fest, in welcher Weise er verteilt werden soll. Don Fernando soll zunächst einen und einen halben Cuento alljährlich erhalten, mein Bruder Don Bartolomeo 150 000 Maravedis und mein Bruder Don Diego 100 000 Maravedis, weil er zur Kirche gehört. Aber diese Bestimmungen sind nicht endgültig, weil, wie oben erwähnt, der Ertrag noch nicht feststeht.

Zur Verdeutlichung des oben Gesagten erkläre ich, daß es mein Wille ist, daß mein Sohn Don Diego das Majorat und alle meine Güter und Ämter erben soll, daß alle Einkünfte, die er aus dieser Erbschaft bezieht, alljährlich in zehn Teile geteilt werden sollen. Der erste Teil dieser zehn Teile soll unter diejenigen Verwandten verteilt werden, die sich in größter Bedürftigkeit befinden, ferner an Bedürftige und an fromme Leute. Alsdann soll er von den neun übrig bleibenden Teilen zwei nehmen und sie in 35 Teile teilen, davon soll mein Sohn Don Fernando 27 Teile, Don Bartolomeo 5 Teile und 3 Teile mein Bruder Don Diego bekommen.

Da es mein Wunsch ist, daß mein Sohn Don Fernando eineinhalb Cuentos, Don Bartolomeo 150 000 Maravedis und Don Diego 100 000 Maravedis bekommen sollen, und ich nicht weiß, wie das möglich sein wird, da man bis heute die Einkünfte des Majorats nicht kennt, so sage ich, man soll die oben getroffene Verfügung befolgen, bis es Unserem Herrn gefallen wird, daß die genannten zwei Teile der genannten neun Teile so anwachsen, daß sie genügen, um aus ihnen die genannten eineinhalb Cuentos für Don Fernando, 150 000 Maravedis für Don Bartolomeo und 100 000 Maravedis für Don Diego zu nehmen. Wenn es Gott gefallen wird, daß dies geschieht und die genannten zwei Teile von den oben genannten zehn Teilen den Wert von einem Cuento und 700 000 Maravedis übersteigen, so soll mein Sohn Don Diego, oder wer der Erbe sein wird, den ganzen Überschuß erhalten. Außerdem sage ich und bitte meinen Sohn Don Diego, oder den Erben, dafür zu sorgen, daß die Einkünfte dieses Majorats sehr vermehrt werden, dann soll er den Anteil Don Fernandos und meiner Brüder erhöhen, wenn er das tut, wird er mir Freude bereiten.

Von dem Teil, den ich meinem Sohn Don Fernando zu geben befehle, ordne ich an, daß ein eigenes Majorat errichtet wird und daß ihm sein ältester Sohn nachfolge und daß diese Erbfolge weitergeführt werde, ohne daß das Majorat entäußert oder verändert werden darf. Es werde damit in derselben Weise verfahren, wie ich es angeordnet habe für das Majorat, das ich zugunsten meines Sohnes Don Diego errichtet habe. Meinem Sohne Don Diego befehle ich, von den Einkünften des genannten Majorates und Erbes eine Kapelle zu erbauen und drei Kaplane zu erhalten, die jeden Tag drei Messen lesen sollen, eine zu Ehren der Heiligen Dreifaltigkeit, die zweite für die Empfängnis Unserer Frau, die dritte für meine Seele und die Seelen meines Vaters, meiner Mutter und meiner Frau. Wenn es ihm seine Mittel erlauben, soll er die genannte Kapelle sehr schön machen und die Zahl der Gottesdienste und Gebete zu Ehren der Heiligen Dreifaltigkeit vermehren. Diese Kapelle soll wenn möglich auf der Insel Española, die mir Gott auf eine wunderbare Weise gab, erbaut werden, und zwar an jener Stelle, wo ich die Heilige Dreifaltigkeit schon anrief, La Trinidad, oder in der Ebene, die de la Concepción genannt wird. Sollte dies möglich sein, würde es mich freuen.

Ich befehle meinem Sohn Don Diego oder dem, der sein Erbe sein wird, alle Schulden, die ich aufzähle, zu zahlen, und zwar nach der Liste, die ich aufschreibe, und in der Art, wie es dort gesagt ist. Außerdem sollen alle Schulden bezahlt werden, die aus beglaubigten Verschreibungen stammen, und ich befehle ihm, für Beatrice Henriquez, die Mutter meines Sohnes Don Fernando, Sorge zu tragen, sie mit den nötigen Mitteln zu versehen, daß sie davon würdig leben kann; sie ist ein Mensch, dem ich tief verpflichtet bin; dies soll zur Entlastung meines Gewissens geschehen, denn es drückt schwer auf meine Seele. Ausführlicher darüber zu sprechen, ziemt sich hier nicht.

Geschrieben am 25. August 1505 in Segovia.

Savonarola
Brief an die Mutter

Girolamo Savonarola, 1452–1498, Dominikaner und Prior von San Marco in Florenz, trat als apokalyptischer Bußprediger gegen die entartete Kirche auf. Er verstand es, das Volk auf seine Seite zu bringen, und errichtete für drei Jahre eine Volksherrschaft auf theokratischer Grundlage. Er unterlag schließlich dem Bündnis Papst Alexanders VI. mit den vertriebenen Medici und wurde als Ketzer verbrannt.

Savonarola wuchs auf im Respekt für die Kirche und besonders für den heiligen Thomas. »Ich hielt«, sagte er, »immer sehr viel von ihm und hatte große Hochachtung für ihn . . . Ich weiß nichts; doch das wenige, was ich weiß, besitze ich weil ich stets bei ihm in der Lehre geblieben bin. Er ist wahrhaft tief gewesen, und wenn ich ganz klein werden will, lese ich ihn, und es scheint mir, er sei ein Riese und ich ein Nichts.«

Es zeigte sich bald, daß Savonarola kein großer Theologe wurde und keiner von den großen christlichen Trostpredigern, sondern einer ihrer leidenschaftlichsten Politiker – wie vor ihm der Mönch Hildebrand, der spätere Gregor VII., wie Kardinal Richelieu und wie der Vater Joseph. Es war das Italien der Renaissance, des Luxus, der Spielleidenschaft, des Straßenraubs und der Giftmorde, das ihn in seinen politischen Fanatismus trieb. Er begann seine wilden Ermahnungen; zuerst in San Gimignano (bei Siena) in den Fasten 1485 und 1486, wo er zum erstenmal Zusammenbruch und Wiedergeburt der Kirche ankündigte; dann 1488/89 in vielen Orten der Lombardei und schließlich Advent 1489 in Brescia. Aber es blieb nicht bei diesen rhetorisch-aufrührerischen Reden. Er

widmete sich der Reform der Ordensdisziplin, er entwarf eine
Verfassung nach aristokratisch-theokratischen Prinzipien.
Immer mehr wurde er in den Kampf mit der Republik Florenz
und dem Papst verwickelt – und unterlag.

Wir bringen zuerst den Brief an seine Mutter vom
25. 1. 1490, der in vieler Beziehung interessant ist; besonders
aber hinsichtlich der Gleichgültigkeit, die alle Fanatiker dem
einzelnen Menschen gegenüber an den Tag legen. Savonarola
begründete hier seine mangelnde Sorge für seine Mutter da-
mit, daß, wenn er sich um Jesus kümmere, er am besten für sie
sorge.

Wir bringen dann seinen Traktat Die wahre Witwe *vom*
Jahre 1491. Er zeigt, daß Savonarola, dem man gewöhnlich
einen blinden Eifer zuschreibt, sehr genau viele Situationen
des Lebens kannte, Unterschiede machte und sich durchaus
nicht mit simplen Richtlinien begnügte. Wie er in der Schrift
über Die wahre Witwe *diverse Arten des Witwentums von-*
einander sondert, mit Kenntnis der Realität und psycholo-
gischer Finesse, entspricht durchaus nicht dem populären
Savonarolabild, das eine einzige Farbe hat: die einer wilden
Askese. Wie die christliche Kirche ist auch Savonarola durch-
aus nicht radikal gegen die Sinnenlust, sondern nur gegen die
außereheliche. Er kann sich mit seinen toleranten Ideen über
die Witwe auf die gesamte kirchliche Tradition berufen.

Es waren nicht ketzerische Gedanken (wie etwa im Falle
Eckhart), die ihn in Konflikt mit den herrschenden Mächten
brachten, sondern seine Eingriffe in die Tagespolitik. Er un-
terlag nicht als Schismatiker, wie es in seinem Urteil hieß,
sondern als gefährlicher Tagespolitiker.

Verehrte Mutter. Der Friede Christi sei mit Euch. Ich weiß,
daß Ihr Euch gewundert habt, daß ich Euch schon seit vielen
Tagen nicht geschrieben habe, doch das habe ich nicht getan,

weil ich Euch vergessen hätte, sondern weil ich einen Boten brauche und mir in dieser Zeit nicht einer begegnet ist, der von Brescia nach Ferrara gegangen wäre; nur nach dem Weihnachtsfest ging einer von den Unsern dorthin, und ich war in diesen Feiertagen so in Anspruch genommen, daß mir's nicht ins Gedächtnis kam, Euch zu schreiben: und das tut mir sehr leid. Hernach, als Bruder Jakob von Pavia zu uns gekommen war – der Prior in unserem Kloster von den Engeln vor jenem, der jetzt dort ist, gewesen war –, sprach er mir auch von Euch, wie sehr Ihr betrübt seiet, daß ich Euch nicht schrieb; und ich, der keinen Boten hatte, antwortete ihm, daß die Straße von Brescia nach Ferrara abgelegen ist: man kann somit keinen zuverlässigen Boten bekommen. Darum – da ich ja nach Genua gehe – sagte ich mir, wenn ich in Pavia wäre, würde ich alle Tage Boten haben, und von Pavia wollte ich Euch darum schreiben. So daß ich nun, im Gehorsam für die kommenden Fastenpredigten nach Genua geschickt und in Pavia angekommen, Euch, wie ich mir's vorgenommen, schreibe und Euch mitteile, daß es mir gutgeht und ich geistig zufrieden bin und körperlich gesund, wenn auch müde vom Weg und noch eine lange Strecke bis Genua habe.

Anderes weiß ich Euch nicht mitzuteilen, als daß ich mir genau bewußt bin, von Euch keinen einzigen Brief erhalten zu haben, seitdem ich Euch nicht mehr gesehen, wie ich mich erinnere; noch irgendeine Benachrichtigung, was Ihr tut, ausgenommen durch den vorgenannten Bruder Jakob: aber ich kann mir gut vorstellen, daß Ihr in Bedrängnis seid, und ich bitte Gott ständig – soweit dies meine Schwachheit vermag – für Euch. Was ich sonst noch tun kann, weiß ich nicht. Wenn ich Euch auf andre Weise helfen könnte, würde ich Euch helfen, aber der ich einmal frei war, habe mich zum Knecht gemacht aus Liebe zu Jesus, der aus Liebe zu mir sich zum Menschen machte und Knechtsgestalt annahm, um mich dann frei zu machen in der ganzen Seligkeit der Freiheit der

Kinder Gottes: und darum bemüh' ich mich, so sehr ich
kann, Ihm zu dienen und mich durch keinerlei irdische und
fleischliche Neigung von den Anstrengungen abziehen zu lassen, indem ich Ihm zu Liebe gern in verschiedenen Städten in
seinem Weinberg arbeite, und das nicht nur, damit ich meine
Seele rette, sondern etiam die der andern: da ich nämlich gar
sehr sein Gericht fürchte, wenn ich nicht auf diese Weise handelte; denn wenn Er mir das Talent gegeben hat, ist es notwendig, es auf die Weise auszugeben, die Ihm gefällt. So daß
es Euch, meine liebe, liebe Mutter, nicht bedrücken darf,
wenn ich mich von Euch entferne und wenn ich in verschiedene Städte gehe, um dort zu sprechen, denn das alles tu ich
zum Heil vieler Seelen, predigend, mahnend, Beichte hö-
rend, Vorlesung haltend und Rat gebend; und ich gehe nie
von Ort zu Ort, außer zu diesem Zweck, und dazu schicken
mich immer etiam meine Vorgesetzten, und darum dürftet
Ihr Euch viel mehr trösten, daß Gott sich gewürdigt hat, einen von Euren Sprößlingen zu erwählen und in ein so hohes
Amt einzusetzen. Wenn ich dauernd in Ferrara wäre – glaubt,
daß ich nicht so viele Früchte ernten würde wie auswärts, weil
kein Ordensmann, oder nur ganz wenige, je Früchte eines
geweihten Lebens in der eigenen Vaterstadt ernten und weil
die Heilige Schrift stets dazu aufruft, aus dem Vaterlande
fortzugehen; das etiam, weil man einem aus der eigenen Stadt
nicht so viel Vertrauen schenkt als einem Fremden, beim Predigen wie bei Ratschlägen; und darum sagt unser Heiland,
daß kein Prophet in seiner Vaterstadt willkommen ist: und
daher war auch Er in seiner Vaterstadt nicht willkommen.
Demnach also, da Gott sich gewürdigt hat, mich aus meinen
Sünden zu so hohem Dienst zu erwählen, wofür ich Ihm
unendliche Male danke, seid es zufrieden, daß ich im Weinberg Christi bin, außerhalb meiner Vaterstadt, wo ich weiß
und mit meinen Händen greife, daß ich unvergleichlich mehr
Frucht für meine Seele und die der andern bringe als in Ferrara. Wenn ich dort wohnte und das tun wollte, was ich in den

andern Städten tue – ich weiß, daß mir gesagt würde, was von
den Landsleuten Christi eben zu Christus gesagt worden ist,
wie Er ihnen predigte: Ist der nicht Zimmermann und Sohn
eines Zimmermanns und Sohn Mariens? Und sie hielten sich
für zu gut, Ihm zuzuhören. So würden sie zu mir sagen: Ist
der nicht jener Doktor Hieronymus, der die und die Sünden
begangen hat, der gerade so wie wir war? Jetzt wissen wir genau, wer der ist; und sie würden meine Worte nicht andächtig
hören. Und darum ist mir in Ferrara oftmals von einigen gesagt worden, die mich mit solcher Anstrengung von Stadt zu
Stadt gehen sahen, daß unsre Brüder anscheinend Leute nötig
hätten, gerade, wie wenn sie sagen wollten: Wenn sie dich für
so große Dinge gebrauchen, der du wenig wert bist, ist es gewiß, daß sie Mangel an Leuten haben. Aber außerhalb meiner
Vaterstadt werden mir solche Worte nicht gesagt; im Gegenteil, wenn ich abreisen will, weinen Männer und Frauen und
halten meine Worte gar sehr wert. Ich schreibe das nicht, weil
ich Lob von Menschen suche, und nicht, weil ich mich am
Lob freue, doch um Euch zu zeigen, was meine Absicht ist
bei dieser meiner Abwesenheit von meiner Vaterstadt, damit
Ihr erkennen könnt, daß ich hier gerne bin, weil ich weiß, daß
ich etwas tue, das Gott angenehmer ist und mir und den Seelen meiner Nächsten mehr Heil bringt: und dies wiegt so viel
schwerer als alle Schätze der Welt, die ich im Vergleich zu
meinem Gewinn für Dreck halte. Und darum, meine liebe,
hochverehrte Mutter, seid darüber nicht traurig, denn je
mehr ich mich Gott angenehm mache, desto mehr werden
meine Gebete für Euch bei Ihm gelten. Und glaubt nicht, von
Ihm verlassen zu sein, wegen der Trübsale, im Gegenteil,
glaubt viel eher, daß Ihr Ihn verlassen habt, als daß Er Euch
verlassen hat; denn durch die Schläge zwingt Er Euch, zu Ihm
zurückzukehren. Vielleicht, daß Er auf diesem Weg Euch mit
Euren Kindern retten will und meine Gebete erhören will,
in denen ich nicht bitte, Er möge Euch Hab und Gut geben,
sondern daß Er Euch seine Gnade gebe und daß er Euch

zum ewigen Leben führe, auf welchem Weg immer es Ihm gefällt.

Ich glaubte, nur wenige Worte zu schreiben, aber die Liebe hat die Feder davoneilen lassen, und ich habe Euch mein Herz mehr geöffnet, als ich vorgehabt hatte. Wisset also zum Abschluß, daß mein Herz fester als jemals entschlossen ist, Seele und Leib einzusetzen, und alles Wissen, das mir Gott gegeben hat, und alle Gnade, aus Liebe zu Gott und für das Heil meines Nächsten: und weil ich das nicht in der Vaterstadt tun kann, will ich es auswärts tun. Und darum bitte ich Euch, Ihr wollet diesen meinen Weg nicht hindern, indem Ihr sicher sein könnt: Wenn ich Euch in irgend etwas helfen kann, werde ich es tun, und wenn es nötig ist, wird es mir nicht zu viel sein, nach Ferrara zu kommen; aber wenn es nicht notwendig ist, halte ich es für schwere Sünde, wegen einer geringen Sache die Werke zu unterlassen, die Gott mir aufgetragen hat. Euch bestärke ich, in allem Geduld zu haben, und unsre Schwestern zu trösten, die wissen sollen, daß Gott besser für sie vorgesorgt hat, als sie glauben; denn wenn Er sie vielleicht anders behandelt hätte, indem Er ihnen Gut und Ehren gegeben und sie verheiratet hätte, würden sie in allerlei schwere Sünden gefallen sein, was nun nicht geschehen ist, und wären tiefer in die Welt verstrickt. Ich wollte, sie täten die Augen auf und erkennten die Gnade, die Gott ihnen erwiesen hat, dem sie sich von ganzem Herzen empfehlen sollten, denn Er verläßt den niemals, der auf Ihn vertraut.

Bestärkt unsre Brüder im rechten Leben und die ganze andre Gesellschaft.

Heute werde ich, nachdem ich gegessen habe, den Weg nach Genua aufnehmen. Bittet Gott, daß Er mich wohlbehalten hinführe und daß Er mich reiche Frucht bei jenem Volke bringen lasse. Empfehlt mich unserm Onkel und unsrer Tante und unsern Vettern und Kusinen. Gott sei in seiner Gnade mit Euch und behüte Euch vor Bösem um der Liebe unsres Herrn Jesu Christi willen. Amen.

Geschrieben in Pavia, in Eile, am Tag der Bekehrung des hl. Apostels Paulus, 1490.

Euer Sohn   Bruder Hieronymo Savonarola

Die wahre Witwe

Es gibt Witwen von vielerlei Art. Einige wollen sich nach dem Tode ihres Mannes wieder verheiraten, und diese sind – wenngleich sie körperlich nicht durch einen Gatten befriedigt werden – doch nicht dem Geiste nach Witwen, denn der Mann lebt in ihrem Begehren – und dieses Begehren kann gut sein oder auch schlecht. Gut, wenn sie nicht im Witwenstand leben könnte, weil sie etwa in der Blüte der Jugend stünde und nicht den Beruf hätte, in einen Orden einzutreten; ein solcher Zustand ist gefährlich: da wäre es besser, wieder zu heiraten. Und darum sagt der heilige Paulus in seinem Schreiben an Timotheus: Ich will, daß die jungen Witwen sich wieder verheiraten und Familienmütter werden, denn ich möchte dem Teufel nicht Gelegenheit geben, sie zu versuchen. Auch wäre es gut, wieder zu heiraten, wenn die Witwe in solchen Verhältnissen wäre, daß sie um der Notwendigkeit der zeitlichen Dinge willen oder weil sie keinen Zufluchtsort hat oder aus anderen Gründen nicht anders leben kann oder wenn sie erkennte, daß sie wirklich nicht enthaltsam leben kann, denn die Enthaltsamkeit ist eine ganz besondere Gabe Gottes und wird nicht allen gegeben: und darum wäre es in diesem Fall nicht unrecht, sich wieder zu verheiraten, denn wenn dies auch aus einer schlechten Wurzel hervorgeht, wäre das Ziel doch gut. Und darum sagt der Apostel zu den Korinthern: Besser ist zu heiraten, als in der Begierlichkeit zu brennen und der Sünde nicht zu widerstehen.

Aber wenn eine Witwe sich aus böser Lust oder Habgier wieder verheiraten würde oder wollte, um dorthin zu kommen, wo sie weiß, daß Vermögen ist, oder aus Stolz, weil ein

Mann hohen Standes um sie wirbt, oder aus Verliebtheit oder aus einem anderen niedrigen Anlaß oder zu einem verkehrten Zweck – so wäre dieses Verlangen zweifellos Sünde.

Diese also, die wieder heiraten wollen, sind nur körperlich Witwen, und an diese richtet sich unser Wort nicht.

Einige andere wollen sich nicht wieder verheiraten, und auch unter diesen gibt es viele Unterschiede: denn es gibt viele, die zwar keinen Ehemann wollen, entweder weil sie keine Mitgift haben oder weil sie fürchten, eine schlechte Verbindung einzugehen, oder aus anderen ersichtlichen oder unersichtlichen Gründen, aber nichtsdestoweniger ist ihr Umgang nicht ihrem Stand entsprechend, denn sie bewahren im Geheimen die Keuschheit nicht und zeigen sich auch öffentlich in einer Weise, daß sie den ausgelassenen jungen Leuten zu verstehen geben, was sie eigentlich möchten. Sie kommen geputzt und modisch gekleidet daher, mit gekräuselten Schleiern und plissierten Tüchlein, vorn nicht sehr bedeckt, die Augen ohne Scham aufgeschlagen, und sie sind gern in der Gesellschaft junger Leute und lachen mit ihnen und necken einander mit Dingen, die sich nicht gehören, die sie meiden sollten und über die man sich mit jenen überhaupt nicht unterhalten soll. Daher sagt der Apostel zu seinem Sohn Timotheus: Mein lieber Sohn, nimm dich in acht vor den jungen Witwen, denn nachdem sie ihre Lust erfüllt haben, wollen sie Bräute Christi werden und tragen ihre Verdammnis in sich, denn sie haben die erste Treue gebrochen, die sie mit ihrem Gemahl verband. Sie gehen müßig und sind gewohnt, von Haus zu Haus umherzulaufen, geschwätzig und neugierig, und zu reden, was nicht notwendig ist. Und diese würden weniger übel tun zu heiraten, als auf diese Art zu leben: daher gehören sie nicht zu den Witwen, an die sich unsre Abhandlung richtet.

Einige andre beschließen, nicht mehr zu heiraten, und leben enthaltsam dem Sinne und dem Leibe nach, aber sie tun das nicht aus Liebe zu Gott, sondern mehr aus irgendeiner menschlichen Rücksicht, etwa der Liebe zu ihren Kindern oder der Liebe zu ihrem Besitz oder um es nicht schlechter zu treffen als bei ihrem ersten Mann oder weil es ihnen ihre natürliche Veranlagung so eingibt.

Und wenn sie auch nach der Meinung der Welt ehrenhaft leben und als würdige Matronen angesehen werden, so sind es nichtsdestoweniger auch diese nicht, zu denen wir sprechen wollen, denn sie gleichen unsrer Witwe Anna nicht, die kein andres Anliegen kannte, als Gott zu dienen, Tag und Nacht. Und sie alle sind dem Dienst der Welt ergeben und dem bürgerlichen, ehrenhaften Leben im Sinne der Welt, aber von Gott, da wissen sie wenig: selten beichten, beten und fasten sie, wenig geben sie sich mit den Dingen Gottes ab, und selten einmal kommen sie zu den Predigten. Diese bitte ich inniglich, bei der Barmherzigkeit Jesu Christi, sie möchten doch nicht die Gnade, die sie von Gott erhalten haben, zur Ehre der Welt verbrauchen, damit sie ihren Lohn im Himmel empfangen und nicht auf Erden, wie ja der Apostel zu Timotheus sagt: Die wahre, betrübte Witwe hofft auf Gott und verharrt in Bitten und Gebet Tag und Nacht.

Einige andre Witwen gibt es, die haben den festen Vorsatz gefaßt, die Keuschheit zu bewahren und Gott von ganzem Herzen zu dienen, und auch diese sind verschieden, denn einige können sich nicht von ihren Söhnen oder ihren Töchtern trennen oder auch von ihren Eltern und Angehörigen, weil sie noch so jung sind, daß sie nicht gut allein bleiben können; oder wegen irgendeines anderen Gebotes der Notwendigkeit oder der Liebe können sie sich nicht von der Familie trennen, sondern es ist unbedingt nötig, daß sie mit andern zusammenleben und gleichsam die Mutter von vielen sind. Und wenn diese gleich nicht ganz frei für den Dienst Gottes sind, so wird ihnen nichtsdestoweniger alle Mühe, die sie in der Familie haben – wenn sie sie in der Liebe Gottes tun, im Bewußtsein, von ihm dazu verpflichtet zu sein –, im ewigen Leben vergolten werden. Und sie dürfen sich keinesfalls von dieser ihrer Aufgabe trennen, denn der Apostel sagt auch zu Timotheus:

Wenn eine Witwe Kinder oder Enkel hat, soll sie als erstes lernen, ihr Haus gut zu führen und ihren Angehörigen den Dienst zu erweisen, den sie ihnen schuldet, denn wer sich nicht um die Sorge und die Leitung der Seinen kümmert und besonders derer, die zu seinem Haus gehören, ist ein Heide und schlimmer als ein Heide.

Einige andre, die Gott zu dienen begehren, könnten sich bequem von den Ihren trennen und wären viel freier für Gebete und Fasten, aber sie tun's nicht, entweder aus Zaghaftigkeit oder aus Mitleid (mit sich selbst) oder aus einem andern Grund, wiewohl manche schon alt sind und sich in irgendwelcher ehrbaren Begleitung an einen sichern, einsamen Ort zurückziehen und der Betrachtung hingeben könnten. Solchen rate ich, daß sie sich – wenn sie es, ohne der Nächstenliebe irgendwie Abbruch zu tun und ohne Anstoß zu geben, können – um ihrer größeren Seelenruhe und größeren Vervollkommnung willen loslösen sollen, besonders dann, wenn sie sehen, ihr Verbleiben mit andern sei eine große Behinderung für ihr geistiges Leben. Aber dafür braucht es guten Rat und die Beachtung vieler Umstände.

Einige andre also finden sich, die, von aller Belästigung und Verwirrung durch die Welt geschieden, Gott in Betrachtung Tag und Nacht dienen, und diese sind in einem Zustand, der ruhiger und sehr geschickt ist, höhere Vollkommenheit zu erwerben: in dieser Lage war unsre heilige Witwe Anna, denn die Schrift sagt, sie diente Gott mit Fasten und Gebet und ging nicht aus dem Tempel Tag und Nacht. Das hätte sie nicht tun können, wenn sie Sorge für eine Familie gehabt hätte. Und wenn alle jene Witwen, die Gott dienen wollen, nicht diese geschickten Umstände Annas haben können, so sollten sie sich dennoch anstrengen, ihr nachzufolgen, soweit es ihnen möglich ist.

So daß wir also nun den Schluß ziehen können, die wahre Witwe ist jene, die nicht allein die Keuschheit bewahrt und entschlossen ist, sie zu bewahren, sondern die auch ganz dem

Dienste Gottes hingegeben ist, wie es Anna war ... Die Witwe muß sich vollständig von der Unterhaltung und dem vertrauten Umgang mit fremden Männern fernhalten, die nicht mit ihr verwandt sind oder mit ihr in irgendeiner Angelegenheit zu tun haben, vor allem von jungen Leuten, denn aus derartigem Umgang entsteht immer ein gewisser Rost von Sünde und Gemeinheit; und wenn sie sich herausfordernd benehmen sollten, muß die Witwe mit einer solchen Würde und Abweisung im Reden sich geben und ihnen ein solches Gesicht zeigen, daß sie vollständig daran verzweifeln, bei ihr irgendwie Zugang zu finden; denn wenn solche Leute aus einem gewissen Lächeln oder freundlichen Blick oder süßen Redensarten erkennen, eine Frau sei leichten Sinnes bereit, sich ihrem Willen zu beugen, nähern sie sich ihr allmählich mit tausend Arten und Künsten, unter dem Schein des Guten, vom Teufel angewiesen, und oftmals erreichen sie ihre Absicht, wozu sie nie gekommen wären, wenn sich die Frau im Anfang derartigem vollständig abgeneigt gezeigt hätte.

Auch soll sich die Witwe, sosehr sie kann, von Unterhaltung und vertrautem Umgang mit all ihren Verwandten, und besonders mit denen von der Seite ihres Gatten, fernhalten, von den Schwägern, den Schwestern und etiam von den Brüdern, vor allem den jungen, auf solche Weise, daß sie mit keinem engen Umgang habe, denn die Begierlichkeit ist um so mehr gegen alle Vernunftsgründe aufgestachelt, je mehr ihr ihre Betätigung verwehrt ist, und darum gelangt sie – falls sie nicht ganz niedergeschlagen wird – noch zu den unerlaubtesten und viehischsten Handlungen. In solche Dinge sind durch derartige Vertrautheit viele geraten, und auch jetzt finden sie sich dabei in nicht geringer Zahl, die weder die Ehrfurcht vor der Sippe noch das Verbot durch das Gesetz berücksichtigen, sondern wie Esel und Maultier hemmungslos ihr eigenes Blut beflecken, etiam im allernächsten Grad.

Fliehen muß die Witwe auch den Umgang mit manchen
Männern, die behaupten, geistlich zu sein und indes weltlich
sind, denn oftmals schlägt der Geist ins Fleisch um ... Die
Unterhaltung und Vertraulichkeit mit diesen ist noch viel
gefährlicher als die mit den Obengenannten, denn je verbor-
gener und feiner und verhüllter durch den Geist – desto gefährlicher ist sie. Und darum soll man mit diesen auch über
göttliche Dinge nur wenige Worte sprechen ...

Auch sollt ihr unter keinen Umständen vertrauten Umgang
mit irgendeinem Ordensmann oder Weltpriester haben,
etiam wenn er mit euch verwandt wäre, doch mit Hochachtung allen Ehre erweisen. Und wenn ihr merkt, daß sie euch
oft besuchen kommen, so habt sie im Verdacht, denn gute
Ordensleute und Priester, die jede Stunde brauchen, mit Gott
zu sprechen und die heiligen Sakramente zu spenden, fliehen
die Frauen, soviel sie können, und bleiben für sich allein ...
Und besonders sind die zu fliehen, die ein behagliches Leben
führen und im Volk Gutgesellen heißen, denn von diesen
kann man nichts andres gewinnen als Schande und Ärgernis.
Einige auch, die einer strengen Lebensweise angehören, soweit es das Ordenskleid betrifft, muß man fliehen, besonders
wenn sie aufs Besuchen aus sind und Freude daran haben,
Bilder und Rosenkränze und dergleichen andre Sächelchen zu
schenken, denn diese häufigen Besuche und vielen Geschenke
lassen oftmals die geistige Liebe in die fleischliche sich verkehren.

Auch in bezug auf den Beichtvater müßt ihr vorsichtig sein,
weil viele schlechte Priester, die nicht die Seelen Christi, sondern ihren eignen Willen und ihre Lust suchen, große Freude
daran haben, Witwen die Beichte abzunehmen, besonders
solchen, von denen sie irgendwelchen Nutzen ziehen oder
irgendein Begehren sich erfüllen können, und unter dem Anschein der Frömmigkeit führen sie sie leicht zu einem schlechten Ende ... Suchet also einen Beichtvater von heiliger Lebensführung, gutem Ruf und alt oder gesetzten Alters: kurz,

er sei so, daß ihr an ihm keinerlei Zeichen von Unehrenhaf-
tigkeit bemerken könnte . . . Er soll nicht in euer Haus kommen, euch zu besuchen, nicht oft nach euch schicken, keine
Angst haben, ihr könntet von ihm weggehen, euch kein er-
freutes Gesicht zeigen, sondern er sei so, daß er immer nur
gezwungen kommt; ein solcher wird euch nicht einladen oder
sich einladen lassen, wie es manche in der heutigen Zeit machen, die allerorts suchend und wichtigtuend umhergehen
und ein seliges Leben und Heiligkeit und andre geistliche
Dinge versprechen . . .

Dann also, wenn ihr euren Beichtvater ausgesucht habt,
bleibt fest bei ihm und macht es nicht, wie viele mit unbestän-
digem und leichtbeweglichem Kopf tun, die von Kirche zu
Kirche laufen und alle Ordensleute, die einen Namen haben
und die sie in der Stadt finden, sprechen wollen, und so viele
Prediger zum Predigen herkommen – alle wollen sie besuchen
und sagen noch, sie tun es aus Andacht. Diese ihre ›Andacht‹
vertut die Reinheit des Gemütes; diese ihre ›Andacht‹ ist ein
großer Leichtsinn . . . Zu unsern (wahren) Witwen gehört:
allzeit beten und fasten, wie es das heilige Evangelium von
unserer heiligen Anna sagt: sie diente im Tempel mit Fasten
und Gebet Tag und Nacht . . . Mir nun schiene es richtig, unsere Witwen würden beim Fasten diese Form einhalten:

Erstens: was die Fasten der Kirche betrifft, soll, wer gesund ist und keine gesetzliche Entschuldigung hat, alle von
der Kirche befohlenen Fasten andächtig halten . . .

Zweitens ist zu merken, daß es ein weiteres Fasten gibt, das
jeder Mensch jeglichen Standes und in jeglichen Lebensbedingungen beobachten kann und soll, und das ist: mäßig
leben und Speise je nach Notwendigkeit nehmen, in der Menge, die die Natur (eines jeden) bedarf . . .

Drittens soll die Witwe sich auch alles überflüssigen Vergnügens der körperlichen Sinne enthalten, denn ihr Stand und
ihr Gewand bedeuten Abtötung und Trauer . . . Sie soll auch
die Ohren fasten lassen von allen verderblichen, unnützen

Worten, die man keinesfalls hören noch sagen soll, in Anbetracht dessen, daß das Gericht Gottes so genau sein wird und
wir vor Seinem Richterstuhl Rechenschaft ablegen werden
für jedes müßige und unnütze Wort ... Die heilige Witwe
soll auch den Geruchsinn fasten lassen und sich auf jede Weise
in acht nehmen, sich nicht an üppigen Gerüchen zu ergötzen,
wie es einige Öle und Salben, Pulver und Wasser sind, die
man nicht als Medizin, sondern zum sinnlichen Vergnügen
benützt, denn diese Dinge riechen nach einem ungepflegten
Gewissen und nach dem geringen Schamgefühl derer, die sie
gebrauchen. Und sie möge sich auch vor allen andern Duft-
stoffen hüten, die die Frauen in ihre Kleider, Leinwand und
Schleier zu legen pflegen, indem sie die Entschuldigung finden, daß sie es tun, um die Stoffe vor dem Verderb zu schützen, obgleich sie es um der Sinne willen tun; denn wir wissen
wohl, daß man mit Leichtigkeit die Stoffe auf andre Art vor
dem Verderb bewahren kann ... Es soll die Witwe auch den
Tastsinn fasten lassen, und sich nicht nur vor unerlaubten Be-
rührungen in acht nehmen, sondern etiam vor den erlaubten,
und zwar bei sich selbst und bei andern Personen, denn die
Lust des Berührens ist sehr heftig, jäh und zehrt die Vernunft
auf. Und daher sind viele Frauen und viele Männer allein dadurch gefallen, daß sie einander die Hand berührten; denn
obgleich es ein Kleines scheint, die Hand zu berühren, so
wirkt es doch oft wie das Siegel auf zartes, weiches Wachs,
das bei der Berührung seinen Abdruck darin zurückläßt. Und
so ist das Fleisch der Frau wie Wachs, in dem die Berührung
des Mannes einen solchen Eindruck hinterläßt, daß sie später
sich nur mit großer Mühe davon löst. Und darum hat der selige Jordan, der Nachfolger unseres Ordensvaters, des heiligen Dominikus, einem Bruder einen Vorwurf gemacht, weil
er die Hand einer braven Frau von gutem Lebenswandel berührt hatte. Dabei sagte der selige Jordan: »Sohn, die Erde ist
gut und das Wasser ist gut, und doch, wenn man beide
mischt, gibt es Schmutz.«

Die Witwe muß also mit diesem Sinn sehr vorsichtig sein, denn wenn sie solche Lust schon empfunden hat und ihr diese nun versagt ist, wird sich in ihr das Feuer viel eher entzünden als in einer andern, die sie nicht empfunden hat oder die nicht diese Versagung erfährt ...

Sebastian Brant
Das Narrenschiff

Sebastian Brant wurde 1458 geboren und starb 1521. Er war Doktor beider Rechte und Professor an der Juristen-Fakultät in Basel. Im Jahre 1494 erschien das Werk, das ihn (bis heute) unsterblich machte: Das Narrenschiff.

Es gehört zu jener didaktischen Dichtung, die eine Mischung aus Bildung, Morallehre und Satire war. Im 15. und im 16. Jahrhundert war diese Literaturgattung sehr verbreitet. Sie ist nicht gerade das, was wir unter Poesie verstehen: mehr eine Kreuzung aus Gelehrsamkeit, Witz und Standpauke. Das Narrenschiff gehört zu den wenigen Werken dieser Art, die zur Lebenszeit des Verfassers einen ungeheuren Erfolg hatten (6 Originalausgaben und sieben erweiterte und veränderte Nachdrucke). Außerdem wurde das Werk sofort ins Englische, Französische und Niederländische übertragen und hatte auch hier viele Auflagen. Und dann hielt sich der Ruhm dieses Narrenschiffs *über die Jahrhunderte.*

Die Kultur, die hier geschildert wird, ist die Blüte des frühen Bürgertums, das Emporkommen ihrer Städte, die Entwicklung des Handels- und Wucherkapitals. Werke wie dies Narrenschiff *hatten die Funktion von Pamphleten, die weit ins Volk kamen, vor allem auch dank der Holzschnitte, die sie illustrierten. Das Ende des* Narrenschiffs *betont noch einmal die Moral von der Geschichte:*

»Hier endet das Narrenschiff / so zu Nutz / heilsamer Lehr / Ermahnung und Erlangung von Weisheit / Vernunft und guter Sitten / auch wegen Verwerfung der Narrheit / Verblen-

dung / des Irrsals und der Torheit und zur Besserung aller
Menschen mit außerordentlichem Fleiß / mit Müh und vieler
Arbeit gesammelt ward von Sebastian Brant / in beiden Rechten Doktor / Gedruckt zu Basel / auf die Fastnacht / die man
der Narren Kirchweih nennt / im tausendvierhundertund-
vierundneunzigsten Jahre nach Christi Geburt.«

In der Vorrede, *die wir zunächst bringen, entwickelt er seinen
Plan, gewissermaßen eine Enzyklopädie der Narrheit zu geben und die verschiedenen Typen auf der literarischen Bühne
erscheinen zu lassen. Dann bringen wir einige dieser Charakteristiken unter den Überschriften:* Narren im Alter, Von
nutzlosem Studieren, Frauen hüten wollen. *Unser letztes und
längstes Stück heißt* Von Tisch-Unsitten. *Es gibt ein glänzendes und ausführliches Bild von den schlechten Manieren jener
Zeit beim Essen und Trinken. Der Hörer von heute wird vielleicht auch an manche Situation erinnert, die er selbst erlebt
hat. Allerdings darf man hinzufügen, ohne gerade unsere Zeit
loben zu wollen, daß es im Jahrhundert Brants noch viel elender zugegangen ist, als wir es leider gewohnt sind. Der Einwand, daß sein Werk eben eine Satire und daß es ja gerade
ein Merkmal der Satire sei, zu verzeichnen, um besser heraus-
zubringen, was man sagen will, ist nicht recht stichhaltig, da
wir viele Dokumente kennen, die in schlichter Beschreibung
dasselbe mitteilen. So mag man daran denken, daß sein Gemälde von den ›Tisch-Unsitten‹ recht realistisch ist.*

Eine Vorrede zum Narrenschiff

Allüberall findet man jetzt feil
die Schriften für der Seele Heil
in großer Zahl. Es wundert mich,
daß kein Mensch dadurch bessert sich!

Ja, Schrift und Lehr sind gar veracht't,
es lebt die Welt in finstrer Nacht
und will in Sünden blind beharren,
und alle Straßen sind voll Narren,
die sich nur so durchs Leben tören,
doch woll'n sich ›Narrn‹ nicht nennen hören.

Daran dacht ich zu jener Frist,
als ich die Narrenflotte rüst't.
Galeeren, Barken, Boote, Fusten
und schnelle Segler, die bewußten,
auch Schlitten, Karren, Rollewagen –
ein Schiff könnt die ja gar nicht tragen,
so viel gehn jetzt im Narrenschritt;
ein Teil kommt nicht einmal mehr mit.
Sie kommen angeschwirrt wie Immen,
ja, viele noch zum Schiffe schwimmen;
ein jeder will der erste sein.

Viel Narrn und Toren komm'n hinein,
ihr Abbild wird hier vorgestellt;
der, dem der Text nicht recht gefällt,
vielleicht auch der, der nicht kann lesen,
erkennt im Bilde gut sein Wesen,
sieht, wem er gleicht und wer er ist,
wo mit dem Rechten er in Zwist.

Den Narrenspiegel ich dies nenn,
ein jeder Narr sich drin erkenn;
mit seinem Ich macht er vertraut
den, der in diesen Spiegel schaut.
Wer recht sich spiegelt, der lernt wohl:
für weis er sich nicht halten soll,
was er nicht kann, anmaßen nicht:
's gibt keinen, dem's an nichts gebricht,

noch, der mit Recht könnt tragen vor,
daß er sei weise und kein Tor.
Nur wer sich für ein'n Narrn eracht't,
der ist zum Weisen bald gemacht;
doch wer für klug sich immer hält,
zu meinen Narrenkumpeln zählt,
er handelt als Gevattersmann,
wenn er sich dieses Buch schafft an.
Der Narren viel sind aufgereiht,
es findet jeder, was ihn freut:
welch Zier und Freude Weisheit sei
und wie gefährlich Narretei.
Man sieht den ganzen Weltenlauf –
ja, dieses Büchlein lohnt den Kauf!
Zu Scherz und Ernst und was sonst sei,
habt ihr hier Narren allerlei,
der Weise findet, was ihn freut,
der Narr gern über'n Bruder schreit.
Ich schneidre Kappen manchem Mann,
der – mein ich – diese nicht nimmt an;
hätt seinen Namen ich genannt,
spräch er, ich hätte ihn verkannt.
Doch hoff ich, daß den Klugen allen
die Verse werden wohl gefallen,
daß, urteil'n sie aus ihrem Wissen,
ich mich der Wahrheit hab beflissen.
Ich weiß, ich werd's von ihnen hören;
des Narrn Red soll ein'n Dreck mich scheren.
Die Wahrheit müssen anhörn alle,
ganz gleich, ob's ihnen wohl gefalle.
Denn so Terenz schon sagte: daß,
wer Wahrheit kündet, erntet Haß;
und wer sich lange schneuzen tut,
der reißt aus seiner Nase Blut;
und wer die Cholera erregt,

dem ist die Galle schwer bewegt.
Ein ehren-, tugendhaftes Leben –
das soll vor allem man erstreben,
soll mit Verstand und wachem Sinne
des Rechten selber werden inne;
denn nicht ohn Fehl ist mein Gedicht,
in dem ich hab ohn Mühe nicht
so viele Narrn zusamm'ngebracht:
ich habe oft die Nacht durchwacht;
die schliefen längst, an die ich dacht,
wo nicht etwa bei Spiel und Wein
sie saßen; doch nicht dachten mein.
Und nachzusinnen diesem allen –
wie mir solch Art, Wort, Tat gefallen –
drängt sich fast auf; doch glaub man mir,
daß Nächte ich durchwachte schier.

In diesen Spiegel sollen schauen
wie Männer ebenso die Frauen,
wie jene ich auch diese meine:
die Männer sind nicht närrisch alleine,
der Närrinnen sind auch sehr viel;
und dieser Frauen Schleier will
mit Narrenkappen ich bedecken:
auch Metzen gehn in Narrenröcken.
Sie gieren auch nach Odefaxen,
woraus schon Männern Schand erwachsen.
Kleid dekoll'tiert und spitz die Schuh –
sie decken kaum den Milchmarkt zu.
Ehrbare Frau'n soll'n mir verzeihen,
denn ihnen will ich dies nicht weihen,
will ihnen Schlechtes nach nicht sagen,
doch sehr viel können die vertragen
von der Art, der'n im Buch man findt
ein Teil, die mit im Narrnschiff sind.

Drum aufmerksam sich jeder such;
findt er sich nicht in diesem Buch,
so kann er sagen, daß er sei
von Kappe und von Kolbe frei.
Wer meint, ihn ließ ich ja in Ruh,
steig aus und tret den Weisen zu,
gedulde sich, sei guter Dinge,
bis ich ein Kapp von Frankfurt bringe.

Narren im Alter

Ein Narr bin ich auch noch als Greis,
ich bin sehr alt, doch gar nicht weis,
ein töricht Kind von hundert Jahren,
zeig dem die Schell, der unerfahren.
Ich geb den Kindern Regiment
und mache mir ein Testament,
das ist fürs Jenseits üble Saat.
Schlecht sind mein Beispiel und mein Rat,
ich treib's, wie man mich's jung gelehrt,
und will dafür noch sein geehrt,
wag mich zu rühmen meiner Schanden,
wie ich betrog in allen Landen
und machte viele Wasser trüb.
In Tollheit ich mich ständig üb;
und was ich selber nicht mehr schaff,
befehl ich meinem Sohn, Heinz Aff.
Der leistet, was bei mir nicht ward,
der schlägt mir nach in närrscher Art.
Es steht ihm solche trefflich an,
und wird er groß – das wird ein Mann!
Man nenn ihn seines Vaters Sohn,
so hat den rechten Tor man schon,
der wird mit keiner Tollheit sparen

und mit im Narrenschiffe fahren.
Das soll im Jenseits mich ergötzen,
daß er mich gänzlich wird ersetzen.
So ist's ums Alter heut bestellt,
Weisheit sich Greisheit nicht gesellt.
Susannens Richter zeigten an,
was man dem Alter zutraun kann.
Ein alter Narr sein Seel nicht schont –
Rechttun fällt schwer, wem's ungewohnt.

Von nutzlosem Studieren

Studenten laß' ich auch nicht aus,
die Kappen tragen schon von Haus;
wenn sie nur diese überstreifen,
der Zipfel wird umher dann schweifen.

Wenn eifrig sollten sie studieren,
da gehn sie lieber bübelieren.
Die Jugend Wissenschaft verachtet
und nur von sich aus danach trachtet,
zu lernen, was nichts nütz, verloren.
Auch ist's der Fehl der Professoren,
die Wissenschaft nicht hochzuschätzen,
zu sinnen nur auf nutzlos Schwätzen.
Sind sie nicht Narrn und völlig töricht,
die Tag und Nacht mit diesem Kehricht
wie sich so andren Qual bereiten
und nicht zu beßrer Lehre schreiten?

Auf die Art geht die Jugend hin,
zu Leipzig, Erfurt oder Wien,
und wie in Mainz so auch in Basel
wird heut studiert das gleich Gefasel,

das auch in Heidelberg man lehrt.
Mit Schanden man nach Hause kehrt,
das Geld ist mittweil aufgezehrt.
Wenn man sich dann als Drucker nährt,
ist man noch froh; man frönt dem Wein
und treibet Lotterbüberein.
So ist das Geld gut angelegt –
Student gern Kapp mit Schellen trägt.

Frauen hüten wollen

Kaum gute Tag, doch närrsche viel
hat, wer sein Weib bewachen will.
Ein redlich Weib von selbst nicht fehlt,
und die Verworfne niemand hält,
sie ebnet sich allein die Stege,
bringt ihre Anschläg doch zuwege.
Und legte man ein Schloß davor,
versperrt' mit Riegeln Tür und Tor
und setzt' ins Haus der Hüter viel –
es dennoch ging, wie's nun mal will.

Die Danaë, im Turm gefangen,
hat nichtsdestotrotz ein Kind empfangen;
und um Penelope, die frei,
war dauernd große Buhlerei;
doch blieb auch zwanzig Jahre aus
ihr Mann, sie hielt sich brav zu Haus.

Wer stets betont, daß er noch sei
von dem Betrug seins Weibes frei,
der sei zu ihm so hold und lieb,
daß's ihn auch fürder nicht betrüb.
Ein hübsches Weib, doch närrsch geboren,

gleicht einer Stute ohne Ohren,
und wer mit dieser ackern will,
der zieht der krummen Furchen viel.

Dies sei der braven Frau Betragen:
Die Augen soll sie niederschlagen,
sie tausche nicht mit jedem Mann
ein Schmeichelwort und blink ihn an,
sei gegen manches Wort gefeit,
denn Kuppler gehn in Schafes Kleid.

Ließ Helena auf seine Gaben
den Paris niemals Antwort haben –
wie Dido durch ihr Schwester Ann' –,
dann blieben beid ohn fremden Mann.

Von Tisch-Unsitten

Wenn denn all Narrheit ich durchsuch,
setz ich mit Recht in dieses Buch
ans End noch welche, die man acht't
für Narrn, dern ich noch nicht gedacht.
Denn huldgen üblem Brauch sie zwar,
verschandeln höfsche Sitte gar,
sind ungezogen, grob am End,
so sind sie doch nicht ganz verblendt,
daß sie die Ehrbarkeit verletzen
wie die, die ich ins Schiff mußt setzen.

Sie sind auch nicht gar gottvergessen;
denn sie sind nur beim Trinken, Essen
sehr ungeschliffen, unerfahren,
daß man sie nennt ›unhöfsche Narren‹;
zum Beispiel die, die nicht einmal

die Händ sich waschen vor dem Mahl,
und solche, die zu Tisch sich setzen,
eh andere auf ihren Plätzen,
daß man zu ihnen sagen muß: »Na, na,
auf, auf, mein Freund, erheb dich da!
Laß sitzen den an deiner Statt!«

Ein Narr ist der auch, der nicht hat
gebetet über Brot und Wein
den Segen, eh er's Mahl nimmt ein,
auch der zuerst greift in die Schüssel
und stößt sich's Essen in den Rüssel
vor höhern Leuten, Dam'n und Herren,
die aufmerksam er sollte ehren,
indem er sie zuerst ließ dran
und setzt' sich selber hintenan.
Ein Narr, wer tut, als ob's ihm sei
so not zu essen, daß in'n Brei
er bläst mit Plusterwang'n dermaßen,
als wollt 'ne Scheu'r in Brand er blasen.

Mancher bekleckert Tischtuch, Kleid;
in der gemeinen Schüssel beut
er wieder an, was ihm entfallen,
was Ekel schafft den Gästen allen.
Und wieder andre sind so faul,
daß, wenn den Löffel sie zum Maul
hinführen, häng'n den offnen Rüssel
wohl über Teller, Speis und Schüssel,
was dabei fällt zur Erde nieder,
das wandert in die Schüssel wieder.
Es sind auch viele naseweis,
riechen vorm Essen an der Speis
und machen damit andern Leuten
nur Ekel und sich Schand zuzeiten.

Manch einer kaut und spuckt dann aus,
was er schon hatt' im Mund, o Graus!
auf Tischtuch, Teller und zur Erden,
es kann dir übel davon werden.
Wer von der Speis gegessen hat
und legt die wieder auf die Platt,
und wer sich lehnet übern Tisch
und lugt, wo's gibt gut Fleisch und Fisch,
und, liegt das schon vor andren Leuten,
es denen wegnimmt gar zuzeiten
und rafft es her für sich allein,
daß des kein andrer werd gemein –
solch Kerl man einen Vielfraß nennt,
wer nur sich selbst bei Tische kennt;
wer richtet sein Bemühn und Fleiß
darauf, daß er eß alle Speis
und er allein sich füll das Faß
und keinem andren gönnt etwas:
denselben nenn ich Räum-den-Hagen,
Leersfaß, Schmerbauch und Füll-den-Magen.

Und wer sich füllt die Backen so,
als steckten beide voller Stroh,
und tut beim Essen um sich gaffen
in alle Winkel wie die Affen –
der schaut auf jeden mit Begehr,
ob der vielleicht mehr eß als er,
und hat der einen Biß im Mund,
sind vier ihm oder fünf im Schlund;
auf daß ihm nichts entgehen soll,
häuft er sich seinen Teller voll,
und um auch dann nichts zu versäumen,
tut hastig er die Teller räumen.
Eh er die Speis herunterschluckt,
wird in den Becher schnell gelugt,

versuppt wird's Essen mit dem Wein –
damit schwenkt er die Backen sein,
daß furchtbar sein Gesicht aufschwillt,
das Zeug ihm fast zur Nas rausquillt,
der Nachbar sorgt, daß jener nicht
prust's ihm in Becher und Gesicht.

Es wäscht sich keiner ab den Mund,
das Fett im Becher gibt es kund.
Beim Trinken schmatzen – üble Sitt!
Man stört ja andre Leut damit.
Wenn man so schlürfet durch die Zähn,
gibt es ein ekelhaft Getön.
War Trinken einst ein Ritus fast,
packt jetzt die Säufer solche Hast,
auf daß sie trinken schon zuvor;
sie heben's Trinkgeschirr empor
und bringen aus ein'n freundlich Trunk,
damit der Becher mach »klunk, klunk!«
Sie wollen damit andre ehren,
wenn sie sofort den Becher leeren. –
Mich braucht kein Mensch zum Trunke bitten,
auch nicht für mich den Becher schütten.
Ich trink mir selbst, kein'm andern zu.
Wer sich gern füllt, ist eine Kuh.

Ein Narr ist auch, wer schwätzt allein
bei Tisch und läßt nicht allgemein
Gespräche sein; 's möcht jedermann
nur zuhörn, wie er schwätzen kann.
Kein'n andern läßt zu Wort er kommen,
und seine Red ist kein'm zum Frommen;
denn hinterm Rücken allewegen
spricht er von dem, der nicht zugegen.
Auch auf dem Kopfe man nicht kratz

und mach da eine wilde Hatz
auf sechsbebeintes Wild im Haar
und drückt's dann auf dem Teller klar
und tunkt dann diese Finger ein
in Schüsseln zur »Brüh Nägelein«,
darauf sich dann die Nase wisch
und schmier die Finger an den Tisch!

Auch die sind derart »wohlerzogen«,
die auf ihr'n Arm und Ellenbogen
sich lehnen und den Tisch bewegen,
wenn alle vier darauf sie legen
so wie die Braut von Geispitzhein,
die auf den Teller legt' ihr' Bein'
und runterfiel; nach diesem Sturz
entfuhr ihr auf dem Tisch ein Furz,
ein Rülpsen hätt ihr könn'n entwischen,
wär man gefahren nicht dazwischen
mit Wasser; dann in ihrem Mund
kein Zahn steckt' mehr in seinem Grund.

Noch andre haben solch Manieren,
den Schmutz der Händ aufs Brot zu schmieren.
Am Vorlegen ist auch was dran:
das Allerbeste faß' ich an,
was mein Gefallen nicht erregt,
wird andern höflich vorgelegt,
dadurch wird mir ein Weg gemacht,
auf daß ich nach dem Besten tracht;
ein andrer kriegt, was ich nicht will,
das Best hol ich mir in der Still.
Dann ist der Firlefanz zu sehn,
wie hin und her die Platt sie drehn,
damit das Best mög vor sie kommen.
Wie oft hab ich das wahrgenommen,

daß einer solche Kniffe wagte,
dem sich der Lohn dann nicht versagte:
er konnte füllen sich den Bauch.
Dergleichen ist bei Tisch heut Brauch;
wenn alles ich erzählen sollt –
ein ganzes Buch ich schreiben wollt:
wie manche in den Becher pfeifen,
mit Fingern in das Salzfaß greifen,
was viele nicht für schicklich nehmen;
doch dessen würd ich mich nicht schämen,
denn mit der saubren Hand ist besser
das Salz zu nehm'n als mit dem Messer,
das man erst aus der Scheide zieht,
und keiner weiß, ob nicht damit
vielleicht geschlachtet wurde schon
ein Katzenvieh; hör auf davon!

Für schicklich wird auch nicht gehalten,
ans Ei zu klopfen, es zu spalten,
und Kinkerlitzchen der Art viel,
wovon ich hier nicht schreiben will,
denn das solln höfsche Sitten sein,
und ich beschreib den Rülps allein
und nicht gezierte, höfsche Sachen,
das würd ein dickes Buch ausmachen.

Was ich bin, ich acht auch nicht drauf,
taucht in dem Becher etwas auf,
ob man das mit dem Mund erwischt,
ob man es mit dem Messer fischt,
ob eine Schnitte Brot man nimmt
(was sich wohl noch am ehsten ziemt) –
ich halte es für recht und gut,
daß jeder nach Belieben tut:
doch wo man pfleget solcher Sitten

den Becher gänzlich auszuschütten
und einen neuen sich dann nimmt –
was sich bei hoher Herrschaft ziemt –,
da soll man das als gut betrachten.
Der Arme brauch des nicht zu achten.
Ein armer Mann sei fromm begnügt
bei dem, was Gott ihm hat gefügt,
der braucht nicht jede Hofzucht pflegen.
Es spreche jeder nur den Segen,
wie immer er sein Brot auch aß,
sprech er sein »Deo gratias«.
Wer das nicht zufügt dem Gericht,
der ist für mich ein dummer Wicht,
zu dem mit Recht man sagen mag,
daß er die Narrenkappe trag.

Pico della Mirandola
Über die Würde des Menschen

*D*as Leben des Giovanni Pico della Mirandola, verfaßt von
Thomas Morus, beginnt: »Giovanni Pico entstammte von vä-
terlicher Seite dem vornehmen Hause des Kaisers Konstantin
durch einen Neffen dieses Kaisers, der Picus hieß, von dem
alle Vorfahren dieses Giovanni Pico unzweifelhaft diesen
Namen haben. Im Jahre unseres Herrn 1463, als Pius II.
Statthalter Christi in seiner Kirche war und Friedrich, der
dritte dieses Namens, das Reich regierte, wurde dieser vornehme Mann als das letzte Kind seiner Mutter Julia, einer
Frau aus vornehmer Familie, seinem Vater Giovanni Fran-
cesco geboren, einem Mann von großer Ehre und Würde.

Von Gestalt und Aussehen aber war er auffallend schön,
hochgewachsen und stattlich, seine Haut war zart und sanft,
sein Gesicht lieblich und schön, seine Farbe weiß mit hüb-
schem Rot untermischt, seine Augen grau und schnellblik-
kend, seine Zähne weiß und ebenmäßig, sein Haar blond,
aber nicht gekünstelt. Unter der Leitung seiner Mutter wurde
er Lehrern zum Unterricht anvertraut, wo er mit so brennen-
dem Eifer den humanistischen Studien oblag, daß er in kurzer
Frist zu den vorzüglichsten Rednern und Dichtern jener Zeit
gezählt wurde. Im Lernen aber war er so wunderbar schnell
und von solcher Auffassungsgabe, daß er die Verse, die er
einmal gehört hatte, zum großen Erstaunen seiner Zuhörer
vorwärts und rückwärts wiederholen konnte, und darüber
hinaus behielt er sie noch in sicherer Erinnerung.

In seinem vierzehnten Lebensjahr reiste er auf Befehl seiner

*Mutter, die sehnlichst wünschte, er möchte Priester werden,
nach Bologna ab, um dort das kanonische Recht zu studieren.
Aber nachdem er dies zwei Jahre versucht hatte, kam er zu
der Überzeugung, daß ihm diese Fakultät nichts zu bieten
habe als bloße Traditionen und Gesetze, und er verlor die
Lust daran. Freilich hat er seine Zeit dabei nicht verloren,
denn in den zwei Jahren, obwohl er noch ein Kind war, stellte
er einen Auszug oder eine Summe aus allen Dekretalien zusammen, auch für einen gelehrten und vollkommen ausgebildeten Doktor keine leichte Arbeit.*

*Danach aber suchte er begierig nach den Geheimnissen der
Natur, er verließ diese ausgetretenen Pfade und ergab sich
vollständig der Philosophie und der Spekulation, und zwar
sowohl der menschlichen wie auch der göttlichen. Um nun
dieses Ziel nach der Art eines Plato und eines Apollonius zu erreichen, suchte er eifrig nach allen berühmten Lehrern seiner
Zeit und besuchte fleißig alle Universitäten und Schulen nicht
nur in Italien, sondern auch in Frankreich. Und so unermüdliche Mühe gab er sich mit diesen Studien, daß er, obwohl
noch ein bartloses Kind, bald für einen vollkommenen Philosophen und einen vollkommenen Theologen gehalten wurde
und es auch war.*

*Sieben Jahre hatte er mit diesen Studien zugebracht, als er
voller Stolz und begierig nach menschlichem Ruhm und Lob
(denn er war noch nicht von der Liebe Gottes ergriffen) nach
Rom kam und dort neunhundert Thesen aus verschiedenen
Gebieten zur Disputation vorschlug, und zwar sowohl aus der
Logik, der Philosophie und der Theologie, die er mit großem
Eifer aus den lateinischen und griechischen Schriftstellern her-
ausgesucht hatte und die zum Teil auch aus den geheimen My-
sterien der Hebräer, Chaldäer und Araber stammten, ferner
viele Thesen, die er herausgezogen hatte aus der alten dunklen Philosophie des Pythagoras, Trismegistus und Orpheus
und viele andere seltsame Dinge, die allen Leuten, ausgenommen einigen wenigen Spezialgelehrten, bis zu diesem*

*Tage völlig unbekannt waren und von denen sie nie gehört
hatten. Alle diese Thesen schlug er auf offenen Plätzen an,
damit es allen Leuten besser bekannt würde, und gab auch
bekannt, er würde die Kosten tragen, wenn einer aus fernen
Ländern kommen wollte, um zu disputieren. Aber durch den
Neid seiner böswilligen Feinde konnte er es nicht erreichen,
daß jemals ein Tag für diese Disputation angesetzt wurde. Aus
diesem Grunde blieb er ein ganzes Jahr in Rom. In dieser ganzen Zeit wagten seine Feinde nicht, ihn in einer offenen Disputation anzugreifen, sondern mit List und Tücke suchten sie
seine Stellung zu untergraben aus keinem anderen Grunde als
dem ihrer Bosheit und weil sie voll höllischen Neides waren.«*
*Der italienische Humanist Pico della Mirandola, geboren
1463, gestorben 1494, war der einzige, der laut und vernehm-
lich das Hervorheben des klassischen Altertums gegenüber einer allgemeinen Wahrheit bekämpfte. Seine Rede* Über die
Würde des Menschen *(1486), von der wir ein Stück bringen,
ist eins der größten Dokumente der Renaissance und einer der
ersten Beiträge zur jüngsten philosophischen Anthropologie.*

Verehrte Väter! In arabischen Schriften habe ich folgendes gelesen. Man fragte einmal den Sarazenen Abdalas, was ihm auf
dieser Welt, die doch gleichsam eine Schaubühne wäre, denn
am bewunderungswürdigsten vorgekommen wäre. Darauf
antwortete jener, nichts scheine ihm bewunderungswürdiger
zu sein als der Mensch. Dieser Meinung kann man auch noch
den Ausspruch des Merkurius hinzufügen: »Ein großes
Wunder, o Asklepius, ist der Mensch.« Als ich diese Aussprüche einmal recht überlegte, erschienen mir die traditio-
nell überlieferten Meinungen über die menschliche Natur
demgegenüber etwas unzulänglich. So zum Beispiel die Meinung, der Mensch sei ein Bote und Vermittler zwischen den
Geschöpfen; er sei ein Freund der Götter; er sei der König der
niederen Sinne durch die klare Erforschung seiner Vernunft

und durch das Licht seines Verstandes; er sei der Dolmetscher der Natur, er sei ein Ruhepunkt zwischen der bleibenden Ewigkeit und der fließenden Zeit, oder er sei nach Aussagen der Perser das Band, das die Welt zusammenhält, er sei sogar das Hochzeitslied der Welt, er stehe schließlich nach dem Zeugnisse Davids nur wenig unter den Engeln. Das sind wahrlich alles hohe Eigenschaften, aber darin liegt nicht die Hauptsache, nämlich warum gerade der Mensch den Vorzug der höchsten Bewunderung für sich in Anspruch nehmen solle. Warum bewundern wir denn nicht mehr die Engel und die seligen Chöre des Himmels? Ich habe mich denn schließlich um die Einsicht bemüht, warum das glücklichste und aller Bewunderung würdigste Lebewesen der Mensch sei und unter welchen Bedingungen es möglich sein konnte, daß er aus der Reihe des Universums hervorschritt, beneidenswert nicht nur für die Tiere, sondern auch für die Sterne, ja sogar für die überweltlichen Intelligenzen. Geht das doch fast über den Glauben hinaus, so wunderbar ist es. Oder warum nicht? Denn auch deswegen wird der Mensch mit vollem Recht für ein großes Wunder und für ein bewunderungswürdiges Geschöpf geheißen und gehalten.

Wie sich das nun aber verhält, verehrte Väter, das höret an und bringt mit geneigten Ohren und milder Gesinnung meiner Arbeit euer Wohlwollen entgegen.

Bereits hatte Gottvater, der höchste Baumeister, dieses irdische Haus der Gottheit, das wir jetzt sehen, diesen Tempel des Erhabensten, nach den Gesetzen einer verborgenen Weisheit errichtet. Das überirdische Gefilde hatte er mit Geistern geschmückt, die ätherischen Sphären hatte er mit ewigen Seelen belebt, die materiellen und fruchtbaren Teile der unteren Welt hatte er mit einer bunten Schar von Tieren angefüllt. Aber als er dieses Werk vollendet hatte, da wünschte der Baumeister, es möge jemand da sein, der die Vernunft eines so hohen Werkes nachdenklich erwäge, seine Schönheit liebe, seine Größe bewundere. Deswegen dachte er, nachdem bereits alle Dinge fertiggestellt waren, wie es Moses und der Timaeus bezeugen, zuletzt an die Schöpfung des Menschen. Nun befand sich aber unter den Archetypen in Wahrheit kein einziger, nach dem er einen neuen Sprößling hätte bilden sollen. Auch unter seinen Schätzen war nichts mehr da, was er seinem neuen Sohne hätte als Erbe schenken sollen und unter den vielen Ruheplätzen des Weltkreises war kein einziger mehr vorhanden, auf dem jener Betrachter des Universums hätte Platz nehmen können. Alles war bereits voll, alles unter die höchsten mittleren und untersten Ordnungen der Wesen verteilt. Aber es wäre der väterlichen Allmacht nicht angemessen gewesen, bei der letzten Zeugung zu versagen, als hätte sie sich bereits verausgabt. Es hätte der Weisheit nicht geziemt, wenn sie aus Mangel an Rat in einer notwendigen Sache geschwankt hätte. Es wäre der milden Liebe nicht würdig gewesen, daß derjenige, der bei anderen Geschöpfen die göttliche Freigebigkeit loben sollte, bei sich selbst gezwungen wäre, diese zu verdammen.

Daher beschloß denn der höchste Künstler, daß derjenige, dem etwas Eigenes nicht mehr gegeben werden konnte, das als Gemeinbesitz haben sollte, was den Einzelwesen ein Eigenbesitz gewesen war. Daher ließ sich Gott den Menschen gefallen als ein Geschöpf, das kein deutlich unterscheidbares Bild besitzt, stellte ihn in die Mitte der Welt und sprach zu ihm:

»Wir haben dir keinen bestimmten Wohnsitz noch ein eigenes Gesicht, noch irgendeine besondere Gabe verliehen, o Adam, damit du den beliebigen Wohnsitz, jedes beliebige Gesicht und alle Gaben, die du dir sicher wünschst, auch nach deinem Willen und nach deiner eigenen Meinung haben und besitzen mögest. Den übrigen Wesen ist ihre Natur durch die von uns vorgeschriebenen Gesetze bestimmt und wird dadurch in Schranken gehalten. Du bist durch keinerlei unüberwindliche Schranken gehemmt, sondern du sollst nach deinem eigenen freien Willen, in dessen Hand ich dein Geschick gelegt habe, sogar jene Natur dir selbst vorherbestimmen. Ich habe dich in die Mitte der Welt gesetzt, damit du von dort bequem um dich schaust, was es alles in dieser Welt gibt.

Wir haben dich weder als einen Himmlischen noch als einen Irdischen, weder als einen Sterblichen noch einen Unsterblichen geschaffen, damit du als dein eigener, vollkommen frei und ehrenhalber schaltender Bildhauer und Dichter dir selbst die Form bestimmst, in der du zu leben wünschst. Es steht dir frei, in die Unterwelt des Viehes zu entarten. Es steht dir ebenso frei, in die höhere Welt des Göttlichen dich durch den Entschluß deines eigenen Geistes zu erheben.«

Müssen wir darin nicht zugleich die höchste Freigebigkeit Gottvaters und das höchste Glück des Menschen bewundern? Des Menschen, dem es gegeben ist, das zu haben, was er wünscht, und das zu sein, was er will. Denn die Tiere, sobald sie geboren werden, tragen vom Mutterleibe an das mit sich, was sie später besitzen werden, wie Lucilius sagt. Die höchsten Geister aber sind von Anfang an oder bald darauf das gewesen, was sie in alle Ewigkeiten sein werden. In den Menschen aber hat der Vater gleich bei seiner Geburt die Samen aller Möglichkeiten und die Lebenskeime jeder Art hineingelegt. Welche er selbst davon pflegen wird, diejenigen werden heranwachsen und werden in ihm ihre Früchte bringen. Wenn er nur die des Wachsens pflegt, wird er nicht mehr denn eine Pflanze sein. Pflegt er nur die sinnlichen Keime, wird er gleich dem Tiere stumpf werden. Bei der Pflege der rationalen wird er als ein himmlisches Wesen hervorgehen. Bei der Pflege der intellektualen wird er ein Engel und Gottes Sohn sein. Und wenn er, mit dem Lose keines Geschöpfes zufrieden, sich in den Mittelpunkt seiner Ganzheit zurückziehen wird, dann wird er zu einem Geist mit Gott gebildet werden, in der einsamen Dunkelheit des Vaters, der über alles erhaben ist, wird er auch vor allen den Vorrang haben. Oder wer möchte überhaupt irgend etwas anderes mehr bewundern?

Nicht ohne Grund hat daher der Athener Asklepius gesagt,

der Mensch werde auf Grund seiner ständig die Haut wechselnden und sich selbst umwandelnden Natur mit dem Geheimnis des Proteus bezeichnet. Daher stammen auch jene berühmten Metamorphosen bei den Hebräern und Pythagoräern. Denn auch die geheime Theologie der Hebräer verwandelt einmal den heiligen Enoch in einen Engel der Gottheit, den sie Melech Cheschakanach nennt, ein anderes Mal wieder andere in andere Namen. Die Pythagoräer aber lassen verbrecherische Menschen die Gestalt von Tieren annehmen. Und wenn man dem Empedokles glauben will, sogar die von Pflanzen. Auch Mohammed ist ihnen hierin gefolgt, der häufig jenen Ausspruch tat: »Wer sich vom göttlichen Gesetz getrennt hat, der wird als ein Tier hervorgehen und das mit Recht.« Denn nicht die Rinde bildet die Pflanze, sondern die dumme und nichtsfühlende Natur, und nicht das dicke Fell macht das Tier aus, sondern die unvernünftige und sinnliche Seele, und nicht der scheibenförmige Körper bildet den Himmel, sondern die richtige Vernunft, und nicht die Trennung von einem Körper ist das Wesen des Engels, sondern die geistliche Weisheit. Wenn du daher einen Menschen siehst, der ganz dem Bauche ergeben ist und gleichsam auf der Erde kriecht, so wisse, es ist ein Strauch, nicht ein Mensch, was du da siehst. Wenn du einen andern siehst, in die Phantasie verstrickt, durch eitle Gaukelbilder erblindet, durch Sinneseindrücke bezaubert und durch ihre Verlockungen gleichsam gefesselt, es ist ein Tier, kein Mensch, was du da siehst. Wenn du aber einen erblickst, der nach der richtigen Art der Philosophen alles betrachtet, diesen sollst du verehren, denn er ist ein himmlisches und kein irdisches Wesen. Wenn du aber einen reinen Betrachter triffst, der nichts mehr von seinem Körper weiß, der sich ganz in das Innere des Geistes entfernt hat, dieser ist fürwahr kein irdisches noch ein himmlisches Wesen, dieser ist etwas noch Erhabeneres, nämlich ein Gott, mit menschlichem Fleische umkleidet. Gibt es da noch irgendeinen, der den Menschen nicht bewundern möchte?

Erasmus von Rotterdam
Das Lob der Torheit

*E*rasmus war 43 Jahre alt, als er in bester Stimmung von Italien nordwärts zog, auf der Reise nach England – in Vorfreude des Wiedersehens mit seinen vielen dortigen Freunden.

Er war von seiner niederländischen Heimat aus oft in die Welt gefahren: nach Frankreich und England, nach Venedig, Bologna und Rom, und nun war er dabei, seine reichen Erfahrungen in einem Buch niederzuschreiben, das sein größter Erfolg werden sollte. Es erhielt den griechischen Titel Moriae encomium, *dann den lateinischen* Laus stultitiae *und wurde auf deutsch* Lob der Torheit *genannt.*

In seinem Widmungsschreiben an Thomas Morus behauptete Erasmus, die Assoziation zwischen Morus und Moria (dem griechischen Wort für Torheit) habe ihm die Idee zu seiner Schrift gegeben. Das ist wohl nur eine harmlos liebenswürdige Bemerkung. Aber nicht ohne Grund hat Erasmus das Vorwort, das wir zuvor bringen, seinem zehn Jahre jüngeren Freunde Thomas Morus gewidmet. Seit 1499 kannte er ihn. 1506 hatten sie gemeinsam die Dialoge des Lukian ins Lateinische übersetzt. Erasmus sah zu dem jüngeren Freund in Verehrung auf und mußte im letzten Jahre seines Daseins noch erleben, daß Heinrich VIII. Morus aufs Schafott brachte.

Aber in dem Jahr, in welchem Erasmus sein amüsantes, ernstes, vielschichtiges Büchlein über die Torheit verfaßte, war er unbeschwert (trotz Nierenbeschwerden) und gab seinem Werk viel von seiner guten Laune. Vielschichtig aber nennen wir dies heitere Pasquill, weil die Torheit in ihrem *großen Monolog nicht immer dieselbe ist: einmal spricht sie als scharfer Satiriker, der (in einer Narrenkappe) viele Untugenden durchhechelt: Leichtsinn, Liederlichkeit, Dreistigkeit, Größenwahn, Beschränktheit. Dann aber ist man wiederum nicht ganz sicher, ob man sie in ihrem Tadel beim Wort nehmen darf; denn es ist doch die Torheit, die tadelt.*

Der Leser wird um so unsicherer, als das Lob der Torheit bisweilen wirklich ernst gemeint zu sein scheint: Torheit ist für Erasmus auch Unbefangenheit, Vertrauen, Harmlosigkeit, Gutmütigkeit. Es ist nicht der geringste Reiz dieses Buches, daß die Dame Torheit gewissermaßen in drei Rollen agiert, ohne daß sie immer genau voneinander zu scheiden sind.

Das Original, zuerst in Paris gedruckt, wahrscheinlich 1511, führte den griechischen Titel. Die erste deutsche Übersetzung (von Sebastian Franck) aus dem Jahre 1534 (Ulm) nennt die Schrift Lob der Torheit. *Erst 1719 tauchte der Titel* Lob der Narrheit *auf. Die Ausgabe, die bei Johannes Froben in Basel hergestellt wurde, mit 82 Holbeinschen Randzeichnungen, befindet sich im Basler Kupferstichkabinett.*

Widmungsschreiben
Erasmus von Rotterdam an seinen lieben Thomas Morus.

Als ich vor einiger Zeit von Italien wieder nach England zog, wollte ich die langen Stunden, die im Sattel zu verbringen waren, nicht alle mit banaler, banausischer Unterhaltung totgeschlagen haben und ließ mir darum dies und das aus unserm gemeinsamen Studiengebiet durch den Kopf gehen oder schwelgte in der Erinnerung an die ebenso liebenswürdigen wie gelehrten Freunde, die ich in England wiederzufinden hoffte. Dabei pflegte mir dein Bild, lieber Morus, zu allererst vor die Seele zu treten, denn glaube mir: in der Ferne gedachte ich des Fernen mit nicht weniger Behagen, als mir der Verkehr von Angesicht zu Angesicht behagt hatte, das Schönste, meiner Treu, was mir das Leben je bescherte. Da ich also wirklich etwas treiben wollte, eine ernste Arbeit aber unterwegs nicht wohl möglich schien, kam es mir in den Sinn, zur Unterhaltung eine Lobrede auf die Moria, wie die Griechen sagen, also auf die Torheit zu verfertigen.

»Eine schöne Muse, die dir solches eingab!« wirst du ausrufen. Nun, vor allem danke ich die Idee deinem Namen Morus, der dem Namen der Moria gerade so ähnlich ist, wie du selbst ihrem Wesen unähnlich; man kann aber – darüber ist alles sich einig – unähnlicher gar nicht sein. Und dann vermutete ich, ein solches Spiel meiner Phantasie werde besonders deinen Beifall finden, weil ein Scherz wie dieser dir noch immer große Freude gemacht hat und weil du überhaupt das menschliche Treiben mit den Augen eines Demokrit ansiehst – wobei du freilich neben einem ungemein klaren Verstand, der dich hoch über die landläufigen Vorurteile erhebt, auch liebenswürdige Leutseligkeit in so seltener Fülle besitzest, daß du doch wieder mit allen auf alles einzugehen vermagst und liebst.

So wird denn diese kleine Stilübung als Andenken an deinen Studiengefährten auf freundliche Aufnahme, nicht weniger aber auf freundliche Fürsprache von deiner Seite rechnen dürfen; ist sie doch dir gewidmet und gehört dir an, nicht mehr mir. Ich fürchte nämlich, es werden sich bald hämische Kritiker finden, die ausstreuen, das kleine Ding sei teils zu wenig ernst und schicke sich nicht für einen Theologen, teils sei es zu boshaft und genüge dem Gebote christlicher Milde nicht; den Ton der alten Komödie, so werden sie mich verlästern, oder eines neuen Lukian höre man daraus, und nichts sei vor meiner bösen Zunge sicher.

Allein, wer das Thema zu wenig ernst, zu spielerisch findet, möge beachten, daß ich nicht der erste bin, der solche

Wege geht; berühmte Autoritäten haben schon längst dasselbe getan. Zum Scherz dichtete so vor vielen Jahrhunderten Homer den Froschmäusekrieg, zum Scherz schrieb Vergil seine Verse von der Schnake und von dem Kräuterkloß und Ovid sein Gedicht vom Nußbaum; den Menschenschlächter Busiris feierte Polykrates und noch einmal dessen Kritiker Isokrates; die Ungerechtigkeit fand einen Lobredner in Glaukon; den Thersites und das Fieber pries Favorinus; der Kahlköpfigkeit wand Synesius ein Kränzchen; die Fliege und den Schmarotzer verherrlichte Lukian; Seneca schrieb eine spaßhafte Apotheose des Kaisers Claudius, Plutarch ein ebensolches Gespräch zwischen Gryllus und Odysseus; Lukian und Apulejus machten einen Esel zum Helden eines Romans, und ein unbekannter Schalk setzte für das Schweinchen Grunnius Corocotta ein Testament auf, dessen auch der hl. Hieronymus Erwähnung tut. So bitte ich denn meine gestrengen Richter, sich einfach vorzustellen, ich hätte, statt meine Feder spazieren zu lassen, zum Vergnügen eine Partie Schach gespielt oder ein Rittchen auf dem Besenstiel gewagt. Es wäre ja doch eine krasse Ungerechtigkeit, jedem Berufe seine Erholung im Spiele zu gönnen, nur nicht dem wissenschaftlich Tätigen, selbst dann nicht, wenn dieses Spiel auf ernste Gedanken führt und ein spaßhafter Stoff so behandelt wird, daß jeder Leser, der nicht auf den Kopf gefallen ist, daraus erheblich mehr Gewinn zieht als aus den langweilig-feierlichen Betrachtungen gewisser Schriftsteller, von denen der eine in mühselig zusammengestoppelter Rede die Rhetorik oder die Philosophie preist, der andere irgendeinem Fürsten lobhudelt, der dritte den Türkenkrieg predigt, der vierte die Zukunft kündet, der fünfte neue Probleme zum Streit um des Kaisers Bart ausklügelt. Ernstes ins Lächerliche zu ziehen, ist freilich plump; nichts aber ist feiner, als Lächerliches so zu gestalten, daß man alles weniger als Lächerliches scheint geboten zu haben. Ob mir dies gelang, werden andere entscheiden; immerhin, falls nicht die Selbstgefälligkeit mich narrt, darf ich wohl sagen: der Torheit galt mein Lob – aber selber war es nicht eitel Torheit.

Auf den Vorwurf der Bosheit aber wäre zu erwidern, daß man dem Witz noch stets erlaubt hat, sich ungestraft über das Treiben der Menschen lustig zu machen, wenn nur der freimütige Scherz nicht in blindwütiges Keifen ausartet. Um so stärker überrascht mich die Empfindlichkeit moderner Ohren, die fast nichts mehr hören können außer hochtrabenden Titeln, während man wieder bei andern Leuten einer verkehrt entwickelten Pietät begegnet, die aus den gröbsten Lästerungen Christi sich lange nicht soviel macht wie aus dem feinsten Tröpfchen Spott, das einen geistlichen oder weltlichen Würdenträger trifft, zumal wenn auf das liebe Geld angespielt wird. Wer aber bei aller scharfen Kritik des menschlichen Lebens nicht einen einzigen Namen preisgibt, ist der nun wirklich ein Ehrabschneider und nicht eher ein Erzieher und Lehrer? Und außerdem: in wie vielen Gestalten bin ich nicht selbst das Opfer meiner Kritik? Wer ferner keine Klasse von Menschen verschont, beweist damit, daß er keinem Menschen, aber allen Untugenden feind ist. Wenn also jemand schreit, er fühle sich getroffen, so verrät er nur sein schlechtes Gewissen oder doch seine Angst. Ganz anders keck und rücksichtslos hat da der hl. Hieronymus seine Laune walten lassen, und oft hat er auch vor Namen nicht Halt gemacht. Unsereiner verzichtete auf alles Persönliche; dazu mäßigte ich den Ausdruck so, daß ein vernünftiger Leser merken muß, wieviel mehr ich es auf Unterhaltung als auf ein Strafgericht abgesehen hatte; denn nirgends rührte ich wie Juvenal jenen dunkeln Bodensatz des Lasters und des Verbrechens auf, und mit absichtlicher Auswahl nahm ich mehr das Lächerliche als das Häßliche aufs Korn. Wen aber auch das nicht milder stimmt, soll wenigstens daran denken, daß es ja eine Ehre ist, von der Torheit kritisiert zu werden; sie hatte ich eben reden zu lassen, wie es ihr ansteht, sobald ich ihr einmal das Wort erteilte. Allein – wozu das vor dir? Ein großer Anwalt wie du wird auch eine Sache, die nicht glänzend steht, doch glänzend vertreten. So lebe wohl, beredter Freund Morus, und nimm deine Moria wacker in Schutz.

Geschrieben auf dem Lande, am 9. Juni (1511).

Das Lob der Torheit
Die Torheit tritt auf und spricht:

Mögen die Menschen in aller Welt von mir sagen, was sie wollen – weiß ich doch, wie übel von der Torheit auch die ärgsten Toren reden –, es bleibt dabei: mir, ja mir allein und meiner Kraft haben es Götter und Menschen zu danken, wenn sie heiter und frohgemut sind. Das beweist ihr selber schon zur Genüge; denn sowie ich vor eure große Gemeinde trat, ging augenblicklich über jedes Gesicht ein ganz ungewöhnlicher, überraschender Schein, munter schnellten die Köpfe empor, und ein so ungehemmtes helles Gelächter schallte mir entgegen, daß mich wahrhaftig deucht, es sei euch allen, die ich von nah und fern versammelt sehe, homerischer Götterwein, gewürzt mit Vergißdasleid, zu Kopfe gestiegen, als kämet ihr eben aus des Trophonius Höhle. Aber, wie es allemal der Welt im Frühling geht – sobald die Sonne ihr schönes goldenes Antlitz der Erde wieder enthüllt oder nach dem bösen Winter der neue Lenz mit schmeichelndem Zephyr die Fluren fächelt, steht über Nacht die ganze Natur in neuem Gewande, in neuen Farben, in neuer Jugend da –, so hat sich im Nu, sobald ich mich blicken ließ, euer ganzes Wesen verwandelt, und was gewiegte Redner mit einer langen und wohlstudierten Ansprache kaum zustande bringen – ich meine, die schlimmen Sorgen verscheuchen –, ist mir nur schon mit meiner Erscheinung gelungen.

Warum ich aber heute in dieser ungewöhnlichen Tracht auftrete, sollt ihr sofort vernehmen, falls ihr geruht, mir euer Ohr zu leihen – aber bitte nicht das, womit ihr euch einen Prediger auf der Kanzel anhört, sondern das andere, das ihr so munter spitzt, sobald ein Schreier auf dem Markt, ein

Hanswurst oder ein Narr in der Schellenkappe seine Witze
reißt, und das auch mein Jünger Midas einst dem Pan hin-
hielt. Es kam mich nämlich die Lust an, vor euch für ein
Stündchen den Sophisten zu spielen – nicht einen von den
modernen, die auf den hohen Schulen die Gelbschnäbel mit
verzwicktem Unsinn stopfen und zu mehr als weibermäßiger
Ausdauer im Zanken abrichten – behüte! Ich halte mich an
das Beispiel jener Alten, die von dem anrüchigen Titel »der
Weise« nichts wissen wollten und sich nur Freunde der Weisheit, Sophisten, nannten. Und da sie nichts lieber taten als auf
Götter und Helden Lobreden halten, so werdet auch ihr eine
Lobrede hören; nur gilt sie nicht dem Herkules und nicht
dem Solon, sondern mir selbst, das heißt, der Torheit. Ich
pfeife nämlich auf jene Weisen, die es gleich bodenlose
Dummheit und Unverschämtheit heißen, sobald sich einer
selber lobt. Mag es so dumm sein, wie sie wollen – wenn sie
mir nur einräumen, es stehe mir gut. Was stimmte auch schöner zusammen, als wenn die Torheit selbst ihren Ruhm aus-
posaunt und selbst ihr Loblied singt? Ohnehin will mir das
viel bescheidener vorkommen, als was die vornehmen und
weisen Herren insgemein tun. Die pflegen in einer Art
Scham, die das Gegenteil ist, sich einen katzbuckelnden Re-
dekünstler oder phrasendreschenden Poeten zu bestellen und
zahlen ihm ein Honorar, um aus seinem Munde ihr Lob sich
anzuhören, will heißen, eine Lüge dicker als die andere; doch
unser schamhafter Mann spreizt sich dabei wie ein Pfau, und
mächtig schwillt ihm der Kamm, wenn der ausgeschämte
Lobhudler ihn, den Wicht, einem Gott vergleicht, wenn er
ihn preist als vollendetes Muster in jeder Tugend, wenn er die
Krähe mit fremden Federn aufputzt, den Mohren weiß-
wäscht, aus einer Mücke einen Elefanten macht. Und schließlich: ich halte es mit dem Sprichwort, das da sagt: »Lobe dich
ruhig selbst, wenn es kein anderer für dich tun will.« Freilich
muß ich dabei sagen, daß die Undankbarkeit – oder ist es
Faulheit? – der Menschen mich befremdet. Denn alle machen

mir eifrig den Hof und sonnen sich gern in meiner Gnade;
aber unter so vielen Generationen ist nicht einer gewesen, der mit
dankbaren Worten der Torheit ein Kränzchen gewunden hätte.
Dagegen ein Busiris, ein Phalaris, das Fieber, die Mücken,
der Haarschwund und dergleichen Plagen fanden genug Leute,
die sich das Öl und den Schlaf nicht reuen ließen, bis die
Lobrede feingedrechselt neben der ausgebrannten Lampe lag.

Was ihr von mir zu hören bekommt, ist allerdings bloß eine
richtige Stegreifrede, kunstlos, doch ehrlich. Und meint ihr
nicht, das sei nach Rednermanier gelogen, nur um mein Genie recht leuchten zu lassen. Ihr kennt das doch: rückt einer
auf mit einer Rede, über der er dreißig Jahre gebrütet hat – oft
ist sie auch gestohlen –, so schwört er euch, er habe sie in drei
Tagen wie spielend hingeschrieben oder gar diktiert. O nein –
ich liebte es von jeher, alles zu sagen, was mir Dummes just
auf die Zunge kommt. Nur erwartet eben nicht, daß ich mich
nach der Schablone der gewöhnlichen Redner definiere oder
gar disponiere. Ein übler Anfang wäre beides; denn eine
Kraft, die in der ganzen Welt wirkt, läßt sich in keine Formel
bannen, und eine Gottheit zerstückelt man nicht, zu deren
Verehrung sich alle Kreatur zusammenfindet. Was sollte auch
eine Definition? Sie würde euch nur einen Umriß, ein blutlee-
res Schattenbild zeigen, und habt mich doch da in aller Leib-
haftigkeit vor euern Augen. Hier seht ihr ja in eigener Person
die wahre Geberin aller Gaben, das Wesen, das jedes Volk in
seiner Sprache die Torheit heißt.

Doch wozu das noch sagen? Auf meinem Gesicht steht
deutlich genug zu lesen, wer ich bin; und sollte einer behaupten, ich sei Minerva oder die weise Sophia, so lehrt ein Blick in
meine Augen, daß er lügt, selbst wenn mir die Sprache fehlte,
der ehrlichste Spiegel der Seele. Von Schminke weiß ich
nichts, nichts spricht mein Mund, als was ich denke, und
vom Scheitel bis zur Sohle bin ich echt. Drum können auch
die mich nicht verleugnen, die ausgerechnet von der Weisheit
sich Maske und Titel leihen und darin stolzieren wie der Affe

im Purpur und der Esel in der Löwenhaut: trotz aller Verstel-
lung gucken irgendwo die Eselsohren heraus und verraten
den Midas. Eine undankbare Gesellschaft!

Wenn irgend jemand, so gehören sie zu meiner Fahne; sie
aber schämen sich vor den Leuten meines Namens und werfen ihn allerorts dem an den Kopf, den sie recht stark be-
schimpfen wollen. Da sie nun faktisch Idioten sind, aber als
Philosophen zu gelten wünschen, dürften wir sie nicht mit
Fug Idiotosophen taufen? Ich gedenke es nämlich auch in den
Fremdwörtern den modernen Stilisten gleichzutun, denen es
ein himmlisches Vergnügen macht, wie ein Blutegel zwei
Zungen zu weisen, und die ein Meisterwerk zu vollbringen
meinen, wenn sie in ihren lateinischen Text alle Augenblicke
eine griechische Vokabel wie einen bunten Stickfaden ein-
flechten, auch wo sie nicht hinpaßt; und fehlt ihnen ein
Fremdwort, so graben sie aus schimmligen Folianten ein paar
veraltete Wörter aus und hoffen damit den Leser zu ködern:
wer sie versteht, soll mehr und mehr sich etwas einbilden,
und wer sie nicht versteht, soll um so besser vom Schreiber
denken, je schlechter er ihn versteht. (Auch das ist ja eine ar-
tige Unterhaltung meiner Leute, vor dem Fremdesten sich am
tiefsten zu verbeugen. Wer mehr auf sich hält, muß freilich
verständnisvoll nicken und klatschen und wie der Esel mit
den Ohren wackeln, um bei den andern als Kenner zu gelten.
Doch lassen wir das – zurück zum Thema!

Von den Künstlern?

Was sie ja alle auszeichnet, ist just die Selbstgefälligkeit,
und eher ließe sich einer sein väterliches Gut absprechen als
sein Talent, besonders was Schauspieler, Sänger, Redner und
Dichter sind: je weniger einer kann, desto frecher belobigt er
sich, desto stolzer geht er einher, macht er sich breit. Und
nun weiß man: jedes Kraut hat seinen Fresser, oder anders: je
ärger der Schund, desto stärker der Beifall, zieht doch stets das
Geringste am meisten, denn, wie ich sagte, die Mehrzahl der
Menschen ist eingeschworen auf die Torheit. Wenn also dem

größten Stümper der größte Erfolg bei sich selbst und beim Publikum in den Schoß fällt, wozu sollte sich einer noch gründlich schulen? Schulung kostet erstens Geld, dann macht sie unnatürlich und befangen und findet schließlich nicht halb soviel Anklang.

Nun sehe ich aber, daß die Natur nicht bloß dem einzelnen seinen Dünkel, sondern auch jeder Nation, um nicht zu sagen jeder Stadt, einen Gesamtdünkel eingepflanzt hat. Drum wollen die Engländer wissen, neben anderm finde man Schönheit, Musik und einen guten Tisch nur bei ihnen. Die Schotten sind stolz auf ihren Adel und auf die Verwandtschaft mit dem Königshaus, aber auch auf ihre dialektischen Kniffe. Die Franzosen haben die Höflichkeit gepachtet. Die Pariser maßen sich in der Theologie eine besondere Meisterschaft an und lassen fast niemand neben sich gelten. Die Italiener haben Literatur und Beredsamkeit an sich gerissen und schmeicheln sich alle, auf der ganzen Welt die einzigen Nichtbarbaren zu sein, zumal aber die Römer, die noch immer von jenem alten Rom träumen. Die Venezianer beglückt der Glaube an ihre Vornehmheit. Die Griechen spielen sich als die Erfinder der Wissenschaften auf und machen viel Wesens aus ihren alten berühmten Helden. Der Türke und die ganze echte Barbarenbande wähnt gar, die beste Religion zu haben und verlacht die Christen als abergläubisch. Die Juden – noch köstlicher – warten auch jetzt noch unentwegt auf ihren Messias und halten an ihrem Moses bis heute krampfhaft fest. Die Spanier gönnen keinem den Heldenlorbeer. Die Deutschen trutzen auf ihre Hünengestalt und die Kenntnis der Magie.

Ich spare mir Details: ihr seht wohl schon, wieviel Freude dem einzelnen und der gesamten Menschheit die Selbstgefälligkeit schenkt.

Von ähnlicher Art ist ihre Schwester Schmeichelei – jene nämlich ist am Werk, wenn einer sich selber streichelt; tut er dasselbe einem andern, steht diese hinter ihm. – Freilich genießt sie heutzutage keinen guten Ruf, aber doch nur bei denen, die sich an den Namen statt an die Sache halten. Sie meinen, mit der Schmeichelei stehe die Treue auf schlechtem Fuße, und doch könnten sie schon von den Tieren lernen, daß dem nicht so·ist: keines schmeichelt so wie der Hund, aber auch keines ist so treu; keines kokettiert so wie das Eichhörnchen, aber keines ist dem Menschen so zugetan. Oder meint ihr, mit reißenden Löwen oder wilden Tigern oder fauchenden Panthern wäre ihm besser gedient? Es gibt zwar eine bösartige Schmeichelei, mit welcher hinterlistige, hämische Gesellen ihre armen Mitmenschen ins Verderben locken; aber von dieser Art ist meine nicht. Sie stammt aus der Herzensgüte und Unschuld und steht der Tugend viel näher als ihr Gegenstück, die Schroffheit und die, wie Horaz sagt, widerhaarige und unfreundliche Pedanterie. Sie richtet den Niedergeschlagenen auf, streichelt den Traurigen, stupft den Saumseligen, weckt den Stumpfsinnigen; Krankheit erleichtert sie, Trotz bricht sie, Liebesbande knüpft sie und schon geknüpfte festigt sie; sie weiß die Jungen zum Lernen zu verlocken, die Alten zu erheitern, die Fürsten ohne Kränkung, im Gewande des Lobes, zu ermahnen und zu belehren, kurzum: sie bringt es zuwege, daß jeder sich selbst angenehmer und wertvoller wird – und das ist beim Glück ja die Hauptsache. Und wie selbstlos sieht es doch aus, wenn ein Esel den andern krault! Vergessen wir zudem nicht, daß die Schmeichelei eine große Rolle in der löblichen Redekunst spielt, eine größere noch in der Heilkunst, die größte in der Poesie und daß sie überhaupt den Verkehr der Menschen versüßt und würzt.

Thomas Morus
Utopia

Thomas Morus' Utopia *ist die berühmteste aller Utopien, die zwischen Platon und Marx geschrieben worden sind. Und sie zeigt sehr deutlich das Merkmal, das fast allen anhaftet: sie malen sich die bestmögliche Gesellschaft innerhalb eines bestimmten historischen Zusammenhangs aus; ihr Realismus ist gewissermaßen ihre Grenze. Gerade weil die meisten von ihnen keine reinen Phantasiegebilde sind, gerade weil sie Rücksicht nehmen auf das, was sie für möglich halten, sind sie historisch gebunden; denn was möglich ist und was nicht, liegt in jeder Zeit innerhalb eines historischen Horizonts. Dieser Zeitlichkeit versuchen die Marxisten zu entgehen, indem sie ihrer Utopie der klassenlosen Gesellschaft keinen Inhalt geben. Deshalb ist die marxistische Utopie, verglichen mit allen früheren, besonders farblos.*

Thomas Morus, der 1478 geboren wurde und 57 Jahre alt wurde, wußte als englischer Lordkanzler viel um die Realitäten, denen er seine ideale Gesellschaft entgegensetzte; so ist sie tief eingebettet in die Vorstellungswelt des sechzehnten Jahrhunderts. Der genaue Titel lautet: Ein wahrhaft goldenes Büchelein von der besten Staatsverfassung und von der neuen Insel Utopia, nicht minder heilsam als kurzweilig zu lesen, verfaßt von dem hochberühmten Thomas Morus, der weltbekannten Stadt London Bürger und Vicecomes, mit Hilfe des Magisters Petrus Ägidius aus Antwerpen und dank der Kunst Martinus' von Ülst, Druckers der Hohen Akademie zu Löwen, jetzt zum ersten Male aufs Sorgfältigste herausgegeben mit Genehmigung und Privileg.

Man hat eine Menge darüber geschrieben, daß es im beginnenden sechzehnten Jahrhundert genug Anlaß gab, über eine bessere Ordnung der Gesellschaft nachzudenken. Aber wenn man die Geschichte der Menschheit betrachtet, so gab es wohl kaum eine Zeit, die nicht dazu veranlaßt hätte, auf eine Änderung zum Besseren auszusein – zum Beispiel im zwanzigsten Jahrhundert. Deshalb meditieren wir hier nicht über die allgemeine politisch-wirtschaftlich-kulturelle Situation, sondern teilen lieber kurz mit, unter welchen besonderen Umständen Morus seine Utopia *niederschrieb.*

Im Mai 1515 wurden Morus und Cuthbert Tunstall, der spätere Bischof von London, Mitglied einer Delegation, die mit den Niederlanden einen Handelsvertrag abschließen sollte. Morus, der Londoner Richter, wurde sehr vertraut mit den politischen und wirtschaftlichen Interessen des Tages; lieber bewegte er sich aber in der geistigen Atmosphäre der flandrischen Städte. Seine Utopia *war auch eine Flucht ins bessere Morgen. In Antwerpen verkehrte er besonders mit Petrus Ägidius, dem humanistischen Stadtschreiber, an den auch die Vorrede zur* Utopia *gerichtet ist. Vor allem traf er seinen Freund Erasmus, der gerade die* Institutio principis christiani *beendet hatte ... In dieser Zeit also wich er vor dem Alltag aus und idealisierte ihn in seiner* Utopia.

Wir bringen einige Stellen aus dem zweiten Buch: zuerst eine Beschreibung der Insel Utopia und ihrer Städte; dann einiges über ihre Obrigkeiten, dann Morus' Vorstellung vom Verkehr der Utopier untereinander; und schließlich einige Sätze über die religiösen Vorstellungen der Utopier: ein Hoheslied der Toleranz zu Beginn einer Ära von Glaubenskriegen und zugleich die Vorwegnahme jenes Pantheismus, der bis in diese Tage der Glaube vieler Ungläubigen geworden ist.

Die Insel der Utopier dehnt sich in der Mitte (da ist sie am breitesten) auf zweihundert Meilen aus und wird auf lange Strecken nicht viel schmäler; nach den beiden Enden hin nimmt die Breite allmählich ab. Diese Enden, gewissermaßen durch einen Kreisbogen von fünfhundert Meilen Umfang umschrieben, geben der ganzen Insel die Gestalt des zunehmenden Mondes. Zwischen dessen Hörnern bildet das Meer eine ungefähr elf Meilen breite Bucht; diese gewaltige Wasserfläche, rings von Land umgeben und so vor Winden geschützt, mehr stagnierend nach Art eines ungeheuren Sees als stürmisch bewegt, macht fast die ganze innere Ausbuchtung des Landes zu einem Hafen und trägt die Schiffe zum großen Nutzen der Bewohner nach allen Himmelsrichtungen. Die Einfahrt ist auf der einen Seite durch Untiefen, auf der anderen durch Felsenklippen gefährdet. In der Mitte erhebt sich ein einzelnes Felsenriff, das aber ungefährlich ist; darauf steht ein Turm mit einer Besatzung; die übrigen Klippen sind nicht sichtbar und bilden so eine heimtückische Gefahr. Die Fahrstraßen sind den Utopiern allein bekannt, und so kommt es nicht leicht vor, daß ein Ausländer in diese Bucht ohne Lotsen aus Utopia eindringt; könnten sie doch selber kaum ungefährdet einlaufen, wenn nicht gewisse Seezeichen vom Strande aus der Fahrt die Richtung wiesen. Durch einfache Verschiebung dieser Marken würden sie mühelos jede noch so große feindliche Flotte ins Verderben locken. Auch auf der anderen Seite gibt es gut besuchte Häfen. Aber überall ist der Zugang zum Lande durch Natur oder Kunst so stark befestigt, daß selbst gewaltige Truppenmassen von wenigen Verteidigern abgewiesen werden können.

Übrigens war dieses Land, wie berichtet wird und wie der Augenschein deutlich zeigt, in alter Zeit noch nicht rings vom Meere umgeben. Vielmehr hat erst Utopus, der als Sieger der Insel seinen Namen gegeben hat (denn vordem hieß sie Abraxa) und der den rohen und unkultivierten Volksstamm zu der Kultur und Gesittung erst angeleitet hat, die ihn heute vor den meisten Völkern der Erde auszeichnen, das Land zur Insel gemacht. Sobald er nämlich, kaum dort gelandet, Sieger geworden war, ließ er fünfzehn Meilen Landes auf der Seite, wo die Halbinsel mit dem Festland zusammenhing, ausstechen und führte so das Meer ringsherum. Da er zur Beteiligung an diesem Werke nicht nur die Einwohner zwang, sondern alle seine Soldaten hinzuzog, damit die Arbeit nicht als Schmach empfunden würde, verteilte sich das Werk auf eine große Menge Menschen und wurde so mit unglaublicher Schnelligkeit fertiggestellt, so daß der Erfolg bei den Nachbarn, die anfangs über ein so aussichtsloses Unternehmen gelacht hatten, Bewunderung und Bestürzung weckte.

Die Insel hat vierundfünfzig Städte, alle geräumig und prächtig, in Sprache, Sitten, Einrichtungen, Gesetzen genau übereinstimmend. Sie haben alle dieselbe Anlage und, soweit das die lokalen Verhältnisse gestatten, dasselbe Aussehen. Die einander am nächsten benachbarten liegen immer noch vierundzwanzig Meilen auseinander, und wiederum liegt keine so einsam, daß man nicht von ihr zu Fuß in einem Tagemarsch die nächste Stadt erreichen könnte.

Aus jeder Stadt kommen drei ältere, erfahrene Bürger jährlich zur Beratung über gemeinsame Angelegenheiten des Inselreiches in Amaurotum zusammen. Denn diese Stadt, gleichsam im Herzen des Landes und darum für die Abgeordneten aller Landesteile am günstigsten gelegen, gilt für die erste und Hauptstadt. Das Ackerland ist den Städten planmäßig zugeteilt, und zwar so, daß eine jede auf keiner Seite weniger als zwölf Meilen Anbaufläche besitzt, auf manchen Seiten aber noch mehr, nämlich da, wo die Städte weiter auseinander liegen. Keine Stadt verlangt danach, ihr Gebiet zu erweitern; sie empfinden sich eben mehr als Anbauer denn als Herren ihres Besitzes.

Auf dem Lande besitzen sie Höfe, planmäßig über die ganze Anbaufläche verteilt und mit landwirtschaftlichen Geräten versehen; dort wohnen Bürger, die abwechselnd dorthin ziehen. Kein ländlicher Haushalt zählt an Männern und Frauen weniger als vierzig Köpfe, außerdem zwei an die Scholle gebundene Hörige. Hausvater und Hausmutter, gesetzte und gereifte Personen, bilden den Haushaltsvorstand; an der Spitze von je dreißig Haushaltungen steht ein Phylarch. Aus jedem Haushalt wandern jährlich zwanzig Personen in die Stadt zurück, nämlich die, welche zwei Jahre auf dem Lande zugebracht haben; an ihre Stelle rücken ebenso viele aus der Stadt nach. Sie werden dann von denen, die bereits ein Jahr draußen waren und deshalb mehr Erfahrung besitzen, angelernt, um ihrerseits im folgenden Jahre wieder anderen Anweisung zu geben, damit nicht alle zugleich dort Neulinge sind, die von der Landwirtschaft nichts verstehen, und so die Versorgung mit Lebensmitteln nicht unter ihrem Mangel an Sachkunde leidet. Diese Sitte, die Akkerbauer wechseln zu lassen, ist zwar die gewöhnliche, weil niemand gegen seinen Willen gezwungen sein soll, das mühsame Dasein auf dem Lande längere Zeit fortzusetzen, doch gibt es viele, denen das ländliche Leben von Natur Freude macht und die deshalb auf ihre Bitte längere Jahre draußen bleiben dürfen. Die Ackerbauer bestellen das Land, züchten Vieh, schlagen Holz und fahren es je nach Gelegenheit zu Lande oder zu Wasser in die Stadt. Hühner ziehen sie in gewaltiger Menge auf, und zwar mit Hilfe einer erstaunlichen Vorrichtung. Die Hennen brüten nämlich ihre Eier nicht selbst aus; vielmehr setzt man diese in großer Zahl einer gleichmäßigen Wärme aus, bringt sie dadurch zum Leben und zieht die Küken auf. Sobald diese aus der Schale schlüpfen, laufen sie den Menschen wie ihren Hennenmüttern nach und betrachten sie als solche.

Pferde ziehen sie überaus wenige auf, und nur eine sehr feurige Rasse, und zu keinem anderen Zweck, als um die Jugend in Reitkünsten zu üben. Denn alle Arbeit am Pfluge und im Gespann verrichten die Ochsen, die – wie sie zugeben – weniger Feuer als die Pferde, aber dafür nach ihrer Meinung

mehr Ausdauer haben und nicht so anfällig sind für Krankheiten, überdies mit geringerem Aufwand an Mühe und
Kosten unterhalten werden und zu guter Letzt, wenn sie aus-
gedienet haben, noch als Braten sich nützlich machen.

Getreide bauen sie nur als Brotfrucht. Denn als Getränk
dient ihnen ausschließlich Wein von Trauben, Äpfeln oder
Birnen und Wasser, das sie manchmal ungemischt genießen,
oft aber auch mit Honig oder Süßholz verkocht, das in großer
Menge dort vorkommt. Obwohl sie ermittelt haben – und sie
wissen es ganz genau, wie viele Lebensmittel die Stadt und ihre
Umgebung verbraucht, säen sie doch viel mehr aus, ziehen
auch mehr Vieh auf, als für ihren Eigenbedarf genügen würde, um den Überschuß an ihre Nachbarn abzugeben. Was sie
an Geräten brauchen, die auf dem Lande nicht zu haben sind,
fordern sie alles in der Stadt an und erhalten es ohne alles Entgelt von den städtischen Behörden, und zwar ohne Mühe.
Denn die meisten von ihnen kommen ohnedies allmonatlich
zum Festtag in der Stadt zusammen. Wenn die Ernte bevorsteht, melden die Phylarchen der Ackerbauer den städtischen
Behörden, wie viel Bürger ihnen zugeschickt werden sollen.
Diese Anzahl trifft dann am bestimmten Tage rechtzeitig als
Erntehelfer ein, und so wird bei schönem Wetter so ziemlich
an einem Tage die ganze Ernte eingebracht.

Von den Obrigkeiten

Je dreißig Haushaltungen wählen sich jährlich einen Vorsteher, den sie mit einem älteren Ausdruck Syphogranten, mit
einem jüngeren Phylarchen nennen. An der Spitze von je
zehn Syphogranten mitsamt ihren Familienverbänden steht
ein Vorgesetzter, der früher Tranibore, neuerdings Protopho-
phylarch heißt. Endlich ernennen alle Syphogranten, zusammen zweihundert an der Zahl, in geheimer Abstimmung und
nach vorhergehender Eidesleistung, den nach ihrem Urteil

Tüchtigsten zu wählen, einen Fürsten aus vier Bewerbern, die ihnen das Volk namhaft macht. Von jedem Viertel der Stadt wird nämlich einer erwählt und dem Senat vorgeschlagen. Das Fürstenamt wird auf Lebenszeit übertragen, falls dem nicht der Verdacht tyrannischer Gelüste entgegensteht. Die Wahl der Traniboren findet jährlich statt, doch wechselt man nicht leicht mit ihnen; alle übrigen Behörden werden auf ein Jahr gewählt. Die Traniboren kommen jeden dritten Tag, zuweilen auch, je nach Bedürfnis, noch öfter mit dem Fürsten zur Beratung zusammen, verhandeln über Staatsangelegenheiten und schlichten rasch etwaige Privatstreitigkeiten, die aber überaus selten vorkommen. Stets ziehen sie zwei Syphogranten zu den Senatssitzungen hinzu, und zwar jeden Tag andere. Dabei wird Vorsorge getroffen, keine politische Entscheidung zu treffen, über die nicht drei Tage vor dem Beschlusse im Senat verhandelt ist.

Außerhalb des Senats oder der Volksversammlungen über öffentliche Angelegenheiten zu beraten gilt für ein todeswürdiges Verbrechen. Diese Bestimmung soll darum getroffen sein, damit es nicht so leicht möglich wäre, durch eine Verschwörung des Fürsten mit den Traniboren das Volk durch Tyrannei zu unterdrücken und die Staatsverfassung umzustürzen. Eben darum wird auch jede Frage von größerer Bedeutung vor die Versammlungen der Syphogranten gebracht, die sich zunächst mit ihren Familienverbänden besprechen, danach unter sich beraten und schließlich ihr Gutachten dem Senat mitteilen. Zuweilen kommt die Angelegenheit auch an den großen Rat des ganzen Inselreiches.

Auch hat der Senat die vorsichtige Gewohnheit, über keinen Antrag an demselben Tage zu debattieren, an dem er eingebracht wird, sondern die Beratung stets auf die nächste Sitzung zu verschieben, damit nicht etwa einer unbedachtsam mit dem herausplatzt, was ihm gerade auf die Zunge kommt, und dann mehr darauf sinnt, mit welchen Gründen er seine Meinung verteidigen könne, als was im Interesse des Staates

liegt, was ja oft dazu führt, daß man lieber das Staatswohl als
die Meinung über seine eigene werte Person Schaden nehmen
läßt, in einer Art verkehrter und unsinniger Scheu, nicht
merken zu lassen, daß man anfangs nicht genügend Voraussicht gehabt hat. Darum soll man sich von vornherein vor-
sehen, lieber mit Überlegung zu sprechen, als rasch zu Worte
zu kommen.

Doch nunmehr wird es an der Zeit sein, die soziale Ordnung der bürgerlichen Gesellschaft, ihre inneren wirtschaftlichen Wechselbeziehungen und die Art der Güterverteilung
darzulegen. Die Bürgerschaft also setzt sich zusammen aus
Familienverbänden, die Familienverbände beruhen meist auf
Verwandtschaftsverhältnissen. Die Frauen nämlich, sobald
sie körperlich ausgereift sind, werden verheiratet und ziehen
in die Wohnungen ihrer Männer; dagegen die männlichen
Söhne, Enkel usw. bleiben im Familienverbande und stehen
unter der Gewalt des ältesten Familienhauptes, falls dieses
nicht geistig altersschwach geworden ist; dann tritt nämlich
der Nächstälteste an seine Stelle.

Damit aber die Zahl der Bürger nicht abnehmen und nicht
über eine gewisse Grenze anwachsen kann, ist vorgesehen,
daß keinem Familienverbande – von denen jede Stadt sechstausend umfaßt, ohne den zugehörigen Landbezirk – weniger
als zehn und mehr als sechzehn Erwachsene angehören dürfen (die Zahl der unmündigen Kinder läßt sich ja nicht im voraus begrenzen). Diese Bestimmung ist leicht innezuhalten,
indem man den Überschuß der überfüllten Großfamilien in
weniger köpfereiche Familien versetzt. Wächst aber einmal
die Kopfzahl einer ganzen Stadt über Gebühr an, so gleicht
man den Menschenmangel anderer Städte des Reiches damit
aus. Sollte aber etwa die Menschenmasse des ganzen Inselreiches mehr als billig anschwellen, dann werden Bürger aus jeder Stadt aufgeboten, die auf dem nächstgelegenen Festland
überall da, wo die Eingeborenen Überfluß an Ackerland haben und die Bodenkultur brachliegt, eine Kolonie gründen,

die ihren heimischen Gesetzen entspricht. Die Eingeborenen
des Landes werden hinzugezogen, wenn sie mit ihnen in Gemeinschaft leben wollen. Mit denen, die wollen, verbinden
sie sich zu gleicher Lebensweise und gleichen Sitten und ver-
schmelzen dann leicht mit ihnen, und das dient zu beider
Völker Bestem: erreichen sie doch dank ihrer Einrichtungen,
daß dieselbe Bodenfläche für beide reichlich Raum bietet, die
vorher dem einen knapp und unzureichend erschien. Wer
sich dagegen weigert, nach ihren Gesetzen zu leben, den vertreiben sie aus den Grenzen, die sie sich selber stecken. Gegen
die Widerstrebenden führen sie Krieg. Denn sie halten es für
einen sehr gerechten Grund zum Kriege, wenn irgendein
Volk ein Stück Boden selber nicht nutzt, sondern gleichsam
zwecklos und leer besetzt hält, sich aber doch weigert, die
Nutzung und den Besitz anderen zu überlassen, die nach dem
Willen der Natur von dort ihre Nahrung ziehen sollten. Falls
aber einmal irgendein Unglücksfall einige von ihren Städten
so stark entvölkern sollte, daß der Verlust aus anderen Gegenden des Inselreiches nicht ausgeglichen werden kann,
ohne die gesetzliche Volkszahl der einzelnen Städte zu ver-
mindern (was seit Menschengedenken nur zweimal im Gefolge von heftig wütenden Seuchen vorgekommen sein soll),
so wird durch Rückwanderung aus der Kolonie für Ergänzung gesorgt. Sie lassen nämlich lieber die Kolonie zugrunde
gehen als irgendeine von den Städten des Inselreiches Schaden nehmen.

Die religiösen Anschauungen sind nicht nur über die ganze
Insel hin, sondern auch in den einzelnen Städten verschieden,
indem die einen die Sonne, andere den Mond, die einen diesen, die anderen jenen Planeten als Gottheit verehren. Es gibt
Gläubige, denen irgendein Mensch, der in der Vorzeit durch
Tugend oder Ruhm geglänzt hat, nicht nur als ein Gott, sondern sogar als die höchste Gottheit gilt. Aber der größte und
weitaus vernünftigste Teil des Volkes glaubt an nichts von alledem, sondern nur an ein einziges, unbekanntes, ewiges,

unendliches, unbegreifliches göttliches Wesen, das die Fassungskraft des menschlichen Geistes übersteigt und durch dieses gesamte Weltall ergossen ist, als wirkende Kraft, nicht als materielle Masse; ihn nennen sie Vater. Ihm allein, sagen sie, dient Ursprung, Wachstum, Fortschritt, Wandel und Ausgang aller Dinge zum Wohlgefallen, und keinem anderen außer ihm erweisen sie göttliche Ehren.

Luther
Tischreden

*L*uthers Tischreden *waren wirkliche Reden bei Tisch; keine Traktate, die als Reden gemacht worden sind. Sie waren nicht Monologe, sondern Gespräche, bei denen Luther die dominierende Rolle spielte; es ist trotzdem schade, daß nicht auch die Fragen und Antworten der anderen Partner aufgezeichnet worden sind.*

Seit 1531 haben Teilnehmer begonnen, Luthers Worte aufzuschreiben. Aber man hat nie an eine Veröffentlichung gedacht. Was er sagte, richtete sich an den kleinen Kreis der Gäste, während Goethe, der zu Eckermann sprach, sich die Welt als Zuhörer vorstellte. Diese Tischreden *stammen aus den letzten 15 Jahren seines Lebens, es ist der alte, zurückblickende Luther, der hier zu Worte kommt.*

Luthers Tafelrunde umfaßte nicht nur Mitglieder der Familie: Käthe, seine Frau, die Kinder, die Muhme Lenen, die Nichten und andere gerade anwesende Verwandte; auch Studenten, die bei Luther wohnten, durchreisende Gäste, Freunde und Schüler. Bisweilen sprach er während des Essens kein Wort. Sonst aber beherrschte er meist das Gespräch. Dabei wurden Deutsch und Latein gemischt. Die erste Sammlung dieser Gespräche stammt von Aurifaber (Johannes Goldschmidt), der von 1537 bis 1540 Theologiestudent in Wittenberg war, ein Famulus und Tischgenosse Luthers. Wir beginnen mit zwei kurzen Stücken, die Luthers kräftige, deutliche Art zeigen, pro und contra Stellung zu nehmen.

Dann folgt ein Stück autobiographischer Art aus seinen frühesten Jahren über seinen Kampf für die Priesterehe.

D. M. Luther sagte auf ein ander Mal: ich kann nicht mehr arbeiten, auch nicht mehr reden. Als ich jung war, da war ich
gelehrt, und sonderlich, ehe ich in die Theologie kam, da ging
ich mit Allegorien, Tropologien und Anagogik um und
machte eitel Kunst. Wenn es jetzt einer hätte, er trüge es umher für eitel Heiligtum. Aber ich weiß, daß es ein lauter Dreck
ist. Nun hab ich's fahren lassen, und ist meine beste und erste
Kunst, tradere scripturam simplici sensu (die Schrift nach ihrem einfachen Sinn zu lehren); denn literalis sensus (der buch-
stäbliche Sinn), der tut's, da ist Leben, da ist Kraft, Lehre und
Kunst innen; in dem andern, da ist nur Narrenwerk, wiewohl
es hoch gleißt.

Der Sophisten und Schultheologen Vermessenheit und
Kühnheit ist gar ein gottloses Ding, welche auch etliche Väter
gebilligt und gelobt haben, nämlich geistliche Deutung in der
Heiligen Schrift, dadurch sie jämmerlich zerrissen ist; wie
diese ihre Verse anzeigen:

> »Littera gesta docet, quid credas Allegoriae,
> Moralis quid agas, quo tendas Anagogia.«
> Der Buchstab lehrt, was geschehen ist,
> Allegorie, was zu glauben ist.
> Moralis lehrt, was man soll tun,
> Anagogie, wo es hinaus soll nun.

Weil sie sich solcher Deutung hingegeben und damit gespielt
haben, die doch nirgendzu dient (wie ein jeglicher wohl verstehen kann), weder zum Glauben noch Gottseligkeit zu lehren, ist's eitel Lappen- und Kinderwerk, ja Affenspiel, mit
der Schrift also zu gaukeln. Es ist nichts anders, denn wenn
ich wollte auf dieselbe Weise von der Medizin reden, wie sie
mit diesen Versen lehren, und in der Heiligen Schrift spielen;
wie wenn ich erstlich sagte: Das Fieber ist eine Krankheit,
Rhabarber ist die Arznei. Zweitens: das Fieber bedeutet die
Sünde, Rhabarber Jesus Christus. Drittens: das Fieber ist ein
Gebrechen und Fehl, Rhabarber ist die Kraft dawider. Vier-

tens: das Fieber bedeutet die Verdammnis, Rhabarber die Auferstehung. Wer sieht hier nicht, daß solche Deutung eitel Gaukelwerk ist? Welches sich so wenig reimt, als wenn ich's wollte auf dies Exempel ziehen, mit dem Glauben, den soll man richten aufs Wort, und auf Gottes Werk, das vollkommen ist und nicht kann geärgert werden.

Mit Allegorien spielen in der christlichen Lehre ist gefährlich. Die Worte sind bisweilen gemeiniglich fein lieblich und gehen glatt ein; es ist aber nichts dahinter. Dienen wohl für die Prediger, die nicht viel studiert haben, wissen die Historie und den Text nicht recht auszulegen, denen das Leder zu kurz ist, will nicht zureichen: so greifen sie zu den Allegorien, darinnen nichts Gewisses gelehrt wird, darauf man gründen und fußen könnte; darum sollen wir uns gewöhnen, daß wir bei dem gesunden und klaren Text bleiben.

Ich habe oft mit Philippus Melanchthon davon geredet und ihm ordentlich erzählt mein ganzes Leben, wie es nacheinander ergangen ist und ich's getrieben habe. Ich bin eines Bauern Sohn; mein Vater, Großvater, Ahnherr sind rechte Bauern gewesen. Darnach ist mein Vater gen Mansfeld gezogen und daselbst ein Bergbauer geworden; daher bin ich. Mein Vater ist in seinen jungen Jahren ein armer Häuer gewesen; die Mutter hat all ihr Holz auf dem Rücken heimgetragen. Also haben sie uns erzogen. Es gemahnt mich gleich, wie mir's einmal in der Jugend ging, da ich und noch ein Knabe daheim in der Fastnacht, wie's Gewohnheit ist, vor den Türen sangen, Würste zu sammeln. Da scherzt ein Bürger mit uns und schreit laut: Was macht ihr bösen Buben? Daß euch dies und das geschehe! Kommt zu uns gelaufen mit zwei Würsten und will sie uns geben. Ich und mein Gesell aber erschraken vor dem Geschrei, flohen vor dem frommen Mann, der uns kein Leid, sondern Gutes gedachte zu tun. Und daß es ja an ihm nicht fehlte, rief er uns nach, gab uns gute Worte, daß wir wieder zurückkehrten und die Würste von ihm nahmen.

Man soll die Kinder nicht zu hart stäupen; denn mein Vater
stäupte mich einmal so sehr, daß ich ihn floh und ward ihm
gram, bis er mich wieder zu sich gewöhnte.

Doktor Martin Luther sagte: wenn Kinder böse sind,
Schaden und Schalkheit anrichten, so soll man sie darum strafen, sonderlich wenn sie täuschen und stehlen lernen; jedoch
muß man in der Strafe auch sein Maß halten; denn was Kna-
benstreiche sind, wie Kirschen, Äpfel, Birnen, Nüsse, so
muß man's nicht also strafen, als wenn sie Geld, Rock und
Kasten angreifen wollten: da ist denn Zeit, ernstlich zu strafen. Meine Eltern haben mich gar hart gehalten, daß ich auch
darüber gar schüchtern wurde. Die Mutter stäupte mich einmal um einer geringen Nuß willen, daß das Blut hernach floß,
und ihr Ernst und gestrenges Leben, das sie mit mir führten,
das verursachte mich, daß ich darnach in ein Kloster lief und
ein Mönch wurde; aber sie meinten's herzlich gut. Man muß
also strafen, daß der Apfel bei der Rute sei.

Es ist ein böses Ding, wenn um der harten Strafe willen
Kinder den Eltern gram werden oder Schüler ihren Lehrern
feind sind. Denn viele ungeschickte Schulmeister verderben
feine Anlagen mit ihrem Poltern, Stürmen, Streichen und
Schlagen, wenn sie mit Kindern anders nicht denn gleich wie
ein Henker oder Stockmeister mit einem Diebe umgehen. Ich
bin einmal vor Mittag in der Schule fünfzehnmal nacheinander mit der Rute gestrichen worden. Man muß Kinder stäupen und strafen, aber gleichwohl soll man sie auch liebhaben,
wie dergleichen auch Paulus den Kolossern 3, 21 gebietet, da
er spricht: Ihr Väter, zankt euch nicht mit euern Kindern, auf
daß sie nicht kleinmütig werden. Und Epheser 6, 4: Ihr Väter,
reizt eure Kinder nicht zu Zorn, sondern zieht sie auf in der
Zucht und Vermahnung an den Herrn.

Anno 1530 ist Doktor Martin Luthers Vater, Hans Luther,
zu Mansfeld gestorben, dem Doktor Martinus aus Koburg,
wenig Tage vor seinem Ende, einen schönen, herrlichen
Trostbrief geschrieben hatte. Als ihn nun Herr Michael Cö-

lius, Pfarrherr im Tale Mansfeld, in den letzten Zügen gefragt hatte: ob er auch dasjenige glaubte, was in den Artikeln des christlichen Glaubens uns gelehrt und vorgehalten würde, da hatte er darauf geantwortet: Das müßte ja ein schlechter Mensch sein, der das nicht glauben wollte! Da das Doktor Luther war gemeldet worden, hatte er gesagt: Das ist ein Wort von der alten Welt! Aber Philippus Melanchthon hat darauf zu Doktor Luther gesagt: Lieber Herr Doktor, das sind selige Leute, die also in Erkenntnis Christi dahinsterben, und sonderlich was junge Leute sind; denn je älter wir werden, je törichter wir werden! Und das beweise ich also. Denn die jungen Leute bleiben stracks einfältig in den Artikeln des christlichen Glaubens; wie sie dieselbigen gelernt haben, also glauben sie auch dieselbigen; aber wenn wir alt werden, so beginnen wir zu disputieren, wollen klug sein und sind doch die größten Narren!

Wer da gelobt, ein Klosterleben zu führen, der vermeint ein besseres zu führen denn ein anderer Christenmensch und mit seinem Leben nicht allein sich selbst, sondern auch andern Leuten zu helfen. Derselbige tut nicht anders, denn daß er Christus verleugnet und tritt Christi Verdienst mit Füßen. Das ist eine Gotteslästerung. Pfui dich, du leidiger Teufel!

Doktor Martin sagte von dem großen jämmerlichen Greuel der Mönche, daß, wenn sie Profeß taten und im Orden angenommen wurden, sie ihre Namen ändern mußten; denn sie gaben vor, sie würden alsdann durch solch Gelübde gleich als wenn sie neu getauft wären. Damit bezeugten sie ja öffentlich, daß sie solch Gelübde der heiligen Taufe gleich hielten. Pfui dich! Sollen wir Menschentand Gottes Sakramenten gleich halten, ja vorziehen und das Blut Christi mit Füßen treten? Ich glaube, daß die überflüssige Pracht und Tyrannei zu Hofe, desgleichen der Welt Bosheit etliche fromme Leute in die Klöster getrieben habe, und ist doch nichts mehr mit ihnen denn nur eitel Heuchelei. Wie Chrysostomus sagt: ein König gleißt und hat ein Ansehen von seiner

Krone; ein Mönch aber von wegen der äußerlichen Tugend. Sollte billiger gesagt haben, von wegen seiner Heuchelei! Gleich als sehe Gott die Person an und ließe sich seine Kappe gefallen und verwürfe jenes goldene Kette!

Ein König, Fürst und Obrigkeit geht täglich mit hohen, trefflichen Tugenden um, damit er geschmückt ist und sein soll; aber auch der frömmste Mönch hat nur eigene selbsterwählte Werke und Tugenden, die er bei gelegener Zeit tut.

Summa: die Taufe und das Christentum soll weit, weit über alle Mönche sein, sie seien wie fromm sie immer mögen.

Also meinte ich auch, da ich ein Mönch war, wenn ich ohne ein Skapulier wäre aus der Zelle gegangen, hätte ich eine große Todsünde begangen und wäre verzweifelt. Ist's nicht ein großer, greulicher Greuel, daß man auf solches Narrenwerk vertrauen und sich verlassen soll, da man solche Ehre allein dem Herrn Christus geben sollte? Sollte man doch dem Papsttum um dieses einzigen Stückes und Irrtums willen gram sein!

Die erste Messe ward hoch gehalten und trug viel Geldes, denn es schneite dazu und war das rechte Geldnetz mit Opfern und Geschenk.

Da ich ein junger Mensch war, begab sich's zu Eisleben am Fronleichnamsfest in der Prozession, da ich auch mitging und ein Priesterkleid anhatte, daß ich vor dem Sakrament, das Doktor Staupitz trug, so hart erschrak, daß mir der Schweiß ausbrach und nicht anders zu Sinn war, ich würde vergehen vor großer Angst. Da nun die Prozession aus war, beichtete und klagte ich mein Anliegen Doktor Staupitz, der sagte: Ei, Eure Gedanken sind nicht Christus. Dies Wort nahm ich mit Freuden an und war mir sehr tröstlich.

Da Doktor Martin unterm Birnbaum in seinem Hofe saß, fragte er Magister Antonius Lauterbach, wie es ihm ginge in seinem Predigtamte? Da nun derselbige klagte über seine Beschwerung, Anfechtungen und Schwachheit, sprach Doktor

Martin: Ei, Lieber, es ist mir auch so gewesen; ich hab' mich wohl so sehr gefürchtet vor dem Predigtstuhl wie Ihr, dennoch mußte ich fort. Man zwang mich zu predigen. O wie fürchtete ich mich vorm Predigtstuhl!

Aber du willst bald Meister sein; willst gelehrter sein denn ich und andere, so darin geübt sind; willst vielleicht Ehre suchen und wirst also angefochten. Du sollst aber unseren Herrgott predigen und nicht ansehen, was die Leute davon halten und urteilen. Kann's jemand besser, der mache es besser; predige du nur Christus und den Katechismus. Solche Weisheit wird dich erhöhen über aller Menschen Urteil, denn es ist Gottes Wort, das ist klüger denn die Menschen; der wird dir wohl geben, was du reden sollst und sieht nicht auf der Leute Urteil, Lob und Schmach. Von mir darfst du Lobes nicht gewarten: wenn ich dich höre, werde ich deine Predigt gar verreißen; denn man muß euch Gesellen also tun, daß ihr nicht ehrgeizig und stolz werdet. Du sollst aber wissen, daß du dazu berufen bist; Christus bedarf dein, daß du ihn helfest preisen. Darauf bestehe du fest; laß loben und schelten, wer da will, das gehet dich nichts an. Deine Entschuldigungen sind bei mir nichts.

Ich hatte wohl fünfzehn Gründe, mit welchen ich Doktor Staupitz meine Vocation wollte abschlagen unter diesem Birnbaum; aber es half nichts. Zuletzt, da ich sagte: Herr D. Staupitz, Ihr bringt mich um mein Leben, ich werde nicht ein Vierteljahr leben, da sprach er: »Wohlan, in Gottes Namen! Unser Herr Gott hat große Geschäfte, er bedarf droben auch kluger Leute!«

Darnach erzählte er, D. Martin Luther, viel Gutes, so Doktor Staupitz hatte getan und ausgerichtet. Sonderlich wäre er ein Liebhaber und Förderer gewesen derer, die studierten. Wie er zum Obersten und Vikar drei Jahre lang wäre gewählt worden in der ganzen Ordensprovinz, da hätte er alles mit seinem Rat und Kopfe wollen ausrichten, es wäre ihm aber nicht vonstatten gegangen. Die anderen drei folgenden

Jahre wäre er abermal dazu erwählet; da wollt er's mit Rat der
Väter und Ältesten versuchen; es wäre ihm aber auch fehlge-
gangen. Die dritten drei Jahre hätte er's Gott befohlen und
walten lassen; da ging es viel weniger fort. Darum sagte er:
Laß es gehen, wie es geht; denn es will doch gehen, wie es
geht; es will weder ich noch die Patres, noch Gott etwas
schaffen; es muß ein anderes dreijähriges Vikariat kommen!
Da kam ich drein und hab's anders angefangen.

Doktor Staupitz, ob er wohl sehr gelehrt war, war doch ein
verdrießlicher Prediger, und das Volk hörte lieber einen
schlichten Bruder und Prediger, der es einfältig machte, daß
man's verstehen konnte. Denn seht, wie kindisch Christus
redet in Gleichnissen. In den Kirchen sollte keine Pracht noch
Ruhm gesucht werden; da soll es schlicht, einfältig und recht
zugehen.

Doktor Staupitz habe ich oft gebeichtet, nicht von Weibern, sondern die rechten Anfechtungen. Da sagte er: »Ich
verstehe es nicht! Das heißt recht getröstet! Kam ich darnach
zu einem andern, so ging mir's auch also. In Summa, es wollte
kein Beichtvater davon etwas wissen. Da gedachte ich: Die
Tentatio und Anfechtung hat niemand denn du. Da ward ich
wie eine tote Leiche. Zuletzt hob Doktor Staupitz an zu mir
über Tisch, da ich so traurig und erschlagen war, und sprach:
Wie seid Ihr so traurig, Bruder Martin? Da sagte ich: Ah, wo
soll ich hin? Sprach er: Ach, Ihr wisset nicht, daß Euch solche
Anfechtung gut und not ist, sonst würde nichts Gutes aus
Euch! Das verstand er selbst nicht, denn er gedachte, ich wäre
gelehrt, und wenn ich nicht Anfechtung hätte, so würde ich
stolz und hoffärtig werden. Ich aber nahm es an, wie Paulus
sagt (2. Kor. 12, 7): Mir ist ein Pfahl ins Fleisch gegeben, daß
ich mich der hohen Offenbarung nicht überhöbe. Darum
nahm ich's auf als ein Wort und Stimme des Heiligen Geistes.

Ich war sehr fromm im Papsttum, da ich ein Mönch war,
und doch so traurig und betrübt, daß ich gedachte, Gott wäre
mir nicht gnädig! Da hielt ich Messe und betete, und habe

kein Weib, da ich im Orden und ein Mönch war (so zu reden)
fürder gesehen noch gehabt. Jetzt muß ich andere Gedanken
vom Teufel leiden. Denn er wirft mir oft vor: O wie einen
großen Haufen Leute hast du mit deiner Lehre verführt! Bisweilen tröstet mich und macht mir wieder ein Herz ein
schlichtes Wort in der Anfechtung. Es sagte einmal mein
Beichtvater zu mir, da ich immer närrische Sünde vor ihn
brachte: Du bist ein Narr! Gott zürnt nicht mit dir, sondern
du zürnst mit ihm; Gott ist nicht zornig auf dich, sondern du
bist auf ihn zornig! Ein teures, großes und herrliches Wort,
das er doch vor diesem Licht des Evangeliums sagte!

Am 14. Dezember 1541 sprach Doktor Martin Luther:
Die größte Anfechtung des Teufels ist diese, daß er sagt: Gott
ist Sündern feind; du bist ein Sünder, darum ist dir Gott feind
etc. Diese Anfechtung fühlt einer anders denn der andere.
Mir wirft er vor nicht die Sünde, so ich in der Jugend getan
habe, wie vornehmlich unter anderem, daß ich Messe gehalten und Gottes Sohn geopfert und gemartert und damit ihn
gelästert habe, sondern viel andere Stücke, so diesen nirgend
gleich sind; andern hält er vor, was sie zuvor in ihrem Leben
getan haben.

Aber in dieser Schlußrede soll stracks das erste Stück verneint werden, nämlich: es ist nicht wahr, daß Gott den Sündern feind sei. Wenn nun der Teufel hierwider sagt und hält
dir vor Sodom und andere Exempel göttlichen Zorns, so halte
ihm dagegen wiederum vor Christus, Gottes Sohn, den er um
der Sünden willen hat Mensch werden lassen. Wenn er nun
den Sündern feind wäre, so hätte er wahrlich seinen Sohn
nicht um unsertwillen gesandt und ihn nicht so jämmerlich
zurichten lassen, zerplagen, leiden und sterben. Doch ist er
den Sündern feind, die da meinen, sie seien fromm und gerecht, das ist, die sich nicht für Sünder erkennen; die will er
weder hören noch sehen, bis sie zur rechten Erkenntnis der
Sünden kommen und sich an Christus allein mit dem Glauben
ans Wort halten.

Solche Anfechtungen sind uns sehr nütz, gut und not und geschehen nicht, wie man meint, darum, daß wir sollten dadurch verderbt und verloren, sondern unterwiesen und gelehrt werden. Denn ein jeglicher Christ soll gedenken und wissen, daß er Christus ohne Anfechtung und Kreuz nicht recht lernen noch erkennen kann; das ist die Schule, in der man den Mann und Heiland recht erkennen lernt. Vor zwanzig Jahren habe ich erst diese Verzweiflung und Anfechtung göttlichen Zorns gefühlt. Zuvor hatte ich Ruhe, daß ich auch ein Weib nahm; so gute Tage hatte ich. Aber darnach kam sie wieder.

Da ich's nun Doktor Staupitz klagte, sagte er: er hätte solche Anfechtung niemals gefühlt noch erfahren; aber soviel ich verstehe und merke, sprach er, so sind sie Euch nötiger denn Essen und Trinken. Darum, die sie fühlen, sollen sich gewöhnen und tragen lernen; denn das ist das rechte Christentum. Wenn mich der Satan nicht so geplagt und geübt hätte, so hätte ich ihm auch nicht können so feind sein, hätte ihm auch nicht können so Schaden tun. Denn wenn die Anfechtung kommt, so kann ich nicht auch eine einzige tägliche, geringste Sünde überwinden; darum bewahrt sie uns vor Hoffart und mehrt zugleich die Erkenntnis Christi und Gottes Gaben. Denn von der Zeit an, da ich damit begann angefochten zu werden, gab mir Gott diesen herrlichen Sieg, daß ich die Möncherei und das schändliche, verfluchte, gotteslästerische Leben, so darinnen ist, überwand.

Wir müssen's allhier zu Wittenberg auch bekennen, da unser Land gar sandig ist und anders nichts denn eitel Steine; denn es ist nicht ein fettes, köstliches Erdreich.

Darum hat, sprach Doktor Martin Luther, einer einmal von Wittenberg gesagt:

> »Ländiken, Ländiken,
> Du bist ein Sändicken!
> Wenn ik dik arbeite,

So bist du licht (leicht);
Wenn ik dik egge,
Bist du schlicht;
Wenn ik dik mähe,
So finde ik nicht.«

Dennoch gibt uns Gott aus diesen Steinen guten Wein und köstliches Korn. Aber weil dies Wunderwerk täglich geschieht, so verachten wir's.

Es hatte Lukas Cranach der Ältere Doktor Martin Luthers Hausfrau abkonterfeit. Als nun das Bild an der Wand hing und der Doktor das Gemälde ansah, sprach er: Ich will einen Mann dazu malen lassen und solche zwei Bilder gen Mantua auf das Konzil schicken, und die heiligen Väter, allda versammelt, fragen lassen, ob sie lieber haben wollten den Ehestand oder den Zölibat, das ehelose Leben der Geistlichen. – Nun fing Doktor Martin Luther darauf an, den Ehestand zu preisen und zu loben: daß er Gottes Ordnung wäre, und ohne den Stand da wäre die Welt vorlängst gar öde und wüst geworden. Und alle anderen Kreaturen wären auch ganz vergeblich und umsonst geschaffen gewesen; denn sie sind alle um des Menschen willen erschaffen; da wären gar keine Ordnungen und Stände in der Welt gewesen.

Im ersten Jahre des Ehestandes hat einer seltsame Gedanken. Wenn er über Tisch sitzt, so gedenkt er: vorhin warst du allein, nun aber bist du selbander; im Bette, wenn er erwacht, sieht er ein paar Zöpfe neben sich liegen, die er vorhin nicht sah. Also saß meine Käthe im ersten Jahr bei mir, wenn ich studierte, und da sie nicht wußte, was sie reden sollte, fing sie an und fragte mich: Herr Doktor, ist der Hochmeister in Preußen des Markgrafen Bruder? Wenn ich nicht alsbald und in der Stille hätte Hochzeit gehalten mit Vorwissen weniger Leute, so hätten sie es alle verhindert, denn alle meine besten Freunde schrien: Nicht diese, sondern eine andere!

Ich habe ein Weib genommen auch darum, daß ich wider

den Teufel trotzen könne, zu Schanden der Hurerei im Papsttum. Und wenn ich keine hätte, so wollte ich doch nun in
meinem Alter eine nehmen, ob ich gleich wüßte, daß ich
keine Kinder könnte mit ihr zeugen; nur allein dem Ehestand
zu Ehren und zu Verachtung und Schande der schändlichen
Unzucht und Hurerei im Papsttum, die sehr groß und greu-
lich ist.

Doktor Martin Luther redete von seiner Hausfrau und sagte: er achte sie teurer denn das Königreich Frankreich und der
Venediger Herrschaft, denn ihm wäre ein frommes Weib von
Gott geschenkt und gegeben, wie er auch ihr. Zum andern, er
höre, daß viel größere Gebrechen und Fehler allenthalben unter Eheleuten seien, denn an ihr gefunden würden. Zum dritten, das wäre überflüssige Ursache genug, sie lieb und wert zu
halten, daß sie Glauben und sich ehrlich hielte, wie einem
frommen, züchtigen Weibe gebührt. Welches alles, da es ein
Mann ansähe und bedächte, so würde er leichtlich überwinden, was sich zutragen möchte, und triumphieren wider Zank
und Uneinigkeit, so der Satan pflegt zwischen Eheleuten an-
zurichten und zu machen.

Doktor Martin Luther ermahnte sein Weib, daß sie fleißig
Gottes Wort lesen und hören sollte und sonderlich den Psal-
ter fleißig lese. Sie aber sprach, daß sie es genug hörte und täglich viel läse, und könnte auch viel davon reden; wollte Gott,
sie täte auch darnach. Da seufzte der Doktor und sprach:
Also hebt sich der Überdruß zu Gottes Wort an, daß wir uns
viel lassen dünken und wollen's alles gar wissen und erfahren
doch das Gegenteil; ja, daß wir ebensoviel davon verstehen
wie eine Gans und wollen gleichwohl ungestraft sein. Dies ist
der Vortrab des künftigen Übels und Überdrusses des göttlichen Wortes, darauf werden eitel neue Bücher kommen, und
die Heilige Schrift wird verachtet und wieder in einen Winkel
oder unter die Bank geworfen werden.

Agrippa von Nettesheim
Die Eitelkeit und Unsicherheit
der Wissenschaften

Fritz Mauthner nennt in seiner Ausgabe des berühmten Werks Die Eitelkeit und Unsicherheit der Wissenschaften *den Verfasser, Agrippa von Nettesheim, einen »Scharlatan«, widmet aber in einer ausführlichen Einleitung diesem »Scharlatan« eine gründliche Einleitung von fast 54 Druckseiten. Scharlatane des fünfzehnten und sechzehnten Jahrhunderts (zum Beispiel Paracelsus) waren in nicht wenigen Fällen auch Genies, die viel vorweggenommen haben, was spätere Zeiten dann erst systematisch sicherten.*

Heinrich Cornelius Agrippa von Nettesheim wurde im Jahre 1486 geboren; zu Köln am Rhein. Köln, Colonia Agrippina, gab ihm vielleicht die Idee, sich Agrippa zu nennen. Von Nettesheim weiß man nicht einmal, wo ein solcher Ort sich befunden hat. Wahrscheinlich hieß er schlicht: Heinrich Cornelis und war ein Bürgerlicher, der sich selbst adelte. Wie sich heute mancher Professor nennt, ohne es zu sein.

Seine Biographie besteht aus Fakten, die fast alle angezweifelt werden. Denn die einzige Quelle sind seine Briefe, die im toten Latein der Humanisten mehr Stilübungen nach dem Vorbild großer Schriftsteller als echte Mitteilungen zu sein scheinen. Viel Forschungen hat man seinen Ehen und Kindern gewidmet: den Namen seiner drei Ehefrauen, seiner Kinder, ihrer Geburts- und Sterbejahre.

Vielleicht kommt etwas mehr heraus, wenn man seine erste Arbeit Über den Adel und die Überlegenheit des weiblichen

Geschlechts *zergliedert und von hier aus Rückschlüsse auf
seine Beziehung zum weiblichen Geschlecht zieht. Man hat
seinen Titel auch übersetzt:* ›Über den Schwachsinn der Männer‹. *Agrippa meinte: nicht Eva war die Verführerin, sie
wurde von Adam verführt. Er meinte auch: es waren Männer, die den Heiland gekreuzigt haben. In allen Gaben des
Geistes und des Körpers sei der Mann geringer als die Frau;
natürlich, denn Gott habe ja die Frau später geschaffen als den
Mann und erst bei seinem zweiten Werk sein Meisterstück
gemacht. Es ist schwer, genau zu erkennen, wo die Ironie anfängt, so daß man nicht mehr wortwörtlich nehmen kann,
was so eindeutig dazustehen scheint.*

*Das Leben des Agrippa von Nettesheim war ein ständiges
Auf und Ab zwischen enormen Erfolgen und enormen Niederlagen. Gestorben ist er in seinem 49. Lebensjahr in Gre-
noble oder in Lyon. Im letzten Jahrzehnt erschien die Schrift,
deren Titel bis zu diesem Tage berühmt ist:* Die Eitelkeit und
Unsicherheit der Wissenschaften. *Er schrieb sie nach einem
gewaltigen Mißerfolg im Jahre 1526. Sie gehört zu den großen
Pasquillen der Weltliteratur.*

*Agrippa war Astrologe, Magier, Kabbalist, Alchimist,
Geldmacher, außerdem noch einer der ältesten Skeptiker in
der langen Geschichte der modernen Skepsis. Er war ein zor-
niger Skeptiker. Seine Skepsis wurde zum Mittel seiner Rachsucht. Wir kennen die konkrete Situation nicht; deshalb wissen wir nicht, wen er meinte und wogegen es ging. Wir haben
nur die Klassifikation seiner Feinde, wie er sie im Vorwort gegeben hat, aus dem wir ein Stück bringen.*

*Der Erfolg war enorm. Die Streitliteratur blühte so stark in
seinem Jahrhundert, wie sie in unserem schwach ist. Allein bis
zu seinem Tode sind etwa zehn Auflagen dieses umfangreichen Pamphlets erschienen. Die Verdammung durch die Universitäten von Paris und Löwen trug viel dazu bei, seine
Schrift populär zu machen. Man warf ihm vor, er sympathi-
siere mit der Lehre Luthers, sei gegen den Bilderdienst und die*

Einrichtungen der katholischen Kirche, müsse also verbrannt werden. Die Verurteilung, welche die Universität Löwen aussprach, war besonders gefährlich, denn er lebte damals in den Niederlanden.

Protestantisch war sein Werk nur insofern, als er gegen die Dogmen protestierte, wie sie von Theologen wie Thomas und anderen festgelegt worden waren. Aber er war nicht protestantisch im dogmatischen Sinne des Wortes. Er wollte, wie er wörtlich schrieb: »die Freiheit, der Wahrheit nachzuforschen«.

Man hat Mühe, seine genaue Meinung zu erfassen. Was ist ironisch? Was ist diplomatisch? Eine seiner Thesen war, daß die Wissenschaften nichts zur Seligkeit des Menschen beitragen.

Bisweilen spielt er die christliche Religion gegen die Wissenschaften aus, wie im Beginn des hundertsten Kapitels, aus dem wir abschließend Passagen bringen. Ist er wirklich ein guter Christ, im Sinn seiner Zeit? Oder ist er nur ein vorsichtiger Taktiker? Oder ist er ein Ironiker, der (unter dem Vorwand, seine Religion zu preisen) zeigen will, wie sie alle Bemühungen der Menschen um Wahrheit verhindert?

Nein, sage mir, lieber Leser, scheinet dir dieses mein Vorhaben nicht eine kühne und rechtschaffene, freche, ja weit über Herculis Kräfte sich erstreckende Tat zu sein, indem ich mir jetzo vornehme, wider den großen und allgemeinen Riesenkrieg aller Künste und Wissenschaften die Waffen zu ergreifen und diese starken und mächtigen Jäger aller Gelehrsamkeit rauszufordern? Ich kann mir wohl einbilden, daß der stolze Haufe aller Doktoren, die große Gelehrsamkeit aller Lizentiaten, die Autorität und das gravitätische Ansehen aller Magister, die unterfangende Einbildung aller Baccalaurien und der grausame Eifer aller Schulfüchse wie auch der Auf-

stand aller Künstler und Handwerksleute auf mich unerhört
schänden und lästern werden. Denn, wenn ich diese anjetzo
antaste, so wird es ebensoviel und noch mehr sein, als wenn
ich mich unterstünde, den grausamen Nemeischen Löwen
mit der Keule totzuschlagen, die Lernäische Schlange mit
Feuer zu töten, das große Erymanthische Schwein zu fällen,
den Hirsch, der in dem Mänalischen Walde güldene Hörner
trägt, zu fangen, die Stymphalidischen Vögel in der Luft zu
schießen, den Antäum mit den Ellenbogen zu erdrücken,
Grundsäulen in der offenbaren See aufzurichten, den drei-
köpfigen Geryonem zu überwinden, starke Ochsen zu bezwingen, über den Acheloum im Duell Meister zu werden,
des Diomedis Pferde zu entführen, den Höllenhund Cerbe-
rum bei der Kette herumzuführen, die güldenen Hesperidi-
schen Äpfel wegzunehmen, und was dergleichen Sachen
mehr sind, welche von dem Hercule mit großer Arbeit und
nicht geringer Gefahr sind verrichtet worden: fürwahr nicht
weniger Arbeit werde ich hier brauchen, und größerer Gefahr
befinde ich mich unterworfen zu sein, wenn ich diese akade-
mischen Riesen und diese großen Schulenungeheuer zu
überwinden mich anjetzo unterfange.

Denn es deucht mich schon, und ich sehe allbereit für Augen den blutigen und gefährlichen Krieg, in welchen ich mich
anjetzo einlasse, indem ich mit einem mächtigen und schrecklichen Heer vielwissender Leute umgeben bin, ei, mit was für
Rüstungen werden sie mir entgegenkommen, wie werden sie
auf mich lästern und schmähen? Da werden erstlich die superklugen Grammatici herfürtreten und mir Widerpart halten, auch mit ihren Etymologien meinen ehrlichen Namen
vergessen, werden statt Agrippa Podagra sagen; da werden
die frechen Poeten mich für ein Lästermaul oder Ägyptischen
Bock halten und mich in ihren Versen durchziehen; die fabel-
haftigen Historienschreiber werden mich über Pausaniam
und Herostratum entheiligen und ausschreien; die groß-
sprecherischen Rhetores oder Redner werden mit zornigen

Augen, schrecklichem Gesichte, marktschreierischer Stimme und üblen Gebärden mich einer Verletzung der Majestät beschuldigen; die wundersamen Memoriographi oder Gedächtnisschreiber werden mir mein Gehirne mit einer überzogenen Larve suchen stumpf zu machen; die zänkischen Dialectici oder Vernunftkünstler werden unzählige syllogistische Pfeile auf mich schießen.

Die schändlichen und bissigsten Cynici oder Philosophi, deren Obermeister der Antisthenes gewesen, werden mich gar in ein Faß einschließen wollen; die pestilenzischen Academici werden mir eine böse Frau an den Hals wünschen, die verschwelgerischen Epikureer werden mich mit ihrem Verschwelgen zu Tode saufen; die grundlosen Peripatetici werden mir nach der Seele stehen und mich aus dem Paradies zu verstoßen suchen; die ernsthaftigen Stoiker werden mir alle menschlichen Affekte benehmen und mich in einen Stein verwandeln; die vergeblich redenden Metaphysici oder die Sittentugendlehrer werden mir mit ihrem Chaos, der doch niemals gewesen ist und auch nicht werden wird, meinen Sinn ganz verkehrt zu machen suchen.

Der politische Legislator oder Gesetzgeber wird mir alle Ämter versagen; der wollüstige Fürst wird mich vom Hofe wegschaffen, und die Großen daselbst werden mich von ihrem Tische verjagen; das verhärtete Volk wird mich auf den Gassen mit lauter Scheltworten plagen, und der grausame erschreckliche Tyrann wird mich zu wilden Tieren einschließen; die zusammengerotteten Regenten werden mich ins Exilium verjagen; der ungestüme gemeine Mann, der wie eine Bestia mit vielen Köpfen ist, wird mich ungehört ins Verderben jagen; die Republik oder das gemeine Wesen wird mich einer Verräterei beschuldigen.

Die geizigen Pfaffen werden mir den Altar und Beichtstuhl verbieten; die verfluchten Heuchler, nämlich die Kutten- und Mönchskappenträger, werden mich von ihrem Predigtstuhl und Kanzel runterwerfen; die allmächtigen Päpste werden

mir meine Sünde zum Fegfeuer behalten; die geilen Hurer
werden mir die Franzosen an den Hals wünschen; der räube-
rische Hurenwirt und die versoffene Kupplerin werden mir
meinen Beutel suchen zu fegen; die voller Schwären rumstrei-
chenden Bettler werden das Armenhaus vor mir verschließen;
die da mit Indulgentien handeln und die Sünde um Geld vergeben, werden mir den heiligen Brand wünschen; der unge-
treue Haushalter wird mich in der Garküche verarrestieren.
Der gotteslästerliche Schiffmann wird mich in Scyllam und
Charybdim hineinführen; der leichtfertige und gewissen-
lose Kaufmann wird mich mit seinem Wuchern selbst ver-
pfänden.

Der diebische Steuereinnehmer wird mir nach meinem bißchen Brot trachten; die harten Ackersleute werden mir den
Garten und das Feld verbieten; die müßigen Hirten werden
mir, daß ich dem Wolf möchte in seine Klauen kommen,
wünschen; der wasserschwärmerische Fischer wird mir eine
heimliche Angel unterlegen; der schreiige Jäger wird den
Stoßvogel und Hunde über mich schicken; der streitbare Soldat wird mich plündern und berauben und mir eine Kugel
schenken; die purpurfarbigen Edelleute werden mich ganz
degradieren wollen; die schön uniformierten Heraldi werden
mir meine sechzehn Ahnen disputierlich machen und die ritterlichen Exerzitia versagen; auch mich für einen verlaufenen
Bauer schelten.

Die dreckfressenden Medici werden mir das Harnglas oder
den Pinkelscherben auf den Kopf gießen; einer, welcher von
der Krankheit viel vergeblich Disputierens macht, wird mir
alle Mittel versagen und der verwegene Empiricus alle gefährlichen Experimente an mir versuchen, daß er mich gleich
darüber ad Patres liefern möge; und der betrügerische Me-
thodicus wird mir meine Krankheit zu seinem höchsten Nutzen fein lange aufhalten; der unflätige Apotheker wird mich
mit seinen garstigen Klistieren besudeln; die knabenverder-
berischen Barbiere werden mir den Kopf mit scharfer Lauge

waschen; die greulichen Anatomici werden mich zu sezieren begehren.

Der unflätige Postillon wird mir die Post versagen und mit Fuhrmannsstaub die Augen zu verblenden suchen; der, welcher andern eine Diät vorschreibt, wird mich Hunger sterben lassen, und der versoffene Koch wird mir einen ungesalzenen Bissen ins Maul stopfen.

Siehst du nun nicht, mein lieber Leser, mit wem ich anjetzo zu tun habe, und was für großer Gefahr ich entgegengehe? Aber ich habe gute Hoffnung, allen diesen Anfällen zu entgehen, wenn du nur der Wahrheit zum Besten Geduld haben und alle Parteilichkeit und Mißgunst ablegen und mit rechtschaffenem, aufrichtigem Gemüte dasjenige, was ich allhier geschrieben, zu lesen dich bequemen wolltest. Überdies habe ich für mich Gottes Wort, womit ich mich wehre; das brauche ich unerschrocken für meinen Schild und Schirm, und wenn es ja sein soll, will ich (indem desselben wegen ich so viel Feinde gegen mich erweckt) gar gerne und viel lieber leiden als von dieser Sache abstehen.

Und ich wollte, lieber Leser, daß du es vor allen Dingen wüßtest, daß ich dieses zu schreiben weder aus Haß noch aus Ehrgeiz, noch aus einem bösen Vorsatz, noch aus Antrieb eines Irrtums bin bewogen worden. Es hat mich auch nicht eine leichtfertige Begierde, noch ein Ansehen dadurch zu erwecken, sondern die gerechte und wahrhafte Sache dazu getrieben, indem ich erfahren und genugsam gesehen habe und noch immer sehe und erfahre, daß ihrer viel durch diese irdischen Wissenschaften so stolz und indolent werden, daß sie die Sprache der Heiligen Schrift und in derselben die Aussage des Heiligen Geistes nur deswegen, weil in denselben keine zierlichen Reden, keine anmutigen Beredsamkeiten und keine neue philosophische Erudition, sondern nur eine einfältige Operation der Tugend und des Elendes zu finden, als eine bäurische Unwissenheit vernichten und gänzlich verächtlich halten.

So sehen wir auch andere, die sich ein wenig gottesfürchti-
ger zu sein dünken, und zwar Christi heilige Gebote zu billigen sich angelegen sein lassen, jedoch anderer Gestalt nicht,
als wenn sie mit den philosophischen Menschensatzungen
können behauptet werden, und teilen also denselben mehr zu
als Gottes heiligen Propheten, Evangelisten und Aposteln, da
doch diese von jenen mehr als Himmel und Erde entfernt
sind.

So ist auch über dieses fast in allen Schulen so ein verkehrter
und leichtfertiger Gebrauch und so eine verdammte Gewohnheit, daß die lernenden Discipuli gleichsam durch einen
Eidschwur ihren Lehrmeistern zusagen müssen, daß sie dem
Aristoteli oder dem Boethio oder dem Thomae oder dem Al-
berto als ihrem Schulgott in Ewigkeit nicht widersprechen
wollen, ja, welcher nur einen Nagel breit von ihnen dissentie-
ret – den halten sie gleich für einen ärgerlichen Ketzer, und
damit durch denselben züchtige Ohren nicht beleidiget werden möchten, so suchen sie ihn gleich auf den Scheiterhaufen
zu werfen.

Sieh nun, lieber Leser, mit diesen kühnen Riesen habe ich
jetzo zu schaffen, und mit diesen Feinden der Heiligen Schrift
muß ich mich in einen Kampf einlassen, ihre Schlösser und
Festungen muß ich dartun und erweisen, wie groß der Menschen Blindheit sei und wie sie mit so vielen ihren Lehrmeistern und Erfindern aller Wissenschaften und Künste allezeit
von der Erkenntnis der rechten Wahrheit abweichen.

Denn, mein! Was ist es doch für eine grausame Unbesonnenheit und für eine stolze Einbildung, die philosophischen
Schulen den Kirchen Christi vorzuziehen und den Menschentand und ihre ungegründeten Satzungen Gottes heiligem Worte gleich zu achten? Fürwahr, es ist eine unchrist-
liche Tyrannei, die Ingenia der Studierenden gefangenzu-
nehmen und den Discipuln die Freiheit, der Wahrheit nachzuforschen, zu entziehen.

Welches, weil es alles so klar und offenbar ist, daß es nicht

geleugnet werden kann. Also werdet ihr mir für diesmal auch
verzeihen, wenn ich etwas freier und vielleicht etwas zu
scharf auf eine oder die andere Disziplin oder auf ihre Professoren meine Rede ergehen lasse. Gehabe dich wohl.

Endlich habet ihr gehöret, daß die Wissenschaften und Künste nichts anders sind als Menschenüberlieferungen und von
uns nur in törichter Leichtgläubigkeit angenommen und daß
solche insgesamt aus nichts anderem als aus zweifelhaftigen
Dingen und ungewissen Meinungen genommen und durch
scheinbare Demonstrationes dargetan werden; ja daß sie alle,
soviel derer sind, ungewiß und betrüglich, ich könnte fast sagen schädlich und gottlos sind. Daher ist es gottlos, zu glauben, daß sie uns zu unserer Seligkeit was dienlich sein könnten.
Vor diesem hatten die Heiden diesen Aberglauben, daß,
wann sie einen sahen, der eine Kunst oder Wissenschaft erfunden hatte oder darinnen exzellieret, demselben taten sie
göttliche Ehre an und rechneten ihn unter die Zahl der Götter; sie weiheten ihm Tempel und Altäre und beteten ihn unter gewissen Figuren an, wie der Vulcanus bei den Ägyptiern,
weil er der erste Philosophus war, und die Principia naturae
dem Feuer zuschriebe, so war er hernach gar als ein Feuer ge-
ehret; und der Äsculapius (wie Celsus dafür hält), weil er die
annoch rauhe Medizin ein wenig subtiler zu traktieren wußte,
so ward er deswegen unter die Götter gezählet. Also ist diese
und keine andere Gottheit der Wissenschaften bei ihnen, als
welche die alte Schlange, die dergleichen Götterkünstlerin ist,
unseren ersten Eltern versprochen hat, wann sie saget: Eritis
sicut Dei, scientes bonum et malum. Das ist: Ihr werdet sein
wie die Götter, sobald Ihr Gutes und Böses wisset. In dieser
Schlange mag sich rühmen, wer sich einer Wissenschaft rüh-
met; denn fürwahr niemand wird können einer Wissenschaft
fähig sein und dieselbe besitzen, als aus Gunst und Favor dieser Schlange, deren Lehre nichts anderes als Zauberei und

Gaukelei und deren Final endlich böse ist; also daß auch bei dem gemeinen Mann ein Sprichwort entstanden: Omnes scientes insanire. Alle, die was wissen, die seien närrisch und unsinnig. Denen pflichtet auch Aristoteles bei, wann er sagt: Nullam magnam esse scientiam sine mixtura dementiae. Jedwede große Wissenschaft sei mit einer Torheit vermischet. Und Augustinus selbst bezeuget, daß manche, durch Begierde, viel zu wissen, ihre Vernunft verloren haben.

Es ist kein Ding auf der Welt der christlichen Religion und dem Glauben so zuwider als die Wissenschaft, und ist nichts, das sich weniger miteinander vertragen kann als diese beiden; denn wir wissen aus den Kirchenhistorien, und hat es auch die Erfahrung gegeben, wie die Wissenschaften, nachdem der Glaube an Christum aufkommen, verfallen sind, also daß fast der größte oder doch der vornehmste Teil gänzlich zugrunde gangen ist. Denn die zauberischen Künste meistenteils, die die größten und vornehmsten gewesen sind, die haben sich dergestalt verloren, daß keine Spuren mehr da sind; und von allen der Philosophorum Sekten ist nicht mehr übrig geblieben als nur allein die peripatetische, und zwar auch ganz verstümmelt und unvollkommen. Und hat sich die Kirche niemals besser befunden und mehr in stiller Zufriedenheit gelebet als zu der Zeit, da man von Künsten und Wissenschaften nichts gewußt hat oder doch, da dieselben in eine Enge gebracht worden sind, nämlich da keine Grammatica gewesen als nur bei dem Alexander Gallo, keine Dialectica als bei dem Petro Hispano, keine Thetorica als bei dem Laurentio Aquilegio, ein klein Fasciculus oder Bändchen war genug für die Historie, für die mathematischen Disziplinen genügte die Ausrechnung des Kirchenkalenders, allen andern Disziplinen auch stunde der einige Isidorus für.

Anjetzo aber, da wieder so viel Sprachen aufgekommen, so viel rhetorische Orationes geschrieben und so viel alte Bücher aufs neue das Tageslicht gesehen haben und die Wissenschaften wieder excolieret worden, da sehe man nur, wie die Kir-

che in ihrer Ruhe ist turbieret worden und was für neue Sekten und Ketzereien nacheinander an den Tag kommen sind; ja
es ist keine Art unter den Menschen weniger geschickt, Gottes heilige Lehre an sich zu nehmen als diejenige, so sich in
allerhand Wissenschaften vertiefet hat, denn diese bleiben of-
termals so obstinat und halsstarrig auf ihrer Meinung, daß sie
dem Heiligen Geist keinen Raum lassen wollen, und trauen
ihren eigenen Kräften und Köpfen so viel zu, daß sie der reinen Wahrheit keinesweges weichen wollen, lassen auch
nichts zu, als was mit syllogistischen Schlüssen erwiesen werden kann, und was sie nicht durch ihre Kräfte und Fleiß nach-
grübeln mögen, das verachten sie und lachen es aus. Darum
hat Christus diese seine heilige Lehre für den Weisen und
Klugen verborgen und hat sie den Kleinen und Geringen of-
fenbaret, nämlich denjenigen, die geistlich arm sind und
mangeln der Wissenschaften, denjenigen, welche reinen Herzens und nicht mit diesen vergeblichen Meinungen und Wissenschaften beflecket sind, deren Seelen wie ein Blatt weißen
Papieres sind, auf dem noch nichts geschrieben stehet von
menschlichen Traditionen, denjenigen, welche friedfertig
sind und nicht gerne streiten oder mit ihren zänkischen Syllo-
gismis die Wahrheit verjagen, denjenigen, welche wegen der
Wahrheit und Gerechtigkeit Verfolgung leiden und als Esel
von den argen Sophisten verlachet werden oder als Grün-
schnäbel verrufen in den Schulen, entfernt von den Lehrstühlen, verjagt von den Universitäten, als Ketzer verleumdet und
verfolgt, auch wohl grausam am Leben gestrafet.

Ulrich von Hutten
»*Ich hab's gewagt!*«

*U*lrich von Hutten wurde auf der Burg Steckelberg in Franken geboren, am 21. April 1488. Er entstammte einem verarmten Rittergeschlecht.

So wurde er, nach einem Brauch der Zeit, in ein Kloster gebracht; man weiß über seine 11 Jahre in Fulda kaum etwas. In seiner Schrift, die ein Jahr vor seinem Tod (1523) erschien, schrieb er: »Da ich aber ein wenig das Leben kannte und mich bedachte, ich verwüßte mich meiner Natur nach in einem anderen Stand viel besser Gott gefällig und der Welt nützlich zu wandeln, hab' ich mich daraus getan und anderen Dingen, die ich mich zu verwesen geschickter geachtet, nachgegangen.«

Mit achtzehn beginnt er die siebzehnjährige unruhige Fahrt von Ort zu Ort, die mit seinem sehr frühen Tod endete – immer geplagt von der ›Lustseuche‹ (wie man sich damals ausdrückte): von Köln nach Erfurt, nach Frankfurt, nach Leipzig, nach Greifswald, nach Rostock, nach Wittenberg, durch Böhmen und Mähren nach Wien, nach Pavia und Bologna und Ems, nach Rom, nach Ferrara . . . Es ist kaum möglich, alle Orte zu nennen, in denen der Rastlose sich aufgehalten hat, Tage, Wochen, Monate; meist war er krank, oft floh er, bisweilen wurde er von einem Feind überfallen.

Vor Luther schon griff er die an, welche er für die Feinde der deutschen Nation hielt. Aber Luther war daneben Theologe, Taktiker und schrieb gegen Hutten: »Ich möchte nicht, daß mit Gewalt und Mord für das Evangelium gestritten wird.« Hutten antwortete: »Luther betet bloß.« Aber eine

Zeitlang schien es, als wären sie im selben Lager, und das waren sie ja auch. Doch war Hutten kein Mönch, sondern ein
Ritter, bei dem die Grenze zwischen literarischem und kör-
perlichem Kampf weniger nach der literarischen Seite hin lag.
Er wollte den Kaiser und die Fürsten in Kriege verwickeln:
zum Beispiel in der Ermahnung an Kaiser Maximilian zum
Kampf gegen Venedig; in der Türkenrede zum Türkenkrieg:
»Zur Vermahnung an die Fürsten Deutschlands, die Türken
mit Krieg zu überziehen«; in der Ermahnung an Kaiser Maximilian und in den Epigrammen an Kaiser Maximilian zur
Aufreizung gegen Venedig. In einer Schrift Über das Hofle-
ben vergleicht er das Leben am Hofe mit einem Meer, in welchem die Stürme Neid und Ehrgeiz die Menschen schütteln.

Viele Schriften sind ganz persönlicher Art: Verteidigungen
seiner selbst wie sein Niemand, wie Der brave Mann, wie sein
Klageschreiben an Kaiser Karl V. wegen der Verfolgungen,
denen Hutten ausgesetzt war.

Die Art von Streitliteratur in eigener Sache und gegen pri-
vate Feinde ist sehr selten geworden; Heine war vielleicht ihr
letzter großer deutscher Vertreter.

Hutten lebt im Gedächtnis der Deutschen fort als der Mann
des »Ich hab's gewagt«. Wir bringen deshalb ein paar Strophen, die mit diesem Motto seines Lebens enden. Hutten lebt
fort als der Mann, der wie kaum ein anderer die Lust an der
Zeit, an ihren neuen Freiheiten, an ihrer entengten Welt in
einige klassische Sätze gebracht hat. Hutten lebt fort als der
Mann, der geschrieben hat: »Sterben kann ich, aber Knecht
sein kann ich nicht.« Hutten lebt trotz aller Differenzen mit
Luther fort als der Mann, der Monate vor Luthers Von der
babylonischen Gefangenschaft der Kirche Huttens Manifest
gegen Rom veröffentlicht hat. Hutten lebt auch fort als der
Verfasser des zweiten Teils der berühmten Dunkelmänner-
briefe.

Er hat sich dann mit Franz von Sickingen verbündet. Er
kämpfte von den Burgen seines Freundes aus. Sickingen verlor

*den Kampf und fiel. Nun irrte Hutten, der von Gnaden des
Kaisers auch poeta laureatus war, von Asyl zu Asyl, verfolgt,
gehaßt, krank. Seine letzte Zuflucht war die Insel Ufenau im
Zürichsee. Alle waren gegen ihn. Luther nannte seine Dun-
kelmännerbriefe albern. Erasmus, mit dem er befreundet gewesen war, rückte mehr und mehr von den militanten Elementen des Humanismus ab. Einst hatte Hutten am Schluß
seines Sendschreibens an Willibald Pirkheimer geschrieben:
»O Jahrhundert! O Wissenschaften! Es ist eine Lust zu leben ... Es blühen die Studien, die Geister regen sich. Du
Barbarei, nimm den Strick und mache dich auf Verbannung
gefaßt.«*

*Nun war, mit 35 Jahren, Ulrich von Hutten am Ende seiner
Kräfte. Man weiß nicht, an welchem Ort er gestorben ist.
Man weiß auch nicht den Tag. Aber er lebt fort, wie ihn seine
feurigsten Sätze dargestellt haben, und im Gedicht, zum Beispiel in Conrad Ferdinand Meyers* Huttens letzte Tage.

Vorrede zum Gesprächbüchlein von 1520

Die Wahrheit ist von neuem g'born,
Der Trug hat seinen Schein verlorn,
Des sag' Gott jeder Lob und Ehr'
Und acht nit fürder Lügen mehr.
Ja, sag' ich, Wahrheit war erdrückt,
Ist wieder nun hervorgerückt.
Des sollt man billig geben Lohn,
Die dazu haben Arbeit g'ton.
Denn vielen es zu Nutz ersprießt,
Wiewohl es manchen auch verdrießt.
Die faulen Pfaffen loben's nit.
Darum ich jeden Frommen bitt',
Daß er gemeinen Nutz bedenk'

Und kehr' sich nit an lose Schwänk.
Es ist doch je ein Papst nit Gott,
Denn auch ihm ist g'wiß der Tod.
Ach, fromme Deutsche, haltet Rat,
Was nun so weit gegangen hat,
Daß 's nit geh wieder hinter sich.
Mit Treuen hab's gefördert ich,
Und b'gehr des anders kein Genuß,
Denn, wo mir g'schäh deshalb Verdruß,
Daß man mit Hilf' mich nit verlaß.
So will ich auch geloben, daß
Von Wahrheit ich will nimmer lan,
Das soll mir bitten ab kein Mann.
Auch schafft zu stillen mich kein Wehr,
Kein Bann, kein Acht, wie fest und sehr
Man mich damit zu schrecken meint.
Wiewohl mein' fromme Mutter weint,
Daß ich die Sach' hätt' g'fangen an,
Gott woll' sie trösten; es muß gan,
Und sollt es brechen auch vorm End'.
Will's Gott, so mag's nit werden g'wendt.
Drum will ich brauchen Füß und Händ.

Ich hab's gewagt!
Ulrich von Hutten.

Aus dem Zweiten Fieber

Da ich das Fieber hätt' gemacht,
Von Pfaffen ward ich bald veracht';
Die warfen großen Zorn auf mich,
Mich schalten ungestümiglich.
Ich sprach: Ihr Herren, nun fahrt schon,
So übel ist noch nit geton,

Ob einer liegt am Fieber krank.
Ich meint' um euch wollt verdienen Dank.
Kein Antwort mir da helfen mocht',
All's, was ich red't, zu nichten docht.
Darum mich dünkt der beste Rat,
Dem Fieber geben ander Statt.
Ein jeder Pfaff sein Fieber hat,
Des pfleg er nach dem Willen sein;
Oft jetzig Freud ist morgen Pein,
Also hab' ich sie absolviert.
Ein jeder des wohl inne wird,
Ob er jetzt besser sei geziert.

Ich hab's gewagt!

Nachrede

Ein Pfaff, der treibt das Fieber aus
Und hält danach mit Huren Haus,
Der hat ein'n bösen Wechsel getan,
Wie ich das hier beschrieben han.
Drum wollt ich, daß sie dächten nach
Der Geistlichkeit, das wär' ihr Sach.
Doch möchten s' ehlich leben wohl,
Der ehlich Stand ist ehrenvoll.
Den hat Gott selbst zu Gutem g'setzt,
Weh dem, der anders hat geschwätzt
Und weiser meint denn Gott zu sein.
Drum wünsch ich ihm der Höllen Pein
Und allen, die das stiften je,
Daß Schand vor Ehr sollt gehen hie.
Wär's besser nit, ein Priester stünd'
Des Morgens auf ohn' alle Sünd'
Von seinem Weib und trieb sein Amt,

Denn daß man's sieht so unverschamt
Mit beflecktem Leib, unreinem Sinn
Oft laufen zu der Kirchen hin?
Sie haben all nit Schuld daran,
Ohn' Fleisch der Mensch nit leben kann;
Die aber machten dies Gebot,
Fürwahr, an ihn'n will's rächen Gott.
Drum denk ein jeder, was er tu;
Mag er ohn' Weiber haben Ruh,
So sei er Pfaff und leb ohn' Schand.
Fürwahr, es ist die Gotteshand,
Die strafet all's, was übel g'schicht,
Das soll niemand verachten nicht.
Gott will sein' Kirchen haben rein,
Ist allen g'sagt, nit ei'm allein.
So sollten, die den Namen han
Der Geistlichkeit, uns führen an
Und geben andern gute Lehr'.
Von hohem Stand soll kommen Ehr'!

Ich hab's gewagt!

Aus der Klagschrift an alle Stände deutscher Nation

... Da überall Kurtisanen lauern, die Gift und Dolche bei sich tragen, und denen man jedes Bubenstück, das ihnen die Gunst des Papstes zu erwerben imstande ist, zutrauen darf, da ich mich öffentlich geächtet sehe, ohne mir der geringsten Schuld bewußt zu sein, nicht auf Grund eines Irrtums meinerseits, sondern vielmehr durch die Macht und Gewalttätigkeit jener, die ihres elenden Lebens wegen kein Wort der Wahrheit gegen sich dulden – da ich dies alles klar vor mir sehe und es auf keine Art abwenden kann, so will ich der Übermacht der Schlechten weichen und die Höfe, öffentlichen Versammlungen und Städte verlassen.

Aber so will ich weichen, daß man mich dennoch überall finden soll, wo es die Wahrheit, der alles andere aufgeopfert werden muß, zu verfechten und des Vaterlandes Freiheit zu erkämpfen gilt, wofür ich auch den Tod nicht fürchte.

Diesem großen Ziel habe ich mich zuvor schon mit allen meinen Kräften verschrieben; da ich es aber bis zu dieser Stunde, wie innig ich auch darum gebeten, noch nicht habe durchsetzen können, daß die herrschenden Mißstände auf friedliche Weise behoben würden, so zwingt mich nun die bittere Not, nicht nur nach Männern zu suchen, die sich mit mir zur Verteidigung der Wahrheit und zur Rettung der Freiheit verbünden, sondern auch solche anzurufen, die mir Sicherheit und Leben gewährleisten . . .

. . . Aber wohin soll ich mich wenden, wo Hilfe suchen? Euch rufe ich an, euch beschwöre ich, deutsche Fürsten und Männer! Wollt ihr wohlverdiente Leute vertreiben, Unschuldige bestrafen lassen? O tut es nicht! Laßt dieses Schandmal nicht auf euch kommen, damit man nicht von euch sage, dasselbe Deutschland, das sich einst allem Ausländischen gegenüber so großzügig erwiesen, habe sich grausam gegenüber einem Landsmann erzeigt. Auch dazu laßt's nicht kommen, daß ich mich, falls ihr mich aufgeben solltet, durch die Not bewogen sehe, fremden Beistand und ausländische Hilfe anzugehen. Man ficht mich nach keinem Gesetz an, nur Gewalttat und Parteihaß meiner Gegner sind es, die mich unterdrücken. Ich werde nicht nach Recht und Billigkeit vor Gericht gefordert, sondern die leidenschaftliche Raserei der Feinde will meinen Untergang. Wo ist nun die deutsche Redlichkeit und Tugend, wo jene bei allen Völkern gepriesene deutsche Tapferkeit? Beschirmt alle einen, da einer für euch alle gearbeitet hat. Denn die Arbeit und das Unterfangen waren mein: der Erfolg freilich steht in Gottes Willen, nicht in

des Menschen Wunsche . . . Zu allem trieb mich nur der Eifer
für die Wahrheit und die Liebe zum Vaterland. Um so weniger dürft ihr zugeben, daß ich um den Lohn meiner Dienste
gebracht werde. Laßt mir wenigstens die Genugtuung für
meine Anstrengungen zuteil werden, daß ihr die Wohltat anerkennt . . .

. . . Auf, ihr Deutschen, verteidigt euren Landsmann, beschützt den Schuldlosen, streitet alle für einen in gemeinsamer Sache, die alle gleich angeht! Ahnt ihr nicht, welche Folgen mein Fall in Zukunft noch für euch alle haben kann?
Trachtet, daß dieses Beispiel nicht weiter um sich greift! Mein
Unglück ist der Anfang einer Gefahr, die euch allen droht,
mein Untergang der Beginn eurer Knechtschaft. Tut die Augen auf, ihr Deutschen, und erkennt, an welchem Abgrund
ihr steht, wohin ihr geführt worden seid! Nicht meiner
Schlechtigkeit wegen werde ich angeschuldigt, sondern um
meiner guten Gesinnung willen; das ist der wahre Grund
meines Falles. Nicht weil ich einen gekränkt hätte, werde ich
vorgefordert, sondern weil ich viele Gekränkte rächen wollte, verlangt man meinen Tod. Niemand wirft Hutten als Verbrechen vor, daß er auch nur an einem einzigen Gewalt
verübt hätte, wohl aber, daß er es wagte, die der Wahrheit an-
getane Gewalt mit besten Treuen abzuwehren. Nicht mein
Verbrechen ist's also, daß ich hier vielleicht einen neuen
Brand erregt, sondern mein Verdienst, daß ich jenen alten
Brand römischer Habsucht gerade in dem Augenblick, da er
zum Verderben des Volkes die weitesten Kreise zu ziehen
drohte, zu dämpfen unternahm. Keine Übeltat wird mir vorgeworfen, sondern nur eine allzu große Redlichkeit rechnet
man mir als Schuld an. Kein Guter grollt mir deshalb, sondern mich hassen nur die Schlechten. Und sie hassen zugleich
auch eure Treue und euren Glauben, eure Selbständigkeit, ihr
Deutschen! Verhindert es darum, daß die mit den Waffen des
Unrechts siegen, die mit dem Recht zu streiten sich weigerten, verhindert es, daß sie mich unterdrücken, zwischen die

ich mich gerade warf und gegen die ich mein Leben aufs Spiel
setzte, damit sie euch nicht unterdrücken! . . .

. . . Auf die erbärmlichste Weise haben sie ehedem diese
Nation mißhandelt. Nun gehen sie daran, sie vollends zu verderben, namentlich aber die Männer, die sie den Schleier ihrer
Verräterei lüften sehen. Und das wollt ihr ertragen, ihr Deutschen, und der Willkür dieser Rasenden nicht entgegentreten? Wißt – damit ich sie euch ganz kennen lehre –, daß, die
mir nachstellen, dieselben sind, die die Urheber und Helfers-
helfer all jener Dinge sind, ohne deren Anfechtung ich wohl
geborgen wäre, ja durch deren Lob ich selbst heilig gesprochen würde. Sie sind es, die an der täglichen Plünderung
unseres Vaterlandes tätig mitwirken, darin raten und dazu
Beistand leisten. Die lasterhaften Kurtisanen und verab-
scheuungswürdigen Simonisten sind es, die diese fluchwür-
digen Praktiken öffentlich und ungescheut treiben, durch die
Christus verspottet, die Wahrheit verdüstert und unserem
Deutschland der größte Schaden zugefügt wird, und zwar
nicht nur dadurch, daß sie unablässig auf seine Schätze und
Güter Jagd machen, sondern ebensosehr auch durch die Ver-
schlechterung der Sitten, die durch die üblen römischen Beispiele bewirkt wird. Sie sind die wahre Ursache aller Übel
dieser Art, sie, die als Diener des römischen Papstes ihn zu
ihrem eigenen unberechenbaren Vorteil als zu allem berechtigt
hinstellen, was einst himmelweit von seinen Rechten entfernt
war. Ihr Werk ist's, daß der Aberglaube herrscht und die
wahre Frömmigkeit in der Verbannung lebt. Sie standen
selbst auf der Seite der römischen Päpste nur jeweils dann,
wenn diese Verordnungen zur Förderung ihrer Interessen er-
ließen und die evangelische Wahrheit großenteils zu vernichten sich anschickten. Sie nähren den römischen Schlund, sie
füttern den ewig unersättlichen Rachen, der, während er auf
der einen Seite unsere Erbgüter verschlingt, Sittenverderb-
nis auf der anderen ausspeit. Sie haben es dahin gebracht,
daß dieser Nation der Strick umgelegt wurde, der, wie ich

fürchte, nicht gelöst, sondern nur dadurch, daß ihr die Henker vertilgt, zerhauen werden kann. Sie sind gleichsam die zum Verderben des Vaterlandes geborenen Verführer. Sie sind die Harpyien des römischen Tisches, die, was Rom verschlingt, wieder auffangen, und zwar so viel auffangen, daß jenes, wieviel es auch verzehre, doch nie satt werden kann.

So tut denn einmal die Augen auf, ihr Deutschen, und seht, wer es ist, der euch daheim beraubt, auswärts in üblen Ruf bringt und an allem Unglück, allem Mißstand bei euch die Schuld trägt. Seht sie euch an, die heillosen Ablaßkrämer, die verruchten Händler mit Gnaden, Dispensen, Absolutionen und allen möglichen Bullen, die einen Markt mit heiligen Dingen in der Kirche Gottes eingerichtet haben, daraus er einst diejenigen trieb, die lediglich geringe weltliche Waren dort kauften und verkauften. Sie sind die Werkmeister allen Trugs, die Erfinder aller Listen, die Urheber der Knechtschaft und Gefangenschaft dieses Volkes. Sie sind es auch, die mich in diese Not und Gefahr gebracht haben, um keiner andern Ursache willen, als weil ich ihre Künste verraten, ihre Verbrechen aufgedeckt, ihrer Räuberei widerstanden, ihrem Frevel einen Riegel vorgeschoben habe und weil durch mich ihrem Gewinn bereits etwas abgegangen, der wahren Frömmigkeit aber viel zugewachsen ist . . .

Lebt wohl und sehet zu!

Den 28. September (1520).

>»Lasset uns zerreißen ihre Fesseln
und von uns werfen ihr Joch!«

Aus der Streitschrift:
Ob ihm solche Ermahnung ohne Geheiß der
Obrigkeit zu tun gebühre

Auf wessen Geheiß hat aber Hutten genannte Beschwernis
angezeigt? Oder wer hat ihm solche Ermahnung zu tun
erlaubt? Dies zu fragen, ist nicht vonnöten gewesen; denn
niemand bedarf einer Erlaubnis zu dem, was jedermann befohlen ist, zu suchen, ich werde denn überwiesen, daß nicht
einer schuldig sei, beim christlichen Glauben und der göttlichen Wahrheit zu verharren, seinen nächsten Christenmen-
schen stets das Beste zu raten und zu tun, um seines Vaterlandes willen sich höchlich zu bemühen, sich dafür in alle Gefahr
und Not zu wagen und auch den Tod nicht zu fürchten oder
zu fliehen. Einen getreuen, wackern Hund heißt sein Herr
niemals bellen; sobald er aber einen Dieb sieht, bewegen ihn
natürliche Treue und Wohlwollen seinem Herrn gegenüber
dazu, ihm denselben zu seiner Warnung anzuzeigen.

Ebenso ich. Hätte ich der Kurtisanen Räuberei nicht erkannt, hätte ich über sie nicht zu klagen brauchen; hätte ich
nicht unserm Vaterland zu Schaden handeln sehen, wäre ich
mit so vielen anderen liegen geblieben und hätte mein Rufen
gelassen. Auf den Vorwurf aber, mir gebühr' nicht Aufruhr
im Reich zu stiften, sage ich, daß solches auch nie mein Vorsatz und meine Meldung gewesen sind, sondern ich gedenke,
soviel an mir ist, dazu mitzuhelfen und allen Fleiß anzuwenden, daß durch Vertilgung und Ausrottung derjenigen, die
alle Ruhe und gemeinen Frieden stören, Deutschland wieder
in Frieden und Freiheit gesetzt werde. Wie können sie denn
sagen, ich erkannte meine Obrigkeit nicht? Hab' ich danach
nicht Kaiserliche Majestät mit höchstem Ernst, größtem Fleiß
und emsigem Anhalten, gemeine Not und Gebrechen zu bedenken und beizulegen, untertäniglich und flehentlich gebeten? . . . Hab' ich nicht auch unsere gnädigsten und gnädigen

Fürsten und Herrn die Sache zu besehen, teils bittend, teils auch in gerechtem Zorn scheltend, ermahnt? Habe ich nicht gewarnt, daß, falls unsere Obrigkeiten nicht selbst diesen Dingen raten, zu fürchten sei, daß ein gemeiner Haufe und das unwissende Volk (nachdem der Kurtisanen und ungeistlichen Geistlichen Ungebühr, Mißbrauch und Tyrannei auf das höchste gestiegen ist) sich erhebe und in seiner Unvernunft alles zertrümmere? Man findet das alles in dem obgemeldeten Spruch und etlichen anderen meiner Schriften.

Kann man also von dem, der solche Ermahnung gibt und, wie angezeigt, Warnung tut, sagen, daß er Aufruhr und Unruhe stifte? Ja, ich sehe wohl, daß, wenn man zu allen bösen Stücken dieser Leute schwiege, sie nicht in ihrer unbilligen Herrschaft und Gewalt beeinträchtigte, jeden Bischof über den Kaiser, den Papst über Gott setzte, alle, die geistlichen Namen haben, sie leben gleich wie sie wollen, für Herren hielte, sie Land und Leute wie bisher an sich bringen, der Armen Schweiß und Blut verprassen und in schändlicher Wollust verzehren, ja sie die ganze Christenheit, wie sie sich dessen denn gerade jetzt unterwinden, regieren und in Zwang halten ließe, daß sie dann wohl von guter Ruhe und gemeinem Frieden reden wollten. Deshalb ist es Pflicht der Fürsten und Herren (wie ich zuvor ermahnt habe), die Sachen zu besehen. Man hat uns das Seil über die Hörner geworfen. Lösen wir das nicht gemächlich auf, so will ich nicht dagegen raten, es ungestüm und mit Gewalt zu zerreißen, denn solche Bedrängnis ist uns nicht möglich, länger zu erleiden. Und wenn wir uns auf diese Art dagegen stemmten, so könnte es nicht ein Aufruhr gescholten, sondern müßte als Erlösung aus schmählicher Gefangenschaft und unleidlichen Banden bezeichnet werden. Wenn dann ich oder sonst jemand vor der Zeit, ehe es der Kaiserlichen Majestät die Sache selbst vorzunehmen gelegen wäre, etwas gegen die Kurtisanen und ihren Anhang unternähme, könnten wir mit keinem Recht als sträflich gehandelt zu haben erkannt werden, denn an gemeinen

Friedensbrechern und Feinden des Vaterlandes, wie es die Kurtisanen sind (ich berufe mich dabei auf das Urteil aller Frommen und der Sachverständigen), kann niemand sträflich oder falsch handeln. Daß ich hier Kaiserliche Majestät als unsern allergnädigsten Herrn, meine gnädigsten und gnädigen Herrn Kurfürsten, Fürsten, Grafen und Herrn ermahnt und um Gottes und der göttlichen Gerechtigkeit willen untertänig gebeten haben will, mir solches mein Vornehmen bei ihnen nicht verkehren zu lassen, sondern meine gute Meinung, meinen getreuen Fleiß und untertänigen Dienst in Gnaden zuzuerkennen und in dieser Sache (ihre Hand) über mich zu halten oder wenigstens, mir nicht entgegen zu sein, sondern mich gegen meine Widersacher mein Abenteuer bestehen zu lassen, in Anbetracht dessen, daß diese Handlung zu nichts anderem als zur Strafe des Übels und Erweckung alles Guten gereicht, dafür will ich Gott und aller Gerechten Herz und Gemüt Zeugnis ablegen lassen. Deshalb brauchen meine Widersacher nicht zu fragen, ob's mir gebühre, Anzeige und Vermahnung gegen gemeine Verbrechen zu tun, sondern sie sollen vielmehr für sich selbst sorgen und bedenken (was hoch vonnöten und an der Zeit ist), daß sie ihrem Namen und geistlichen Amt mit den Werken so gar nicht entsprechen, sondern so leben, daß mit Recht die ganze christliche Welt mit erhobener Stimme und vergossenen Tränen über sie weinen und schreien oder aber aus gerechter Bewegung und aus mehr als genügender Ursache sie, als Löschung eines gemeinen Brandes, zu vertilgen zusammenlaufen sollte.

»Thomas Münzer mit dem Hammer«

Man weiß nichts von den Ahnen und Eltern Thomas Münzers. Nur daß er 1490 geboren wurde, vielleicht schon 1488; ein Jahrfünft vor Luther. Er starb schon mit fünfunddreißig.

Er kam zur Welt in einem Bergwerkdistrikt, in Stolberg am Fuße des Harzes. Er beschritt die geistliche Laufbahn und war schon vor seinem zwanzigsten Jahr Inhaber eines Doktordiploms. Wie es oft im Leben von Frühvollendeten zu finden ist, reifte er sehr schnell. Jahre vor Luther entfaltete er eine starke reformatorische Aktivität, zum Beispiel als Propst des Nonnenklosters zu Frosa bei Aschersleben. Es scheint, daß seine aufrührerischen Gedanken und Reden schon früh Anstoß erregten und ihm Entlassungen eintrugen.

Im Jahre 1520 wurde Münzer Prediger in Zwickau, zu jener Zeit noch mit Zustimmung Luthers. Zuerst war er in der Kirche angestellt, die der reiche Tuchmacher Martin Römer gestiftet hatte. Dann wechselte er über zur Kirche der Tuchknappen. Das Religiös-Mystische und das soziale Pathos waren bei Münzer von Beginn an untrennbar verwoben.

So war er immer zugleich ein Reformator und politischer Organisator. Münzer unterstützte in Zwickau die Bewegung der Tuchknappen, die unter der Führung von Nikolaus Storch standen, dem das zweite Gesicht nachgerühmt wurde.

Verhaftungen folgten. Münzer wurde vertrieben; es war der Beginn einer langen Reihe von Vertreibungen. Die nächste fand aus Prag statt, die nächste aus Nordhausen. Dann ließ er sich in Allstedt nieder. Er heiratete hier eine ehemalige Nonne, Ottilie von Gerson, und lebte mit ihr in guter Ehe zusammen.

Er sorgte dafür, daß der Gottesdienst in deutscher Sprache abgehalten wurde, und ließ alle an der Messe teilnehmen. In seinen Predigten forderte er die Fürsten auf, dem reinen Christentum eine Bahn zu schaffen, und drohte, daß das Volk es tun würde, wenn sie es versäumten. Münzer dachte an eine Volksrevolution. Zu diesem Zweck schuf er eine geheime Organisation.

Es kam zu Erhebungen, zur Bilderstürmerei. Kurfürst Friedrich von Sachsen und Herzog Johann kamen in das Schloß zu Allstedt; Münzer hielt ihnen eine Predigt, Auslegung des andern Unterschieds Danielis. *(Wir bringen einige Abschnitte aus dieser Predigt.) Die Fürsten ließen ihn frei. Als aber die Ansprache im Druck erschien, wurde der Drucker ausgewiesen. Münzer sollte von nun an alles, was er drucken lassen wollte, in Weimar der Zensur vorlegen. Luther schrieb gegen ihn das Pamphlet:* Brief an die Fürsten von Sachsen von dem aufrührerischen Geist.

Auf dem Schlosse von Sachsen mußte sich Münzer dann noch einmal verteidigen. Als die Verteidigung im Druck erschien, hatte sie den Titel Ausdrückliche Entblößung des falschen Glaubens der ungetreuen Welt. *Das Titelblatt trug die Worte:* Thomas Münzer mit dem Hammer. *(Auch aus dieser Rede bringen wir einige Stücke.)*

Er predigte mit dem Hammer. Auf Befehl des Kurfürsten Friedrich von Sachsen wies der Rat von Allstedt Münzer aus. Er ging in die freie Reichsstadt Mühlhausen, in der es viele revolutionäre Elemente gab, die Münzer organisierte. Auch drang er mit seinem Einfluß politisch ein. Dann wurde er auch von Mühlhausen vertrieben.

Nun wandte er sich nach Süddeutschland. In Nürnberg ließ er eine Streitschrift drucken, die ganz gegen Luther gerichtet war. Ausschnitte aus dieser heftigen Attacke werden das dritte Stück unserer Münzer-Stellen bilden. Es folgte, was schon vorher so oft die Folge gewesen war: der Drucker wurde ins ›Lochgefängnis‹ gesteckt, Münzer verjagt.

Es war zur Zeit der Bauernkriege. Luther redete gegen den *»Mordpropheten«.* Münzers Schreiben an die Bergknappen ist mit seinem stürmischen *»Dran, dran, dran«* wohl einzigartig in der deutschen Kampfliteratur. *Und dann folgt als letztes der Brief an den Grafen Ernst zu Mansfeld: ein Äußerstes an Literatur gewordenem Haß.*

Als Münzer in Frankenhausen gefangengenommen wurde, antwortete er auf die Frage, weshalb er die Menschen »verführt« habe: »Er habe recht getan, da er vorgehabt hätte, die Fürsten zu strafen.« Münzer wurde gefoltert, ins Lager bei Mühlhausen gebracht und hingerichtet. Man schätzt ihn je nach dem politischen Standpunkt ein: als gefährlichen Schwärmer, der den Leuten die Köpfe verdreht hat, oder als einen der Ahnen des Kommunismus, der sich nur noch nicht vom eschatologisch-utopischen Dunst befreit hatte. Unabhängig von diesen Wertungen ist gewiß, daß er in der Geschichte der deutschen Polemik einer der sprachgewaltigsten, leidenschaftlichsten deutschen Pamphletisten gewesen ist.

»Auslegung des andern Unterschieds Danielis, des Propheten, gepredigt auf dem Schloß zu Allstedt vor den tätigen teuren Herzogen und Vorstehern zu Sachsen durch Thomas Münzer, Diener des Wortes Gottes. Allstedt 1524«

... Es ist ein rechter, apostolischer, patriarchalischer und prophetischer Geist, auf die Gesichte warten und dieselben mit schmerzlicher Betrübnis überkommen; darum ist's nicht Wunder, daß sie Bruder Mastschwein und Bruder Sanftleben verwirft. Es ist wahr, und ich weiß fürwahr, daß der Geist Gottes jetzt vielen auserwählten frommen Menschen offenbart, eine treffliche, unüberwindliche zukünftige Reformation sei von großen Nöten, und es muß vollführt werden, es wehre sich gleich ein jeder, wie er will, so bleibt die Weissagung Danielis ungeschwächt . . .

Darum, daß die Wahrheit möchte recht an den Tag kommen, da müßt Ihr Regenten (Gott gebe, ihr tut's gerne oder nicht) Euch halten nach dem Schluß des Kapitels, daß der Nebukadnezar hat den heiligen Daniel gesetzt zum Amtmann, auf daß er möchte gute gerechte Urteile vollführen, wie der Heilige Geist sagt, Psalm 5 . . .

Es hat kein Ding auf Erden eine bessere Gestalt und Larve denn die gedichtete Güte. Darum sind alle Winkel voll eitler Heuchler, unter denen keiner so kühn ist, daß er die rechte Wahrheit sagen möchte. Da sind sie der Empörung feind, die sie mit allen ihren Gedanken, Worten, Werken verursacht. Nachdem man ihren Fratzen widerstrebt, sagen sie, man sei aufrührerisch . . .

Allhie werden mir unsere Gelehrten die Gütigkeit Christi vorhalten, welche sie auf ihre Heuchelei zerren. Sie sollen auch dagegen ansehn den Eifer Christi, da er die Wurzeln der Abgötterei zerstört. Sie haben die Schafe Christi der rechten Stimme beraubt und haben den wahren gekreuzigten Christum zum phantastischen Götzen gemacht. Sie haben den edlen Stein ganz und gar mit Füßen getreten, soviel sie vermochten. Darum haben uns alle ungläubigen Türken, Juden und Heiden aufs billigste verspottet und für Narren gehalten, wofür man tolle Menschen halten soll, die nicht hören wollen ihres Glaubens Geist . . . Die Gottlosen haben kein Recht zu leben, allein, was ihnen die Auserwählten wollen gönnen. Gebt uns keine schalen Fratzen vor, daß die Kraft Gottes es tun soll, ohne Euer Zutun des Schwerts, es möchte Euch sonst in der Scheide verrosten. Gott hat (5. Mose 7) gesagt: erbarmt Euch nicht der Abgöttischen, zerbrecht ihre Altäre, zerschmeißt ihre Bilder und verbrennt sie, auf daß ich Euch nicht zürne.

Das Werk geht jetzt im rechten Schwange vom Ende des fünften Reichs der Welt. Das erste ist erklärt durch den gol-

denen Knauf, das war das Reich zu Babel; das zweite durch
die silberne Brust und Arm, das war das Reich der Meder und
Perser; das dritte war das Reich der Griechen, welches erschallt durch seine Klugheit, durch das Erz angezeigt; das
vierte das Römische Reich, welches mit dem Schwerte gewonnen ist und das Reich des Zwanges gewesen. Aber das
fünfte ist dieses, das wir vor Augen haben, das auch von Eisen
ist und gerne zwingen wollte, aber es ist mit Kot geflickt, wie
wir vor sichtigen Augen sehen: eitel Anschläge der Heuchelei, die da krümmet und wimmelt auf dem ganzen Erdreich.

Man sieht jetzt hübsch, wie sich die Aale und Schlangen zusammen verunkeuschen auf einem Haufen. Die Pfaffen und
alle bösen Geistlichen sind Schlangen, wie sie Johannes der
Täufer nennt, Matth. 3, und die weltlichen Herren und Regenten sind Aale, wie figuriert ist Levit, A. im 2. Kapitel von
den Fischen.

Ach, liebe Herren, wie hübsch wird der Herr da unter die
alten Töpfe schmeißen mit einer eisernen Stange! Der will das
Regiment selber haben, dem alle Gewalt ist gegeben im
Himmel und auf Erden . . .

*»Ausdrückliche Entblößung des falschen Glaubens der unge-
treuen Welt durch Zeugnis des Evangeliums Lukas, vorgetragen der elenden, erbärmlichen Christenheit zur Erinnerung
ihres Irrsals (Ezechiel, 8. Kap.). Thomas Münzer mit dem
Hammer, Mühlhausen 1524.«*

Liebe Gesellen, laßt uns auch das Loch weitermachen, auf
daß alle Welt sehen und greifen möge, wer unsere großen
Hansen sind, die Gott also lästerlich zum gemalten Männlein
gemacht haben!

»Nimm wahr, ich habe meine Worte in deinen Mund gesetzt, auf daß du auswurzelst, zerbrichst, zerstreust und ver-
wüstest und bauest und pflanzest.« (Jeremias I.)

Es ist über die Maßen ganz hoch vonnöten, dem aufstehenden Übel zuvorzukommen mit Erweisung christlicher Meisterschaft . . .

Denn es sieht und greift ein jeder, daß sie nach Ehren und Gütern streben. Deshalb mußt du, gemeiner Mann, selber gelehrt werden, auf daß du nicht länger verführt werdest. Da helf dir derselbe Geist Christi, welcher unseren Gelehrten muß zu ihrem Untergang ein Spottvogel sein. Amen.

. . . Ei, warum wird Bruder Sanftleben und Vater Leisetreter also heftig und gar schellig? Ja, er meint, er könne seine Lüste all im Werk führen, seine Pracht und Reichtümer behalten und gleichwohl einen bewehrten Glauben haben . . .

Ihr könnt nicht Gott und den Reichtümern dienen. Wer die Ehr und die Güter in Besitz nimmt, der muß zuletzt ewig von Gott verlassen werden, wie im 5. Psalm Gott sagt: »Ihr Herz ist eitel.« Darüber müssen die gewaltigen, eigensinnigen, ungläubigen Menschen vom Stuhl gestoßen werden.

Der gottlosen, unsinnigen Menschen Regiment und Obrigkeit toben und wüten aufs allerhöchste wider Gott und seine Gesalbten . . .

So fangen auch etliche in unseren Zeiten erst recht an, ihr Volk zu stöcken, plöcken, schinden und schaben und bedräuen dazu die ganze Christenheit und peinigen und töten schmählich die Fremden und die Ihrigen aufs allerschärfste, daß auch Gott nach dem Ringen des Auserwählten den Jammer nicht länger wird können noch mögen ansehen. Da wird die rechte Art Herodis des weltlichen Regiments erklärt, wie der heilige Samuel mit dem rechten durchlauchtigsten Hosea weissagt: »Gott hat die Herrn und Fürsten in seinem Grimm der Welt gegeben, und er will sie in der Erbitterung wieder weg tun.« Darum, daß der Mensch von Gott zu den Kreaturen gefallen, ist's über die Maßen billig gewesen, daß er die Kreatur mehr denn Gott muß fürchten.

*»Hochverursachte Schutzrede und Antwort wider das geistlo-
se, sanft lebende Fleisch zu Wittenberg, welches in verkehrter
Weise durch den Diebstahl der Heiligen Schrift die erbärm-
liche Christenheit also ganz jämmerlich besudelt hat.«*

Von Thomas Münzer aus Allstedt.

Dem durchlauchtigsten erstgeborenen Fürsten und allmächtigen Herrn Jesu Christo, dem glücklichen König aller
Könige, dem tapferen Herzog aller Gläubigen, meinem gnädigsten Herrn und getreuen Beschirmer und seiner betrübten
einigen Braut, der armen Christenheit.

Aller Preis, Name, Ehr und Würde, Titel und alle Herrlichkeit sei Dir allein, Du ewiger Gottessohn. Nachdem Dein
heiliger Geist vor den gnadlosen Leuten, den Schriftgelehrten
allezeit solch Glück gehabt, daß er müßte der allerärgste Teufel sein. Obwohl Du ihn ohne Maß von Anbeginn hast und
ihn alle Auserwählten von Deiner Fülle überkommen haben
und er in ihnen also wohnet ...

Deshalb ist es kaum ein Wunder, daß der allerehrgeizigste
Schriftgelehrte Doktor Lügner, je länger, je mehr zum hof-
färtigen Narren wird, sich mit Deiner Heiligen Schrift ohne
alles Absterben seines Namens und Gemachs bedeckt und
aufs allerbetrüblichste behilft und doch mit Dir im Grunde
nichts zu schaffen hat. Gleichwohl er Deine Urteile durch
Dich, die Pforten der Wahrheit, erlangt hat, ist er dennoch
frech vor Deinem Angesicht und verachtet zu Boden Deinen
richtigen Geist. Denn er meldet sich deutlich unwiderruflich,
daß er aus tobendem Neide und durch den allererbittertsten
Haß mich, Dein erworben Glied in Dir, ohne redliche wahr-
haftige Ursache vor seinen höhnischen, spöttischen, erz-
grimmigen Mitgenossen zum Gelächter macht und mich vor
den Einfältigen zum unerstattlichen Ärgernis einen Satan
oder Teufel schilt und mit seinem verkehrten lächerlichen Urteil schmähet und spottet ...

Der Schüler hat es nicht besser denn der Meister. So sie nun

Dich, unschuldigen Herzog und getrosten Seligmacher, also
lächerlich haben Beelzebub geheißen, wieviel mehr mich,
Deinen unverdrossenen Landsknecht, nachdem ich mich des
schmeichelnden Schelmen zu Wittenberg entäußert habe und
Deiner Stimme gefolget bin . . .

Ich will's an die ganze Welt bringen, daß er den gottlosen
Schelmen heuchelt, wie du siehst in dem Büchlein wider
mich, aus welchem dann klärlich erscheinet, daß der Doktor
Lügner nit wohnet im Haus Gottes, darum, daß durch ihn
der Gottlose nit verachtet, sondern viel Gottfürchtige um der
Gottlosen willen Teufel und aufrührerische Geister gescholten werden. Dies weiß der schwarze Kolkrabe wohl; daß ihm
das Aas werde, hacket er den Schweinen die Augen aus dem
Haupte, die wollüstigen Leut macht er blind, darum, daß er
so kirre ist, auf daß er ihrer satt werde an Ehren und Gut und
sonderlich am allergrößten Titel.

Die Juden wollten Christum allenthalben gerne gelästert
und zu Schanden machen, wie mit mir jetzt der Luther vornimmt. Er schilt mich gar heftig und wirft mir vor die Güte
des Gottessohnes und seiner lieben Freund, nachdem ich den
Ernst des Gesetzes gepredigt habe, wie es, bei Strafe der geistlosen Übertreter – mögen sie auch Regenten seien –, nit aufgehoben, sondern mit dem allerhöchsten Ernst vollzogen
werden soll . . .

Wiewohl ich das habe so in Druck gehen lassen, wie ich es
vor den Fürsten von Sachsen gepredigt habe, ohne alle Hinterlist, ihnen das Schwert aus der Schrift gezeigt, daß sie es
sollten brauchen, auf daß nit Empörung erwüchse – kurzum
die Übertretung muß gestraft werden, es kann weder der
Große noch der Kleine davonkommen –, gleichwohl kommt
Vetter Leisetritt, ach, der kirre Geselle, und sagt, ich wolle
Aufruhr machen, wie er denn aus meinem Sendbrief an die
Berggesellen erlesen. Eines sagt er und das Allerbescheidenste
verschweiget er, wie ich klärlich vor den Fürsten ausbreitete,
daß eine ganze Gemeinde Gewalt des Schwertes habe, wie

auch den Schlüssel der Auflösung, und sagte, daß die Fürsten keine Herren, sondern Diener des Schwerts seien. Sie sollen's nicht machen, wie es ihnen wohlgefällt, sie sollen recht tun. Darum muß auch nach altem gutem Brauch das Volk dabei sein, wenn einer recht gerichtet wird, nach dem Gesetze Gottes. Ei, warum? Wenn die Obrigkeit das Urteil verkehren wollte, so sollen die umstehenden Christen das verneinen und nit leiden; denn Gott will Rechenschaft haben vom unschuldigen Blut.

Es ist der allergrößte Greuel auf Erden, daß niemand der Dürftigen Not sich annehmen will. Die Großen machen's, wie sie wollen.

Der arme Schmeichler (Luther) will sich in gedichteter Gütigkeit mit Christo decken, wider den Text Pauli (1. Timoth., 1). Er saget aber in seinem Buch von ›Kaufshandlung . . .‹, daß die Fürsten sollen getrost unter die Diebe und Räuber streichen. Im selbigen verschweigt er aber den Ursprung aller Dieberei. Er ist ein Herold, er will Dank verdienen mit der Leute Blutvergießen, welches doch Gott nit auf seine Meinung befohlen.

Sieh zu, die Grundsippe des Wuchers, der Dieberei und Räuberei sind unsere Herren und Fürsten. Sie nehmen alle Kreaturen zum Eigentum: die Fische im Wasser, die Vögel in der Luft, das Gewächs auf Erden muß alles ihr Eigen sein. Darüber lassen sie dann Gottes Gebot ausgehen unter die Armen und sprechen: Gott hat geboten, Du sollst nicht stehlen; es dienet aber ihnen nit. So sie nun alle Menschen verursachen, den armen Ackersmann, Handwerksmann und alles, was da lebt, schinden und schaben, so er sich dann vergreift am Allergeringsten, so wird er gehenkt. Dazu saget dann der Doktor Lügner Amen.

Die Herren machen das selber, daß ihnen der arme Mann Feind wird. Die Ursache des Aufruhrs wollen sie nit wegtun, wie kann es auf die Dauer gut werden? So ich das sage, muß ich aufrührerisch sein! Wohlan . . .

Schreiben an die Bergknappen

Die reine Furcht Gottes zuvor. Wie lange schlaft ihr? Wie
lange seid ihr Gott seines Willens nicht geständig, darum, daß
er euch nach eurem Ansehen verlassen hat? Ach, wieviel mal
habe ich euch gesagt, daß es das muß sein! Gott kann sich
nicht länger offenbaren, ihr müßt steh'n! Tut ihr's nicht, so ist
das Opfer ein herzbetrübtes Herzeleid, umsonst: ihr müßt
danach von neuem in Leiden kommen; das sage ich euch,
wollt ihr nicht um Gottes willen leiden, so müßt ihr des Teufels Märtyrer sein.

Drum hütet euch, seid nicht verzagt, nachlässig, schmeichelt nicht länger den verkehrten Phantasten, den gottlosen
Bösewichten. Fanget an, streitet den Streit des Herrn, es ist
hohe Zeit! Haltet eure Brüder all dazu, daß sie göttliches
Zeugnis nicht verspotten, sonst müssen sie alle verderben.

Das ganze Deutsch-, Französisch- und Welschland ist
wach, der Meister will ein Spiel machen, die Bösewichter
müssen dran. Zu Fulda sind in der Osterwoche vier Stiftkir-
chen verwüstet, die Bauern im Klettgau, im Hegau, im
Schwarzwald sind auf, als dreißigtausend stark, und wird der
Haufe je länger je größer. Allein, das ist meine Sorge, daß die
närrischen Menschen sich verwilligen in einen falschen Vertrag, darum, daß sie den Schaden nicht erkennen. Wo euer
nur drei sind, die in Gott gelassen, allein seinen Namen und
seine Ehre suchen, werdet ihr Hunderttausende nicht fürchten.

Dran, dran, dran!

Es ist Zeit. Die Bösewichter sind verzagt wie die Hunde.
Regt die Brüder an, daß sie zu Fried kommen und ihr Ge-
zeugnis halten. Es ist über die Maßen hoch, hoch vonnöten.

Dran, dran, dran! Laßt euch nicht erbarmen, ob euch der
Esau gute Worte verschlägt. Seht nicht an den Jammer der
Gottlosen, sie werden euch so freundlich bitten, greinen, fle-
hen, flehen wie die Kinder. Laßt es euch nicht erbarmen, wie

Gott durch Moses befohlen hat, Deut. 7, uns, uns hat er auch dasselbe offenbart.

Regt an in Dörfern und Städten und sonderlich die Berggesellen mit anderen guten Burschen. Seht, da ich die Worte schrieb, kam mir die Botschaft von Salza, wie das Volk den Amtmann, Herzog Georg, vom Schlosse langen wollen, um deswillen, daß er drei habe wollen heimlich umbringen. Die Bauern von Eichsfeld sind über ihre Junker fröhlich worden; kurz, sie wollen ihrer keine Gnade haben. Es ist des Wesens viel, euch zum Ebenbild, ihr müßt dran, dran, es ist Zeit!

Balthasar und Bartel! Krumpf, Velten und Bischof, geht feine an. Diesen Brief laßt den Berggesellen werden. Mein Drucker wird kommen in kurzen Tagen; ich habe die Botschaft erhalten, ich kann es jetzt nicht anders machen. Selbst wollte ich den Brüdern Unterricht geben, daß ihnen das Herz sollte viel größer werden denn alle Schlösser und Rüstungen der gottlosen Bösewichter auf Erden.

Dran, dran, dran, dieweil das Feuer heiß ist: laßt euer Schwert nicht kalt werden von Blut! Schmiedet Pinkepank auf dem Amboß Nimrod! Werft ihm den Turm zu Boden! Es ist nicht möglich, dieweil sie leben, daß ihr der menschlichen Furcht sollt loswerden. Man kann euch von Gott nicht sagen, dieweil sie über euch regieren.

Dran, dran, dran, dieweil ihr Tag habt, Gott geht euch für, folget ihm! Die Geschehnisse stehen beschrieben, wie Matth. 24 erklärt, darum laßt euch nicht abschrecken! Gott ist mit euch, wie geschrieben 2. Chron. 20; dies sagt Gott: »Ihr sollt euch nicht fürchten, ihr sollt diese große Menge nicht scheuen, es ist nicht euer, sondern des Herrn Streit, ihr seid's nicht, die ihr streitet. Stellt euch fürwahr männlich. Ihr werdet sehen die Hilfe des Herren über euch. Da Josaphat diese Worte hörte, fiel er nieder.« Also tut auch durch Gott, der euch stärke ohne Furcht der Menschen im rechten Glauben, Amen.

Datum, Mühlhausen, anno 1525.

Thomas Münzer, ein Knecht Gottes wider die Gottlosen.

An den Grafen Ernst zu Mansfeld

»Du elender dürftiger Madensack, wer hat dich zum Fürsten
des Volkes gemacht, welches Gott mit seinem Blute erworben hat? . . . Du sollst und mußt Deinen Glauben brechen,
wie 1. Petri 3 befohlen. Du sollst in wahrhaftiger Weise gut
sicher Geleit haben, Deinen Glauben an den Tag zu bringen,
das hat Dir eine ganze Gemeinde im Ringe zugesagt, und
sollst Dich auch entschuldigen Deiner offenbarlichen Tyrannei, auch ansagen, wer Dich so dürftiglich gemacht, daß Du
allen Christen zum Nachteil unter einem christlichen Namen
willst ein solcher heidnischer Bösewicht sein. Würdest du
ausbleiben und Dich aufgelegter Sache nicht entledigen, so
will ich ausschreien vor aller Welt, daß alle Brüder ihr Blut getrost sollen wagen; da sollst Du verfolgt und ausgerottet werden. Wirst Du Dich nicht demütigen vor den Kleinen, so sage
ich Dir, der ewige lebendige Gott hat es geheißen, Dich von
dem Stuhle mit Gewalt, die uns gegeben, zu stoßen; denn Du
bist der Christenheit nichts nutz, Du bist ein schädlicher
Staupbesen der Freunde Gottes. Gott hat es von Dir und
Deinesgleichen gesagt, Dein Nest soll ausgerissen und zer-
schmettert werden. Wir wollen Deine Antwort noch heute
haben oder Dich im Namen Gottes der Heerscharen heimsu-
chen. Wir werden unverzüglich tun, was uns Gott befohlen
hat; tu auch Du Dein Bestes; ich fahre daher.«

Ignatius von Loyola
Brief über den Gehorsam

*Ignatius von Loyola war ein spanischer Offizier voll roman-
tischer Leidenschaft für das Rittertum. Nach einer nichtrepa-
rierbaren Beinverletzung vor Pamplona (1520) weihte er sich
dem Dienst der Himmelskönigin Maria. Er wallfahrte nach
Palästina, studierte auf einigen Universitäten und legte 1534
mit einigen Genossen das Gelübde ab, sich dem Papst zur Verfügung zu stellen. Aus diesen kleinen Anfängen wuchs einer
der mächtigsten Orden Roms: die Societas Jesu, der Jesuitenorden. Unter den Schriften, die Loyola hinterlassen hat, sind
vor allem seine* Geistlichen Exercitien *und seine* Briefe *zu
nennen.*

*Loyola war vor allem in seiner Jugend ein großer Medita-
tor, abhängig von der langen Geschichte der christlichen
Mystik; vor allem aber der größte Organisator, den der Katholizismus hervorgebracht hat, und, wie man sich heute ausdrücken könnte, einer ihrer allergrößten Diktatoren. Entstanden als antireformatorische Opposition, militant bis zum
Extrem, spielte die größte Rolle, wie bei allen solchen Gebilden: die Disziplin. Es ist das Außergewöhnliche des Ordensgenerals Loyola, daß er den Begriff des ›Gehorsams‹ mit einer
Rigorosität entwickelte, wie es ähnlich unumwunden kaum je
in der Geschichte geschehen ist.*

*Wir bringen im Folgenden auszugsweise seinen großen
Brief über den Gehorsam. Der Anlaß war folgender: der Visi-
tator Miguel Torres trifft, im Auftrag des Ordensgenerals,
mit besonderen Vollmachten in Lissabon ein. Der Chef hat
den unbotmäßigen Satrapen der Provinz Portugal abgesetzt;*

Miguel Torres ist da, um diesen Befehl zu vollstrecken. Igna-
tius, residierend in Rom, Diktator über zwölf Provinzen, die
zwischen Germania inferior, Brasilien, Äthiopien und Japan
liegen, wirft dem Provinzial von Portugal, einem alten Ge-
nossen, dem Pater Simon Rodriguez, vor, vom vorgezeichne-
ten Wege abgewichen, ungehorsam geworden zu sein.

Bei dieser Gelegenheit schärft der Ordensgeneral in einem
langen Schreiben den Seinen noch einmal ein, was Gehorsam
ist. Wir sollen, heißt es da, »niemals auf die Person sehen, der
wir gehorchen, sondern in ihr auf Christus, unsern Herrn,
dem zuliebe der Gehorsam zu leisten ist«.

Der mächtige Mann in Rom kann sein weites Imperium nur
mit strikter Unterordnung regieren, wie nicht nur der Absolu-
tismus seiner Zeit wußte. Der Jesus-Kämpe, der den Befehl
eines Oberen empfängt, darf, als vernähme er die Stimme des
Herrn im Himmel, nicht mehr den Buchstaben zu Ende
schreiben, wenn er die Feder in der Hand hält, darf nicht
mehr die Messe zu Ende lesen, wenn sein Oberer ihn ruft.
Und wörtlich weiter: »Als ob sie ein Leichnam wären, der sich
auf jede Seite wenden läßt« oder »der Stab eines Greises, der
dem, welcher ihn in der Hand hält, überall und immer dient,
wie und wo er ihn gebrauchen will« oder »ein Wachskügel-
chen, das sich in jede Form drücken und ziehen läßt« oder »ein
kleines Kruzifix, das man nach Belieben drehen und wenden
kann« – also wünscht der Diktator zu Rom seine hochkulti-
vierten und aktiven Rekruten.

Aber jetzt erst wird der Gipfel erreicht: er wünscht sich keine
Sklaven. Er ist anspruchsvoller als alle Tyrannen: er will die
freien, aufrechten, klugen, unabhängigen Ja-Sager. Sie sollen
ohne Befehl denken und wollen, was ihre Vorgesetzten befeh-
len. Soweit sollen sie sich mit ihren Ranghöheren identifizieren.

Wir bringen nun Stücke des langen Briefes, in dem Igna-
tius den Scholaren von Coimbra diesen freiwilligen und fröhli-
chen Gehorsam lehrte. Das ist Gegenreformation. Das ist das
Zeitalter des Absolutismus. Das ist die Logik der Herrschaft.

Daß andere Orden es uns in Fasten, Nachtwachen und andern Strengheiten zuvortun, die jeder seiner Eigenart entsprechend heilig hält, können wir uns schon gefallen lassen; aber in reinem und vollkommenem Gehorsam, der wahrhaften Verzicht auf unsern Eigenwillen und Verleugnung unseres eigenen Urteils einschließt: darin, teuerste Brüder, wünsche ich dringend diejenigen ausgezeichnet zu wissen, die sich in dieser Gesellschaft Gott dem Herrn geweiht haben: daran soll man ihre echten Söhne erkennen.

Deshalb sollen wir niemals auf die Person sehen, der wir gehorchen, sondern in ihr auf Christus, unsern Herrn, dem zuliebe der Gehorsam zu leisten ist. Denn nicht etwa weil der Obere sehr klug oder sehr tugendhaft oder in irgendwelchen andern Gaben Gottes unseres Herrn besonders ausgezeichnet ist, sondern weil er Gottes Stelle vertritt und von ihm Vollmacht hat: deshalb muß man ihm gehorchen. Sagt doch die ewige Wahrheit: »Wer euch hört, höret mich; wer euch verachtet, der verachtet mich.«

Ebensowenig darf man etwa einen Mangel an Klugheit bei dem Obern zum Vorwand nehmen, um den Gehorsam ihm beiseite zu lassen, soweit er zuständig ist: denn er vertritt denjenigen, der die unfehlbare Wahrheit ist – und der wird ergänzen, was seinem Diener mangelt. Nicht einmal ein Mangel an Tugend oder andern guten Eigenschaften kommt hier in Betracht; so lehrt es ausdrücklich Christus unser Herr, da er seinen Worten: »Auf Moses' Lehrstuhl sitzen Schriftgelehrte und Pharisäer«, sogleich die Mahnung beifügt: »Alles, was sie euch sagen, tut; nur nach ihren Werken sollt ihr nicht tun!«

Daraus können Sie schließen, wie es sich verhält, wenn ein Ordensmann jemand zu seinem Obern bekommen hat – nein, nicht zum Obern, sondern in Wahrheit als den Stellvertreter Christi unseres Herrn, damit er von ihm in seinem göttlichen Dienst geleitet werde. Wie hoch muß er ihn nicht in seinem Innern halten! Wie dürfte er ihn da als bloßen Menschen ansehen statt als den Vertreter Christi unseres Herrn, der er in Wahrheit ist?

Nun habe ich aber auch den Wunsch, es möchte sich recht tief in Ihrer Seele die Erkenntnis festsetzen, daß der erste Grad des Gehorsams, der in der äußeren Vollziehung des Befehls besteht, sehr niedrig ist und nicht einmal den Namen Gehorsam verdient, weil er nicht an die innere Kraft dieser Tugend heranreicht, solange man dabei stehen bleibt. Ein zweiter Grad nämlich besteht darin, daß man den Willen des Obern sich zu eigen macht, und zwar dergestalt, daß nicht nur die äußere Vollziehung durch die Tat stattfindet, sondern auch durch die Einheit des Wollens bzw. des Nichtwollens eine Übereinstimmung des inneren Empfindens zustande kommt.

Bemühen Sie sich also, teuerste Brüder, die Hingabe Ihres Willens vollständig zu machen; opfern Sie hochherzig Ihrem Schöpfer und Herrn durch seine Diener die Freiheit, die er Ihnen schenkte! Es soll Ihnen nicht als eine geringe Fähigkeit des freien Willens vorkommen, daß Sie ihn im Gehorsam vollständig wieder dem zurückstellen können, von dem Sie ihn erhalten haben. Dadurch verlieren Sie ihn nicht; nein, Sie vervollkommnen ihn; denn so bringen Sie ihn in Einklang mit der sichersten Richte alles guten Handelns, dem göttlichen Willen selber, dessen Ausleger Sie im Oberen haben (der an seiner Stelle Sie regiert).

Deshalb dürfen Sie es auch nie darauf anlegen, den Willen des Obern (den Sie ja für Gottes Willen nehmen sollen) zu Ihrem eigenen herüberzuziehen: das hieße ja, nicht den göttlichen Willen zur Richte für den Ihrigen nehmen, sondern umgekehrt, die weise Ordnung Gottes in ihr Gegenteil verkehren. Große Täuschung also ist es und verrät ein durch Eigenliebe getrübtes Urteil, wenn ein Untergebener (bei solchem Verfahren) noch im Gehorsam zu handeln meint, wo er doch nur den Obern für seinen ganz persönlichen Wunsch gewann. Hören Sie St. Bernhard, der sich in diesem

Stück so gut auskannte: »Wer immer öffentlich oder unter der Hand es darauf anlegt, daß ihm der geistliche Vater aufträgt, was er selbst im Sinne hat, der betrügt sich selbst, wenn er sich schmeichelt, er sei gehorsam; die Sache liegt ja dann nicht mehr so, daß er seinem Obern gehorcht – der Obere gehorcht ihm.«

Ich fasse zusammen: Der zweite Grad geht über die äußere Vollziehung hinaus: er besteht darin, daß man sich den Willen des Obern zu eigen macht oder vielmehr (statt des seinen) Gottes Willen anzieht, der sich durch des Obern Stimme kundgibt. Zu diesem zweiten Grad muß sich notwendig erheben, wer überhaupt auf Gehorsam Anspruch machen will.

Wer aber die rückhaltlose Hingabe seiner selbst zu leisten sich entschlossen hat, der muß zum Willen auch noch seine Einsicht opfern. Darin besteht der nächste und zugleich höchste Grad des Gehorsams. Da heißt es nicht nur einen Willen mit dem Obern haben, sondern auch dieselbe Auffassung, mit andern Worten: sein eigenes Urteil dem des Obern unterwerfen – soweit ein eifriger Wille den Verstand für etwas geneigt machen kann. Obgleich nämlich dieser letztere nicht die Freiheit hat, die dem Willen eigen ist und naturgemäß dem Objekt seine Zustimmung erteilt, das sich ihm als wahr darstellt, so kann er doch in manchen Fällen, wo ihn nicht die klar erkannte Wahrheit anders nötigt, durch den Einfluß des Willens sich vorwiegend für eine Seite geneigt machen. In solchem Falle muß der Gehorsame sich für die Auffassung des Obern stimmen.

Es ist ja gewiß, wenn der Gehorsam ein Brandopfer ist, worin der Mensch sich ganz und gar, ohne etwas von sich auszunehmen, im Feuer der Liebe seinem Schöpfer hingibt, wenn er ein vollständiger Selbstverzicht ist, durch den man sich seines Eigentumsrechtes über sich begibt, um vermittels des Obern ganz der göttlichen Vorsehung anheimgegeben zu sein, so kann man wahrlich nicht behaupten, dem Gehorsam sei schon mit dem äußeren Vollzug oder gar mit der inneren

Bereitwilligkeit Genüge geschehen; nein, auch das Urteil umfaßt er, so daß man innerlich mit der Weisung seines Obern einverstanden ist – soweit, wie gesagt, der Verstand durch die Kraft des Willens einer Beeinflussung zugänglich ist.

Wollte Gott, daß dieser Gehorsam des Verstandes so aufgefaßt und so betätigt würde, wie er für den Ordensmann notwendig und Gott dem Herrn angenehm ist! Ich sage notwendig; denn wie bei den Himmelskörpern jeweils der niedere nach bestimmtem Verhältnis zu dem höheren bemessen und auf diesen eingestellt sein muß, um von diesem auf der rechten Bahn bewegt zu werden, so ist es auch bei der Bewegung eines vernunftbegabten Geschöpfes durch ein anderes (mit andern Worten: im Gehorsam): Auch da muß der Bewegte eingestellt und untergeordnet sein, um den Antrieb und die Stoßkraft seines Bewegers aufzunehmen. Das ist aber nur möglich, wenn Wille und Verstand des Untergebenen mit dem Vorgesetzten harmonieren.

Betrachten wir ferner das Ziel des Gehorsams: Wie unser Wille auf Irrwege geraten kann, so auch der Verstand, namentlich in dem, was uns selbst betrifft. Wenn man es deshalb zweckmäßig findet, seinen Willen mit dem des Obern in Einklang zu bringen, um nicht zu straucheln, so muß man es ebenso mit dem Verstande halten, um nicht mit ihm auf Abwege zu geraten. »Verlaß dich nicht auf deine Klugheit!« sagt die Schrift.

Übrigens ist das auch die Auffassung verständiger Menschen. Sie sagen, daß es wahre Klugheit ist, sich nicht auf seine Klugheit zu verlassen, besonders nicht in eigenen Angelegenheiten, weil hier die Menschen im allgemeinen infolge der Eigenliebe kein gutes Urteil haben. Wenn man nun aber ganz allgemein auf die Meinung eines andern etwas geben soll, auch wenn er nicht der Vorgesetzte ist, um wieviel mehr muß man dann erst dem Urteil seines Obern folgen, der einem als der Stellvertreter Gottes und Ausleger seines heiligsten Willens gegeben ist!

Und gewiß ist in geistlichen Dingen und für geistliche Personen dieser Rat um so mehr zu beherzigen, weil auf dem geistlichen Wege die Gefahr besonders groß ist, wenn man ohne den Zügel einer klugen Leitung darauf losstürmt. Mit Recht sagt deshalb Kassian in der ›Collatio des Abtes Moses‹: »Durch keinen andern Fehler lockt der Teufel einen Mönch so jählings ins Verderben, wie wenn er ihn verleiten kann, unbekümmert um die Mahnungen der Ältesten sich auf sein eigenes Urteil und Gutdünken zu verlassen.«

Betrachten wir die Kehrseite, wo nicht der Gehorsam des Verstandes gilt – da ist es gar nicht möglich, daß der Gehorsam im Willen und in der Ausführung so beschaffen sei, wie es sich ziemt. Denn die Kräfte des Begehrungsvermögens folgen in unserer Seele denen des Erkenntnisvermögens. Infolgedessen wäre es ein gezwungener, unnatürlicher Zustand, auf die Dauer mit dem Willen allein auskommen zu wollen und im Widerspruch mit seiner inneren Überzeugung zu gehorchen. Mag einer allenfalls zufolge jener grundsätzlichen Auffassung, man müsse auch einem törichten Befehl gehorchen, sich eine Zeitlang fügen: auf die Dauer hält das sicher nicht; so geht die Beharrlichkeit verloren. Und wäre dies ausnahmsweise einmal nicht der Fall, so fehlte doch ganz gewiß die innere Vollkommenheit des Gehorsams, die in der Liebe und Freudigkeit des Gehorchens besteht; denn unmöglich kann jemand, der gegen seine Überzeugung angeht, mitten in diesem inneren Zwiespalt gern und freudig seinem Obern folgen. Es verschwindet somit auch die Schlagfertigkeit und Schnelligkeit; denn so etwas ist ausgeschlossen, wo die volle Überzeugung fehlt und wo man zweifelt, ob es ratsam sei oder nicht, den Auftrag zu vollziehen. Dahin ist ferner jene gepriesene Einfalt des blinden Gehorsams, da man mit sich uneins ist, ob der Befehl zweckmäßig sei oder nicht und vielleicht gar innerlich den Obern vor seinen Richterstuhl zieht, weil er etwas befiehlt, was einem nicht behagt. Dahin ist die Demut, da man sich nebenher dem Obern vorzieht, während man sich unterwirft. Dahin ist die Kraft in schwierigen Aufgaben, und um es kurz zu sagen: alle Vorzüge dieser Tugend sind dahin. Statt dessen kommt es zu Mißmut, Ärger, Nörgeleien, Saumseligkeit, Trägheit, Entschuldigungen und andern ganz beträchtlichen Unvollkommenheiten und Fehlern, die den Gehorsam seines inneren Wertes berauben. Darum hat der hl. Bernhard recht, wenn er vom Gehorsam eines Unzufriedenen sagt: »Sobald du anfängst, verdrießlich zu werden, den Obern zu bekritteln und innerlich zu murren, magst du wohl noch äußerlich vollziehen, was befohlen ist – geduldige Tugend ist das nicht, sondern verschleierte Bosheit.«

Zieht man aber den inneren Frieden und die Ruhe des Gewissens in Betracht, so genießt solches gewiß nicht derjenige, der die Ursache der Verwirrung und Unruhe mit sich selbst herumträgt, nämlich seine besondere, im Widerspruch zur Richte des Gehorsams stehende Meinung.

Aus diesem Grunde (wie auch im Interesse der Einheit, von der der Bestand jeder Gemeinschaft abhängt) mahnt der hl. Paulus so eindringlich, daß alle dieselbe Gesinnung haben und dieselbe Sprache fühlen, um in der Einheit des Denkens und Fühlens zu verharren. Wenn aber das Haupt und die Glieder eines Sinnes sein sollen, so ist leicht einzusehen, ob billigerweise das Haupt sich nach den Gliedern richten solle oder die Glieder nach dem Haupte. Es dürfte also klar sein, wie notwendig der Gehorsam des Verstandes ist.

Wer aber sehen möchte, wie vollkommen in sich und wie wohlgefällig Gott dem Herrn er sei, der wird es an dem Wert der Opfergabe erkennen. Sie ist die edelste, da eine so kostbare Kraft des Menschen Gott geweiht wird; durch sie wird der Mensch sozusagen zu einem lebendigen und der göttlichen Majestät wohlgefälligen Brandopfer, in dem nichts vom eigenen Ich zurückbleibt. Und schließlich erkennt man ihren Wert auch an der Schwierigkeit, über die man aus Liebe zu Gott den Sieg davonträgt, indem man gegen die natürliche

Neigung angeht, mit der die Menschen ihrem eigenen Urteil folgen möchten.

Obgleich also der Gehorsam zunächst den Willen erfaßt und ihn zur Vollkommenheit erhebt (indem er ihn dem höheren Willen gefügig macht), so muß er sich doch, wie gesagt, auch auf den Verstand erstrecken, indem er ihn der Auffassung des Obern aufschließt, soweit dies durch die Kraft des ehrlich strebenden Willens möglich ist. So schreitet der Mensch, mit ganzer Kraft der Seele, Wille und Verstand dabei, zu frischer und vollkommener Gehorsamstat.

Es kommt mir vor, teuerste Brüder, als hörte ich Sie sagen, Sie seien nun zwar von der Wichtigkeit dieser Tugend überzeugt, aber Sie wünschten auch zu sehen, wie Sie es darin zur Vollkommenheit bringen könnten.

Darauf antworte ich Ihnen mit dem heiligen Papst Leo: »Nichts Schweres gibt es für die Demütigen, nichts Mühsames für die Sanftmütigen.« Lassen Sie Demut und Sanftmut in Ihnen herrschen, und Gott der Herr wird Ihnen Gnade geben, daß Sie immer mit Leichtigkeit und Liebe die Hingabe aufrechthalten, die Sie vor seinem Angesicht vollzogen haben.

Außerdem lege ich Ihnen drei besondere Mittel vor, die Ihnen zur Vollkommenheit im Gehorsam des Verstandes behilflich sein werden: Das erste besteht darin, daß Sie, wie schon oben gesagt, nicht auf die Person des Obern sehen, der als Mensch den allgemeinen Irrtümern und Schwächen unterworfen ist. Schauen Sie vielmehr auf den, dem Sie im Menschen Gehorsam leisten, das ist Christus, die höchste Weisheit, die unendliche Güte und Liebe (von dem Sie wissen, daß er weder sich selber täuschen kann noch Sie täuschen will). Sie dürfen sich ja das Zeugnis geben, daß Sie aus Liebe zu ihm das Joch des Gehorsams auf sich genommen und sich dem Willen eines Obern unterstellt haben, um desto sicherer seinen göttlichen Willen zu umfassen; so wird er gewiß auch seinerseits es nicht an Liebe und Treue fehlen lassen, sondern Sie durch das Mittel lenken, das er Ihnen gegeben hat.

Hören Sie also in den Weisungen Ihres Obern nicht so sehr
die menschliche Stimme, sondern hören Sie die Stimme Christi! Denken Sie an jenes Wort im Kolosserbrief, womit der hl.
Paulus die Untergebenen zum Gehorsam gegen die Obrigkeit
ermahnt: »Was immer ihr tut, tut es von Herzen, wie Gott
und nicht den Menschen ... Dienet Christo, dem Herrn!«
Und der hl. Bernhard sagt: »Mag nun ein Mensch oder Gott
selbst an seiner Stelle einen Auftrag geben, man muß ihn mit
genau der gleichen Sorgfalt vollziehen und mit gleicher Ehrfurcht, vorausgesetzt, daß der Mensch nicht etwas befiehlt,
was Gott zuwider wäre.« Wenn Sie also nicht so sehr mit den
leiblichen Augen auf den Menschen sehen, sondern die
Augen Ihres Geistes auf Gott gerichtet halten, so werden Sie
keine Schwierigkeit darin finden, daß Sie Ihren Willen und
Ihr Urteil mit jener Norm in Einklang bringen sollen, die Sie
sich selber für Ihr Tun erkoren haben.

Als zweites Mittel rate ich Ihnen folgendes an: Seien Sie
stets beflissen, eher die Gründe, die für den Befehl oder
Wunsch des Obern sprechen, ausfindig zu machen, als sich
mit den gegenteiligen abzugeben. Das gibt Liebe zum Gehorsam und seinen Weisungen; hier hat das freudige und mühe-
lose Gehorchen seine Quelle: »Denn«, so sagt der hl. Leo,
»da dient man nicht mit hartem Zwang, wo man liebt, was befohlen wird.«

Das dritte Hilfsmittel zur Unterwerfung des Verstandes ist
noch leichter und sicherer und war auch schon in Übung bei
den heiligen Vätern. Es ist folgendes: Mit einem Glauben, der
dem theologischen ähnlich ist, nimmt man von vornherein
bei jeder Weisung seines Obern an, es sei der Wille Gottes unseres Herrn und seine heiligste Anordnung; blindlings, ohne
jede Untersuchung, mit dem ungehemmten Drang des Willens, den es nur nach der Ausführung verlangt, geht man
voran.

Bei alledem ist Ihnen keineswegs verwehrt, wenn Sie eine
Sache anders auffassen als der Obere und wenn Ihnen im Ge-

bet vor Gottes Angesicht eine Gegenvorstellung am Platze scheint, sich auszusprechen. Wollen Sie aber dabei den Verdacht der Eigenliebe und des Eigensinns vermeiden, so müssen Sie vor und nach einer solchen Aussprache die innere Gleichmut bewahren, und zwar nicht nur für das tatsächliche Verhalten (um die in Rede stehende Sache zu tun oder zu lassen), sondern auch der inneren Stimmung nach, so daß Sie sich mit dem Bescheid des Obern zufriedengeben und ihn für das Beste halten.

Alles, was ich bisher vom Gehorsam gesagt habe, gilt sowohl für die einzelnen Untergebenen gegenüber ihren unmittelbaren Vorgesetzten als auch für die Rektoren und Hausobern gegenüber dem Provinzial, für diesen gegenüber dem General und schließlich auch für des letztern Verhältnis zu demjenigen, den ihm Gott unser Herr zum Obern gab, das ist zum Statthalter Christi auf Erden. Denn nur so wird die gegenseitige Unterordnung und folgerichtig die Einheit und Liebe gewahrt, ohne die in unserer Gesellschaft ebensowohl wie in andern moralischen Körperschaften eine geordnete Verwaltung ausgeschlossen ist.

Das ist auch die Art, wie Gottes Vorsehung »sanft und liebreich in der Schöpfung waltet«. Die unteren Wesen hat er nach den höheren, die höheren nach den höchsten bemessen, alles seinem Zweck entsprechend. So ist auch unter den einzelnen Chören der Engel eine Rangordnung; so sind bei den Sternen und allen bewegten Körpern die unteren auf die höheren und diese auf einen höchsten und letzten Beweger eingestellt nach festen, innewohnenden Gesetzen. Dieselbe Erscheinung läßt sich in allen wohlgeordneten Staaten beobachten und nicht zuletzt in der Hierarchie der Kirche, die im Papst als dem Statthalter Christi gipfelt. Je besser die Unterordnung, um so besser geht die Regierung vonstatten; den Lücken in dieser Beziehung ist es zuzuschreiben, wenn wir heute in allen Genossenschaften so bedenkliche Mängel zutage treten sehen. Mit gutem Grund wünsche ich also in der

Gesellschaft, für die ich vor Gott einigermaßen verantwortlich bin, so dringend die Vollkommenheit in dieser Tugend,
wie wenn ihr ganzes Heil von diesem einen abhinge.

Wie ich mit diesem Gegenstand begonnen habe, so möchte
ich auch damit schließen, ohne für diesmal etwas anderes zu
sagen. Ich bitte Sie bei der Liebe Christi unseres Herrn, der
nicht nur das Gebot des Gehorsams gab, sondern auch mit
seinem Beispiel voranging: strengen Sie sich an, in einem
glorreichen Sieg über sich selbst sich diese Tugend anzueig-
nen! Überwinden Sie sich im nächsten und schwierigsten
Teile Ihrer selbst, das ist im Willen und Verstand, damit so die
wahrhafte Erkenntnis und Liebe Gottes unseres Herrn Ihre
Herzen ganz in Besitz nehme und Sie durch die Folgerschaft
geleite, bis Sie dereinst (und viele andere durch ihre Mitwirkung) zum letzten und beglückendsten Ziele, zur ewigen Seligkeit, gelangen!

Ich empfehle mich inständig in Ihre Gebete.

Der Ihre im Herrn,

Ignatius

Gottfried Wilhelm Leibniz
Briefe

*L*eibniz *wurde 1646 in Leipzig geboren. Er starb 1716. In den letzten Jahren sind in Deutschland eine ganze Reihe von Schriften über ihn erschienen.*

Die eine sieht in ihm aufgeklärtes Christentum; eine andere den letzten Ritter der Scholastik; eine dritte den Prototyp des areligiösen Menschen. Leibniz selbst sah in sich den großen philosophischen Versöhner. In seinen Nouveaux essais sur l'entendement humain *heißt es: »Dieses System scheint Platon mit Demokrit, Aristoteles mit Descartes, die Scholastiker mit der modernen Naturforschung, die Theologie mit der Vernunft zu alliieren.« So ist begreiflich, daß viele Tendenzen unserer Zeit in Leibniz ihren Ahnen zu erblicken glauben.*

Auch viele Fachleute feiern in ihm den einfallsreichen Vorläufer: Juristen, Logiker, Psychologen, Mathematiker, Semantiker, Ingenieur und Politiker. Im Jahre 1926 sprach Paul Valéry in Berlin von einer »Leibnizisation« Europas: vom Wachsen des europäischen Gedankens, den er so stark genährt hat. Hermann Glockners Buch Die europäische Philosophie von den Anfängen bis zur Gegenwart, *das 1958 erschienen ist, räumt ihm überraschend viel Platz ein: fünfmal soviel wie Bacon und Descartes zusammen, viermal soviel wie Spinoza.*

Wir beginnen mit einem Brief von Leibniz an Kaiser Leopold I. Der Philosoph schlägt hier in einer seiner vielen Anregungen dem kaiserlichen Hof vor, wie man einen Überblick über die viel zu vielen Neuerscheinungen auf der Frankfurter

Messe gewinnen könne. Das Schreiben wurde nicht beant-
wortet.

Es folgt ein Ausschnitt aus einer Antwort an den Platoniker
Nicolas Remond, einen der treuesten französischen Anhän-
ger. Remond hatte geschrieben: »*Seit ich Ihre Theodizee gele-*
sen, danke ich Gott unablässig dafür, daß er mich in einem
Jahrhundert geboren werden ließ, das durch einen Geist wie
den Ihrigen erleuchtet wird.«

Zuletzt noch eine Seite über die Willensfreiheit aus Leibniz'
berühmtem Werk Theodizee.

Leibniz an Kaiser Leopold I.

Frankfurt, den 22. Oktober 1668

Allerdurchlauchtigster, Großmächtigster und Unüberwind-
lichster Kaiser, Allergnädigster Herr,

Ewr. Kaiserl. Majestät sein meine alleruntertänigste Dienste in steter Treue und unverrücktem Fleiß allezeit zuvor bereit. Allergnädigster Kaiser und Herr.

Ew. Kaiserl. Majestät geruhe allergnädigst den von mir zu
gemeinem Besten und sonderlich zu Aufnehmen der Studien
getanen Vorschlag und darauf gerichtetes alluntertänigstes
Suchen in kaiserlichen Gnaden zu vernehmen. Welches beides denn in folgendem besteht.

Es ist zuvörderst männiglich unverborgen, welchergestalt
alle Frankfurter Oster- und Herbstmesse eine große Menge
neuer Bücher, so sich gemeiniglich auf etlich 100 belaufen,
herauszukommen, auch jedesmal in ein Register oder Catalo-
gum gebracht zu werden pflegen.

Dadurch aber endlich alle Wissenschaften und Fakultäten
dergestaltet überhäufet werden, daß man schon allbereit nicht
mehr weiß, was man in solcher Menge brauchen und wo man
ein jedes suchen solle.

Weil sich nun gestalten Sachen nach wohl nicht tun läßt, den Autoren das endliche Schreiben niederzulegen, so ist fast kein ander Mittel, unwiederbringlichen Schaden und Verwirrung zu vermeiden, übrig, als daß alle Messen über das neu Herauskommende gleichsam ein Protokoll oder Inventarium gehalten und jedesmal durch öffentlichen Druck den Gelehrten dieser Zeit, auch endlich, nachdem sich viel dergleichen in ein corpus wird gesammelt haben, allen gegenwärtigen Liebhabern, ja der Nachwelt kommuniziert werde. Zu solchem Zwecke ist nicht genug, daß man die Namen der Autoren und Titel der Bücher erzehle (wie in gemeinen Katalogen zwar auch nicht ohne seinen besonderen Nutzen geschieht), dieweil gemeiniglich der Titel des Buches entweder zu kurz oder zu verblümt und bisweilen hochtrabend eingerichtet und daher aus ihm der Zweck des Werks und eigentlicher Gebrauch nicht genugsam kann genommen werden; sondern es wird vonnöten sein, daß der Kern, Inhalt, Abteilung und denkwürdigsten Anmerkungen desselben kurz herausgezogen werden, welchergestalt dennoch auf ein Buch nicht leicht mehr als eine Seite gehen und jede Meß etwa ohngefähr ein Alphabet einnehmen wird. Wie klein nun dieses Werk, so groß wird hoffentlich der Nutzen sein. Denn dadurch wird jedes Buchs Güte und Wert dem Leser ohne Müh und Nachschlagen bekannt, dem Buchführer bleiben gute Bücher nicht liegen, der Käufer wird mit bösen nicht betrogen. Wer aber die Mittel und Gelegenheit nicht hat, die Bücher zu kaufen oder wegen der Distanz zu bekommen und zu sehen, der kann dennoch durch diesen Auszug Material genugsam haben, selbige zu verstehen und davon zu diskurrieren; ander vielfältiger aus diesem Brunn augenscheinlich quellender Nutzbarkeit zu schweigen.

Um dieser nun und anderer Ursachen willen, Allergnädigster Kaiser und Herr, bin ich bewogen worden, dieses wiewohl höchst mühsame, doch, ohne Ruhm zu gedenken, nützliche und viele andere der sonst nötigen Müh überhebende Werk mit Gottes Hülfe vorzunehmen, jede Frankfurter Meß der herauskommenden fürnehmsten Bücher Inhalt und Kern kürzlich zu verfassen, auch alsbald drucken zu lassen, daß er zum längsten in der kurz darauf folgenden Leipziger Messe, dahin ohnedas von Frankfurt aus die meisten Buchführer oder ihre factores und Diener reisen, herauskommen, unter die Buchführer verteilt, von jedem mit nach Hause genommen und also zu allgemeinem Gebrauch und Nutzen jedesmal zeitlich ausgearbeitet werden möge.

Weil nun dieses Werk ehestens, sobald alle Anstalt und Vorbereitung gemacht, von mir mit Gottes Hülfe angegriffen werden soll, ohne große Arbeit und allerhand Kosten aber nicht geschehen kann, als ist und gelanget an E. Kaiserl. Mayt. mein alleruntertänigstes Bitten hiermit, diesselbe wolle allergnädigst geruhen zuvörderst ein allergnädigstes stets währendes Privilegium mir als erstem Angeber vor mich und die Meinigen oder denen es überlassen würde, in Gnaden zu erteilen, damit keinem nachgelassen werde, solchen oder anderen dergleichen Nucleum Librarium im Heil. R. Reich oder Ewr. Kaiserl. Mayt. Erblanden nachzudrucken und zu verkaufen, alles bei Vermeidung gewöhnlicher darauf gesetzter ernstlicher Strafen. Wiewohl nun durch dieses Privilegium der Autor vor Furcht des Schadens befreiet wird, dieweil aber dennoch für gewisse Müh und Kosten er seine einzige gewisse Ergötzung zu gewarten hat und im übrigen einige Anstalt wünschen möchte, wie er zu jedes neu herauskommenden Buchs Exemplar ohne Kosten gelangen könnte, als stellet E. Kaiserl. Mayt. wohlbekannter Zuneigung, so Sie zum gemeinen Besten und sonderlich den studiis trägt, er alleruntertänigst und demütigst anheim, was Sie zu Beförderung dieses so nützlichen und dennoch eben nicht kostbaren alleruntertänigsten Vorschlages allergnädigst geruhen werden befehlen zu lassen.

Solche hohe kaiserl. Gnade, gleichwie sie zu ewigem

Ruhme gereichen wird, also gegen E. Kaiserl. Mayt. selbige
in aller Untertänigkeit mit möglichsten Diensten und unver-
änderlicher Treue zeit meines Lebens zu verdienen, verbleibe
jederzeit so willig als höchst verbunden.

E. Kaiserl. Mayt.
alleruntertänigster
gehorsamster
Diener und Knecht
Gottfried Wilhelm Leibnüz,
beider Rechte Dr.

Leibniz an Remond *(10. Januar 1714)*

Fürchten Sie nicht, mich zu verwöhnen und allzu eitel zu machen, wenn Sie mir einen Brief schreiben, der an schmeichel-
haften Ausdrücken für mich alles überschreitet, was ich jemals erwarten konnte? Meine Antwort kommt ein wenig
spät, da ich Ihr Schreiben erst vor einigen Tagen erhielt; denn
ich halte mich nun schon fast das ganze verflossene Jahr in
Wien auf, und Herr Masson, der Ihren Brief mitgenommen
hat, hat, wie es scheint, erst vor kurzem Hannover berührt,
sonst würde man mir den Brief schon früher übergeben haben. Ich finde es ganz natürlich, daß Sie, mein Herr, Geschmack an meinen Gedanken gefunden haben, nachdem Sie
früher in die Platons eingedrungen waren. Denn dies ist ein
Autor, der mir sehr zugesagt und der es verdiente, in systematischer Weise dargestellt zu werden. Ich denke, dazu beitragen zu können, die Wahrheiten zu beweisen, die er nur
einfach aufgestellt hat, und indem ich seiner Spur und der
andrer großer Männer folgte, schmeichle ich mir, von ihnen
gelernt zu haben und bis zu einem gewissen Grade in die lich-
ten Tempel der Weisheit eingedrungen zu sein.

Diese Tempel erheben sich auf dem Grunde der allgemeinen Wahrheit, die nicht von den Tatsachen abhängig sind,

die aber trotzdem nach meiner Ansicht der Schlüssel zu der
Wissenschaft sind, die über die Tatsachen urteilt.

Ich möche noch eines hinzufügen, daß ich nämlich, wenn
ich in meinem Leben nicht so viele Ablenkungen erfahren
hätte, oder wenn ich noch jünger wäre oder an jüngeren, begabten Männern eine Hilfe fände, mich der Hoffnung nicht
entschlagen würde, eine Art von ›allgemeiner Charakteristik‹
zu schaffen, in der alle Wahrheiten auf einen bestimmten
Kalkül zurückgeführt würden. Es könnte das gleichzeitig
eine Art universeller Sprache oder Schrift sein, die aber von all
denen, die man bisher vorgebracht hat, unendlich verschieden wäre; denn die Charaktere und die Worte selbst würden
hier der Vernunft zum Leitfaden über Tatsachen dienen, und
alle Irrtümer – abgesehen von denen über Tatsachen – wären
nichts als Rechenfehler. Es wäre äußerst schwierig, diese
Sprache oder Charakteristik zu bilden oder zu erfinden, aber
sehr leicht, sie ohne irgendwelche Wörterbücher zu erlernen.
Sie würde auch in dem Falle, daß wir nicht genügend Daten
hätten, um zu sicheren Wahrheiten zu gelangen, dazu dienen,
die Grade der Wahrscheinlichkeit abzuschätzen und zu erkennen, wessen man bedarf, um das Fehlende zu ergänzen.
Diese Abschätzung wäre vom größten Nutzen für die Praxis,
da man sich hier bei der Schätzung der Wahrscheinlichkeit
meist um mehr als die Hälfte irrt.

. . . Ich habe von jeher versucht, die Wahrheit, die unter
den Ansichten der verschiedenen philosophischen Sekten begraben und verstreut liegt, aufzudecken und mit sich selbst zu
vereinigen, und ich glaube, von meiner Seite dazu mitgewirkt
zu haben, daß wir hierin einige Schritte vorwärtsgekommen
sind. Der äußere Gang meiner Studien ist mir hierbei seit
meiner frühesten Jugend zustatten gekommen. Noch als ein
Kind lernte ich den Aristoteles kennen, und selbst die Scholastiker schreckten mich nicht ab, was ich auch heute noch
nicht bedaure. Sodann las ich Platon und Plotin mit Befriedigung, ganz zu schweigen von den andren Alten, die ich spä-

terhin zu Rate zog. Als ich mich nun von der trivialen Schulphilosophie befreit hatte, verfiel ich auf die Modernen, und ich erinnere mich noch, daß ich im Alter von 15 Jahren allein in einem Wäldchen nahe bei Leipzig, dem sogenannten Rosental, spazierenging und bei mir erwog, ob ich die substantiellen Formen beibehalten sollte. Schließlich trug der Mechanismus den Sieg davon und veranlaßte mich, mich der Mathematik zu widmen, in deren Tiefen ich allerdings erst durch meinen Verkehr mit Herrn Huyghens in Paris eindrang. Als ich aber den letzten Gründen des Mechanismus und der Gesetze der Bewegung selbst nachforschte, war ich ganz überrascht, zu sehen, daß es unmöglich war, sie in der Mathematik zu finden, und daß ich zu diesem Zwecke zur Metaphysik zurückkehren mußte. Das führte mich zu den Entelechien, das heißt vom Materiellen zum Formellen zurück, und brachte mich schließlich, nachdem ich meine Begriffe verschiedentlich verbessert und weitergeführt hatte, zu der Erkenntnis, daß die Monaden, oder die einfachen Substanzen, die einzigen wahrhaften Substanzen sind, während die materiellen Dinge nichts als Erscheinungen sind, die allerdings wohl begründet und untereinander verknüpft sind. Hiervon haben Platon, ja selbst die späteren Akademiker und Skeptiker, etwas geahnt, wenngleich die Nachfolger Platons diese Erkenntnis nicht so gut zu nutzen verstanden wie er selbst.

Ich habe gefunden, daß die meisten Sekten in einem guten Teile dessen, was sie positiv behaupten, recht haben, weniger aber in dem, was sie leugnen.

Die Formalisten, wie die Platoniker und Aristoteliker, haben recht darin, die Quelle der Dinge in formalen Zweckursachen zu suchen. Unrecht tun sie nur daran, die wirkenden und die materiellen Ursachen zu vernachlässigen und daraus, wie Heinrich Morus und andre Platoniker, den Schluß zu ziehen, daß es Phänomene gibt, die nicht auf mechanische Weise erklärt werden können. Anderseits aber tun die Materialisten oder diejenigen, welche sich einzig und allein der mechanischen Philosophie hingeben, Unrecht daran, alle metaphysischen Erwägungen zurückzuweisen und alles aus bloß sinnlichen Prinzipien erklären zu wollen.

Ich schmeichle mir, in die Harmonie der verschiedenen Reiche eingedrungen zu sein und erkannt zu haben, daß beide Parteien recht haben, vorausgesetzt, daß sie gegenseitig ihre Kreise nicht stören, daß also alles in den Naturerscheinungen gleichzeitig auf mechanische und auf metaphysische Weise geschieht, daß aber die Quelle der Mechanik in der Metaphysik liegt. Es war nicht leicht, dieses Geheimnis zu entdecken, weil nur wenige sich die Mühe nehmen, diese beiden Arten von Studien miteinander zu vereinigen. Descartes hat es getan, aber er ist nicht gründlich genug vorgegangen. Er stellt seine Lehrsätze häufig allzu schnell auf, und man kann sagen, daß seine Philosophie nur bis in das Vorzimmer der Wahrheit gelangt ist. Eine Schranke war ihm vor allem dadurch gesetzt, daß er die wahren Gesetze der Mechanik oder der Bewegung, die ihn auf den rechten Weg hätten zurückführen können, nicht gekannt hat. Erst Huyghens hat sie, wenngleich immer noch in unvollkommener Weise, entdeckt, aber er fand, wie andre tüchtige Leute, die ihm auf dieser Bahn gefolgt sind, keinen Geschmack an der Metaphysik. Wäre Descartes darauf aufmerksam gewesen, daß sich kraft der Bewegungsgesetze nicht nur ein und dieselbe Kraft, sondern auch ein und dieselbe Gesamtrichtung in der Natur erhält, so würde er – wie ich in meinem Buche bemerkt habe – ebensowenig haben glauben können, daß die Seele die Richtung der Körper, als daß sie ihre Kraft zu ändern vermag; alsdann aber würde er geradewegs auf mein System der prästabilierten Harmonie verfallen sein, das eine notwendige Folge aus den beiden Sätzen der Erhaltung der Kraft und der Richtung ist.

Über die Willensfreiheit

Die Prävalenz der Neigungen hindert durchaus nicht, daß der Mensch nicht Herr über sich sei, wofern er nur von seiner Macht Gebrauch zu machen weiß. Sein Reich ist das der Vernunft, er braucht sich nur rechtzeitig zum Widerstande gegen die Leidenschaften zu rüsten, und er vermag dem Ungestüm der heftigsten Leidenschaften Einhalt zu gebieten. Angenommen, Augustus wolle gerade den Befehl zur Hinrichtung des Fabius Maximus geben, und bediene sich gewohnheitsgemäß des Rates, den ihm ein Philosoph gegeben: nichts in der Aufwallung des Zornes zu tun, sondern das griechische Alphabet zu rezitieren. Diese Überlegung vermag das Leben des Fabius und den Ruhm des Augustus zu retten. Doch wird die Leidenschaft ohne eine glückliche Überlegung, die man mitunter einer ganz besonderen göttlichen Güte verdankt, oder ohne eine im voraus erworbene Angewohnheit, geeignet, wie die des Augustus, uns zu den für Zeit und Ort passenden Überlegungen zu bringen, den Sieg über die Vernunft davontragen. Der Kutscher ist Herr über die Pferde, wenn er sie lenkt, wie er soll und kann, es gibt jedoch Gelegenheiten, wo er sich vergißt, und dann muß er für eine Zeit die Zügel fahren lassen.

Immer besitzen wir genügend Macht über unseren Willen, aber man denkt nicht immer daran, sie anzuwenden. Daraus ersieht man, wie wir mehr als einmal erwähnt haben, daß die Macht der Seele über ihre Neigungen eine Macht ist, die sich nur auf indirekte Art ausüben läßt. In Wirklichkeit hängen die äußeren Handlungen, wenn sie nicht unsere Kräfte überschreiten, ganz und gar von unserem Willen ab, unsere Willensakte selbst aber hängen vom Willen nur auf gewissen Umwegen ab, die uns ein Mittel an die Hand geben, unsere Entschlüsse aufzuhalten oder zu verändern. Wir sind bei uns Herr, nicht etwa wie Gott Herr der Welt ist, dessen Wort Schöpfung bedeutet, aber so wie ein weiser Fürst Herr in seinem Staat ist oder ein guter Familienvater seinem Diener gegenüber. Herr Bayle faßt dies bisweilen anders auf, wie wenn es eine absolute Macht bedeutete, die von Gründen und Mitteln unabhängig ist und die wir bei uns haben müßten, um uns einer freien Willensentscheidung rühmen zu können. Aber darüber verfügt Gott selbst nicht und kann diese Freiheit in bezug auf seinen Willen in diesem Sinne auch gar nicht haben, kann er doch sein Wesen nicht ändern und nicht anders als der Ordnung gemäß handeln.

Friedrich Gottlieb Klopstock
Von der Freundschaft

*K*lopstock wurde im Jahre 1724 in Quedlinburg geboren. Er
war ein Altersgenosse von Kant, fünf Jahre älter als Lessing.
Er war der erste moderne deutsche Dichter, der nur für und
nur von seiner Dichtung lebte.

Schon in Schulpforta, als er fünfzehn war, faßte er den Plan
seines Lebens: ein Epos, eine Tragödie vom Leben und Sterben Christi in deutschen Hexametern: Der Messias. Die Wirkung dieses Werkes war unermeßlich. Musiker wie Gluck,
Dichter wie Schubart priesen es. Es drang in weite Kreise.
Schubart berichtete: »Wo wenig Kultur ist, wird Klopstock
viel mehr goutiert, als wo viel Kultur ist.«

In unseren Tagen charakterisierte der Lyriker Friedrich
Georg Jünger Klopstocks dichterische Sprache so: »Er hat einen neuen Vers, einen neuen Satz gefunden; er leitet die Sprache der Dichtung in ein neues Strombett. Er schildert keine
Bewegung; er bewegt sich selbst in der Dichtung. In seiner
Sprache ist, wie in seinen Vorstellungen vom Himmelsge-
wölbe und in den rotierenden Bewegungen der Sterne, eine
dynamische Kraft. Diese Vorstellung ist nicht physikalisch-
mathematisch, sosehr Kopernikus und Kepler an ihr mitgewirkt haben; sie nähert sich den Gedanken Keplers, der über
alle Himmelsmechanik hinaus eine Weltharmonik annimmt,
einen Rhythmus, eine Symmetrie der Sphären, die in gewaltigem Orgelton musizieren.«

Wir bringen drei Prosa-Stücke: zunächst den Beginn der
Studie Die Freundschaft – die von jenen Tagen bis zur Romantik eines der zentralen Ereignisse im Leben und eins der

häufigsten Themen im Werke der Dichter war. Die beiden folgenden Betrachtungen Von der Bescheidenheit *und* Von dem Fehler, andere nach sich zu beurteilen *verraten einen subtilen Psychologen, den niemand ahnt, der nur den großen Dithyramben-Dichter kennt.*

Die Freundschaft

Die Freundschaft ist eine Glückseligkeit, die so wenige ganz kennen, daß es mich oft recht traurig macht, wenn ich so viele sehe, denen sie weiter nichts als ein Wort ist, das sie, des Wohlstands wegen, bisweilen mit aussprechen, von ungefähr so, wie das andre Wort Tugend.

Einige legen dies Blatt schon weg und haben, indem sie nun schon das dritte Mal dabei gähnen, heute eben keine Lust, eine lange Abhandlung von der Freundschaft zu lesen. Sie irren sich zwar sehr, denn sie werden nichts weniger als eine Abhandlung von den Pflichten der Freundschaft zu lesen bekommen: unterdes bin ich doch sehr ungewiß, ob sie es reizen wird, weiterzulesen, wenn ich ihnen sage, daß ich von der Glückseligkeit der Freundschaft, von dieser unerschöpflichen Materie, etwas berühren will. Aber mit wem soll ich reden? Mit Freunden? Mit diesen redete ich freilich am liebsten. Ich dürfte ihnen nur ein halbes Wort sagen, so verständen sie mich; und ich bin gewiß, daß ich ihnen ein Vergnügen machen würde. Aber ich wollte doch auch gern diejenigen, denen Freundschaft, Pflichten, Glückseligkeit der Freundschaft böhmische Dörfer sind (man verzeihe mir diesen gemeinen Ausdruck, weil er der Sache angemessen ist), auf die Vermutung bringen, daß es vielleicht einigermaßen möglich sei, daß diese Wörter etwas bedeuten könnten.

Wenn ich nicht in eine Assemblée müßte, mein Herr Aufseher, so würde ich Ihnen ein paar Minuten zuhören.

Ich will's kurz machen, mein Herr. Fahren Sie immer. Wir sehn einander wohl einmal im Rosenburger Garten, oder sonstwo: wenn Sie es alsdann nicht allzuviel länger machen wollen und wir eben nichts Wichtigeres hätten, so würde mir's eine Ehre sein, mich mit Ihnen von der Sache zu unterreden.

Vielleicht treffen wir uns fürs erste nicht sogleich wieder an. Das ist noch kürzer.

Einige von meinen gutherzigen Lesern werden bei dieser Gelegenheit ein wahres Mitleiden mit mir gehabt haben. Ohne mich in die Dankbarkeit, die ich ihnen dafür schuldig bin, allzu weitläufig einzulassen, will ich ihnen nur im Vertrauen sagen, daß ich eine ziemliche Portion Mitleiden bei mir vorrätig habe, welche ich tagtäglich und, wie ich aufrichtig versichern kann, recht gut an den Mann zu bringen weiß.

Es ist notwendig, daß ich einige Anfangsgründe erwähne. Ein Freund ist weder ein Bekannter noch ein guter Bekannter; er ist auch kein guter Freund. Ein Bekannter ist nun so einer, den man sehen und nicht sehen kann, ohne weiter an ihn zu denken. Ich habe ihrer leider nicht wenige. Sie sind wie die Verleumder Shakespeares, die, nach seinem Ausdrucke, den Ruhm anderer berupfen:

Wer meine Zeit berupft, der stiehlt sich selbst nicht reich! Mich stiehlt er arm.

Aus einem guten Bekannten wird zwar bisweilen ein Freund; aber wenn es bei der guten Bekanntschaft bleibt, so unterhalten wir sie bloß deswegen, weil unser guter Bekannter doch einige nützliche und angenehme Eigenschaften hat. Leute, die sich in ihren Begriffen von der Freundschaft nicht höher schwingen können, als daß sie alle guten Bekannten für Freunde halten, denken, daß nichts gewöhnlicher in der Welt als die Freundschaft sei. Wie betrügen sie sich! Unterdes wird auch der, welcher zur Freundschaft fähig ist, eine nicht zu kleine Anzahl guter Bekannter alsdann haben wollen, wenn er die Sache so einrichten kann, daß er nicht zuviel Zeit darüber verliert.

Ein guter Freund ist etwas Unreifes, etwas, das unvollendet geblieben ist. Er hat verschiedene Eigenschaften, die zur Freundschaft gehören; aber die Anzahl derer, die er nicht hat, ist auch nicht klein. Man wollte ihn gerne vollends zum Freunde ausbilden; aber es will nicht gehn. Er versteht, er fühlt einmal nur bis auf einen gewissen Grad. Ich habe oft Anlaß gehabt, die Anmerkung zu machen: daß eher aus einem guten Bekannten ein Freund wird als aus einem guten Freunde, der dies lange geblieben ist. Er ist zwar der nächste nach dem Freunde, aber, wie Vergil sagt:

In weiter Entfernung der Nächste!

Von der Bescheidenheit

Die Bescheidenheit ist nicht nur ein richtiges Urteil, das wir über den eigentlichen Grad unsres Wertes fällen und, durch unser Betragen, auf eine ungezwungene Art andern zu erkennen geben: sie ist auch eine beinah furchtsame Sorgfalt, daß wir dennoch in diesem Urteile, wie streng und unparteiisch wir auch gegen uns gewesen sind, geirrt und uns mehr gute Eigenschaften zugeschrieben haben möchten, als wir wirklich besitzen. Wenn dieses Letzte nicht wäre, so würde man einen Bescheidnen zwar hochachten, aber ihm nicht die Liebenswürdigkeit zugestehn, die selbst den Stolzen für ihn einnimmt. Der Bescheidne hat, außer den angeführten Kennzeichen, auch noch dieses, daß er es nicht allein gar nicht zu scheinen affektiert, sondern diesen Schein so sehr vermeidet, daß sich über alle seine Handlungen diejenige Natürlichkeit und edle Einfalt ausbreitet, die auch dann schon, wenn sie nicht von der Bescheidenheit entsteht und nur die Folge eines offnen und freien Charakters ist, einen Mann von Verdiensten entdeckt. Aber nur derjenige, der mit großen Verdiensten gleiche Tugenden verbindet, oder vielmehr, der durch die Ausübung seiner Pflicht, gegen welche alle andre Verdienste von geringem Wert sind, groß ist, nur ein solcher kann die Vorzüge der Bescheidenheit in ihrem ganzen Umfange zeigen.

Der feine Stolz ist ein nur allzu künstlicher Nachahmer der Bescheidenheit; denn er kann die erfahrensten Kenner von Charakteren hintergehen. Es ist traurig, daß die schönste unter den Tugenden so entweiht werden kann. Ich sage nur, daß sie die schönste, und nicht, daß sie die größte sei. Denn diese ist, die unmittelbaren Pflichten gegen Gott ausgenommen, die Menschlichkeit.

Wir lernen Philinten kennen. Er gefällt uns. Er scheint nichts von seinen bekannten Verdiensten zu wissen. Wir sehn bald aus seinem Betragen, daß er die Bescheidenheit für eine schätzbare Eigenschaft hält. Aber wir sind schon so oft durch die feinen Nachahmungen dieser Tugend betrogen worden. Wir sind also auf unsrer Hut und fest entschlossen, unser Urteil über seine Bescheidenheit, erst nach langer Untersuchung, zu fällen. Wir fahren fort, mit ihm umzugehn. Denn er gefällt uns auch aus andern Ursachen als wegen seiner anscheinenden Bescheidenheit. Wir finden ihn aufrichtig, wahrhaft und natürlich. Er ist sich beständig gleich, auch in der Bescheidenheit: und Heuchler sind es doch sehr selten. Wir fangen an, geneigt zu werden, ihn für wirklich bescheiden zu halten. Aber weil wir dieses merken, so werden wir desto behutsamer. Denn wir haben uns schlechterdings vorgenommen, uns nicht wieder durch den Schein der Bescheidenheit hintergehn zu lassen. Philint wird auf eine feine Art gelobt, und zwar von Leuten, die er hochachtet. Er lehnt das Lob ungezwungen und zugleich mit einer gewissen angenehmen Dankbarkeit von sich ab, daß wir gar nicht dabei entdecken, daß er bescheiden zu scheinen suche. Ein Stolzer, der Verstand und Lebensart hätte, würde es beinah ebenso machen. Wir kennen ihn nun schon ziemlich lange. Da wir

ihn bisher ganz entfernt davon gefunden hatten, durch irgend
etwas schimmern zu wollen, so hatten wir zwar nicht
schlechterdings entschieden, daß ihm gewisse Sachen, wovon
wir vieles wissen, und auf die er sich fast gar nicht eingelassen
hatte, völlig unbekannt wären; aber wir hatten doch geglaubt,
daß seine Einsichten in dieselben sehr unvollständig sein
müßten. Wie angenehm werden wir überrascht, wenn wir bei
einer Gelegenheit, die ihn beinahe zwingt, sich über diese
Materie zu erklären, finden, daß er sie mit der vollständigsten
Genauigkeit auseinandersetzt. Unsre Neigung, ihn für wirklich bescheiden zu halten, wird stärker; und noch stärker
wird sie, da wir sehen, daß, da er von einigen, die er recht sehr
hochachtet, auf einen gewissen Grad verkannt wird, daß er
dennoch fortfährt, ihren Verdiensten Gerechtigkeit widerfahren zu lassen, und ihnen durch keine Art von Gegenstolz
zeigt, daß er ihre Begegnungen empfunden habe. Wenn wir
nicht durch die falsche Bescheidenheit so oft betrogen und
beinah argwöhnisch geworden wären, so würden wir itzt,
ohne weitere Untersuchung im geringsten für nötig zu halten,
geradezu entscheiden, daß Philint ein Mann von sehr wahrer
Bescheidenheit sei. Wir hatten bisher mit scharfem Auge bloß
auf ihn achtgegeben; nun wollen wir ihn, um völlig gewiß zu
werden, auch auf die Probe stellen. Wir sind bekannt genug
mit ihm; wir können es tun. Wir tadeln daher etwas an denjenigen von seinen Unternehmungen, welche ihm die liebsten
zu sein scheinen. Wir tun es zwar nicht ohne Mäßigung, aber
zugleich mit dem kalten Blute, mit der gründlichen Strenge,
welche die Sprache der Wahrheit ist. Wird Philint sogar diese
Probe aushalten? Er hört uns mit gesetztem Wesen an, und
ohne die geringste Gegenklage in seinem Betragen zu zeigen.
Unser Tadel war, weil wir ihn nicht genug kannten, in ver-
schiednen Stücken nicht begründet. Er sagt uns dies mit eben
der edlen Freimütigkeit, mit welcher er dasjenige, was er
wahr darin fand, zugestanden hatte. Ein Versehn bloß durch
Wort zugeben, ist nur ein halbes Geständnis. Dies ist ihm

nicht genug. Er verbessert daher dasjenige, worin er gefehlt zu haben überzeugt worden war. Ist es uns nun noch zu zweifeln möglich, daß Philint die schönste der Tugenden in einem sehr hohen Grade besitze?

Es ist gewiß! Selten, sehr selten, findet man einen Philint. Aber derjenige, der ihn für eine moralische Chimäre hält, scheint mir wenig Ansprüche auf den Besitz der übrigen Tugenden machen zu dürfen. Er kann gewisse Verdienste haben; allein die wahrsten, deren Mangel allen übrigen sehr nachteilig ist, hat er nicht.

Die nachgeahmte Bescheidenheit, dieser kluge Stolz, besticht den Stolz andrer und erlangt dadurch diejenigen kalten Gegendienste, die Bestochne zu erzeigen pflegen. Und welch eine unnütze Verschwendung sind alle vorigen Bestechungen, wenn der andre entdeckt, daß er mit falscher Münze bestochen wird! Derjenige, dem es noch gar nicht eingefallen ist, daß er die Bescheidenheit für eine von den liebenswürdigsten Tugenden zu halten habe, die er ausüben kann, oder der, bei dem sie dem Stolze noch zu sehr unterliegt, wird durch die Beobachtung folgender drei Punkte gut anfangen oder auf dem schon betretenen Wege glücklich fortgehn.

Er gewöhnt sich, alle Dinge vornehmlich in dem Gesichtspunkte anzusehn, der ihren eigentlichen Wert entscheidet.

Er fürchtet oft, daß er sich selbst noch nicht genug kenne, und fängt daher diese Untersuchung manchmal von neuem und mit einer solchen Sorgfalt an, als wenn er sie noch niemals unternommen hätte.

Er sieht viel seltner auf die Höhen, die er schon überstiegen hat, herunter, als er nach denen hinaufsieht, die er noch vor sich hat und die er vielleicht niemals ersteigen kann.

Von dem Fehler, andere nach
sich zu beurteilen

Es ist eins von den sonderbarsten Schauspielen, das man sich
geben kann, wenn man mit Aufmerksamkeit zusieht, wie fast
jeder den andern nach sich selbst beurteilt. Selbst der Recht-
schaffne fällt in den Fehler, von andern unrichtig zu urteilen,
indem er die Tugenden, die er selbst hat, auch bei andern findet. Aber welch ein edler Fehler ist dieser!

Einen gewissen Unterschied, auch wohl Vorzug einiger
Verstandeskräfte und der Denkart gesteht man zwar noch
bisweilen zu; allein in Absicht auf die Eigenschaften des Herzens überredet man sich leicht, keinen über sich zu haben.
Wenn man außerordentlich große Tugenden in der Geschichte findet, so hält man hier den Geschichtsschreiber für
einen Dichter, und wenn man sie selbst sieht, so ist man gar
zu geneigt, denjenigen, der sie tut, für einen Heuchler zu erklären. Und wenn dieses von ihm zu behaupten gar zu unwahrscheinlich ist, so sucht man sie durch die Erfindung kleiner Absichten derselben herunterzusetzen; oder man würdigt
sie nicht mehr, mit dem, was man selbst tun könnte, zu vergleichen, indem man sie aus einer Enthusiasterei des Herzens
herleitet, durch die man sich in einer Welt, wie die unsrige ist,
zwar lächerlich, aber gewiß nicht glücklich mache.

Diese Gewohnheit, den weisen, den tugendhaften, den
großen Mann zu sich herunter zu erniedrigen und ihn mit seinem eignen kleinen Maße zu messen, hat unter andern auch
diese schlimme Folge, daß man sich der Muster der Nachahmung und ihres vielseitigen Nutzens beraubt. Und diese
Muster der Nachahmung sind gleichwohl für die meisten die
einzige Reizung, die ihnen übrig ist, mindestens einige
Stufen der Tugend zu ersteigen. Denn die Aussprüche der
Pflicht sind ihnen zu kalt. Sie wirken nicht auf ihr Herz.

Kleon könnte sich vielleicht zu einem gewissen Grade
von Tugend erheben; allein wenn er fortfährt, Aristen nach

sich selbst zu beurteilen, so ist gar keine Hoffnung mehr dazu.

Arist verzeiht seinem Feinde auf eine Art, welche die Zuschauer beinah zweifelhaft macht, ob er beleidigt worden sei. Kleon, dem es unbegreiflich ist, daß man so verzeihen könne, hält Aristen für furchtsam. Denn das ist er selbst.

Arist scheint nicht reicher zu werden, ob er gleich in Umständen ist, in welchen er es werden könnte. Er hatte einigen Unglücklichen geliehn, von denen er geglaubt hatte, daß sie rechtschaffen wären. Dies weiß Kleon zwar nicht; allein er spricht dem Aristen die Geschicklichkeit ab, seinen Reichtum zu vermehren, diese so leichte Geschicklichkeit, wenn sie durch die Gewissenhaftigkeit nicht schwer gemacht wird, und Kleon gleichwohl nicht hat, ob ihn gleich Schwierigkeiten von dieser Art überhaupt nicht sehr einschränken.

Arist tut bisweilen etwas für die Nachkommen. Der arme Kleon, wie könnte er Aristen in einem solchen Verdachte haben, er, der seinen Vater kaum ein wenig liebt, welcher fast sein ganzes Vermögen für ihn hingegeben hat.

Arist läßt sich nicht leicht herunter, Kleinigkeiten dadurch, daß er darüber etwas entschiede, wichtig zu machen. Kleon sieht, daß Arist schweigt, und hält dafür, daß Arist von seiner Meinung sei.

Homer sagt, daß uns Jupiter die Armen zusende. Man könnte ebendies von Männern sagen, deren Tugenden Beispiele sind. Aber was macht die kleine Seele eines Kleons aus einem Arist, der ihm zugesandt ist? Eine kleine Seele, wie er selbst hat! Und was ist ihm dann für eine Reizung übrig, in die Höhe sehn zu lernen, wenn er auf einen Arist nur nicht herabsieht?

Wie dem Gelbsüchtigen alle Gegenstände gelb vorkommen: so scheinen einem Kleon alle Menschen ebenso klein als er selbst ist. Sobald er die übrigen seiner Aufmerksamkeit würdigt, so ist er gleich mit seiner Zauberei fertig, sie in sich selbst zu verwandeln. Es ist ein grotesker Anblick, diesen

Pygmäen zu sehen, der, sobald er einen wirklichen Menschen erblickt, den Stab seiner eignen Größe neben ihn stellt, oder ihn auf seine Waagschale legt. Da ein gewisser hoher Grad des Lachens eine sehr gesunde Erschütterung des Leibes sein soll; so ist es nicht völlig abzuraten, sich bisweilen einem solchen Pygmäen zu nähern, und sich auf seine Art von ihm handhaben zu lassen.

Immanuel Kant
Der Charakter des Geschlechts

*I*m *Gedächtnis lebt der alte Kant mit seinem Tageslauf, der so pünktlich ablief, daß, wie man sagt, die Bewohner der Stadt Königsberg nach seinen Ausgängen ihre Uhren zu stellen pflegten. Aber er ist auch einmal jung gewesen.*

Damals hätte er dreimal beinahe geheiratet. Eine hübsche Witwe besuchte Verwandte in Königsberg, Kant überlegte es sich lange, inzwischen war sie abgereist und heiratete einen andern. Die zweite, die er nicht heiratete, war ein Mädchen aus Westfalen, Gouvernante einer vornehmen Dame. Als er sich zu einem Entschluß durchgerungen hatte, stellte sich heraus, daß sie nicht mehr in der Stadt war. Die dritte war eine Königsbergerin, die nicht mehr in Frage kam, nachdem er sie richtig kennengelernt hatte.

Kant dachte ebensoviel über die Ehe nach wie Schopenhauer – mit demselben Erfolg: er blieb Junggeselle. Weshalb heiratet man? Wegen Geld; schließlich sei es haltbarer als Schönheit und andere Reize. Aber Kant, der Bedürfnislose, brauchte kein Geld. Man heiratete auch, wie Kant und Schopenhauer dachten, um eine Köchin zu haben und fürs Alter eine Krankenschwester. Kant aber hatte den Diener Lampe.

Schließlich sah er in der Ehe noch eine legalisierte Form des Vergnügens.

Die Abschnitte, die wir im folgenden bringen, stammen aus Kants Anthropologie in pragmatischer Hinsicht *(1798). Sie sind zum Teil feudalistisch-bürgerliche Ideologie, zum Teil sehr feine Beobachtungen des großen Menschenkenners. Er sah, was heute zu leicht übersehen wird, daß weder durch*

Diktatur noch durch einen primitiven Parlamentarismus zwischen Gleich und Gleich ein Leben zu zweien aufrechtzuerhalten ist; daß ein Überlegensein und Unterlegensein sehr fein aufeinander abgestimmt sein muß. Es ist großartig, wie er in seiner Weise zeigt, daß das Leben zu zweit ein Miteinander sein muß und sein kann.

In alle Maschinen, durch die mit kleiner Kraft ebensoviel ausgerichtet werden soll als durch andere mit großer, muß Kunst gelegt sein. Daher kann man schon zum voraus annehmen: daß die Vorsorge der Natur in die Organisierung des weiblichen Teils mehr Kunst gelegt haben wird als in die des männlichen, weil sie den Mann mit größerer Kraft ausstattete als das Weib, um beide zur innigsten leiblichen Vereinigung, doch auch als vernünftige Wesen zu dem ihr am meisten angelegenen Zwecke, nämlich der Erhaltung der Art, zusammenzubringen, und überdem sie in jener Qualität (als vernünftige Tiere) mit gesellschaftlichen Neigungen versah, ihre Geschlechtsgemeinschaft in einer häuslichen Verbindung fortdauernd zu machen.

Zur Einheit und Unauflöslichkeit einer Verbindung ist das beliebige Zusammentreten zweier Personen nicht hinreichend; ein Teil mußte dem andern unterworfen und wechselseitig einer dem andern irgendworin überlegen sein, um ihn beherrschen oder regieren zu können. Denn in der Gleichheit der Ansprüche zweier, die einander nicht entbehren können, bewirkt die Selbstliebe lauter Zank. Ein Teil muß im Fortgange der Kultur auf heterogene Art überlegen sein: der Mann dem Weibe durch sein körperliches Vermögen und seinen Mut, das Weib aber dem Manne durch ihre Naturgabe, sich der Neigung des Mannes zu ihr zu bemeistern: da hingegen im noch unzivilisierten Zustande die Überlegenheit bloß auf der Seite des letzteren ist. – Daher ist in der Anthropologie die weibliche Eigentümlichkeit mehr als die des männlichen Geschlechts ein Studium für den Philosophen. Im rohen Naturzustande kann man sie ebensowenig erkennen als die der Holzäpfel und Holzbirnen, deren Mannigfaltigkeit sich nur durch Pfropfen oder Inokulieren entdeckt, denn die Kultur bringt diese weiblichen Beschaffenheiten nicht hinein, sondern veranlaßt sie nur, sich zu entwickeln und unter begünstigenden Umständen kennbar zu machen.

Diese Weiblichkeiten heißen Schwächen. Man spaßt darüber; Toren treiben damit ihren Spott, Vernünftige aber sehen sehr gut, daß sie gerade die Hebezeuge sind, die Männlichkeit zu lenken und sie zu jener ihrer Absicht zu gebrauchen. Der Mann ist leicht zu erforschen, die Frau verrät ihr Geheimnis nicht, obgleich anderer ihres (wegen ihrer Redseligkeit) schlecht bei ihr verwahrt ist. Er liebt den Hausfrieden und unterwirft sich gern ihrem Regiment, um sich nur in seinen Geschäften nicht behindert zu sehen; sie scheut den Hauskrieg nicht, den sie mit der Zunge führt und zu welchem Beruf die Natur ihr Redseligkeit und affektvolle Beredtheit gab, die den Mann entwaffnet. Er fußt sich auf das Recht des Stärkeren, im Hause zu befehlen, weil er es gegen äußere Feinde schützen muß; sie auf das Recht des Schwächeren: vom männlichen Teil gegen Männer geschützt zu werden, und macht durch Tränen der Erbitterung den Mann wehrlos, indem sie ihm seine Ungroßmütigkeit vorrückt.

Im rohen Naturzustande ist das freilich anders. Das Weib ist da ein Haustier. Der Mann geht mit Waffen in der Hand voran, und das Weib folgt ihm mit dem Gepäck seines Hausrats beladen. Aber selbst da, wo eine barbarische bürgerliche Verfassung Vielweiberei gesetzlich macht, weiß das am meisten begünstigte Weib in ihrem Zwinger (Harem genannt) über den Mann die Herrschaft zu erringen, und dieser hat seine liebe Not, sich in dem Zank vieler um eine (welche ihn beherrschen soll) erträglicherweise Ruhe zu schaffen.

Im bürgerlichen Zustand gibt sich das Weib den Gelüsten

des Mannes nicht ohne Ehe weg, und zwar die der Monoga-
mie: wo, wenn die Zivilisierung noch nicht bis zur weiblichen
Freiheit in der Galanterie (auch andere Männer als den einen
öffentlich zu Liebhabern zu haben) gestiegen ist, der Mann
sein Weib bestraft, das ihn mit einem Nebenbuhler bedroht.
Die alte Sage von den Russen: daß die Weiber ihre Ehemänner
im Verdacht hielten, es mit andern Weibern zu halten, wenn
sie nicht dann und wann von diesem Schläge bekämen, wird
gewöhnlich für Fabel gehalten. Allein in Cooks Reisen findet
man: daß, als ein englischer Matrose einen Indier auf Otaheite
sein Weib mit Schlägen züchtigen sah, jener den Galanten
machen wollte, und mit Drohungen auf diesen losging. Das
Weib kehrte sich auf der Stelle wider den Engländer, fragte,
was ihn das angehe: der Mann müsse das tun! – – Ebenso wird
man auch finden, daß, wenn das verehelichte Weib sichtbar-
lich Galanterie treibt, und ihr Mann gar nicht mehr darauf
achtet, sondern sich dafür durch Punsch- und Spielgesell-
schaft, oder andere Buhlerei schadlos hält, nicht bloß Verachtung, sondern auch Haß in den weiblichen Teil übergeht: weil
das Weib daran erkennt, daß er nun gar keinen Wert mehr in
sie setzt und seine Frau anderen, an demselben Knochen zu
nagen, gleichgültig überläßt.

Wenn die Galanterie aber zur Mode und die Eifersucht lächerlich geworden ist (wie das dann im Zeitpunkt des Luxus
nicht ausbleibt), so entdeckt sich der weibliche Charakter:
mit ihrer Gunst gegen Männer auf Freiheit und dabei zugleich
auf Eroberung des ganzen Geschlechts Anspruch zu machen. – Diese Neigung, ob sie zwar unter dem Namen der
Koketterie in übelem Ruf steht, ist doch nicht ohne einen
wirklichen Grund zur Rechtfertigung. Denn eine junge Frau
ist doch immer in Gefahr, Witwe zu werden, und das macht,
daß sie ihre Reize über alle den Glücksumständen nach ehefä-
hige Männer ausbreitet: damit, wenn jener Fall sich ereignet,
es ihr nicht an Bewerbern fehlen möge.

Pope glaubt, man könne das weibliche Geschlecht (versteht sich im kultivierten Teil desselben) durch zwei Stücke charakterisieren: die Neigung zu herrschen und die Neigung zum Vergnügen. – Von dem letzteren aber muß man nicht das häusliche, sondern das öffentliche Vergnügen verstehen; wobei es sich zu ihrem Vorteil zeigen und auszeichnen könne; da dann die zweite sich auch in die erstere auflöst, nämlich: ihren Nebenbuhlerinnen im Gefallen nicht nachzugeben, sondern über sie alle durch ihren Geschmack und ihre Reize womöglich zu siegen. – – – Aber auch die erstgenannte Neigung, so wie Neigung überhaupt, taugt nicht zum Charakterisieren einer Menschenklasse überhaupt in ihrem Verhalten gegen andere. Denn Neigung zu dem, was uns vorteilhaft ist, ist allen Menschen gemein, mithin auch die, soviel uns möglich, zu herrschen; daher charakterisiert sie nicht. – Daß aber dieses Geschlecht mit sich selbst in ständiger Fehde, dagegen mit dem anderen in recht gutem Vernehmen ist, möchte eher zum Charakter desselben gerechnet werden können, wenn es nicht die bloße natürliche Folge des Wetteifers wäre, einer der andern in der Gunst und Ergebenheit der Männer den Vorteil abzugewinnen. Da dann die Neigung zu herrschen das wirkliche Ziel, das öffentliche Vergnügen aber, als durch welches der Spielraum ihrer Reize erweitert wird, nur das Mittel ist, jener Neigung Effekt zu verschaffen.

Man kann nur dadurch, daß wir, nicht was wir uns zum Zweck machen, sondern was Zweck der Natur bei Einrichtung der Weiblichkeit war, als Prinzip brauchen, zu der Charakteristik dieses Geschlechts gelangen, und da dieser Zweck selbst vermittelst der Torheit der Menschen doch der Naturabsicht nach Weisheit sein muß: so werden diese ihre mutmaßlichen Zwecke auch das Prinzip derselben anzugeben dienen können; welches nicht von unserer Wahl, sondern von einer höheren Absicht mit dem menschlichen Geschlecht abhängt. Sie sind I. die Erhaltung der Art, II. die Kultur der Gesellschaft und Verfeinerung derselben durch die Weiblichkeit.

i. Als die Natur dem weiblichen Schoße ihr teuerstes Un-
terpfand, nämlich die Spezies, in der Leibesfrucht anvertraute, durch die sich die Gattung fortpflanzen und verewigen
sollte, so fürchtete sie gleichsam wegen Erhaltung derselben
und pflanzte diese Furcht – nämlich vor körperlichen Verlet-
zungen und Schüchternheit vor dergleichen Gefahren – in
ihre Natur; durch welche Schwäche dieses Geschlecht das
männliche rechtmäßig zum Schutze für sich auffordert.

ii. Da sie auch die feinren Empfindungen, die zur Kultur
gehören, nämlich die der Geselligkeit und Wohlanständigkeit, einflößen wollte, machte sie dieses Geschlecht zum Be-
herrscher des männlichen durch seine Sittsamkeit, Beredtheit
in Sprache und Mienen, früh gescheut, mit Ansprüchen auf
sanfte, höfliche Begegnung des männlichen gegen dasselbe,
und das letztere hat sie durch seine eigene Großmut von
einem Kinde unsichtbar gefesselt – wenngleich dadurch eben
nicht zur Moralität selbst, doch zu dem, was ihr Kleid ist,
dem gesitteten Anstande, der zu jener die Vorbereitung und
Empfehlung ist, gebracht.

Die Frau will beherrschen, der Mann beherrscht sein (vornehmlich vor der Ehe). Daher die Galanterie der alten Ritter-
schaft. – Sie setzt früh in sich selbst Zuversicht zu gefallen.
Der Jüngling besorgt immer zu mißfallen und ist daher in
Gesellschaft der Damen verlegen (geniert). Diesen Stolz des
Weibes, durch den Respekt, den es einflößt, alle Zudring-
lichkeit des Mannes abzuhalten, und das Recht, Achtung vor
sich auch ohne Verdienste zu fordern, behauptet sie schon aus
dem Titel ihres Geschlechts. – Das Weib ist weigernd, der
Mann werbend; ihre Unterwerfung ist Gunst. – Die Natur
will, daß das Weib gesucht werde; daher muß sie selbst nicht
so delikat in der Wahl (nach Geschmack) sein, als der Mann,
den die Natur auch gröber gebaut hat und der dem Weibe
schon gefällt, wenn er nur Kraft und Tüchtigkeit zu ihrer
Verteidigung in seiner Gestalt zeigt; denn wäre sie in Ansehung der Schönheit seiner Gestalt ekel und fein in der Wahl,

um sich verlieben zu können, so müßte sie sich bewerbend, er aber sich weigernd zeigen; welches den Wert ihres Geschlechts selbst in den Augen des Mannes gänzlich herabsetzen würde. – Sie muß kalt, der Mann dagegen in der Liebe affektenvoll zu sein scheinen. Einer verliebten Aufforderung nicht zu gehorchen, scheint dem Manne, ihr aber leicht Gehör zu geben, dem Weibe schimpflich zu sein. – Die Begierde des letzteren, ihre Reize auf alle feinen Männer spielen zu lassen, ist Koketterie; die Affektation, in alle Weiber verliebt zu scheinen, Galanterie; beides kann ein bloßes zur Mode gewordenes Geziere, ohne alle ernstliche Folge sein; so wie das Cicisbeat eine affektierte Freiheit des Weibes in der Ehe, oder das gleichfalls ehedem in Italien gewesene Courtisanenwesen, von dem man erzählt, daß es mehr geläuterte Kultur des gesitteten öffentlichen Umgangs enthalten habe, als die der gemischten Gesellschaften in Privathäusern. – Der Mann bewirbt sich in der Ehe nur um seines Weibes, die Frau aber um aller Männer Neigung; sie putzt sich nur für die Augen ihres Geschlechts aus Eifersucht, einander in Reizen oder im Vornehmtun zu übertreffen: der Mann hingegen für das weibliche; wenn man das Putz nennen kann, was nur so weit geht, um seiner Frau durch seinen Anzug nicht Schande zu machen. – Der Mann beurteilt weibliche Fehler gelind; die Frau aber (öffentlich) sehr strenge; und junge Frauen, wenn sie die Wahl hätten, ob ihr Vergehen von einem männlichen oder weiblichen Gerichtshofe abgeurteilt werden solle, würden sicher das erste zu ihrem Richter wählen. – Wenn der verfeinerte Luxus hoch gestiegen ist, so zeigt sich die Frau nur aus Zwang sittsam und hat kein Hehl zu wünschen, daß sie lieber Mann sein möchte, wo sie ihren Neigungen einen größeren und freieren Spielraum geben könnte; kein Mann aber wird ein Weib sein wollen.

Sie fragt nicht nach der Enthaltsamkeit des Mannes vor der Ehe; ihm aber ist an derselben auf seiten der Frauen unendlich viel gelegen. – In der Ehe spotten Weiber über Intoleranz

(Eifersucht der Männer überhaupt): es ist aber nur ihr Scherz; das unverehelichte Frauenzimmer richtet hierüber mit großer Strenge. – Was die gelehrten Frauen betrifft, so brauchen sie ihre Bücher etwa so wie ihre Uhr, nämlich sie zu tragen, damit gesehen werde, daß sie eine haben; ob sie zwar gemeiniglich still steht oder nicht nach der Sonne gestellt ist.

Weibliche Tugend oder Untugend ist von der männlichen, nicht sowohl der Art als der Triebfeder nach, sehr unterschieden. – Sie soll geduldig, er muß duldend sein. Sie ist empfindlich, er empfindsam. – Des Mannes Wirtschaft ist Erwerben, die des Weibes Sparen. – Der Mann ist eifersüchtig, wenn er liebt; die Frau auch, ohne daß sie liebt; weil soviel Liebhaber, als von anderen Frauen gewonnen werden, doch ihrem Kreise der Anbeter verloren sind. – Der Mann hat Geschmack für sich, die Frau macht sich selbst zum Gegenstand des Geschmacks für jedermann. –

›Was die Welt sagt, ist wahr, und was sie tut, gut‹, ist ein weiblicher Grundsatz, der sich schwer mit einem Charakter in der engen Bedeutung des Wortes vereinigen läßt. Es gab aber doch wackere Weiber, die in Beziehung auf ihr Hauswesen einen dieser ihrer Bestimmung angemessenen Charakter mit Ruhm behaupteten. – Dem Milton wurde von seiner Frau zugeredet, er solle doch die ihm nach Cromwells Tode angetragene Stelle eines lateinischen Sekretärs annehmen, ob es zwar seinen Grundsätzen zuwider war, jetzt eine Regierung für rechtlich zu erklären, die er vorher als widerrechtlich vorgestellt hatte. »Ach«, antwortete er ihr, »meine Liebe, Sie und die übrigen Ihres Geschlechts wollen in Kutschen fahren, ich aber – muß ein ehrlicher Mann sein.« – Die Frau des Sokrates (vielleicht auch die Hiobs), wurden durch ihre wackern Männer ebenso in die Enge getrieben, aber männliche Tugend behauptete sich in ihrem Charakter, ohne doch der weiblichen das Verdienst des ihrigen in dem Verhältnis, worein sie gesetzt waren, zu schmälern.

Das weibliche Geschlecht muß sich im Praktischen selbst ausbilden und disziplinieren; das männliche versteht sich darauf nicht.

Der junge Ehemann herrscht über seine ältere Ehefrau. Dieses gründet sich auf Eifersucht, nach welcher der Teil, welcher dem anderen im Geschlechtsvermögen unterlegen ist, vor Eingriffen des anderen Teils in seine Rechte besorgt ist und dadurch sich zur willfährigen Begegnung und Aufmerksamkeit gegen ihn zu bequemen genötigt sieht. – Daher wird jede erfahrene Ehefrau die Heirat mit einem jungen Manne auch nur von gleichem Alter widerraten; denn im Fortgange der Jahre ältert doch der weibliche Teil früher als der männliche, und wenn man auch von dieser Ungleichheit absieht, so ist auf die Eintracht, welche sich auf Gleichheit gründet, nicht mit Sicherheit zu rechnen, und ein junges, verständiges Weib wird mit einem gesunden, aber doch merklich älteren Manne das Glück der Ehe doch bessermachen. – Ein Mann aber, der sein Geschlechtsvermögen vielleicht schon vor der Ehe lüderlich durchgebracht hat, wird der Geck in seinem eigenen Hause sein; denn er kann diese häusliche Herrschaft nur haben, sofern er keine billigen Ansprüche schuldig bleibt.

Hume bemerkt, daß den Weibern (selbst alten Jungfern) Satiren auf den Ehestand mehr verdrießen als die Sticheleien auf ihr Geschlecht. – Denn mit diesen kann es niemals ernst sein, da aus jenen allerdings wohl Ernst werden könnte, wenn man die Beschwerden jenes Standes recht ins Licht stellt, deren der Unverheiratete überhoben ist: wodurch aber die Freigeisterei in diesem Fache von schlimmen Folgen für das ganze weibliche Geschlecht sein würde; weil dieses zu einem bloßen Mittel der Befriedigung der Neigung des anderen Geschlechts herabsinken würde, welche aber leicht in Überdruß und Flatterhaftigkeit ausschlagen kann. – Das Weib wird durch die Ehe frei; der Mann verliert dadurch seine Freiheit.

Die moralischen Eigenschaften an einem vornehmlich jungen Manne vor der Ehelichung desselben auszuspähen ist nie

Sache einer Frau. Sie glaubt ihn bessern zu können; eine vernünftige Frau, sagt sie, kann einen verunarteten Mann schon
zurechte bringen; in welchem Urteil sie mehrenteils sich auf
die kläglichste Art betrogen findet. Dahin gehört auch die
Meinung jener Treuherzigen: daß die Ausschweifungen dieses Menschen vor der Ehe übersehen werden können, weil er
nun an seine Frau, wenn er sich nur noch nicht erschöpft hat,
hinreichend für diesen Instinkt versorgt sein werde. – Die guten Kinder bedenken nicht: daß die Lüderlichkeit in diesem
Fache gerade im Wechsel des Genusses besteht und das Einerlei in der Ehe ihn bald zur obigen Lebensart zurückführen
werde.

Wer soll dann den oberen Befehl im Hause haben? Denn
nur einer kann es doch sein, der alle Geschäfte in einen mit
diesen seinen Zwecken übereinstimmenden Zusammenhang
bringt. – Ich würde in der Sprache der Galanterie (doch nicht
ohne Wahrheit) sagen: Die Frau soll herrschen und der Mann
regieren; denn die Neigung herrscht, und der Verstand regiert. – Das Betragen des Ehemanns muß zeigen: daß ihm das
Wohl seiner Frau vor allem anderen am Herzen liege. Weil
aber der Mann am besten wissen muß, wie er stehe und wie
weit er gehen könne; so wird er, wie ein Minister seinem bloß
auf Vergnügen bedachten Monarchen, der etwa ein Fest oder
den Bau eines Palais beginnt, auf diesen seinen Befehl zuerst
seine schuldige Willfährigkeit dazu erklären; nur daß z. B. für
jetzt nicht Geld im Schatze sei, daß gewisse dringendere
Notwendigkeiten zuvor abgemacht werden müssen usw., so
daß der höchstgebietende Herr alles tun kann, was er will,
doch mit dem Umstande, daß diesen Willen ihm sein Minister
an die Hand gibt.

Die eheliche Liebe aber ist ihrer Natur nach intolerant.
Frauen spotten darüber im Scherz; denn bei dem Eingriffe
Fremder in diese Rechte duldend und nachsichtlich zu sein,
müßte Verachtung des weiblichen Teils und hiemit auch Haß
gegen einen solchen Ehemann zur Folge haben.

Daß gemeiniglich Väter ihre Töchter und Mütter ihre Söhne vorziehen und unter den letzteren der wildeste Junge, wenn er nur kühn ist, gemeiniglich von der Mutter verzogen wird: das scheint seinen Grund in dem Prospekt auf die Bedürfnisse beider Eltern in ihrem Sterbefall zu haben; denn wenn dem Mann seine Frau stirbt, so hat er doch an seiner ältesten Tochter eine ihn pflegende Stütze; stirbt der Mutter ihr Mann ab, so hat der erwachsene wohlgeartete Sohn die Pflicht auf sich und auch die natürliche Neigung in sich, sie zu verehren, zu unterstützen und ihr das Leben als Witwe angenehm zu machen.

Gotthold Ephraim Lessing
Wie die Alten den Tod gebildet

Im Folgenden wird versucht, ein Bild von Lessing, dem großen Polemiker, zu zeichnen.

Unser erstes Stück, die Vorrede zu seiner berühmten Untersuchung Wie die Alten den Tod gebildet *(1769): nämlich nicht als Gerippe, nicht als Sensenmann, sondern als Zwillingsbruder des Schlafs – diese kleine Vorrede ist ein Hymnus auf die Polemik, auf den ›Widerspruch‹, auf den ›Zank‹, wie Lessing sagt; er meint mit ›Zank‹ das Streitgespräch, die Entwicklung der Dialektik (wie man heute sagen würde). Zu Beginn geht es hier im Speziellen gegen einen sehr ewigen Partner im Streit, den Professor der Beredsamkeit in Halle, Klotz – auf den Lessing in seinem Leben manch groben Keil gesetzt hat. Aber man braucht von dem besonderen Streit nichts zu wissen, um diese großartige Streitbarkeit genießen zu können.*

Das zweite Stück ist dem Essay Rettungen des Horaz *(1754) entnommen.*

Lessing war ein Spezialist in ›Rettungen‹. So hatte er den Katholiken Cochlaeus, einen Gegner Luthers, gegen üble Nachrede verteidigt. Dann hatte er sich zum Advokaten des Hieronymus Cardanus, eines Philosophen aus dem XVI. Jahrhundert, gemacht.

Am brillantesten ist sein Eintreten für Horaz – nicht nur in dem Nachweis, daß der römische Poet lediglich auf Grund von Gerüchten, die ein berühmter Historiker verbreitet hatte, als unsittlich verunglimpft worden ist; viel mehr noch in der Preisrede auf den Genuß, auf alle Sinne – wenn Lessing

*auch in einer reizenden Passage sich scheu mit den Worten
zurückzieht:* »*Ich verstehe hiervon nichts, ganz und gar
nichts.*«

*Lessing lebte nicht im Garten des Epikur, vor der glänzen-
den Stadt Athen. Und ist dennoch, in dieser famosen Rettung,
einer seiner vornehmsten Schüler.*

Ich wollte nicht gern, daß man diese Untersuchung nach ihrer
Veranlassung schätzen möchte. Ihre Veranlassung ist so
verächtlich, daß nur die Art, wie ich sie genutzt habe, mich
entschuldigen kann, daß ich sie überhaupt habe nutzen
wolln.

Nicht zwar, als ob ich unser itziges Publikum gegen alles,
was Streitschrift heißt und ihr ähnlich sieht, nicht für ein wenig allzu ekel hielte. Es scheinet vergessen zu wollen, daß es
die Aufklärung so mancher wichtigen Punkte dem bloßen
Widerspruche zu danken hat und daß die Menschen noch
über nichts in der Welt einig sein würden, wenn sie noch über
nichts in der Welt gezankt hätten.

»Gezankt«; denn so nennet die Artigkeit alles Streiten, und
Zanken ist etwas so Unmanierliches geworden, daß man sich
weit weniger schämen darf, zu hassen und zu verleumden, als
zu zanken.

Bestünde indes der größere Teil des Publici, das von keinen
Streitschriften wissen will, etwa aus Schriftstellern selbst, so
dürfte es wohl nicht die bloße Politesse sein, die den polemi-
schen Ton nicht dulden will. Er ist der Eigenliebe und dem
Selbstdünkel so unbehaglich. Er ist den erschlichenen Namen
so gefährlich!

Aber die Wahrheit, sagt man, gewinnet dabei so selten. –
So selten? Es sei, daß noch durch keinen Streit die Wahrheit
ausgemacht worden, so hat dennoch die Wahrheit bei jedem
Streite gewonnen. Der Streit hat den Geist der Prüfung
genährt, hat Vorurteil und Ansehen in einer beständigen

Erschütterung gehalten, kurz, hat die geschminkte Unwahrheit verhindert, sich an der Stelle der Unwahrheit festzusetzen.

Auch kann ich nicht der Meinung sein, daß wenigstens das
Streiten nur für die wichtigern Wahrheiten gehöre. Die Wichtigkeit ist ein relativer Begriff, und was in einem Betracht sehr
unwichtig sein kann, kann in einem andern sehr wichtig werden. Als Beschaffenheit unserer Erkenntnis ist dazu eine
Wahrheit so wichtig als die andere; und wer in dem allergeringsten Dinge für Wahrheit und Unwahrheit gleichgültig
ist, wird mich nimmermehr überreden, daß er die Wahrheit
bloß der Wahrheit wegen liebet.

Ich will meine Denkungsart hierin niemandem aufdringen.
Aber den, der am weitesten davon entfernt ist, darf ich wenigstens bitten, wenn er sein Urteil über diese Untersuchung
öffentlich sagen will, es zu vergessen, daß sie gegen jemand
gerichtet ist. Er lasse sich auf die Sache ein und schweige von
den Personen! Welcher von diesen der Kunstrichter gewoge-
ner ist, welche er überhaupt für den bessern Schriftsteller
hält, verlangt kein Mensch von ihm zu wissen. Alles, was man
von ihm zu wissen begehret, ist dieses, ob er seinerseits in die
Waagschale des einen oder des andern etwas zu legen habe,
welches in gegenwärtigem Falle den Ausschlag zwischen ihnen ändere oder vermehre. Nur ein solches Beigewicht, aufrichtig erteilet, macht ihn dazu, was er sein will; aber er bilde
sich nicht ein, daß sein bloßer kahler Anspruch ein solches
Beigewicht sein kann. Ist er der Mann, der uns beide über-
sieht, so bediene er sich der Gelegenheit, uns beide zu belehren.

Rettungen des Horaz

Diese Rettungen des Horaz werden völlig von denen unterschieden sein, die ich vor kurzem gegen einen alten Schulknaben habe übernehmen müssen.

Seine kleine hämische Bosheit hat mich beinahe ein wenig abgeschreckt, und ich werde so bald nicht wieder mit Schriftstellern seinesgleichen anbinden. Sie sind das Pasquillmachen gewohnt, so daß es ihnen weit leichter wird, eine Verleumdung aus der Luft zu fangen, als eine Regel aus dem Donat anzuführen. Wer aber will denn gern verleumdet sein?

Die Gabe, sich widersprechen zu lassen, ist wohl überhaupt eine Gabe, die unter den Gelehrten nur die Toten haben. Nun will ich sie eben nicht für so wichtig ausgeben, daß man, um sie zu besitzen, gestorben zu sein wünschen sollte; denn um diesen Preis sind vielleicht auch größere Vollkommenheiten zu teuer. Ich will nur sagen, daß es sehr gut sein würde, wenn auch noch lebende Gelehrte immer im voraus ein wenig tot zu sein lernen wollten. Endlich müssen sie doch eine Nachwelt zurücklassen, die alles Zufällige von ihrem Ruhme absondert und die keine Ehrerbietigkeit zurückhalten wird, über ihre Fehler zu lachen. Warum wollen sie also nicht schon itzt diese Nachwelt ertragen lernen, die sich hier und da in einem ankündigt, dem es gleichviel ist, ob sie ihn für neidisch oder für ungesittet halten?

Ungerecht wird die Nachwelt nie sein. Anfangs zwar pflanzt sie Lob und Tadel fort, wie sie es bekömmt; nach und nach aber bringt sie beides auf ihren rechten Punkt. Bei Lebzeiten und ein halb Jahrhundert nach dem Tode für einen großen Geist gehalten zu werden, ist ein schlechter Beweis, daß man es ist; durch alle Jahrhunderte aber hindurch dafür gehalten zu werden, ist ein unwidersprechlicher. Eben das gilt bei dem Gegenteile. Ein Schriftsteller wird von seinen Zeitgenossen und von ihren Enkeln nicht gelesen; ein Unglück, aber kein Beweis wider seine Güte; nur wann auch der Enkel Enkel nie Lust bekommen, ihn zu lesen, alsdann ist es gewiß, daß er es nie verdient hat, gelesen zu werden.

Auch Tugenden und Laster wird die Nachwelt nicht ewig verkennen. Ich begreife es sehr wohl, daß jene eine Zeitlang beschmutzt und diese aufgeputzt sein können; daß sie es aber immer bleiben sollten, läßt mich die Weisheit nicht glauben, die den Zusammenhang aller Dinge geordnet hat und von der ich auch in dem, was von dem Eigensinne der Sterblichen abhangt, anbetungswürdige Spuren finde.

Sie erweckt von Zeit zu Zeit Leute, die sich ein Vergnügen daraus machen, den Vorurteilen die Stirne zu bieten und alles in seiner wahren Gestalt zu zeigen, sollte auch ein vermeinter Heiliger dadurch zum Bösewichte und ein vermeinter Bösewicht zum Heiligen werden. Ich selbst – denn auch ich bin in Ansehung derer, die mir vorangegangen, ein Teil der Nachwelt, und wann es auch nur ein Trillionteilchen wäre –, ich selbst kann mir keine angenehmere Beschäftigung machen, als die Namen berühmter Männer zu mustern, ihr Recht auf die Ewigkeit zu untersuchen, unverdiente Flecken ihnen abzuwischen, die falschen Verkleisterungen ihrer Schwächen aufzulösen, kurz, alles das im moralischen Verstande zu tun, was derjenige, dem die Aufsicht über einen Bildersaal anvertraut ist, physisch verrichtet. Ein solcher wird gemeiniglich unter der Menge einige Schildereien haben, die er so vorzüglich liebt, daß er nicht gern ein Sonnenstäubchen darauf sitzen läßt. Ich bleibe also in der Vergleichung und sage, daß auch ich einige große Geister so verehre, daß mit meinem Willen nicht die allergeringste Verleumdung auf ihnen haften soll.

Horaz ist einer von diesen. Und wie sollte er es nicht sein? Er, der philosophische Dichter, der Witz und Vernunft in ein mehr als schwesterliches Band brachte und mit der Feinheit eines Hofmanns den ernstlichsten Lehren der Weisheit das geschmeidige Wesen freundschaftlicher Erinnerungen zu geben wußte und sie entzückenden Harmonien anvertraute, um ihnen den Eingang in das Herz desto unfehlbarer zu machen.

Diese Lobsprüche hat ihm zwar niemand abgestritten, und sie sind es auch nicht, die ich hier wider irgendeinen erhärten will. Der Neid würde sich lächerlich machen, wann er entschiedne Verdienste verkleinern wollte; er wendet seine Anfälle, gleich einem schlauen Belagerer, gegen diejenigen Seiten, die er ohne Verteidigung sieht; er gibt dem, dem er den großen Geist nicht abstreiten kann, lasterhafte Sitten, und dem, dem er die Tugend lassen muß, läßt er sie und macht ihn dafür zu einem Blödsinnigen.

Schon längst habe ich es mit dem bittersten Verdrusse bemerkt, daß ebendiesen Ränken auch der Nachruhm des Horaz nicht entgangen ist. Soviel er auf der Seite des Dichters gewonnen hat, soviel hat er auf der Seite des ehrlichen Mannes verloren. Ja, spricht man, er sang die zärtlichsten und artigsten Lieder, niemand aber war wollüstiger als er; er lobte die Tapferkeit bis zum Entzücken und war selbst der feigherzigste Flüchtling; er hatte die erhabensten Begriffe von der Gottheit, aber er selbst war ihr schläfrigster Verehrer.

Es haben sich Gelehrte genug gefunden, die seine Geschichte sorgfältig untersucht und tausend Kleinigkeiten beigebracht haben, die zum Verständnisse seiner Schriften dienen sollen. Sie haben uns ganze Chronologien davon geliefert, sie haben alle zweifelhaften Lesarten untersucht; nur jene Vorwürfe haben sie ununtersucht gelassen. Und warum denn? Haben sie etwa einen Heiden nicht gar zu verehrungswürdig machen wollen?

Mich wenigstens soll nichts abhalten, den Ungrund dieser Vorwürfe zu zeigen und einige Anmerkungen darüber zu machen, die so natürlich sind, daß ich mich wundern muß, warum man sie nicht längst gemacht hat.

Ich will bei seiner Wollust anfangen oder, wie sich ein neuer Schriftsteller ausdrückt, der aber der feinste nicht ist, bei seiner stinkenden Geilheit und unmäßigen Unzucht. Die

Beweise zu dieser Beschuldigung nimmt man teils aus seinen eignen Schriften, teils aus den Zeugnissen andrer.

Ich will bei den letztern anfangen. Alle Zeugnisse, die man wegen der wollüstigen Ausschweifungen des Horaz auftreiben kann, fließen aus einer einzigen Quelle, deren Aufrichtigkeit nichts weniger als außer allem Zweifel gesetzt ist. Man hat nämlich auf einer alten Handschrift der Bodlejanischen Bibliothek eine Lebensbeschreibung des Horaz gefunden, die fast alle Kunstrichter dem Sueton, wie bekannt, zuschreiben. Wenn sie keine andern Beweggründe dazu hätten als die Gleichart der Schreibart, so würde ich mir die Freiheit nehmen, an ihrem Vorgeben zu zweifeln. Ich weiß, daß man Schreibarten nachahmen kann; ich weiß, daß es eine wahre Unmöglichkeit ist, alle kleinen Eigentümlichkeiten eines Schriftstellers so genau zu kennen, daß man den geringsten Abgang derselben in seinem Nachahmer entdecken sollte; ich weiß endlich, daß man, um in solchen Vermutungen recht leicht zu fehlen, nichts als wenig Geschmack und recht viel Stolz besitzen darf, welches, wie man sagt, gleich der Fall der meisten Kunstrichter ist. Doch der Scholast Porphyrion führt eine Stelle aus dieser Lebensbeschreibung des Horaz an und legt sie mit ausdrücklichen Worten dem Sueton bei. Dieses nun ist schon etwas mehr, obgleich auch nicht alles. Die paar Worte, die er daraus anführt, sind gar wohl von der Art, daß sie in zwei verschiedenen Lebensbeschreibungen können gestanden haben. Doch ich will meine Zweifelsucht nicht zu weit treiben; Sueton mag der Verfasser sein.

Sueton also, der in dieser Lebensbeschreibung hunderterlei beibringt, welches dem Horaz zum Lobe gereicht, läßt, gleichsam als von der Wahrheitsliebe dazu gezwungen, eine Stelle mit einfließen, die man tausendmal nachgeschrieben und oft genug mit einer kleinen Kitzelung nachgeschrieben hat. Hier ist sie: Ad res Venereas intemperantior traditur. Nam speculato cubiculo scorta dicitur habuisse disposita, ut quocumque respexisset, ibi ei imago coitus referretur. (Er soll in den venerischen Ergötzungen unmäßig gewesen sein; denn man sagt, er habe seine Buhlerinnen in einem Spiegelzimmer genossen, um auf allen Seiten, wo er hingesehen, die wollüstige Abbildung seines Glückes anzutreffen.)

Was will man nun mehr? Sueton ist doch wohl ein glaubwürdiger Schriftsteller, und Horaz war doch wohl Dichters genug, um so etwas von ihm für ganz wahrscheinlich zu halten?

Man übereile sich nicht und sei anfangs wenigstens nur so vorsichtig, als es Sueton selbst hat sein wollen. Er sagt traditur, dicitur. Zwei schöne Wörter, welchen schon mancher ehrliche Mann den Verlust seines guten Namens zu danken hat! Also ist nur die Rede so gegangen? Also hat man es nur gesagt? Wahrhaftig, mein lieber Sueton, so bin ich sehr übel auf dich zu sprechen, daß du solche Nichtswürdigkeiten nachplauderst. In den hundert und mehr Jahren, die du nach ihm gelebt, hat vieles können erdacht werden, welches ein Geschichtsschreiber wie du hätte untersuchen, nicht aber untersucht fortpflanzen sollen –

Es würde ein wenig ekel klingen, wenn ich diese Apostrophe weitertreiben wollte. Ich will also gelassener fortfahren – In ebendieser Lebensbeschreibung sagt Sueton: »Es gehen unter dem Namen des Horaz Elegien und ein prosaischer Brief herum, allein beide halte ich für falsch. Die Elegien sind gemein, und der Brief ist dunkel, welches doch sein Fehler ganz und gar nicht war.« – Das ist artig! Warum widerspricht denn Sueton der Tradition hier und oben bei dem Spiegelzimmer nicht? Hat es mehr auf sich, den Geist eines Schriftstellers zu retten als seine Sitten? Welches schimpft denn mehr? Nach einer Menge der vollkommensten Gedichte einige kalte Elegien und einen dunkeln Brief schreiben, oder bei aller Freiheit des Geschmacks ein unmäßiger Wollüstling sein? – Unmöglich kann ich mir einbilden, daß ein vernünftiger Geschichtsschreiber auf ebenderselben Seite, in ebenderselben Sache, nämlich in Meldung der Nachreden, welchen

sein Held ausgesetzt, gleich unvorsichtig als behutsam sein
könne.

Nicht genug! Ich muß weiter gehen und den Leser bitten,
die angeführte Stelle noch einmal zu betrachten. Ad res Venereas intemperantior traditur. Nam speculato cubiculo scorta
dicitur habuisse disposita, ut quocumque respexisset, ibi ei
imago coitus referretur.

Je mehr ich diese Worte ansehe, je mehr verlieren sie in
meinen Augen von ihrer Glaubwürdigkeit. Ich finde sie abgeschmackt; ich finde sie unrömisch; ich finde, daß sie andern Stellen in dieser Lebensbeschreibung offenbar widersprechen.

Ich finde sie abgeschmackt. Man höre doch nur, ob der Geschichtsschreiber kann gewußt haben, was er will. *Horaz soll
in den venerischen Ergötzungen unmäßig gewesen sein; denn
man sagt* – auf die Ursache wohl Achtung geben! *Man sagt* –
ohne Zweifel, daß er als ein wahrer Gartengott ohne Wahl,
ohne Geschmack auf alles, was weiblichen Geschlechts gewesen, losgestürmt sei? Nein! – man sagt, *er habe seine Buhlerinnen in einem Spiegelzimmer genossen, um auf allen Seiten,
wo er hingesehen, die wollüstige Abbildung seines Glücks
anzutreffen* – Weiter nichts? Wo steckt denn die Unmäßig-
keit?

Ich sehe, die Wahrheit dieses Umstandes vorausgesetzt,
nichts darin als ein Bestreben, sich die Wollust so reizend zu
machen als möglich. Der Dichter war also keiner von den
groben Leuten, denen Brunst und Galanterie eines ist und die
im Finstern mit der Befriedigung eines einzigen Sinnes vorliebnehmen. Er wollte, soviel möglich, alle sättigen; und
ohne einen Währmann zu nennen, kann man behaupten, er
werde auch nicht den Geruch davon ausgeschlossen haben.
Wenigstens hat er diese Reizung gekannt:

Te puer in rosa
Perfusus liquidis urget odoribus.

Und das Ohr? Ich traue ihm Zärtlichkeit genug zu, daß er
auch dieses nicht werde haben leer ausgehen lassen. Sollte die
Musik auch nur

> Gratus puellae risus

gewesen sein. Und der Geschmack?

> Oscula, quae Venus
> Quinta parte sui nectaris imbuit.

Nektar aber soll der Zunge keine gemeine Kitzelung verschafft haben; wenigstens sagt Ibykus bei dem Athenaeus, es
sei noch neunmal süßer als Honig – Himmel! was für eine
empfindliche Seele des Horaz! Sie zog die Wollust durch alle
Eingänge in sich – Und gleichwohl ist mir das Spiegelzimmer
eine Unwahrscheinlichkeit. Sollte denn dem Dichter nie eine
Anspielung darauf entwischt sein? Vergebens wird man sich
nach dieser bei ihm umsehen. Nein, nein; in den süßen
Umarmungen einer Chloe hat man die Sättigung der Augen
näher, als daß man sie erst seitwärts in dem Spiegel suchen
müßte. Wen das Urbild nicht rühret, wird den der Schatten
rühren? – Ich verstehe eigentlich hievon nichts, ganz und gar
nichts. Aber es muß doch auch hier alles seinen Grund haben;
und es wäre ein sehr wunderbares Gesetze, nach welchem die
Einbildungskraft wirkte, wenn der Schein mehr Eindruck auf
sie machen könnte als das Wesen – – –

Georg Christoph Lichtenberg
Warum hat Deutschland noch kein großes öffentliches Seebad?

*L*ichtenberg, geboren bei Darmstadt im Jahre 1742, gestorben 1799 in Göttingen, hat die Kunst des Aphorismus zu einer Vollendung gebracht, die innerhalb der deutschen Literatur selten gewesen ist. Er wurde im neunzehnten Jahrhundert viel gerühmt und ist im zwanzigsten fast vergessen.

Goethe schrieb: »Seiner Schriften können wir uns als der wunderbarsten Wünschelrute bedienen: wo er einen Spaß macht, liegt ein Problem verborgen.« Schleiermacher nannte ihn »ebenso witzig wie scharfsinnig«. Jean Paul, der große Humorist, sagte von ihm: »Er stand mit seinen humoristischen Kräften höher, als er wohl wußte.« Platen schrieb: »Alles wird anziehend unter Lichtenbergs Feder.« Hebbel ging sogar so weit, zu sagen: »Ich will lieber mit Lichtenberg vergessen werden als unsterblich sein mit Jean Paul.« Schopenhauer sprach über den »eminenten Lichtenberg«; Nietzsche nannte ihn an der Spitze, als er die wenigen Bücher der deutschen Prosaliteratur aufzählte, die es verdienten, nicht vergessen zu werden; Kierkegaard zeichnete ihn aus als eine »Stimme in der Wüste«, und Tolstoi schrieb in einem Brief: »Ich stehe ganz unter dem Einfluß zweier Deutscher: ich lese Kant und Lichtenberg.«

Wir wollen hier nicht den Aphoristiker Lichtenberg zu Wort kommen lassen, sondern den Mann, der ein treffendes Bild vom Deutschland des späten achtzehnten Jahrhunderts gegeben hat. Wilhelm Busch hat geschrieben: »Lichtenberg, *der Göttinger Satiriker, ist mir besonders interessant durch den Einblick in seine Zeit, den er gewährt.« In der kleinen Skizze* Warum hat Deutschland noch kein großes öffentliches Seebad? *haben wir es mit dem Deutschland von 1793 zu tun, das, wie es der Zufall wollte, gerade in jenem Jahr sein erstes Seebad erhalten sollte: Heiligendamm. Cuxhaven, das Lichtenberg in dieser Betrachtung auszeichnete, wurde erst 1816 Seebad.*

Diese Frage ist, dünkt mich, vor mehreren Jahren schon einmal im ›Hannoverschen Magazin‹ aufgeworfen worden. Ob sie jemand beantwortet hat, weiß ich nicht zuverlässig, ich glaube es aber kaum. Noch weniger glaube ich, daß eine öffentliche Wiederholung derselben jetzt nicht mehr stattfindet. Denn wo gibt es in Deutschland ein Seebad? Hier und da vielleicht eine kleine Gelegenheit, sich an einem einsamen Ort ohne Gefahr und mit Bequemlichkeit in der See zu baden, die sich allenfalls jeder, ohne jemanden zu fragen, selbst verschaffen kann, mag wohl alles sein. Allein wo sind die Orte, die wie etwa Brighthelmstone, Margate und andere in England in den Sommermonaten an Frequenz selbst unsere berühmtesten inländischen Bäder und Brunnenplätze übertreffen? Ich weiß von keinem. Ist dieses nicht sonderbar? Fast in jedem Dezennium entsteht ein neuer Bad- und Brunnenort und hebt sich, wenigstens eine Zeitlang. »Neue Bäder heilen gut.« Warum findet sich bei dieser Bereitwilligkeit unserer Landsleute, sich nicht bloß neue Bäder empfehlen, sondern sich auch wirklich dadurch heilen zu lassen, kein spekulierender Kopf, der auf die Einrichtung eines Seebades denkt? Vielleicht kommt durch diese neue Erinnerung die Sache einmal ernstlich zur Sprache, wo nicht in einem medizinischen Journal, doch in einem des Luxus und der Moden, oder, weil die Sache auf beide Bezug hat, in beiden zugleich.

Bis dahin mögen einige flüchtige Bemerkungen eines Laien in
der Heilkunde, der seinem Aufenthalte zu Margate die ge-
sundesten Tage seines Lebens verdankt, hier stehen. An emp-
fehlenden Zeugnissen einiger der ersten Eingeweihten in der
Wissenschaft fehlt es ihm indessen nicht; er hält sie aber bei
einer so ausgemachten Sache wenigstens hier für entbehrlich.
Denn weder der ›Médicin Penseur‹ noch der ›Médicin Sei-
gneur‹ werden jetzt den Nutzen des Seebades leugnen. Von
dem ersten wenigstens ist nichts zu befürchten, und der andere würde schweigen, sobald man ihm sagte, daß in England
nicht allein eine sehr hohe Noblesse, sondern die königliche
Familie selbst, vermutlich durch Penseurs und den glücklichsten unverkennbaren Erfolg geleitet, sich dieser Bäder jetzt
vorzüglich bedient. Was aber außer der Heilkraft jenen Bä-
dern einen so großen Vorzug vor den inländischen gibt, ist
der unbeschreibliche Reiz, den ein Aufenthalt am Gestade
des Weltmeers in den Sommermonaten, zumal für den Mit-
telländer, hat. Der Anblick der Meereswogen, ihr Leuchten
und das Rollen ihres Donners, der sich auch in den Sommermonaten zuweilen hören läßt, gegen welchen der hochge-
priesene Rheinfall wohl bloßer Waschbeckentumult ist; die
großen Phänomene der Ebbe und Flut, deren Beobachtung immer beschäftigt, ohne zu ermüden; die Betrachtung, daß die
Welle, die jetzt hier meinen Fuß benetzt, ununterbrochen mit
der zusammenhängt, die Otaheite und China bespült und die
große Heerstraße um die Welt ausmachen hilft, und der Gedanke: dieses sind die Gewässer, denen unsere bewohnte
Erdkruste ihre Form zu danken hat, nunmehr von der Vorsehung in diese Grenzen zurückgerufen – alles dieses, sage ich,
wirkt auf den gefühlvollen Menschen mit einer Macht, mit
der sich nichts in der Natur vergleichen läßt als etwa der Anblick des gestirnten Himmels in einer heitern Winternacht.
Man muß kommen und sehen und hören. Ein Spaziergang am
Ufer des Meeres an einem heitern Sommermorgen, wo die
reinste Luft Eßlust und Stärkung zuträgt, macht daher einen

sehr großen Kontrast mit einem in den dumpfigen Alleen der inländischen Kurplätze. Doch das ist bei weitem noch nicht alles. Das übrige wird sich alsdann beibringen lassen, wenn wir erst über die Gegend eins geworden sind, wo nun in Deutschland ein solches Bad angelegt werden könnte. Die ganze Küste der Ostsee ist mir unbekannt, und ich für mein Teil würde sie dazu nicht wählen, solange nur noch ein Fleckchen an der Nordsee übrig wäre, die dazu taugte, weil dort das unbeschreiblich große Schauspiel der Ebbe und Flut, wo nicht fehlt, doch nicht in der Majestät beobachtet werden kann, in welcher es sich an der Nordsee zeigt. Es gibt da zu tausend Unterhaltungen Anlaß, und ich würde kaum glauben, daß ich mich an der See befände, wo der Größe dieser Naturszene etwas abginge. Wenn ich, jedoch ohne das übrige nötige Lokale genau zu kennen, wählen dürfte, so würde ich dazu Ritzebüttel oder eigentlich Cuxhaven oder das Neue Werk oder sonst einen Fleck in jener Gegend vorschlagen. Freilich nicht jeder Seeort taugt zu einem öffentlichen Seebad, das auf große Aufnahme hoffen kann. Es kommt sehr viel auf die Beschaffenheit des Bodens der See an. Zu Margate ist es der feinste und dabei festeste Sand, der auch den zartesten Fuß nicht verletzt, ihm vielmehr bei der Berührung behaglich ist, und gerade einen solchen Boden habe ich bei dem Neuen Werk gefunden. Der Beschaffenheit des Bodens zu Cuxhaven erinnere ich mich nicht mehr genau. Allein wo auch der Boden nicht günstig ist, läßt sich leicht eine Einrichtung treffen, die alle Unbequemlichkeiten hebt und die ich zu Deal gesehen habe. Dieses zu verstehen, muß ich unsere Leser vor allen Dingen mit der Art bekanntmachen, wie man sich an diesen Orten in der See badet. Man besteigt ein zweirädriges Fuhrwerk, einen Karren, der ein von Brettern zusammengeschlagenes Häuschen trägt, das zu beiden Seiten mit Bänken versehen ist. Dieses Häuschen, das einem sehr geräumigen Schäferkarren nicht unähnlich sieht, hat zwei Türen, eine gegen das Pferd und den davor sitzenden Fuhrmann

zu, die andere nach hinten. Ein solches Häuschen faßt vier bis
sechs Personen, die sich kennen, recht bequem und selbst mit
Spielraum, wo er nötig ist. An die hintere Seite ist eine Art
von Zelt befestigt, das wie ein Reifrock aufgezogen und herabgelassen werden kann. Wenn dieses Fuhrwerk, das an den
Badeorten eine ›Maschine‹ heißt, auf dem Trocknen in Ruhe
steht, so ist der Reifrock etwas aufgezogen, vermittels eines
Seils, das unter dem Dach des Kastens weg nach dem Fuhr-
manne hingeht. An der hintern Tür findet sich eine schwebende, aber sehr feste Treppe, die den Boden nicht ganz berührt. Über dieser Treppe ist ein freihängendes Seil befestigt,
das bis an die Erde reicht und den Personen zur Unterstützung dient, die, ohne schwimmen zu können, untertauchen
wollen oder sich sonst fürchten. In dieses Häuschen steigt
man nun, und während der Fuhrmann nach der See fährt,
kleidet man sich aus. An Ort und Stelle, die der Fuhrmann
sehr richtig zu treffen weiß, indem er das Maß für die gehörige Tiefe am Pferde nimmt und es bei Ebbe und Flut, wenn
man lange verweilt, durch Fortfahren oder Hufen immer
hält, läßt er das Zelt nieder. Wenn also der ausgekleidete Ba-
degast alsdann die hintere Tür öffnet, so findet er ein sehr
schönes, dichtes leinenes Zelt, dessen Boden die See ist, in
welche die Treppe führt. Man faßt mit beiden Händen das Seil
und steigt hinab. Wer untertauchen will, hält den Strick fest
und fällt auf ein Knie wie die Soldaten beim Feuern im ersten
Gliede, steigt alsdann wieder herauf, kleidet sich bei der
Rückreise wieder an usw. Es gehört für den Arzt, zu bestimmen, wie lange man diesem Vergnügen (denn dieses ist es in
sehr hohem Grade) nachhängen darf. Nach meinem Gefühl
war es vollkommen hinreichend, drei- bis viermal kurz hintereinander im ersten Gliede zu feuern und dann auf die
Rückreise zu denken. Beim ersten Male wollte ich, um seinen
eigenen Körper erst kennenzulernen, raten, nur einmal un-
terzutauchen und dann sich anzukleiden und nie die Zeit zu
überschreiten, da die angenehme Glut, die man beim Aus-

steigen empfinden muß, in Schauder übergeht. Da das schöne
Geschlecht von Anfang, wie ich gehört habe, auch hier gegen
das Unversuchte einige Schüchternheit äußern soll, so finden
sich an diesen Orten vortreffliche Kupplerinnen zwischen der
Thetis und ihnen, die sie sehr bald dahin bringen, selbst wieder Kupplerinnen zu werden. Dieses sind in Margate junge
Bürgerweiber, die sich damit abgeben, die Damen aus- und
ankleiden zu helfen, auch eine Art von losem Anzug zu ver-
mieten, der, ob er gleich schwimmt, doch beim Baden das Si-
cherheitsgefühl der Bekleidung unterhält, das der Unschuld
selbst im Weltmeere so wie in der dicksten Finsternis immer
heilig ist. Unter diesen Weibern gibt es natürlich so wie bei
den fern verwandten Hebammen immer einige, die durch
Sittsamkeit, Reinlichkeit, Anstand und Gefälligkeit vor den
übrigen Eindruck machen und Beifall erhalten. Ich habe eine
darunter gekannt, die damals Mode war. Diese besorgte öfters zwei bis drei Fahrzeuge zugleich. Und da war es lustig,
vom Fenster anzusehen, wie diese Sirene, wenn sie mit einer
Gesellschaft fertig war, von einem Karren nach dem andern
oft zwanzig bis dreißig Schritte weit wanderte. Es war bloß
der mit Kopfzeug und Bändern gezierte Kopf, was man sah,
der wie ein Karussellkopf aus Pappdeckel auf der Oberfläche
des Meeres zu schwimmen schien. – Ist nun der Boden der See
wie der zu Deal, der aus Geschieben von Feuersteinen usw.
besteht, nicht günstig, so endigt sich die Freitreppe in einen
geräumigen viereckigen Korb, in dem man also steht, ohne je
den Boden zu berühren. Doch ich glaube nicht, daß diese
Einrichtung, die mir im ganzen nicht recht gefällt, in Cuxhaven nötig sein wird. Geschiebe von Feuersteinen sind da gewiß nicht; ob nicht Schlamm oder glitschiges Seekraut so etwas nötig machen könnte, getraue ich mir nicht schlechtweg
zu entscheiden, glaube es aber kaum. Überdies aber kommt
noch bei jenen Gegenden der sehr wenig inklinierte Boden in
Betracht. Das Meer tritt da auf den sogenannten Watten bei
der Ebbe sehr weit zurück, ein zwar großes und herrliches

Schauspiel, das aber für die Hauptabsicht Unbequemlichkeiten haben könnte. Denn die eigentliche Badezeit ist von Sonnenaufgang an bis etwas um neun Uhr, da es anfängt, heiß zu
werden. Die größte Frequenz war zu Margate immer zwischen sechs Uhr und halb neun Uhr im Julius und August.
Nun könnte es kommen oder muß vielmehr kommen, daß
zuweilen gerade um diese Zeit zu Cuxhaven das Meer sehr
weit von dem Wohnorte zurückgetreten wäre, dieses würde
oft eine kleine Reise im Schäferkarren nach dem Wasser und
selbst bei der Ankunft bei dem Wasser noch eine kleine Seereise auf der Achse nötig machen, um die gehörige Tiefe zu
gewinnen. So etwas ist zwar, wie ich aus Erfahrung weiß, den
gesunden Patienten nichts weniger als unangenehm, zumal
wenn ihrer mehrere, die mit derselben Krankheit behaftet
sind, zugleich fahren, allein dem Patienten im eigentlichen
Verstande könnte doch so etwas lästig sein. – Aber auch hier
ließe sich vielleicht Rat schaffen. Wie, das gehört nicht hierher. Ich hoffe, mein Freund, Herr Woltmann zu Cuxhaven,
der bekanntlich mit sehr tiefen Kenntnissen die größte Tätigkeit verbindet, soll nun hier den Faden anfassen, wo ich ihn
fahren lasse, wenn er es der Mühe wert hält. Sein Gutachten
wird hier in einer wichtigen Angelegenheit entscheidend sein.
Nun aber vorausgesetzt, daß dort alle Bequemlichkeit zum
Baden erhalten werden könnte, woran ich nicht zweifle, so
hat jene Gegend Vorzüge, deren sich vielleicht wenige See-
plätze in Europa rühmen können. Die glückliche Lage zwischen zwei großen Strömen, der Elbe und der Weser, auf
denen alle nur ersinnlichen Bedürfnisse für Gesunde und Kranke, auch mineralische Wasser, leicht zugeführt werden können. Die Phänomene der Ebbe und Flut, die dort auffallender
scheinen als an wenigen Orten, vielleicht keinem in Europa.
Zwischen Ritzebüttel und dem Neuen Werk könnte noch
heute einem verfolgenden Heere begegnen, was Pharao mit
dem seinigen begegnete. Man macht da die Hinreise auf der
Achse und einige Stunden darauf über demselben Gleise die

Rückreise in einem bemasteten Schiff. Mit Entzücken erinnere ich mich der Spaziergänge auf dem soeben von dem Meere verlassenen Boden, ja ich möchte sagen, selbst auf dem noch nicht ganz verlassenen, wo noch der Schuh ohne Gefahr von Erkältung überströmt ward, der Tausende von Seegeschöpfen, die in den kleinen Vertiefungen zurückbleiben, deren einige man selbst für die Tafel sammeln kann und die den Gleichgültigsten zum Naturaliensammler machen können, wenn er es nicht schon ist, des Heeres von See- und andern Vögeln (auch darunter Naturalien für die Tafel), die sich dann einfinden und die angenehmste Jagd zu Fuß an der Stelle gewähren, über die man noch vor einigen Stunden wegsegelte und nach ununterbrochenem Aus- und Einsegeln oft majestätischer Schiffe mehrerer Nationen, die Cuxhaven gegenüber vor Anker gehen und die man besteigen oder wenigstens in kleinen Fahrzeugen besuchen und umfahren kann, immer unter dem Anwehen der reinsten Luft und der Eßlust. Freilich werden diese kleinen gar nicht gefährlichen Reisen öfters kleine Vomitivreischen und dafür nur desto gesunder. Ich habe von einem der römischen Kaiser gelesen, wo ich nicht irre, so war es August selbst, der in der reinen Seeluft jährlich solche Vomitivreisen unternahm. – Der gesunden Patienten wegen merke ich noch an, daß man hier alle Arten von Seefischen und Schalentieren immer aus der ersten Hand hat und gerade um diese Zeit den Hering, noch ehe er das Mittelland erreicht. Die wohlschmeckendste Auster, frisch riechend bei der heißen Sonne, und den königlichen Steinbütt! Eine mächtige Unterstützung für das Geschäft im Schäferkarren.

Und nun Helgoland! Kleine geschlossene Gesellschaften unternehmen statt Ball und Pharao eine Reise nach dieser außerordentlichen Insel. Die Vomitivchen unterwegs verschwinden in dem Genuß dieses großen Anblicks. Wer so etwas noch nicht gesehen hat, datiert ein neues Leben von einem solchen Anblick und liest alle Beschreibungen von Seereisen mit einem neuen Sinn. Ich glaube, jeder Mann von

Gefühl, der das Vermögen hat, sich diesen großen Genuß zu verschaffen, und es nicht tut, ist sich Verantwortung schuldig. Nie habe ich mit so vieler, fast schmerzhafter Teilnehmung an meine hinterlassenen Freunde in den dumpfigen Städten zurückgedacht als auf Helgoland.

Ich weiß nichts hinzuzusetzen als: man komme und sehe und höre. – Sollte eine solche Anstalt in jenem glücklichen Winkel nicht möglich sein? Ich glaube es. Von Hamburg läßt sich alles erwarten. Diese vortreffliche Stadt mit ihren Gesellschaften könnte, verbunden mit Bremen, Stade, Glückstadt usw., schon allein einem solchen Bade Aufnahme verschaffen, der Fremde bedürfte weiter nichts. Sollte unter den vielen spekulierenden Köpfen dort nicht einer sein, der ein solches Unternehmen beförderte, auf dessen Ausführung keine geringe Anzahl von Teilnehmern wartet, wenn ich aus meiner Bekanntschaft auf die übrigen schließen darf? Große Anstalten wären zum ersten Versuch nicht nötig, nur Bequemlichkeit für die Gäste. Fürs erste keine Komödienhäuser, keine Tanzsäle (das würde sich am Ende alles von selbst finden) und keine Pharaobänke. Pharao mit seinem Heer gehört zwischen Ritzebüttel und das Neue Werk zur Zeit der Flut. Nun noch eine kurze Antwort zur Hebung von einem Paar Bedenklichkeiten, die ich habe äußern hören:

1. Der Ort sei zu weit abgelegen, und

2. verdiene bei einem Seebad das Schicksal des Propheten Jonas immer eine kleine Beherzigung, und der häßliche Rachen eines Haifisches sei im Grunde am Ende nicht viel besser als eine Pharaobank.

Was die erste Bedenklichkeit betrifft, so ist sie freilich so ganz unbegründet nicht. Allein nicht zu gedenken, daß alle Seebäder den natürlichen Fehler haben, daß sie an der Grenze der Länder liegen, wo sie sich befinden, so könnte man fragen: »Was ist ein abgelegener Ort im allgemeinen Verstand?«, so wie das Wort hier genommen wird, ohne etwa Wien oder Prag oder sonst einen Ort zu nennen, der weit von Ritzebüttel abliegt? Mit ein wenig Überlegung wird es sich bald finden, daß Ritzebüttel diese Benennung nicht verdient, weil nicht allein ein reiches, sondern auch ein bevölkertes Land in der Nachbarschaft liegt. Hat es freilich auf einer Seite wie alle Seebäder kein festes Land, so hat es dafür eine Fläche, die einem großen Teil des festen Landes die Passage dahin sehr erleichtert, zumal hier vermittels der Elbe und der Weser. Dies ist so wahr, daß ich hiervon einen Beweis nicht zurückhalten will, ob ich gleich merke, daß er für eine Empfehlung fast etwas zuviel beweiset. Das schön gelegene Margate wird von Vornehmen nicht so häufig besucht als andere Seebäder, die die schöne Nachbarschaft nicht haben, eben weil die Themse die Passage dahin, zumal von London aus, zu sehr erleichtert. Daher geschieht es denn, daß sich eine Menge von allerlei Gesindel einfindet, das sich seiner oft guten Kleider wegen nicht ganz von den Gesellschaften zurückhalten läßt und welches dennoch unerträglich zu finden ein gesitteter Mann eben keine Ahnen nötig hat. Zum Glück sind Hamburg und Bremen, ihres übrigen Reichtums ungeachtet, noch immer arm an dieser Menschenklasse.

Vor dem Schicksal des Jonas wird nicht leicht jemandem im Ernste bange sein, der das Lokale dieser Örter kennt. Die Fische, die einen Propheten fressen könnten, sind da so selten als die Propheten. Eher könnte man die dortigen Fische vor den Badegästen warnen. Seit jeher sind zwar die Fische dort, zumal von Fremden, mit großer Prädilektion gespeiset worden, es ist mir aber nicht bekannt, daß je einer von ihnen das Kompliment erwidert hätte.

Friedrich Schiller
Geschichte des Abfalls der Vereinigten Niederlande von der spanischen Regierung

*S*eit Klopstock war Dichten ein Hauptberuf geworden. Trotzdem hatten fast alle Dichter noch eine bürgerliche Profession: Lessing war Dramaturg und Bibliothekar, Wieland Kanzleidirektor, Herder Geistlicher, Goethe Minister. Schiller hatte kein Metier. Und als er Professor der Geschichte an der Universität Jena wurde, war er fachlich nicht vorbereitet.

Aber er war bereits an historische Studien gewöhnt durch seine Vorarbeiten für den Don Carlos. Er hatte Watsons Buch über Philipp II. durchgearbeitet und eine Teilübersetzung von Merciers Philipp II. von Spanien drucken lassen. Er hatte .die Redaktion eines Sammelwerks Geschichte der merkwürdigen Rebellionen und Verschwörungen übernommen. Hier sollte auch ein Beitrag von ihm erscheinen: Die Geschichte des Abfalls der Vereinigten Niederlande. Er machte sich an »Folianten und staubige Autoren« und ließ seine Arbeit dann 1788 gesondert erscheinen.

Ein Charakteristikum Schillerscher Geschichtsschreibung ist gleich auf den ersten Seiten unseres Auszugs zu erkennen: das Pathos des Freiheitsdichters. Der zweite Teil zeigt dann einen Historiker, der sehr geneigt ist, in Episoden seine Charakterisierung plastisch zu machen. Die Geschichte des Abfalls ... trug ihm im Jahre 1789 die Berufung auf den Lehrstuhl für Geschichte in Jena ein. Am 26. Mai hielt er *seine Antrittsvorlesung; das Thema lautete:* Was heißt und zu welchem Ende studiert man Universalgeschichte? *Seine Geschichtsphilosophie war von Kant und Herder beeinflußt, aber sie drängt sich in seinen Darstellungen nie in den Vordergrund. Erst eine Generation später kamen die geschichtsphilosophischen Gedanken des deutschen Idealismus zu ihrem Höhepunkt in Hegels* Vorlesungen zur Philosophie der Geschichte.

Eine der merkwürdigsten Staatsbegebenheiten, die das sechzehnte Jahrhundert zum glänzendsten der Welt gemacht haben, dünkt mir die Gründung der niederländischen Freiheit. Wenn die schimmernden Taten der Ruhmsucht und einer verderblichen Herrschbegierde auf unsere Bewunderung Anspruch machen, wieviel mehr eine Begebenheit, wo die bedrängte Menschheit um ihre edelsten Rechte ringt, wo mit der guten Sache ungewöhnliche Kräfte sich paaren und die Hilfsmittel entschlossner Verzweiflung über die furchtbaren Künste der Tyrannei in ungleichem Wettkampf siegen. Groß und beruhigend ist der Gedanke, daß gegen die trotzigen Anmaßungen der Fürstengewalt endlich noch eine Hilfe vorhanden ist, daß ihre berechnetsten Pläne an der menschlichen Freiheit zuschanden werden, daß ein herzhafter Widerstand auch den gestreckten Arm eines Despoten beugen, heldenmütige Beharrung seine schrecklichen Hilfsquellen endlich erschöpfen kann. Nirgends durchdrang mich diese Wahrheit so lebhaft als bei der Geschichte jenes denkwürdigen Aufruhrs, der die Vereinigten Niederlande auf immer von der spanischen Krone trennte – und darum achtete ich es des Versuches nicht unwert, dieses schöne Denkmal bürgerlicher Stärke vor der Welt aufzustellen, in der Brust meines Lesers ein fröhliches Gefühl seiner selbst zu erwecken und ein neues unverwerfliches Beispiel zu geben, was Menschen wagen dürfen für die gute Sache und ausrichten mögen durch Vereinigung.

Es ist nicht das Außerordentliche oder Heroische dieser Begebenheit, was mich anreizt, sie zu beschreiben. Die Jahrbücher der Welt haben uns ähnliche Unternehmungen aufbewahrt, die in der Anlage noch kühner, in der Ausführung noch glänzender erscheinen. Manche Staaten stürzten mit einer prächtigern Erschütterung zusammen, mit erhabnerm Schwunge stiegen andere auf. Auch erwarte man hier keine hervorragenden, kolossalischen Menschen, keine der staunenswürdigen Taten, die uns die Geschichte vergangener Zeiten in so reichlicher Fülle darbietet. Jene Zeiten sind vorbei, jene Menschen sind nicht mehr. Im weichlichen Schoß der Verfeinerung haben wir die Kräfte erschlaffen lassen, die jene Zeitalter übten und notwendig machten. Mit niedergeschlagener Bewunderung staunen wir jetzt diese Riesenbilder an, wie ein entnervter Greis die mannhaften Spiele der Jugend. Nicht so bei vorliegender Geschichte. Das Volk, welches wir hier auftreten sehen, war das friedfertigste dieses Weltteils und weniger als alle seine Nachbarn jenes Heldengeists fähig, der auch der geringfügigsten Handlung einen höheren Schwung gibt. Der Drang der Umstände überraschte es mit seiner eigenen Kraft und nötigte ihm eine vorübergehende Größe auf, die es nie haben sollte und vielleicht nie wieder haben wird. Es ist also gerade der Mangel an heroischer Größe, was diese Begebenheit eigentümlich und unterrichtend macht, und wenn sich andere zum Zweck setzen, die Überlegenheit des Genies über den Zufall zu zeigen, so stelle ich hier ein Gemälde auf, wo die Not das Genie erschuf und die Zufälle Helden machten.

Wäre es irgend erlaubt, in menschliche Dinge eine höhere Vorsicht zu flechten, so wäre es bei dieser Geschichte; so widersprechend erscheint sie der Vernunft und allen Erfahrungen. Philipp der Zweite, der mächtigste Souverän seiner Zeit, dessen gefürchtete Übermacht ganz Europa zu verschlingen droht, dessen Schätze die vereinigten Reichtümer aller christlichen Könige übersteigen, dessen Flotten in allen Meeren gebieten; ein Monarch, dessen gefährlichen Zwecken zahlreiche Heere dienen, Heere, die, durch lange und blutige Kriege und eine römische Mannszucht gehärtet, durch einen trotzigen Nationstolz begeistert und erhitzt durch das Andenken erfochtener Siege, nach Ehre und Beute dürsten und sich unter dem verwegenen Genie ihrer Führer als folgsame Glieder bewegen – dieser gefürchtete Mensch, einem hartnäckigen Entwurf hingegeben, ein Unternehmen, die rastlose Arbeit seines langen Regentenlaufs, alle diese furchtbaren Hilfsmittel auf einen einzigen Zweck gerichtet, den er am Abend seiner Tage unerfüllt aufgeben muß – Philipp der Zweite, mit wenigen schwachen Nationen im Kampfe, den er nicht endigen kann!

Und gegen welche Nation? Hier ein friedfertiges Fischer- und Hirtenvolk in einem vergessenen Winkel Europas, den es noch mühsam der Meeresflut abgewann; die See sein Gewerbe, sein Reichtum und seine Plage, eine freie Armut sein höchstes Gut, sein Ruhm seine Tugend. Dort ein gutartiges gesittetes Handelsvolk, schwelgend von den üppigen Früchten eines gesegneten Fleißes, wachsam auf Gesetze, die seine Wohltäter waren. In der glücklichen Muße des Wohlstandes verläßt es der Bedürfnisse ängstlichen Kreis und lernt nach höherer Befriedigung dürsten. Die neue Wahrheit, deren erfreuender Morgen jetzt über Europa hervorbricht, wirft einen befruchtenden Strahl in diese günstige Zone, und freudig empfängt der freie Bürger das Licht, dem sich gedrückte traurige Sklaven verschließen. Ein fröhlicher Mutwille, der gerne den Überfluß und die Freiheit begleitet, reizt es an, das Ansehen verjährter Meinungen zu prüfen und eine schimpfliche Kette zu brechen. Die schwere Zuchtrute des Despotismus hängt über ihm, eine willkürliche Gewalt droht die Grundpfeiler seines Glücks einzureißen, der Bewahrer seiner Gesetze wird sein Tyrann. Einfach in seiner Staatsweisheit wie in

seinen Sitten, erkühnt es sich, einen veralteten Vertrag aufzuweisen und den Herrn beider Indien an das Naturrecht zu
mahnen. Ein Name entscheidet den ganzen Ausgang der
Dinge. Man nannte Rebellion in Madrid, was in Brüssel nur
eine gesetzliche Handlung hieß; die Beschwerden Brabants
forderten einen staatsklugen Mittler; Philipp der Zweite
sandte ihm einen Henker, und die Losung des Kriegs war gegeben. Eine Tyrannei ohne Beispiel greift Leben und Eigentum an. Der verzweifelnde Bürger, dem zwischen einem
zweifachen Tode die Wahl gelassen wird, erwählt den edleren
auf dem Schlachtfeld. Ein wohlhabendes, üppiges Volk liebt
den Frieden, aber es wird kriegerisch, wenn es arm wird.
Jetzt hört es auf, für ein Leben zu zittern, dem alles mangeln
soll, warum es wünschenswürdig war. Die Wut des Aufruhrs
ergreift die entferntesten Provinzen; Handel und Wandel liegen darnieder, die Schiffe verschwinden aus den Häfen, der
Künstler aus seiner Werkstätte, der Landmann aus den verwüsteten Feldern. Tausende fliehen in ferne Länder, tausend
Opfer fallen auf dem Blutgerüste, und neue Tausende drängen sich hinzu; denn göttlich muß eine Lehre sein, für die so
freudig gestorben werden kann. Noch fehlt die letzte vollen-
dende Hand – der erleuchtete unternehmende Geist, der diesen großen politischen Augenblick haschte und die Geburt
des Zufalls zum Plane der Weisheit erzöge.

*Und nun noch die Geschichte der Begegnung des Herzogs von
Alba mit der Gräfin Katharina von Schwarzburg:*

Indem ich eine alte Chronik vom sechzehnten Jahrhundert
durchblättre, finde ich nachstehende Anekdote, die aus mehr
als einer Ursache es verdient, der Vergessenheit entrissen zu
werden. In einer Schrift, die den Titel führt: Mausolea mani-
bus Metzelii posita a Fr. Melch. Dedekindo 1638, finde ich sie

bestätigt; auch kann man sie in Spangenbergs Adelspiegel Teil I, Buch 13, S. 445 nachschlagen.

Eine deutsche Dame aus einem Hause, das schon ehedem durch Heldenmut geglänzt und dem Deutschen Reich einen Kaiser gegeben hat, war es, die den fürchterlichen Herzog von Alba durch ihr entschlossenes Betragen beinahe zum Zittern gebracht hätte. Als Kaiser Karl v. im Jahre 1547 nach der Schlacht bei Mühlberg auf seinem Zuge nach Franken und Schwaben auch durch Thüringen kam, wirkte die verwitwete Gräfin Katharina von Schwarzburg, eine geborne Fürstin von Henneberg, einen Sauvegardebrief bei ihm aus, daß ihre Untertanen von der durchziehenden spanischen Armee nichts zu leiden haben sollten. Dagegen verband sie sich, Brot, Bier und andre Lebensmittel gegen billige Bezahlung aus Rudolstadt an die Saalbrücke schaffen zu lassen, um die spanischen Truppen, die dort übersetzen würden, zu versorgen. Doch gebrauchte sie dabei die Vorsicht, die Brücke, welche dicht bei der Stadt war, in der Geschwindigkeit abbrechen und in einer größern Entfernung über das Wasser schlagen zu lassen, damit die allzu große Nähe der Stadt ihre raublustigen Gäste nicht in Versuchung führte. Zugleich wurde den Einwohnern aller Ortschaften, durch welche der Zug ging, vergönnt, ihre besten Habseligkeiten auf das Rudolstädter Schloß zu flüchten.

Mittlerweile näherte sich der spanische General, von Herzog Heinrich von Braunschweig und dessen Söhnen begleitet, der Stadt und bat sich durch einen Boten, den er voranschickte, bei der Gräfin von Schwarzburg auf ein Morgenbrot zu Gaste. Eine so bescheidene Bitte, an der Spitze eines Kriegsheers getan, konnte nicht wohl abgeschlagen werden. Man würde geben, was das Haus vermöchte, war die Antwort; Seine Excellenz möchten kommen und vorliebnehmen. Zugleich unterließ man nicht, der Sauvegarde noch einmal zu gedenken und dem spanischen General die gewissenhafte Beobachtung derselben ans Herz zu legen.

Ein freundlicher Empfang und eine gutbesetzte Tafel erwarten den Herzog auf dem Schlosse. Er muß gestehen, daß die thüringischen Damen eine sehr gute Küche führen und auf die Ehre des Gastrechts halten. Noch hat man sich kaum niedergesetzt, als ein Eilbote die Gräfin aus dem Saal ruft. Es wird ihr gemeldet, daß in einigen Dörfern unterwegs die spanischen Soldaten Gewalt gebraucht und den Bauern das Vieh weggetrieben hätten. Katharina war eine Mutter ihres Volks; was dem Ärmsten ihrer Untertanen widerfuhr, war ihr selbst zugestoßen. Aufs äußerste über diese Wortbrüchigkeit entrüstet, doch von ihrer Geistesgegenwart nicht verlassen, befiehlt sie ihrer ganzen Dienerschaft, sich in aller Geschwindigkeit und Stille zu bewaffnen und die Schloßpforten wohl zu verriegeln; sie selbst begibt sich wieder nach dem Saale, wo die Fürsten noch bei Tisch sitzen. Hier klagt sie ihnen in den beweglichsten Ausdrücken, was ihr eben hinterbracht worden und wie schlecht man das gegebene Kaiserwort gehalten. Man erwidert ihr mit Lachen, daß dies nun einmal Kriegsgebrauch sei und daß bei einem Durchmarsch von Soldaten dergleichen kleine Unfälle nicht zu verhüten stünden. »Das wollen wir doch sehen«, antwortete sie aufgebracht. »Meinen armen Untertanen muß das Ihrige wieder werden oder, bei Gott!« – indem sie drohend ihre Stimme anstrengte, »Fürstenblut für Ochsenblut!« Mit dieser bündigen Erklärung verließ sie das Zimmer, das in wenigen Augenblicken von Bewaffneten erfüllt war, die sich, das Schwert in der Hand, doch mit vieler Ehrerbietigkeit, hinter die Stühle der Fürsten pflanzten und das Frühstück bedienten. Beim Eintritt dieser kampflustigen Schar veränderte Herzog von Alba die Farbe; stumm und betreten sah man einander an. Abgeschnitten von der Armee, von einer überlegenen handfesten Menge umgeben, was blieb ihm übrig, als sich in Geduld zu fassen und, auf welche Bedingungen es auch sei, die beleidigte Dame zu versöhnen. Heinrich von Braunschweig faßte sich zuerst und brach in ein lautes Gelächter aus. Er ergriff den vernünftigen

Ausweg, den ganzen Vorgang ins Lustige zu kehren, und hielt der Gräfin eine große Lobrede über ihre landesmütterliche Sorgfalt und den entschlossenen Mut, den sie bewiesen. Er bat sie, sich ruhig zu verhalten, und nahm es auf sich, den Herzog von Alba zu allem, was billig sei, zu vermögen. Auch brachte er es bei dem letztern wirklich dahin, daß er auf der Stelle einen Befehl an die Armee ausfertigte, das geraubte Vieh den Eigentümern ohne Verzug wieder auszuliefern. Sobald die Gräfin von Schwarzburg der Zurückgabe gewiß war, bedankte sie sich aufs schönste bei ihren Gästen, die sehr höflich von ihr Abschied nahmen.

Ohne Zweifel war es diese Begebenheit, die der Gräfin Katharina von Schwarzburg den Beinamen der Heldenmütigen erworben. Man rühmt noch ihre standhafte Tätigkeit, die Reformation in ihrem Lande zu befördern, die schon durch ihren Gemahl, Graf Heinrich xxxvii., darin eingeführt worden, das Mönchswesen abzuschaffen und den Schulunterricht zu verbessern. Vielen protestantischen Predigern, die um der Religion willen Verfolgungen auszustehen hatten, ließ sie Schutz und Unterstützung angedeihen. Unter diesen war ein gewisser Kaspar Aquila, Pfarrer zu Saalfeld, der in jüngern Jahren der Armee des Kaisers als Feldprediger nach den Niederlanden gefolgt war, und weil er sich dort geweigert hatte, eine Kanonenkugel zu taufen, von den ausgelassenen Soldaten in einen Feuermörser geladen wurde, um in die Luft geschossen zu werden; ein Schicksal, dem er noch glücklich entkam, weil das Pulver nicht zünden wollte. Jetzt war er zum zweitenmal in Lebensgefahr, und ein Preis von 5000 Gulden stand auf seinem Kopfe, weil der Kaiser auf ihn zürnte, dessen Interim er auf der Kanzel schmählich angegriffen hatte. Katharina ließ ihn, auf die Bitte der Saalfelder, heimlich zu sich auf ihr Schloß bringen, wo sie ihn viele Monate verborgen hielt und mit der edelsten Menschenliebe seiner pflegte, bis er sich ohne Gefahr wieder sehen lassen durfte. Sie starb allgemein verehrt und betrauert im achtundfünfzigsten Jahr ihres Lebens und im neunundzwanzigsten ihrer Regierung. Die Kirche zu Rudolstadt verwahrt ihre Gebeine.

Friedrich Schiller
Ästhetische Erziehung des Menschengeschlechts

Im Jahre 1793 schrieb Schiller Briefe an seinen Protektor, den Herzog Friedrich Christian von Schleswig-Holstein-Augustenburg. Sie geben Auskunft über seine geistigen Interessen zu jener Zeit.

Er habe, teilte Schiller dem Herzog mit, sich der Theorie zugewandt, weil zu viele Krankheiten ihn am Dichten hinderten. Schiller machte darauf aufmerksam, daß von der jüngsten Revolution im Felde der Philosophie (den drei Kantischen Kritiken) auch die bisherigen Spekulationen über ästhetische Fragen betroffen und daß neue Antworten dringend notwendig seien.

Ein Jahr später, 1794, überarbeitete Schiller diese Briefe (Fichte war nun in Jena, es begannen die Kunstgespräche und Kunstkorrespondenzen mit Goethe), erweiterte und veröffentlichte sie im ersten, zweiten und sechsten Stück der von ihm herausgegebenen Zeitschrift Horen *unter dem Titel:* Ästhetische Erziehung des Menschengeschlechts. *Die Charakterisierung des Buchs zeigt schon an, daß hier ästhetische und ethische Probleme verknüpft sind. Die Jahre 1793 und 1794 waren die Jahre der Hinrichtung Ludwigs XVI., des Wohlfahrtsausschusses, Robespierres und der Hinrichtung Marie Antoinettes. Viele deutsche Intellektuelle (unter ihnen Schiller) hatten die Französische Revolution enthusiastisch begrüßt und wandten sich jetzt von ihr ab. In den Briefen an den Herzog spiegeln sich die Erregungen des Tages. Die*

Gegenwart wird als eine Epoche der Verwilderung, der
»Schlaffheit und Depravation« gebrandmarkt.

In der Bearbeitung tritt das Zeitgeschichtliche stark zurück
vor der begrifflichen Analyse. Sie kreist um die Frage nach der
Beziehung von Freiheit und Schönheit. Ein Aspekt war im
Gedicht Die Künstler *deutlich gemacht:*

> *»Der Menschheit Würde ist in eure Hand gegeben,*
> *Bewahret sie!*
> *Sie sinkt mit euch! Mit euch wird sie sich heben!«*

Der neunte und zehnte Brief, die hier abgedruckt werden,
sind sehr dazu angetan, gleich im Beginn eine der wichtigsten
Korrekturen am traditionellen Schillerbild vorzunehmen: an
der Vorstellung von dem idealistischen Jüngling, der in schö-
nem, gebärdenreichem Schwung die Wirklichkeit überflogen
hat. Mir scheint, daß Schiller selbst mit einigen berühmt ge-
wordenen Zeilen diesen Anschein erweckt hat:

> *»Freiheit ist nur in dem Reich der Träume,*
> *Und das Schöne blüht nur im Gesang.«*

Man könnte dies geradezu als die Grundlage des Ästhetizis-
mus bezeichnen. Doch genau die Stellen, die wir ausgesucht
haben, sind darauf aus, dem Schönen einen irdischeren Rang
einzuräumen. Schiller lehnt es zwar ab, nach Aufklärersitte
das Werk der Kunst nichtästhetischen Zielen unterzuordnen.
Aber er sieht doch in ihm eine Wirkung auf den Menschen des
Alltags: den Menschen in Gemeinschaften. Er will nicht den
einzelnen durch die Gesellschaft erlösen — der herrschende
Wille unserer Tage. Er will die Gesellschaft durch den einzel-
nen erlösen, der zu diesem Zwecke reif gemacht werden soll
von der Kunst.

Der Konflikt blinder Kräfte soll in der politischen Welt ewig dauern und das gesellige Gesetz nie über die feindselige Selbstsucht siegen?

Nichts weniger! Die Vernunft selbst wird zwar mit dieser rauhen Macht, die ihren Waffen widersteht, unmittelbar den Kampf nicht versuchen und so wenig wie der Sohn des Saturns in der Ilias selbsthandelnd auf den finstern Schauplatz heruntersteigen. Aber aus der Mitte der Streiter wählt sie sich den würdigsten aus, bekleidet durch seine siegende Kraft die große Entscheidung.

Die Vernunft hat geleistet, was sie leisten kann, wenn sie das Gesetz findet und aufstellt; vollstrecken muß es der mutige Wille und das lebendige Gefühl. Wenn die Wahrheit im Streit mit Kräften den Sieg erhalten soll, so muß sie selbst erst zur Kraft werden und zu ihrem Sachführer im Reich der Erscheinungen einen Trieb aufstellen; denn Triebe sind die einzigen bewegenden Kräfte in der empfindenden Welt. Hat sie bis jetzt ihre siegende Kraft noch so wenig bewiesen, so liegt dies nicht an dem Verstande, der sie nicht zu entschleiern wußte, sondern an dem Herzen, das sich ihr verschloß, und an dem Triebe, der nicht für sie handelte.

Denn woher diese noch so allgemeine Herrschaft der Vorurteile und diese Verfinsterung der Köpfe bei allem Licht, das Philosophie und Erfahrung aufstecken? Das Zeitalter ist aufgeklärt, das heißt, die Kenntnisse sind gefunden und öffentlich preisgegeben, welche hinreichen würden, wenigstens unsre praktischen Grundsätze zu berichtigen; der Geist der freien Untersuchung hat die Wahnbegriffe zerstreut, welche lange Zeit den Zugang zu der Wahrheit verwehrten, und den Grund unterwühlt, auf welchem Fanatismus und Betrug ihren Thron erbauten; die Vernunft hat sich von den Täuschungen der Sinne und von einer betrüglichen Sophistik gereinigt, und die Philosophie selbst, welche uns zuerst von ihr abtrünnig machte, ruft uns laut und dringend in den Schoß der

Natur zurück – woran liegt es, daß wir noch immer Barbaren sind?

Es muß also, weil es nicht in den Dingen liegt, in den Gemütern der Menschen etwas vorhanden sein, was der Aufnahme der Wahrheit, auch wenn sie noch so hell leuchtete, und der Annahme derselben, auch wenn sie noch so lebendig überzeugte, im Wege steht. Ein alter Weiser hat es empfunden, und es liegt in dem vielbedeutenden Ausdrucke versteckt: sapere aude.

Erkühne dich, weise zu sein. Energie des Muts gehört dazu, die Hindernisse zu bekämpfen, welche sowohl die Trägheit der Natur als die Feigheit des Herzens der Belehrung entgegensetzen. Nicht ohne Bedeutung läßt der alte Mythus die Göttin der Weisheit in voller Rüstung aus Jupiters Haupte steigen; denn schon ihre erste Verrichtung ist kriegerisch. Schon in der Geburt hat sie einen harten Kampf mit den Sinnen zu bestehen, die aus ihrer süßen Ruhe nicht gerissen sein wollen. Der zahlreichere Teil der Menschen wird durch den Kampf mit der Not viel zu ermüdet und abgespannt, als daß er sich zu einem neuen und härtern Kampf mit dem Irrtum aufraffen sollte. Zufrieden, wenn er selbst der sauren Mühe des Denkens entgeht, läßt er andere gern über seine Begriffe die Vormundschaft führen, und so geschieht es, daß sich höhere Bedürfnisse in ihm regen, so ergreift er mit durstigem Glauben die Formeln, welche der Staat und das Priestertum für diesen Fall in Bereitschaft halten. Wenn diese unglücklichen Menschen unser Mitleiden verdienen, so trifft unsre gerechte Verachtung die andern, die ein besseres Los von dem Joch der Bedürfnisse frei macht, aber eigene Wahl darunter beugt. Diese ziehen den Dämmerschein dunkler Begriffe, wo man lebhafter fühlt und die Phantasie sich nach eignem Belieben bequeme Gestalten bildet, den Strahlen der Wahrheit vor, die das angenehme Blendwerk ihrer Träume verjagen. Auf ebendiese Täuschungen, die das feindselige Licht der Erkenntnis zerstreuen soll, haben sie den ganzen

Bau ihres Glücks gegründet, und sie sollten eine Wahrheit so teuer kaufen, die damit anfängt, ihnen alles zu nehmen, was Wert für sie besitzt? Sie müßten schon weise sein, um die Weisheit zu lieben: eine Wahrheit, die derjenige schon fühlte, der der Philosophie ihren Namen gab.

Nicht genug also, daß alle Aufklärung des Verstandes nur insoferne Achtung verdient, als sie auf den Charakter zurückfließt; sie geht auch gewissermaßen von dem Charakter aus, weil der Weg zu dem Kopf durch das Herz muß geöffnet werden. Ausbildung des Empfindungsvermögens ist also das dringendere Bedürfnis der Zeit, nicht bloß weil sie ein Mittel wird, die verbesserte Einsicht für das Leben wirksam zu machen, sondern selbst darum, weil sie zu Verbesserung der Einsicht erweckt.

Aber ist hier nicht vielleicht ein Zirkel? Die theoretische Kultur soll die praktische herbeiführen und die praktische doch die Bedingung der theoretischen sein? Alle Verbesserung im Politischen soll von Veredlung des Charakters ausgehen – aber wie kann sich unter den Einflüssen einer barbarischen Staatsverfassung der Charakter veredeln? Man müßte also zu diesem Zwecke ein Werkzeug aufsuchen, welches der Staat nicht hergibt, und Quellen dazu eröffnen, die sich bei aller politischen Verderbnis rein und lauter erhalten.

Jetzt bin ich an dem Punkt angelangt, zu welchem alle meine bisherigen Betrachtungen hingestrebt haben. Dieses Werkzeug ist die schöne Kunst, diese Quellen öffnen sich in ihren unsterblichen Mustern.

Von allem, was positiv ist und was menschliche Konventionen einführten, ist die Kunst wie die Wissenschaft losgesprochen, und beide erfreuen sich einer absoluten Immunität von der Willkür der Menschen. Der politische Gesetzgeber kann ihr Gebiet sperren, aber darin herrschen kann er nicht. Er kann den Wahrheitsfreund ächten, aber die Wahrheit besteht; er kann den Künstler erniedrigen, aber die Kunst kann er nicht verfälschen. Zwar ist nichts gewöhnlicher, als daß beide, Wissenschaft und Kunst, dem Geist des Zeitalters huldigen und der hervorbringende Geschmack von dem beurteilenden das Gesetz empfängt. Wo der Charakter straff wird und sich verhärtet, da sehen wir die Wissenschaft streng ihre Grenzen bewachen und die Kunst in den schweren Fesseln der Regel gehn; wo der Charakter erschlafft und sich auflöst, da wird die Wissenschaft zu Gefallen und die Kunst zu Vergnügen streben. Ganze Jahrhunderte lang zeigen sich die Philosophen wie die Künstler geschäftig, Wahrheit und Schönheit in die Tiefen gemeiner Menschheit hinabzutauchen; jene gehen darin unter, aber mit eigner unzerstörbarer Lebenskraft ringen sich diese siegend empor.

Der Künstler ist zwar der Sohn seiner Zeit, aber schlimm für ihn, wenn er zugleich ihr Zögling oder gar noch ihr Günstling ist. Eine wohltätige Gottheit reiße den Säugling beizeiten von seiner Mutter Brust, nähre ihn mit der Milch eines bessern Alters und lasse ihn unter seinem griechischen Himmel zur Mündigkeit reifen. Wenn er dann Mann geworden ist, so kehre er, eine fremde Gestalt, in sein Jahrhundert zurück; aber nicht, um es mit seiner Erscheinung zu erfreuen, sondern, furchtbar wie Agamemnons Sohn, um es zu reinigen. Den Stoff zwar wird er von der Gegenwart nehmen, aber die Form von einer edleren Zeit, ja jenseits aller Zeit, von der absoluten unwandelbaren Einheit seines Wesens entlehnen. Hier aus dem reinen Äther seiner dämonischen Natur rinnt die Quelle der Schönheit herab, unangesteckt von der Verderbnis der Geschlechter und Zeiten, welche tief unter ihr in trüben Strudeln sich wälzen. Seinen Stoff kann die Laune entehren, wie sie ihn geadelt hat, aber die keusche Form ist ihrem Wechsel entzogen. Der Römer des ersten Jahrhunderts hatte längst schon die Knie vor seinen Kaisern gebeugt, als die Bildsäulen noch aufrecht standen; die Tempel blieben dem Auge heilig, als die Götter längst zum Gelächter dienten, und die Schandtaten eines Nero und Commodus beschämte der edle Stil des Gebäudes, das seine Hülle dazu gab. Die Menschheit hatte ihre Würde verloren, aber die Kunst hat sie gerettet und aufbewahrt in bedeutenden Steinen; die Wahrheit lebt in der Täuschung fort, und aus dem Nachbilde wird das Urbild wiederhergestellt werden. So wie die edle Kunst die edle Natur überlebte, so schreitet sie derselben auch in der Begeisterung, bildend und erweckend, voran. Ehe noch die Wahrheit ihr siegendes Licht in die Tiefen der Herzen sendet, fängt die Dichtungskraft ihre Strahlen auf, und die Gipfel der Menschheit werden glänzen, wenn noch feuchte Nacht in den Tälern liegt.

Wie verwahrt sich aber der Künstler vor den Verderbnissen seiner Zeit, die ihn von allen Seiten umfangen? Wenn er ihr Urteil verachtet. Er blicke aufwärts nach seiner Würde und dem Gesetz, nicht niederwärts nach dem Glück und nach dem Bedürfnis. Gleich frei von der eiteln Geschäftigkeit, die in den flüchtigen Augenblick gern ihre Spur drücken möchte, und von dem ungeduldigen Schwärmergeist, der auf die dürftige Geburt der Zeit den Maßstab des Unbedingten anwendet, überlasse er dem Verstande, der hier einheimisch ist, die Sphäre des Wirklichen; er aber strebe, aus dem Bunde des Möglichen mit dem Notwendigen das Ideal zu erzeugen. Dieses präge er aus in Täuschung und Wahrheit, präge es in die Spiele seiner Einbildungskraft und in den Ernst seiner Taten, präge es aus in allen sinnlichen und geistigen Formen und werfe es schweigend in die unendliche Zeit.

Aber nicht jedem, dem dieses Ideal in der Seele glüht, wurde die schöpferische Ruhe und der große geduldige Sinn verliehen, es in den verschwiegnen Stein einzudrücken oder in das nüchterne Wort auszugießen und den treuen Händen der Zeit zu vertrauen.

Viel zu ungestüm, um durch dieses ruhige Mittel zu wandern, stürzt sich der göttliche Bildungstrieb oft unmittelbar auf die Gegenwart und auf das handelnde Leben und unternimmt, den formlosen Stoff der moralischen Welt umzubilden. Dringend spricht das Unglück seiner Gattung zu dem

fühlenden Menschen, dringender ihre Entwürdigung, der
Enthusiasmus entflammt sich, und das glühende Verlangen
strebt in kraftvollen Seelen ungeduldig zur Tat. Aber befragte
er sich auch, ob diese Unordnungen in der moralischen Welt
seine Vernunft beleidigen oder nicht vielmehr seine Selbstliebe schmerzen? Weiß er es noch nicht, so wird er es an dem
Eifer erkennen, womit er auf bestimmte und beschleunigte
Wirkungen dringt. Der reine moralische Trieb ist aufs Unbedingte gerichtet, für ihn gibt es keine Zeit, und die Zukunft
wird ihm zur Gegenwart, sobald sie sich aus der Gegenwart
notwendig entwickeln muß. Vor einer Vernunft ohne
Schranken ist die Richtung zugleich die Vollendung, und der
Weg ist zurückgelegt, sobald er eingeschlagen ist.

Gib also, werde ich dem jungen Freund der Wahrheit und
Schönheit zur Antwort geben, der von mir wissen will, wie er
dem edeln Trieb in seiner Brust, bei allem Widerstande des
Jahrhunderts, Genüge zu tun habe, gib der Welt, auf die du
wirkst, die Richtung zum Guten, so wird der ruhige Rhythmus der Zeit die Entwicklung bringen. Diese Richtung hast
du ihr gegeben, wenn du, lehrend, ihre Gedanken zum Notwendigen und Ewigen erhebst, wenn du, handelnd oder bildend, das Notwendige und Ewige in einen Gegenstand ihrer
Triebe verwandelst. Fallen wird das Gebäude des Wahns und
der Willkürlichkeit, fallen muß es, es ist schon gefallen, sobald du gewiß bist, daß es sich neigt; aber in dem innern, nicht
bloß in dem äußern Menschen muß es sich neigen. In der
schamhaften Stille deines Gemüts erziehe die siegende Wahrheit, stelle sie aus dir heraus in der Schönheit, daß nicht bloß
der Gedanke ihr huldige, sondern auch der Sinn ihre Erscheinung liebend ergreife. Und damit es dir nicht begegne, von
der Wirklichkeit das Muster zu empfangen, das du ihr geben
sollst, so wage dich nicht eher in ihre bedenkliche Gesellschaft, bis du eines idealischen Gefolges in deinem Herzen
versichert bist. Lebe mit deinem Jahrhundert, aber sei nicht
sein Geschöpf; leiste deinen Zeitgenossen, aber was sie be-

dürfen, nicht was sie loben. Ohne ihre Schuld geteilt zu haben, teile mit edler Resignation ihre Strafen und beuge dich mit Freiheit unter das Joch, das sie gleich schlecht entbehren und tragen. Durch den standhaften Mut, mit dem du ihr Glück verschmähest, wirst du ihnen beweisen, daß nicht deine Feigheit sich ihren Leiden unterwirft. Denke sie dir, wie sie sein sollten, wenn du auf sie zu wirken hast, aber denke sie dir, wie sie sind, wenn du für sie zu handeln versucht wirst. Ihren Beifall suche durch ihre Würde, aber auf ihren Unwert berechne ihr Glück, so wird dein eigener Adel dort den ihrigen aufwecken und ihre Unwürdigkeit hier deinen Zweck nicht vernichten. Der Ernst deiner Grundsätze wird sie von dir scheuchen, aber im Spiele ertragen sie sie noch; ihr Geschmack ist keuscher als ihr Herz, und hier mußt du den scheuen Flüchtling ergreifen. Ihre Maximen wirst du umsonst bestürmen, ihre Taten umsonst verdammen, aber an ihrem Müßiggange kannst du deine bildende Hand versuchen. Verjage die Willkür, die Frivolität, die Rohigkeit aus ihren Vergnügungen, so wirst du sie unvermerkt auch aus ihren Handlungen, endlich aus ihren Gesinnungen verbannen. Wo du sie findest, umgib sie mit edeln, mit großen, mit geistreichen Formen, schließe sie ringsum mit den Symbolen des Vortrefflichen ein, bis der Schein die Wirklichkeit und die Kunst die Natur überwindet.

Wilhelm von Humboldt
Briefe

Wilhelm Freiherr von Humboldt wurde *1767* geboren und starb *1835*. Nach einigen Studien-Jahren und Reisen lebte Humboldt in Erfurt und Weimar. Eine enge Freundschaft verband ihn mit Goethe, Schiller und Karoline Schlegel. Humboldts Briefe legen Zeugnis davon ab. Von *1794* bis *1799* lebte er meist in Jena; es war die Zeit, da Jena Mittelpunkt der Frühromantik und der Kantischen Philosophie war. Aus dieser Zeit stammen die folgenden beiden Briefe.

Eins der einflußreichsten Werke Humboldts wurden seine Ideen zu einem Versuch, die Grenzen der Wirksamkeit des Staates zu bestimmen. *Er lehnte zugunsten der Persönlichkeit die autoritäre Wohlfahrtspolitik des aufgeklärten Absolutismus ab.*

1809 wurde Humboldt auf Veranlassung Steins Leiter des Kultus- und Unterrichtswesens. Sein Werk war die neu eröffnete Universität Berlin und das humanistische Gymnasium. *1810* ging er als Gesandter nach Österreich; er und Hardenberg vertraten Preußen auf wichtigen Kongressen, *1815* auf dem Wiener. Seine Konflikte mit Hardenberg zwangen ihn dann zum Rücktritt vom Staatsdienst.

Seitdem lebte er auf dem väterlichen Schloß in Tegel, von dem auch die beiden Briefe an Schiller datiert sind. Humboldt war damals 28 Jahre alt; diese Schreiben sind voll von Überschwang für den Freund Schiller. Ein Hauptthema ist die Personalunion von Philosoph und Dichter im Werk des Freundes.

Faszinierend ist an diesen beiden Briefen nicht nur die

Schärfe der Analyse, die ebenso enthusiastisch wie kritisch ist; faszinierend ist, von heute aus gesehen, die Konzentration, mit der sich ein Schriftsteller in die Schöpfungen eines andern versenkt. Und da Humboldt damals keine Ausnahme war, ist aus solchen Briefen zu entnehmen, wie sehr das, was einmal Kultur genannt wurde, unterschieden ist von dem heutigen Kulturbetrieb. Gerade wenn man nicht an das breite Lesepublikum denkt, das wohl damals ähnlich war wie das heutige, gerade wenn man nur an die Schaffenden denkt, spürt man aus solchen Briefen, daß es damals noch eine Literatur im Sinne eines außerordentlichen literarischen Kreises gab.

An Schiller

Tegel, den 4. August 1795

Sie haben mir eine innige Freude gemacht, lieber teurer Freund, durch Ihren ausführlichen, liebevollen Brief. Abgerechnet, daß ich gesünder bin, als Sie leider zu sein scheinen, geht es mir in noch viel höherem Grade ebenso wie Ihnen. Ich habe im genauesten Verstande gar keine gesellschaftliche Existenz, auch sehe ich, außer den Leuten, die gewöhnlich ins Haus kommen, niemand und bin seit beinah vierzehn Tagen nicht in der Stadt gewesen. Ich vermisse es unglaublich, nicht noch bei Ihnen zu sein, und habe mich so sehr an das gesellschaftliche Denken gewöhnt, daß mir bei längerer Entfernung für meinen Ideenvorrat bang werden würde. Desto mehr nehme ich meine Zuflucht zu Erinnerungen, und ich bringe den besten Teil meiner Zeit in Gedanken bei Ihnen zu. In den ersten Wochen meines Hierseins war ich in der Tat besorgt, wir möchten länger, als ich dachte, getrennt bleiben müssen. Meine Mutter war so krank, daß ich nicht glaubte, sie so im Herbst verlassen zu können. Jetzt aber gehts besser, und die ganze Änderung, die ich in meinem Plane gemacht, besteht einzig darin, daß ich den September nicht bei meinem

Schwiegervater, sondern hier zubringen und alsdann unmittelbar von hier nach Jena zurückkehren werde.

Ich freue mich sehr auf Ihren Beitrag zum ›Musenalmanach‹ (›Das Reich der Schatten‹), und meine Ungeduld wird noch durch eine Nebenursache vermehrt. Ich bin begierig zu sehen, wie Sie den Übergang von der Metaphysik zur Poesie gemacht haben. Das wunderbare Phänomen, daß Ihrem Kopfe beide Richtungen in einem so eminenten Grade eigentümlich sind, ist an sich nicht leicht zu fassen und gibt bei genauerer Untersuchung gewiß nicht geringe Aufschlüsse über die innere Verwandtschaft des dichterischen und des philosophischen Genies. Da Sie jetzt in der doppelten Rolle vor dem Publikum aufgetreten sind, so ist es natürlich, daß man oft darüber urteilen hört, welche Ihnen natürlicher sein möchte, und so platt auch meistenteils die Urteile sind, so zeigt doch das Zufällige und Schwankende in denselben, daß in der Sache selbst nichts liegt, das ein wahres Moment zur Entscheidung an die Hand gibt. Und so ist es auch, wie es mir scheint. Beide so verschiedenen Richtungen entspringen aus einer Quelle in Ihnen, und das Charakteristische Ihres Geistes ist es gerade, daß er beide besitzt, aber auch schlechterdings nicht allein besitzen könnte. Wo ich sonst etwas Ähnliches kenne, ist es der Dichter, der philosophiert, oder der Philosoph, der dichtet. In Ihnen ist es schlechterdings eins, darum ist aber freilich auch Ihre Poesie und Ihre Philosophie etwas andres, als man gewöhnlich antrifft, und die letztere dürfte besonders die einseitigeren Köpfe noch lange irren. Man könnte sagen, daß in beiden mehr und eine höhere Wahrheit sei, als wofür man gewöhnlich Sinn hat, in der Poesie mehr Notwendigkeit des Ideals, in der Philosophie mehr Natur und Wesen, insofern es der bloßen Form, dem System, entgegensteht. Wenigstens ist es gewiß nichts andres, was den Urteilen derer zum Grunde liegt, die sich in beides weniger finden können. Was den Dichter und Philosophen sonst so gänzlich voneinander trennt, der große Unterschied zwischen der Wahrheit der Wirklichkeit, der vollständigen Individualität, und der Wahrheit der Idee, der einfachen Notwendigkeit, dieser Unterschied ist gleichsam für Sie aufgehoben, und ich kann es mir nicht anders als aus einer solchen Fülle der geistigen Kraft erklären, daß dieselbe vom Mangel an Wesenheit in der Wirklichkeit zur Idee und von der Armut der Idee zur Wirklichkeit zurückgetrieben wird. Daraus erklärt sich auch diese rastlose geistige Tätigkeit in Ihnen, die jedem, der Sie zuerst näher sieht, zuerst am meisten auffällt. Daher genießen Sie den doppelten Vorteil, zugleich das Notwendige rein und abgesondert, aber doch auch nicht bloß so, sondern in das Individuelle verwandelt zu sehn oder, eigentlicher zu reden, unaufhörlich in sich darzustellen. Denn je eminenter die Geisteskraft ist, desto mehr muß sie auf das Notwendige gerichtet sein, und wenn das, was ich im vorigen sagte, wahr sein soll, so muß die Ihrige eine so große Selbständigkeit besitzen, daß sie durch die äußere Beobachtung nur im allgemeinen auf die Wirklichkeit gestimmt wird, nicht aber eigentlich aus ihr nimmt, sondern in sich nur harmonisch mit dem wirklichen Gange innerhalb der Erfahrung fortwirkt. Denn notwendig muß diese ganze Geisteseigentümlichkeit zuletzt auf einem gegenseitigen Zusammenwirken der Vernunft und der Einbildungskraft, die durch das Übergewicht der ersteren mehr produzierend als reproduzierend wird, beruhen. Darum glaube ich auch so fest an ›Wallenstein‹ und an das vollkommene Gelingen der höchsten poetischen Versuche; es müßten denn zufällige Nebenumstände im Wege sein, da freilich die Ausübung des dichterischen Talents schon andere körperliche Dispositionen voraussetzt als die Ausübung des philosophischen.

Aber verzeihen Sie, daß ich in eine ordentliche psychologische Auseinandersetzung geraten bin; ich rechne auf Ihre liebevolle Nachsicht, und besonders wünsche ich, daß auch für diesen Brief Ihr prächtiger Ausspruch gelten möge, daß wir uns verstehen, wo uns sonst niemand versteht.

Neuigkeiten sind mir nicht vorgekommen. In der ›Camera obscura von Berlin‹ (einem niederträchtigen Wochenblatt) ist Ihr ›Lied an die Freude‹ parodiert und den bekanntesten Freudenmädchen in den Mund gelegt.

> »Wir umarmen Millionen,
> unsern Kuß der ganzen Welt«,

soll sich, wie man versichert, sehr gut ausnehmen.

Alexander ist auf dem Wege nach Venedig. Er geht von da über Mailand nach der Schweiz. Ich habe ihn ermuntert, die Reise für die ›Horen‹ zu benutzen.

Die Li umarmt Sie und Lolo. Wir sind alle recht wohl und genießen sehr viel die Luft. Möchten Sie doch auch heitrer sein und Ihre gute Stimmung bald wiedergewinnen. Leben Sie herzlich wohl, tausend Grüße an Lolo.   Humboldt.

An Schiller
                                                    Tegel, den 21. August 1795

Wie soll ich Ihnen, liebster Freund, für den unbeschreiblich hohen Genuß danken, den mir Ihr Gedicht [›Das Reich der Schatten‹, später: ›Das Ideal und das Leben‹] gegeben hat? Es hat mich seit dem Tage, an dem ich es empfing, im eigentlichsten Verstande ganz besessen, ich habe nichts andres gelesen, kaum etwas andres gedacht, ich habe es mir auf eine Weise zu eigen machen können, die mir noch mit keinem anderen Gedichte gelungen ist, und ich fühle es lebhaft, daß es mich noch lang und anhaltend beschäftigen wird. Solch einen Umfang und solch eine Tiefe der Ideen enthält es, und so fruchtbar ist es, woran ich vorzüglich das Gepräge des Genies erkenne, selbt wieder neue Ideen zu wecken. Es zeichnet jeden Gedanken mit einer unübertrefflichen Klarheit hin, in dem Umriß eines jeden Bildes verrät sich die Meisterhand, und die Phantasie wird unwiderstehlich hingerissen, selbst aus ihrem Innern hervorzuschaffen, was Sie ihr vorzeichnen.

Es ist ein Muster der didaktisch-lyrischen Gattung und der beste Stoff, die Erfordernisse dieser Dichtungsart und die Eigenschaften, die sie im Dichter voraussetzt, daraus zu entwickeln. Ich habe an einzelnen Stellen studiert zu finden, wie Sie es gemacht haben, um mit der vollkommenen Präzision der Begriffe die höchste poetische Individualität und die völlige sinnliche Klarheit in der Darstellung zu erreichen, und nie hat sich mir die Produktion des Genies so rein offenbart als hier. Nachdem ich mir eine Zeitlang Gedanken und Ausdruck durch Räsonnement deutlich gemacht hatte, kam ein Moment, in dem ich es nachempfand, wie es in Ihnen mußte emporgestiegen sein. Es ist schlechterdings mit keiner Ihrer früheren poetischen Arbeiten zu vergleichen. ›Die Künstler‹, so vortrefflich sie in sich sind, stehen ihm weit nach, und wenn auch in den ›Göttern Griechenlands‹, schon durch die Natur des Gegenstandes, eine blühendere und reichere Phantasie herrscht, so stehe ich nicht an, insofern sich beide Stücke als poetische Produktionen überhaupt miteinander vergleichen lassen, auch hier diesem den Vorzug zu geben. Es trägt das volle Gepräge Ihres Genies und die höchste Reife und ist ein treues Abbild Ihres Wesens. Jetzt, da ich vertraut mit ihm geworden bin, nahe ich mich ihm mit denselben Empfindungen, die Ihr Gespräch in Ihren geweihtesten Momenten in mir erweckt. Derselbe Ernst, dieselbe Würde, dieselbe aus einer Fülle der Kraft entsprungene Leichtigkeit, dieselbe Anmut und vor allem dieselbe Tendenz, dies alles wie zu einer fremden überirdischen Natur in eins zu verbinden, leuchtet daraus hervor.

Indes habe ich mich nicht durch seine hohe überraschende Schönheit zu einem Entzücken hinreißen lassen, das die Prüfung verwehrte. Auch ist es für einen solchen Eindruck nicht gemacht, und schwerlich ergründete der seinen tiefen Sinn, auf den es so wirkte. Man muß es erst durch eine gewisse Anstrengung verdienen, es bewundern zu dürfen; zwar wird jeder, der irgend dafür empfänglich ist, auch beim ersten auf-

merksamen Lesen den Gehalt und die Schönheit jeder Stelle
empfinden, aber zugleich drängt sich das Gefühl auf, bei diesem Gedicht nicht anders als in einer durchaus verstandnen
Bewunderung ausruhen zu können. Ich habe es ganz zu vergessen gesucht, daß es ein Gedicht ist, ich habe den philosophischen Inhalt, den Zusammenhang der Gedanken, die
Übergänge von einem zum andern wie in einer Abhandlung
zergliedert und geprüft, und ich fühle es deutlich, wieviel
meine eigentliche Begeisterung dafür dadurch gewonnen hat.
Ich bin allerdings auf Stellen gestoßen, von denen ich mir
nicht sogleich deutliche Rechenschaft zu geben wußte. Aber
bei wiederholtem Lesen und Nachdenken sind mir alle Zweifel verschwunden, ich glaube, jetzt alles zu verstehen, und
nur ob eine einzige Stelle nicht noch bestimmter ausgedrückt
sein sollte, will ich Ihnen zu bedenken geben. Daß dies Gedicht nur für die Besten ist und im ganzen wenig verstanden
werden wird, ist gewiß. Aber wie man es mit dieser Art Un-
deutlichkeit zu halten hat, darüber sind wir ja längst einig;
und zu den Besten ist hier doch jeder zu rechnen, der einen
guten gesunden Verstand mit einem offnen Sinn und einer
reizbaren Phantasie verbindet. Zwar haben Sie recht, daß es
Bekanntschaft mit Ihren Ideen, besonders mit Ihren ›Briefen‹
(›Über die ästhetische Erziehung des Menschen‹) brauchen kann, aber es bedarf ihrer nicht und ruht in jedem Verstande auf sich selbst. Dasjenige, wodurch die Deutlichkeit
außerordentlich befördert wird, ist die Exposition in den ersten vier Strophen, die in der Tat zum Bewundern einfach
und lichtvoll ist. Von dieser hängt doch alsdann alles Übrige
schlechterdings ab. Sobald einmal die Hauptidee recht gefaßt
ist – und für diese haben Sie auf eine Weise gesorgt, die keinen
Zweifel mehr übrig läßt –, so muß es jedem leicht werden,
sich an ihr durch den Gang des ganzen durchzufinden. Denn
überall ist hernach das Gebiet des Wirklichen dem Gebiet des
Idealischen so bestimmt entgegengesetzt, daß bei hinlänglich
verweilender Aufmerksamkeit kein Irrtum darüber stattfin-

den kann. Dennoch sind gerade bei dieser Entgegensetzung die
Stellen, bei denen der Ungeübte stehenbleiben wird und die
auch den Geübten verweilen können. Vorzüglich scheinen sie
mir in der 8. bis 10. und dann in der 13. und 14. Strophe vor-
zukommen. In der ersten Stelle, bin ich überzeugt, dürfte kein
Wort anders stehen, es ist eigentlich da gar keine Dunkelheit.
Schwierigkeit kann wohl in einem und dem andern gefunden
werden, aber dies konnte und durfte nicht vermieden werden. Nicht ebenso gewiß aber möchte ich behaupten, daß dies
auch mit der letztern der Fall wäre. Mein ganzer Zweifel beruht nämlich darauf, ob in der 13. Strophe das Gebiet der
Schönheit, das ästhetische Reich, bestimmt genug angedeutet
ist oder ob die Ausdrücke, vorzüglich der Vers »in die Freiheit der Gedanken«, nicht ein wenig zu allgemein sei? Der
Sinn nämlich, denke ich, kann kein andrer als folgender sein:
Der bloß moralisch ausgebildete Mensch gerät in eine ängst-
liche Verlegenheit, wenn er die unendliche Forderung des
Gesetzes mit den Schranken seiner endlichen Kraft vergleicht. Wenn er sich aber zugleich ästhetisch ausbildet, wenn
er sein Inneres, vermittels der Idee der Schönheit, zu einer
höheren Natur umschafft, so daß Harmonie in seine Triebe
kommt und, was vorher ihm bloß Pflicht war, freiwillige
Neigung wird, so hört jener Widerstreit in ihm auf. Diesen
letzten Zustand, dünkt mich, haben Sie nicht bestimmt genug
bezeichnet. Zwar sichert teils der Geist des ganzen Gedichts,
teils die Stelle »Nehmt die Gottheit usw.« den sehr aufmerk-
samen Leser, nicht in ein Mißverständnis zu verfallen, aber,
und dies sollte doch sein, er wird nicht genötigt, nur allein
den rechten Sinn aufzufassen, er kann sich doch bei dieser
Strophe noch immer bloß das denken, was Kant in seiner
Sprache »einen guten, reinen Willen erlangen« nennt und was
Sie doch hier nicht meinen. Auch haben Sie in allen andern
Stellen, wo die ähnliche Gedankenfolge war (Strophen 10, 12,
16), die Schönheit entweder selbst genannt oder doch ganz
bestimmt bezeichnet.

Karoline Schlegel
Briefe

*K*aroline Schlegel wurde 1763 geboren und starb 1809. Sie war eine zentrale Figur des Kreises der Frühromantiker.

Die Tochter des Göttinger Professors Michaelis war frühreif, bildungshungrig, voll Abenteuerlust. Mit 21 heiratete sie ohne Neigung den Berg- und Stadt-Medikus Johann Franz Wilhelm Boehmer in Clausthal und kam sich hier wie im Exil vor. Bereits nach vierjähriger Ehe starb ihr Mann.

Sie hatte die Möglichkeit, ins Elternhaus zurückzugehen oder zu einer Freundin nach Gotha oder zu ihrem Stiefbruder nach Marburg. Alle diese Möglichkeiten sagten ihr nicht zu. Sie ging nach Mainz. Hier erlebte sie 1792 die Eroberung der Stadt durch die Franzosen, bald darauf die Belagerung und Rückkunft der Preußen. Sie wurde als Anhängerin der Revolution gefangengenommen und auf den Königstein gebracht. Dort fühlte sie, daß sie schwanger war; der Vater war ein junger Franzose, mit dem sie nur eine Nacht verbracht hatte.

In dieser Not kam ihr Hilfe von August Wilhelm Schlegel, den sie abgelehnt hatte und den sie aus Dankbarkeit 1796 heiratete. Die Ehe zerbrach, als Schelling in Jena auftauchte. Er war in Karoline verliebt, verlobte sich mit Karolines Tochter Auguste und heiratete die Mutter, nachdem das Kind im Jahre 1800 an der Ruhr starb. 1803 wurde Karoline von Schlegel geschieden. Bald darauf wurde sie die Frau Schellings. Sechs Jahre später starb sie.

Karoline Schlegels Briefe gehören zu den bedeutendsten Korrespondenzen jener Zeit. Sie geben ein sehr intimes Bild des Kreises der Romantiker, der zeitgenössischen deutschen

*Philosophie, Goethes und Schillers um die Jahrhundertwende
und ein großartiges autobiographisches Porträt. Wir bringen
im folgenden zwei Briefe. Der erste ist gerichtet an Friedrich
Schlegel, der zweite an Novalis.*

In dem ersten Brief ist die Rede von der Zeitschrift Athenaeum, *in der Friedrich Schlegels Aufsatz* Über Goethes Meister
und Über das Studium der griechischen Poesie *stand; später
im Brief ist die Rede von Ludwig Tiecks Künstlerroman* Franz
Sternbalds Wanderungen *(1798).*

Im zweiten Brief wird Fichtes Appellation an das Publikum, *eine Verteidigung gegen den Vorwurf des Atheismus,
erwähnt.*

An Friedrich Schlegel

Jena, 14.–15. Oktober 1798

Ich kann Ihnen heut allerlei sagen, was Sie gern wissen
wollen. Wilhelm blieb in Weimar zurück um Goethen zu
sprechen, und der ist sehr wohl zu sprechen gewesen, in der
besten Laune über das Athenäum, und ganz in der gehörigen
über Ihren Wilhelm Meister, denn er hat nicht bloß den
Ernst, er hat auch die belobte Ironie darin gefaßt und ist
doch sehr damit zufrieden und sieht der Fortsetzung freund-
lichst entgegen. Erst hat er gesagt, es wäre recht gut, recht
charmant, und nach dieser bei ihm gebräuchlichen Art, vom
Wetter zu reden, hat er auch warm die Weise gebilligt, wie Sie
es behandelt, daß Sie immer auf den Bau des Ganzen gegangen und sich nicht bei pathologischer Zergliederung der
einzelnen Charaktere aufgehalten, dann hat er gezeigt, daß er
es tüchtig gelesen, indem er viele Ausdrücke wiederholt und
besonders eben die ironischen. Sie haben alle Ursache Ihr
Werk zu vollenden von dieser Seite, und so tun Sie es denn
doch recht bald. Er hat Wilhelm mit Grüßen für Sie beladen,
und läßt vielmals um Entschuldigung bitten, wegen des

Nichtschreibens, eine Sache, die wirklich aus der Geschäftigkeit des letzten Vierteljahres, wovon nachher ein Mehreres, zu erklären ist. An W. hat er den ganzen Brief schon fertig diktiert und doch nicht abgeschickt. Auch von der griechischen Poesie hat er gesprochen; bei manchen Stellen hätte er eine mündliche Unterredung und Erläuterung dazu gewünscht, um etwa ein längeres und breiteres Licht zu erhalten. Gelesen hat er auch redlich; das kann man ihm nicht anders nachrühmen. Die Fragmente (im ›Athenäum‹) haben ihn ungemein interessiert; ihr hättet euch in Kriegsstand gesetzt, aber er hat keine einzige Einwendung dagegen gemacht; nur gemeint, es wäre eine allzu starke Ausgabe (Zusatz W. Schlegels: die Verschwendung wäre doch zu groß, war der pivot seines allgemeinen Urteils), und es hätte sollen geteilt werden. Wilhelm hat ihm geantwortet, in einem Strich ließe sichs freilich nicht lesen; da hat er so etwas gemurmelt, als das hätte er denn doch nicht lassen können, wäre denn doch so anziehend – In Weimar ist das Athenäum sehr viel gelesen.

Nun von Goethens Geschäftigkeit. Er hat das weimarische Komödienhaus inwendig durchaus umgeschaffen, und in ein freundliches glänzendes Feenschlößchen verwandelt. Es hat mir erstaunlich wohl gefallen. Ein Architekt und Dekorateur aus Stuttgart ist dazu herberufen und innerhalb 13 Wochen sind Säulen, Galerien, Balkone, Vorhang verfertigt und was nicht alles geschmückt, gemalt, verguldet, aber in der Tat mit Geschmack. Die Beleuchtung ist äußerst hübsch, vermittelst eines weiten Kranzes von englischen Lampen, der in einer kleinen Kuppel schwebt, durch welche zugleich der Dunst des Hauses hinauszieht. Goethe ist wie ein Kind so eifrig dabei gewesen, den Tag vor der Eröffnung des Theaters war er von früh bis spät abends da, hat da gegessen und getrunken und eigenhändig mitgearbeitet. Er hat sich die gröbsten Billetts und Belangungen über einige veränderte Einrichtungen und Erhöhung der Preise gefallen lassen und es eben alles mit freudigem Gemüt hingenommen, um die Sache, welche von der Theaterkasse bestritten ward, zustand zu bringen. Nun kam die Anlernung der Schauspieler dazu, um das Vorspiel ordentlich zu geben, worin ihnen alles fremd und unerhört war. Es stellt Wallensteins Lager dar, wie Sie wissen und ist in Reimen in Hans Sachsens Manier, voller Leben, Wirkung, Geist der Zeit und guter Einfälle. Schiller hat doch in Jahren zustande gebracht, was Goethe vielleicht (die Studien abgerechnet) in einem Nachmittag hätte geschrieben, und das will immer viel sagen. Er hat sich (dies kommt von Wilhelm) dem Teufel ergeben, um den Realisten zu machen und sich die Sentimentalität vom Leibe zu halten. Aber genug, es ist gut, er hat alle Ehre und die andern viel Plaisir davon. Goethens Mühe war auch nicht verloren; die Gesellschaft hat exzellent gespielt, es war das vollkommenste Ensemble und keine Unordnung in dem Getümmel. Für das Auge nahm es sich ebenfalls trefflich aus. Die Kostüme, können Sie denken, waren sorgfältig zusammengetragen, und kontrastierten wieder untereinander sehr artig. Zum Prolog war eine neue, sehr schöne Dekoration. – Bei der Umwandlung des Hauses war Schillers Käfig weggefallen, so daß er sich auf dem offnen Balkon präsentieren mußte, anfangs neben Goethe, dann neben der herzoglichen Loge. Wir waren im Parkett, das denselben Preis mit dem Balkon hat, wo wir auch hätten hingehn können, aber lieber die bekannten Stellen wählten. – Die Korsen von Kotzebue gingen vorher. Bei dem Vorspiel hat man mehr gelacht und applaudiert. Der Schauspieler bringt überhaupt eine ganz andre, lebhaftere, materiellere Begeisterung hervor als der Dichter, aber hier konnte doch auch die im allgemeinen geringe Liebe für diesen und selbst seine Gegenwart mitwürken, abgerechnet, daß man das Ding fremd finden mußte, und obendrein auch soll zu lang gefunden haben.

Piccolomini wird wohl im Dezember, ebenso, gleichsam auf die Probe gespielt werden, wo man sich mit unsern Schauspielern behilft. Goethe meint, der alte Piccolomini (denn Vater und Sohn sind darin), das würde eine Rolle für Iffland sein. Auf (Friedrich Ludwig) Schröder (aus Hamburg) rechnet man schon. – Goethe ist heute wiederum hier angelangt, um nun weiter den vergangnen Effekt des Vorspieles und den zukünftigen des Piccolomini zu überlegen. Desto besser für uns. – Schelling fuhr an Schlegels Stelle in der Nacht mit mir zurück. Gustel war nicht mit. Es kam gar zu hoch, das Billett 1 Thlr. Doch wird sie's schon noch sehn, ich habe ihr alles erzählt. Fichte hatte mir nach der Komödie vier Gläser Champagner aufgenötigt, das muß ich nicht vergessen, zu melden.

Schelling wird sich von nun an einmauren, wie er sagt, aber gewiß nicht aushält. Er ist eher ein Mensch um Mauern zu durchbrechen. Glauben Sie, Freund, er ist als Mensch interessanter, als Sie zugeben, eine rechte Urnatur, als Mineralie betrachtet, ächter Granit.

Tieck muß sich nun eben so wenig über Goethens Schweigen skandalisieren als Sie, denn er bittet auch ihn um Nachsicht. Und ich will Ihnen auch sein Urteil über den ersten Teil von Sternbald wiedergeben; Sie überantworten es Tieck. Man könnte es so eigentlich eher musikalische Wanderungen nennen, wegen der vielen musikalischen Empfindungen und Anregungen (die Worte sind übrigens von mir), es wäre alles darin, außer der Maler. Sollte es ein Künstlerroman sein, so müßte doch noch ganz viel anders von der Kunst darin stehn, er vermißte da den rechten Gehalt, und das Künstlerische käme als eine falsche Tendenz heraus. Gelesen hat er es aber, und zweimal, und lobt es dann auch wieder sehr. Es wären viel hübsche Sonnenaufgänge darin, hat er gesagt (Zusatz von W. Schlegel: an denen man sähe, daß sich das Auge des Dichters wirklich recht eigentlich an den Farben gelabt, nur kämen sie zu oft wieder).

Wollen Sie nun mein Urteil über den zweiten? Vom ersten nur so viel, ich bin immer noch zweifelhaft, ob die Kunstliebe nicht absichtlich als eine falsche Tendenz im Sternbald hat sollen dargestellt werden und schlecht ablaufen wie bei Wilhelm Meister, aber dann möchte offenbar ein andrer Mangel eintreten – es möchte dann vom Menschlichen zu wenig darin sein. Der zweite Teil hat mir noch kein Licht gegeben. Wie ist es möglich, daß Sie ihn dem ersten vorziehn und überhaupt so vorzüglich behandeln? Es ist die nemliche Unbestimmtheit, es fehlt an durchgreifender Kraft – man hofft immer auf etwas entscheidendes, irgendwo den Franz beträchtlich vorrücken zu sehn. Tut er das? Viele liebliche Sonnenaufgänge und Frühlinge sind wieder da; Tag und Nacht wechseln fleißig, Sonne, Mond und Sterne ziehn auf, die Vöglein singen; es ist das alles sehr artig, aber doch leer, und ein kleinlicher Wechsel von Stimmungen und Gefühlen im Sternbald, kleinlich dargestellt. Der Verse sind nun fast zuviel, und fahren so lose in- und auseinander, wie die angeknüpften Geschichten und Begebenheiten, in denen gar viel leise Spuren von mancherlei Nachbildungen sind. Sollt ich zu streng sein, oder vielmehr Unrecht haben? Wilhelm will es mir jetzt vorlesen, ich will sehn, wie wir gemeinschaftlich urteilen.

Den 15. Oktober. Fast habe ich so wenig Kunstsinn wie Tieks liebe Amalie, denn ich bin gestern bei der Lektür eingeschlafen. Doch das will nichts sagen. Aber freilich wir kommen wachend in obigen überein. Es reißt nicht fort, es hält nicht fest, so wohl manches einzelne gefällt, wie die Art des Florestan bei dem Wettgesang dem Wilhelm gefallen hat. Bei den muntern Szenen hält man sich am liebsten auf, aber wer kann sich eben dabei enthalten zu denken, da ist der Wilhelm Meister und zu viel W. M. Sonst guckt der alte Trübsinn hervor. Eine Fantasie, die immer mit den Flügeln schlägt und flattert und keinen rechten Schwung nimmt. Mir tut es recht leid, daß es mir nicht anders erscheinen will. Was Goethe geurteilt hat, teilen Sie ihm doch unverhohlen mit.

Adieu, Friedrich.

An Friedrich von Hardenberg

4. Februar 1799

Ob Sie mich gleich mit Ihren Dithyramben über das mercantilische Genie, das uns fehlt und Sie auch nicht haben, einmal recht böse gemacht, so sind Sie doch besser wie ich gewesen. Sie geben wenigstens Nachricht von sich.

Was Sie von Ihrer Kränklichkeit erwähnen, darüber will ich mich nicht ängstigen, weil immer viel guter Mut dadurch hervorleuchtet, und Sie bei Ihrer Reizbarkeit immer Zeiten haben müssen, wo Sie nichts taugen. Das Wort des Trostes, was Sie nennen, geht mir weit mehr zu Herzen: Liebe. Welche? Wo? Im Himmel oder auf Erden? Und was haben Sie mir mündlich Schönes und Neues zu sagen? Tun Sie es immer nur gleich, wenn es nichts sehr Weitläufiges und etwas Bestimmtes ist. Es gibt keine Liebe, von der Sie da nicht sprechen könnten, wo, wie Sie wissen, lauter Liebe für Sie wohnt. In der Tat – darf ich alle Bedeutung in den Schluß Ihres Briefes legen, den er zu haben scheint? Ich will ruhig schweigen, bis Sie mir's sagen.

Ihre übrige innerliche Geschäftigkeit aber macht mir den Kopf über alle Maßen warm. Sie glauben nicht, wie wenig ich von eurem Wesen begreife, wie wenig ich eigentlich verstehe, was Sie treiben. Ich weiß im Grunde doch von nichts etwas als von der sittlichen Menschheit und der poetischen Kunst. Lesen tu ich alles gern, was Sie von Zeit zu Zeit melden, und ich verzweifle nicht daran, daß der Augenblick kommt, wo sich das einzelne auch für mich wird zusammenreihen, und mich Ihre Äußerungen nicht bloß darum, weil es die Ihrigen sind, erfreuen. Was ihr alle zusammen da schaffet, ist mir auch ein rechter Zauberkessel. Vertrauen Sie mir vors erste nur soviel an, ob es denn eigentlich auf ein gedrucktes Werk bei Ihnen herauskommen wird, oder ob die Natur, die Sie so herrlich und künstlich und einfach auch konstruieren, mit Ihrer eignen herrlichen und kunstvollen Natur für diese Erde soll zugrunde gehn. Sehn Sie, man weiß sich das nicht ausdrücklich

zu erklären aus Ihren Reden, wenn Sie ein Werk unternehmen, ob es soll ein Buch werden, und wenn Sie lieben, ob es
die Harmonie der Welten oder eine Harmonika ist.

Was Schelling betrifft, so hat es nie eine sprödere Hülle gegeben. Aber ungeachtet ich nicht sechs Minuten mit ihm zusammen bin ohne Zank, ist er doch weit und breit das Interes-
santeste was ich kenne, und ich wollte, wir sähen ihn öfter
und vertraulicher. Dann würde sich auch der Zank geben. Er
ist beständig auf der Wache gegen mich und die Ironie in der
Schlegelschen Familie; weil es ihm an aller Fröhlichkeit mangelt, gewinnt er ihr auch so leicht die fröhliche Seite nicht ab.
Sein angestrengtes Arbeiten verhindert ihn oft auszugehn;
dazu wohnt er bei Niethammers und ist von Schwaben besetzt, mit denen er sich wenigstens behaglich fühlt. Kann er
nicht nur so unbedeutend schwatzen oder sich wissenschaftlich mitteilen, so ist er in einer Art von Spannung, die ich
noch nicht das Geheimnis gefunden habe zu lösen. Neulich
haben wir seinen 24. Geburtstag gefeiert. Er hat noch Zeit,
milder zu werden. Dann wird er auch die ungemessne Wut
gegen solche, die er für seine Feinde hält, ablegen. Gegen
alles, was Hufeland heißt, ist er sehr aufgebracht. Einmal erklärte er mir, daß er in Hufelands Gesellschaft nicht bei uns
sein könnte. Da ihn Hufeland selbst bat, ging er aber doch
hin. Ich habe ihm mit Willen diese Inkonsequenz nicht vorge-
rückt. Er hat so unbändig viel Charakter, daß man ihn nicht
an seinen Charakter zu mahnen braucht. Der Norwege Stef-
fens, den ich Ihnen schon angekündigt habe, hat hier in der
Gesellschaft weit mehr Glück gemacht. Das scheint ihn auch
so zu fesseln, daß es die Frage ist, ob er noch nach Freiberg
kommt. Er würde Ihnen angenehm gewesen sein. Er ist es uns
auch, aber ganz kann ich ihn nicht beurteilen, denn ich weiß
nicht, wie weit er da hinausreicht, wo ich nicht hinreiche, und
die Philosophie ist es doch, die ihn erst ergänzen muß.

In Fichten ist mir alles klar, auch alles, was von ihm
kommt. Ich habe Charlotten (Ernst, geb. Schlegel in Pillnitz)

aufgetragen, Ihnen seine Appellation zu schicken; er läßt Sie daneben grüßen. Schreiben Sie mir etwas darüber, das ich ihm wieder bestellen kann. Was sagen Sie zu diesem Handel? – Ein wenig zuviel Akzent hat Fichte auf das Märtyrertum gelegt. Das übrige ist alles hell und hinreißend. Ich bin andächtig gewesen, da ich es las, und überirdisch. In Dresden wird die Schrift noch nicht zu haben sein. Ich beredete Fichte, sie Ihrem Vater zu schicken, und glaube, daß ers getan hat. Nach dem Atheismus ist hier das neueste Evenement die Aufführung des ersten Teils von Wallenstein, die Piccolomini, in Weimar. Wir haben sie gesehn, und es ist alles so vortrefflich und so mangelhaft, wie ich mir vorstellte. Die Wirkung des ganzen leidet sehr durch die Ausdehnung des Stoffes in zwei Schauspiele. Aber das Dramatische interessiert Sie nicht – ich will mir die paar Augenblicke, die uns bleiben, hier nicht rauben. Goethe bringt den Februar hier zu.

Von Friedrich nichts, bis ich die Veit und Lucinde gesehn. Wir gehen in der Woche vor Ostern nach Berlin, wo jene den Sommer über bleiben werden. Lieber Hardenberg, gehn Sie mit uns! Wir können Sie ja in Naumburg treffen. Es wäre gar zu hübsch. Denken Sie mit Ernst daran.

Wir sind fleißig und sehr glücklich. Seit Anfang des Jahrs komme ich wenig von Wilhelms Zimmer. Ich übersetze das zweite Stück Shakespeare, Jamben, Prosa, mitunter Reime sogar (›Wie es euch gefällt‹). Adieu, ich muß dies wegschicken.

Novalis
Brief an den Vater

Novalis, wie er in der Geschichte der Poesie heißt, Friedrich von Hardenberg seinem Geburtsnamen nach, wurde 1772 geboren. Als er den nachstehenden Brief an seinen Vater schrieb, war er 21 Jahre alt. Sein Vater, ein Pietist, seit dem Tode seiner ersten Frau in »wilder Unruhe über den Zustand meiner Seele«, war ein unzugänglicher, strenger Mann. Die Mutter, scheu und unterlegen, war elf Jahre jünger. Novalis hatte zwei Onkel, die sein Leben hätten bestimmen können, wenn er Verlangen nach einer Karriere gehabt hätte: Friedrich Wilhelm von Hardenberg, der im Siebenjährigen Krieg Adjutant Friedrichs des Großen gewesen war und jetzt den Rang eines Großkomturs des Deutschen Ordens hatte. Und der noch einflußreichere preußische Staatsminister Karl August von Hardenberg, der gern seinem Neffen helfen wollte.

Der junge Friedrich hatte eine behütete, kampflose Jugend; er war kränklich und still. Dieser Brief kommt aus Leipzig, wo er studierte, sich hoffnungslos in ein schönes Mädchen verliebt und Schulden gemacht hatte. Das lange Schreiben an den Vater ist aus vielen Gründen von großem biographischem Interesse. Erstens wird sein Verhältnis zum Vater hier vorsichtig, aber ebenso klar umrissen, wie in dem andern großen und sehr verwandten Brief eines Sohnes, nämlich Kafkas. Zweitens, die Idee des jungen Hardenberg, Soldat zu werden, scheint zu allem, was wir von seinem Leben wissen, nicht zu passen. Und es mag auch ein verzweifelter Entschluß gewesen sein, geboren aus einer unhaltbaren Situation, die der junge Mann nicht anders zu lösen wußte. Aber sehr novalisch ist der

*Hang zur Disziplin, als Gegengewicht gegen inneren Über-
schwang. Er ist nicht der einzige Romantiker, der an diese
Selbstzucht als Korrektur dachte. Zuerst fällt einem Nietzsche
ein, der Philologe wurde, um mit dieser strengen Wissenschaft
den Aufruhr zu zähmen, den die Wagnersche Musik in ihm
hervorgerufen hatte; auch er legt Zeugnis ab von diesem Zusammenhang zwischen Ekstase und Wille zur Nüchternheit.*

*Die folgenden Zeilen sind nicht nur ein hervorragendes
Porträt des Vaters, sondern auch ein Porträt seines Sohnes in
den Jahren der Entwicklung.*

Leipzig, den 9. Februar 1793

Voll Zutrauen nahe ich mich Deinem Herzen. So lang ich
denken kann, hast Du mir mehr versprochen, Freund als
Vater zu sein. Jetzt appelliere ich an dies Versprechen, jetzt
ist die Zeit, da Du Dein Interesse vergessen und nur für das
meinige sorgen kannst. Ich hatte nie mehr das Bedürfnis, ein
erfahrnes Herz zu finden, das mich zutraulich aufnähme, als
jetzt. Vorwürfe, bester Vater, und gerechte Tadel sind überflüssig, denn ich habe mir hundertmal alles lebendig vorgestellt, was Du und die strenge Stimme meines eignen
Bewußtseins mir sagen könnten. Du weißt schon, was ich
wünsche, wonach ich ein heißes Verlangen trage. Soldat zu
werden ist jetzt die äußerste Grenze des Horizonts meiner
Wünsche. Die Erfüllung dieser Hoffnung wird die fieber-
hafte Unruhe stillen, die jetzt meine ganze Seele bewegt. Du,
bester Vater, bist die größte und fast einzige Schwierigkeit,
die ich zu überwinden habe. Hab ich den Weg zu Deinem
Herzen gefunden, löscht dieser schnelle jugendliche Entschluß nicht alle Funken einer zärtlichen Liebe zu mir darin
aus, die schon 20 Jahre alt ist und mehr aus dem innern Fonds
Deines Charakters als aus der Natur entstanden ist, so glaub
ich auch, diese überwunden zu haben, so glaub ich, daß

nichts mehr der Ausführung meines Vorhabens entgegensteht. Eh ich meinen Entschluß fest faßte, hab ich innerlich freilich sehr mit der Vorstellung gekämpft, daß ich im höchsten Grade undankbar gegen Euch, beste Eltern, sei, daß ich Euch liebe Hoffnungen zerstöre und Euer Herz an der verwundbarsten Seite angreife; aber als ich nachher bedachte, daß nicht der gegenwärtige Augenblick, sondern gerade die Aussicht des ganzen Lebens mich bestimmen müßte, daß das Glück und die Ruhe von meinem Leben und ein großer Teil des Eurigen an diesem Entschluß hänge, indem ich von ihm mir den vorteilhaftesten Einfluß auf die Bildung und Konsistenz meines Charakters verspreche, daß denn doch bald Zeiten kommen würden, wo Euch das alles klar und kräftig einleuchten würde, und Ihr mit der Wendung meines Schicksals gewiß zufrieden sein; als ich dies alles bedachte, so war auch mein Entschluß da, mit der freudigen Hoffnung, daß Ihr mir zutrauensvoll die Hand bieten würdet und mein ohnedem schon verwirrtes Herz durch die Härte und Kälte, durch einen Mangel an freiem Zutrauen und herzlicher Teilnahme, der Euch sonst so fremd war, nicht noch mehr niederdrükken. Diesem innerlichen Kampfe mußt Du es auch zuschreiben, daß Du nicht der erste warst, dem ich mein volles, bedrängtes Herz ausschüttete; ich konnte mich nicht erst überwinden, eine Schüchternheit und Zurückhaltung gegen Dich fahren zu lassen, die Dein strenger Sinn vielleicht seit langer Zeit schon als einen festen Eindruck zurückgelassen hat. So freundschaftlich und warm Du zuweilen bist, so eine hinreißende Güte Du so oft äußerst, so hast Du doch auch sehr viel Augenblicke, wo man sich Dir nur mit schüchterner Furchtsamkeit nähern kann und wo Dein feuriger Charakter Dich zu einer Teilnahme treibt, die zwar Ehrfurcht, aber nicht freies, unbefangenes Zutrauen gebietet. Nicht gerade Deine Hitze mein ich, sondern auch jene tiefe erschütternde Empfindung, die Dich ergreift, wenn Du auch in einer anscheinenden Ruhe und Kälte bist. Und dies fürchte ich am meisten. Nichts ist mir unerträglicher und peinlicher, als Dich kalt und verschlossen zu sehn; ach! ich habe auch zu oft Dich so im höchsten Grade wohltätig, offen, zutraulich, herzlich und die Güte selbst gekannt, wo jedes Deiner Worte Liebe einflößte und die sanfteste Überzeugung sich in jedem Herzen erwärmte! Wenn ich wüßte, daß Du immer so gegen mich wärst, so wäre kein glücklicherer Mensch als ich, so sollte auch kein Wort sich für Dich in meinem Herzen verstecken. Doch ich breche hier ab, um mich zu meinem Entschluß zu wenden und über ihn Dir alles zu sagen, was ich zu sagen habe.

Vor allen Dingen muß ich Dir ein Mißtrauen benehmen, als ob ich schon lange mit diesem Vorsatze umgegangen sei. Ich kann Dir aufs Heiligste versichern, daß er erst seit Weihnachten mich ergriffen hat. Vorher habe ich nie daran gedacht, sondern mich mehr davor als einer Maßregel gefürchtet, die Ihr ergreifen würdet, wenn mein Fleiß nicht Euren Erwartungen entsprechen würde. Die Entstehungsgründe sind kurz diese: Bis Weihnachten war ich fleißig gewesen, das kann ich freiherzig gestehen. Als ich nach Weihnachten zurückkam, so war ich ein paar Tage krank, mißmutig und unzufrieden mit mir selber. Ich war 20 Jahre alt und hatte noch nichts in der Welt getan. Mein bisheriger Fleiß erschien mir selbst in einem sehr verächtlichen Lichte, und ich fing an, mich nach Ressourcen umzusehen. Da schoß mir zuerst, wie ein fliegender Gedanke, der Wunsch durch den Kopf, Soldat zu werden. Es blieb aber jetzt nur alles noch im tiefsten Hintergrunde stehn. Dann hatte mein Bruder wieder einen Anfall von Hypochondrie. Ich redete ihm zu. Er sprach vom Soldaten. Ich redete ihm diese Sache so ziemlich aus, aber mir noch tiefer ein. Dieser Wunsch trat immer heller und lebendiger hervor und fing an, mich zu beunruhigen. Jetzt wars, daß ich, verzeihe ja voll Nachsicht meiner Juvenilität, mich in ein Mädchen verliebte. Die erste Zeit ging noch alles recht gut; aber diese Leidenschaft wuchs so schnell empor, daß sie in kurzer Zeit sich meiner ganz bemächtigt hatte.

Mich verließ die Kraft, zu widerstehn. Ich gab mich ganz hin. Überdem wars die erste Leidenschaft meines Lebens. Vielleicht ist Dir das nicht so fremd und analoger, als ich glaube, da Du doch ein äußerst empfindliches und heftiges Temperament hast; aber Du bist schon von früh an vertrauter und inniger mit der Idee von Pflicht gewesen, und meine Phantasie ist vielleicht ungebändigter, als die Deinige war. Genug, ich geriet in einen Zustand, in dem ich noch nie war. Eine Unruhe geißelte mich überall, deren Peinlichkeit und Heftigkeit ich Dir nicht anschaulich zu machen vermag. Hin und wieder gab es doch eine kühlere Minute, wo mir das Gefühl von Pflicht, von meiner Bestimmung, die Erinnerung an Euch einfiel und meine innere Pein um die Hälfte vermehrte, weil ich zu gut sah, daß ich nicht so sein sollte, und doch Mangel an Kraft fühlte, mich herauszureißen, weil ich zu unzertrennlich mit der Empfindung der Liebe verbunden war, weil ich gern beide verknüpft hätte und doch keine Möglichkeit vor mir sah. Vierzehn Tage habe ich fast nicht ordentlich geschlafen, und selbst diesen kurzen Schlaf machten mir die lebhaftesten Träume peinlich. Da kam der Entschluß zur Reife. In dieser Epoche sah ich Dich. Deine kurze Gegenwart machte meine innre Situation verwirrter. Damals schrieb ich zuerst alles an meinen Onkel. Nachgerade legte sich dieses Seelenfieber, aber mein Entschluß blieb. Meine Leidenschaft ist ganz erloschen, und Du kannst jetzt vor allen Rezidiven derselben Leidenschaft sicher sein. Sie hob sich selber auf, als sie auf einen Grad gestiegen war, von dem Du Dir keine Vorstellung machen kannst. Einige Wunden hat sie noch zurückgelassen, die nur die Zeit vernarben kann. Aber es bleibt mir ewig eine der merkwürdigsten Zeiten meines Lebens. Daß ich in dieser ganzen Zeit nichts tat, kannst Du Dir leicht vorstellen, und Du wirst darüber nicht unwilliger werden als über die ganze Geschichte. Ich könnte hierüber noch eine ganze Menge Bemerkungen machen; aber Dein Herz, Dein Selbstgefühl, Deine Güte, Erfahrung und Menschenkenntnis macht sie mir überflüssig. Mein Entschluß selbst soll mich nun ganz allein beschäftigen. Die Entstehung desselben hast Du nun gesehen, und aus ihr ergeben sich leicht die meisten Motive. So aufmerksam ich auch seit langer Zeit schon auf mich bin, so gut ich vorher glaubte, mich ganz zu kennen, so hat mir doch diese Begebenheit erst die Augen geöffnet. Von meiner Leidenschaftlichkeit wußte ich wenig. Ich glaubte nie, daß mich etwas so allgewaltig in so kurzer Zeit unmerklich ergreifen, mich so in meiner innersten Seele gefangennehmen könne. Ich habe nun die Erfahrung gemacht. Bin ich sicher, daß heut oder morgen mich nicht wieder so ein Unfall trifft? Als Soldat bin ich gezwungen, durch strenge Disziplin meine Pflichten gewissenhaft zu tun, und überdem sind es größtenteils mechanische Pflichten, die meinem Kopf und Herzen alle mögliche Freiheit verstatten; hingegen als Zivilist, Gott im Himmel, wie würde das mit meinen Geschäften aussehn, wenn solche Pausen von gänzlicher Kopfabwesenheit kämen! Ich würde Euch, mich selbst und meine Pflichten täuschen, obendrein unglücklich sein und keinen Trost haben. Meine leidenschaftliche Unruhe und Heftigkeit würde sich auf alles erstrecken, und leider würden die trocknen Geistesarbeiten davon den wenigsten Nutzen haben. Ich muß doch erzogen werden, vielleicht muß ich mich bis an mein Ende erziehn. Im Zivilstande werde ich verweichlicht. Mein Charakter leidet zu wenig heftige Stöße, und nur diese können ihn bilden und fest machen. Schon diese heftige Leidenschaft hat auf meinen Charakter und meine Einsicht einen, wie ich mir schmeichle, vorteilhaften Einfluß gehabt. So ein Charakter, wie der meinige, bildet sich nur im Strom der Welt. Einem engen Kreis kann ich nicht meine Bildung danken. Vaterland und Welt muß auf mich wirken. Ruhm und Tadel muß ich ertragen lernen. Mich und andere werd ich gezwungen recht zu kennen, denn nur durch andre und mit andren komme ich fort. Die Einsamkeit darf mich nicht mehr schmeichelnd einwiegen. Es will der Feind, es darf der Freund dann nicht schonen. Dann

fang ich erst an, meine Kräfte zu üben und männlich zu werden. Männlichkeit ist das Ziel meines Bestrebens. Nur sie
macht edel und vortrefflich, und wo könnt ich sie eher für
mich finden als in einem Stande, wo strenge Ordnung, pedan-
tische Unbedeutendheit und ein Geist zu einem großen Ziel
führt, wo das Leben immer nur als Medium erscheint und das
Prinzip der Ehre das Selbstgefühl schärft, die Empfindungen
veredelt, den Wetteifer erhöht und den Eigennutz aufhebt,
wo man fast immer mit seiner letzten Minute umgeht? Wenn
man da nicht geweckt wird zum Ernst, zur Männlichkeit, zu
klugem Gebrauch seiner Kraft und seiner Zeit, wenn da nicht
der Charakter Konsistenz und Bildung und Größe erhält, so
müßte man auf der untersten Stufe der menschlichen Würde,
der moralischen Natur stehn. Ich hoffe, daß Du jetzt schon
einsehn wirst, daß nicht eine kindische Vorstellung vom Soldaten mein Hauptbewegungsgrund gewesen. Ich weiß zu
gut, was ich aufopfre und was ich erhalte, wozu ich mich ent-
schließe und was ich verlasse. Ich weiß, daß der Soldatenstand kein Rosengarten ist, aber was gerade andere dran
scheuen, das zieht mich an und läßt mich den heilsamsten
Einfluß für meine Bildung davon hoffen. Vorher will ich
noch einiges über Bestimmung überhaupt erinnern, wovon
ich fest überzeugt bin, daß es mit Deiner Denkungsart nicht
kontrastiert. Du weißt zu gut, wie lange man sich über seine
eigne Bestimmung täuschen kann, und wirst mir daher keinen
wesentlichen Vorwurf machen, daß ich nicht eher auf diesen
Entschluß verfiel. Man ist so lange unbestimmt und gleichgültig in der Wahl seines Gegenstandes, bis man durch sich
selbst, durch sein individuelles Bedürfnis seine Richtung erhält. Manche, und die meisten eigentlich, haben überhaupt so
wenig Sinn für eigentliches Bedürfnis, daß sie sich gutwillig
vom ersten besten äußern Gegenstande bestimmen lassen,
ohne sich selbst zu fragen, ob diese Leitung ihnen auch angemessen ist, oder vielmehr, ob sie zu dieser Bestimmung passen. Die Edlen unter ihnen werden durch diese verfehlte

Wahl unglücklich, die minder Edlen lassen sichs freilich nicht zu Herzen gehn, sehn es hundertmal nicht ein und verderben den Platz, auf dem sie stehn, und verkürzen die Linie, die ihnen ihre falsch gewählte Bestimmung vorschreibt. Erlaube mir doch daher, daß ich jetzt dem Rufe folgen kann, den ich aus meinem Herzen und aus den Gegenständen um mich her höre! Höre ich zur Unzeit, nun so kann ich mir doch selbst Vorwürfe machen und habe nicht nötig, unwillig auf einen andern zu sein. Du denkst zu hell ferner, als daß Du nicht überzeugt sein solltest, daß der Zivilstand nicht um ein Haar eigentlich vorzüglicher sei als der Soldatenstand, sondern daß der Mann den Stand mache; ich gehe also schnell über diesen Vorwurf weg. Das tätige Leben, in das ich nun trete, wird meinem brausenden Kopfe und meinem unruhigen Herzen höchst willkommen sein. Meine Grundsätze und Ideen werden geprüfter, schärfer gedacht, tiefer empfunden werden. Die wilde, leidenschaftliche Hitze wird sich legen und nur eine sanfte, gemäßigte Wärme zurückbleiben. Der üppige Gedankenstrom wird sich verlieren, aber er wird desto reichhaltiger werden. Die Erfahrung wird ihre Hand an meine Bildung legen, und in ihrem hellen Lichte wird manche romantische Jugendidee verschwinden und nur der stillen, zarten Wahrheit, dem einleuchtenden Sinne des sittlichen Guten, Schönen und Bleibenden den Platz überlassen. Mein Sinn wird Charakter, meine Erkenntnisse werden Grundsätze, meine Phantasie wird Empfindung, meine Leidenschaftlichkeit wohltätige Wärme, meine Ahndungen werden Wahrheit, meine Einfalt Einfachheit, meine Anlage wird Verstand, meine Ideen werden Vernunft. Sieh, bester Vater, das ist der Zweck, den ich habe; mißbilligen kannst Du ihn unmöglich, und das gewählte Mittel scheint mir das zweckmäßigste zu sein. Ich glaube, mit allem diesem schon alle jene Einwürfe entkräftet zu haben, die Du mir etwa in Rücksicht des Verhältnisses meines Charakters zum Soldatenstand machen könntest. Mir wird die Subordination, die Ordnung, die Einförmigkeit, die Geistlosigkeit des Militärs sehr dienlich sein. Hier wird meine Phantasie das Kindische, Jugendliche verlieren, das ihr anhängt, und gezwungen sein, sich nach den festen Regeln eines Systems zu richten. Der romantische Schwung wird in dem alltäglichen, sehr unromantischen Gange meines Lebens viel von seinem schädlichen Einfluß auf meine Handlungen verlieren, und nichts wird mir übrigbleiben, als ein dauerhafter, schlichter Bonsens, der für unsre modernen Zeiten den angemessensten, natürlichsten Gesichtspunkt darbietet. Was die Strapazen betrifft, so weiß ich, daß ich sie ausdauern werde, wenn ich sie ausdauern soll, und so fürcht ich mich nicht davor. Was die Todesfurcht anbetrifft, so müßte in mir kein Tropfen von Deinem Blute fließen, wenn sie mich zurückhalten sollte. Bei mir kommt auch noch aus gewissen individuellen Hinsichten, die Du auf keinen Fall mit mir teilen kannst, eine Gleichgültigkeit gegen das Leben hinzu, die Dir paradox vorkommen wird, weil Du mich nicht ganz kennst. Ich bin fest überzeugt, daß man in der Welt mehr verlieren kann als das Leben, und daß das Leben nur von uns seinen Reiz erhält, daß es immer nur Mittel und fast nie Zweck sein darf, und daß man oft wenig verliert, wenn man aus diesem Sterne abtritt. Meine Handlungen, hoff' ich, sollen Dir zeigen, daß hierin mehr als Tirade ist. Was das Zerschießen und das Zerhauen angeht, so bleibt mir auch in diesem Falle noch immer die Zuflucht zu den Wissenschaften, die das Glück meines Lebens ausmachten bisher und gewiß jetzt nicht aufhören werden. Von ihnen und von dem sorgfältigen Studium seines Handwerks verspreche ich mir die Ausfüllung der vielen Stunden, die mir mein Dienst übrigläßt, und dies wird allein schon genug sein, die Langeweile und den Müßiggang zu verbannen, der die Geißel der meisten Offiziere ist. Mein Geist und seine Bildung ist ohnedem mein heiligster Zweck; äußere Veränderungen und körperliche Unfälle werden also diesem nie entgegenstehn, wenn sie nicht mittelbar seine Entwicklung und die Freiheit seiner

Bewegungen hemmen. Ich habe sonst noch vielerlei über-
dacht, ob jemand reellen Schaden von meinem Entschlusse
haben könnte, aber ich habe nichts gefunden. Euch wirds im
Anfang schmerzen, meinen angefangenen Lauf unterbrochen
zu sehn, mich, den Ihr so zärtlich liebt, dem ungewissen
Kriegsglück anvertraut zu wissen, zwei Jahre Hoffnungen
und Depensen umsonst gehabt zu haben; aber hängt nicht die
ganze Lebenszeit des Menschen an unsichtbaren Fäden zusammen? Kann Euch beim festen Glauben an die Vorsehung
das zweite wahre Unruhe machen? Und vergeßt Ihr nicht
gern das letzte, wenn Ihr mich nun endlich auf einer festen
Bahn seht und mein Glück und meinen Charakter geborgen
und Eure Hoffnung gegründet, und jeder gelungene Schritt
Euch der beste Dank wird? Ach! dann werden Zeiten kommen, wo wir uns mit gerührtem Herzen umarmen werden,
und froh sein über das Vergangene und heiter entgegensehn
den kommenden Stunden; wo Du einsehn wirst, daß meine
innere Stimme recht hatte, und daß mich ein schützender Engel so führte. Erleichtere mir also, bester Vater, meinen jetzigen Entschluß und mache mir das Herz nicht mit Deinem inn-
ren verhaltenen Kummer schwer, das ohnedem Hoffnung und
Kraft und Mut bedarf, denn die bisherige untätige Ruhe hat es
verzärtelt. Es wird dich nicht gereuen, mir entweder meinen
letzten oder meinen ersten männlichen Weg verkürzt zu haben und erleichtert. Komm ich nicht wieder, so hab ich doch
meinem Schicksal gefolgt, das mir kein längeres Leben gönn-
te, und auch dann wirst Du der Vorsicht Plan still verehren.
Seh ich Euch wieder, so hoff ich, Du sollst mir noch einmal
Dein ganzes Vertrauen wieder schenken, und wir wollen gewiß noch manchen fröhlichen Tag dann verleben. Ich habe
jetzt die erste Aussicht, noch mir selber das Notdürftigste
verdienen zu können und meinen Geschwistern so am wenigsten im Wege zu stehn, und vielleicht am ersten Eure Unterstützung, soweit sie Euch zur Last fällt, entbehren zu können, wenn mir nur das Glück ein wenig mit dem Avancement

wohl will. Mein Onkel ist von allem diesen schon unterrichtet; seine Antwort darauf hat mich entzückt wegen der
Wärme und Teilnahme, mit der er zu mir sprach. Er glaubte,
es sei eine Grille und nicht fester Entschluß. Die Gründe,
warum er es mir widerriet, waren die, die ich auch von Dir
vermutete und auf die ich ihm ebenso detailliert antwortete,
als ich Dir jetzt schrieb. Ich erwarte seine zweite Antwort
stündlich. Sieh, bester Vater, das ist nun alles. Ich hoffe, Du
lässest mir die wenige Gerechtigkeit widerfahren, die mir zukommt, und erkennst in mir zwar den leidenschaftlichen,
unbesonnenen jungen Menschen, aber auch das freie offene
Herz, das es nicht gern mit andern, aber auch nicht gern mit
sich selbst verdürbe, und so gern besser, weiser und glücklicher sein und machen möchte. Ich habe das uneingeschränk-
teste Zutrauen in die Güte Deines Herzens und in Deine Zärtlichkeit für mich. Laß mich in Dir ganz den Vater und Freund
finden und verbanne jeden aufsteigenden Unwillen gegen
mich sogleich aus Deiner Brust. Lege auch ein gutes Wort für
mich bei meiner Mutter und bei meinem Onkel ein und verzeihe allen meinen Torheiten und den Lizenzen meiner Jugend. Ich schließe voll der freudigsten Hoffnung und bitte
Dich nur schließlich, mit mir, je eher je lieber, Abrede zu
nehmen wegen meines Placierens, wozu ich auch schon einige
Pläne im Kopf habe. Ich habe meinem Onkel etwas davon geschrieben. Mündlich mehr. Nur je eher, je lieber von Leipzig
weg und zu meiner Bestimmung.

Friedrich von Hardenberg

Friedrich Hölderlin
Briefwechsel mit Diotima

*H*ölderlin *wurde im Dezember 1795 Hauslehrer im Hause Gontard in Frankfurt, um den ältesten Sohn Henry zu erziehen. Es entwickelte sich zwischen ihm und der Frau des Hauses, Susette Gontard, eine tiefe Zuneigung, die zu einer der großen Liebesgeschichten der deutschen Literatur geworden ist. Hölderlin verließ diese Stelle zwischen dem 1. und 27. September 1798, nach einer sehr schroffen Auseinandersetzung mit Gontard, und ging nach Homburg vor der Höhe, wo sein Freund Sinclair wohnte.*

Mehr als ein Jahrhundert wurden die Briefe gesucht, die zwischen Hölderlin und der Frau, die er Diotima nannte, nach der Trennung im Herbst 1798 gewechselt worden waren, bis sie Frida Arnold im Jahre 1921 im Insel-Verlag veröffentlichte. In einem Nachwort schrieb sie: »Im Nachlaß meines vor kurzem verstorbenen Bruders fand sich eine alte graue Mappe, die auf einem Schildchen in vergilbten Buchstaben die Schriftzüge meines Vaters trug und in der seit Jahren Papiere verwahrt lagen, die zu der Hinterlassenschaft seines Schwiegervaters, des Hofdomänenrats Carl von Gock gehört hatten und dessen Halbbruder Hölderlin betrafen.«

Fridas Vater hatte die Briefe nicht veröffentlichen wollen. Als er starb, gingen die Briefe in den Besitz ihres Bruders über. Auch er konnte sich zur Veröffentlichung nicht entscheiden. Sie aber sah keinen Grund, diesen Briefwechsel, der zur Biographie eines der größten deutschen Poeten gehört, weiter zurückzuhalten.

Von Hölderlin gibt es nur Briefentwürfe. Karl Viëtor, der

Herausgeber, vermutete, daß die Briefe von Susettes Mann oder seiner Familie nach ihrem frühen Tod vernichtet worden sind. Viëtor machte dann »die zuverlässige Feststellung: daß kein einziger der Briefe, die zwischen Susette und Hölderlin während seines Homburger Aufenthalts gewechselt wurden, fehlt. Die ungeheuren Schwierigkeiten, unter denen die Zusammenkünfte der Liebenden zustande kamen, machten es bald notwendig, die Verabredungen auf bestimmte Tage festzulegen. Von Dezember 1798 ab kam Hölderlin an jedem ersten Donnerstag im Monat nach Frankfurt (bei schlechtem Wetter vereinzelt an dem darauffolgenden), um Briefe zu bringen und zu holen. Susette schrieb also die ihren gewöhnlich während der letzten 8 bis 14 Tage vor diesem Termin, daraus erklärt sich die Länge und die Teilung der Briefe. Hält man sich an diese Aufstellung: jeden Monat ein Brief, meist vor dem ersten Donnerstag geschrieben, so ergibt sich, daß nur im Juli–August 1799 und im April 1800, wo Susette durch Besuch und Reisen verhindert war, der gewohnte Brief ausgefallen ist. Man hat indes den Verlust von etwa drei Bogen zu beklagen, die wohl aus irgendwelchen Gründen von Hölderlin selbst oder den ersten Ordnern seines Nachlasses vernichtet worden sind.«

Hölderlin ist aus seinem Werk und vielen sehr charakteristischen Briefen bekannt. Die Art seiner Diotima spricht sich in diesen Briefen aus. Sie wirkt wie eines seiner melancholischsten Gedichte.

Wir bringen im Folgenden erst einige Auszüge aus ihren Briefen, dann aus den Entwürfen Hölderlins.

(Etwa 28. September–5. Oktober 1798)

Ich muß Dir schreiben, Lieber! Mein Herz hält das Schweigen gegen Dich länger nicht aus. Nur noch einmal laß

meine Empfindung sprechen vor Dir, dann will ich, wenn Du
es besser findest, gerne, gerne, still sein. Wie ist nun, seit Du
fort bist, um und in mir alles so öde und leer, es ist, als hätte
mein Leben alle Bedeutung verloren, nur im Schmerz fühl ich
es noch. –

Wie lieb' ich nun diesen Schmerz, wenn er mich verlassen,
und es wieder dumpf in mir wird, wie such ich ihn mit Sehnsucht wieder. Nur meine Tränen über unser Schicksal können
mich noch freun. – Sie fließen auch reichlich, wenn ich
abends, schon um neun Uhr, den Tag zu verkürzen, mit den
Kindern zur Ruhe mich lege, wenn alles still ist, und niemand
mich sehen kann. Wie! dachte ich dann oft, soll künftig diese
geliebte reine Liebe wie Rauch verfliegen und sich auflösen,
nirgends eine bleibende Spur zurücklassen? – Da kam der
Wunsch in mich, noch durch geschriebene Worte für Dich,
ihr ein Monument zu errichten, das unauslöslich die Zeit
doch unverändert schonet. Wie mögte ich mit glühenden
Farben bis auf ihre kleinsten Schattierungen sie malen und sie
ergründen, die edle Liebe des Herzens, könnte ich nur Einsamkeit und Ruhe finden! So, beständig gestört, zerrissen,
kann ich nur stückweise sie fühlen, suche sie beständig, und
doch ist sie ganz in mir! –

Im offenen freien Feld ist es mir noch am besten, und ich
sehne mich beständig hinaus, wo ich den lieben Feldberg
sehe, der Dich Böser wie eine Wand sanft aufhält, daß Du mir
nicht weiter entfliehest! – Komm ich aber wieder nach Hause,
ist es nicht mehr wie sonst; sonst wurde es mir so wohl, wieder in Deine Nähe zu kommen, jetzt ist's, als ginge ich in
einen großen Kasten, mich da einsperren zu lassen, kamen
sonst meine Kinder von Dir zu mir herunter, wie stärkte es
mein oft traurend Wesen, wenn eine sanfte Röte, ein tieferer
Ernst, eine Träne im Aug mir noch den Einfluß von Dir verriet, jetzt haben sie nicht mehr diese Bedeutung für mich, und
ich muß oft meine Gefühle für sie zurechtweisen. –

So weit hatte ich schon in den ersten acht Tagen Deiner

Entfernung geschrieben, und mein Herz kämpfte mit meiner Vernunft, ob ich wirklich diese Zeilen Dir schicken sollte, oder nicht. Mein Herz sagte, in dem Fall, daß alle anderen Beziehungen mit Dir mir abgeschnitten würden, Gelegenheit zu suchen, Dir wenigstens Rechenschaft davon zu geben. Denn den Gedanken, so nah wie wir noch zu leben und nach solcher Innigkeit gar nichts voneinander zu hören und wissen zu wollen, konnte ich nicht fassen; es wäre mir unmöglich, diese Enthaltsamkeit mit Zartheit des Gemüts zu reimen, und ich glaube fast, Du mußtest das von mir erwarten, und hättest, wenn ich schwiege, Ursache, mich des Gegenteils zu beschuldigen. Du konntest nicht zuerst schreiben, das fühlte ich wohl, weil ich immer dagegen war. Diese Gedanken bestimmten mich (verdenke es mir nicht) daß ich Dir schrieb, und daß ich Dir klage. Wären diese Klagen nicht zugleich Beweise meiner Gefühle, gewiß, Du würdest sie nicht hören.

Jetzt bekam Henry Deinen Brief, welcher mich sehr aufrichtete. Ich hatte immer nur Deine neue Freiheit und Unabhängigkeit vor Augen, Dein häuslich Leben, Deine stillen Zimmer und Deine grünen Bäume am Fenster. Deinen Brief, diesen lieben Trost, behielt ich aber kaum eine Viertelstunde, indem Henry ihn mir sehr gewissenhaft zurückforderte, um ihn zu zeigen, und so bekam ich ihn nicht wieder. Ich weiß nicht, was Henry bei dieser Gelegenheit alles verboten wurde, ich fand ihn aber nachher sehr verändert, und er scheute sich, Deinen Namen zu nennen. Du kamst nach Frankfurt, und ich sah Dich nicht einmal von weitem, das war mir sehr hart! Ich hatte immer auf den Sonnabend gerechnet, doch mußte ich eine Ahndung von Dir haben, denn ich öffnete, am Abend wie Du vorbeigingst, ungefähr um halb neun Uhr das Fenster und dachte, wenn ich Dich doch im Schein der großen Laterne erblickte. Einige Zeit nachher, als ich Henry zum H(egel) schicken wollte, antwortete er, es sei ihm nicht mehr erlaubt. Ich sagte ihm sehr ernsthaft, daß er ein undankbares Herz hätte, wenn er gegen dieses Verbot gar keine Einwendungen gemacht, und wenn es ihm nicht sehr leid wäre. Es half aber nichts, er sagte, er müsse doch gehorsam sein.

Jetzt, wo denn alle Wege der Mitteilung uns abgeschnitten sind, und ich dadurch sehr empört bin, hoffe ich auf den Mann, den Du aus dem Gasthofe uns schicktest.

Du kannst mir, wenn Du es gut findest, und Sinclair einmal hierher koemmt, ihn bitten (wenn es angeht, und Du Dich nicht gegen ihn in ein falsches Licht setztest) mich zu besuchen und mir durch ihn den Hyperion schicken, wenn Du ihn schon bekommen. Es ist mir nicht möglich, ihn für ein paar Geldstücke zu kaufen. Ich werde dann wieder Nachricht von Dir bekommen, wie sehr wird es mich freuen! wenn es Dir gut gehet! –

Man begegnet mir, wie ich vorher sah, sehr höflich, bietet mir alle Tage neue Geschenke, Gefälligkeiten und Lustpartien an, allein, von dem, der das Herz meines Herzens nicht schonte, muß die kleinste Gefälligkeit anzunehmen mir wie Gift sein, solange die Empfindlichkeit dieses Herzens dauret. Denn wer könnte wohl auf den Sturz seines Freundes sich sogenannte gute Tage machen wollen, noch Selbstgefühl und Zartheit behaupten? Aus diesem Gefühl lebe ich also gerne einfacher wie sonst, schränke aus Neigung meine Bedürfnisse ein. Dieser Stolz und dies Gefühl sind mir lieber als alle Güter der Erde. Gott! meine Liebe! bewahr mich darin. Ich bin fast immer allein mit den Kindern. Suche ihnen so nützlich zu werden, wie ich kann.

Schon oft habe ich es bereut, daß ich Dir beim Abschied den Rat gab, auf der Stelle Dich zu entfernen. Noch habe ich nicht begriffen, aus welchem Gefühl ich Dich so dringend bitten mußte. Ich glaube aber, es war die Furcht vor der ganzen Empfindung unserer Liebe, die zu laut in mir wurde bei diesem gewaltigen Riß, und die Gewalt, welche ich fühlte, machte mich gleich zu nachgiebig. Wie manches, dachte ich nachher, hätten wir noch für die Zukunft ausmachen können, hätte nur unser Auseinandergehen nicht diese feindselige Farbe angenommen, niemand hätte Dir den Zutritt in unser Haus wehren können. Aber jetzt, o! sage mir Du Guter, wie gehet es wohl an, daß wir uns wiedersehen? sei es auch noch so entfernt? – Dem ganz entsagen kann ich nicht! Es bleibt immer meine liebste Hoffnung! – Sinne darauf. Oft werde ich Dir nicht schreiben können, dieser Gelegenheit traue ich höchstens nur einmal. Du wirst durch S(inclair) ein paar Zeilen zurückbekommen. Auch glaube ich, daß es künftig mit der Komödie nicht mehr so oft angehet, man würde es bald merken, weil man nicht gewohnt ist, daß ich bei schlechten Stücken hingehe, und wir wollen doch keine Zuschauer. Auch würde es mir zu leid tun, Dich bei schlechtem Wetter unterwegends zu wissen. Wir wollen also, wenn Du es gut findest, diese Einrichtung machen: Du koemmst alle Monat den ersten Donnerstag, und wenn es schlecht Wetter ist, den ersten darauf folgenden schönen Komödien Tag, und ich richte mich danach.

Da habe ich Dir viele Worte mache(n) müssen, und hätte Dir doch gerne so viel gesagt. Das Rechte kann ich aber nicht ausdrücken, es bleibt tief in meinem Herzen begraben. Nur Tränen der Wehmut können das sagen und wieder stillen. Du siehest wohl, ich kann die Worte nicht finden! – Ich bin so verändert, dieser gewaltige Schlag des Schicksals hat mich ganz in mich selbst gekehrt, ein tiefer heiliger Ernst herrscht durch mein ganzes Wesen. Nur oft ist's mir so dumpf, und ich habe keine Besinnung; will ich dann lesen, stehen meine Gedanken still, und wollen nicht weiter, ich kann nur das Nötigste tun, und bin zum verwundern geduldig. Meine Gesundheit ist übrigens gut, nur fehlet es mir an Mut und Tätigkeit, ich bin ein wenig gelähmt, und mögte nur immer so hin sitzen. Träumen mögte ich auch! aber meine Phantasie will mir oft nicht dienen. O! es wird gewiß besser, wenn ich nur erst weiß, daß die Nachrichten von Dir mir nicht fehlen können und ich immer einen Gesichtspunkt, einen Tag der Hoffnung vor mir habe. Denn die Hoffnung hält uns allein im Leben. – Das bleibt gewiß, das ich nie ändere.

Soweit schrieb ich am Mittwoch

Freitag Morgend ½ 10 Uhr.

Seit ich Dich gestern sah, ist nichts als der Wunsch in mir lebendig, Dich zu sprechen. Willst Du es wagen, bindet Dich kein Versprechen, so komm heut nachmittag ein Viertel nach 3 Uhr, gehe unverstohlen die Treppe herauf wie sonst, die Türe zu meinem Zimmer an der Treppe wird Dir schon geöffnet sein, die Kinder lernen zu der Zeit im hintern blauen Zimmer und können Dich nicht sehen, wenn Du an der Mauer her gehest. Wilhelmine bleibt bei der M. im Wohnzimmer, und wir können hoffen, uns eine Stunde ruhig zu sprechen. Findest Du es aber unbesonnen oder hast sonst Gründe, verspreche ich sie zu ehren und mich gewiß in nichts zu ändern. Es bleibt dann bei der alten Einrichtung, Du kannst es immer noch so machen. Mich wirst Du immer finden. Sollte Dich sonst auch jemand sehen, tut das gar nichts. Es kann nicht auffallend sein, wenn Personen, welche 3 Jahre unter einem Dache lebten, eine halbe Stunde zusammen zubringen. Das Gegenteil vielmehr.

Den 4ten April (1799).

Ich will Dir nur sagen, wie ich meine, daß wir es diesen Sommer machen können, um selbst unsere Briefträger zu sein. Denn sie jemand anzuvertrauen, ist wirklich ein gewagter Entschluß, und wir haben auch beide eine Art von Widerwillen dagegen. Du koemmst also den ersten Donnerstag im Monat, wenn es schön Wetter ist, gehet es nicht, koemmst Du den nächsten und so immer nur an einem Donnerstag, damit das Wetter uns nicht irrt. Du kannst dann auch morgends von H(omburg) weg gehen, und wenn es in der Stadt 10 Uhr schlägt, erscheinst Du an der niedrigen Hecke, nahe bei den Pappeln, ich werde dann oben an meinem Fenster mich einfinden, und wir können uns sehen. Zum Zeichen halte Deinen Stock auf die Schulter, ich werde ein weißes Tuch nehmen. Schließe ich dann in einigen Minuten das Fenster, ist es ein Zeichen, daß ich herunter komme, tue ich es aber nicht, darf ich es nicht wagen. Du gehest, wenn ich komme, an den Anfang einer Einfahrt nicht weit von der kleinen Laube, denn hinter dem Garten kann man wegen dem Graben sich nicht erreichen und eher bemerkt werden, so deckt mich die Laube, und Du kannst wohl sehen, ob von beiden Seiten niemand koemmt, um daß wir so viel Zeit gewinnen, unsere Briefe durch die Hecke zu tauschen. Den anderen Tag, wenn Du wieder zurück gehest, kannst Du es um dieselbe Zeit noch einmal wagen, wenn es den ersten nicht gelingen sollte oder wir auf die Briefe noch zu antworten hätten. Wie es mir unangenehm ist, so intrigenartige Planen zu machen, brauche ich Dir wohl nicht zu sagen. Deine zarte Seele stößt sich gewiß daran, und Du leidest mit mir. Aber verdenken kannst Du mir nicht, weil ich es nur aus der edlen Absicht tue, das schönste und beste unter den Menschen nicht zugrunde gehen zu lassen. Wenn das Wetter gut ist, werden wir wohl den zweiten Mai schon draußen sein, oder doch den 9ten gewiß (den 15ten kommt mein Bruder), solltest Du mich am Fenster nicht finden, wäre es ein Zeichen, daß unvorhergesehene Fälle uns noch in der Stadt hielten, und Du kämest dann den Freitag 10 Uhr an die bekannte Ecke.

Heute ist der Tag, wo Du koemmst. Es freut mich so, daß der Himmel klar ist, ich werde wohl einen unruhigen Abend haben, weil ich weiß, daß Du hier sein wirst, und ich mich doch nicht entschließen kann, in die Komödie zu gehen, weil Du glaubst, daß es uns aussetzt, und auch Recht daran hast.

(Der Schluß fehlt.)

(März 1799)

Hier unsern Hyperion, Liebe! Ein wenig Freude wird diese Frucht unserer seelenvollen Tage Dir doch geben. Verzeih mirs, daß Diotima stirbt. Du erinnerst Dich, wir haben uns ehmals nicht ganz darüber vereinigen können. Ich glaubte, es wäre, der ganzen Anlage nach, notwendig. Liebste! alles, was von ihr und uns, vom Leben unseres Lebens hie und da gesagt ist, nimm es wie einen Dank, der öfters um so wahrer ist, je ungeschickter er sich ausdrückt. Hätte ich mich zu Deinen Füßen nach und nach zum Künstler bilden können, in Ruhe und Freiheit, ja ich glaube, ich wär' es schnell geworden, wonach in allem Leide mein Herz sich in Tränen und am hellen Tage, und oft mit schweigender Verzweiflung sehnt. – Es ist wohl der Tränen alle wert, die wir seit Jahren geweint, daß wir die Freude nicht haben sollten, die wir uns geben können, aber es ist himmelschreiend, wenn wir denken müßten, daß wir beide mit unsern besten Kräften vielleicht vergehen müssen, weil wir uns fehlen. Und sieh! das macht mich eben so stille manchmal, weil ich mich hüten muß vor solchen Gedanken. Deine Krankheit, Dein Brief – es trat mir wieder, so sehr ich sonst verblinden möchte, so klar vor die Augen, daß Du immer, immer leidest – und ich Knabe kann nur weinen drüber! – Was ist besser, sage mirs, daß wirs verschweigen, was in unserm Herzen ist, oder daß wir uns es sagen! – Immer hab ich die Memme gespielt, um Dich zu schonen – habe immer getan, als könnt' ich mich in alles schicken, als wär ich so recht zum Spielball der Menschen und der Umstände gemacht und hätte kein festes Herz in mir, das treu und frei in seinem Rechte für sein Bestes schlüge, teuerstes Leben! habe oft meine liebste Liebe, selbst die Gedanken an Dich mir manchmal versagt und verleugnet, nur um so sanft wie möglich um Deinetwillen dies Schicksal durchzuleben – Du auch, Du hast immer gerungen, Friedliche! um Ruhe zu haben, hast mit Heldenkraft geduldet, und verschwiegen, was nicht zu ändern ist, hast Deines Herzens ewige Wahl in Dir verborgen und begraben, und darum dämmerts oft vor uns, und wir wissen nicht mehr, was wir sind und haben, kennen uns kaum noch selbst; dieser ewige Kampf und Widerspruch im Innern, der muß Dich freilich langsam töten, und wenn kein Gott ihn da besänftigen kann, so hab' ich keine Wahl, als zu verkümmern über Dir und mir, oder nichts mehr zu achten als Dich und einen Weg mit Dir zu suchen, der den Kampf uns endet.

Ich habe schon gedacht, als könnten wir auch von Verleugnung leben, als machte vielleicht auch dies uns stark, daß wir entschieden der Hoffnung das Lebewohl sagten. – – –

(Ende Juni 1799)

Täglich muß ich die verschwundene Gottheit wieder rufen. Wenn ich an große Männer denke, in großen Zeiten, wie sie, ein heilig Feuer, um sich griffen, und alles Tote, Hölzerne, das Stroh der Welt in Flamme verwandelten, die mit ihnen aufflog zum Himmel, und dann an mich, wie ich oft, ein glimmend Lämpchen umhergehe, und betteln möchte um einen Tropfen Öl, um eine Weile noch die Nacht hindurch zu scheinen – siehe! da geht ein wunderbarer Schauer mir durch alle Glieder, und leise ruf' ich mir das Schreckenswort zu: lebendig Toter!

Weißt Du, woran es liegt, die Menschen fürchten sich voreinander, daß der Genius des einen den andern verzehre, und darum gönnen sie sich wohl Speise und Trank, aber nichts, was die Seele nährt, und können es nicht leiden, wenn etwas, was sie sagen und tun, in andern einmal geistig aufgefaßt, in Flamme verwandelt wird. Die Thörigen! Wie wenn irgend etwas, was die Menschen einander sagen könnten, mehr wäre als Brennholz, das erst, wenn es vom geistigen Feuer ergriffen wird, wieder zu Feuer wird, so wie es aus Leben und Feuer hervorging. Und gönnen sie die Nahrung nur gegenseitig einander, so leben und leuchten ja beide, und keiner verzehrt den andern.

Erinnerst Du Dich unserer ungestörten Stunden, wo wir

und wir nur umeinander waren? Das war Triumph! beide so
frei und stolz und wach und blühend und glänzend an Seel
und Herz und Auge und Angesicht, und beide so in himm-
lischem Frieden nebeneinander! Und hab' es damals schon
geahndet und gesagt: man könne wohl die Welt durchwandern und fände es schwerlich wieder so. Und täglich fühl ich
das ernster.

Gestern Nachmittag kam Morbeck zu mir aufs Zimmer.
»Die Franzosen sind schon wieder in Italien geschlagen«,
sagt' er. »Wenns nur gut mit uns steht«, sagt' ich ihm, »so
steht es schon gut in der Welt«, und er fiel mir um den Hals
und wir küßten uns die tiefbewegte, freudige Seele auf die
Lippen und unsre weinenden Augen begegneten sich. Dann
ging er. Solche Augenblicke hab' ich doch noch. Aber kann
das eine Welt ersetzen? Und das ists, was meine Treue ewig
macht. In dem und jenem sind viele vortrefflich. Aber eine
Natur, wie Deine, wo so alles in innigem, unzerstörbarem,
lebendigem Bunde vereint ist, diese ist die Perle der Zeit, und
wer sie erkannt hat, und wie ihr himmlisch angeboren eigen
Glück dann auch ihr tiefes Unglück ist, der ist auch ewig
glücklich und ewig unglücklich.

(September 1799)
Teuerste!
Nur die Ungewißheit meiner Lage war die Ursache,
warum ich bisher nicht schrieb. Das Projekt mit dem Journale, wovon ich Dir schon, nicht ohne Grund, mit so viel Zuverlässigkeit schrieb, scheint mir scheitern zu wollen. Ich
hatte für meine Wirksamkeit und mein Auskommen und
meinen dortigen Aufenthalt in Deiner Nähe mit so viel Hoffnung darauf gerechnet, jetzt hab' ich noch manche schlimme
Erfahrung machen müssen zu den vergebenen Bemühungen
und Hoffnungen. Ich hatte einen sichern anspruchslosen Plan
entworfen, mein Verleger wollte es glänzender haben, ich
sollte eine Menge berühmter Schriftsteller, die er für meine

Freunde hielt, zu Mitarbeitern engagieren, und wenn mir gleich nichts Gutes bei diesem Versuche ahndete, so ließ ich Thor mich doch bereden, um nicht eigensinnig zu scheinen, und das liebe allgefällige Herz hat mich in einen Verdruß gebracht, den ich Dir leider schreiben muß, weil wahrscheinlich meine zukünftige Lage, also gewissermaßen das Leben, das ich für Dich lebe, davon abhängt. Nicht nur Männer, deren Verehrer mehr als Freund ich mich nennen konnte, auch Freunde, Teure! auch solche, die nicht ohne wahrhaften Undank mir eine Teilnahme versagen konnten – ließen mich bis jetzt – ohne Antwort, und ich lebe nun volle acht Wochen in diesem Harren und Hoffen, wovon gewissermaßen meine Existenz abhängt. Was die Ursache dieser Begegnung sein mag, mag Gott wissen. Schämen sich denn die Menschen meiner so ganz?

Daß dies nicht wohl der Fall vernünftigerweise sein kann, zeugt mich doch Dein Urteil, Edle, und das Urteil einiger weniger, die mir auch wahrhaft treu in meiner Angelegenheit sich zugesellten, zum Beispiel Jung in Mainz, dessen Brief ich Dir beilege. Die Berühmten nur, deren Teilnahme mir armen Unberühmten zum Schilde dienen sollte, diese ließen mich stehen, und warum sollten sie nicht? Jeder, der in der Welt sich einen Namen macht, scheint ja dem ihrigen einen Abbruch zu tun, sie sind dann schon nicht mehr so einzig und allein die Götzen, kurz, es scheint mir bei ihnen, die ich mir ungefähr als meinesgleichen denken darf, ein wenig Handwerksneid mitunter zu walten. Aber diese Einsicht hilft mir nichts, ich habe fast zwei Monate unter Zubereitungen zu dem Journale verloren, und kann nun, um mich nicht von meinem Verleger länger herumziehen zu lassen, wohl nichts besseres tun, als ihm zu schreiben, ob er nicht lieber die Produkte, die ich für das Journal bestimmt hatte, geradezu annehmen wolle, was dann freilich in jedem Falle meine Existenz mir nicht hinlänglich sichern würde.

Und so hab' ich denn im Sinne, alle Zeit, die mir noch

bleibt, auf mein Trauerspiel zu wenden, was ungefähr noch ein Vierteljahr dauern kann, und dann muß ich nach Hause oder an einen Ort, wo ich mich durch Privatvorlesungen, was hier nicht tunlich ist, oder andere Nebengeschäfte erhalten kann.

Verzeih, Teuerste! diese gerade Sprache! Es wär mir nur schwerer geworden, dann Dir das Nötige zu sagen, wenn ich das, was mein Herz gegen Dich, Liebe, äußert, hätt laut werden lassen, und es ist auch fast nicht möglich, in einem Schicksal, wie das Meinige ist, den nötigen Mut zu behalten, ohne die zarten Töne des innersten Lebens für Augenblicke darüber zu verlieren. Eben deswegen schrieb ich bisher ...

Johann Gottlieb Fichte
Die Bestimmung des Menschen

*F*ichte, *1762–1814, ist die pathetischste Figur der deutschen Geschichte. Er hat das Schicksal gehabt, Schirmherr von chauvinistischen Fichte-Bünden zu werden. Tatsächlich ist er der größte Anwalt des Friedens und der Gerechtigkeit gewesen, den Deutschland hervorgebracht hat. Schuld an der Verkennung, die ihm zuteil wurde, waren seine* Reden an die Deutsche Nation *in Berlin, gehalten in jenen Tagen, als Napoleon nach Jena und Auerstädt Preußen besetzt hatte. Wer diese Reden wieder liest, wird den Unterschied zwischen ihnen und den rhetorischen Feldzügen der Unterdrücker sehen. Nirgends erreichte der deutsche Idealismus eine Höhe wie in seinem Leben und in seinem Werk.*

Durch einen glücklichen Zufall erhielt er im Jahre 1793 eine Professur in Jena, damals der Sitz des siegreichen Kantianismus und Residenz der Frühromantiker. Fichte, ursprünglich wie auch Kant, Hölderlin und Hegel ein begeisterter Anhänger der Französischen Revolution, wurde schon vor seiner Ankunft als Anarchist verdächtigt. Seine Jenaer Jahre waren eine einzige Kampfzeit. Er hatte sich vorgenommen, den studentischen Verbindungen die größten Roheiten abzugewöhnen. Man schmiß ihm die Fenster ein, die Kollegen ließen ihn im Stich. Dann kam der sogenannte Atheismus-Streit. Fichte brachte in seiner philosophischen Zeitschrift die Arbeit eines F. K. Forber über die Entwicklung der religiösen Idee. Er begleitete die Arbeit mit einem Kommentar über die Gründe unseres Glaubens in eine göttliche Weltregierung. Erst wurde das Journal unterdrückt. Als Fichte drohte, er

werde resignieren, ging man schneller darauf ein, als er dach-
te. Goethe ließ ihn im Stich. Es war dasselbe Jahrzehnt, in
dem auch Kant Schwierigkeit mit den Behörden wegen seiner
Ideen über Religion hatte. Sie waren beide nicht das, was man
heute einen Atheisten nennt; sie ersetzten nur die dogmati-
schen Inhalte der Religion durch moralische.

Fichte wurde nicht nur aus Jena vertrieben, viele deutsche
Länder weigerten sich, ihn aufzunehmen. Er hatte zunächst
die Absicht, im Fürstentum Schwarzburg-Rudolstadt eine
Weile zu leben, um sich von den Aufregungen zu erholen und
seiner Arbeit zu widmen. Der Fürst aber hatte vor dem
›Atheisten‹ und ›Demokraten‹ Angst; oder wahrscheinlich nur
vor der Weimarer Regierung, die ihn verfolgte. Da gab ihm
der preußische Minister Dohm die Idee, »in Preußen eine Zu-
flucht zu suchen«. Fichte ging nach Berlin. Hier entstand im
Jahre 1799 Die Bestimmung des Menschen. *Fichte schrieb in*
einem Brief: »Ich habe bei der Ausarbeitung meiner gegen-
wärtigen Schrift einen tieferen Blick in die Religion getan als
noch je. Bei mir geht die Bewegung des Herzens nur aus voll-
kommener Klarheit hervor, es konnte nicht fehlen, daß die er-
rungene Klarheit zugleich mein Herz ergriff.«

Es gibt vielleicht keinen zweiten Denker, in dessen Worten
sich höchste Abstraktion und die Bewegung des Herzens so
mischten. Kant, als dessen Schüler er begann, war kühler. Aus
den Worten dieser Schrift gehen die konkreten Ereignisse,
welche sie sublimiert, nicht hervor. So decken ihre Worte noch
das, was von unseren Tagen in ihr ausgesprochen ist. Der
Kampf gegen die Natur, der Kampf gegen den Bürgerkrieg,
der Kampf gegen den Krieg zwischen den Völkern ist das
Thema. Und dann lebt in dieser wie in allen Schriften Fichtes,
und selbst in seinen streng fachlichen Wissenschaftslehren, ein
Vertrauen, das es ihm unmöglich macht, im Dasein nichts als
eine Folge von Zufälligkeiten zu sehen.

Dies Vertrauen ist heute stark geschwächt. Viele können
vielleicht nicht mehr so unablässig wie er am Kinderglauben

festhalten. Aber seine Worte sind heute noch ebenso umwer-
fend wie damals. Vielleicht scheint manchem, sie gehen nicht
dicht genug an die Wirklichkeit heran. Er möge seine Schrift
aus derselben Zeit Der geschlossene Handelsstaat *lesen. Es ist*
vielleicht die erste sozialistische Schrift Deutschlands, zu einer
Zeit, wo es noch keinen Sozialismus gab.

Auch schon in der bloßen Betrachtung der Welt, wie sie ist, abgesehen von dem Gebote, äußert sich in meinem Innern der Wunsch, das Sehnen – nein, kein bloßes Sehnen – die absolute Forderung einer bessern Welt. Ich werfe einen Blick auf das gegenwärtige Verhältnis der Menschen gegen einander selbst, und gegen die Natur; auf die Schwäche ihrer Kraft, auf die Stärke ihrer Begierden und Leidenschaften. Es ertönt unwiderstehlich in meinem Innern: So kann es unmöglich bleiben sollen; es muß, oh, es muß alles anders und besser werden.

Ich kann mir die gegenwärtige Lage der Menschheit schlechthin nicht denken, als diejenige, bei der es nun bleiben könne; schlechthin nicht denken, als ihre ganze, und letzte Bestimmung. Dann wäre alles Traum und Täuschung; und es wäre nicht der Mühe wert, gelebt und dieses stets wiederkehrende, auf nichts ausgehende und nichts bedeutende Spiel mit getrieben zu haben. Nur inwiefern ich diesen Zustand betrachten darf, als Mittel eines bessern, als Durchgangspunkt zu einem höhern, und vollkommnern, erhält er Wert für mich; nicht um sein selbst, sondern um des Bessern willen, das er vorbereitet, kann ich ihn tragen, ihn achten, und in ihm freudig das Meinige vollbringen. In dem Gegenwärtigen kann mein Gemüt nicht Platz fassen, noch einen Augenblick ruhen; unwiderstehlich wird es von ihm zurückgestoßen; nach dem Künftigen und Bessern strömt unaufhaltsam hin mein ganzes Leben.

Ich äße nur, und tränke, damit ich wiederum hungern, und

dürsten, und essen und trinken könnte, so lange, bis das unter
meinen Füßen eröffnete Grab mich verschlänge, und ich
selbst als Speise dem Boden entkeimte? Ich zeugte Wesen
meinesgleichen, damit auch sie essen und trinken, und sterben, und Wesen ihresgleichen hinterlassen könnten, die dasselbe tun werden, was ich schon tat? Wozu dieser unablässig
in sich selbst zurückkehrende Zirkel, dieses immer von
neuem auf dieselbe Weise wieder angehende Spiel, in welchem alles wird, um zu vergehen, und vergeht, um nur wieder
werden zu können, wie es schon war; dieses Ungeheuer,
unaufhörlich sich selbst verschlingend, damit es sich wieder
gebären könne, sich gebärend, damit es sich wiederum verschlingen könne? Nimmermehr kann dies die Bestimmung
sein meines Seins, und alles Seins. Es muß etwas geben, das da
ist, weil es geworden ist; und nun bleibt, und nimmer wieder
werden kann, nachdem es einmal geworden ist; und dieses
Bleibende muß im Wechsel des Vergänglichen sich erzeugen,
und in ihm fortdauern, und unversehrt fortgetragen werden
auf den Wogen der Zeit.

Noch erringet mit Mühe unser Geschlecht seinen Unterhalt und seine Fortdauer von der widerstrebenden Natur.
Noch ist die größere Hälfte der Menschen ihr Leben hindurch unter harte Arbeit gebeugt, um sich, und der kleinen
Hälfte, die für sie denkt, Nahrung zu verschaffen; sind unsterbliche Geister genötigt, alles ihr Dichten und Trachten,
und ihre ganze Anstrengung auf den Boden zu heften, der
ihre Nahrung trägt. Noch ereignet es sich oft, daß, wenn nun
der Arbeiter vollendet hat, und für seine Mühe sich seine und
seiner Mühe Fortdauer verspricht, eine feindselige Witterung
in einem Augenblicke zerstört, was er jahrelang langsam und
wohlbedächtig vorbereitete, und den fleißigen und sorgfältigen Mann, unverschuldet, dem Hunger und dem Elende
preisgibt; noch immer oft genug, daß Wasserfluten, Sturm-
winde, Vulkane ganze Länder verheeren, und Werke, die das
Gepräge eines vernünftigen Geistes tragen, mit ihren Werk-

meistern zugleich dem wilden Chaos des Todes und der Zerstörung vermischen. Noch raffen Krankheiten die Menschen ins unzeitige Grab, Männer in der Blüte ihrer Kräfte, und Kinder, deren Dasein ohne Frucht und Folge vorübergeht; noch ziehen Seuchen durch blühende Staaten, lassen die wenigen, die ihnen entgehen, verwaist und des gewohnten Beistandes ihrer Genossen beraubt, einsam dastehen, und tun alles, was an ihnen ist, um das Land der Wildnis zurückzugeben, welches der Fleiß der Menschen sich schon zum Eigentume errungen hatte. – So ist es; so kann es nicht immerdar bleiben sollen. Kein Werk, das das Gepräge der Vernunft trägt, und unternommen wurde, um die Macht der Vernunft zu erweitern, kann rein verloren sein im Fortgange der Zeiten. Die Opfer, welche die unregelmäßige Gewalttätigkeit der Natur von der Vernunft zieht, müssen jene Gewalttätigkeit wenigstens ermüden, ausfüllen, und versöhnen. Die Kraft, welche außer der Regel geschadet hat, kann es auf diese Weise nicht mehr sollen, sie kann nicht bestimmt sein, sich zu erneuern, sie muß durch Einen Ausbruch von nun an auf ewig verbraucht sein. Alle jene Ausbrüche der rohen Gewalt, vor welchen die menschliche Macht in Nichts verschwindet, jene verwüstenden Orkane, jene Erdbeben, jene Vulkane können nichts anderes sein, denn das letzte Sträuben der wilden Masse gegen den gesetzmäßig fortschreitenden, belebenden und zweckmäßigen Gang, zu welchem sie ihrem eignen Triebe zuwider gezwungen wird – nichts, denn die letzten erschütternden Striche der sich erst vollendenden Ausbildung unseres Erdballs. Jener Widerstand muß allmählich schwächer, und endlich erschöpft werden, da in dem gesetzmäßigen Gange nichts liegen kann, das seine Kraft erneure; jene Ausbildung muß endlich vollendet und das uns bestimmte Wohnhaus fertig werden. Die Natur muß allmählich in die Lage eintreten, daß sich auf ihren gleichmäßigen Schritt sicher rechnen und zählen lasse, und daß ihre Kraft unverrückt ein bestimmtes Verhältnis mit der Macht halte, die bestimmt ist, sie zu beherrschen – mit der menschlichen. – Inwiefern dies Verhältnis schon ist, und die zweckmäßige Ausbildung der Natur schon festen Fuß gewonnen hat, soll das Menschenwerk selbst, durch sein bloßes Dasein, und durch seine, von der Absicht seines Werkmeisters unabhängigen Wirkungen wiederum in die Natur eingreifen, und ein neues belebendes Prinzip in ihr darstellen. Angebaute Länder sollen den trägen und feindseligen Dunstkreis der ewigen Wälder, der Wüsteneien, der Sümpfe beleben und mildern; geordneter und mannigfaltiger Anbau soll rund um sich her neuen Lebens- und Befruchtungstrieb in die Lüfte verbreiten, und die Sonne soll ihre belebendsten Strahlen in diejenige Atmosphäre ausströmen, in welcher ein gesundes, arbeitsames und kunstreiches Volk atmet. – Im Andrange der Not zuerst geweckt, soll späterhin besonnener und ruhig die Wissenschaft eindringen in die unverrückbaren Gesetze der Natur, die ganze Gewalt dieser Natur übersehen, und ihre möglichen Entwicklungen berechnen lernen; soll eine neue Natur im Begriffe sich bilden, und an die lebendige und tätige eng sich anschmiegen, und auf dem Fuße ihr folgen. Und jede Erkenntnis, welche die Vernunft der Natur abgerungen, soll aufbehalten werden im Laufe der Zeiten, und Grundlage neuer Erkenntnis werden für den gemeinsamen Verstand unsers Geschlechts. So soll uns die Natur immer durchschaubarer, und durchsichtiger werden bis in ihr geheimstes Innere, und die erleuchtete und durch ihre Erfindungen bewaffnete menschliche Kraft soll ohne Mühe dieselbe beherrschen, und die einmal gemachte Eroberung friedlich behaupten. Es soll allmählich keines größern Aufwandes an mechanischer Arbeit bedürfen, als ihrer der menschliche Körper bedarf zu seiner Entwicklung, Ausbildung und Gesundheit, und diese Arbeit soll aufhören, Last zu sein; – denn das vernünftige Wesen ist nicht zum Lastträger bestimmt.

Aber es ist nicht die Natur, es ist die Freiheit selbst, die die meisten und die fürchterlichsten Unordnungen unter unserm

Geschlechte verursacht; des Menschen grausamster Feind ist der Mensch. Noch durchirren gesetzlose Horden von Wilden ungeheure Wüsteneien; sie begegnen sich in der Wüste, und werden einander zur festlichen Speise; oder, wo die Kultur die wilden Haufen endlich unter das Gesetz zu Völkern vereinigte, greifen die Völker einander an mit der Macht, die ihnen die Vereinigung gab, und das Gesetz. Den Mühseligkeiten und dem Mangel trotzend, durchziehen die Heere friedlich Wald und Feld; sie erblicken einander und der Anblick von ihresgleichen ist des Mordes Losung. Mit dem Höchsten, was der menschliche Verstand ersonnen, ausgerüstet, durchschneiden die Kriegsflotten den Ozean; durch Sturm und Wellen hindurch drängen sich Menschen, um auf der einsamen unwirtbaren Fläche Menschen zu suchen; sie finden sie, und trotzen der Wut der Elemente, um mit eigener Hand sie zu vertilgen. Im Innern der Staaten selbst, wo die Menschen zur Gleichheit unter dem Gesetz vereinigt zu sein scheinen, ist es großenteils noch immer Gewalt und List, was unter dem ehrwürdigen Namen des Gesetzes herrscht; hier wird der Krieg um so schändlicher geführt, weil er sich nicht als Krieg ankündigt, und dem Befehdeten sogar den Vorsatz raubt, sich gegen ungerechte Gewalt zu verteidigen. Kleinere Verbindungen freuen sich laut der Unwissenheit, der Torheit, des Lasters und des Elends, in welche die größern Haufen ihrer Mitbrüder versunken sind, machen es sich laut zum angelegensten Zweck, sie darin zu erhalten, und sie tiefer hinein zu stürzen, damit sie dieselben ewig zu Sklaven behalten; – und jeden zu verderben, der es wagen sollte, sie zu erleuchten und zu verbessern. Noch kann überall kein Vorsatz irgendeiner Verbesserung gefaßt werden, der nicht ein Heer der mannichfaltigsten, selbstsüchtigsten Zwecke aus ihrer Ruhe aufrege, und zum Kriege reize; der nicht die verschiedensten und einander widersprechendsten Denkarten zum einmütigen Kampfe gegen sich verbinde. Das Gute ist immer das schwächere, denn es ist einfach und kann nur um sein

selbst willen geliebt werden; das Böse lockt jeden einzelnen
mit der Versprechung, die für ihn die verführendste ist, und
die Verkehrten, unter sich selbst im ewigen Kampfe, schließen Waffenstillstand, sobald das Gute sich blicken läßt, um
diesem mit der vereinigten Kraft ihres Verderbens entgegenzugehen. Jedoch, kaum bedarf es ihres Widerstandes; denn
noch immer bekämpfen aus Mißverstand und Irrtum, aus
Mißtrauen, aus geheimer Eigenliebe die Guten einander
selbst – oft um so heftiger, je ernstlicher jedere von seiner
Seite, was er fürs Beste erkennt, durchzusetzen strebt; und
reiben eine Kraft, die vereinigt kaum dem Bösen die Waage
halten würde, im Streite gegen einander selbst auf. Da tadelt
einer den andern, daß er mit stürmischer Ungeduld alles
übereile, und nicht erwarten könne, bis der gute Erfolg gehörig vorbereitet sei; während der andere diesen beschuldigt,
daß er aus Zaghaftigkeit und Feigheit nichts ausführen, gegen
seine bessere Überzeugung alles lassen wolle, wie es ist, und
daß für ihn die Stunde des Handelns wohl nie anbrechen werde: und nur der Allwissende könnte sagen, ob einer, und welcher von beiden in diesem Streite recht habe. Da hält fast jeder
das Geschäft, dessen Notwendigkeit gerade ihm am meisten
einleuchtet, und zu dessen Ausführung er sich die meiste Fertigkeit erworben, für das wichtigste und angelegenste, für den
Punkt, von welchem alle andere Verbesserung ausgehen müsse; fordert alle Guten auf, ihre Kräfte mit ihm zu vereinigen
und sie ihm für die Ausführung seines Zwecks zu unterordnen, und hält es für Verrat an der guten Sache, wenn sie sich
dessen weigern; indes die andern von ihrer Seite dieselben
Ansprüche an ihn machen, und ihn desselben Verrats beschuldigen, wenn er sich weigert. So scheinen alle guten Vorsätze unter den Menschen in leere Bestrebungen zu verschwinden, die keine Spur ihres Daseins hinter sich lassen;
indessen alles so gut oder so schlecht geht, als es ohne diese
Bestrebungen durch den blinden Naturmechanismus gehen
kann, und weit fortgehen wird.

Ewig fortgehen wird? Nimmermehr; wenn nicht das ganze menschliche Dasein ein zweckloses und nichts bedeutendes Spiel ist. – Jene wilden Stämme können nicht immer wild bleiben sollen: es kann kein Geschlecht erzeugt sein, mit allen Anlagen zur vollkommenen Menschheit, das da bestimmt wäre, diese Anlagen nie zu entwickeln, und nie mehr zu werden als das, wozu die Natur eines künstlichern Tieres völlig hinreichte. Jene Wilden sind bestimmt, die Stammväter kräftiger, gebildeter und würdiger Generationen zu sein; außerdem ließe sich kein Zweck ihres Daseins denken, noch die Möglichkeit dieses Daseins in einer vernünftig eingerichteten Welt begreifen. Wilde Stämme können kultiviert werden, denn sie sind es schon geworden, und die kultiviertesten Völker der neuen Welt stammen selbst von Wilden ab. Ob nun die Bildung unmittelbar aus der menschlichen Gesellschaft sich natürlich entwickle, oder ob sie immer durch Unterricht und Beispiel von außen kommen müsse; und die erste Quelle aller menschlichen Kultur in einem übermenschlichen Unterrichte zu suchen sei; – auf demselben Weg, auf welchem die ehemaligen Wilden nunmehro zur Kultur gelangt sind, werden allmählich auch die gegenwärtigen sie erhalten. Sie werden allerdings durch dieselben Gefahren und Verderbnisse der ersten bloß sinnlichen Kultur hindurchgehen, von welchen gegenwärtig die gebildeten Völker gedrückt sind; aber sie werden dadurch denn doch in Vereinigung mit dem großen Ganzen der Menschheit treten, und fähig werden, an den weitern Fortschritten derselben Anteil zu nehmen.

Es ist die Bestimmung unsers Geschlechts sich zu einem Einigen, in allen seinen Teilen durchgängig mit sich selbst bekannten, und allenthalben auf die gleiche Weise ausgebildeten Körper zu vereinigen. Die Natur, und selbst die Leidenschaften und Laster der Menschen haben von Anfang an gegen dies Ziel hingetrieben; es ist schon ein großer Teil des Weges zu ihm zurückgelegt.

Friedrich Daniel Schleiermacher
Jugend und Alter

*F*riedrich Daniel Schleiermacher, der Religionsphilosoph und
Ethiker des deutschen Idealismus, wurde 1768 geboren und
starb 1834. Er war einer jener Denker, welche die rigoristi-
schen Elemente des idealistischen Moralismus romantisch ent-
schärften.

Sohn eines reformierten Geistlichen in Breslau, kam er in
das Pädagogium einer Herrnhuter Gemeinde. In Halle setzte
er sein Theologiestudium fort. Dann war er ein paar Jahre
Hauslehrer, wurde Hilfsprediger in Landsberg an der War-
the, von 1796 bis 1802 Prediger an der Berliner Charité. In
Berlin verkehrte er in den Salons der Rahel und der Henriette
Herz; hier lernte er Friedrich Schlegel kennen, mit dem ihn
dann eine enge Freundschaft verband. 1800 erschien anonym
das Werk, welches von den Zeitgenossen als sein sensationell-
stes empfunden wurde: seine Verteidigung von Friedrich
Schlegels Roman Lucinde, der damals als obszön angepran-
gert wurde: Vertraute Briefe über Lucinde. Schleiermacher
schrieb über das umstrittene Buch, es sei ein »Werk, welches
wie eine Erscheinung aus einer künftigen, Gott weiß wie weit
noch entfernten Welt dasteht«. Das konnte damals ein Prediger schreiben – und wurde dennoch zwei Jahre später als Hof-
prediger nach Stolpe berufen, 1806 als Ordinarius der Theologie nach Halle.

Nach Schließung der Universität infolge der preußischen
Niederlage wirkte Schleiermacher an der Berliner Dreifaltig-
keitskirche. Von 1810 an wurde er an der wieder eröffneten
Berliner Universität Professor für Theologie.

Sein Werk Monologe, *aus dem wir hier das Kapitel* Jugend und Alter *auszugsweise bringen, entstammt derselben Periode, in welcher die* Vertraulichen Briefe über Lucinde *und* Reden über die Religion *erschienen sind. Schleiermacher ist Anfang Dreißig, kein Jüngling mehr und noch nicht ein alter Mann – und umfaßt mit demselben liebenden Blick die frühen Jahre und die späten. Den Romantikern nahe, lehrt er in einem dithyrambischen Stil, daß das Individuum Spiegel des Universums sei und die höchste sittliche Pflicht die Entwicklung der Persönlichkeit.*

Es war Wilhelm Dilthey, der über die Monologe *Schleiermachers, diese lyrischen Reflexionen, schrieb:* »Unter allen moralischen Schriften moderner Denker ›wirkt‹ diese allein bis auf den heutigen Tag in weiten Kreisen. Sie übt gerade in den entscheidenden Jahren der Entwicklung, wo sie tiefere Naturen berührt, beinahe unfehlbar einen bestimmenden Einfluß. Eine nicht kleine Anzahl von Menschen begegnet jedem Achtsamen, die den Anlaß zu einem bewußten höheren sittlichen Leben den ›Monologen‹ verdanken.«

Allerdings wurden diese Sätze 1870 geschrieben. Die heutige Problematik des Alters ist vielleicht sichtbarer vorweggenommen in Schopenhauers berühmtem Essay. Aber der Wille zur geistigen Frische, unabhängig vom körperlichen Verfall, ist kaum irgendwo in der großen Literatur über das Greisenalter so enthusiastisch Wort geworden wie in den Monologen *Schleiermachers.*

Wie der Uhren Schlag mir die Stunden, der Sonne Lauf mir die Jahre zuzählt, so lebe ich – ich weiß es – immer näher dem Tode entgegen. Aber dem Alter auch, dem schwachen, stumpferen Alter auch, worüber alle so bitter klagen, wenn unvermerkt ihnen verschwunden ist die Lust der frohen Jugend und der innern Gesundheit und Fülle übermütiges Gefühl? Warum lassen sie verschwinden die goldene Zeit und

beugen dem selbstgewählten Joch seufzend den Nacken?
Auch ich glaubte schon einst, daß nicht länger dem Manne
geziemten die Rechte der Jugend; leiser und bedächtig wollte
ich einhergehen und durch der Entsagung weisen Entschluß
mich bereiten zur trüberen Zeit. Aber es wollten nicht dem
Geist die engeren Grenzen genügen, und es gereute mich bald
des verkümmerten nüchternen Lebens. Da kehrte auf den ersten Ruf die freundliche Jugend zurück und hält mich immer
seitdem umfaßt mit schützenden Armen. Jetzt wenn ich
wüßte, daß sie mir entflöhe, wie die Zeiten entfliehen, ich
stürzte mich lieber bald dem Tode freiwillig entgegen, daß
nicht die Furcht vor dem sicheren Übel mir jegliches Gute
bitter vergällte, bis ich mir endlich doch durch unfähiges Dasein ein schlechtes Ende verdient.

Doch ich weiß, daß es nicht also sein kann: denn es soll
nicht. Wie, es dürfte das Leben des Geistes, das freie, das un-
gemessene mir eher verrinnen als das irdische, das beim ersten
Schlage des Herzens schon die Keime des Todes enthielt?
Nicht immer sollte mir mit der vollen gewohnten Kraft aufs
Schöne gerichtet die Fantasie sein? Nicht immer so leicht der
heitere Sinn und so rasch zum Guten bewegt und liebevoll das
Gemüt? Bange sollt ich horchen den Wellen der Zeit und sehen müssen, wie sie mich abschliffen und aushörten, bis ich
endlich zerfiele? Sprich doch Herz, wieviel Male dürfte ich
noch zählen, bis das alles käme, die Zeit, die mir jetzt eben
verging bei dem Jammergedanken? Gleich wenig wären mir,
wenn ichs abzählen könnte, Tausende oder eins. Daß du ein
Tor wärest zu weissagen aus der Zeit auf die Kraft des Geistes, dessen Maß jene nimmer sein kann! Durchwandeln doch
die Gestirne nicht in gleicher Zeit dasselbe von ihrer Bahn,
sondern ein höheres Maß mußt du suchen, um ihren Lauf zu
verstehn: und der Geist sollte dürftigeren Gesetzen folgen als
sie? Auch folgt er nicht. Frühe sucht manchen das Alter heim,
das mürrische, dürftige, hoffnungslose, und ein feindlicher
Geist bricht ihm ab die Blüte der Jugend, wenn sie kaum sich

aufgetan; lange bleibt andern der Mut, und das weiße Haupt hebt noch und schmückt Feuer des Auges und des Mundes freundliches Lächeln. Warum soll ich nicht länger noch, als der am längsten dastand in der Fülle des Lebens, mir im glücklichen Kampf abwehren den verborgenen Tod? Warum nicht, ohne die Jahre zu zählen und des Körpers Verwittern zu sehen, durch des Willens Kraft festhalten bis an den letzten Atemzug die geliebte Göttin? Was denn soll diesen Unterschied machen, wenn es der Wille nicht ist? Hat etwa der Geist sein bestimmtes Maß und Größe, daß er sich ausgeben kann und erschöpfen? Nutzt sich ab seine Kraft durch die Tat und verliert etwas bei jeder Bewegung? Die des Lebens sich lange freuen, sind es nur die Geizigen, welche wenig gehandelt haben? Dann treffe Schande und Verachtung jedes frische und frohe Alter; denn Verachtung verdient, wer Geiz übt in der Jugend.

Wäre so des Menschen Los und Maß, möchte ich lieber zusammendrängen, was der Geist vermag, in engen Raum: kurz möchte ich leben, um jung zu sein und frisch, so lange es währt! Was hilfts, die Strahlen des Lichts dünn auszugießen über die große Fläche? Es offenbart sich nicht die Kraft und richtet nichts aus. Was hilft Haushalten mit dem Handeln und Ausdehnen in die Länge, wenn du schwächen mußt den innern Gehalt, wenn doch am Ende nicht mehr ist, was du gehabt hast? Lieber gespendet in wenig Jahren das Leben in glänzender Verschwendung, daß du dich freuen könntest deiner Kraft und übersehen, was du gewesen bist. Aber es ist nicht so unser Los und Maß; es vermag nicht solch sinnlicher Begriff in seinen Kreis zu bannen den Geist. Woran sollte sich brechen seine Gewalt? Was verliert er von seinem Wesen, wenn er handelt und sich mitteilt, was gibts, das ihn verzehrt? Klarer und reicher fühl ich mich jetzt nach jedem Handeln, stärker und gesünder: denn bei jeder Tat eigne ich etwas mir an von dem gemeinschaftlichen Nahrungsstoffe der Menschheit, und wachsend bestimmt sich genauer meine Gestalt. Ists

nur so, weil ich jetzt noch die Höhe des Lebens hinaufsteige?
Wohl – aber wann kehrt sich denn plötzlich um das schöne
Verhältnis? Wann fange ich an, durch die Tat nicht zu wer-
den, sondern zu vergehen? Und wie wird sich mir verkünden
die große Verwaltung? Kommt sie, so muß ich sie erkennen,
und erkenne ich sie, so wähle ich lieber den Tod, als in langem
Elend anzuschaun an mir selbst der Menschheit nichtiges
Wesen.

Ein selbstgeschaffenes Übel ist das Verschwinden des Mutes und der Kraft; ein leeres Vorurteil ist das Alter, die
schnöde Frucht von dem tollen Wahn, daß der Geist abhänge
vom Körper! Aber ich kenne den Wahn, und es soll mir nicht
seine schlechte Frucht das gesunde Leben vergiften. Bewohnt
denn der Geist die Faser des Fleisches, oder ist er eins mit ihr,
daß auch er ungelenk zur Mumie wird, wenn diese verknö-
chert? Dem Körper bleibe, was sein ist. Stumpfen die Sinne
sich ab, werden schwächer die Bilder von den Bildern der
Welt: so muß wohl auch stumpfer werden die Erinnerung
und schwächer manches Wohlgefallen und manche Lust.
Aber ist dies das Leben des Geistes, dies der Jugend, deren
Ewigkeit ich anbete? Wie lange wär ich schon des Alters Sklave, wenn dies den Geist zu schwächen vermöchte! Wie lange
hätte ich schon der schönen Jugend das letzte Lebewohl
zugerufen! Aber was noch nie mich gestört hat im kräftigen
Leben, soll es auch nimmer vermögen. Wozu denn haben andere neben mir besseren Leib und schärfere Sinne? Werden
sie mir nicht immer gewärtig sein zum liebreichen Dienste
wie jetzt? Daß ich trauern sollte über des Leibes Verfall, wäre
mein letztes! Was kümmert er mich? Und welches Unglück
wird es denn sein, wenn ich nun vergesse, was gestern geschah. Sind eines Tages kleine Begebenheiten meine Welt
oder die Vorstellungen des einzelnen und Wirklichen aus dem
engen Kreise, den des Körpers Gegenwart umfaßt, die
ganze Sphäre meines innern Lebens? Wer also in niedrigem
Sinn die höhere Bestimmung verkennt, wem die Jugend nur

lieb war, weil sie das besser gewährt, der klage mit Recht über das Elend des Alters! Aber wer wagt es zu behaupten, daß auch das Bewußtsein der großen heiligen Gedanken, die aus sich selbst der Geist erzeugt, abhänge vom Körper und der Sinn für die wahre Welt von der äußeren Glieder Gebrauch? Brauche ich, um anzuschaun die Menschheit, das Auge, dessen Nerve sich jetzt schon abstumpft in der Mitte des Lebens? Oder muß, auf daß ich lieben könne, die es wert sind, das Blut, das jetzt schon langsam fließt, sich in rascherem Lauf drängen durch die engen Kanäle? Oder hängt mir des Willens Kraft an der Stärke der Muskeln, am Mark der gewaltigen Knochen oder der Mut am Gefühl der Gesundheit? Es betrügt ja doch, die es haben; in kleinen Winkeln verbirgt sich der Tod und springt auf einmal hervor und umfaßt sie mit spottendem Gelächter. Was schadets denn, wenn ich schon weiß, wo er wohnt? Oder vermags der wiederholte Schmerz, vermögens die mancherlei Leiden, niederzudrücken den Geist, daß er unfähig wird zu seinem innersten eigensten Handeln? Ihnen widerstehn ist ja auch sein Handeln, und auch sie rufen große Gedanken zur Anwendung hervor ins Bewußtsein.

Dem Geist kann kein Übel sein, was sein Handeln nur ändert. Ja, ungeschwächt will ich ihn in die späteren Jahre bringen, nimmer soll der frische Lebensmut mir vergehn; was mich jetzt erfreut, soll mich immer erfreun; stark soll mir bleiben der Wille und lebendig die Fantasie, und nichts soll mir entreißen den Zauberschlüssel, der die geheimnisvollen Tore der höheren Welt mir öffnet, und nimmer soll mir verlöschen das Feuer der Liebe. Ich will nicht sehen die gefürchteten Schwächen des Alters; kräftige Verachtung gelob ich mir gegen jedes Ungemach, welches das Ziel meines Daseins nicht trifft, und ewige Jugend schwör ich mir selbst.

Doch verstoß ich auch nicht mit dem Schlechten das Gute? Ist denn das Alter, entgegengestellt der Jugend, nur Schwäche? Was verehren denn die Menschen an den greisen Häuptern, auch an denen, die keine Spur haben von der ewigen Jugend, der schönen Frucht der Freiheit? Ach, oft ist es nichts, als daß die Luft, die sie einatmeten, und das Leben, das sie führten, wie ein Keller war, worin ein Leichnam sich lange hält, ohne die Verwesung zu sehen, und dann verehrt sie als heilige Leiber das Volk. Wie das Gewächs des Weinstocks ist ihnen der Geist: ist es auch schlechter Natur, es wird doch besser und höher geschätzt, wenn es alt wird. Aber nein – sie reden gar viel von den eigenen Tugenden der höheren Jahre, von der nüchternen Weisheit, von der kalten Besonnenheit, von der Fülle der Erfahrung und von der bewunderungslosen gelassenen Vollendung in der Kenntnis der bunten Welt. Nur der Menschheit vergängliche Blüte sei die reizende Jugend; aber die reife Frucht sei das Alter, und was es dem Geiste bringt. Da sei erst aufs höchste geläutert durch Luft und Sonne und in schöner bedeutender Gestalt vollendet und zum Genuß bereitet das Innerste der menschlichen Natur. O der nordischen Barbaren, die das schönere Klima nicht kennen, wo zugleich glänzt die Frucht und die Blüte und in schönem Wetteifer sich immer beide vereinigen! Ist die Welt so kalt und unfreundlich, daß sich der Geist nicht zu dieser höhern Schönheit und Vollendung erheben dürfte? Wohl kann nicht jeder alles haben, was schön und gut ist; aber unter die Menschen sind die Gaben verteilt, nicht unter die Zeiten. Ein ander Gewächs ist jeder, aber dies kann blühen und Früchte tragen immerdar. Was sich in demselben vereinigen kann, das kann er auch alles nebeneinander haben und erhalten, kann es und soll es auch.

Wie kommt dem Menschen die besonnene Weisheit und die reife Erfahrung? Wird sie ihm gegeben von oben herab, und ists höhere Bestimmung, daß er sie nicht eher erhält, als wenn er beweisen kann, daß seine Jugend verblüht ist? Ich fühle, wie ich sie jetzt erwerbe; es ist das Treiben der Jugend und das frische Leben des Geistes, was sie hervorbringt. Umschaun nach allen Seiten, aufnehmen alles in den innersten

Sinn, besiegen einzelner Gefühle Gewalt, daß nicht die Träne, seis der Freude oder des Kummers, trübe das Auge des Geistes und verdunkle seine Bilder, rasch sich von einem zum andern bewegen und unersättlich im Handeln auch fremdes Tun noch innerlich nachahmend abbilden: das ist das muntere Leben der Jugend, und das ist das Werden der Weisheit und der Erfahrung. Je beweglicher die Fantasie, je schneller die Tätigkeit des Geistes: desto eher wachsen und werden sie. Und wenn sie geworden sind, dann sollte dem Menschen nicht mehr ziemen das muntere Leben, das sie erzeugt hat? Sind sie denn je vollendet, die hohen Tugenden? Und wenn sie durch die Jugend und in ihr geworden sind, bedürfen sie nicht immer derselben Kraft, um noch mehr zu werden und zu wachsen? Aber mit leerer Heuchelei betrügen sich die Menschen um ihr schönstes Gut, und auf den tiefsten Grund der beschränktesten Unwissenheit ist die Heuchelei gebaut. Der Jugend Beweglichkeit, meinen sie, sei das Treiben dessen, der noch sucht, und suchen zieme nicht mehr dem, der am Ende des Lebens ist; er müsse sich schmücken mit träger Ruhe, dem verehrten Symbol der Vollendung, mit der Leerheit des Herzens, dem Zeichen von der Fülle des Verstandes; so müsse der Mensch einhergehen im Alter, daß er nicht, wenn er noch immer zu suchen scheine, unter dem Gelächter des Spottes über das eitle Unternehmen hinabsteigen müsse in den Tod. Nur wer Schlechtes und Gemeines sucht, dem sei es ein Ruhm, alles gefunden zu haben! Unendlich ist, was ich erkennen und besitzen will, und nur in einer unendlichen Reihe des Handelns kann ich mich selbst ganz bestimmen. Von mir soll nie weichen der Geist, der den Menschen vorwärts treibt, und das Verlangen, das nie gesättigt von dem, was gewesen ist, immer Neuem entgegengeht. Das ist des Menschen Ruhm, zu wissen, daß unendlich sein Ziel ist, und doch nie still zu stehn im Lauf; zu wissen, daß eine Stelle kommt auf seinem Wege, die ihn verschlingt, und doch an sich und um sich nichts zu ändern, wenn er sie sieht, und doch

nicht zu verzögern den Schritt. Darum ziemt es dem Menschen immer in der sorglosen Heiterkeit der Jugend zu wandeln. Nie werd ich mich alt dünken, bis ich fertig bin; und nie
werde ich fertig sein, weil ich weiß und will, was ich soll.
Auch kann es nicht sein, daß das Schöne des Alters und der
Jugend einander widerstrebe: denn nicht nur wächst in der
Jugend, weshalb sie das Alter rühmen; es nährt auch wieder
das Alter der Jugend frisches Leben. Besser gedeiht ja, wie
alle sagen, der junge Geist, wenn das reife Alter sich seiner
annimmt: so verschönt sich auch des Menschen eigne innere
Jugend, wenn er schon errungen hat, was dem Geiste das
Alter gewährt.

Arthur Schopenhauer
Briefe

*A*ls Schopenhauer in den Jahren 1815 und 1816 an Goethe
schrieb, war er 27 Jahre alt, bereits an der Niederschrift seines
Hauptwerks und als Charakter schon derselbe, der er bis zu
seinem zweiundsiebzigsten Jahre blieb.

Er unterschied sich schon in seiner Entwicklung außerordentlich von den Ahnen: Kant, Fichte, Schelling und Hegel,
denen er als letzter folgte. Er war nicht arm, nicht provinziell,
nicht für die Universität geboren, kein Optimist, kein Rationalist, kein Christ. Auch war er der erste, der deutsch wie ein
Weltmann schrieb, nicht wie der Zögling eines theologischen
Seminars. Auch war er der erste stolze liberale Bürger unter
ihnen. Das Wappen der Schopenhauers hatte die Devise:
»Point de l'honneur sans liberté.«

Der Vater war ein wohlhabender Kaufmann, ein Voltai-
rianer. Er wollte, daß sein Sohn in England zur Welt käme;
und da das nicht ging, gab er ihm wenigstens den Namen Arthur, da er in Deutsch, Französisch und Englisch gleich gebräuchlich sei. Seine Mutter war ein Schöngeist, und zur Zeit,
da der Sohn seine unsterblichen Schriften schrieb, war er
nichts als ihr Sohn; das Kind der berühmten Romanschriftstel-
lerin Adele Schopenhauer, die nach dem Tode ihres viel älteren, schlechtgelaunten Mannes aufblühte. Übrigens ist nicht
ganz sicher, ob er nicht Selbstmord verübte. Man weiß über
seinen Tod genausowenig wie über den Tod von Nietzsches
Vater.

Schopenhauer, der Junge, ging sehr spät zur Universität,
weil er seinem Vater das Versprechen gegeben hatte, sich fürs

väterliche Geschäft vorzubereiten. Er studierte in Göttingen und Berlin und rückte von dort aus, als Fichte mit einem Le-dergürtel, zwei Pistolen und Reitersäbel auftrat, Schleierma-cher als Lanzenreiter und Iffland mit einem Bühnenschwert. Es war zur Zeit der Freiheitskriege. Schopenhauer aber be-kannte, daß »sein Vaterland größer als Deutschland sei«.

Seine Mutter, die Witwe, lebte mit der Tochter Adele in Weimar und unterhielt einen Salon. Hier konnte man oft Goethe sehen. Er war der jungen Witwe sehr zugetan, weil sie eine der ersten war, die Goethes Frau, die Vulpius, gesell-schaftlich anerkannte. Weniger zugetan war ihr Arthur: ein nörgelnder, ärgerlicher junger Mann, der an ihr und dem Rest der Welt viel auszusetzen hatte, sehr heftig war und immerzu im Streit mit ihr und dem Rest der Menschheit.

In ihrem Salon lernte Schopenhauer Goethe kennen. Goe-the hatte dem jungen Arthur im Jahre 1814 in sein Poesie-Album geschrieben:

*»Willst Du Dich Deines Werts erfreuen,
So mußt der Welt Du Wert verleihen.«*

Schopenhauer, obwohl ein großer Mäkler, blickte dennoch zum Kaiser der deutschen Literatur ebenso auf wie jeder an-dere deutsche Schriftsteller. Er hatte seine Doktordissertation bereits geschrieben: Über die vierfache Wurzel des Satzes vom zureichenden Grunde. *Er hatte eine Arbeit* Über das Sehen und die Farben *unter der Feder; und das war auch das Thema der hier abgedruckten Korrespondenz mit dem Goethe der* Farbenlehre.

Der dann folgende Brief an Brockhaus ist höchst aufschluß-reich, weil er die erste Selbstdarstellung seines Systems noch vor der Veröffentlichung darstellt. Und dann ist da noch der Brief an den Setzer, penetrantester, diktatorischer Schopen-hauer; hier noch im Gewande des Humors. In den meisten Fällen trat er als Grobian auf, einer der genialsten Grobiane der deutschen Literatur.

Schopenhauer an Goethe

Dresden, den 11. November 1815

Ewr. Excellenz

haben mir durch Ihr gütiges Schreiben eine große Freude gemacht, weil Alles was von Ihnen kommt für mich von unschätzbarem Wert, ja mir ein Heiligtum ist. Überdies enthält Ihr Brief das Lob meiner Arbeit, und Ihr Beifall überwiegt in meiner Schätzung jeden andern. Besonders erfreulich aber ist es mir, daß Sie in diesem Lobe selbst, mit der Ihnen eignen Divination, grade wieder den rechten Punkt getroffen haben, indem Sie nämlich die Treue und Redlichkeit rühmen, mit der ich gearbeitet habe. Nicht nur was ich in diesem beschränkten Felde getan habe, sondern Alles was ich in Zukunft zu leisten zuversichtlich hoffe, wird einzig und allein dieser Treue und Redlichkeit zu danken sein. Denn diese Eigenschaften, die ursprünglich nur das Praktische betreffen, sind bei mir in das Theoretische und Intellektuale übergegangen: ich kann nicht rasten, kann mich nicht zufrieden geben, so lange irgendein Teil eines von mir betrachteten Gegenstandes noch nicht reine, deutliche Kontoure zeigt.

Jedes Werk hat seinen Ursprung in einem einzigen glücklichen Einfall, und dieser gibt die Wollust der Konzeption: die Geburt aber, die Ausführung, ist wenigstens bei mir nicht ohne Pein: denn alsdann stehe ich vor meinem eignen Geist: wie ein unerbittlicher Richter vor einem Gefangenen, der auf der Folter liegt, und lasse ihn antworten, bis nichts mehr zu fragen übrig ist. Einzig aus dem Mangel an jener Redlichkeit scheinen mit fast alle Irrtümer und unsäglichen Verkehrtheiten entsprungen zu sein, davon die Theorien und Philosophien so voll sind. Man fand die Wahrheit nicht, bloß darum daß man sie nicht suchte, sondern statt ihrer immer nur irgendeine vorgefaßte Meinung wiederzufinden beabsichtigte, oder wenigstens irgendeine Lieblingsidee durchaus nicht verletzen wollte, zu diesem Zweck aber Winkelzüge gegen andere und sich selbst anwenden mußte. Der Mut, keine

Frage auf dem Herzen zu behalten, ist es, der den Philosophen macht. Dieser muß dem Ödipus des Sophokles gleichen, der Aufklärung über sein eignes schreckliches Schicksal
suchend, rastlos weiterforscht, selbst wenn er schon ahndet,
daß sich aus den Antworten das Entsetzlichste für ihn ergeben wird. Aber da tragen die meisten die Jokaste in sich, welche den Ödipus um aller Götter willen bittet, nicht weiter zu
forschen: und sie gaben ihr nach, und darum steht es auch mit
der Philosophie noch immer wie es steht. – Wie Odin am
Höllentor die alte Seherin in ihrem Grabe immer weiter aus-
frägt, ihres Sträubens und Weigerns und Bittens um Ruhe
ohngeachtet, so muß der Philosoph unerbittlich sich selbst
ausfragen. Dieser philosophische Mut aber, der eins ist mit
der Treue und Redlichkeit des Forschens, läßt sich nicht
durch Vorsätze erzwingen, sondern ist angeborne Richtung
des Geistes. Mit meinem Wesen innig verwebt, zeigt jene
Treue und Redlichkeit sich nebenher auch im Praktischen
und Persönlichen, so daß ich häufig mit Wohlbehagen erfahre, wie fast nie ein Mensch Mißtrauen gegen mich hegt, vielmehr fast Jeder ohne alle nähere Bekanntschaft mir ganz und
gar vertraut.

Schopenhauer an Goethe

Dresden, den 23. Januar 1816
Ewr. Excellenz
    gaben mir vor zehn Wochen die Verheißung, mir baldigst
Ihre eigentliche Meinung über meine Farbentheorie mitzutei-
len. Ich habe Ihnen darauf am 3ten Dez. noch einen langen
Brief geschrieben, der die Verteidigung meiner Meinung über
die Violette Farbe und auch neuen sehr artigen Beleg meiner
Theorie enthält. Unterdessen scheinen Ewr. Excellenz mich
und meine Farbentheorie wieder ganz vergessen zu haben.
Meine erste, stets ungewisse Hoffnung, daß Sie durch einige
Teilnahme jener Arbeit zur Publizität verhelfen würden, ist
allmählig zerstört: die gewisse Erwartung, welche ich hegte,

doch in jedem Fall Ihr Urteil zu vernehmen, schwindet, nachdem ich beinahe sieben Monat vergeblich darauf warte, nun auch dahin: meine letzte Bitte ist also, daß Ewr. Excellenz nunmehr die Güte haben wollen, mir das Manuskript zurückzuschicken, damit diese Sache denn doch zu einem Ende gekommen sei: denn mir ist nun einmal alles Ungewisse, Schwebende, zu Erwartende durchaus zuwider; was vielleicht mit meiner gewiß nicht geheuchelten Liebe zur Wahrheit, Klarheit und Bestimmtheit zusammenhängt: auch habe ich ja jetzt beinahe sieben Monate geharrt und gehofft; was mehr ist als ich mir selbst zutraute.

Aufrichtig gesagt, ist es mir gar nicht möglich, mir vorzustellen, daß Ewr. Excellenz die Richtigkeit meiner Theorie nicht erkennen sollten: denn ich weiß, daß durch mich die Wahrheit geredet hat – in dieser kleinen Sache, wie dereinst in größern –, und Ihr Geist ist zu regelrecht, zu richtig gestimmt, als daß er bei jenem Ton nicht anklingen sollte. Wohl aber kann ich mir denken, daß ein subjektiver Widerwille gegen gewisse Sätze, die mit einigen der von Ihnen vorgetragenen nicht ganz zusammenstimmen, Ihnen die Beschäftigung mit meiner Theorie verleidet, daher Sie solche stets zurücklegen und aufschieben, und, indem Sie Ihre Beistimmung mir weder geben noch versagen können, ganz schweigen. Im Grunde wundert es mich, daß dieses so ist, schon darum, weil ich tausend Mal mehr Ihr Verfechter (und zwar recht aus dem Grunde) als Ihr Gegner bin: doch läßt es sich, nach einigen Ihrer Äußerungen, begreifen, und ich muß es so denken.

Ich bitte schließlich Ewr. Excellenz überzeugt zu sein, daß weder diese, noch jemals irgendeine Begebenheit eine Änderung hervorbringen könnte in der innigen und tiefgefühlten Verehrung gegen Sie, von der wahrlich Niemand mehr durchdrungen ist, als

Ewr. Excellenz ergebenster Diener
Arthur Schopenhauer Dr.

Schopenhauer an Goethe

Dresden, den 7. Februar 1816

Ewr. Excellenz

haben es gesagt, in Ihrer Biographie: »so ist doch immer das Finale, daß der Mensch auf sich zurückgewiesen wird.« Auch ich muß jetzt schmerzlich aufseufzen: »Ich trete die Kelter allein!« – Ich kann es nicht verhehlen, daß es mich sehr geschmerzt hat, so gar keine Teilnahme, Rückwirkung, Erwiderung von Ihnen erhalten zu haben. Die Erfüllung meiner ersten Bitte hoffte ich viel zuversichtlicher, als ich mir merken lassen mochte: ich war der lebhaftesten Teilnahme gewiß. Diese sanguinischen Hoffnungen erblaßten allmählig: aber nach so langer Zeit, so vielen Schreiben, auch nicht einmal Ihre Meinung, Ihr Urteil zu erfahren, nichts, gar nichts als ein zögerndes Lob und ein leises Versagen des Beifalls, ohne Angabe von Gegengründen: das war mehr als ich fürchten, weniger als ich je hoffen konnte. Indessen bleibe es ferne von mir, gegen Sie mir auch nur in Gedanken einen Vorwurf zu erlauben. Denn Sie haben der gesamten Menschheit, der lebenden und kommenden, so Vieles und Großes geleistet, daß Alle und Jeder, in dieser allgemeinen Schuld der Menschheit an Sie, mit als Schuldner begriffen sind, daher kein Einzelner in irgend einer Art je einen Anspruch an Sie zu machen hat. Aber wahrlich, um mich bei solcher Gelegenheit in solcher Gesinnung zu finden, mußte man Goethe oder Kant sein: kein andrer von denen, die mit mir zugleich die Sonne sahen.

Sonderbar nun scheint es mir selbst, daß die verfehlte Teilnahme bei Ihnen, statt meine gute Meinung von meiner Arbeit zu schwächen und meinen Mut niederzuschlagen, beide fast erhöht zu haben scheint. Ich bin fest überzeugt, daß meine Theorie vollkommen wahr, neu, und, so weit der Gegenstand es zuläßt, wichtig ist. Ich bin eifriger als je, die Entdeckung meinem Namen zu vindizieren, und habe mich kurz entschlossen, die Schrift noch nächste Messe herauszugeben. Fast ist es, als ob ich von Ihrer Aufnahme appellieren müßte, nicht an die des absurden Haufens, sondern an das Urteil der einzelnen Denkenden und urteilsfähigen unter jenen Millionen, die hin und wieder und in weiten Zwischenräumen der Zeit und des Orts zerstreut erscheinen, und die es eigentlich sind, was man Nachwelt nennt: denn das Ganze der Nachwelt ist so verkehrt als die Mitwelt. Ich weiß, wie das Pack, welches Katheder und Literaturzeitungen inne hat, gegen mich bellen wird: aber seit ich Ihnen meine Schrift schickte, habe ich in der Menschenverachtung neue und so starke Progresse gemacht, daß ich bereit bin, im Tun und im Denken die Meinung des ganzen Menschenhaufens nötigenfalls für Nichts zu achten.

Übrigens habe ich in dem Jahr seit der ersten Abfassung meiner Theorie, nie aufgehört, mich mit dem Gegenstande zu beschäftigen, darüber zu lesen, zu denken und aufzuschreiben. Daher werde ich jetzt die Abhandlung umarbeiten, manches berichtigen, manches zusetzen, einiges wegnehmen, den Vortrag verbessern. Und hier habe ich noch eine Bitte an Ewr. Excellenz, die Sie mir gewiß nicht abschlagen werden. Sie schrieben mir, Sie hätten in Jena durchzusehn versucht, was seit 8 Jahren über die Farben geschrieben ist: auch früher lobten Sie, daß Seebeck genaue Kenntnis Ihrer Gegner habe. Ich wünsche mich von Allem genau zu unterrichten. Von dem in der neusten Zeit Erschienenen ist mir außer den s. v. Recensionen nichts bekannt, als des Klotz einfältiges Produkt, Runges artiges Werk mit dem Steffenschen Naturphilosophicum (das ich nicht loben kann), Pfaffs schändliches Geschreibe, Mollweides elendes Lateinisches Programm, und einige Aufsätze in Himlys ophthalmologischer Bibliothek, älter als Ihre Farbenlehre. Bewers neue Theorie der Lichtfarben erhalte ich nächstens. – Ich bitte Ewr. Excellenz inständigst, mir mitzuteilen, was Ihnen außer diesem bekannt sein möchte, und wenn es irgend sein kann, mir eine literarische Notiz von Seebek zu verschaffen. Dies Alles kann mir aber nur nutzen, wenn es ohne allen Aufschub geschieht.

Denn Hartknoch verlegt meine Abhandlung und ich habe versprochen, in drei bis vier Wochen das MS zum Druck zu liefern. Ich bitte Ewr. Excellenz, zu bedenken, daß meine Schrift hoffentlich viel zur Ehre und Rechtfertigung Ihres Werkes beitragen wird und sehe deshalb der gütigen Erfüllung meiner Bitte mit Zuversicht entgegen.

In unwandelbarer Verehrung verharrend,

Ewr. Excellenz ergebenster Diener

Arthur Schopenhauer Dr.

Schopenhauer an Brockhaus

Dresden, den 28. März 1816

Herrn Buchhändler Brockhaus in Leipzig.

P. P.

Da mir Hr. v. Biedenfeld gesagt hat, daß Sie, auf eine vorläufige Anfrage, nicht abgeneigt wären, ein Manuskript von mir zu drucken; so nehme ich mir die Freiheit, Ihnen näher anzugeben, wovon die Rede ist.

Ich will nämlich zur nächsten Michaelis-Messe ein philosophisches Werk erscheinen lassen, an welchem ich hier seit 4 Jahren unablässig gearbeitet habe. – Es wäre nun einerseits sehr am unrechten Ort, dem Verleger gegenüber als Schriftsteller den Bescheidenen spielen zu wollen: andrerseits ist es überall unrecht, den Charlatan zu machen. Daher will ich Ihnen zugleich offen und gewissenhaft über mein Werk dasjenige sagen, woran Ihnen, meines Erachtens, gelegen sein kann. Zugleich aber nehme ich Ihnen, als einem Mann von Ehre hiemit das Versprechen ab, das Gesagte streng zu verschweigen, sogar den Titel des Buches, welchen Niemand früher als aus dem Mess-Katalog erfahren soll.

Mein Werk also ist ein neues philosophisches System: aber neu im ganzen Sinn des Worts: nicht neue Darstellung des schon Vorhandenen: sondern eine im höchsten Grad zusammenhängende Gedankenreihe, die bisher noch nie in irgend eines Menschen Kopf gekommen. Das Buch, in welchem ich das schwere Geschäft, sie Andern verständlich mitzuteilen ausgeführt habe, wird meiner festen Überzeugung nach, eines von denen sein, welche nachher die Quelle und der Anlaß von hundert neuen Büchern werden. Jene Gedankenreihe war, dem Wesentlichen nach, schon vor 4 Jahren in meinem Kopfe vorhanden: aber um sie zu entwickeln und sie durch unzählige Aufsätze und Studien mir selber vollkommen deutlich zu machen, bedurfte es ganzer 4 Jahre, in welchen ich mich ausschließlich damit und mit den dazu gehörigen Studien fremder Werke beschäftigt habe. Vor einem Jahre fing ich an, das Ganze in zusammenhängenden Vortrag für Andre faßlich zu machen, und bin damit eben jetzt fertig geworden. Dieser Vortrag selbst ist gleich fern von dem hochtönenden, leeren und sinnlosen Wortschwall der neuen philosophischen Schule und vom breiten platten Geschwätze der Periode vor Kant: er ist im höchsten Grade deutlich, faßlich, dabei energisch und ich darf wohl sagen nicht ohne Schönheit: nur wer echte eigene Gedanken hat, hat echten Stil. Der Wert, den ich auf meine Arbeit lege, ist sehr groß: denn ich betrachte sie als die ganze Frucht meines Daseins. Der Eindruck nämlich, welchen auf einen individuellen Geist die Welt macht, und der Gedanke, durch welchen der Geist, nach erhaltener Bildung, auf jenen Eindruck reagiert, ist allemal nach zurückgelegtem dreißigsten Jahre da, vorhanden und geschehn: alles Spätere sind nur Entwicklungen und Variationen desselben. Ist nun diese Reaktion, dieser Gedanke, ein vom gewöhnlichen, wie er sich täglich in Millionen Individuen wiederholt, verschiedener und wirklich eigentümlicher, so kann nun auch das Werk, in welchem er sich ausspricht und mitteilt, sogleich vollendet werden, sobald nur ein günstiges Geschick die Muße, die innere und äußere Ruhe dazu gibt. Dies ist nun, wie ich glaube, mein Fall gewesen. Wollte ich demnach, gemäß dem Werte, welchen ich auf mein Werk lege, meine Forderungen an Sie abmessen, so würden diese außerordentlich, ja unerschwingbar ausfallen. Sogar aber, wenn ich auch nur nach dem Wert, den, meines Erachtens, das Manuskript für den Verleger haben wird, die Forderungen machen wollte, würden sie schon stark sein. Allein auch dieses werde ich nicht, weil ich nicht verlangen kann, daß Sie alles Gesagte mir ganz auf mein Wort glauben, sondern Sie natürlich argwöhnen müssen, ich sei durch Eigenliebe bestochen. Dies annehmend, bequeme ich mich von der Rücksicht auszugehen, daß mein Name noch sehr wenig bekannt ist, und daß ein philosophisches Werk, solange es keinen Ruhm erlangt hat, vor's Erste kein großes Publikum findet, wiewohl nachher ein desto größeres. Hierauf also gründen sich folgende, höchst billige Forderungen.

Das Werk hat zum Titel: »Die Welt als Wille und Vorstellung, von Arthur Schopenhauer, nebst einem Anhang, der die Kritik der Kantischen Philosophie enthält.« Es wird, nach ungefährer Schätzung, wenn, wie ich durchaus will, in groß Oktavo mit höchstens 30 Zeilen auf der Seite gedruckt, 40 Bogen einnehmen, die nicht in 2 Bände geteilt werden dürfen. Sie erhalten $2/3$ des MS ganz gewiß Mitte Juli; nicht früher, weil ich jetzt, da es eben fertig, es selbst ins Reine schreiben will, um dabei noch beträchtliche Verbesserungen im Vortrag vorzunehmen. Das letzte $1/3$ des MS erhalten Sie spätestens Anfang September. Sie machen sich verbindlich, das Werk zur Michaelismesse zu liefern, auf gutem Druckpapier, in großem Format, mit scharfen Lettern schön gedruckt. Sie versprechen in einem Kontrakt allerhöchstens 800 Exemplare zu drucken und begeben sich förmlich aller Ansprüche auf eine zweite Auflage. Sie versprechen mir auf Ehre und Gewissen jeden Bogen 3mal und das letzte Mal von einem wirklichen von mir genehmigten Gelehrten, der das MS zur Hand hat, auf das sorgfältigste korrigieren zu lassen. Sie bezahlen mir das kaum nennenswerte Honorar von einem Dukaten für den gedruckten Bogen, und zwar gleich bei Ablieferung des MS: denn ich reise, sobald ich es übergeben, nach Italien ab, welche Reise ich bloß dieser Arbeit wegen um 2 Jahre verschoben habe. Sie lassen mir endlich 10 Exemplare auf schönem Papier zukommen.

Ihnen das MS zur Durchsicht schicken, kann ich nicht, teils weil es jetzt nur mir leserlich ist, teils weil ich es nicht aus den Händen gebe, solange keine Abschrift vorhanden, endlich auch, weil ich beständig damit beschäftigt bin.

Ihre gefällige, ganz entschiedene Antwort erbitte ich mir ohne Aufschub, weil, falls Sie meinen Antrag nicht annehmen, ich Jemanden, der nach Leipzig geht, auftragen werde, mir dort auf der Messe einen Verleger zu suchen.

Es scheint, daß Hr. v. Biedenfeld Ihnen geschrieben, ich wollte den Artikel FARBE zum Konversationslexikon liefern: das ist aber ganz und gar ein Irrtum: dergleichen Arbeiten mache ich nie. Ich hatte mich bloß dazu verstanden, daß, wenn Hr. v. B. selbst jenen Artikel machen wollte, ich denselben durchsehn und berichtigen würde, wie ich es dem Prof. Ficinus bei seinem Artikel Farbe zum Pier'schen Wörterbuch getan habe.

Letzten Herbst hatten Sie die Güte, mir 2 Louisd'or den Bogen für Beiträge zum Kunstblatt anzubieten, wovon ich jedoch keinen Gebrauch machen kann, da ich nie an Zeitschriften arbeiten werde.

Ich will nur noch bemerken, daß ich nicht etwa mich dazu verstehen werde, das MS teilweise früher abzuliefern, als zur angegebenen Zeit. Die Vollendung, die ich dem Werke geben will, erlaubt das durchaus nicht.

Mich ergebenst empfehlend

Arthur Schopenhauer

Schopenhauer an den Setzer

Mein lieber Setzer!

Wir verhalten uns zu einander wie Leib und Seele; müssen daher, wie diese, einander unterstützen, auf daß ein Werk zu Stande komme, daran der Herr (Brockhaus) Wohlgefallen habe. – Ich habe hierzu das Meinige getan und stets, bei jeder

Zeile, jedem Wort, ja jedem Buchstaben, an Sie gedacht, ob Sie nämlich es auch würden lesen können. Jetzt tun Sie das Ihre. Mein Manuskript ist nicht zierlich, aber sehr deutlich, auch groß geschrieben. Die viele Überarbeitung und fleißige Feile hat viele Korrekturen und Einschiebsel herbeigeführt. Jedoch alles deutlich und mit genauester Hinweisung auf jedes Einschiebsel durch Zeichen, so daß Sie hierin nie irren können; wenn Sie nur recht aufmerksam sind und mit dem Vertrauen, daß Alles richtig sei, jedes Zeichen bemerken und sein entsprechendes auf der Nebenseite suchen. – Betrachten Sie genau meine Rechtschreibung und Interpunktion: und denken Sie nie, Sie verständen es besser; ich bin die Seele, Sie der Leib. – Habe ich am Ende der Zeile die in die Nebenseite hineingehenden Zusatzworte durch einen Haken der Zeile angeschlossen; so hüten Sie sich, solche für unterstrichen zu halten! – Was mit lateinischen Buchstaben geschrieben, in eckigen Klammern eingeschlossen steht, sind Notizen, für Sie allein bestimmt. – Wo Sie eine Zeile ausgestrichen finden, sehen Sie wohl zu, ob nicht doch ein Wort derselben stehen geblieben sei: und überall sei das Letzte, was Sie denken oder annehmen dieses, daß ich eine Nachlässigkeit begangen hätte. Manchmal habe ich ein fremdartiges Wort, das Ihnen nicht geläufig wäre, am Rande, auch wohl zwischen den Zeilen mit lateinischen Buchstaben wiederholt und in eckigen Klammern geschlossen. – Bedenken Sie, wenn die vielen Korrekturen Ihnen beschwerlich fallen, daß eben in Folge derselben ich nie nötig haben werde, auf dem gedruckten Korrekturbogen noch meinen Stil zu verbessern und Ihnen dadurch doppelte Mühe zu machen. – Ich setze gern doppelte Vokale und das tonverlängernde h, wie es früher Jeder setzte. Ich setz nie ein Komma vor ›denn‹, sondern Kolon oder Punkt. – Ich schreibe überall ahnden, nie ahnen. – Ich schreibe ›trübsälig, glücksälig‹ usw. – auch ›etwan‹, nie ›etwa‹. Teilen Sie diese Ermahnung dem Korrektor mit. – Ich wünsche, daß oben auf den Seiten die Überschrift des jedesmaligen Buches und Kapitels fortlaufend angegeben stehe.

Z. B. auf der Seite zur Linken: »Viertes Buch, Kap. 43«, auf der zur Rechten »Erblichkeit der Eigenschaften« u. s. f. –

Bloß das erste Buch (nicht die andern) zerfällt in zwei Hälften, die nicht grade durch ein Titelblatt gesondert zu werden brauchen, sondern die bloße Überschrift kann hinreichen.

Johann Wolfgang Goethe
Unterhaltungen mit Kanzler von Müller

Eckermanns Gespräche *begannen im Jahre 1823, Müllers* Unterhaltungen *bereits im Jahre 1808. Sie ergänzen Eckermanns* Gespräche *glücklich, indem sie mehr vom privaten Leben erzählen. Auch sind sie unmittelbar nach der Unterhaltung niedergeschrieben worden, während Eckermann sich nur Notizen machte, die er bisweilen erst sehr viel später ausarbeitete.*

Friedrich Müller lernte Goethe am 21. September 1801 kennen. Nach der ersten Zusammenkunft notierte er: »Goethe spricht sehr ruhig und gelassen, wie etwa ein bedächtiger, kluger Kaufmann; sein Auge ist scharf; er war recht artig und gesprächig.«

Theodor Adam Friedrich Müller wurde am 13. April 1779 zu Kunreuth in Franken geboren. Er war also dreißig Jahre jünger als Goethe. Seine Familie war im Dienste der Familie von Egloffstein, die ihn an den Weimarer Hof empfahl. Da er sich des Wohlwollens Karl Augusts erfreute, machte er eine schnelle Karriere. 1807 wurde er in den Adelsstand erhoben; aber die dortige Gesellschaft akzeptierte ihn zunächst nicht. Im Jahre 1815 trat er als Kanzler an die Spitze der Landesjustiz. Er starb 1849. Erst zwanzig Jahre später, während des deutsch-französischen Krieges, wurden seine Unterhaltungen *veröffentlicht.*

Wir haben mit Absicht zwei Stellen ausgewählt, die Goethe im täglichen Leben und einmal nicht auf seinen Ideenflügen schildern. Das erste Stück, »Goethe in Dornburg, Mittwoch 29. April 1818« zeigt nicht nur die Verehrung Müllers und sei-

ner Gesellschaft für den Dichter, sondern auch ihn, den fast Siebzigjährigen, im neckischen Umgang mit einer jungen Zeichnerin, die ganz offenbar eine starke Attraktion auf ihn ausübt. Der Text wird später auch sachlich interessant durch seine Deutung der Moral, vor allem aber durch seinen Hinweis auf »das unsterbliche Verdienst« Kants, »uns von jener Weichlichkeit, in die wir versunken waren, zurückgebracht zu haben«.

Es folgen kurze Notizen vom 17. Februar 1823 bis zum 2. März 1823: Bulletins über eine schwere Erkrankung Goethes, die sowohl sein Verhalten als auch die Reaktion seiner Umgebung sehr plastisch gestalten.

Goethe in Dornburg, Mittwoch, 29. April 1818

Wir fuhren bei heiterster Frühlingssonne gegen 8 Uhr morgens von Weimar aus nach Dornburg. – Blütenburg – sollte man sagen, denn Dornen fanden wir keine, aber duftende herrliche Blüten in Menge.

Wie der Wagen so vorüberrollte an friedlichen, stillen Dörfern, von frischgrünenden Obst- und Grasgärten umschlungen, überkam uns alle ein unaussprechliches Gefühl heiterer Frühlingslust und Ahnung. Trauliche Gespräche, meist ernsteren Inhalts, kürzten den Weg.

Falks gestrige Äußerungen über Toleranz und Mischung des Guten und Bösen in der Natur gaben bald Anlaß zu tieferen Erwägungen. Alles Böse, behauptete ich, nach Weishaupts und Goethes Lehre, komme eigentlich nur aus Irrtum oder Trägheit; es gebe kein radikales, ursprüngliches Böse, so wenig als der Schatten ein positives Etwas sei; der Dualismus habe von jeher die meisten Verwirrungen und Irrtümer erzeugt, das wahrhaft Menschliche zerspalten und die Menschen in Kampf und Widerspruch mit sich selbst verwickelt. So habe man töricht Gutes und Böses, Kunst und Natur,

Offenbarung und Deismus, Geist und Körper, Ideal und Wirklichkeit einander schneidend und schroff entgegengesetzt und die Mitteltinten und Übergänge ganz übersehen. Die höchste Stufe der Kultur und Humanität sei Duldung und heiteres Bewußtsein, daß alle Disharmonie früher oder später in Harmonie sich auflösen werde und müsse! Solches Ziel habe Herder erstrebt, aber freilich nicht rein, nicht vollständig errungen, da seine Reizbarkeit und Tadelsucht ihn oft abgeführt habe vom rechten Wege. Goethe sei höchst tolerant mit dem Verstande, aber freilich nicht immer mit dem Gemüte.

Gegen 11 Uhr langten wir an. Eine Viertelstunde vorher ward der Weg steiniger, die Gegend öder, die Aussicht beschränkter; plötzlich tat das reizend blühende Saaltal in seiner ganzen Herrlichkeit sich unseren überraschten Blicken auf, und das Auge stürzte sich jubelnd und trunken die steilen Felsenhänge hinab. Gastlich öffneten sich die Pforten des allerliebsten Feenschlößchens, das am schroffen Felsabhange wie durch Zauberei aufgerichtet scheint. Eilig durchflogen wir die Zimmer rechts und links, grüßten freudig die schönen Lahngegenden, die in bunten Landschaften hier aufgehängt sind und unter denen vorzüglich Weilburg und Limburg uns als alte Bekannte traulich ansprachen, und postierten uns dann sofort an das Eckfenster im Zimmer der Frau Großherzogin Luise, damit unsere eifrige Zeichnerin von hier aus einen Teil der Gegend, vom alten Schlosse gegen die Brücke hinab, aufnehmen könne. Wir mochten so etwa eine halbe Stunde am offenen Fenster gesessen haben, als durch den kleinen Garten unter dem Fenster ein stattlicher Mann ernst und feierlich aus den Gebüschen heranschritt.

Es war Goethe, der hochverehrte Meister, den ein Brief von mir gestern abend von unserer Hierherreise benachrichtigt und zu uns eingeladen hatte! – Jubelnd flogen wir ihm entgegen, und sein heiteres Auge lohnte unsere herzliche Bewillkommnung. Alsobald mußte das Zeichnen fortgesetzt werden, mit der zärtlichsten Sorgfalt machte er auf alle kleinen Vorteile in Aufnahme und Behandlung des Gegenstandes aufmerksam und förderte so das begonnene Werk zum allerheitersten, bald lobend, bald scheltend. Ach! Wärst du mein Töchterchen, rief er scherzend aus, wie wollt' ich dich einsperren, bis du dein Talent völlig und folgegerecht entwickelt hättest! Kein Stutzer sollte dir nahen, kein Heer von Freundinnen dich umlagern, Konvenienz und gesellige Ansprüche dich nimmer umgarnen; aber kopieren müßtest du mir von früh bis in die Nacht, in systematischer Folge, und dann erst, wenn hierin genug geschehen, komponieren und selbständig schaffen. Nach Jahresfrist ließe ich dich erst wieder aus meinem Käfig ausfliegen und weidete mich dann am Triumphe deiner Erscheinung. Unsere Zeichnerin zeigte aber keine sonderliche Lust, sich einer solchen Kunstdiät zu unterwerfen, obwohl sie mit der muntersten Laune den alten Meister beschwor, ihr seine strengen Lehren auch auf ihrem gewohnten Lebensgange nicht zu versagen. Er schüttelte skeptisch den Kopf, verneinend: solche hübsche Kinder horchten gar freundlich auf die Lehren der alten Murrköpfe, weil sie sich stillschweigend den Trost gäben, nur so viel davon zu befolgen, als ihnen gerade beliebte. Willst du aber, mein Engelchen, fuhr er fort, hierin wirklich eine Ausnahme machen, so fordere ich zur Probe dreißig Kopien von Everdingens in Kupfer gestochenen kleinen Landschaften, die ich dir zum Beginn eines folgerechten Portefeuille geben werde und setze dir sechzig Tage unerstreckliche Frist.

Die Freundin schrie hoch auf über die gewaltige Aufgabe; aber Goethe blieb unerbittlich und setzte wie ein wahrer Imperator hinzu: Wie du es ausführst, das ist deine Sache; genug, ich fordere es und weiche kein Haar breit von meinem Gebote ab.

So verstrich unter Scherzen und Neckereien der Rest des Vormittags; unterdessen war im zierlichen Saale das kleine Mittagsmahl aufgetischt und das fröhliche Quartett ließ sich nicht lange mahnen. Auf derselben Stelle wurde es einge-

nommen, wo einst vor 16 Jahren eine verwandte fröhliche
Gesellschaft bei ähnlicher Lustfahrt im heiteren Übermut auf
rosenbestreuten Polstern unter Gitarrenspiel und Gesang
sich niedergelassen und dem Genius des Orts manch geflügel-
tes Wort und Lied geopfert hatte:

»Die alten Berge schauten freundlich wieder
Herein auf unser Mahl, auf unsre Lust,
Und leiser Nachhall jener frohen Lieder
Zog mit Erinnerungsschauer durch die Brust.
Es taucht der Blick ins stille Tal hernieder,
Sucht nach den Zeugen längst entschwundener Lust.
Und an des Flusses Krümmung, auf den Fluren
Geliebter Tritte längst verwischte Spuren.«

Doch bald nahm das Gespräch eine höhere Richtung. In solcher Naturherrlichkeit, in solchem Freiheitsgefühl von allem
Zwang der Konvenienz schließt der edlere Mensch sein Inneres willig auf und verschmäht es, die strenge Maske der
Gleichgültigkeit vor sich zu halten, die im täglichen Leben
den Andrang der lästigen Menge abzuhalten bestimmt ist. So
auch unser Goethe! Er, dem über die heiligsten und wichtigsten Anliegen der Menschheit so selten ein entschiedenes
Wort abzugewinnen ist, sprach diesmal über Religion, sittliche Ausbildung und letzten Zweck der Staatsanstalten mit
einer Klarheit und Wärme, wie wir sie noch nie an ihm in gleichem Grade gefunden hatten. Das Vermögen, jedes Sinnliche
zu veredeln und auch den totesten Stoff durch Vermählung
mit der Idee zu beleben, sagte er, ist die schönste Bürgschaft
unseres übersinnlichen Ursprungs. Der Mensch, wie sehr ihn
auch die Erde anzieht mit ihren tausend und abertausend Erscheinungen, hebt doch den Blick forschend und sehnend gen
Himmel auf, der sich in unermeßlichen Räumen über ihm
wölbt, weil er es tief und klar in sich fühlt, daß er ein Bürger
jenes geistigen Reiches sei, woran wir den Glauben nicht abzulehnen noch aufzugeben vermögen. In dieser Ahnung liegt

das Geheimnis des ewigen Fortstrebens nach einem unbekannten Ziele; es ist gleichsam der Hebel unseres Forschens und Sinnens, das zarte Band zwischen Poesie und Wirklichkeit. Die Moral ist ein ewiger Friedensversuch zwischen unseren persönlichen Anforderungen und den Gesetzen jenes unsichtbaren Reiches; sie war gegen Ende des letzten Jahrhunderts schlaff und knechtisch geworden, als man sie dem schwankenden Kalkül einer bloßen Glückseligkeitstheorie unterwerfen wollte; Kant faßte sie zuerst in ihrer übersinnlichen Bedeutung auf, und wie überstreng er sie auch in seinem kategorischen Imperativ ausprägen wollte, so hat er doch das unsterbliche Verdienst, uns von jener Weichlichkeit, in die wir versunken waren, zurückgebracht zu haben. Der Charakter der Roheit ist es, nur nach eignen Gesetzen leben, in fremde Kreise willkürlich übergreifen zu wollen. Darum wird der Staatsverein geschlossen, solcher Roheit und Willkür abzuhelfen, und alles Recht und alle positiven Gesetze sind wiederum nur ein ewiger Versuch, die Selbsthilfe der Individuen gegeneinander abzuwehren.

Wenn man das Treiben und Tun der Menschen seit Jahrtausenden überblickt, so lassen sich einige allgemeine Formeln erkennen, die je und immer eine Zauberkraft über ganze Nationen wie über die einzelnen ausgeübt haben, und diese Formeln, ewig wiederkehrend, ewig unter tausend bunten Verbrämungen dieselben, sind die geheimnisvolle Mitgabe einer höheren Macht ins Leben. Wohl übersetzt sich jeder diese Formeln in die ihm eigentümliche Sprache, paßt sie auf mannigfache Weise seinen beengten individuellen Zuständen an und mischt dadurch oft so viel Unlauteres darunter, daß sie kaum mehr in ihrer ursprünglichen Bedeutung zu erkennen sind. Aber diese letztere taucht doch immer unversehens wieder auf, bald in diesem, bald in jenem Volke, und der aufmerksame Forscher setzt sich aus solchen Formeln eine Art Alphabet des Weltgeistes zusammen.

Wir lauschten aufmerksam jedem Worte, das dem teuren

Munde beredt entquoll, und waren möglichst bemüht, durch
Gegenrede und Einwurf immer lebendigere Äußerungen
hervorzulocken. Es war, als ob vor Goethes innerem Auge
die großen Umrisse der Weltgeschichte vorübergingen, die
sein gewaltiger Geist in ihre einfachsten Elemente aufzulösen
bemüht war. Mit jeder neuen Äußerung nahm sein ganzes
Wesen etwas Feierliches an, ich möchte sagen, etwas Prophe-
tisches. Dichtung und Wahrheit verschmolzen sich ineinander, und die höhere Ruhe des Weisen leuchtete aus seinen
Zügen. Dabei war er kindlich mild und teilnehmend, weit
geduldiger als sonst in Beantwortung unserer Fragen und
Einwürfe, und seine Gedanken schienen wie in einem reinen
ungetrübten Äther gleichsam auf und nieder zu wogen.

Doch nur allzu rasch entschlüpften so köstliche Stunden.
Laßt mich, Kinder, sprach er, plötzlich vom Sitze aufste-
hend, laßt mich einsam zu meinen Steinen dort unten eilen;
denn nach solchem Gespräch geziemt dem alten Merlin, sich
mit den Urelementen wieder zu befreunden. Wir sahen ihm
lange und frohbewegt nach, als er, in seinen lichtgrauen Mantel gehüllt, feierlich ins Tal hinabstieg, bald bei diesem, bald
bei jenem Gestein oder auch bei einzelnen Pflanzen verweilend, und die ersteren mit seinem mineralogischen Hammer
prüfend. Schon fielen längere Schatten von den Bergen, in
denen er uns wie eine geisterhafte Erscheinung allmählich
entschwand. Wir aber fuhren unter traulichen Erinnerungs-
gesprächen durch das blühende Jenaische Tal froh und heiter
nach Hause.

Montag, 17. Februar früh 1823

Er hat die Nacht übel zugebracht, wenig geschlafen und
viel gehustet. Ich ging gegen 4–5 Uhr nachmittags zu ihm
und fand ihn angekleidet im Bette liegen, sehr jammernd und
klagend über fortwährende Schmerzen und Ermattung. Er
hatte einen äußerst heftigen Fieberfrost gehabt, der ihn über
zwei Stunden lang durchschüttelt hatte. Meyer schlich sich

eben ab, als ich eintrat. Rehbein kam bald darauf und gab guten Trost. Man hoffte auf Schweiß. Er verlangte etwas Wein zu trinken, was man zu gestatten nicht wagte. Allmächtiger Gott, was muß ich ausstehen.

Die Kammer, worin er lag, war ganz dunkel, seine Hand kalt, alles umher unheimlich; doch nahm er noch großen Anteil an allem, was ich von Knebel und von Stroganoff referierte, und trieb mich an, ins Theater zu gehen, um die Tableaus zu sehen, die man zu Ehren des Geburtstagsfestes der Großfürstin darstellen wollte. Gegen 6 Uhr verließ ich ihn noch ganz ohne ernstliche Besorgnis.

Dienstag, 18. Februar 1823
erschreckte mich mittags beim General v. Egloffstein mein Bruder mit der eben aus Dr. Rehbeins Munde vernommenen Kunde, daß Goethe höchst gefährlich krank sei und eine Herzentzündung habe. Ich lief gleich nach Tische hin, erfuhr, daß man ihn zur Ader gelassen, traf Dr. Huschke, sah das Blut mit allen Zeichen der höchsten Entzündung und mußte aus der Ärzte Munde vernehmen, daß die Wahrscheinlichkeit seiner Rettung nur wie 2 : 10 sei. In der Nacht trat Schweiß ein, weshalb man die beschlossenen Blutegel erst am anderen Morgen ansetzte.

Mittwoch, 19. Februar 1823
schien es etwas besser zu gehen, doch hatte er schon vor sich hingesagt: dieser Schmerz (den am Herzen meinend), dieser unbesiegbare Schmerz wird mich noch an die Schwelle des Lebens bringen.

Donnerstag, 20. Februar, bis Sonnabend, 22. Februar 1823
wechselten Besserung und Verschlimmerung immerfort ab. Jeden Nachmittag brachte ich eine Stunde bei dem Sohne oder bei Ottilien oder Ulrike zu. Er war öfters betäubt, phantasierte mitunter halb und halb, doch immer dazwischen ganz

teilnehmend und verständig sprechend. Donnerstag gab er
sich noch sehr mit seinem älteren Enkel ab, sang ihm sogar ein
Liedchen aus dem Spiegel von Arkadien vor. Er fragte oftmals nach Personen, die ihm sonst gleichgültig waren, z. B.
Graf Keller, Graf Marschall usw. Dazwischen sagte er einmal: mischt sich der Großherzog noch immer in meine Kur?
Und als man, seine Intentionen mißverstehend, mit Nein
antwortete, äußerte er: es wird ihm wohl zu langweilig werden. Er wiederholte öfters sein Bedauern, um Stroganoffs Besuch gekommen zu sein und in der Fortsetzung von Kunst
und Altertum gehemmt zu werden: und doch ist die Anzeige
der Boisséreeschen neuesten Lieferungen so dringend, die
muß ich ja rühmen und beloben. Zu seinem Diener Stadelmann sprach er einmal leise: Du glaubst nicht, wie elend ich
bin, wie sehr krank. Den Ärzten gab er öfters auf, sich ernstlich über seinen Zustand zu bedenken, indem er einigen Un-
glauben an ihre Kunst merken ließ: Treibt nur eure Künste,
das ist alles recht gut; aber ihr werdet mich doch wohl nicht
retten. Mehrmals verlangte er ein warmes Bad, das man jedoch für zu gewagt hielt. Einmal, als die Ärzte sich leise miteinander beredet hatten, sagte er: Da gehen die Jesuiten hin,
beraten können sie sich wohl, aber nicht raten und retten. Er
jammerte, daß jeder ihm willkürlich verfluchtes Zeug zu
schlucken gebe und daß man die guten Kinder Ottilie und
Ulrike mißbrauche, es ihm beizubringen. Sobald er sich
momentan erleichtert fühlte, wollte er alsobald, daß seine
Schwiegertochter ihrer gewohnten geselligen Weise nachge-
hen, den Hof oder das Theater besuchen sollte. Jede Dienst-
leistung erwiderte er durch ein dankbares artiges Wort oder
einen verbindlichen Gestus. Nun, ihr Seidenhäschen, wie
schleicht ihr so leise herbei, sagte er Sonnabend morgens zu
Ottilien, als sie an sein Bett trat. Er saß fast beständig auf dem
Bette oder im Großvaterstuhle der Oberkammerherrin
v. Egloffstein, den er sehr pries und hinzusetzte: Durch diese
Sendung habe sie sich eine Staffel in den Himmel verdient.

Sonnabends Mittag ließ man ihn ein Glas Champagner trinken, ohne sichtliche Wirkung. Mit großem Behagen aß er eine Bergamottbirn und Ananasgelee. Einmal sprach er halblaut zu sich selbst: Mich soll nur wundern, ob diese so zerrissene, so gemarterte Einheit wieder als eine Einheit wird auftreten und sich gestalten können. Zu Ulriken sagte er: Ach, du glaubst nicht, wie die Ideen mich quälen, wie sie sich durchkreuzen und verwirren.

Sonntag, 23. Februar 1823
war er am schlechtesten. Früh sagte er zu seinem Sohne: Der Tod steht in allen Ecken um mich herum. Zu Huschken mehrmals: Ich bin verloren. Einmal soll er auch geäußert haben: O du christlicher Gott, wie viele Leiden häufst du auf deine armen Menschen, und doch sollen wir dich in deinen Tempeln dafür loben und preisen. Ich war vormittags in Stadelmanns Kammer neben seinem Zimmer, abends vor Hofe wieder eine Stunde zu Hause. Rehbein sagte ihm: Das Inspirieren geht leichter als das Exspirieren. Freilich antwortete er, ich fühle es am besten, ihr Hundsfötter. Sonntagabend wurde er zu Jena schon tot gesagt.

Montag, 24. Februar 1823
Nachmittags von 4–9 Uhr bei Goethe im Nebenzimmer. Die Nacht war schlecht gewesen. Der Puls intermittierte oftmals, man fürchtete einen Herzschlag. Man sagte ihm, der Großherzog habe öfters zu ihm gewollt, man habe ihn aber wohlmeinend zurückgehalten. Er erwiderte: Wenn ich ein Fürst wäre, so ließe ich mich nicht abhalten. Der Fürst muß gerade durchdringen, sich nicht um solche Konspirationen kümmern. Nachmittags wurde er sehr heftig gegen die Ärzte, befahl mit Ungestüm, ihm Kreuzbrunnen zu geben, und sagte: Wenn ich nun doch sterben soll, so will ich auf meine eigene Weise sterben. Er trank auch wirklich ein Fläschchen Kreuzbrunnen mit sichtbar gutem Erfolge. Kurz vorher sagte

er zu seinem Sohne: Das ist der Kampf zwischen Leben und Tod.

Von 4¹/₂–9 Uhr war ich im Nebenzimmer; seine Stimme klang sonor und ziemlich kräftig. Ich sah ihn selbst verstohlen. Line, Ottilie, Fräulein v. Pogwisch, Rehbein, Riemer waren abwechselnd gegenwärtig. Ich hörte ihn nach allen Umständen und dem Hergang seiner Krankheit fragen, Rechenschaft fordern wie von einer fremden abgeschlossenen Sache. Er triumphierte, daß sein scharfer Geschmack etwas Anis in seiner Arznei entdeckt habe, und daß man sich, weil ihm diese Kräuter stets verhaßt gewesen, zur Umänderung des Rezepts entschlossen. Mit Wohlgefallen hörte er, daß man ihm Arnika geben wolle, und hielt ganz behaglich eine kleine botanische Vorlesung über diese Blume, die er häufig und sehr schön in Böhmen getroffen: Die Phantasien sind nur Plünderungen des Verstandes und Geistes. Es lasten solche Massen von Krankheitsstoffen auf mir seit 3000 Jahren; man gewahrt deutlich, wie sich das Konventionelle, das Einbildige dazwischen schiebt. Sehr oft fragte er, wer alles von Freunden dagewesen, sich nach ihm zu erkundigen: Das ist sehr artig von den guten Leuten. Er wurde sichtbar besser, trieb die Seinigen zur Ruhe, sie sollten sich selbst bedenken; für das wenige, was er bedürfe, sei ja gesorgt: So habe ich doch nicht alle eure Feste gestört. Die Hoffnung kehrte ihm selbst wieder, er meinte: Morgen werde ich ordentlich den Kreuzbrunnen wieder trinken und dann bald wieder ein ordentlicher Mensch werden. Er fragte, ob man sein Tagebuch fortgesetzt, und jammerte, daß es nicht geschehen. Wir wagten kaum, uns der Hoffnung, die sein Zustand unverkennbar gab, hinzugeben, fürchtend, es sei die letzte Aufloderung des Lebensprinzips und vielleicht schon innerer Brand vorhanden. Besonders die kalten Extremitäten wußte man nicht zu erklären, doch gegen 8 Uhr nahm diese Kälte ab und allerlei gute Symptome traten ein; er fing an, ruhiger zu schlummern. Um 11 Uhr ging ich nochmals hin und vernahm die besten Nachrichten.

Dienstag, 25. Februar 1823

Morgens enthielt das Bulletin zum ersten Male lauter Gutes. Er hatte mehrere Stunden ruhig geschlafen, der Puls ging ziemlich frei. Man überließ sich freudig den schönsten Hoffnungen. Gegen 2 Uhr besuchte ihn der Großherzog. Sie sprachen meist von den Edelsteinsammlungen des Großherzogs und von der Kunst, die Diamanten nachzumachen. Rehbein vertrieb den Fürsten, als er merkte, daß die Unterhaltung den Patienten angriff. Ich sprach nachmittags Ulriken im Nebenzimmer, wie vormittags den Sohn. Goethe hatte sich zwei ganze Nachfragezettel von Stadelmann vorlesen lassen. Es sei doch sehr artig von den Leuten, so viel Teil zu nehmen, man müßte recht dankbar dafür sein. Huschke hatte ihm etwas Wein erlaubt, er fand ihn stärker als sonst, und Rehbein mißbilligte diese Aufreizung.

Mittwoch, 26. Februar 1823

Die Nacht war fast schlaflos gewesen; doch schlummerte er am Morgen, die linke Hand zeigte sich geschwollen, die Füße ohnehin. Üble Zeichen! Er war im ganzen ruhig, fing an, sich nach der Außenwelt zu erkundigen, ob keine Heirat neuerer Zeit zustande gekommen. Gegen Abend verlangte er nach Meyern. Voigt von Jena war hier.

Donnerstag, 27. Februar 1823

kam Riemer zu ihm, und es ging viel besser.

Freitag, 28. Februar 1823

ließ er mich nachmittags zu sich einladen, und ich fand ihn zwar noch liegend und matt, aber doch viel besser aussehend, als ich gefürchtet.

Sonnabend, 1. März 1823

ging er schon etwas im Zimmer umher, und die Geschwulst an den Füßen nahm bedeutend ab.

Sonntag, 2. März 1823

ließ er sich alle Nachfrage verbitten, da die Besserung rasch vorwärtsschritt.

Henri de Saint-Simon
Neues Christentum

Seine Ahnentafel führt auf Karl den Großen zurück. Der Großvater war ein berühmter Würdenträger am Hofe Ludwigs XIV. und dessen Historiker. Der Enkel, Graf Claude Henri de Saint-Simon, geboren 1760, erbte den Titel eines Herzogs, eines Pairs von Frankreich, eines Grande von Spanien, ein großes Vermögen und ein jährliches Einkommen von 500 000 Francs.

Er ging als Soldat nach Amerika und kämpfte unter Washington für die Unabhängigkeit der Staaten. Aber er hatte offenbar nicht das Kriegerische seiner Ahnen geerbt. Mit neunzehn Jahren quittierte er zum ersten Mal den Dienst. Er wußte noch nicht recht, was er wollte. Er steckte voll von Plänen. In Mexiko riet er dem Vizekönig, die beiden Weltmeere durch einen großen Kanal zu verbinden. In Holland entwarf er den Plan einer französisch-holländischen Expedition gegen die englischen Kolonien in Indien. In Spanien propagierte er einen Kanal von Madrid bis zum Meere.

Er gab sich aus in Plänen, die nicht ausgeführt wurden. Den spanischen Plan vereitelte die große Französische Revolution.

Dann fand der schweifende Eroberer das Gebiet, das ihn bei intensivster Arbeit festhielt: die Wissenschaft, und zwar die Wissenschaft von der Natur der menschlichen Gesellschaft oder – wie er sagte – die »physikopolitische« Wissenschaft.

Saint-Simon interessierte sich nicht für die philosophische Theorie. Er war ganz eingestellt auf die Einsichten in die Natur der Gesellschaft zwecks Verbesserung des menschlichen Loses. Er war ganz ein Kind jener Zeit, die mit ungebrochener

Kraft, mit innigem Zutrauen an die Wissenschaft glaubte: an ihre unbegrenzte Macht, an die Erlösung durch sie von allen irdischen Übeln.

Er hat schon viel erlebt, viel erforscht, viel erprobt: da erscheinen in seinem zweiundvierzigsten Lebensjahr die Lettres d'un habitant de Genève à ses contemporains. *Seine erste Schrift will den Zustand der Gesellschaft wissenschaftlich erforschen und ihre Verhältnisse nach absoluten Grundsätzen ordnen. Das alte platonische Schema von dem Lehrstand, dem Wehrstand und dem Nährstand – aktuell variiert als Liberale, Besitzer und Besitzlose – taucht auf: die Weisen sollen herrschen;* »*die geistige Gewalt in den Händen der Weisen; die zeitliche Gewalt in den Händen der Besitzer; die Gewalt, diejenigen zu ernennen, die die Obliegenheiten der großen Leiter der Menschheit zu erfüllen berufen sind, in den Händen aller; als Belohnung den Regierenden die Achtung.*« *Also die übliche, jahrtausendealte idealistische Utopie, phantastisch verbrämt. Vor dem Grabe Newtons soll eine Subskription eröffnet werden, die alle Jahre erneuert werden möge. Jeder Subskribent soll drei Mathematiker, drei Physiker, drei Chemiker, drei Physiologen, drei Literaten, drei Maler, drei Musiker ernennen. Unter denen, welche die meisten Stimmen bekommen, den einundzwanzig Erwählten der Menschheit,* »*Newtons Rat*«, *wird das Geld dieses organisierten Mäzenatentums geteilt: so sorge die Gemeinschaft für ihre wissenschaftlichen Führer.*

Napoleon legte dem Institut de France die Fragen vor: Welche Fortschritte hat die Wissenschaft seit 1798 gemacht, welches ist ihr heutiger Stand, wie kann sie gefördert werden? Saint-Simon beantwortet diese Fragen in seiner Introduction aux traveaux scientifiques du XIXe siècle. *Er gibt keine Parade der Leistungen. Ihn interessieren nicht die Denkmäler der Vergangenheit, er will eine Zukunft; er will die Konstruktion einer neuen Gesellschaft aus der Substanz der wirklichkeitsgesättigten Vernunft. Er beantwortet, was niemand gefragt hat.*

So nimmt niemand seine Antwort auf. Für seine nächsten Schriften findet er schon keinen Verleger mehr. Er schreibt außerhalb der geistigen Bannmeile seiner Zeit. Er fand keinen Verleger für L'Industrie, *obwohl die ersten Gelehrten Frankreichs, Augustin Thierry und der Geschichtsphilosoph Auguste Comte, mitgearbeitet hatten.*

Saint-Simon drang immer tiefer ein in das Leben dieser industriellen Gesellschaft: 1820, im Organisateur, *der auch in Lieferungen erschien, zeichnete er schon den Werdegang dieser Gesellschaft auf. Der* Organisateur *hatte einen kleinen Sensationserfolg: ein Aufsatz der ersten Lieferung stellte die Frage, ob es für Frankreich nachteiliger sei, wenn es plötzlich die königliche Familie, den Hofstaat, den hohen Klerus, die höchsten Beamten – oder wenn es die größten Gelehrten und besten Arbeiter verlieren würde. Große Aufregung. Anklage wegen Beleidigung von König und Adel. Die Geschworenen sprachen den Angeklagten frei. Die Frage, die solches Aufsehen erregte, war durchaus nicht charakteristisch für die äußerste Position, die Saint-Simon erreicht hatte: für den beginnenden Kampf gegen die Herren der bürgerlichen Gesellschaft.*

Aber diese Frage und dieser Prozeß lenkten die Aufmerksamkeit der Öffentlichkeit auf ihn. Nur für einen Augenblick. Als 1821 sein Système industriel *mit dem Motto »Liebt euch und helft einander« erschien, Darstellung der Idee einer Allianz von Königtum und arbeitender Klasse, fiel sein Wort wieder in den leeren Raum, echolos wie seit je.*

Er war sechzig. Er war arm. Er war ohne Erfolg. Ein kleiner Kreis junger Schüler war das einzige Resultat des entbehrungsreichsten Lebens. Da verzweifelte er. Im März 1823 machte er einen Selbstmordversuch. Er wurde geheilt, verlor aber ein Auge. Zwei Jahre lebte er noch, zwei Bücher schrieb er noch: den Catéchisme des Industriels *und* Nouveau Christianisme. *Der äußerste Punkt, zu dem er gelangte, war die Erkenntnis, daß es gelte, die organische Gesamtheit der*

Arbeit von den Nachfolgern der alten Feudalen, den Besitzenden und ihren Advokaten, zu befreien. Das einzige Prinzip der christlichen Religion sei das Gebot: Die Menschen sollen Brüder sein. Das Neue Christentum *will die bürgerliche Gesellschaft »dem großen Zwecke der schnellsten Verbesserung des Loses der ärmsten Klasse entgegenführen . . .«*

Auf dem Totenbett 1825 überblickte er seine Jahre: »Mein ganzes Leben faßt sich in einem Gedanken zusammen: allen Menschen die freieste Entwicklung ihrer Anlagen zu sichern.«

Das hieß nach dem Stand der Dinge: Befreiung des Proletariats. Und sterbend verkündete der Graf Saint-Simon: Es wird sich die Partei der Arbeiter bilden; die Zukunft ist unser.

Dialoge zwischen einem Konservativen und einem Neuerer

Konservativer: Glaubst du an Gott?

Neuerer: Ja, ich glaube an Gott.

Konservativer: Glaubst du, daß die christliche Religion göttlichen Ursprungs ist?

Neuerer: Ja, ich glaube es.

Konservativer: Wenn die christliche Religion gottentsprungen ist, so ist sie keiner Vervollkommnung zugänglich. Gleichwohl treibst du durch deine Schriften die Künstler, die Industriellen und Gelehrten an, sie zu vervollkommnen: Du gerätst also mit dir selbst in Widerspruch, da deine Lehrmeinung und dein Glaube unvereinbar sind.

Neuerer: Die Gegensätzlichkeit, die du in dieser Hinsicht zu bemerken glaubst, ist nur scheinbar. Man muß das, was Gott selbst gesagt, wohl unterscheiden von dem, was der Klerus in seinem Namen verkündet hat. Was von Gott ausgeht, ist sicherlich keiner Vervollkommnung fähig, aber was die Geistlichkeit im Namen Gottes lehrt, bildet eine Wissenschaft, die einer Weiterbildung ebenso zugänglich ist wie die übrigen menschlichen Wissenszweige. Die Lehre der Theologie muß zu gewissen Zeiten erneuert werden wie die der Physik, Chemie und Physiologie.

Konservativer: Welchen Teil der Religion hältst du für göttlichen und welchen für menschlichen Ursprungs?

Neuerer: Gott hat gesagt: die Menschen *sollen sich gegenseitig als Brüder behandeln.* Dieser erhabene Grundsatz umschließt den göttlichen Bestandteil der christlichen Religion.

Konservativer: Wie! Du führst, was göttlich ist im Christentum, auf ein einziges Gebot zurück?

Neuerer: Gott hat notwendigerweise alles auf einen einzigen Grundsatz bezogen; er hat mit Notwendigkeit alles aus demselben Prinzip abgeleitet. Wäre doch andernfalls sein Wille den Menschen gegenüber kein einheitlicher. Es würde einer Gotteslästerung gleichkommen, zu behaupten: der Allmächtige habe seine Religion auf mehrere Prinzipien gegründet.

Nach diesem Grundsatz nun, den Gott den Menschen als Regel für ihr Verhalten verliehen, müssen diese ihr Gesellschaftsleben ordnen, und zwar auf die für die größte Anzahl vorteilhafteste Weise. In allem, was sie unternehmen, müssen sie sich zum Ziel setzen, so rasch und durchgreifend als möglich das sittliche und leibliche Wohl der zahlreichsten Klasse zu fördern. Hierin, sage ich, und hierin allein, besteht der göttliche Teil der christlichen Religion.

Konservativer: Ich gebe zu, daß Gott den Menschen nur ein einziges Lebensprinzip übermittelt und daß er ihnen eine solche Organisation ihres Gesellschaftslebens anbefohlen hat, daß ihr Dasein in sittlicher und leiblicher Hinsicht möglichst schnell und vollkommen gebessert werde: aber ich werde deine Aufmerksamkeit darauf hinlenken, daß Gott dem Menschengeschlecht Führer gegeben hat. Bevor Jesus Christus wieder gen Himmel fuhr, hat er seine Apostel und deren Nachfolger beauftragt, die Menschen zu leiten: sie sollten ihnen die Anwendungsarten des Prinzips der göttlichen Lehre zeigen und ihnen behilflich sein, aus ihm die wichtigsten Folgerungen zu ziehen. Erkennst du die Kirche als eine göttliche Einrichtung an?

Neuerer: Ich glaube, daß Gott selbst die christliche Kirche gegründet hat. Tiefste Achtung und größte Bewunderung erfüllt mich angesichts der Lebensführung der Kirchenväter. Diese Väter der Urkirche haben freimütig die Vereinigung aller Völker gepredigt; sie haben sie angehalten, miteinander in Frieden zu leben; sie haben bestimmt und mit der größten Eindringlichkeit den Mächtigen als ihre erste Pflicht nahegelegt, mit allen Mitteln auf die möglichst schnelle Verbesserung der Daseinsbedingungen der Armen hinzuarbeiten. Diese Führer der Urkirche haben das beste Buch, das jemals veröffentlicht worden, verfaßt, den *alten Katechismus,* worin die menschlichen Handlungen in zwei Klassen eingeteilt sind, in gute und schlechte, d. h. in solche, die mit dem Urprinzip der göttlichen Moral übereinstimmen, und solche, die gegensätzlicher Art sind.

Konservativer: Bestimme doch deinen Gedanken näher und laß mich wissen, ob du die christliche Kirche als unfehlbar betrachtest.

Neuerer: Hat die Kirche Männer zu Führern, die mit allen Fähigkeiten zur Lenkung der sozialen Kräfte im Sinne des gottgewollten Zwecks ausgestattet sind, so glaube ich, daß sie ohne weiteres als unfehlbar gerühmt werden kann und daß es weise ist, wenn sich die Gesellschaft ihrer Führung anvertraut. Ich betrachte die Kirchenväter als unfehlbar für die Zeit, in der sie gelebt haben, während mir der heutige Klerus als die in den größten Verirrungen befindliche Körperschaft erscheint, in Verirrungen von einer für die Gesellschaft schädlichsten Wirkung, als eine Körperschaft, deren Gebaren offensichtlichst im Gegensatz steht zu dem Hauptgrundsatz der göttlichen Sittenlehre.

Konservativer: Demgemäß befindet sich wohl die christliche Religion in recht schlechter Verfassung?

Neuerer: Im Gegenteil, hat es doch zu keiner Zeit eine so große Zahl guter Christen gegeben. Aber heute gehören sie alle dem Laienstand an. Seit dem 15. Jahrhundert hat die christliche Religion die Kraft einheitlicher Wirksamkeit eingebüßt. Seither gibt es keinen christlichen Klerus mehr. Alle Kleriker, die heute darauf hinausgehen, ihre Anschauungen, Sittenlehren, Kulte und Dogmen auf das Moralprinzip zu pfropfen, das die Menschen von Gott empfangen haben, sind Ketzer, da sie sich mehr oder weniger mit der göttlichen Sittenlehre in Widerspruch setzen. Gerade der mächtigste Klerus ist der stärksten Ketzerei verfallen.

Konservativer: Was soll aus der christlichen Religion werden, wenn du meinst, daß Männer, denen die Aufgabe religiöser Erziehung zufällt, Ketzer geworden sind?

Neuerer: Das Christentum wird sich zu einer allgemeinen und einzigen Religion umbilden; die Bewohner Asiens und Afrikas werden sich bekehren; die Glieder des europäischen Klerus werden gute Christen werden; sie werden die verschiedenen Ketzereien, die sie lehren, abwerfen. Der wahrhafte Geist des Christentums, das heißt die allgemeinste Lehre, die aus dem grundlegenden Prinzip der göttlichen Sittenlehre abgeleitet werden kann, wird erstehen, und alsbald werden die Religionsunterschiede verschwinden. Die Urlehre des Christentums hat der Gesellschaft nur eine ungenügende und durchaus unvollkommene Organisation verliehen. Die Rechte Cäsars haben ihre Unabhängigkeit gewahrt gegenüber den der Kirche verliehenen Rechten. *Gebt dem Kaiser, was des Kaisers ist,* so lautet der berühmte Grundsatz, der die beiden Gewalten getrennt hat. Die weltliche Gewalt hat auch weiterhin ihre Macht auf das Recht des Stärkeren gegründet, während die Kirche die Lehre verkündet hat, daß die Gesellschaft nur solche Einrichtungen als rechtmäßig betrachten solle, die in den Dienst einer Verbesserung der Lage der ärmsten Klassen gestellt sind. Die neue christliche Organisation aber wird sowohl die weltlichen als auch die geistigen Einrichtungen auf das Prinzip gründen, daß *alle Menschen einander als Brüder behandeln sollen.* Sie wird alle Einrichtungen, welcher Art sie auch sein mögen, in den Dienst einer Besserung der Lebensverhältnisse der ärmsten Klasse stellen.

Konservativer: Worauf gründest du diese Anschauung? Was berechtigt dich, zu glauben, daß ein einziger Moralgrundsatz die einzige ordnungstiftende Gewalt aller menschlichen Gesellschaften werden wird?

Neuerer: Die allgemeinste, die göttliche Sittlichkeit muß – in Gemäßheit ihrer Natur und ihres Ursprungs – auch die einzige werden. Das Volk Gottes, jenes Volk, dem vor dem Erscheinen Jesu Offenbarungen zuteil geworden sind und das die weiteste Verbreitung auf dem Erdenrund besitzt, hat immer die Unvollkommenheit der christlichen Religion, wie sie von den Kirchenvätern gegründet worden, gefühlt; immer hat es verkündet, daß die große Zeit noch kommen wird, eine *messianische* Zeit, wo die Lehre der Religion in der denkbar allgemeinsten Fassung verkündet werden und gleicherweise die geistige und weltliche Gewalt beherrschen wird, und daß sodann das ganze Menschengeschlecht nur einer einzigen Religion, nur einer einzigen Organisation teilhaftig sein wird. Schließlich steht mir die neue christliche Lehre in voller Klarheit vor Augen, und ich werde sie gleich begründen. Dann will ich alle geistlichen und weltlichen Einrichtungen Englands, Frankreichs, Nord- und Süddeutschlands, Italiens, Spaniens und Rußlands, Nord- und Südamerikas einer Prüfung unterziehen. Ich werde die Lehren dieser verschiedenen Einrichtungen mit derjenigen vergleichen, die unmittelbar aus dem Grundprinzip der göttlichen Moral sich herleitet, und so allen wohlgesinnten Menschen leicht begreiflich machen, daß diese Institution, wenn sie insgesamt das leibliche und sittliche Wohl der ärmsten Klasse anstrebten, eben dadurch den Wohlstand sämtlicher Klassen der Gesellschaft und sämtlicher Nationen mit der möglichst größten Raschheit begründen würde.

Ich bin ein Neuerer, weil ich unmittelbarer, als es bisher geschehen ist, aus dem Hauptgrundsatz der göttlichen Moral Folgerungen ableite. Du aber, der du von dem gleichen Eifer wie ich für das gemeine Beste beseelt bist, bist von einem konservativen Geist beherrscht, du beschränkst deine Aufgabe darauf, die Menschen zu verhindern, daß sie gerade jenes Prinzip aus dem Auge verlieren, das ich entwickeln will. Wohlan, vereinigen wir unsere Anstrengungen! Ich will meine Gedanken entwickeln, bekämpfe sie, wenn du vermeinst, daß ich von der Richtung abweiche, die der Allmächtige den Menschen gewiesen.

Mit vollkommenem Vertrauen unternehme ich dieses große Werk. Der beste Theologe ist derjenige, der in umfassendster Weise den Hauptgrundsatz der göttlichen Moral anwendet; dieser beste Theologe aber ist der wahrhafte Papst und Stellvertreter Gottes auf Erden. Sind die Folgerungen, die ich der Welt unterbreite, richtig, ist meine Lehre gut, so werde ich im Namen Gottes gesprochen haben.

Nun ans Werk! Ich beginne mit der Prüfung der verschiedenen heute vorhandenen Religionen und will ihre Lehren mit jener vergleichen, die unmittelbar dem Hauptsatz der göttlichen Moral entspringt.

Das neue Christentum wird aus Teilen bestehen, die in der Hauptsache mit jenen übereinstimmen, die den verschiedenen ketzerischen Sekten Europas und Amerikas eigen sind. Wie diese wird auch das neue Christentum seine Moral, seinen Kultus und sein Dogma besitzen, weiterhin seinen Klerus mit Führern an der Spitze. Trotz dieser Ähnlichkeit in der Verfassung aber wird das neue Christentum von allen heutigen Ketzereien frei sein. Die Sittenlehre wird von den Christen neuer Prägung als das Hauptstück betrachtet werden, Kult und Dogma dagegen als Beiwerk mit dem vornehmlichen Zweck, die Aufmerksamkeit der Gläubigen aller Klassen auf die Moral zu lenken.

Im neuen Christentum wird diese zur Genüge und unmittelbar aus dem Grundsatz abgeleitet werden: *die Menschen sollen sich gegenseitig als Brüder behandeln,* und dieser dem Urchristentum angehörende Grundsatz wird eine Umbildung in dem Sinne erfahren, daß er fortan als das Ziel alles religiösen Strebens zu gelten hat. In seiner neuen Formulierung aber wird er besagen: *Die Religion hat die Aufgabe, die Gesellschaft dem großen Ziele einer möglichst raschen Verbesserung des Loses der ärmsten Klasse zuzulenken.*

Zur Begründung des neuen Christentums aber und zur Übernahme der Leitung der neuen Kirche sind jene Männer berufen, die am fähigsten erscheinen, durch ihr Arbeiten zur Vermehrung des Wohlergehens der ärmsten Klasse beizutragen. Dem Klerus wird lediglich die Verkündigung der neuchristlichen Lehre zufallen, an deren Vervollkommnung die Oberhäupter der Reiche immerdar wirken werden.

Dies ist mit wenigen Worten die Eigenart, die das wahrhafte Christentum in unseren Zeiten annehmen soll. Wir wollen nun diese Auffassung einer religiösen Institution mit den tatsächlich in Europa und Amerika bestehenden Religionen vergleichen. Hieraus wird sich sodann leicht der Beweis ergeben, daß alle christlichen Religionen, zu denen man sich heute bekennt, nur Ketzereien sind, d. h. daß sie nicht unmittelbar die möglichst schnelle Steigerung des Wohlergehens der ärmsten Klasse erstreben, die doch der einzige Zweck des Christentums ist. Welches sind die Grundlagen der sozialen Organisation, die ihr durchzuführen strebt? Welche Maßregeln habt ihr ergriffen zur Verbesserung des sittlichen und leiblichen Loses der armen Klasse?

Ihr nennt euch Christen, und noch gründet ihr eure Macht auf die physische Gewalt. Ihr seid lediglich die Nachfolger Cäsars und vergeßt, daß die wahren Christen als Zweck ihres Wirkens die vollständige Vernichtung der Macht des Schwertes, der Macht Cäsars, betrachten, welcher ihrer Natur nach lediglich nur eine vorübergehende Bedeutung zukommt.

Und diese Gewalt wollt ihr zur Grundlage der sozialen Organisation machen? Ihr allein steht es eurer Meinung nach zu, bei allen durch den Fortschritt der Kultur geforderten allgemeinen Verbesserungen den Anstoß zu geben. Ihr haltet, um dieses ungeheuerliche System zu stützen, zwei Millionen Menschen unter Waffen, allen Gerichtshöfen habt ihr euer Prinzip aufgenötigt, und ihr habt es beim Klerus, sei er katholisch, protestantisch oder griechisch, erreicht, daß er feierlich sich zu der Ketzerei bekennt: die Macht Cäsars sei die regelnde Macht der christlichen Gesellschaft.

Obwohl ihr die Völker durch das Symbol eurer Vereinigung an die christliche Religion erinnert und ihnen die Wohltat eines Friedens verleiht, der für sie das erste aller Güter ist, habt ihr ihrerseits keinerlei Anerkennung gefunden. Zu sehr überwiegt euer persönliches Interesse in allem, was ihr angeblich im allgemeinen Interesse unternehmt.

Die oberste Gewalt in Europa, die in euren Händen ruht, ist alles andere eher als eine christliche Macht, wie sie es hätte sein sollen. In allem, was ihr unternehmt, zeiget ihr den Charakter und die Abzeichen der Gewalt, der antichristlichen Gewalt.

Alle Maßregeln von irgendwelcher Bedeutung, die von euch seit der Begründung der Heiligen Allianz ausgegangen sind, sind ihrer Natur nach darauf angelegt, das Los der Armen zu verschlimmern, und zwar nicht allein für die gegenwärtige Generation, sondern auch für die Zukunft. Ihr habt die Steuern vermehrt, ihr vermehrt sie alle Jahre, um die wachsenden Kosten eurer Armeen und den Luxus eurer Höflinge zu decken. Die einzige Schicht eurer Untertanen, der ihr einen besonderen Schutz zuteil werden laßt, ist der Adel, eine Klasse, die gleich wie ihr selbst alle ihre Rechte auf das Schwert gründet.

Indessen erscheint euer tadelnswertes Verhalten in mancher Hinsicht entschuldbar. Eine Tatsache hat euch notwendigerweise irregeführt, nämlich der Beifall, den eure gemeinsamen Anstrengungen zur Niederringung des modernen Cäsars gefunden haben. Im Kampfe gegen ihn habt ihr euch sehr christlich gezeigt, aber nur, weil in Napoleons Händen die Autorität Cäsars viel stärker war als in den eurigen, in die sie nur durch Vererbung gelangt ist. Noch in einer anderen Hinsicht mag euer Gebaren entschuldigt werden: insofern nämlich, als der Klerus verpflichtet gewesen wäre, euch am Rande des Abgrundes aufzuhalten, während er sich gemeinsam mit euch in ihn hinabgestürzt hat.

Fürsten, hört die Stimme Gottes, die aus meinem Munde zu euch spricht: werdet wieder gute Christen, hört endlich auf, die Armeen, die Adeligen, die ketzerischen Geistlichen und die verderbten Richter als eure Hauptstütze zu betrachten; vereinigt euch im Namen des Christentums und erfüllt alle die Pflichten, die es den Mächtigen auferlegt; wisset, daß es diesen befiehlt, alle Kräfte der möglichst raschen Steigerung des sozialen Glückes der Armen zu widmen!

Ludwig Börne
Denkrede auf Jean Paul

Ludwig Börne wurde 1786 in einem jener deutschen Winkel geboren, wo der Druck besonders stark und infolgedessen die Sehnsucht nach Freiheit besonders leidenschaftlich war: im Frankfurter Juden-Getto. In einem schmutzigen Schlund, den man in der Hälfte einer Viertelstunde durchwandern konnte, standen zweihundert fünf bis sechs Etagen hohe, mit blassen Höhlenbewohnern vollgepfropfte Kerker, die verhinderten, daß man vom Himmel mehr zu sehen bekam als die Sonnenscheibe, wenn sie senkrecht über der Gasse stand.

In Nummer 18 dieser Gasse wurde der junge Löw Baruch geboren, der sich später Ludwig Börne nannte. Als er ein Mann war, schrieb er diesem Getto einen Nachruf, der hundert Jahre später wieder sehr aktuell wurde: »Die armen Deutschen! Im untersten Geschosse wohnend, gedrückt von den sieben Stockwerken der sieben höheren Stände, erleichtert es ihr ängstliches Gefühl, von Menschen zu sprechen, die noch viel tiefer als sie selbst, die im Keller wohnen; kein Jude zu sein, tröstet sie dafür, daß sie nicht einmal Hofräte sind.«

Ludwig Börne wurde nach vielen aufreibenden Kämpfen mit der Zensur ein deutscher Emigrant des Metternich-Deutschland. Er ging nach Paris und kämpfte hier weiter für eine deutsche Demokratie; in seinen Dramaturgischen Blättern *und in seiner großartigen Sammlung* Briefe aus Paris *sind die Kämpfe jener Zeit für ein freies Deutschland aufbewahrt.*

Ludwig Börne starb am 12. Februar 1837 an einer Grippe und wurde auf dem Pariser Friedhof Père Lachaise beigesetzt. »Börne ist tot«, jubelten die deutschen Zeitungen. Mit Recht;

*denn er war die stärkste Feder des Jungen Deutschland gewe-
sen. Alle Nekrologe schwelgten in der seligen Gewißheit: der
Löw' ist tot – und ließen ihm wohlwollende Gerechtigkeit widerfahren, womit sie ihn vollends begruben.*

Wir bringen hier zwei Stücke. Zuerst seine Humoreske Die
Kunst, in drei Tagen ein Original-Schriftsteller zu werden. *Es
ist nicht ausgeschlossen, daß diese zwei Seiten einer der Ursprünge der Psychoanalyse gewesen sind. Börne war der erste
Schriftsteller, dem Freud nahekam. Als Vierzehnjähriger
hatte er einen Band Börne erhalten, das einzige Buch seiner
Jugendzeit, das er aufbewahrte.* Die Kunst, in drei Tagen ein
Original-Schriftsteller zu werden *endet mit den Sätzen:
»Nehmt einige Bogen Papier und schreibt drei Tage hinter-
einander, ohne Falsch und Heuchelei, alles nieder, was euch
durch den Kopf geht. Schreibt, was ihr denkt von euch selbst,
von euren Weibern, von dem Türkenkrieg, von Goethe, von
Fonk's Kriminalprozeß, vom Jüngsten Gericht, von euren
Vorgesetzten – und nach Verlauf der drei Tage werdet ihr vor
Verwunderung, was ihr für neue, unerhörte Gedanken ge-
habt, ganz außer euch kommen. Das ist die Kunst, in drei Tagen ein Original-Schriftsteller zu werden.« Freud hat dieselbe
Methode später »Freie Assoziation« genannt. Als man ihn auf
Börnes Stelle hinwies, gab er den folgenden Kommentar: »Es
scheint uns nicht ausgeschlossen, daß dieser Hinweis jenes
Stück Kryptomnesie aufgedeckt hat, das in so vielen Fällen
hinter einer entscheidenden Originalität vermutet wird.«*

Die berühmte Denkrede auf Jean Paul *wurde im Museum
zu Frankfurt am 2. Dezember 1825 vorgelesen. Der Pfarrer
Kirchner, der die Ehre hatte, sie vorzutragen, war gekränkt:
weil der spontane Beifall der Anwesenden in einer Weihe-
stunde sich nicht schicke.*

Die Kunst, in drei Tagen
ein Original-Schriftsteller zu werden

Es gibt Menschen und Schriften, welche Anweisung geben, die lateinische, griechische, französische Sprache in drei Tagen, die Buchhalterei sogar in drei Stunden zu erlernen. Wie man aber in drei Tagen ein guter Original-Schriftsteller werden könne, wurde noch nicht gezeigt. Und doch ist es so leicht! Man hat nichts dabei zu lernen, sondern nur vieles zu verlernen, nichts zu erfahren, sondern manches zu vergessen. Wie die Welt jetzt beschaffen, gleichen die Köpfe der Gelehrten, und also auch ihre Werke, den alten Handschriften, von welchen man die langweiligen Zänkereien eines Kirchen-Stiefvaters oder die Faseleien eines Mönchs erst abkratzen muß, um zu einem römischen Klassiker zu kommen. Jedem menschlichen Geiste sind schöne Gedanken, und weil mit jedem Menschen die Welt neu geschaffen wird, auch neue angeboren; aber das Leben und der Unterricht schreiben ihre unnützen Sachen darauf und bedecken sie. Man bekommt eine ziemlich richtige Ansicht von dieser Lage der Dinge, wenn man etwa folgendes bedenkt. Ein Tier, eine Frucht, eine Blume erkennen wir in ihrer wahren Gestalt; was sie sind, erscheinen sie uns. Würde aber der von der Natur eines Rebhuhns, eines Himbeerstrauchs, einer Rose eine wahre Anschauung haben, der nur eine Rebhuhnpastete, Himbeersaft und Rosenöl kennengelernt? So ist es aber mit den Wissenschaften, mit allen Dingen, die wir mit dem Geiste und nicht durch die Sinne auffassen: zubereitet und verwandelt werden sie uns vorgesetzt, und in ihrer rohen und nackten Gestalt lernen wir sie nicht kennen. Die Meinung ist die Küche, worin alle Wahrheiten abgeschlachtet, gerupft, zerhackt, geschmort und gewürzt werden. An nichts ist größerer Mangel als an Büchern ohne Verstand, an solchen nämlich, die Sachen enthalten und keine Meinungen. Es gibt nur eine kleine Zahl originaler Schriftsteller, und die besten unter-

scheiden sich von den minder guten viel weniger, als man
nach einer oberflächlichen Vergleichung denken mag. Einer
schleicht, einer läuft, einer hinkt, einer tanzt, einer fährt,
einer reitet zu seinem Ziele; aber Ziel und Weg ist allen gemein.
Große und neue Gedanken gewinnt man nur in der Einsamkeit; wie gewinnt man aber die Einsamkeit? Man kann die
Menschen fliehen, dann steht man auf dem geräuschvollen
Markte der Bücher; man kann die Bücher wegwerfen, wie
entfernt man aber aus seinem Kopfe all die herkömmlichen
Kenntnisse, die der Unterricht hineingebracht? In der Kunst,
sich unwissend zu machen, ist die wahre Kunst der Selbster-
ziehung, die nötigste, die schönste, aber die am seltensten
und am stümperhaftesten geübt wird. Wie es unter einer Million Menschen nur tausend Denker gibt, so gibt es unter tausend Denkern nur einen Selbstdenker. Ein Volk ist jetzt wie
ein Brei, dem nur der Topf Einheit gibt; etwas Kerniges und
Festes findet sich nur an der Scharre, in der untersten Lage des
Volks, und Brei bleibt Brei, und der goldene Löffel, der einen
Mundvoll herausschöpft, hat, weil er die Verwandten getrennt, nicht darum auch die Verwandtschaft aufgehoben.

Das wahre wissenschaftliche Streben ist keine Columbi-
sche Entdeckungsreise, sondern eine Ulysses-Fahrt. Der
Mensch wird in der Fremde geboren, leben heißt die Heimat
suchen, und denken heißt leben. Aber das Vaterland der Gedanken ist das Herz; an dieser Quelle muß schöpfen, wer
frisch trinken will; der Geist ist nur Strom, Tausende sind
daran gelagert und trüben das Wasser mit Waschen, mit Baden, mit Flachs rösten und andern schmutzigen Hantierun-
gen. Der Geist ist der Arm, das Herz ist der Wille; Kraft kann
man sich anbilden, man kann sie steigern, ausbilden; was
nützt aber alle Kraft ohne den Mut, sie zu gebrauchen? Eine
schimpfliche Feigheit, zu denken, hält uns alle zurück. Drük-
kender als die Zensur der Regierungen ist die Zensur, welche
die öffentliche Meinung über unsere Geisteswerke ausübt.
Nicht an Geist, an Charakter mangelt es den meisten Schrift-

stellern, um besser zu sein, als sie sind. Aus Eitelkeit entspringt diese Schwäche. Der Künstler, der Schriftsteller, will
seine Genossen überragen, überholen; aber um einen zu
überragen, muß man sich ihm zur Seite stellen, um einen zu
überholen, muß man auf gleichem Wege wandern als er. Daher haben die guten Schriftsteller so vieles mit den schlechten
gemein. Im guten steckt ganz der schlechte; nur ist er etwas
mehr. Der gute geht ganz den Weg des schlechten, nur geht er
etwas weiter. Wer auf die Stimme seines Herzens hört, statt
auf das Marktgeschrei, und wer den Mut hat, lehrend zu verbreiten, was ihn das Herz gelehrt, der ist immer originell.
Aufrichtigkeit ist die Quelle aller Genialität, und die Menschen wären geistreicher, wenn sie sittlicher wären. Und hier
folgt die versprochene Nutzanwendung. Nehmt einige Bogen Papier und schreibt drei Tage hintereinander, ohne
Falsch und Heuchelei, alles nieder, was euch durch den Kopf
geht. Schreibt, was ihr denkt von euch selbst, von euern
Weibern, von dem Türkenkrieg, von Goethe, von Fonk's
Kriminalprozeß, vom Jüngsten Gerichte, von euern Vorgesetzten – und nach Verlauf der drei Tage werdet ihr vor
Verwunderung, was ihr für unerhörte Gedanken gehabt,
ganz außer euch kommen. Das ist die Kunst, in drei Tagen
ein Original-Schriftsteller zu werden!

Denkrede auf Jean Paul

Ein Stern ist untergegangen, und das Auge dieses Jahrhunderts wird sich schließen, bevor er wieder erscheint; denn in
weiten Bahnen zieht der leuchtende Genius, und erst späte
Enkel heißen freudig willkommen, von dem trauernde Väter
einst weinend geschieden. Und eine Krone ist gefallen von
dem Haupte eines Königs! Und ein Schwert ist gebrochen in
der Hand eines Feldherrn; und ein Hoherpriester ist gestorben! Wohl mögen wir den beweinen, der uns Ersatz gewesen

und uns nun unersetzlich geworden. Jedem Lande ward für jedes trübe Entbehren irgendeine freundliche Vergütung. Der Norden ohne Herz hat seine eiserne Kraft; der kränkelnde Süden seine goldene Sonne; das finstere Spanien seinen Glauben; die darbenden Franzosen erquickt der spendende Witz, und Englands Nebel verklärt die Freiheit.

Wir hatten Jean Paul, und wir haben ihn nicht mehr, und in ihm verloren wir, was wir nur in ihm besaßen: Kraft und Milde und Glauben und heitern Scherz und entfesselte Rede. Das ist der Stern, der untergegangen: Der himmlische Glaube, der in dem Erloschenen uns geleuchtet. Das ist die Krone, die herabgefallen: Die Krone der Liebe, die den beherrschte, der sie getragen, wie alle, die ihm untertan gewesen. Das ist das Schwert, das gebrochen: Der Spott in scharfer Hand, vor dem Könige zittern, und der blutleere Höflinge erröten macht. Und das ist der Hohepriester, der für uns gebetet im Tempel der Natur, er ist dahingeschieden, und unsere Andacht hat keinen Dolmetscher mehr. Wir wollen trauern um ihn, den wir verloren, und um die andern, die ihn nicht verloren. Nicht allen hat er gelebt! Aber eine Zeit wird kommen, da wird er allen geboren, und alle werden ihn beweinen. Er aber steht geduldig an der Pforte des zwanzigsten Jahrhunderts und wartet lächelnd, bis sein schleichend Volk ihm nachkomme. Dann führt er die Müden und Hungrigen ein in die Stadt seiner Liebe; er führt sie unter ein wirtliches Dach; die Vornehmen, verzärtelten Geschmacks in den Palast des hohen Albano; die Unverwöhnten aber in seines Siebenkäs enge Stube, wo die geschädigte Lenette am Herde waltet, und der heiße, beißende Wirt mit Pfefferkörnern deutsche Schüsseln würzt.

Jahrhunderte ziehen hinab, die Jahrzeiten rollen vorüber, es wechselt die Witterung des Glücks; die Stufen des Alters steigen auf und steigen nieder. Nichts ist dauernd als der Wechsel, nichts beständig als der Tod. Jeder Schlag des Herzens schlägt uns eine Wunde, und das Leben wäre ein ewiges

Verbluten, wenn nicht die Dichtkunst wäre. Sie gewährt uns, was uns die Natur versagt: eine goldene Zeit, die nicht rostet, einen Frühling, der nicht abblüht, wolkenloses Glück und ewige Jugend. Der Dichter ist der Tröster der Menschheit; er ist es, wenn der Himmel selbst ihn bevollmächtigt, wenn ihm Gott sein Siegel auf die Stirne gedrückt und wenn er nicht um schnöden Botenlohn die himmlische Botschaft bringt. So war Jean Paul.

Er sang nicht in den Palästen der Großen, er scherzte nicht mit seiner Leier an den Tischen der Reichen. Er war der Dichter der Niedergeborenen, er war der Sänger der Armen, und wo Betrübte weinten, da vernahm man die süßen Töne seiner Harfe. Mögen wir der stolzen Glocke, die an seltnen Festtagen majestätisch schallt, unsere Ehrfurcht zollen – unsere Liebe gilt der vertrauten Uhr, die jeden Pulsschlag unseres Herzens begleitet, die jede Viertelstunde unserer Freuden nachtönt und alle unsere Schmerzen, Minute nach Minute, von uns nimmt.

In den Ländern werden nur die Städte gezählt; in den Städten nur die Türme, Tempel und Paläste; in den Häusern ihre Herren; im Volke die Kameradschaften; in diesen ihre Anführer. Von allen Jahreszeiten wird der Frühling geliebkost; der Wanderer staunt breite Wege und Ströme und Alpen an; und was die Menge bewundert, preisen die gefälligen Dichter. Jean Paul war kein Schmeichler der Menge, kein Diener der Gewohnheit. Durch enge, verwachsene Pfade suchte er das verschmähte Dörfchen auf. Er zählt im Volke die Menschen, in den Städten die Dächer und unter jedem Dach jedes Herz. Alle Jahreszeiten blühten ihm, sie brachten ihm alle Früchte. Auch der ärmste Dichter, und schlotterte ihm nur eine Saite noch auf seiner kümmerlichen Leier, hat die Feiertage der ersten Liebe besungen. Jean Paul wartet diese heilige Flamme, bis sie mit dem Tode verlischt. Bei jeder goldenen Hochzeit ist er der trauende Priester, der die alten Herzen noch einmal aneinanderlegt und die zitternden Hände zum letzten Male paart, bevor der Tod sie trennt. Durch Nebel und Stürme und über gefrorne Bäche dringt er in das eingeschneite Häuschen eines Dorfschulmeisters, die Christnachtfreuden seiner Kinder zu teilen. Mit vollen Klängen besingt er die königliche Lust auf den Wonne-Inseln des Lago Maggiore; aber mit leiseren und wärmeren Tönen das enge Glück eines deutschen Jubelseniors und die Freuden eines schwedischen Pfarrers.

Für die Freiheit des Denkens kämpfte Jean Paul mit andern; im Kampfe für die Freiheit des Fühlens steht er allein. Seltsame, wunderliche Menschen, die wir sind! Fast sorglicher noch als unsern Haß suchen wir unsere Liebe zu verbergen, und wir fliehen so ängstlich den Schein der Güte, als wir unter Dieben den Schein des Reichtums meiden. Wie oft geschieht es, daß wir auf dem Markte des täglichen Treibens oder in den Sälen alltäglichen Geschwätzes all' den wichtigen, volljährigen Dingen, die hier getrieben, dort besprochen werden, erlogene Aufmerksamkeit schenken! Wir scheinen gelassen und sind bewegt, scheinen ernst und sind weich, scheinen wach und sind von süßer Lust gewiegt, gehen bedächtigen Schrittes, und unser Herz taumelt von Erinnerung zu Erinnerung, und wir wandeln mit breitem Fuße zwischen den Blumenbeeten unserer Kindheit und erheben uns auf den Flügeln der Phantasie zu den roten Abendwolken unsrer hinabgesunkenen Jugend. Wie ängstlich lauschest du dann umher, ob kein Auge dich ertappt, ob kein Ohr die stillen Seufzer deiner Brust vernommen! Dann tritt Jean Paul nahe an dich heran und sagt dir leise und lächelnd: »Ich kenne dich!« Du verbirgst deine Freuden, weil sie dir zu kindlich scheinen für die Teilnahme der Würdigen; du verheimlichst deine Schmerzen, weil sie dir zu klein dünken für das Mitleid. Jean Paul findet dich auf und deine verstohlene Lust und spricht: »Komm, spiele mit mir.« Er schleicht sich in die Kammer, wo du einsam weinest, wirft sich an dein Herz und sagt: »Ich komme, mit dir zu weinen!« Schlummert und träumt irgendeine

kindliche Neigung in deiner Brust, und sie erwacht, steht
Jean Paul vor ihrer Wiege, und vielleicht waren es nur seine
Lieder, die dein Herz in solchen Schlaf und in solche Träume
gelullt. Nicht wie andere es getan, spürt er nach den verborgenen Einöden im menschlichen Herzen, er sucht darin die
versteckten Paradiese auf. Er löset die Rinde von der verhär-
teten Brust und zeigt den weichen Bast darunter; und in der
Asche eines ausgebrannten Herzens findet er den letzten
halbtoten Funken und facht ihn zur hellen Liebesflamme an.
Es gab eine Zeit, wo kein deutscher Jüngling, wenn er liebte,
zu sagen wagte: ich liebe dich. Zünftig und bescheiden wie er
war, sagte er: wir lieben dich, Mädchen! Hinangezogen am
Spalier der Staatsmauer, hinaufgerankt an der Stange des
Herkommens, hatte er verlernt, seinen eignen Wurzeln zu
trauen. Jean Paul munterte die blöden Herzen auf; er zuerst
wagte, das jedem Deutschen so grause Wort ›ich‹ auszusprechen; und wenn die Freiheit nicht darin besteht, daß man
ohne Gesetze lebe, sondern daß jeder sein eigner Gesetzgeber
sei, so war es Jean Paul, der für unsere Enkel die Saat der
deutschen Freiheit ausgestreut.

Jean Paul war der Dichter der Liebe, auf die schönste und
erhabenste Weise, wie man dieses Wort nur deuten mag.
Einst in seiner Jugend hatte er folgenden Eid geschworen:
»Großer Genius der Liebe! Ich achte dein heiliges Herz, in
welcher toten oder lebenden Sprache, mit welcher Zunge, mit
der feurigen Engelszunge oder mit einer schweren, es auch
spreche, und will dich nie verkennen, du magst wohnen im
engen Alpental oder in der Schottenhütte, mitten im Glanze
der Welt; und du magst den Menschen Frühling schenken
oder hohe Irrtümer oder einen kleinen Wunsch oder ihnen alles, alles nehmen!« Er hat den Eid geschworen, und er hat ihn
gehalten bis in den Tod. Doch was ist Liebe ohne Gerechtigkeit? Die Milde des Räubers, der dem einen schenkt, was er
dem andern genommen. Jean Paul war auch ein Priester des
Rechts. Die Liebe war ihm eine heilige Flamme und das

Recht der Altar, auf dem sie brannte, und nur reine Opfer brachte er ihr. Er war ein sittlicher Sänger. Nie schmückte er häßliche Sünde mit den Blumen seiner Worte aus; nie bedeckte er eine unedle Regung mit dem Golde seiner Reden. Er hätte es vermocht, wenn er gewollt; auch er hätte vermocht, mit seinem mächtigen Zauber dem frommen Tadler ein Lächeln abzuschmeicheln; aber er hat es nicht getan. Er stritt für die Wahrheit, für Recht, für Freiheit und Glauben, und nie deckte bei ihm die Flagge eines mächtigen Namens sündlich heilloses Gut, es den Ungläubigen zuzuführen.

Die Trostbedürftigen zu trösten und als befruchtender Himmel dürstende Seelen zu erquicken – dazu allein ward der Dichter nicht gesendet. Er soll auch der Richter der Menschheit sein, und Blitz und Sturm, die eine Erde voll Dunst und Moder reinigen. Jean Paul war ein Donnergott, wenn er zürnte, ein blutiger Geißel, wenn er strafte; wenn er verhöhnte, hatte er einen guten Zahn. Wer seinen Spott zu fürchten hatte, mochte ihn fliehen; ihn zu verlachen, wenn er ihm begegnete, war keiner frech genug. Trat der Riese Hochgemut ihm noch so keck entgegen, seine Schleuder traf ihn gewiß! Verkroch sich die Schlauheit in ihrer dunkelsten Höhle, er legte Feuer daran, und der betäubte Betrüger mußte sich selbst überliefern. Sein Geschoß war gut, sein Auge besser, seine Hand war sicher. Er übte sie gern, seinen Witz hinter Höfe und hinter Deutschland hetzend. Nicht nach der Beute gelüstete ihn, er wollte nur fromm die Felder des Bürgers und des Landmanns Äcker vor Verwüstungen schützen. Von der Feder manches Raubvogels, von dem Geweihe und der Klaue manch erlegten Wildes könnten wir erzählen; doch lassen wir uns zu keinen Jagdgeschichten verlocken, in dieser sehr guten Hegezeit, wo schon strafbar gefunden und bestraft wird, nur die Büchse von der Wand herabzuholen.

Freiheit und Gleichheit lehrt der Humor und das Christentum – beide vergebens. Auch Jean Paul hätte vergebens gelehrt und gesungen, wäre nicht das Recht ein liebes Bild des

toten Besitzes und die Hoffnung eine Schmeichlerin des Mangels. Jean Paul hat gut gemalt, er hat uns zart geschmeichelt.
Der Humor ist keine Gabe des Geistes, er ist eine Gabe des
Herzens, er ist die Tugend selbst, wie ein reichbegabtes Herz
sie lehrend übt, weil es sie nicht übend lehren darf. Der Humorist ist der Hofnarr des Königs der Tiere, in einer schlechten Zeit, wo die Wahrheit nicht tönen darf, wie eine heilige
Glocke, wo man ihr nur ihr Schellengeläute vergibt, weil man
es verachtet, weil man es belächelt. Der Humorist löst die
Binde von den Füßen des Saturns, setzt den Sklaven den Hut
des Herrn auf und verkündigt das Saturnalische Fest, wo der
Geist das Herz bedient und das Herz den Geist verspottet.
Einst war eine schönere Zeit, wo man den Humor nicht kann-
te, weil man nicht die Trauer und nicht die Sehnsucht kannte.
Das Leben war ein olympisches Spiel, wo jeder durfte seine
Kraft und Hurtigkeit erproben. Der Schwäche war nur das
Ziel versperrt, nicht der Weg; der Preis verweigert, nicht der
Kampf. Jean Paul war der Jeremias seines gefangenen Volkes.
Die Klage ist verstummt, das Leid ist geblieben. Denn jene
falschen Propheten wollen wir nicht hören, die ihn begleitet
und ihm nachgefolgt; und nur aus Liebe zu dem geliebten To-
ten wollen wir seiner kranken Nachahmer mit mehr nicht als
mit wenigen Worten gedenken. Sie dünken sich frei, weil sie
mit ihren Ketten rasseln; kühn, weil sie in ihrem Gefängnisse
toben, und freimütig, weil sie ihre Kerkermeister schelten.
Sie springen vom Kopfe zum Herzen, vom Herzen zum
Kopfe – sie sind hier oder dort; aber der Abgrund ist geblieben; sie verstanden keine Brücke über die Trennungen des
Lebens zu bauen. Verrenkung ist ihnen Gewandtheit der
Glieder, Verzerrung Ausdruck des Gesichts, sie klappern
prahlend mit Blechpfennigen, als wenn es Goldstücke wären,
und wirft ihnen ja einmal der Schiffbruch des Zufalls irgendein Kleinod zu, wissen sie es nicht schicklich zu gebrauchen,
und man sieht sie, gleich jenem Häuptling der Wilden, ein
Ludwigskreuz am Ohrläppchen tragen.

Die Bewunderung preist, die Liebe ist stumm. Nicht preisen wollen wir Jean Paul, wir wollen ihn beweinen! Der lüsterne Gast vergißt über das Mahl den Wirt, der herzlose Kunstfreund den Künstler über sein Werk. Zwar wird als Dankbarer gelobt, wer von der genossenen Wohltat erzählt; aber der Dankbarste ist, der die Wohltat vergißt, sich nur des Wohltäters zu erinnern. So wollen wir des seligen Geistes liebend gedenken, nicht der Arbeiten und Werke, womit er unsere Bewunderung verdient. Und wollten wir anders, wir vermöchten es nicht. Man kann Jean Pauls Werke zählen, nicht sie schätzen. Die Schätze, die er hinterlassen, sind nicht alle gemünztes Gold, das man nur einzurollen braucht. Wir finden Barren von Gold und Silber, Kleinodien, nackte Edelsteine, Schaumünzen, die der Gewürzkrämer als Bezahlung abweist; aufgespeicherte, ungemahlene Brotfrucht und Äkker genug, worauf noch die spätesten Enkel ernten werden. Solcher Reichtum hat manches Urteil arm gemacht. Fülle hat man Überladung gescholten, Freigebigkeit als Verschwendung! Weil er so viel Gold besaß, als andere Zinn, hat man als Prunksucht getadelt, daß er täglich aus goldenen Gefäßen aß und trank. Hat aber Jean Paul doch hierin gefehlt, wer hat seinen Irrtum verschuldet? Wenn große Reichtümer durch viele Geschlechter einer Familie herab erben, dann führt die Gewohnheit zur Mäßigung des Genusses; die Fülle wird geordnet; alles an schickliche Orte gestellt und um jeden Glanz der Vorhang des Geschmacks gezogen. Der Arme aber, den das Glück überrascht, dem es die nackten Wände zauberschnell mit hohen Pfeilerspiegeln bedeckt, dem der Gott des Weins plötzlich die leeren Fässer füllt – der taumelt von Gemach zu Gemach, der berauscht sich im Becher der Freude, teilt unbesonnen mit vollen Händen aus und blendet, weil er ist geblendet. Ein solcher Emporkömmling war Jean Paul; er hatte von seinem Volke nicht geerbt. Der Himmel schenkte ihm seine Gunst; das Glück stürzte gutgelaunt sein Füllhorn um und überschüttete ihn mit Blumen und Früchten; die

Erde gab ihm ihre verborgenen Schätze. Er sah und zeigte sie gerne! Doch was der Neid der Mitlebenden belächelt, darüber lachen froh die Erben. Gold bleibt Gold, auch in der Erzstufe, nur von wenigen erkannt, und die Fassung der Edelsteine erhöht ihren Preis, nicht ihren Wert.

So war Jean Paul! – Fragt ihr: wo er geboren, wo er gelebt, wo seine Asche ruht? Vom Himmel ist er gekommen, auf der Erde hat er gewohnt, unser Herz ist sein Grab. Wollt ihr hören von den Tagen seiner Kindheit, von den Träumen seiner Jugend, von seinen männlichen Jahren? Fragt den Knaben Gustav: fragt den Jüngling Albano und den wackern Schoppe. Sucht ihr seine Hoffnungen? Im Kampanertale findet ihr sie. Kein Held, kein Dichter hat von seinem Leben so treue Kunde aufgezeichnet, als Jean Paul es getan. Der Geist ist entschwunden, das Wort ist geblieben! Er ist zurückgekehrt in seine Heimat; und in welchem Himmel er auch wandere, auf welchem Sterne er auch wohne, er wird in seiner Verklärung seine traute Erde nicht vergessen, nicht seine lieben Menschen, die mit ihm gespielt und geweint und geliebt und geduldet, wie er.

Alexander von Humboldt
Kosmos

Alexander von Humboldt, der große Naturforscher, wurde im Jahre 1769 geboren und starb 1859. Er bereiste forschend viele Teile der alten und neuen Welt.

Sein Hauptwerk wurde der umfassende »Entwurf einer physischen Weltbeschreibung«, dem er den Titel Kosmos *gab. Das Werk erschien zwischen 1845 und 1858 in fünf Bänden. Es stellte die Welt als ein durch innere Kräfte bewegtes und belebtes Ganzes dar.*

Es war Humboldts Ziel, die neue Naturwissenschaft zu verbinden mit dem klassischen Idealismus, das Messen mit dem Ahnen des Unmeßbaren. Von dieser Absicht spricht die »Vorrede«, die hier abgedruckt wird. Wie sehr er nicht nur die Natur, sondern auch das Subjekt, auf das sie wirkt, berücksichtigte, wurde in Ausführungen wie der dann folgenden über Die Verschiedenartigkeit des Naturgenusses *deutlich.*

Der berühmte Kosmos *ist aus Vorlesungen erwachsen, die der Gelehrte im Winter 1827/28 in der Berliner Singakademie hielt. Sie waren das glänzendste Ereignis jener Saison. Zwölfhundert Zuhörer waren anwesend – unter ihnen der König, der Kronprinz, Gneisenau, Rauch, Schinkel und Zelter. Es ist geistesgeschichtlich sehr interessant, daß zu einer Zeit, da Hegel noch lebte und die Welt der Wissenschaften dominierte, die aufstrebende Naturwissenschaft schon so stark war.*

Der Erfolg des Werkes, das erst zwanzig Jahre später zu erscheinen begann, übertraf noch die Aufnahme der Vorlesungen. In zwei Monaten war die erste Auflage verkauft. Im

nächsten Jahr erschienen Übersetzungen ins Englische, Nie-
derländische, Dänische und Italienische; dann ins Französi-
sche und Russische. 1851 schätzte Humboldt die Zahl der in
Umlauf befindlichen Bände auf achtzigtausend.

Man hat immer wieder auf Goethes Anschauung der Natur
hingewiesen, um Humboldts Art zu beschreiben. Die beiden
schätzten einander sehr. Am Beginn des vierten Aktes von
Faust II ist Mephisto Humboldts Theorie von der Entstehung
der Welt in den Mund gelegt worden. Humboldt schrieb über
den Naturforscher Goethe (im Kosmos*):» Wer hat beredter*
seine Zeitgenossen angeregt, des Weltalls heilige Rätsel zu
lösen, das Bündnis zu erneuern, welches im Jugendalter der
Menschheit Philosophie, Physik und Dichtung mit einem
Bande umschlangen?« Und Goethe sagte am 11. Dezember
1826 zu Eckermann:» Was ist das für ein Mann! Ich kenne ihn
so lange, und doch bin ich von neuem über ihn in Erstaunen.
Man kann sagen, er hat an Kenntnissen und lebendigem Wis-
sen nicht seinesgleichen. Und eine Vielseitigkeit, wie sie mir
gleichfalls noch nicht vorgekommen ist.«

Vorrede

Ich übergebe am späten Abend eines vielbewegten Lebens
dem deutschen Publikum ein Werk, dessen Bild in unbe-
stimmten Umrissen mir fast ein halbes Jahrhundert lang vor
der Seele schwebte. In manchen Stimmungen habe ich dieses
Werk für unausführbar gehalten und bin, wenn ich es aufgegeben, wieder, vielleicht unvorsichtig, zu demselben zurückgekehrt. Ich widme es meinen Zeitgenossen mit der Schüchternheit, die ein gerechtes Mißtrauen in das Maß meiner
Kräfte mir einflößen muß. Ich suche zu vergessen, daß lange
erwartete Schriften gewöhnlich sich minderer Nachsicht zu
erfreuen haben.

Wenn durch äußere Lebensverhältnisse und durch einen unwiderstehlichen Drang nach verschiedenartigem Wissen ich veranlaßt worden bin, mich mehrere Jahre und scheinbar ausschließlich mit einzelnen Disziplinen: mit beschreibender Botanik, mit Geognosie, Chemie, astronomischen Ortsbestimmungen und Erdmagnetismus als Vorbereitung zu einer großen Reiseexpedition zu beschäftigen, so war doch immer der eigentliche Zweck des Erlernens ein höherer. Was mit den Hauptantrieb gewährte, war das Bestreben, die Erscheinung der körperlichen Dinge in ihrem allgemeinen Zusammenhange, die Natur als ein durch innere Kräfte bewegtes und belebtes Ganzes aufzufassen. Ich war durch den Umgang mit hochbegabten Männern früh zu der Einsicht gelangt, daß ohne den ernsten Hang nach der Kenntnis des Einzelnen alle große und allgemeine Weltanschauung nur ein Luftgebilde sein könne. Es sind aber die Einzelheiten im Naturwissen ihrem inneren Wesen nach fähig, wie durch eine aneignende Kraft sich gegenseitig zu befruchten.

Die beschreibende Botanik, nicht mehr in den engen Kreis der Bestimmung von Geschlechtern und Arten festgebannt, führt den Beobachter, welcher ferne Länder und hohe Gebirge durchwandert, zu der Lehre von der geographischen Verteilung der Pflanzen über den Erdboden nach Maßgabe der Entfernung vom Äquator und der senkrechten Erhöhung des Standortes. Um nun wiederum die verwickelten Ursachen dieser Verteilung aufzuklären, müssen die Gesetze der Temperaturverschiedenheit der Klimate wie der meteorologischen Prozesse im Luftkreis erspäht werden. So führt den wißbegierigen Beobachter jede Klasse von Erscheinungen zu einer anderen, durch welche sie begründet wird oder die von ihr abhängt.

Es ist mir ein Glück geworden, das wenige wissenschaftliche Reisende in gleichem Maß mit mir geteilt haben: das Glück, nicht bloß Küstenländer, wie auf den Erdumsegelungen, sondern das Innere zweier Kontinente in weiten

Räumen, und zwar da zu sehen, wo diese Räume die auffallendsten Kontraste der alpinischen Tropenlandschaft von Südamerika mit der öden Steppennatur des nördlichen Asiens darbieten. Solche Unternehmungen mußten, bei der eben geschilderten Richtung meiner Bestrebungen, zu allgemeinen Ansichten aufmuntern, sie mußten den Mut beleben, unsere dermalige Kenntnis der siderischen und tellurischen Erscheinungen des Kosmos in ihrem empirischen Zusammenhange in einem einzigen Werke abzuhandeln. Der bisher unbestimmt aufgefaßte Begriff einer physischen Erdbeschreibung ginge so durch erweiterte Betrachtung, ja, nach einem vielleicht allzu kühnen Plane, durch das Umfassen alles Geschaffenen im Erd- und Himmelsraume in den Begriff einer physischen Weltbeschreibung über.

Bei der reichen Fülle des Materials, welches der ordnende Geist beherrschen soll, ist die Form eines solchen Werkes, wenn es sich irgendeines literarischen Vorzugs erfreuen soll, von großer Schwierigkeit. Den Naturschilderungen darf nicht der Hauch des Lebens entzogen werden, und doch erzeugt das Aneinanderreihen bloß allgemeiner Resultate einen ebenso ermüdenden Eindruck als die Anhäufung zu vieler Einzelheiten der Beobachtung. Ich darf mir nicht schmeicheln, so verschiedenartigen Bedürfnissen der Komposition genügt, Klippen vermieden zu haben, die ich nur zu bezeichnen verstehe. Eine schwache Hoffnung gründet sich auf die besondere Nachsicht, welche das deutsche Publikum einer kleinen Schrift, die ich unter dem Titel »Ansichten der Natur« gleich nach meiner Rückkehr aus Mexiko veröffentlichte, lange Zeit geschenkt hat. Diese Schrift behandelte einzelne Teile des Erdenlebens (Pflanzengestaltung, Grasfluren und Wüsten) unter generellen Beziehungen. Sie hat mehr durch das gewirkt, was sie in empfänglichen, mit Phantasie begabten Gemütern erweckt hat, als durch das, was sie geben konnte. In dem Kosmos, an welchem ich jetzt arbeite, wie in den Ansichten der Natur habe ich zu zeigen gesucht, daß eine gewisse

Gründlichkeit in der Behandlung der einzelnen Tatsachen nicht unbedingt Farbenlosigkeit in der Darstellung erheischt.

Da öffentliche Vorträge ein leichtes und entscheidendes Mittel darbieten, um die gute oder schlechte Verkettung einzelner Teile einer Lehre zu prüfen, so habe ich viele Monate lang erst zu Paris in französischer Sprache und später zu Berlin in unserer vaterländischen Sprache fast gleichzeitig in der großen Halle der Singakademie und in einem der Hörsäle der Universität Vorlesungen über die physische Weltbeschreibung, wie ich die Wissenschaft aufgefaßt, gehalten. Bei freier Rede habe ich in Frankreich und Deutschland nichts über meine Vorträge schriftlich aufgezeichnet. Auch die Hefte, welche durch den Fleiß aufmerksamer Zuhörer entstanden sind, blieben mir unbekannt, und wurden daher bei dem jetzt erscheinenden Buche auf keine Weise benutzt. Die ersten vierzig Seiten des ersten Bandes abgerechnet, ist alles von mir in den Jahren 1843 und 1844 zum ersten Mal niedergeschrieben. Wo der jetzige Zustand des Beobachteten und der Meinungen (die zunehmende Fülle des ersteren ruft unwiederbringlich Veränderungen in den letzteren hervor) geschildert werden soll, gewinnt, glaube ich, diese Schilderung an Einheit, an Frische und innerem Leben, wenn sie an eine bestimmte Epoche geknüpft ist. Die Vorlesungen und der Kosmos haben also nichts miteinander gemeinsam als etwa die Reihenfolge der Gegenstände, die sie behandelt. Nur den »einleitenden Betrachtungen« habe ich die Form einer Rede gelassen, in die sie teilweise eingeflochten waren.

Man hat es oft eine nicht erfreuliche Betrachtung genannt, daß, indem rein literarische Geistesprodukte gewurzelt sind in den Tiefen der Gefühle und der schöpferischen Einbildungskraft, alles, was mit der Empirie, mit Ergründung von Naturerscheinungen und physischer Gesetze zusammenhängt, in wenigen Jahrzehnten, bei zunehmender Schärfe der Instrumente und allmählicher Erweiterung des Horizontes der Beobachtung, eine andere Gestaltung annimmt, ja daß,

wie man sich auszudrücken pflegt, veraltete naturwissenschaftliche Schriften als unlesbar der Vergessenheit übergeben sind. Wer von einer echten Liebe zum Naturstudium und von der erhabenen Würde desselben beseelt ist, kann durch nichts ermutigt werden, was an eine künftige Vervollkommnung des menschlichen Wissens erinnert. Viele und wichtige Teile dieses Wissens, in den Erscheinungen der Himmelsräume wie in den tellurischen Verhältnissen, haben bereits eine feste, schwer zu erschütternde Grundlage erlangt. In anderen Teilen werden allgemeine Gesetze an die Stelle der partikulären treten, neue Kräfte ergründet, für einfach gehaltene Stoffe vermehrt oder zergliedert werden. Ein Versuch, die Natur lebendig und in ihrer erhabenen Größe zu schildern, in dem wellenartig wiederkehrenden Wechsel physischer Veränderlichkeit das Beharrliche aufzuspüren, wird daher auch in späteren Zeiten nicht ganz unbeachtet bleiben.
Potsdam im November 1844.

Die Verschiedenartigkeit des Naturgenusses

Wenn ich es unternehme, nach langer Abwesenheit aus dem deutschen Vaterlande, in freien Unterhaltungen über die Natur die allgemeinen physischen Erscheinungen auf unserem Erdkörper und das Zusammenwirken der Kräfte im Weltall zu entwickeln, so finde ich mich mit einer zwiefachen Besorgnis erfüllt. Einesteils ist der Gegenstand, den ich zu behandeln habe, so unermeßlich und die mir vorgeschriebene Zeit so beschränkt, daß ich fürchten muß, in eine enzyklopädische Oberflächlichkeit zu verfallen oder, nach Allgemeinheit strebend, durch aphoristische Kürze zu ermüden. Anderenteils hat eine vielbewegte Lebensweise mich wenig an öffentliche Vorträge gewöhnt; und in der Befangenheit meines Gemüts wird es mir nicht immer gelingen, mich mit der Bestimmtheit und Klarheit auszudrücken, welche die Größe

und die Mannigfaltigkeit des Gegenstandes erheischen. Die
Natur ist das Reich der Freiheit; und um lebendig die Anschauungen und Gefühle zu schildern, welche ein reiner Na-
tursinn gewährt, sollte auch die Rede stets sich mit der Würde
und Freiheit bewegen, welche nur hohe Meisterschaft ihr zu
geben vermag.

Wer die Resultate der Naturforschung nicht in ihrem Verhältnis zu einzelnen Stufen der Bildung oder zu den individuellen Bedürfnissen des geselligen Lebens, sondern in ihrer
großen Beziehung auf die gesamte Menschheit betrachtet,
dem bietet sich, als die erfreulichste Frucht dieser Forschung,
der Gewinn dar, durch Einsicht in den Zusammenhang der
Erscheinungen den Genuß der Natur vermehrt und veredelt
zu sehen. Eine solche Veredelung ist aber das Werk der Beobachtung, der Intelligenz und der Zeit, in welcher alle Richtungen der Geisteskräfte sich reflektieren. Wie seit Jahrtausenden das Menschengeschlecht dahin gearbeitet hat, in dem
ewig wiederkehrenden Wechsel der Weltgestaltung das Beharrliche des Gesetzes aufzufinden und so allmählich durch
die Macht der Intelligenz den weiten Erdkreis zu erobern,
lehrt die Geschichte den, welcher den uralten Stamm unseres
Wissens durch die tiefen Schichten der Vorzeit bis zu seinen
Wurzeln zu verfolgen weiß. Diese Vorzeit befragen, heißt
dem geheimnisvollen Gange der Ideen nachzuspüren, auf
welchem dasselbe Bild, das früh dem inneren Sinne als ein
harmonisch geordnetes Ganzes, Kosmos, vorschwebte, sich
zuletzt wie das Ergebnis langer, mühevoll gesammelter Erfahrungen darstellt.

In diesen beiden Epochen der Weltansicht, dem ersten
Erwachen des Bewußtseins der Völker und dem endlichen,
gleichzeitigen Anbau aller Zweige der Kultur, spiegeln sich
zwei Arten des Genusses ab. Den einen erregt, in dem offenen kindlichen Sinne des Menschen, der Eintritt in die freie
Natur und das dunkle Gefühl des Einklangs, welcher in dem
ewigen Wechsel ihres stillen Treibens herrscht. Der andere

Genuß gehört der vollendeteren Bildung des Geschlechtes und dem Reflex dieser Bildung auf das Individuum an: er entspringt aus der Einsicht in die Ordnung des Weltalls und in das Zusammenwirken der physischen Kräfte. So wie der Mensch sich nun Organe schafft, um die Natur zu befragen und den engen Raum seines flüchtigen Daseins zu überschreiten; wie er nicht mehr bloß beobachtet, sondern Erscheinungen unter bestimmten Bedingungen hervorzurufen weiß; wie endlich die Philosophie der Natur, ihrem alten, dichterischen Gewande entzogen, den ernsten Charakter einer denkenden Betrachtung des Beobachteten annimmt: treten klare Erkenntnis und Begrenzung an die Stelle dumpfer Ahnungen und unvollständiger Induktionen.

Die dogmatischen Ansichten der vorigen Jahrhunderte leben dann nur fort in den Vorurteilen des Volks und in gewissen Disziplinen, die, in dem Bewußtsein ihrer Schwäche, sich gern in Dunkelheit hüllen. Sie erhalten sich auch als ein lästiges Erbteil in den Sprachen, die sich durch symbolisierende Kunstwörter und geistlose Formen verunstalten. Nur eine kleine Zahl sinniger Bilder der Phantasie, welche, wie vom Dufte der Urzeit umflossen, auf uns gekommen sind, gewinnen bestimmtere Umrisse und eine erneuerte Gestalt.

Die Natur ist für die denkende Betrachtung Einheit in der Vielheit, Verbindung des Mannigfaltigen in Form und Mischung, Inbegriff der Naturdinge und Naturkräfte, als ein lebendiges Ganzes. Das wichtigste Resultat des sinnigen physischen Forschens ist daher dieses: in der Mannigfaltigkeit die Einheit zu erkennen; von dem Individuellen alles zu umfassen, was die Entdeckungen der letzteren Zeitalter uns darbieten; die Einzelheiten prüfend zu sondern und doch nicht ihrer Masse zu unterliegen: der erhabenen Bestimmung des Menschen eingedenk, den Geist der Natur zu ergreifen, welcher unter der Decke der Erscheinungen verhüllt liegt. Auf diesem Wege reicht unser Bestreben über die enge Grenze der Sinnenwelt hinaus; und es kann uns gelingen, die Natur begreifend, den rohen Stoff empirischer Anschauung gleichsam durch Ideen zu beherrschen.

Wenn wir zuvörderst über die verschiedenen Stufen des Genusses nachdenken, welchen der Anblick der Natur gewährt, so finden wir, daß die erste unabhängig von der Einsicht in das Wirken der Kräfte, ja fast unabhängig von dem eigentümlichen Charakter der Gegend ist, die uns umgibt. Wo in der Ebene, einförmig, gesellige Pflanzen den Boden bedecken und auf grenzenloser Ferne das Auge ruht; wo des Meeres Wellen das Ufer sanft bespülen und durch Ulfen und grünenden Seetang ihren Weg bezeichnen: überall durchdringt uns das Gefühl der freien Natur, ein dumpfes Ahnen ihres »Bestehens nach inneren ewigen Gesetzen«. In solchen Anregungen ruht eine geheimnisvolle Kraft; sie sind erheiternd und lindernd, stärken und erfrischen den ermüdeten Geist, besänftigen oft das Gemüt, wenn es schmerzlich in seinen Tiefen erschüttert oder vom wilden Drange der Leidenschaften bewegt ist. Was ihnen Ernstes und Feierliches beiwohnt, entspringt aus dem fast bewußtlosen Gefühle höherer Ordnung und innerer Gesetzmäßigkeit der Natur; aus dem Eindruck ewig wiederkehrender Gebilde, wo in dem Besondersten des Organismus das Allgemeine sich spiegelt; aus dem Kontrast zwischen dem sittlich Unendlichen und der eigenen Beschränktheit, der wir zu entfliehen streben. In jedem Erdstriche, überall wo die wechselnden Gestalten des Tier- und Pflanzenlebens sich darbieten, auf jeder Stufe intellektueller Bildung sind dem Menschen diese Wohltaten gewährt.

Ein anderer Naturgenuß, ebenfalls nur das Gefühl ansprechend, ist der, welchen wir, nicht dem bloßen Eintritt in das Freie (wie wir tief bedeutsam in unserer Sprache sagen), sondern dem individuellen Charakter einer Gegend, gleichsam der physiognomischen Gestaltung der Oberfläche unseres Planeten verdanken. Eindrücke solcher Art sind lebendiger, bestimmter und deshalb für besondere Gemütszustände geeignet. Bald ergreift uns die Größe der Naturmassen im wil-

den Kampfe der entzweiten Elemente, oder ein Bild des Un-
beweglich-Starren, die Öde der unermeßlichen Grasfluren
und Steppen, wie in dem gestaltlosen Flachlande der Neuen
Welt und des nördlichen Asiens; bald fesselt uns, freund-
licheren Bildern hingegeben, der Anblick der bebauten Flur,
die erste Ansiedelung des Menschen, von schroffen Felsge-
schichten umringt, am Rande des schäumenden Gießbachs.
Denn es ist nicht sowohl die Stärke der Anregung, welche die
Stufen des individuellen Naturgenusses bezeichnet, als der
bestimmte Kreis von Ideen und Gefühlen, die sie erzeugen
und welchen sie Dauer verleihen.

Georg Wilhelm Hegel
Vorlesungen zur Philosophie der Geschichte

Im Jahre 1806 erschien eins der einflußreichsten philosophischen Bücher der letzten 150 Jahre: Hegels Phänomenologie des Geistes. *Sie ist konstruiert auf dem Boden der Maxime, welche – nach Hegel – der gesamten Wissenschaft unterliegt: die Welt ist nicht, wie sie dem schlichten Menschenverstand erscheint; sie wird erst (und das geht über die These der Wissenschaften hinaus) von der Philosophie verstanden.*

Die Phänomenologie *zeigt fünf verschiedene Interpretationen der Wirklichkeit zwischen dem Weltbild des Säuglings und der Hegelschen Philosophie: (erstens) »sinnliche Gewißheit«, die Welt des Babys, isolierte Wahrnehmungen; (zweitens) »Wahrnehmung«, der Glaube, daß die Welt in der Wahrnehmung gebildet wird, wie sie wirklich ist; (drittens) »Verstand«, Standpunkt der Wissenschaft: daß Verstand in der Welt ist – und daß sie deshalb verstanden werden kann; (viertens) »Selbstbewußtsein«, die Deutung Kants, der als das eine Element der sogenannten Wirklichkeit den menschlichen Geist entdeckt; (fünftens) »Vernunft«, der Begriff des Hegelschen Systems: die Welt ist Geist.*

Schon in der Phänomenologie *sind diese fünf Aspekte der Welt nicht nur eine Reihe vom Niederen zum Höheren, sondern auch eine historische Abfolge, welche die Entwicklung der Menschheit charakterisiert. Hegels einflußreichstes Werk wurden seine* Vorlesungen zur Philosophie der Geschichte, *in welcher er diese Grundgedanken am deutlichsten und sehr*

konkret illustrierte: »*daß die Vernunft die Welt beherrscht,
daß es also auch in der Weltgeschichte vernünftig zugegangen
ist*«. *Die Vernunft ist so die treibende Kraft in der Welt, nicht
nur eine subjektive Eigenschaft des Menschen.*

Einer der Kernsätze Hegels lautete: »*Daß die Vernunft
nicht so unmächtig ist, um es nur bis zum Ideal . . . zu bringen.*« *Das Wesentliche dieser Deutung liegt darin,* »*daß die
Welt nicht fertig ist, vom Menschen nur hinzunehmen, innerhalb enger Grenzen vielleicht etwas zu verändern – sondern
daß der Mensch sich und seine Welt macht*«. »*Er muß das Natürliche abschütteln*«, *ist eine der zentralen Sentenzen. Als der
26jährige eine Reise durch das Berner Oberland machte, notierte er schon in seinem Tagebuch:* »*Das Schauspiel dieser
ewig toten Masse gab mir nichts als den monotonen Eindruck
und die öde Idee: Es ist so.*«

*Die Weltgeschichte ist nicht nur der Fortschritt im Bewußt-
sein der Freiheit, sondern auch die Realisierung dieser Freiheit. Der kürzeste Ausdruck des Schemas lautet:* »*daß die
Orientalen nur gewußt haben, daß einer frei sei, die griechische und römische Welt aber, daß einige frei sind, daß wir
aber wissen, daß alle Menschen frei sind, der Mensch als
Mensch frei ist*«. *Die Teil-Freiheit der verschiedenen Epochen
manifestierte sich nicht nur im Politischen, auch in der Kunst,
in der Wissenschaft, in der Philosophie jeder Zeit.*

*Das Wesen der Welt ist die Menschheit. Das Wesen der
Menschheit ist der Geist. Er wird in Bewegung gehalten von
einem Gesetz des Fortschreitens, dem Hegel den alten Namen
›Dialektik‹ gibt. ›Dialektik‹ ist ihm nicht nur ein Prozeß des
Denkens, sondern auch ein Prozeß der Welt. Und es ist die
Negation, die sie vorwärts treibt. Diese Negation hat eine
lange Geschichte und klang nicht immer so abstrakt.*

*Sie hieß einmal ›der Teufel‹ – ein Teufel, wie ihn Mephisto
repräsentiert:* »*ein Teil von jener Kraft, die stets das Böse will
und stets das Gute schafft*«. *In jüngerer Zeit trat sie in Kants
Aufsatz* Idee zu einer allgemeinen Geschichte in weltbürger-

licher Absicht *(1784) als ›Antagonismus‹ auf, als ›Not‹ – und*
spielt bis heute eine gewaltige Rolle: nicht nur im Marxismus,
auch zum Beispiel in Toynbees ›Challenge‹.

Hegels fortschrittliches, geradezu revolutionäres Konzept
von der Entwicklung der Welt mündete ein in eine sehr kon-
servative Deutung seiner Gegenwart, in einen Willen zur Er-
haltung der preußischen Mittelklasse; in den Glauben, daß
der Staat, mit dem Monarchen an der Spitze, außerhalb der
konkurrierenden Gesellschaft ist und daß der Staatsbürger so
in einer klassenlosen Gesellschaft lebt. An diesem Punkt setzte
einer der großen Hegelianer mit seiner Kritik an: Karl Marx.

Wir folgen hier der Einleitung der am 8. November 1830
begonnenen Vorlesung über die Philosophie der Weltge-
schichte.

Meine Herren!

Der Gegenstand dieser Vorlesung ist die Philosophie der
Weltgeschichte.

Was Geschichte, Weltgeschichte ist, darüber brauche ich
nichts zu sagen; die allgemeine Vorstellung davon ist genügend, auch etwa stimmen wir in derselben überein. Aber daß
es eine Philosophie der Weltgeschichte ist, die wir betrachten,
daß wir die Geschichte philosophisch behandeln wollen, dies
ist es, was gleich bei dem Titel dieser Vorlesungen auffallen
kann und was wohl einer Erläuterung oder wohl vielmehr
einer Rechtfertigung zu bedürfen scheinen muß.

Jedoch ist die Philosophie der Geschichte nichts anderes als
die denkende Betrachtung derselben; und das Denken einmal
können wir nirgend unterlassen. Denn der Mensch ist denkend; dadurch unterscheidet er sich von dem Tier. Alles, was
menschlich ist, Empfindung, Kenntnis und Erkenntnis,
Trieb und Wille – insofern es menschlich ist und nicht tie-
risch, ist ein Denken darin, hiemit auch in jeder Beschäfti-

gung mit Geschichte. Allein diese Berufung auf den allgemeinen Anteil des Denkens an allem Menschlichen wie an der Geschichte kann darum ungenügend erscheinen, weil wir dafür halten, daß das Denken dem Seienden, Gegebenen untergeordnet ist, dasselbe zu seiner Grundlage hat und davon geleitet wird. Der Philosophie aber werden eigene Gedanken zugeschrieben, welche die Spekulation aus sich selbst ohne Rücksicht auf das, was ist, hervorbringe und mit solchen an die Geschichte gehe, sie als ein Material behandle, sie nicht lasse, wie sie ist, sondern sie nach dem Gedanken einrichte, eine Geschichte a priori konstruiere.

Die Geschichte hat nur das rein aufzufassen, was ist, was gewesen ist, die Begebenheiten und Taten. Sie ist um so wahrer, je mehr sie sich nur an das Gegebene hält und – indem dies zwar nicht so unmittelbar darliegt, sondern mannigfaltige, auch mit Denken verbundene Forschungen erfordert – je mehr sie dabei nur das Geschehene zum Zwecke hat. Mit diesem Zwecke scheint das Treiben der Philosophie im Widerspruch zu stehen; und über diesen Widerspruch, über den Vorwurf, welcher der Philosophie wegen der Gedanken gemacht wird, die sie zur Geschichte mitbringe und diese nach denselben behandle, ist es, daß ich mich in der Einleitung erklären will. Das heißt, es ist die allgemeine Bestimmung der Philosophie der Weltgeschichte zuerst anzugeben und die nächsten Folgen, die damit zusammenhängen, bemerklich zu machen. Es wird damit das Verhältnis von dem Gedanken und vom Geschehen von selbst in das richtige Licht gestellt werden, und schon darum, wie auch um in der Einleitung nicht zu weitläufig zu werden, da uns in der Weltgeschichte ein so reicher Stoff bevorsteht, bedarf es nicht, daß ich mich in Widerlegungen und Berichtigungen der unendlich vielen spezielleren schiefen Vorstellungen und Reflexionen einlasse, die über die Gesichtspunkte, Grundsätze, Ansichten über den Zweck, die Interessen der Behandlung des Geschichtlichen und dann insbesondere über das Verhältnis des Begriffs und der Philosophie zum Geschichtlichen im Gange sind oder immer wieder neu erfunden werden. Ich kann sie im ganzen übergehen oder nur beiläufig etwas darüber erinnern.

Ich will über den vorläufigen Begriff der Philosophie der Weltgeschichte zunächst dies bemerken, daß, wie ich gesagt, man in erster Linie der Philosophie den Vorwurf macht, daß sie mit Gedanken an die Geschichte gehe und diese nach Gedanken betrachte. Der einzige Gedanke, den sie mitbringt, ist aber der einfache Gedanke der Vernunft, daß die Vernunft die Welt beherrscht, daß es also auch in der Weltgeschichte vernünftig zugegangen ist. Diese Überzeugung und Einsicht ist eine Voraussetzung in Ansehung der Geschichte als solcher überhaupt. In der Philosophie selbst ist dies keine Voraussetzung; in ihr wird es durch die spekulative Erkenntnis erwiesen, daß die Vernunft – bei diesem Ausdrucke können wir hier stehenbleiben, ohne die Beziehung und das Verhältnis zu Gott näher zu erörtern – die Substanz, wie die unendliche Macht, sich selbst der unendliche Stoff alles natürlichen und geistigen Lebens, wie die unendliche Form, die Betätigung dieses ihres Inhaltes ist; – die Substanz, das, wodurch und worin alle Wirklichkeit ihr Sein und Bestehen hat – die unendliche Macht, daß die Vernunft nicht so unmächtig ist, um es nur bis zum Ideal, bis zum Sollen zu bringen und nur außerhalb der Wirklichkeit, wer weiß wo, wohl nur als etwas Besonderes in den Köpfen einiger Menschen vorhanden zu sein – der unendliche Inhalt, alle Wesenheit und Wahrheit, und ihr selbst ihr Stoff, den sie ihrer Tätigkeit zu verarbeiten gibt. Sie bedarf nicht wie endliches Tun der Bedingungen äußerlichen Materials, gegebener Mittel, aus denen sie Nahrung und Gegenstände ihrer Tätigkeit empfinge; sie zehrt aus sich und ist sich selbst das Material, das sie verarbeitet. Wie sie sich nur ihre eigene Voraussetzung, ihr Zweck der absolute Endzweck ist, so ist sie selbst dessen Betätigung und Hervorbringung aus dem Innern in die Erscheinung nicht nur des natürlichen Universums, sondern auch des geistigen –

in der Weltgeschichte. Daß nun solche Idee das Wahre, das Ewige, das schlechthin Mächtige ist, daß sie sich in der Welt offenbart und nichts in ihr sich offenbart als sie, ihre Herrlichkeit und Ehre, dies ist es, was, wie gesagt, in der Philosophie bewiesen und hier so als bewiesen vorausgesetzt wird.

Die philosophische Betrachtung hat keine andere Absicht, als das Zufällige zu entfernen. Zufälligkeit ist dasselbe wie äußerliche Notwendigkeit, d. h. eine Notwendigkeit, die auf Ursachen zurückgeht, die selbst nur äußerliche Umstände sind. Wir müssen in der Geschichte einen allgemeinen Zweck aufsuchen, den Endzweck der Welt, nicht einen besondern des subjektiven Geistes oder des Gemüts, ihn müssen wir durch die Vernunft erfassen, die keinen besondern endlichen Zweck zu ihren Interessen machen kann, sondern nur den absoluten. Dieser ist ein Inhalt, der Zeugnis von sich selber gibt und in sich selbst trägt und in dem alles, was der Mensch zu seinem Interesse machen kann, seinen Halt hat. Das Vernünftige ist das an und für sich Seiende, wodurch alles seinen Wert hat. Es gibt sich verschiedene Gestalten; in keiner ist es deutlicher Zweck als in der, wie der Geist sich in den vielförmigen Gestalten, die wir Völker nennen, selbst expliziert und manifestiert. Den Glauben und Gedanken muß man zur Geschichte bringen, daß die Welt des Wollens nicht dem Zufall anheimgegeben ist. Daß in den Begebenheiten der Völker ein letzter Zweck das Herrschende, daß Vernunft in der Weltgeschichte ist – nicht die Vernunft eines besonderen Subjekts, sondern die göttliche, absolute Vernunft –, ist eine Wahrheit, die wir voraussetzen; ihr Beweis ist die Abhandlung der Weltgeschichte selbst: sie ist das Bild und die Tat der Vernunft. Vielmehr aber liegt der eigentliche Beweis in der Erkenntnis der Vernunft selber; in der Weltgeschichte erweist sie sich nur. Die Weltgeschichte ist nur die Erscheinung dieser einen Vernunft, eine der besondern Gestalten, in denen sie sich offenbart, ein Abbild des Urbildes, das sich in einem besondern Elemente, in den Völkern, darstellt.

Die Vernunft ist in sich ruhend und hat ihren Zweck in sich selbst; sie bringt sich selbst zum Dasein hervor und führt sich aus. Das Denken muß sich dieses Zweckes der Vernunft bewußt werden. Die philosophische Weise kann anfangs etwas Auffallendes haben; sie kann aus der schlechten Gewohnheit der Vorstellung auch selbst für zufällig, für einen Einfall gehalten werden. Wem nicht der Gedanke als einzig Wahres, als das Höchste gilt, der kann die philosophische Weise gar nicht beurteilen.

Diejenigen unter Ihnen, meine Herren, welche mit der Philosophie noch nicht bekannt sind, könnte ich nun etwa darum ansprechen, mit dem Glauben an die Vernunft, mit dem Durste nach ihrer Erkenntnis zu diesem Vortrage der Weltgeschichte hinzutreten; – und es ist allerdings das Verlangen nach vernünftiger Einsicht, nach Erkenntnis, nicht bloß nach einer Sammlung von Kenntnissen, was als subjektives Bedürfnis bei dem Studium der Wissenschaften vorauszusetzen ist. In der Tat aber habe ich solchen Glauben nicht zum voraus in Anspruch zu nehmen. Was ich vorläufig gesagt und noch sagen werde, ist nicht bloß – auch in Rücksicht unserer Wissenschaft nicht – als Voraussetzung, sondern als Übersicht des Ganzen zu nehmen, als das Resultat der von uns anzustellenden Betrachtung – ein Resultat, das mir bekannt ist, weil mir bereits das Ganze bekannt ist. Es hat sich also erst und es wird sich aus der Betrachtung der Weltgeschichte selbst ergeben, daß es vernünftig in ihr zugegangen, daß sie der vernünftige, notwendige Gang des Weltgeistes gewesen, der die Substanz der Geschichte (ist), der eine Geist, dessen Natur eine und immer dieselbe ist und der in dem Weltdasein diese seine eine Natur expliziert. Dies muß, wie gesagt, das Ergebnis der Geschichte selbst sein. Die Geschichte aber haben wir zu nehmen, wie sie ist; wir haben historisch, empirisch zu verfahren. Unter anderem auch müssen wir uns nicht durch Historiker vom Fache verführen lassen; denn wenigstens unter den deutschen Historikern, sogar solchen, die

eine große Autorität besitzen, auf das sogenannte Quellenstudium sich alles zugtute tun, gibt es solche, die das tun, was
sie den Philosophen vorwerfen, nämlich apriorische Erdich-
tungen in der Geschichte zu machen. Um ein Beispiel anzuführen, so ist es eine weitverbreitete Erdichtung, daß ein
erstes und ältestes Volk gewesen, das, unmittelbar von Gott
belehrt, in vollkommener Einsicht und Weisheit gelebt, in
durchdringender Kenntnis aller Naturgesetze und geistiger
Wahrheit gewesen sei, oder daß es diese und jene Priestervöl-
ker gegeben oder – um etwas Spezielleres anzuführen – daß es
ein römisches Epos gegeben, aus welchem die römischen Geschichtsschreiber die ältere Geschichte geschöpft haben, und
so fort. Dergleichen Apriontäten wollen wir den geistreichen
Historikern von Fach überlassen, unter denen sie bei uns
nicht ungewöhnlich sind.

Als die erste Bedingung konnten wir somit aussprechen,
daß wir das Historische getreu auffassen; allein in solchen allgemeinen Ausdrücken wie treu und auffassen liegt die Zwei-
deutigkeit. Auch der gewöhnliche und mittelmäßige Geschichtsschreiber, der etwa meint und vorgibt, er verhalte
sich nur aufnehmend, nur dem Gegebenen sich hingebend, ist
nichtpassiv mit seinem Denken; er bringt seine Kategorien
mit und sieht durch sie das Vorhandene. Das Wahrhafte liegt
nicht auf der sinnlichen Oberfläche; bei allem insbesondere,
was wissenschaftlich sein soll, darf die Vernunft nicht schlafen und muß Nachdenken angewendet werden. Wer die Welt
vernünftig ansieht, den sieht sie auch vernünftig an; beides ist
in Wechselbestimmung.

Wenn man sagt, der Zweck der Welt soll aus der Wahrnehmung hervorgehen, so hat das seine Richtigkeit. Um aber
das Allgemeine, das Vernünftige zu erkennen, muß man die
Vernunft mitbringen. Die Gegenstände sind Reizmittel für
das Nachdenken; sonst findet man es in der Welt so, wie man
sie betrachtet. Geht man nur mit Subjektivität an die Welt,
dann wird man es so finden, wie man selbst beschaffen ist,

man wird überall alles besser wissen, sehen, wie es habe gemacht werden müssen, wie es hätte gehen sollen. Der große Inhalt der Weltgeschichte ist aber vernünftig und muß vernünftig sein; ein göttlicher Wille herrscht mächtig in der Welt und ist nicht so ohnmächtig, um nicht den großen Inhalt zu bestimmen. Dieses Substanzielle zu erkennen muß unser Zweck sein; und das zu erkennen muß man das Bewußtsein der Vernunft mitbringen, keine physischen Augen, keinen endlichen Verstand, sondern das Auge des Begriffs, der Vernunft, das die Oberfläche durchdringt und sich durch die Mannigfaltigkeit des bunten Gewühls der Begebenheiten hindurchringt. Nun sagt man, wenn man so mit der Geschichte verfahre, so sei dies ein apriorisches Verfahren und schon an und für sich unrecht. Ob man so spricht, ist der Philosophie gleichgültig. Um das Substanzielle zu erkennen, muß man selber mit der Vernunft darangehen. Allerdings darf man nicht mit einseitigen Reflexionen kommen; denn die verunstalten die Geschichte und entstehen aus falschen subjektiven Ansichten. Mit solchem aber hat es die Philosophie nicht zu tun; sie wird in der Gewißheit, daß die Vernunft das Regierende ist, überzeugt sein, daß das Geschehene sich dem Begriffe einfügen wird, und wird nicht die Wahrheit so verkehren, wie es heute besonders bei den Philologen Mode ist, die in die Geschichte mit sogenanntem Scharfsinn lauter Apriorisches eintragen. Die Philosophie geht zwar auch a priori zu Werke, insofern sie die Idee voraussetzt. Diese ist aber gewiß da; das ist die Überzeugung der Vernunft.

Der Gesichtspunkt der philosophischen Weltgeschichte ist also nicht einer von vielen allgemeinen Gesichtspunkten, abstrakt herausgehoben, so daß von den andern abgesehen würde. Ihr geistiges Prinzip ist die Totalität aller Gesichtspunkte. Sie betrachtet das konkrete, geistige Prinzip der Völker und seine Geschichte und beschäftigt sich nicht mit einzelnen Situationen, sondern mit einem allgemeinen Gedanken, der sich durch das Ganze hindurchzieht. Dies Allge-

meine gehört nicht der zufälligen Erscheinung an; die Menge
der Besonderheiten ist hier in eins zu fassen. Die Geschichte
hat vor sich den konkretesten Gegenstand, der alle verschiedenen Seiten der Existenz in sich zusammenfaßt; ihr Individuum ist der Weltgeist. Indem also die Philosophie sich mit
der Geschichte beschäftigt, macht sie sich das zum Gegenstande, was der konkrete Gegenstand in seiner konkreten
Gestalt ist, und betrachtet seine notwendige Entwicklung.
Darum sind für sie das Erste nicht die Schicksale, Leidenschaften, die Energie der Völker, neben denen sich dann die
Begebenheiten hervordrängen. Sondern der Geist der Begebenheiten, der sie hervortreibt, ist das Erste; er ist der Merkur, der Führer der Völker. Das Allgemeine, das die philosophische Weltgeschichte zum Gegenstande hat, ist demnach
nicht als eine Seite, sie sei noch so wichtig, zu fassen, neben
der auf der andern Seite andere Bestimmungen vorhanden
wären. Sondern dies Allgemeine ist das unendlich Konkrete,
das alles in sich faßt, das überall gegenwärtig ist, weil der
Geist ewig bei sich ist, für das keine Vergangenheit ist, das
immer dasselbe in seiner Kraft und Gewalt bleibt.

Meister Eckehart
Deutsche Predigten und Traktate

Herausgegeben und übersetzt von
Josef Quint

»Der stärkste Kopf, der energischste, radikalste Denker unter den Mystikern, der, welcher das zu Ver-
schweigende am eindringlichsten bewußt gemacht hat,
war Meister Eckehart. Lange bevor die ›Entmytholo-
gisierung‹ erfunden wurde, war er der radikalste Ent-
mythologisierer.
Eckehart war die Aufklärung – ohne Verklärung, war
aufgeklärter als die Aufklärung. Er war in der Tat viel
gefährlicher als später Luther, als die Entlarvung des
Priester-Betrugs im achtzehnten Jahrhundert, als der
harmlose Atheist des zwanzigsten. Eckehart deckte
den ›Abgrund‹ auf, den alle Religionen und Philosophien zudeckten.« *Ludwig Marcuse*

»Meister Eckehart ist einer der tiefsten und universell-
sten Köpfe, die Deutschland hervorgebracht hat – eine
eigenartige Kreuzung aus einem kristallklaren Denker, einem Dichter von unvergleichlicher Wucht, Pla-
stik und Originalität der Bildsprache und einem religiösen Genie.« *Egon Friedell*

»Eckehart hat den Unterschied zwischen Haben und
Sein mit einer Eindringlichkeit und Klarheit beschrieben und analysiert, wie sie von niemandem je wieder
erreicht worden ist.« *Erich Fromm*

Erasmus von Rotterdam
im Diogenes Verlag

»Erasmus von Rotterdam ist unter allen Schreibenden und Schaffenden des Abendlandes der erste bewußte Europäer gewesen, der erste streitbare Friedensfreund, der beredteste Anwalt des humanistischen, des welt- und geistesfreundlichen Ideals. Bei Erasmus erscheint Europa als eine moralische Idee, als eine vollkommen unegoistische und geistige Forderung; mit ihm beginnt jenes Postulat der vereinigten Staaten Europas im Zeichen einer gemeinsamen Kultur und Zivilisation.«
Stefan Zweig

»Wir können das Problem des Friedens nur lösen, wenn wir den Krieg aus dem ethischen Grunde, weil er uns der Unmenschlichkeit schuldig werden läßt, verwerfen. Schon Erasmus von Rotterdam hat dies verkündet.«
Albert Schweitzer in seiner Friedensnobelpreis-Rede

Das Lob der Narrheit
Mit vielen Kupfern nach
Illustrationen von Hans Holbein und einem
Nachwort von Stefan Zweig

Die Klage des Friedens
Aus dem Lateinischen übersetzt, herausgegeben
und mit einem Vorwort von Brigitte Hannemann

Vertrauliche Gespräche
Übersetzt, herausgegeben und mit einem Vorwort
von Kurt Steinmann

Ludwig Marcuse
Ignatius von Loyola
Ein Soldat der Kirche

Ignatius von Loyola, spanischer Grande und Offizier, Gründer und erster General des Jesuiten-Ordens, ist einer der großen mythenbildenden Politiker der Weltgeschichte.

Ludwig Marcuse, auch Biograph Sigmund Freuds, Richard Wagners und Heinrich Heines, berichtet entlang des Lebens Ignatius von Loyolas anschaulich über das Zeitalter der Renaissance. Die Schrecken der Inquisition und die Ideale der Reformation beweisen sich einmal mehr als Mittel zum Zweck: Macht gewinnen, ausbauen und behalten.

»Ignatius von Loyola war ein spanischer Offizier voll romantischer Leidenschaft für das Rittertum. Nach einer Beinverletzung vor Pamplona (1520) weihte er sich dem Dienst der Himmelskönigin Maria. Er wallfahrte nach Palästina, studierte auf einigen Universitäten und legte 1534 mit einigen Genossen das Gelübde ab, sich dem Papst zur Verfügung zu stellen. Aus diesen kleinen Anfängen wuchs einer der mächtigsten Orden Roms: die Societas Jesu, der Jesuitenorden.«
Ludwig Marcuse

Arthur Schopenhauer
im Diogenes Verlag

Der komplette Schopenhauer: Jeder Band bringt den
integralen Text in der originalen Orthographie und Interpunktion Schopenhauers; Übersetzungen und seltene
Fremdwörter sind in eckigen Klammern eingearbeitet;
ein Glossar wissenschaftlicher Fachausdrücke ist als
Anhang jeweils dem letzten Band der *Welt als Wille
und Vorstellung*, der *Kleineren Schriften* und der *Parerga und Paralipomena* beigegeben. Die Textfassung
geht auf die historisch-kritische Gesamtausgabe von
Arthur Hübscher zurück; das editorische Material besorgte Angelika Hübscher.

Gesammelte Werke
10 Bände in Kassette
Alle Bände auch als Einzelausgaben erhältlich

*Die Welt als Wille
und Vorstellung* I
in zwei Teilbänden

*Die Welt als Wille
und Vorstellung* II
in zwei Teilbänden

*Über die vierfache Wurzel
des Satzes vom zu-
reichenden Grunde /
Über den Willen in
der Natur*
Kleinere Schriften I

*Die beiden Grundprobleme
der Ethik: Über die Freiheit
des menschlichen Willens /
Über die Grundlage der
Moral*
Kleinere Schriften II

Parerga und Paralipomena I
in zwei Teilbänden, wobei der zweite
Teilband die ›Aphorismen zu Lebensweisheit‹ enthält

Parerga und Paralipomena II
in zwei Teilbänden

Außerdem erschienen:

*Denken mit
Arthur Schopenhauer*
Vom Lauf der Zeit, dem wahren Wesen der Dinge,
dem Pessimismus, dem Tod und der Lebenskunst
Herausgegeben und mit einem Nachwort
von Otto A. Böhmer

Ein Panorama
europäischen Geistes

Texte aus
drei Jahrtausenden

Ausgewählt und vorgestellt von
Ludwig Marcuse

Band III
Von Karl Marx bis Thomas Mann

Diogenes

Eine editorische Notiz, Nachweise
und Personenregister zu Band I–III
finden sich am Schluß des vorliegenden Bandes
Redaktion: Claudia Schmölders
Die jedem Beitrag *kursiv* vorangestellten
Einführungstexte von Ludwig Marcuse
erschienen erstmals in der Diogenes Ausgabe 1977

Inhalt

Karl Marx
Aus den Frühschriften

Es gab bereits viele Sozialismen, viele Programme und Experimente auf dem Wege zu einer gerechteren Gesellschaft, als Karl Marx mit seinem Werk, dem sogenannten wissenschaftlichen Sozialismus, und mit seiner Organisation zum Sieg der Diktatur des Proletariats alle seine Vorläufer mattsetzte. Verständlich, da niemand vor ihm bei der Entwerfung des Plans so sehr die Wirklichkeit in Betracht gezogen hatte. Aber dieser wissenschaftliche Sozialismus nahm auch dem Sozialismus viel, was ihn begehrenswert gemacht hatte – zugunsten der Marschdisziplin.

Karl Heinrich Marx, von jüdischer Herkunft, wurde im Jahre 1818 in Trier geboren und starb 1883 im Londoner Exil. Er studierte Jura, Geschichte und Philosophie und leitete im Vormärz die liberale ›Rheinische Zeitung‹ oppositionell-radikal, so daß sie bald unterdrückt wurde. In Paris gab er mit Ruge die ›Deutsch-französischen Jahrbücher‹ heraus, dann den ›Vorwärts‹, an dem auch Heine mitarbeitete. Nach der Ausweisung aus Frankreich begann Marx in Brüssel zusammen mit Friedrich Engels die praktische Agitation. 1848 erschien die populärste Schrift, die sie beide gemeinsam verfaßt hatten: Das Kommunistische Manifest ... *Synthese aus Theorie und Aufruf zum Kampf.*

In seinen Universitätsjahren war Marx in den Bann des mächtigsten philosophischen Systems geraten, das je in Deutschland geblüht hatte: des Hegelschen. Von Hegel lernte er, daß es nicht eine abstrakte Gerechtigkeit gibt, eine göttliche, hoch über allen irdischen Ungerechtigkeiten, sondern nur einen zeitlichen Prozeß auf dem Wege zur Freiheit und Menschlichkeit. Von Hegel lernte er auch, daß dieser Prozeß nicht gradlinig progressiv verläuft, sondern ›dialektisch‹, das heißt in Widersprüchen und Ausgleichen – in der Fachsprache: als Thesis, Antithesis und Synthesis. Schon bei Hegel betraf diese dialektische Logik nicht nur die Ideen, auch die Wirklichkeiten. Aber erst Marx gab diesem nicht gradlinigen Weg ein materielles Aussehen: die Dialektik, die Antithese, der Gegensatz war im Kern in allen Zeiten der Zusammenprall zweier Klassen gewesen: einer ausbeutenden und einer ausgebeuteten.

Marx war nicht daran interessiert, eine neue Geschichtsphilosophie auszubauen, sondern eine neue Praxis theoretisch zu fundieren. Obwohl das Kommunistische Manifest auch vom Urkommunismus am Beginn der Zeiten spricht, von der griechischen Sklavenwirtschaft, vom mittelalterlichen Feudalismus, so kam es ihm doch nicht auf historisch-theoretische Analysen an, sondern auf eine Diagnose der Gegenwart – im Dienste einer Therapie für die nächste und fernere Zukunft.

So rückte er das Verhältnis von Kapitalismus und Proletariat in den Mittelpunkt. Es war aber wie später bei Freud: die Diagnose stimmte, die auf sie errichtete Heilmethode aber wurde problematisch.

Marx betonte immer wieder, daß die Einsicht in den Klassenkampfcharakter der bürgerlichen Gesellschaft nicht sein Verdienst gewesen sei, sondern die Leistung der großen bürgerlichen Ökonomen seit Adam Smith. Sie studierte und exzerpierte er eingehend im Britischen Museum zu London, wo er nach 1848 im Exil lebte. Was ihn von diesen Gelehrten unterschied, war die Gewißheit, daß ökonomische Gesetze nicht Naturgesetze waren, sondern die Gesetze einer herrschenden Klasse.

Er untersuchte die politisch-ökonomische Wirklichkeit seiner Epoche so gründlich, wie es kein Sozialist vor ihm unter-

*nommen hatte. Die umfassendsten Untersuchungen erhielten
den Titel* Das Kapital.

*Im Bewußtsein zu vieler Zeitgenossen lebt Marx nur als
Marxismus und Marxismus nur als Sowjetunion. Demgegenüber ist es wichtig, sich klarzumachen, daß Marx eine historische Figur war, dessen ›Kapitalismus‹ zum Beispiel abgebildet
war in Engels' Beschreibung der arbeitenden Klassen in England – ein Kapitalismus, der mit dem heutigen nicht einmal
mehr eine Familienähnlichkeit hat. Ganz bestimmt ist Marx
nicht getroffen in der heutigen antimarxistischen Vorstellung
vom ›Materialisten‹ und ›Atheisten‹. Man zieht, ahnungslos,
nicht in Betracht, daß Marx der Erbe des deutschen philosophischen Idealismus gewesen ist – allerdings eines materiali-
sierenden. Nichts hat seine Größe – die historisch, aber nicht
nur historisch war – mehr verdeckt als die Idolatrie seiner
Nachläufer und die Verteufelung seiner Feinde. Ein feindli-
ches Buch über ihn,* Der Rote Preuße, *beginnt mit dem Satz:
Man sollte unser Zeitalter nach Marx benennen, denn alle wesentlichen Ereignisse gehen auf ihn zurück (gemeint sind natürlich die Kriege und Bürgerkriege unseres Jahrhunderts) ... In dieser Überschätzung sind sich die blindesten
Anhänger und die fanatischsten Gegner einig – und verdecken
so gemeinsam die wahre Gestalt dieses Denkers und fragwür-
digen Politikers.*

Die Ökonomen verfahren auf eine sonderbare Art. Es gibt
für sie nur zwei Arten von Institutionen, künstliche und natürliche. Die Institutionen des Feudalismus sind künstliche
Institutionen; die der Bourgeoisie natürliche. Sie gleichen
darin den Theologen, die auch zwei Arten von Religionen unterscheiden. Jede Religion, die nicht die ihre ist, ist eine Erfindung der Menschen, während ihre eigene Religion eine
Offenbarung Gottes ist. Wenn die Ökonomen sagen, daß die

gegenwärtigen Verhältnisse – die Verhältnisse der bürgerlichen Produktion – natürliche sind, so geben sie damit zu
verstehen, daß es Verhältnisse sind, in denen die Erzeugung
des Reichtums und die Entwicklung der Produktivkräfte sich
gemäß den Naturgesetzen vollziehen. Somit sind diese Verhältnisse selbst von dem Einfluß der Zeit unabhängige Naturgesetze. Es sind ewige Gesetze, welche stets die Gesellschaft
zu regieren haben. Somit hat es eine Geschichte gegeben, aber
es gibt keine mehr; es hat eine Geschichte gegeben, weil feudale Einrichtungen bestanden haben, und weil man in diesen
feudalen Einrichtungen Produktionsverhältnisse findet, vollständig verschieden von denen der bürgerlichen Gesellschaft,
welche die Ökonomen als natürliche und demgemäß ewige
angesehen wissen wollen.

Auch der Feudalismus hatte sein Proletariat – die Leibeigenschaft, welche die Keime des Bürgertums enthielt. Auch
die feudale Produktion hatte zwei antagonistische Elemente,
die man gleichfalls als gute und schlechte Seite des Feudalismus bezeichnet, ohne zu berücksichtigen, daß es stets die
schlechte Seite ist, welche schließlich den Sieg über die gute
Seite davonträgt. Die schlechte Seite ist es, welche die Bewegung ins Leben ruft, welche die Geschichte macht, dadurch,
daß sie den Kampf zeitigt. Hätten zur Zeit der Herrschaft des
Feudalismus die Ökonomen, begeistert von den ritterlichen
Tugenden, von der schönen Harmonie zwischen Rechten
und Pflichten, von dem patriarchalischen Leben der Städte,
von dem Blühen der Hausindustrie auf dem Lande, von der
Entwicklung der in Korporationen, Zünften, Innungen organisierten Industrie, mit einem Wort von allem, was die
schöne Seite des Feudalismus bildet, sich das Problem
gestellt, alles auszumerzen, was einen Schatten auf dies
Bild wirft – Leibeigenschaft, Privilegien, Anarchie –, wohin wären sie damit gekommen? Man hätte alle Elemente
vernichtet, welche den Kampf hervorriefen, man hätte
die Entwicklung der Bourgeoisie im Keim erstickt. Man hätte

sich das absurde Problem gestellt, die Geschichte auszu-
streichen.

Als die Bourgeoisie obenauf gekommen war, fragte man
weder nach der guten noch nach der schlechten Seite des Feudalismus. Die Produktivkräfte, welche sich durch sie unter
dem Feudalismus entwickelt hatten, fielen ihr zu. Alle alten
ökonomischen Formen, die privatrechtlichen Beziehungen,
welche ihnen entsprachen, der politische Zustand, welcher
der offizielle Ausdruck der alten Gesellschaft war, wurden
zerbrochen. Will man somit die feudale Produktion richtig
beurteilen, so muß man sie als eine auf den Gegensatz basierte
Produktionsweise betrachten. Man muß zeigen, wie der
Reichtum innerhalb dieses Gegensatzes produziert wurde,
wie die Produktivkräfte sich gleichzeitig mit dem Widerstreit
der Klassen entwickelten, wie die eine dieser Klassen, die
schlechte Seite, das gesellschaftliche Übel, stets anwuchs, bis
die materiellen Bedingungen ihrer Emanzipation zur Reife
gediehen waren. Sagt das nicht deutlich genug, daß die Produktionsweise, die Verhältnisse, in denen die Produktivkräfte sich entwickeln, nichts weniger als ewige Gesetze sind,
sondern einem bestimmten Entwicklungszustande der Menschen und ihrer Produktivkräfte entsprechen und daß eine in
den Produktivkräften der Menschen eingetretene Veränderung notwendigerweise eine Veränderung in ihren Produk-
tionsverhältnissen herbeiführt? Da es vor allen Dingen darauf
ankommt, nicht von den Früchten der Zivilisation, den erworbenen Produktivkräften ausgeschlossen zu sein, so wird
es notwendig, die überkommenen Formen, in welchen sie geschaffen worden, zu zerbrechen. Von diesem Augenblick an
wird die revolutionäre Klasse konservativ.

Die Bourgeoisie beginnt mit einem Proletariat, das selbst
wiederum ein Überbleibsel des Proletariats des Feudalismus
ist. In dem Verlauf ihrer historischen Entwicklung entwickelt
die Bourgeoisie notwendigerweise ihren antagonistischen
Charakter, der sich bei ihrem ersten Auftreten mehr oder

minder verhüllt vorfindet, nur im latenten Zustande existiert. In dem Maße, als die Bourgeoisie sich entwickelt, entwickelt sich in ihrem Schoße ein neues Proletariat, ein modernes Proletariat: es entwickelt sich ein Kampf zwischen der Proletarierklasse und der Bourgeoisklasse, ein Kampf, der, bevor er auf beiden Seiten empfunden, bemerkt, gewürdigt, begriffen, eingestanden und endlich laut proklamiert wird, sich vorläufig nur in teilweisen und vorübergehenden Konflikten, in Zerstörungswerken äußert. Andererseits, wenn alle Angehörigen der modernen Bourgeoisie das gleiche Interesse haben, insoweit sie eine Klasse gegenüber einer anderen Klasse bilden, so haben sie entgegengesetzte, widerstreitende Interessen, sobald sie selbst einander gegenüberstehen. Dieser Interessengegensatz geht aus den ökonomischen Bedingungen ihres bürgerlichen Lebens hervor. Von Tag zu Tag wird es somit klarer, daß die Produktionsverhältnisse, in denen sich die Bourgeoisie bewegt, nicht einen einheitlichen, einfachen Charakter haben, sondern einen zwieschlächtigen; daß in denselben Verhältnissen, in denen der Reichtum produziert wird, auch das Elend produziert wird; daß in denselben Verhältnissen, in denen die Entwicklung der Produktivkräfte vor sich geht, sich eine Repressionskraft entwickelt; daß diese Verhältnisse den bürgerlichen Reichtum, d. h. den Reichtum der Bourgeoisklasse nur erzeugen unter fortgesetzter Vernichtung des Reichtums einzelner Glieder dieser Klasse und unter Schaffung eines stets wachsenden Proletariats.

Je mehr dieser gegensätzliche Charakter zutage tritt, desto mehr geraten die Ökonomen, die wissenschaftlichen Repräsentanten der bürgerlichen Produktion, mit ihrer eigenen Theorie in Widerspruch, und verschiedene Schulen bilden sich.

Wir haben die fatalistischen Ökonomen, die in ihrer Theorie ebenso gleichgültig gegen das sind, was sie die Übelstände der bürgerlichen Produktionsweise nennen, als die Bourgeois selbst es in der Praxis sind gegenüber den Leiden der Proletarier, die ihnen die Reichtümer erwerben helfen. In dieser fatalistischen Schule gibt es Klassiker und Romantiker. Die Klassiker, wie Adam Smith und Ricardo, vertreten eine Bourgeoisie, die, noch im Kampf mit den Resten der feudalen Gesellschaft, nur daran arbeiten, die ökonomischen Verhältnisse von den feudalen Flecken zu reinigen, die Produktivkräfte zu vermehren und der Industrie und dem Handel neue Triebkraft zu geben. Das an diesem Kampf teilnehmende Proletariat kennt, von dieser fieberhaften Arbeit absorbiert, nur vorübergehende zufällige Leiden, betrachtet sie selbst als solche. Die Ökonomen, wie Adam Smith und Ricardo, welche die Historiker dieser Epoche sind, haben lediglich die Mission, nachzuweisen, wie der Reichtum unter den Verhältnissen der bürgerlichen Produktion erworben wird: die Verhältnisse in Kategorien, in Gesetze zu formulieren und nachzuweisen, um wieviel diese Gesetze, diese Kategorien für die Produktion der Reichtümer überlegen sind den Gesetzen und Kategorien der feudalen Gesellschaft. Das Elend ist in ihren Augen nur der Schmerz, der jede Geburt begleitet in der Natur wie in der Industrie.

Die Romantiker gehören unserer Epoche an, in der die Bourgeoisie sich im direkten Gegensatz mit dem Proletariat befindet, wo das Elend in ebenso großem Übermaße anwächst wie der Reichtum. Die Ökonomen spielen sich alsdann als blasierte Fatalisten auf und werfen von der Höhe ihres Standpunkts einen stolzen Blick der Verachtung auf die menschlichen Maschinen, die den Reichtum erzeugen. Sie wiederholen alle von ihren Vorläufern gegebenen Ausführungen, aber die Indifferenz, die bei jenen Naivität war, wird bei ihnen Koketterie.

Kommt alsdann die humanitäre Schule, welche sich die schlechte Seite der heutigen Produktionsverhältnisse zu Herzen nimmt. Diese sucht, um ihr Gewissen zu beruhigen, die wirklichen Kontraste, so gut es eben geht, zu bemänteln, sie beklagt aufrichtig die Not des Proletariats, die zügellose

Konkurrenz der Bourgeoisie unter sich; sie rät den Arbeitern, mäßig zu sein, fleißig zu arbeiten und wenig Kinder zu zeugen; sie empfiehlt den Bourgeois Überlegung in ihrem Produktionseifer. Die ganze Theorie dieser Schule besteht in endlosen Unterscheidungen zwischen Theorie und Praxis, zwischen den Prinzipien und den Resultaten, zwischen der Idee und der Anwendung, zwischen dem Inhalt und der Form, zwischen dem Wesen und der Wirklichkeit, zwischen dem Recht und der Tatsache, zwischen der guten und schlechten Seite.

Die philanthropische Schule ist die vervollkommnete humanitäre Schule. Sie leugnet die Notwendigkeit des Gegensatzes, sie will aus allen Menschen Bourgeois machen, sie will die Theorie verwirklichen, soweit dieselbe sich von der Praxis unterscheidet und den Antagonismus nicht einschließt. Selbstverständlich ist es in der Theorie leicht, von den Widersprüchen zu abstrahieren, auf die man bei jedem Schritt in der Wirklichkeit stößt. Diese Theorie würde alsdann die idealisierte Wirklichkeit werden. Die Philanthropen wollen also die Kategorien erhalten, welche der Ausdruck der bürgerlichen Verhältnisse sind, ohne den Widerspruch, der ihr Wesen ausmacht und der von ihnen unzertrennlich ist. Sie bilden sich ein, ernsthaft die bürgerliche Praxis zu bekämpfen, und sie sind mehr Bourgeois als die anderen.

Wie die Ökonomen die wissenschaftlichen Vertreter der Bourgeoisklasse sind, so sind die Sozialisten und Kommunisten die Theoretiker der Klasse des Proletariats. Solange das Proletariat noch nicht genügend entwickelt ist, um sich als Klasse zu konstituieren, und daher der Kampf des Proletariats mit der Bourgeoisie noch keinen politischen Charakter trägt, solange die Produktivkräfte noch im Schoße der Bourgeoisie selbst nicht genügend entwickelt sind, um die materiellen Bedingungen durchscheinen zu lassen, die notwendig sind zur Befreiung des Proletariats und zur Bildung einer neuen Gesellschaft, so lange sind diese Theoretiker nur Utopisten, die, um den Bedürfnissen der unterdrückten Klasse abzuhelfen, Systeme ausdenken und nach einer regenerierenden Wissenschaft suchen. Aber in dem Maße, wie die Geschichte fortschreitet und mit ihr der Kampf des Proletariats sich deutlicher abzeichnet, haben sie nicht mehr nötig, die Wissenschaft in ihrem Kopf zu suchen; sie haben nur sich Rechenschaft abzulegen von dem, was sich vor ihren Augen abspielt, und sich zum Organ desselben zu machen. Solange sie die Wissenschaft suchen und nur Systeme machen, solange sie im Beginn des Kampfes sind, sehen sie im Elend nur das Elend, ohne die revolutionäre umstürzende Seite darin zu erblicken, welche die alte Gesellschaft über den Haufen werfen wird. Von diesem Augenblick an wird die Wissenschaft bewußtes Erzeugnis der historischen Bewegung, und sie hat aufgehört, doktrinär zu sein, sie ist revolutionär geworden.

Die Gedanken der herrschenden Klasse sind in jeder Epoche die herrschenden Gedanken, d. h. die Klasse, welche die herrschende materielle Macht der Gesellschaft ist, ist zugleich ihre herrschende geistige Macht. Die Klasse, die die Mittel zur materiellen Produktion zu ihrer Verfügung hat, disponiert damit zugleich über die Mittel zur geistigen Produktion, so daß ihr damit zugleich im Durchschnitt die Gedanken derer, denen die Mittel zur geistigen Produktion abgehen, unterworfen sind. Die herrschenden Gedanken sind weiter nichts als der ideelle Ausdruck der herrschenden materiellen Verhältnisse, die als Gedanken gefaßten, herrschenden materiellen Verhältnisse; also die Verhältnisse, die eben die eine Klasse zur herrschenden machen, also die Gedanken ihrer Herrschaft. Die Individuen, welche die herrschende Klasse ausmachen, haben unter anderem auch Bewußtsein und denken daher; insofern sie also als Klasse herrschen und den ganzen Umfang einer Geschichtsepoche bestimmen, versteht es sich von selbst, daß sie dies in ihrer ganzen Ausdehnung tun, also unter anderem auch als Denkende, als Produzenten von Gedanken herrschen, die Produktion und Distribution der

Gedanken ihrer Zeit regeln; daß also ihre Gedanken die herrschenden Gedanken der Epoche sind. Zu einer Zeit z. B. und
in einem Lande, wo königliche Macht, Aristokratie und
Bourgeoisie sich um die Herrschaft streiten, wo also die
Herrschaft geteilt ist, zeigt sich als herrschender Gedanke die
Doktrin von der Teilung der Gewalten, die nun als ein »ewiges Gesetz« ausgesprochen wird. – Die Teilung der Arbeit,
die wir schon oben als eine der Hauptmächte der bisherigen
Geschichte vorfanden, äußert sich nun auch in der herrschenden Klasse als Teilung der geistigen und materiellen Arbeit, so daß innerhalb dieser Klasse der eine Teil als die Denker dieser Klasse auftritt (die aktiven konzeptiven Ideologen
derselben, welche die Ausbildung der Illusion dieser Klasse
über sich selbst zu ihrem Hauptnahrungszweige machen),
während die anderen sich zu diesen Gedanken und Illusionen
mehr passiv und rezeptiv verhalten, weil sie in der Wirklichkeit die aktiven Mitglieder dieser Klasse sind und weniger
Zeit dazu haben, sich Illusionen und Gedanken über sich
selbst zu machen. Innerhalb dieser Klasse kann diese Spal-
tung derselben sich sogar zu einer gewissen Entgegensetzung
und Feindschaft beider Teile entwickeln, die aber bei jeder
praktischen Kollision, wo die Klasse selbst gefährdet ist, von
selbst wegfällt, wo denn auch der Schein verschwindet, als
wenn die herrschenden Gedanken nicht die Gedanken der
herrschenden Klasse wären und eine von der Macht dieser
Klasse unterschiedene Macht hätten. Die Existenz revolutio-
närer Gedanken in einer bestimmten Epoche setzt bereits die
Existenz einer revolutionären Klasse voraus, über deren Voraussetzungen bereits oben das Nötige gesagt ist. Löst man
nun bei der Auffassung des geschichtlichen Verlaufs die Gedanken der herrschenden Klasse von der herrschenden Klasse
los, verselbständigt man sie, bleibt dabei stehen, daß in einer
Epoche diese und jene Gedanken geherrscht haben, ohne sich
um die Bedingungen der Produktion und um die Produzenten dieser Gedanken zu kümmern, läßt man also die den Ge-

danken zugrunde liegenden Individuen und Weltzustände
weg, so kann man z. B. sagen, daß während der Zeit, in der
die Aristokratie herrschte, die Begriffe Ehre, Treue etc., während der Herrschaft der Bourgeoisie die Begriffe Freiheit,
Gleichheit etc. herrschten. Die herrschende Klasse selbst bildet sich dies im Durchschnitt ein. Diese Geschichtsauffassung, die allen Geschichtsschreibern vorzugsweise seit dem
18. Jahrhundert gemeinsam ist, wird notwendig auf das Phänomen stoßen, daß immer abstraktere Gedanken herrschen,
d. h. Gedanken, die immer mehr die Form der Allgemeinheit
annehmen. Jede neue Klasse nämlich, die sich an die Stelle
einer vor ihr herrschenden setzt, ist genötigt, schon um ihren
Zweck durchzuführen, ihr Interesse als das gemeinschaftliche
Interesse aller Mitglieder der Gesellschaft darzustellen, d. h.
ideell ausgedrückt: ihren Gedanken die Form der Allgemeinheit zu geben, sie als die einzig vernünftigen, allgemein gültigen darzustellen. (Die Allgemeinheit entspricht 1. der Klasse
contra Stand, 2. der Konkurrenz, Weltverkehr etc., 3. der
großen Zahlreichheit der herrschenden Klasse, 4. der Illusion
des gemeinschaftlichen Interesses. Im Anfang diese Illusion
wahr. 5. der Täuschung der Ideologen und der Teilung der
Arbeit.) Die revolutionierende Klasse tritt von vornherein,
schon weil sie einer Klasse gegenübersteht, nicht als Klasse,
sondern als Vertreterin der ganzen Gesellschaft auf, sie erscheint als die ganze Masse der Gesellschaft gegenüber der
einzigen herrschenden Klasse. Sie kann dies, weil im Anfang
ihr Interesse wirklich noch mehr mit dem gemeinschaftlichen
Interesse aller übrigen nicht herrschenden Klassen zusammenhängt, sich unter dem Druck der bisherigen Verhältnisse
noch nicht als besonderes Interesse einer besonderen Klasse
entwickeln konnte. Ihr Sieg nutzt daher auch vielen Individuen der übrigen, nicht zur Herrschaft kommenden Klasse,
aber nur insofern, als er diese Individuen jetzt in den Stand
setzt, sich in die herrschende Klasse zu erheben. Als die französische Bourgeoisie die Herrschaft der Aristokratie stürzte,

machte sie es dadurch vielen Proletariern möglich, sich über das Proletariat zu erheben, aber nur insofern sie Bourgeois wurden.

Jede neue Klasse bringt daher nur auf einer breiteren Basis als die der bisher herrschenden ihre Herrschaft zustande, wogegen sich dann später auch der Gegensatz der nichtherrschenden gegen die nun herrschende Klasse um so schärfer und tiefer entwickelt. Durch beides ist bedingt, daß der gegen diese neue herrschende Klasse zu führende Kampf wiederum mehr auf eine entschiedenere, radikalere Negation der bisherigen Gesellschaftszustände hinarbeitet, als alle bisherigen, die Herrschaft anstrebenden Klassen dies tun konnten.

Dieser ganze Schein, als ob die Herrschaft einer bestimmten Klasse nur die Herrschaft gewisser Gedanken sei, hört natürlich von selbst auf, sobald die Herrschaft von Klassen überhaupt aufhört, die Form der gesellschaftlichen Ordnung zu sein, sobald es also nicht mehr nötig ist, ein besonderes Interesse als allgemeines oder »das Allgemeine« als herrschend darzustellen.

Robert Owen
Das Leben des R. Owen,
beschrieben von ihm selbst

*R*obert Owen, *1771 geboren, von armen Eltern aus Wales,*
wurde einer der ersten Baumwollfabrikanten des Landes.

Der junge Friedrich Engels hat dann (einige Jahrzehnte
später) glänzend beschrieben, welche Verwüstungen die indu-
strielle Umwälzung damals in England hervorbrachte. Der
Fabrikant Robert Owen war der erste, der diese Wüste nicht
mit freundlichen Redensarten wegzublenden suchte. Er
kümmerte sich nicht nur um die Herstellung der Baumwolle –
sondern auch noch um den Hersteller der Baumwolle. Dann
ging er sogar noch einen Schritt weiter und fragte: wer oder
was brachte diesen elenden Hersteller hervor? Wer oder was
brachte den Fabrikarbeiter in die unmenschliche Situation, in
der er heute lebt? Und antwortete: nicht Gott und nicht die
Natur, sondern die menschliche Gesellschaft. Auf dem Wege
zum Glück traf er auf einen mächtigen Produzenten des Un-
glücks: die menschliche Gesellschaft.

Der Engländer Robert Owen versuchte in der ersten Hälfte
des 19. Jahrhunderts einen Weg zur Glücklichen Gesellschaft,
der (etwa) zwischen dem Weg des Platon und dem des Karl
Marx lag. Im Zeitalter des Experiments experimentierte er;
er errichtete ein Laboratorium zur Herstellung einer Glück-
lichen Gesellschaft – auf Grund seiner Einsicht in die feind-
lichen Kräfte, welche das Aufblühen dieses Glücks bisher ver-
hindert hatten. Dies Experiment hatte noch etwas von dem
Rationalismus des 18. und schon etwas von dem Technizismus

des 19. und 20. Jahrhunderts. Es war auf dem Wege, der vom unrealistischen Idealismus zum unidealistischen Realismus führte.

Owen verlegte sein Laboratorium nach Amerika, nachdem er in der schottischen Musterfabrik New Lamark trotz allen Aufsehens doch nicht recht vorwärtsgekommen war. Sein Vertrauen zur Alten Welt war nach allem, was er durchgemacht hatte, höchst gering. Er hielt ihre Gewohnheiten und Vorurteile einem Versuch, wie er ihn vorhatte, für abträglich.

In Amerika aber sah er (wie mancher seiner Zeitgenossen: von dem französischen Offizier Lafayette bis zum deutschen Romantiker Lenau) jungfräulichen Boden: »Die Wiege der zukünftigen Freiheit.«

Owen gehörte, was Amerika betraf, durchaus nicht zu den ärgsten Illusionisten Europas; er war eher der Ansicht, daß nicht einmal die Amerikaner so recht das Neue verstanden, das sich auf ihrem Boden vorbereitete. Er, Owen, verstand es. Und war sicher, daß nirgend woanders als hier sein Experiment eine Chance haben würde.

Am 25. Februar 1825 (und dann noch einmal am 17. März) setzte er dem Präsidenten der Vereinigten Staaten, John Quincy Adams, den Mitgliedern seines Kabinetts, den Angehörigen des Kongresses und einigen amerikanischen Richtern auseinander, in welcher Absicht er die Neue Welt betreten habe. Er wolle »ein Reich des Friedens und der menschlichen Solidarität« gründen, wie es noch nie dagewesen sei. Und er beendete seine Ansprache, indem er die fleißigste und beanlagteste aller Nationen (wie er sich ausdrückte) einlud, dies neue Reich sofort zu etablieren. Die glückliche Zukunft des Menschengeschlechts sollte im Staate Indiana liegen, am Ufer des Flusses Wabash, eines Nebenflusses des Ohio. Er taufte diese glückliche Siedlung auf den Namen New Harmony. Mancher Amerikaner fragte sofort: Wer wird in diesen Pferch gehen – in der Ära der unbegrenzten Möglichkeiten für das

Individuum? Und mancher Amerikaner antwortete sofort: Nur ein Faulpelz.

Es kamen in den ersten Monaten etwa tausend an: Leute von verschiedener Herkunft, Leute mit verschiedener Absicht. Es kamen gelehrte Philanthropen. Es kamen Schwärmer, welche begeistert waren für die Glückliche Gesellschaft und noch begeisterter für den Idealisten Owen. Es kamen sehr viele Abenteurer, die das Leben an der Grenze der Kultur – oder auch nur das Abenteuerliche dieser Veranstaltung reizte. Es kamen vor allem sehr viele Arme.

In der Eröffnungsrede vom 27. April 1825 verkündete Owen: »Ich bin in dies Land gekommen, um eine neue, glückliche Menschheit zu schaffen. Ich will das System der Ahnungslosigkeit und der bewußten Selbstsucht umformen in ein System des Wissens und der Verbundenheit. Ich werde die vielen Interessen in ein einziges Interesse zusammenschmelzen und alle Ursachen für den Kampf zwischen den einzelnen entfernen.« Trotz dieses Überschwangs der Rede ging der Überschwengliche dann recht vorsichtig vor. Er wollte zunächst nur ›ein Haus auf halbem Wege‹ bauen. In ihm sollten die Pioniere ins Paradies trainiert werden, drei Jahre lang. Dann erst sollte ›der Bund der Gleichen‹ entstehen.

Zunächst einmal machte er viele bittere Kompromisse. Farbige wurden in diese Glücks-Siedlung nicht zugelassen – obwohl die Ausmerzung der Rassenvorurteile ein Hauptpunkt war. Dagegen wurde Whisky zugelassen, obwohl Owen ihn sehr gerne verboten hätte. Und da man vorerst noch auf eine Reihe von Leuten angewiesen war, die auf das Prinzip der gleichen Rationen nicht eingehen wollten, bekam jeder so viel Geld, wie er machen konnte – also ungefähr ebensoviel wie in den weniger glücklichen Gesellschaften. Die Zeitung der Siedlung setzte über ihre erste Nummer das recht kleinlaute Motto: »Können wir auch nicht die verschiedenen Köpfe in Harmonie bringen, so laßt uns doch eines Herzens sein.« Diese Trennung von Hirn und Herz war nicht gerade glück-

*verheißend. Aber das galt ja alles nur vorläufig, nur für drei
Jahre. Und schon dieses Vorläufige, dieses ›Haus auf halbem
Wege‹, wurde ein Tollhaus.*

*Platon hatte so etwas nur den Philosophen zuzumuten ge-
wagt. Owen hingegen kam offenbar nicht auf den Gedanken:
daß, wenn man Seile zwischen den Giebeln der Häuser
spannte und die Leute unvorbereitet über sie jagte – daß sich
dann selbstverständlich alle das Genick brächen, mit Ausnahme der Seiltänzer. Er mußte schwer büßen, daß er die
Möglichkeit, die im Menschen steckt, verwechselte mit der
Wirklichkeit, die er ist. Er starb im Jahre 1858.*

Nach der großen Familienbibel bin ich am 14. Mai 1771 in
Newtown in Nordwales geboren. Mein Vater war Sattler,
Eisenhändler und Postmeister. Er heiratete in eine der angesehensten Landmannsfamilien der Umgegend. Meine Mutter
war für ihren Stand von ungewöhnlicher Feinheit des Gemüts
und des Wesens. Mein Vater verwaltete auch die Gemeinde-
angelegenheiten, da er, wie es schien, deren Finanzen und
Geschäfte besser kannte als jedes andere ihrer Mitglieder.
Newtown war ein kleiner Marktflecken mit nicht mehr als
1000 Einwohnern; mehr Dorf als Stadt, sauber, anmutig,
schön gelegen, mit den herkömmlichen Gewerben, jedoch,
ein paar Flanellstühle ausgenommen, ohne Fabrikation.
Ich war das vorjüngste von neun Geschwistern, von denen
zwei früh starben. Ich muß sehr früh, wahrscheinlich zwischen vier und fünf Jahren, zur Schule gekommen sein; denn
ich kann mich des ersten Males nicht erinnern. Wohl aber
erinnere ich mich meines Eifers, als erster hin und wieder daheim zu sein. Einmal hätte mich meine Eile fast das Leben gekostet. Ich nahm so hastig einen Löffel glühend heißer Speise,
daß eine unmittelbare Ohnmacht die Folge war. Seitdem ver-
trug mein Magen nur die leichtesten Speisen, und auch diese

nur in kleinen Quantitäten. Dies veranlaßte mich, der Wirkung verschiedener Speisen auf meine veränderte Konstitution Aufmerksamkeit zu schenken, und gewöhnte mich an genaues Beobachten und dauerndes Nachdenken. Und ich war stets der Meinung, daß dieser Zufall großen Einfluß auf die Bildung meines Charakters hatte.

Trotzdem ich nicht wie andere Kinder essen und trinken konnte und in bezug auf Mäßigkeit das Leben eines Eremiten führen mußte, nahm ich an den Knabenspielen teil und war der beste Läufer und Springer. Ich lernte auch die Klarinette spielen und fürchte, daß ich während meines Noviziates die ganze Nachbarschaft belästigte. Aber ich erinnere mich keiner förmlichen Beschwerden. Ich war zu meinem Glück zu sehr der allgemeine Liebling und ward häufig gegen andere Kinder ausgespielt. Ich habe seither oft darüber nachgedacht, wie ungerecht solches Tun im Prinzip und wie schädlich es in der Praxis ist. Ein Beispiel hiervon machte mir tiefen Eindruck. Man wettete, daß ich besser schreibe als mein zwei Jahre älterer Bruder. Nach einer förmlichen Prüfung mit Ernennung von Richtern entschied man sich für mich. – Von diesem Tage an war, glaube ich, meines Bruders Zuneigung für mich geringer als vor dieser unweisen Wette. Ich sage, solch ein Wettbewerb ist ungerecht, weil nie zwei Organisationen einander gleich sind und daher ein gerechter Vergleich der wetteifernden Bemühungen zweier Individuen nicht möglich ist.

In den Schulen der damaligen Kleinstädte galt es als gute Ausbildung, wenn man fließend lesen konnte, eine lesbare Handschrift schrieb und die ersten vier Regeln der Rechenkunst verstand. Darin erschöpfte sich auch die Qualifikation unseres Lehrers, und nachdem ich mit sieben Jahren diese bescheidenen Wissenselemente erworben hatte, bat er meinen Vater, mich zu seinem »Unterlehrer« zu machen. Mein Schulbesuch ward jetzt durch mein Amt bezahlt. Die zwei Jahre, die ich länger blieb, waren für mich verloren, ab-

gesehen davon, daß ich mich früh gewöhnte, andere zu lehren, was ich wußte.

In dieser Lebensperiode hatte ich eine mächtige Leidenschaft, alles zu lesen, was in meine Hände fiel. Da ich allen
Familien des Ortes bekannt war, standen mir die Bibliotheken des Pfarrers, Arztes und Advokaten, der Gelehrten der
Stadt, offen, mit der Erlaubnis, Bücher mit nach Hause zu
nehmen, wovon ich vollauf Gebrauch machte. Unter den
von mir gewählten Büchern waren Robinson Crusoe, das
verlorene Paradies, Richardsons und andere bekannte Romane. Ferner las ich Cooks und aller Weltumsegler Reise-
beschreibungen, Weltgeschichten und alle Biographien von
Philosophen und berühmten Männern, deren ich habhaft
werden konnte.

Es war wahrscheinlich zwischen meinem achten und neunten Jahre, als sich drei Damen – Methodistinnen – mit uns befreundeten. Da ich eine Hinneigung zum Religiösen hatte,
wünschten sie, mich zu ihrem Bekenntnis zu bekehren. Ich
studierte ihre Bücher mit großer Aufmerksamkeit, aber da ich
religiöse Werke aller Richtungen las, überraschte mich zunächst der Widerspruch zwischen den verschiedenen christlichen Sekten, später der tödliche Haß zwischen Juden, Christen, Mohammedanern, Hindus, Chinesen etc. und zwischen
ihnen und denjenigen, die sie Heiden und Ungläubige nannten. Das Studium dieser widerstreitenden Bekenntnisse und
der tödliche gegenseitige Haß ihrer Anhänger begann in meinem Geiste Zweifel an ihrer aller Wahrheit zu wecken. – Gewiß ist, daß meine Lektüre religiöser Werke mir mit zehn
Jahren die starke Empfindung aufzwang, es müßte in allen
Religionen, wie sie bis zu dieser Zeit gelehrt worden waren,
etwas fundamental Falsches sein.

In den Schulferien war ich meist bei einem Bruder meiner
Mutter, einem Landwirt in der Umgegend, der einen einzigen
Sohn hatte. – Wir lasen und dachten beide viel und waren im
allgemeinen auch körperlich rührig. Aber an einem sehr

heißen Herbsttage schlenderten wir träge vom Hause nach einem großen Feld, auf dem zahlreiche Heuer emsig arbeiteten. Sie erschienen uns, die wir müßig und doch ganz überwältigt von der Hitze waren, frisch und wohlauf. Ich sagte: Richard, was bedeutet das?

Diese fleißigen Arbeiter leiden nicht wie wir von der Hitze. Dahinter muß ein Geheimnis stecken. Laß uns versuchen, es ausfindig zu machen. Wir wollen genau dasselbe tun wie sie. Er war gern bereit. Die Leute waren ohne Röcke und Westen und hatten die Hemden offen. Wir machten es ebenso und verschafften uns die leichtesten Rechen und Gabeln. Von unserer schweren Kleidung befreit, blieben wir mehrere Stunden an der Spitze, weniger müde und heiß als zuvor. Dies blieb uns eine dauernd lehrreiche Erinnerung: wir fühlten uns wohler bei emsiger Arbeit als beim Müßiggang.

Unsere nächsten Nachbarn hatten ein Manufaktur- und Kurzwarengeschäft. Und nachdem ich zwei Jahre in der Schule nichts gelernt hatte, als zu lehren, half ich auf ihren Wunsch während eines Jahres täglich im Laden.

Ein einziges Mal erinnere ich mich, von meinem Vater Schläge erhalten zu haben, als ich kaum sieben Jahre alt war. Ich war stets bemüht, beider Eltern Wünsche nachzukommen. Eines Tages sagte meine Mutter deutlich etwas, auf das mir als Antwort ein Nein erwartet zu sein erschien. Da sie es mißverstand und glaubte, ich wollte ihren Wunsch nicht erfüllen, sagte sie sofort und gegen ihre Gewohnheit in strengem Ton: »Wie, du willst nicht?« Ich dachte, wenn ich jetzt ja sagte, würde ich mir widersprechen und eine Unwahrheit sagen und wiederholte mein Nein. Hätte sie daraufhin ruhig und geduldig meine Gedanken erkundet, so wäre eine Verständigung erfolgt. Aber sie sprach nur schärfer, zweifellos über meinen bisher nie vorgekommenen Ungehorsam überrascht und geärgert. Mein Vater ward gerufen und von meiner Weigerung unterrichtet. Nochmals gefragt, ob ich tun wolle, was Mutter wünsche, antwortete ich entschieden: »Nein!«

Und dann fühlte ich die Peitsche bei meinem jedesmaligen
Nein auf die Frage, ob ich nicht nachgeben wolle, bis ich
schließlich ruhig, aber fest sagte: »Du kannst mich töten, aber
ich werde es nicht tun.« Dies entschied den Kampf. Meine
Empfindungen bei diesem Vorfall sind mir unvergeßlich. Sie
gaben mir die Überzeugung, daß Strafen meist nicht nur
nutzlos, sondern für Strafende und Bestrafte schädlich und
ehrverletzend sind.

Da ich in dieser Zeit viel über fremde Länder und Sitten las
und mir mit meiner Gewöhnung an Nachdenken und äußerste Mäßigung die Gebräuche einer kleinen Landstadt mißfie-
len, begann ich mir ein anderes Feld der Tätigkeit zu wünschen und bat meine Eltern um die Erlaubnis, nach London
zu gehen. Ich war damals neuneinhalb Jahre alt, und endlich
ward mir versprochen, daß ich nach Erreichung meines zehnten Jahres fortgehen dürfe. Dies tröstete mich in der Zwischenzeit, und ich fuhr fort, mich über das Geschäft, in dem
ich war, zu unterrichten, zu lesen und Tanzstunde zu
nehmen.

Es war in der Tanzstunde, daß ich mir zum ersten Male der
natürlichen Sympathien, der Abneigung und der Eifersucht
von Kindern bewußt ward. Der Kampf um einen Tänzer unter den Mädchen war oft komisch, aber zuweilen geradezu
qualvoll. Die Gefühle einiger von ihnen, wenn sie den gewünschten Tänzer nicht haben konnten, waren so übermäch-
tig, daß es schmerzlich war zu sehen, wie sie litten. Ich denke
seit langem, daß dem Innenleben der Kinder selten die genügende Berücksichtigung zuteil wird und daß, wenn Erwachsene sie geduldig ermutigen würden, sich aufrichtig über ihr
Fühlen und Denken auszusprechen, den Kindern mancher
Schmerz erspart, für die Erwachsenen nützliche Kenntnis der
menschlichen Natur gewonnen würde. Ich bin heute überzeugt, daß in jener Tanzstunde viel wirkliches Leiden war,
das bei besserer Einsicht des Tanzlehrers und der Eltern hätte
vermieden werden können.

Die Zeit meiner Trennung von dem elterlichen Dache und einer Reise, die bei dem damaligen Stand der Wege selbst für Erwachsene als schrecklich galt, war nun herangerückt.

Mein Vater begleitete mich nach dem nächsten Orte, von dem aus London damals durch öffentliche Beförderung erreichbar war. Der Wagen verließ Shrewsbury in der Nacht; man hatte für mich einen Außenplatz genommen in der Annahme, daß ich nachts innen fahren dürfe. Der Besitzer wollte mir einen Innenplatz anweisen, aber ein unfreundlicher Mann widersetzte sich meinem Einlaß. Es war dunkel, und ich konnte ihn nicht sehen. Später war ich froh, daß ich ihn nicht kannte. So konnte ich ihm nicht zürnen, daß er einem Kinde den Zutritt verweigerte. Das war zu einer Zeit, in der ich die Prinzipien von der Bildung des Charakters und von dem Einfluß der Umstände auf alles Lebende noch nicht völlig erfaßt hatte. Sonst würde mich ein derartiges Benehmen weder erzürnt noch überrascht haben.

Ich kam sicher in London an und wurde von meinem Bruder, der dort Sattler war, und seiner Frau herzlich aufgenommen. Ich blieb etwa sechs Wochen und fand durch einen Freund meines Vaters eine Stelle in Stamford-Lincolnshire in einem für eine Provinzstadt großen Manufakturladen. Die Abmachungen galten für drei Jahre: bei freier Station und Wäsche ein Gehalt von 8 Pfund Sterling im zweiten, von 10 Pfund Sterling im dritten Jahre. Da ich für mehr als ein Jahr mit Kleidungsstücken versorgt war, konnte ich mich seither, zehn Jahre alt, selbständig erhalten, ohne meine Eltern je um Zuschuß anzugehen.

Meine erste Einführung ins Erwerbsleben war eine höchst glückliche. Mein Lehrherr war ein wahrhaft ehrlicher, tüchtiger, methodischer, gütiger, freigebiger und allgemein geschätzter Mann.

Viele der Kunden gehörten zu dem höchsten Adel des Königreiches. Oft hielten sechs oder sieben ihrer Wagen vor der Tür. Der Laden bot ihnen eine Art allgemeines Rendezvous.

So hatte ich Gelegenheit, diese Gesellschaftsklasse zu studieren, wo sie sich am zwanglosesten gab. Ich ward ferner mit
den feinsten Fabrikaten in großer Mannigfaltigkeit bekannt,
die zum Teil mit peinlichster Vorsicht behandelt werden
mußten. Diese Umstände, kleinlich wie sie erscheinen mögen, waren äußerst nützlich für mein späteres Leben als Fabrikant und Kaufmann großen Stiles und bereiteten mich in
etwas für meinen späteren Verkehr mit der großen Welt vor.

Das Hauptgeschäft erledigte sich zwischen 10 Uhr morgens und 4 Uhr nachmittags. Und da mein Lehrherr eine gute
Bibliothek besaß, war, wenn auch die Anleitung fehlte, so
doch Muße und Material zum Selbststudium vorhanden. Ich
las viele Bände der nützlichsten Werke, deren ich habhaft
werden konnte, und durchschnittlich fünf Stunden täglich.
Im Sommer war es meine Hauptfreude, frühmorgens in den
nah gelegenen Park zu gehen, seine vielen vornehmen Alleen
zu durchwandern, in ihnen zu lesen, nachzudenken und zu
arbeiten. Ich hatte manche von Senecas Moralsentenzen in ein
Heft abgeschrieben, das ich immer in der Tasche trug. Im
Parke darüber nachzugrübeln war eine meiner frohen Beschäftigungen. Oft begrüßte ich dort am Morgen das Aufgehen der Sonne und verfolgte am Abend ihren Untergang und
das Aufgehen des Mondes.

Mein Lehrherr gehörte der Kirche von Schottland, seine
Frau der Kirche von England an. Zwischen ihnen kam jedoch
nie eine religiöse Differenz zum Ausdruck; sie waren über-
eingekommen, zuweilen morgens in den Gottesdienst der
einen, nachmittags in den der anderen zu gehen, und nahmen
mich stets mit. Ich lauschte den widerstreitenden Predigten,
die sich um die eigenen sektiererischen Anschauungen oder
um die Bekämpfung einer andern Sekte bewegten. In all der
Zeit suchte ich nach der wahren Religion und war erstaunt,
daß alle Sekten der Welt sie für sich beanspruchten.

Ich war sehr religiös veranlagt, aber je mehr ich las und hörte, desto unzufriedener wurde ich mit Christen, Juden und

Mohammedanern. Nur mit dem tiefsten Widerstreben und nach langen Seelenkämpfen verließ ich meinen tiefgewurzelten christlichen Glauben. Aber gleichzeitig verwarf ich alle andern Bekenntnisse, weil sie alle auf der Vorstellung beruhen, daß jeder über seine Eigenschaften, seine Gedanken, seinen Willen und seine Handlungen entscheide und Gott und seinen Mitmenschen dafür verantwortlich sei. Anstelle meiner religiösen Empfindungen trat unmittelbar der Geist allgemeiner Menschenliebe und der glühende Wunsch, Gutes zu tun.

Nikolaus Lenau
Briefe

I m Jahre 1831 kam Lenau (Franz Nikolaus Niembsch, Edler von Strehlenau) auf die Universität Heidelberg, wahrscheinlich, um sein Medizinstudium fortzusetzen. Bald schrieb er, daß es in Heidelberg an »lehrreichen Krankenfällen« fehle. Er beschäftigte sich mit der Philosophie Spinozas, die ihn nicht recht befriedigte. Aus dem November 1831 stammt der erste hier abgedruckte Brief an Sophie Schwab, der ein eindringliches Bild seiner Melancholie malt und ein sehr gelungenes Selbstbildnis des großen pessimistischen Poeten ist.

Wenige Monate später, im Frühjahr 1832, bereitete er sich für eine Amerikareise vor. Er hatte von seiner Großmutter geerbt und die Idee, mit diesem Gelde in die Neue Welt zu gehen; sie war, wie viele Romantiker – von Heine bis zu Nietzsche – dachten, nicht nur neu, sondern frisch, unverbraucht, ein Jugendborn.

Anfang März 1832 zahlte er an eine Aktiengesellschaft 5000 Gulden für 1000 Morgen am Missouri. Die Gesellschaft brach zusammen, Lenau kaufte auf eigene Faust 400 Morgen für 500 Dollar. Wir haben Zeugnisse seiner damaligen Amerika-Besessenheit von Zeitgenossen. So schrieb Kerner: Er »ist von Amerika ganz besessen. Er ist wieder viel wilder, als er war. Als er das vorige Mal bei mir war, gelang es mir, den Dämon in ihm zu beschwichtigen. Ich hatte ihn dahin gebracht, daß er den Entschluß faßte, nach München zu gehen und sich an Schubert anzuschließen. Da hätte er innern Frieden und Glauben gewonnen, die ihm so sehr fehlen, allein in Heidelberg wieder vierzehn Tage sich selbst überlassen, kehrte in ihm der alte Dämon wieder, der wilde Tiere schießen und Urbäume niederreißen will. Es ist völlige Wahrheit, daß in Niembsch ein Dämon ist, der ihn furchtbar plagt und der in einer Viertelstunde sein Gesicht zwanzigmal verändert ... Amerika ist vielleicht das Land der Prüfung für ihn, und Gott wird es nicht ohne seine weisen Absichten zulassen.«

Welche ›weisen Absichten‹ auch immer bestanden, Amerika wurde das Land einer seiner größten Desillusionen, wie aus dem langen Brief aus Baltimore zu entnehmen ist, den wir als zweites Schreiben bringen.

Heidelberg, angefangen Freitag, 11. November,
geendet Samstag, 12. November 1831
(An Sophie Schwab)

Heut ist wieder ein trüber Tag, und der Regen schlägt an mein einsames Fenster. Ich will Sonnenschein suchen im Umgang mit meinen lieben Freunden. Welche Freude hat mir Ihr Brief gebracht, teure Frau! Ja, Sie haben recht: Freundschaft und Liebe haben ihr Maß nicht im Verdienste; wohl mir, daß es so ist! Sie aber hätten nichts zu fürchten, wenn diese Genien mit der Waagschale durch die Welt schritten. Groß ist die Liebe Ihres Mannes zu Ihnen; aber gewiß kein Übermaß, wie Sie sagen. Den Beweis erlaube ich mir nicht zu führen, Sie könnten mich wieder einen Schmeichler nennen. Groß und innig ist die Verehrung, mit der ich Sie im Herzen trage; aber wahrhaftig, Sie haben ein Recht darauf; Sie brauchen sich an Liebe und Freundschaft nichts schenken zu lassen.

Sie halten mir in Ihrem Briefe eine kleine Strafpredigt über meine Unzufriedenheit mit der Welt und dem Leben. Ich lasse mir gern von Ihnen predigen, und ich muß Ihnen nur gestehen, daß ich oft absichtlich den Unzufriedenen,

Ungläubigen zeigte, bloß um mich zu laben an dem schönen
Feuer, mit welchem Sie den Himmel und die Ewigkeit verfechten. An Ihrer Zuversicht suchte ich mein eigenes Vertrauen zu stärken. Ich hasse die Autorität; eine aber ist mir
heilig: die Autorität des Herzens. Wovon ein edles Herz
durchdrungen ist, das kann kein bloßer Wahn sein. Gerührt
hat mich Ihre Äußerung, daß meine selige Mutter auch in unseren Bund gezogen sei durch unsere Liebe; daß es eine Gemeinschaft verwandter Seelen gebe, die durch alle Tode nicht
gekränkt werden könne und an der sich Ihre liebe Schwester
auf ihrem Sterbelager erquickte. Es ist ein großer Gedanke,
den Sie da ausgesprochen haben. Möchte es so sein! O wie
beneide ich Sie um diese Sicherheit des Glaubens! Auch ich
erschrecke vor dem Gedanken der völligen Vernichtung, und
ich müßte das ganze Menschenlos verfluchen, wenn ich am
Grabe meiner Mutter dächte: meine ganze Mutter hat sich als
elendes Gewürm verkrochen.

Hätt ich doch den scheußlichen Gedanken nicht aufge-
schrieben! Das ist ein Gedanke, auf den, glaub ich, der
Mensch nicht selbst gekommen ist. Es gibt so göttliche Gedanken, daß wir sie dem Menschen nicht zutrauen können,
sondern daraus auf eine Offenbarung Gottes schließen, jener
finstere Gedanke aber zeugt von einer Offenbarung des Teufels. Wir sterben nicht ganz, aber, aber – unsere Individualität! wie stehts mit der? Als ich mit Ihnen nach Waiblingen an
einem Teiche vorüberfuhr und darin einen Springbrunnen
sah, dachte ich mir: das ist vielleicht das beste Bild des
Menschenlebens. Aus dem Meere der Gottheit steigt die Seele
auf und fällt wieder darein zurück. Der Gedanke ist so traurig
nicht; was meinen Sie? Sogar etwas Reizendes, Heroisches
liegt in dem ruhigen, gefaßten Gedanken des Unterganges der
Individualität, wenigstens für mich. Kann der Mensch ein
stolzeres, energischeres Wort sprechen als: Hier fand ich kein
Glück, dort find ich keines, denn mein Ich begräbt die Scholle – brauche aber auch keines, hier nicht und dort nicht. Sie

sehen, daß auch mir Resignation nicht ganz fremd ist. Sie sind meine liebe Freundin, und ich eröffne Ihnen gern mein Innerstes. Wissen Sie also, daß ich schon als Kind eine gewisse Freude am Unglück hatte. Es brach einmal Feuer in unserer Nachbarschaft aus, als ich eben in der Schule war. Ich hörte, es brenne in unserer Gasse. Mit klopfendem Herzen lief ich nach Haus – es war ein gewisses Freudeklopfen –, und ordentlich zornig war ich, als ich sah, daß nicht das Haus meiner Eltern in Flammen stand. Diese Freude am Unglück hab ich noch jetzt. Und das ist vielleicht der diabolische Zug in meinem Gesichte, den Marie Kielmaier so wenig getroffen als die zwei Herren, die mich porträtieren wollten. Ein Mordbrenner, der zugleich Maler wäre, würde mich vielleicht am besten treffen. Daher meine Furcht, jene himmlische Rose (an der sich nun Ihre Laren freuen) an mein nächtliches Herz zu heften. Ja, ja, ich halte mich für eine fatale Abnormität der Menschennatur, und darin mag es liegen, daß ich mir meinen Untergang mit einer Art wollüstigen Grauens denke. Doch in welches Dickicht finstern Dorngesträuchs führe ich Sie aus dem freundlichen Kreise Ihrer frühblühenden Kinder Ihres lieben Mannes! Ihrer holdseligen Nichte! Zerreißen Sie meinen Brief auf der Stelle, wenn er Sie im mindesten verletzt. Ich will ihn heute nicht weiterschreiben. Morgen früh soll es geschehen. Der süße Schlaf, der heimlich stille Freund der Menschen, der den armen Wanderer beschleicht und ihm die Bürde seiner Müdigkeit, seiner Sorgen leise und heimlich davonträgt, wird auch mir die Gedanken fortstehlen, die immer lastender auf meine Seele sinken. Verzeihen Sie Ihrem unartigen Freunde. Gute Nacht, liebe, gute Frau! lieber Schwab! Sophie, Mili, Christoph, Gustav, gute Nacht!

Guten Morgen! Ich habe mein gestriges Geschreibsel resumiert und finde, daß ich darin wieder recht auf Ihre Geduld losgesündigt habe. Wozu das schwarzgallichte Gewäsch einer heiteren, guten, glücklichen Frau? Verzeihung!!!

Also mein Lajos sympathisiert mit mir? Das freut mich,

daß der Bursche schon so früh so guten Geschmack verrät.
Könnt ich mich doch auf eine Stunde in den Lajos verwandeln! Grüßen Sie mir meinen wilden Alexander. Er soll sich
nur parat halten. Wir wollen in Amerika zusammen rauchen,
schießen, in den Urwäldern die Affen ausspotten. Ich freue
mich schon recht darauf, mit meinem ungestümen Freunde
diese drolligen Bestien zu necken und laut einzufallen in das
wilde Affengelächter, das uns von allen Bäumen begrüßen
wird.

Baltimore, 16. Oktober 1832

Lieber, guter Bruder!

Nach einer sehr langen Reise, durch zehn Wochen, bin ich
endlich in Amerika angekommen. Ich bin jetzt um ein Gutes
reicher, daß ich auch das Meer kennengelernt habe. Die
nachhaltigste und beste Wirkung dieser Seereise auf mein
Gemüt ist ein gewisser feierlicher Ernst, der sich durch den
langen Anblick des Erhabenen in mir befestigt hat. Das Meer
ist mir zu Herzen gegangen. Das sind die zwei Hauptmomente der Natur, die mich gebildet haben: dies atlantische
Meer und die österreichischen Alpen; doch möcht ich mich
vorzugsweise einen Zögling der letztern nennen. Ich kann
Dir nicht beschreiben, wie mir zumute war, wenn auf der See
jedes Lüftchen schwieg, jede Welle ruhte, der müde Himmel sich aufs Meer legte und jedes Leben, jede Bewegung sich
von unserm Schiffe zurückgezogen hatte, in dieser tiefen,
grenzenlosen Einsamkeit; mit welcher Sehnsucht ich da zurückdachte an meine lieben Berge, meine lieben Menschen in
der Ferne. Ich möchte fast behaupten, das stille Meer ist größer als das bewegte, wie es denn schon dem Auge ausgedehnter erscheint. Es hat sich mir aber das Meer auch in seiner
Leidenschaft gezeigt. Starke Winde und ungeheure Wellen
nahmen das Schiff oft in ihre Mitte und schleuderten sich's
verächtlich in die Hände. Das war oft ein Schwanken, daß ich

nicht aufrecht stehen konnte; doch eben darin mag das Heilsame liegen, das Seereisen für den Charakter des Menschen
haben. Wenn ich in meiner Kajüte stand und plötzlich an die
Wand geworfen wurde wie eine willenlose Kleinigkeit, so
empörte das meinen Stolz aufs bitterste, und je weniger mein
äußerer Mensch aufrecht stehen konnte, desto mehr tat es der
innere. Der Kampf mit den rohen Kräften der Natur ist sehr
gut. Einmal hatten wir auch einen mäßigen Sturm, bei dem
ich aber sehr gleichgültig blieb. Der Kapitän zeigte mir mit
besorglicher Miene gegen Norden eine tiefschwarze . . . nicht
Wolke, sondern Mauer, die senkrecht aus den Fluten aufzu-
ragen schien. »Das kann einen starken Sturm geben!« war
seine Meinung, und alle Segel einzuziehen sein blitzschneller
Befehl. Es war ungefähr zehn Uhr des Nachts. Der Kapitän
mußte herzlich lachen, als ich nach einigen Minuten wieder
aus der Kajüte kam im Hemd, das ich über die Unterhosen
hinabhängen ließ, und sagte:»Ich habe meinen Sterbkittel bereits angezogen.« Die schwarze Mauer rückte heran, fürch-
terliche Regengüsse stürzten herab, und die Wogen brüllten
rasend um das arme Schiff. Was übrigens unsere Lage be-
denklicher machte, obwohl der Sturm nicht sehr heftig war,
wie der Kapitän sagte, das war die schlechte Beschaffenheit
unsers Schiffes. Wir waren bereits in tiefer See, als uns der
Schiffszimmermann anvertraute, das Schiff könne keinen kräf
tigen Sturm aushalten, indem es bedeutend schadhaft sei. In
einigen Stunden ging das Unwetter vorüber. Ich werde aber
in meinem Leben mit keinem Holländer mehr fahren. Es ist
doch eine fatale Empfindung, wenn man sich abends in seine
Hangmatte legt und nicht weiß, ob das Schiff in der Nacht
nicht auseinandergehn werde und man in den Wellen erwachen, gerade auf so lange, um die Todesangst noch recht zu
fühlen. Aber auch daran hab ich mich gewöhnt. In solchen
Augenblicken dacht ich gar lebhaft an Dich und meine liebe
Schwester, deren Namenstag heute ist und der ich von Herzen Glück wünsche. Ja, liebe, liebe Therese, Gott segne Dich

und geb uns ein frohes Wiedersehen! Von Kindheit an haben
wir immer treu zusammengehalten, wir haben die schöne Zeit
der Jugend miteinander verlebt. Du bist mein letztes, liebstes
Erbstück meiner Jugendtage, darum und weil Du so gut bist,
liebe ich Dich auch wie meine Jugendträume. Wir zwei kennen wechselseitig die früheste Geschichte unserer Herzen.
Deine Freude ergänzt die meinige, Dein Schmerz den meinigen, Gott segne Dich, liebe Schwester! Ich will heute Dein
Andenken recht feiern in meinem Herzen. Ihr werdet heute
gewiß auch viel von mir sprechen. Gott strafe mich, wenn ich
nicht bald wieder bei euch bin! Ich will nicht länger hier bleiben, als unbedingt nötig ist, um so weite Reise nicht umsonst
getan zu haben. Ich will Dir bald wieder in Dein liebes Auge
sehen, ich will bald meinen Anton sehen ... All die Szenen
meiner Seereise will ich euch mündlich mitteilen, jetzt nur
noch einiges über Amerika.

Den 8. Oktober betrat ich den amerikanischen Boden zum
ersten Male. Unser Schiff lag noch in der Chesapeakebai, an
welcher Baltimore, unser Landungsplatz. Der Kapitän, ein
Passagier aus Württemberg und ich fuhren in einem Nachen
ans Land. Wegen Untiefe konnten wir nicht bis ans Ufer fahren. Jeder setzte sich auf einen Matrosen, und ich ritt also auf
einem starken Kerl ans Land. Der Anblick des Ufers war lieblich. Zerstreute Eichen auf einer Wiese, weidendes Vieh und
ein klafterlanger zerlumpter Amerikaner mit einer abenteuer-
lichen Marderkappe waren das erste, was wir antrafen. Der
Kapitän frug die lebendige Klafter (der Mensch war so dürr,
daß man wirklich nichts als Länge an ihm sah) nach einem
Landhause, wo man Lebensmittel kaufen könne. Murmelnd
und tabakkauend führte uns die Klafter ohngefähr eine halbe
Stunde weit zu einem recht hübschen Haus von Backsteinen.
Die zahlreiche Familie des Bewohners empfing uns ziemlich
artig. Die Weiber und die Kinder waren sehr geputzt. Es
wunderte mich sehr der Luxus in diesem einsamen abgelegenen Bauernhaus, weniger wunderte mich das Auffallende,

Prunkende, Geschmacklose im Anzuge, besonders der Kinder. Ich glaube, wenn der Mensch sich in der Einsamkeit putzt, so tut er es ohne Geschmack. Geschmack ist ein Sohn der Gesellschaft, vielleicht der jüngstgeborne. Man kredenzte uns sofort Cider (ich mag den Namen des matten Gesöffs nicht mit deutschen Buchstaben schreiben), Butter und Brot. Letztere waren gut; aber der Cider (sprich: Seider) reimt sich auf leider. Der Amerikaner hat keinen Wein, keine Nachtigall! mag er bei einem Glase Cider seine Spottdrossel behorchen, mit seinen Dollars in der Tasche, ich setze mich lieber zum Deutschen und höre bei seinem Wein die liebe Nachtigall, wenn auch die Tasche ärmer ist. Bruder, diese Amerikaner sind himmelanstinkende Krämerseelen. Tot für alles geistige Leben, maustot. Die Nachtigall hat recht, daß sie bei diesen Wichten nicht einkehrt. Das scheint mir von ernster, tiefer Bedeutung zu sein, daß Amerika gar keine Nachtigall hat. Es kommt mir vor wie ein poetischer Fluch. Eine Niagarastimme gehört dazu, um diesen Schuften zu predigen, daß es noch höhere Götter gebe, als die im Münzhause geschlagen werden. Man darf die Kerle nur im Wirtshause sehen, um sie auf immer zu hassen. Eine lange Tafel, auf beiden Seiten fünfzig Stühle (so ist es da, wo ich wohne); Speisen, meist Fleisch, bedecken den ganzen Tisch. Es erschallt die Freßglocke, und hundert Amerikaner stürzen herein, keiner sieht den andern an, keiner spricht ein Wort, jeder stürzt auf eine Schüssel, frißt hastig hinein, springt dann auf, wirft den Stuhl hin und eilt davon, Dollars zu verdienen. Ich bleibe noch einige Tage hier, dann reis' ich zum Niagara und dann, wenn ich gute Gelegenheit finde, nach Haus. Auf den Katarakt und die Urwälder freu ich mich sehr. Das allein wird, hoff ich, die ganze Reise reichlich lohnen. Sei so gut, lieber Bruder, mir meinen neuen Paß, wenn Du einen bekommen, wo ich den alten, nach Stuttgart zu schicken unter der Adresse des Hofrats und Professors Reinbeck, wohnhaft in der Friedrichgasse 14. Reinbeck ist mir ein sehr guter Freund, seine Frau aber nebst

meiner Theres das liebste Weib. Unter den Mädchen steht
mein Lottchen immer noch obenan, wenn ich auch keine
Hoffnung habe, dies je geltend machen zu können. Meine
Gedichte sind nun gewiß schon in Deinen Händen; Cotta ist,
wie mir Reinbeck hieher geschrieben, mit dem Absatz sehr
zufrieden. Neues hab ich nicht viel gemacht. ›Die Marionet-
ten‹, deren ersten Gesang ich Dir unter der Aufschrift ›Der
Gang zum Eremiten‹ mitgeteilt, sind nun in drei Gesängen,
ungefähr fünfhundert Versen, fertig; außerdem einige kleinere Gedichte. Eines der letzteren folgt hier zum Angebinde
für meinen lieben Namenstag. Es ist mir schwerlich gelungen, die sonderbare Sehnsucht nach der Tiefe des Meeres hin-
einzulegen, wie ich sie empfunden. Daß es Seejungfrauen
gibt, halt ich für kein Märchen. Glaubwürdige Seeleute haben
versichert, solche erblickt zu haben ...

Atlantica I
Die Seejungfrauen

Freundlich wehn die Abendwinde,
Schimmern Mond und Sterne;
Und das Schiff, so leicht und linde,
Trägt mich nach der Ferne.

Fried' und Liebe, hold verbunden,
Schweben auf der Tiefe,
Ob der Tod mit seinen Wunden
Nun auf immer schliefe.

Sinnend starr' ich nach dem hellen,
Grenzenlosen Meere,
Nach des Mondes und der Wellen
Heimlichem Verkehre;

Plötzlich seh' ich rasche Wogen
Aus der Tiefe springen,
Die da kommen hergezogen,
Einen Gruß zu bringen.

Ist's ein Gruß von Tiefverbannten
An die Sternenlichter?
Gilt das Grüßen dem verwandten
Ahnungsvollen Dichter?

Tiefewärts mit süßem Zwange
Zieht es mich zu schauen,
Mit geheimnisvollem Drange
Zu den Seejungfrauen.

Ja, von euch, ihr Rätselhaften,
Kam dies volle Rauschen,
Dran die Seele sehnend haften
Muß und niederlauschen.

Ward euch ahnend eine Kunde
Im Korallenhage,
Daß ein warmes Herz zur Stunde
Euch vorüberschlage?

Glücklich die Piloten waren,
Denen ihr erschienen
Mit den schönen, wunderbaren,
Lieblich fremden Mienen!

Könnt' ich tauchen nieder, nieder
Bis in eure Nähen!
Könnt' ich eurer schlanken Glieder
Leisen Wandel sehen!

Sehen euch den Reigen üben,
Schwesterlich verschlungen,
Schweigend in den ewig trüben
Meeresdämmerungen!

Tausend Küsse an alle eure lieben Kinder! Die Idee, in Amerika Land zu kaufen und durch einen Pächter bearbeiten zu
lassen, hab ich nicht aufgegeben; es ist dies auf jeden Fall eine
sichere Art, sein Geld anzulegen und sehr gut zu verzinsen.
Viele Grüße an Klemm, Berke etc. Ewig

                                                        Euer Bruder

Alexis de Tocqueville
Demokratie in Amerika

*A*us den Büchern, die Europäer über Amerika geschrieben
haben, ragt ein Werk sichtbar heraus: des Franzosen Alexis de
Tocqueville De la Démocratie en Amérique. Der erste Band
erschien im Jahre 1835, der zweite im Jahre 1840. Der Engländer Harold J. Laski zitierte in einer englischen Ausgabe ein
Wort, das man auf Tocqueville geprägt hat: Er war ein Aristokrat, der die Niederlage der Aristokratie akzeptierte. Ganz
richtig an diesem Satz ist nur, daß er ein Aristokrat gewesen
ist. Einer seiner Großväter und eine Tante wurden während
der Französischen Revolution guillotiniert. Seine Eltern wurden ins Gefängnis geworfen. Nach dem Sturz Napoleons, unter den zurückgekehrten Bourbonen, bekleidete sein Vater
dann öffentliche Ämter.

Der junge Tocqueville ging auf Anordnung des Ministers
des Innern (und auf eigene Kosten) im Jahre 1831 nach Amerika, um hier das Gefängniswesen zu studieren. Er bereiste
das Land, das damals erst aus 24 Staaten bestand, nach allen
Richtungen. Die Frucht seines neunmonatigen Aufenthalts
waren zwei Bücher. Das eine hieß: Vom Gefängnissystem der
Vereinigten Staaten. Das andere war das Werk, das mehr als
ein Jahrhundert schon glänzend überlebt hat: die zweibän-
dige Demokratie in Amerika, aus der wir zwei Stellen abdrucken.

Tocqueville war ein Aristokrat, der immer wieder von der
Leistung der Aristokratien spricht. Trotzdem ist es zu niedrig
gegriffen, zu sagen: er akzeptierte die Niederlage seiner
Schicht. Er tat mehr: er stellte sich sehr dezidiert auf die Seite

*des emporkommenden französischen Bürgertums – und be-
nutzte das Beispiel Amerika, um sowohl dem Adel als auch
dem Bürger eine Lektion über diese heißumstrittene Demokratie zu erteilen.*

*Zu seinem Adel sagte er: Es ist nicht wahr, daß Volksherr-
schaft Pöbelherrschaft sein muß. Das sagt ihr nur, weil ihr
euch einer notwendigen Entwicklung entgegenstellen wollt.
Ihr seid im Unrecht. Seht euch dieses Amerika an! Und zu der
rastlosen Masse sagte er: Demokratie ist kein Traum, keine
Schwärmerei – sondern ein alltägliches und oft gar nicht so
glänzendes Dasein. Seht Amerika! Das war zu seiner Zeit die
Funktion seines Buchs.*

*Natürlich entnahmen ihm die Adligen Waffen gegen den
Liberalismus – und die Liberalen Waffen gegen Royalisten
und Konservative. Es wurde ein Arsenal für jedermann. Für
Amerika aber gewann es eine besondere Bedeutung. Man war
von europäischen Reiseschriftstellern nicht sehr verwöhnt
worden. Und nun erschien ein Buch, das Wissen, Aufrichtigkeit, einen großartigen Einblick in die gesellschaftlichen Vorgänge und eine hervorragende schriftstellerische Gabe vereinigte.*

*Das Grundthema: das Problem der Gleichheit ist heute
nicht weniger aktuell als damals. Die folgenden Passagen sind
dieser zentralen Frage gewidmet.*

Tocqueville starb 1859, 54 Jahre alt.

Von all dem Neuen, das während meines Aufenthaltes in
den Vereinigten Staaten meine Aufmerksamkeit auf sich zog,
hat mich nichts so lebhaft beeindruckt wie die Gleichheit der
gesellschaftlichen Bedingungen. Alsbald wurde mir der erstaunliche Einfluß klar, den diese bedeutende Tatsache auf
das Leben der Gesellschaft ausübt; sie gibt dem öffentlichen
Geist eine bestimmte Richtung und den Gesetzen ein be-

stimmtes Wesen; sie gibt den Regierenden neue Grundsätze
und den Regierten besondere Gewohnheiten.

Bald erkannte ich, daß diese Tatsache weit über das politische Leben und die Gesetze hinaus von Einfluß ist und daß sie
die bürgerliche Gesellschaft nicht weniger beherrscht als die
Regierung: sie erzeugt Meinungen, läßt Gefühle entstehen,
weckt Gewohnheiten und verwandelt alles, was sie nicht hervorbringt.

So sah ich, je mehr ich mich mit der amerikanischen Gesellschaft beschäftigte, in der Gleichheit der gesellschaftlichen
Bedingungen immer deutlicher das schöpferische Prinzip,
das allen Einzeltatsachen zugrunde zu liegen schien, und ich
stieß immer wieder auf diese Gleichheit als auf einen zentralen Punkt, in den alle meine Beobachtungen einmündeten.

Darauf kehrte ich mit meinen Gedanken zu unserem Erdteil zurück, und ich hatte den Eindruck, hier etwas Ähnliches
wahrzunehmen. Ich sah, wie die Gleichheit der gesellschaftlichen Bedingungen, ohne – wie in Amerika – ihre äußersten
Grenzen erreicht zu haben, ihnen täglich immer näherrückte;
und mir schien die gleiche Demokratie, die über die amerika-
nische Gesellschaft herrscht, in Europa sich rasch der Herrschaft zu nähern.

Da entschloß ich mich, das vorliegende Buch zu schreiben.

Eine große demokratische Revolution ist bei uns im Gange; alle nehmen sie wahr, aber nicht alle beurteilen sie auf die
gleiche Weise. Die einen betrachten sie als etwas Neues, Zufälliges, und hoffen, sie noch aufhalten zu können; andere halten sie dagegen für unwiderstehlich, weil sie ihnen als die ste-
tigste, die älteste und die anhaltendste Entwicklung erscheint,
die in der Geschichte bekannt ist.

Ich vergegenwärtige mir zunächst kurz, was Frankreich
vor siebenhundert Jahren war: ich sehe es unter einige wenige
Familien aufgeteilt, die den Grund und Boden besitzen und
die Einwohner regieren; die Befehlsgewalt vererbt sich dann
von einer Generation auf die andere; die Menschen kennen

nur ein Mittel, aufeinander zu wirken, die Gewalt; und man entdeckt nur einen Ursprung der Macht, das Grundeigentum.

An dieser Stelle beginnt sich die politische Macht des Klerus zu entfalten und bald auszubreiten. Der Klerus öffnet seine Reihen jedermann, dem Armen wie dem Reichen, dem Bürger wie dem Adligen; die Gleichheit beginnt über die Kirche in die Regierung einzudringen, und wer bisher als Leibeigener in ewiger Knechtschaft elend dahinlebte, nimmt nun als Priester mitten unter dem Adel Platz und wird sich später oft über Könige erheben.

Als die Gesellschaft mit der Zeit zivilisierter und gefestigter wird, werden auch die verschiedenen Beziehungen zwischen den Menschen verwickelter und mannigfaltiger. Es meldet sich das Bedürfnis nach bürgerlichen Gesetzen. Die Rechtsgelehrten treten auf den Plan; sie kommen aus den dunklen Gerichtssälen und aus der Zurückgezogenheit verstaubter Kanzleien ans Tageslicht und lassen sich im Gerichtshof des Fürsten an der Seite der hermelin- und waffengeschmückten Barone nieder.

Die Könige richten sich in gewaltigen Unternehmungen zugrunde; die Adligen erschöpfen sich in Privatfehden; die Bürger kommen durch den Handel zu Reichtum. Der Einfluß des Geldes auf die Staatsgeschäfte macht sich bemerkbar. Der Handel ist eine neue Quelle der Macht, und die Finanziers werden eine politische Größe, die man verachtet und umwirbt.

Langsam breitet die Bildung sich aus; man sieht, wie der Sinn für Literatur und Künste erwacht; nun wird der Geist ein Element des Erfolges; die Wissenschaft wird ein Hilfsmittel der Regierung, die Intelligenz eine soziale Macht; die Gelehrten dringen in die Leitung der Staatsgeschäfte ein.

Je mehr neue Wege zur Macht sich eröffnen, desto niedriger sinkt die vornehme Geburt im Wert. Im 11. Jahrhundert war der Vorzug des Adels unschätzbar, im 13. Jahrhundert

käuflich; 1270 findet die erste Erhebung in den Adelsstand
statt, und schließlich dringt die Gleichheit über die Aristokratie selbst in die Regierung ein.

Während der verflossenen siebenhundert Jahre ist es zuweilen vorgekommen, daß die Adligen dem Volk politische
Macht gegeben haben, um so gegen die königliche Autorität
zu kämpfen oder ihren Rivalen die Macht zu entreißen.

Häufiger noch sah man, daß die Könige die unteren Klassen an der Regierung teilnehmen ließen, um die Macht der
Aristokratie zu schwächen.

In Frankreich zeigten sich die Könige als die geschäftigsten
und beharrlichsten Gleichmacher. Waren sie voller Ehrgeiz
und mächtig, so versuchten sie das Volk auf das Niveau der
Adligen zu erheben; waren sie maßvoll und schwach, so ließen sie zu, daß das Volk sich über sie selbst stellte. Die einen
haben die Demokratie durch ihre Fähigkeiten gefördert, die
anderen durch ihre Fehler. Ludwig XI. und Ludwig XIV.
wollten unterhalb des Throns alles gleichmachen, Ludwig
XV. ist schließlich selbst mit seinem Hofstaat in den Staub gestiegen.

Seit die Bürger anfingen, den Grund und Boden nicht mehr
als Lehen zu besitzen, und seit der mittlerweile aufgekom-
mene Reichtum an beweglichen Gütern Einfluß und Macht
verlieh, gibt es keine Entwicklungen auf dem Gebiet der
Künste, keine Vervollkommnungen in Handel und Gewerbe,
die nicht neue Bausteine zur Gleichheit unter den Menschen
geliefert hätten. Von diesem Augenblick an sind alle Entwicklungen, alle neuen Bedürfnisse, alle Wünsche, die sich
befriedigen wollen, nur Schritte auf dem Wege zur allgemeinen Nivellierung. Die Neigung zum Luxus, die Liebe zum
Krieg, die Herrschaft der Mode, die künstlichsten wie die
tiefsten Leidenschaften des menschlichen Herzens scheinen
miteinander darauf hinzuarbeiten, die Reichen arm und die
Armen reich zu machen.

Seit die geistige Arbeit zu einer Quelle des Reichtums und

der Macht wurde, muß man jede Entwicklung der Wissenschaft, jede neue Erkenntnis, jede neue Vorstellung als einen Keim der dem Volk zubereiteten Macht betrachten. Dichtkunst, Beredsamkeit, Witz, Einbildungskraft, Gedankentiefe, alle die Gaben, die der Himmel nach Belieben austeilt, förderten die Demokratie, und selbst wenn sie sich im Besitze der Gegner der Demokratie befanden, dienten sie doch ihrer Sache, indem sie Zeugnis gaben von der natürlichen Größe des Menschen; alle Errungenschaften der Demokratie breiteten sich mit denen der Zivilisation und der Bildung aus, und die Literatur wurde zu einem jedermann offenen Arsenal, aus dem sich die Schwachen und die Armen täglich bewaffneten.

Durchläuft man die Seiten unserer Geschichte, so findet man in den letzten siebenhundert Jahren keine bedeutenden Ereignisse, die nicht die Entwicklung der Gleichheit gefördert hätten.

Ehe ich nun die Bahn, die ich durchmessen habe, für immer verlasse, möchte ich mit einem letzten Blick all die verschiedenen Züge umfassen können, die das Gesicht der Neuen Welt bestimmen, und abschließend zu einem Urteil über den allgemeinen Einfluß gelangen, den die Gleichheit auf das Schicksal der Menschen ausüben muß; allein, die Schwierigkeit eines solchen Unterfangens läßt mich zögern; angesichts eines so großen Gegenstandes fühle ich, wie mein Blick sich trübt und mein Verstand unsicher wird.

Diese neue Gesellschaft, die ich zu zeichnen versucht habe und über die ich mir ein Urteil bilden möchte, ist noch im Werden. Die Zeit hat sie ihre endgültige Gestalt noch nicht finden lassen; noch dauert die große Revolution an, der sie ihre Entstehung verdankt, und es ist fast unmöglich, unter all dem, was heute geschieht, auszumachen, was mit der Revolution dahingehen und was nach ihr bleiben wird.

Die entstehende Gesellschaft ist noch zur Hälfte von den Trümmern der versinkenden Gesellschaft bedeckt, und keiner vermag – inmitten der ungeheuren Verwirrung der menschlichen Angelegenheiten – zu entscheiden, was von den alten Institutionen und Sitten bleiben und was vollends verschwinden wird.

Wenn auch die Revolution, die sich in der Gesellschaftsordnung, den Gesetzen, Vorstellungen und Gefühlen der Menschen vollzieht, noch längst nicht abgeschlossen ist, so gibt es doch schon heute in all dem, was sich früher in der Welt zugetragen hat, nichts, was mit ihren Ergebnissen vergleichbar wäre. Ich gehe von Jahrhundert zu Jahrhundert bis auf das früheste Altertum zurück; ich finde nichts, was dem gleicht, das sich vor meinen Augen abspielt. Da die Vergangenheit die Zukunft nicht mehr erhellt, tastet der Verstand im Dunkeln.

Allein, in diesem so ungeheuren, so neuartigen und verworrenen Bilde nehme ich bereits einige Grundzüge wahr, die sich abzeichnen, und ich deute sie an:

Ich sehe, daß Gutes und Böses sich in der Welt einigermaßen gleichmäßig verteilen. Der große Reichtum verschwindet; die Zahl der kleinen Vermögen wächst; die Begierden und Genüsse vervielfältigen sich; es gibt keinen außerordentlichen Reichtum mehr und kein unheilbares Elend. Der Ehrgeiz ist eine allgemeine Regung, ausgreifenden Ehrgeiz aber gibt es weniger. Der einzelne ist isoliert und schwach; der Staat rege, vorsorgend und stark; die einzelnen schaffen kleine Dinge, der Staat ungeheure.

Die Charaktere sind nicht kraftvoll; die Sitten dafür mild und die Gesetze menschlich. Begegnet man kaum großer Opferbereitschaft, kaum sehr hoher, strahlender und reiner Tugend, so sind dafür die Gewohnheiten geordnet, die Gewalttätigkeit selten und die Grausamkeit so gut wie unbekannt. Die Menschen leben länger, ihr Eigentum ist gesicherter. Das Leben ist nicht sehr glanzvoll, aber sehr behaglich und friedlich. Es gibt wenig sehr zarte und wenig sehr grobe Freuden, wenig Höflichkeit in den Umgangsformen und wenig Roheit des Geschmacks. Sehr gelehrte Männer trifft man kaum, dafür aber auch kaum sehr unwissende Bevölkerungsschichten. Genie wird selten, dafür die Bildung allgemeiner. Der menschliche Geist entwickelt sich durch die gemeinsamen kleinen Bemühungen aller, nicht durch den mächtigen Vorstoß einzelner. Es gibt weniger Vollkommenheit, aber größere Produktion. Die Bande der Rasse, Klasse und Nation werden locker; das große Band der Menschheit strafft sich.

Suche ich den von all diesen verschiedenen Zügen, den ich für den allgemeinsten und auffälligsten halte, so bemerke ich, daß sich noch in tausend anderen Formen wahrnehmen läßt, was wir bei den Vermögen beobachtet haben. Fast alle Extreme schleifen sich ab; fast alles Hervorragende schwindet, um irgendeiner Mittelmäßigkeit Platz zu machen, die zugleich minder hoch und minder tief, minder glanzvoll und minder armselig ist, als was die Welt bisher sah.

Ich lasse meine Blicke über die zahllose Menge gleicher Wesen schweifen, wo nichts sich erhebt, nichts sich senkt. Das Schauspiel dieser universellen Einförmigkeit stimmt mich traurig und kalt, und ich fühle mich versucht, die Gesellschaft zu bedauern, die nicht mehr ist.

Als die Welt voll sehr großer und sehr unbedeutender Menschen war, voll sehr reicher und sehr armer, sehr gelehrter und sehr ungebildeter, da wandte ich den Blick von den letzteren ab, um nur die ersteren zu betrachten, und diese erfreuten mein Auge; aber ich sehe ein, daß diese Neigung meiner Schwäche entsprang: weil ich nicht alles, was mich umgibt, gleichzeitig beobachten kann, darf ich auf diese Weise unter so vielen Gegenständen auswählen und die auf die Seite setzen, die ich genauer betrachten möchte. Anders das allmächtige und ewige Wesen, dessen Auge notwendig die Gesamtheit der Dinge umfaßt und welches, jedes für sich, obschon gleichzeitig, das ganze Menschengeschlecht und jeden Menschen sieht.

Es ist natürlich zu glauben, daß die Blicke jenes Schöpfers

und Erhalters der Menschen am ehesten nicht der außerordentliche Reichtum einzelner zufriedenstellt, sondern der
größte Wohlstand aller; was mich Verfall dünkt, ist daher
in seinen Augen Fortschritt; was mich verletzt, ist ihm angenehm.

Die Gleichheit ist vielleicht weniger erhaben; aber sie ist
gerechter, und ihre Gerechtigkeit macht ihre Größe aus und
ihre Schönheit.

Ich bemühe mich, mir diese Blickrichtung Gottes anzueig-
nen, und versuche von daher, die menschliche Entwicklung
zu betrachten und zu beurteilen.

Niemand auf Erden kann heute schon ohne Einschränkung
und allgemein behaupten, die neue Gesellschaftsordnung sei
der alten überlegen; man kann aber bereits leicht feststellen,
daß sie eine andere ist.

Es gibt gewisse mit der Verfassung der aristokratischen
Nationen verbundene Mängel und Vorzüge, die der Geistes-
haltung der neuen Völker derart entgegen sind, daß man sie
hier niemals einführen könnte. Es gibt gute Neigungen und
schlechte Triebe, die jenen Nationen fremd waren, die aber
zum Wesen der demokratischen Völker gehören; es gibt Vorstellungen, die sich der Einbildungskraft der einen von selbst
anbieten, die der Geist der anderen aber verwirft. Sie sind wie
zwei verschiedene Gattungen Mensch, deren jede ihre besonderen Vorzüge und Mängel aufweist, ihr eigenes Gute und
Schlechte.

Man muß sich also sehr davor hüten, die entstehenden Gesellschaften mit den Vorstellungen zu beurteilen, die denen
entstammen, die nicht mehr sind. Das wäre ungerecht, denn
diese Gesellschaften, so erstaunlich verschieden voneinander,
sind unvergleichbar.

Kaum vernünftiger wäre es, vom heutigen Menschen besondere Tugenden zu fordern, die der Gesellschaftsordnung
seiner Vorfahren entsprangen, denn diese Gesellschaftsordnung ist untergegangen und hat im Sturz alles Gute und

Schlechte, das sie mit sich brachte, in wirrem Durcheinander
mitgerissen.

Aber diese Zusammenhänge werden heute noch kaum begriffen.

Ich beobachte, daß viele meiner Zeitgenossen versuchen,
unter den Institutionen, Anschauungen und Ideen der aristokratischen Verfassung der alten Gesellschaft eine Auswahl zu
treffen; einige würden sie willig fahren lassen, andere aber
wollen sie retten und mit sich in die neue Welt verpflanzen.

Ich glaube, sie verschwenden ihre Zeit und Kraft auf eine so
ehrenwerte wie unfruchtbare Arbeit.

Es geht nicht mehr darum, den besonderen Nutzen zu retten, den die Ungleichheit der gesellschaftlichen Bedingungen
dem Menschen verschafft, sondern die neuen Vorteile zu
sichern, die ihm die Gleichheit zu bieten vermag. Wir sollten
nicht versuchen, unseren Vorfahren gleich zu werden, sondern uns bemühen, jene Größe und jenes Glück zu erreichen,
die uns eigen sind.

Ich persönlich, der ich nun – am letzten Ziel meines Ge-
dankenganges angelangt – von fern, aber alle zusammen, die
verschiedenen Gegenstände überschaue, deren jeden ich auf
dem Wege für sich betrachtet habe, ich bin voller Besorgnis
und voller Hoffnung. Ich sehe große Gefahren, die gebannt
werden können, große Übel, die sich vermeiden oder einschränken lassen, und ich werde in der Überzeugung immer
sicherer, daß für die demokratischen Nationen der bloße
Wille genügt, und sie werden in Ehren gedeihen.

Ich weiß wohl, daß einige meiner Zeitgenossen die Ansicht
vertreten, die Völker seien auf Erden nie ihre eigenen Herren
und gehorchten notwendig ich weiß nicht welcher unüber-
windlichen und blinden Macht, die früheren Ereignissen ent-
springe, der Rasse, dem Boden oder dem Klima.

Das sind falsche und kraftlose Lehren, die stets nur schwache Menschen und verzagte Völker hervorbringen können:
die Vorsehung hat das Menschengeschlecht weder ganz frei

geschaffen noch vollkommen sklavisch. Sie zieht zwar um jeden Menschen einen schicksalhaften Kreis, den er nicht durchbrechen kann; innerhalb dieser weiten Grenzen aber ist der Mensch machtvoll und frei; so auch die Völker.

Die Nationen unserer Tage vermögen an der Gleichheit der gesellschaftlichen Bedingungen nichts mehr zu ändern; von ihnen aber hängt es nun ab, ob die Gleichheit sie zur Knechtschaft oder zur Freiheit führt, zu Bildung oder Barbarei, zu Wohlstand oder Elend.

Ralph Waldo Emerson
Essays

Die Geschichte Nordamerikas ist die Fortsetzung der europäischen auf kolonialem Boden. Sie ist fast dreieinhalb Jahrhunderte alt. In den ersten zwei wurde sie wesentlich mitbestimmt von Vergangenheit und Gegenwart der Alten Welt. Im letzten wurde sie wesentlich mitbestimmend für die Zukunft Europas. Das gilt auch für die Geschichte des Denkens auf dem Boden Amerikas. Der erste Philosoph, in dem sich (auf dem Hintergrund der europäischen Tradition) Amerikanisches deutlich abzeichnete, war Ralph Waldo Emerson (1803–1882).

Friedrich Nietzsche schrieb von ihm: »Der gedankenreichste Autor dieses Jahrhunderts ist bisher ein Amerikaner gewesen.« Vielleicht war dieser aphoristische Satz ein Nekrolog. Emerson starb 1882, fast 80 Jahre alt, überall in der Welt gefeiert als Denker, als Poet, als »unsere intellektuelle Declaration of independence« – wie der angesehenste Richter des Landes, Oliver Wendell Holmes, sagte.

Vom deutschen Standpunkt aus ist interessant, was Nietzsche mit Emerson verband. Auch Emerson stammte aus einer protestantischen Prediger-Familie. Auch er verlor seinen Vater früh, wurde von Frauen erzogen und war kränklich. Auch er rebellierte gegen den Gott seiner Väter – wenn auch mit Maßen. Er legte sein Amt als Geistlicher nieder, weil ihm in seiner Schwärmerei für das Universum die Kirche viel zu eng war. Aber als eine junge Dame ihm versicherte, sie würde im Katholizismus ihr Heil finden, ermunterte er sie zum Übertritt. Er sorgte mehr für die Seelen als für die Seelsorger. Seine

Kanzel wurde das Vortrags-Pult Neu-Englands, dann Europas. Auch in der Zeitschrift ›Dial‹ sprach er zu seiner mächtig wachsenden Gemeinde. Er machte Schule; die Schüler wurden dann ›Transzendentalisten‹ genannt.

Nietzsche hängte seinem Preislied auf den ›reichsten Amerikaner‹ die Parenthese an: »Leider durch deutsche Philosophie verdunkelt.« Und Nietzsche war nicht der erste, der sich über den reflektierenden Sänger Emerson auch etwas lustig machte. Der Vater von William und Henry James, Emersons Freund, schrieb: Emerson wirke zwar wie ein überirdisches Wesen, mache er aber den Mund auf, so befriedige er einen nicht mehr als ein altes Weib; und Freund Carlyle sagte: »Er gibt uns nicht genug zu beißen.«

Emerson war ein amerikanischer Platoniker, der Ideen darstellte: ›Freundschaft‹, ›Liebe‹, ›Kunst‹ . . . oder ihre Repräsentanten auf Erden: Platon, Montaigne, Michelangelo, Shakespeare. Aber da war auch in diesem Amerikaner schon die Nietzschesche Unterströmung: »Seht Euch vor, wenn der große Gott einen Denker auf unseren Planet kommen läßt. Alles ist dann in Gefahr. Es ist, wie wenn in einer großen Stadt eine Feuersbrunst ausgebrochen ist, wo keiner weiß, was eigentlich noch sicher ist und wo es enden wird.«

Von seinem durchgängig essayistischen Werk bringen wir die beiden Aufsätze: Shakespeare oder der Dichter *und* Goethe oder der Schriftsteller, *sowie zwei Fragmente aus den Essays* Erfolg *und* Mut.

Shakespeare oder der Dichter

Shakespeare, Homer, Dante, Chaucer sahen den Schimmer eines tieferen Sinnes, der über der sichtbaren Welt liegt. Sie wußten, daß der Baum einen anderen Zweck hat, als Äpfel zu tragen, daß das Korn nicht da ist, um uns Mehl zu geben,

noch die Erdkugel für unseren Pflug und unsere Straßen; daß
all diese Dinge eine zweite, schönere Ernte dem Geiste bringen, weil sie die Sinnbilder seiner Gedanken sind und in ihrer
Naturgeschichte eine Art stummen Kommentars zum Leben
der Menschen liefern. Shakespeare verwendete sie als Farben,
um sein Bild zusammenzusetzen. Er begnügte sich mit ihrer
Schönheit, und nie tat er den Schritt, der doch bei solchem
Genie unvermeidlich scheinen sollte, nie unternahm er den
Versuch, die Kraft zu erforschen, die in diesen Symbolen
wohnt und ihnen solche Macht gibt – zu fragen, was sie selber uns sagen. Er verwendete die Elemente, die seines Befeh-
les harrten, zu Unterhaltungszwecken. Er ward der Maître de
plaisir der Menschheit. Ist es nicht, als ob ein Mensch durch
die Gewalt majestätischen Wissens die Kometen in seine
Macht bekommen hätte oder den Mond und alle Planeten und
sie nun aus ihren Kreisen zöge, um sie an einem Feiertag
abends beim Stadtfeuerwerk leuchten zu lassen, und in allen
Städten anzeigen würde: »Heute abend findet ein noch nicht
dagewesenes Feuerwerk statt!« Sind die Kräfte der Natur und
die Macht, sie zu verstehen, nicht mehr wert als ein Parkkon-
zert oder der Rauch einer Zigarre? Wieder tritt uns jenes Po-
saunenwort im Koran in Erinnerung: »Die Himmel und die
Erde und alles, was zwischen ihnen ist – glaubt ihr, daß wir sie
zum Scherze geschaffen?« Solange vom Talent, von geistiger
Kraft die Rede ist, hat die Menschenwelt nicht seinesgleichen
aufzuweisen. Aber wenn es sich um das Leben handelt, um
den Stoff dieses Lebens und wahrhafte Hilfe – was nützt er
uns? Was bedeutet das Ganze? Es ist nur ein Dreikönigstag,
ein Sommernachtstraum, ein Wintermärchen: was will da ein
Bild mehr oder weniger bedeuten? Das Leitwort der Shake-
speare-Gesellschaften kommt uns in Erinnerung, daß er ein
fröhlicher Schauspieler und Theaterdirektor gewesen. Ich
kann diese Tatsache nicht mit seinen Versen in Einklang bringen. Andere Menschen haben ein Leben geführt, das doch irgendwie in einem Verhältnis zu ihrem Denken stand, aber das

dieses Menschen verlief im fernsten Kontrast dazu. Wenn er ein Geringerer gewesen wäre, wenn er nur das gewöhnliche Maß großer Autoren erreicht hätte, die Höhe eines Bacon, Milton, Tasso, Cervantes, wir könnten die Tatsache im Zwielicht des menschlichen Schicksals lassen: aber daß dieser Mensch der Menschen, er, der unserer Kenntnis menschlicher Geisteskraft einen neuen, reicheren Stoff gab als je existiert hatte, der die Fahne der Menschheit um einige Wegmaße weiter ins Chaos getragen hatte – daß der für sich nicht weise gewesen – es muß in der Weltgeschichte verzeichnet werden, daß der größte aller Dichter ein obskures und profanes Leben geführt und seinen Genius zur Unterhaltung der Menge gebrauchte.

Wohl, andere Menschen, Priester und Propheten, Israeliten, Deutsche und Schweden, sahen dieselben Gegenstände, sahen gleichfalls durch sie und schauten, was sie enthielten. Und was war die Folge? Sogleich verschwand alle Schönheit; sie lasen Gebote, eine alles ausschließende, berghohe Pflicht; ein Zwang, eine Trauer wie von aufeinander lastenden Bergen fiel auf sie, das Leben wurde gespenstisch, freudlos, eine Pilgerfahrt, eine Prüfungszeit, ringsum eingeschlossen von wehevollen Gedichten, von Adams Fall und Adams Fluch hinter uns, von Jüngsten Gerichten, von Feg- und Höllenfeuer vor uns; und das Herz des Sehers wie das Herz des Hörers entsank ihnen.

Man muß zugeben: das sind nur halbe Gesichte halber Menschen. Die Welt harrt noch des Dichterpriesters, eines Versöhners, der nicht tändeln darf wie der Schauspieler Shakespeare noch in Gräbern tappen wie der trauernde Swedenborg, sondern schauen und sprechen und handeln muß in gleicher ungebrochener Inspiration. Denn das Wissen wird das Sonnenlicht nur noch glänzender machen; das Recht ist schöner als alle Gemütsbewegung des einzelnen; und Liebe ist vereinbar mit umfassender Weisheit.

Goethe oder der Schriftsteller

Ich habe Bonaparte als den Repräsentanten der populären, äußerlichen Lebensaufgaben und Bestrebungen des neunzehnten Jahrhunderts geschildert. Die zweite, ergänzende Hälfte hierzu, der Dichter desselben, ist Goethe, ein Mann, der in dem Jahrhundert heimisch geworden ist wie kein zweiter, der seine Lüfte atmete, seine Früchte genoß, zu jeder früheren Zeit unmöglich gewesen wäre und durch seinen kolossalen Geist es von dem Vorwurf der Schwäche befreite, der, wäre er nicht gewesen, auf den geistigen Werken der Zeit lasten müßte. Er erscheint zu einer Zeit, in welcher sich eine allgemeine Kultur verbreitet und alle scharfen individuellen Züge ausgeglichen hat, in welcher in Ermangelung heroischer Charaktere ein gewisser sozialer Komfort und ein allgemeines Zusammenarbeiten Platz gegriffen haben. Es gibt zwar keinen Dichter, aber ganze Haufen poetischer Schriftsteller; keinen Kolumbus, aber Hunderte von Postkapitänen mit Durchgangsfernrohren, Barometern, Suppenextrakten und Pemmican; keinen Demosthenes, keinen Chatham, aber eine beliebige Anzahl gescheiter Parlamentarier und Gerichtsredner; keinen Heiligen oder Propheten, aber geistliche Kollegien; keinen Gelehrten, dafür aber gelehrte Gesellschaften, eine billige Druckerpresse, Lesezimmer und Büchereien ohne Zahl. Nie noch hat es einen solchen Mischmasch von Dingen gegeben. Die Welt dehnt sich aus wie der Handel Amerikas. Wir können griechisches oder römisches Leben oder das Leben im Mittelalter als etwas verhältnismäßig Einfaches und Übersehbares denken, aber das moderne Leben umfaßt eine solche Unmenge von Dingen, daß es einen verrückt machen könnte.

Goethe war der Philosoph dieser Vielfältigkeit; hunderthändig, argusäugig, fähig und freudig bereit, es mit diesem rollenden Gemengsel von Tatsachen und Wissenschaften aufzunehmen und durch seine eigene Gewandtheit sie mit

Leichtigkeit einzuordnen; ein männlicher Geist, den die unendliche Mannigfaltigkeit der konventionellen Schalen, welche dieses Leben überkrustet hatten, nicht in Verwirrung brachte, den seine Feinheit und sein Scharfblick leicht befähigten, diese Schalen zu durchdringen und seine Kraft aus der Natur selbst zu schöpfen, mit der er in lebendiger Gemeinschaft lebte. Und was seltsam scheinen mag, er lebte in einer kleinen Stadt, in einem winzigen Staat, einem daniederliegenden Staat und zu einer Zeit, da Deutschland keine so führende Rolle in der Welt spielte, daß den Busen seiner Söhne ein Stolz hätte schwellen können, wie er die Söhne mächtiger Metropolen, wie er ein englisches oder französisches oder dereinst ein römisches oder attisches Genie hätte ermutigen können. Aber in seinen Werken, da verrät sich keine Spur von provinziellen Schranken. Er schuldet seiner Stellung nichts von dem, was er geworden, sondern ward mit einem freien und beherrschenden Geiste geboren.

Die Helena oder der zweite Teil des Faust ist eine Philosophie der Literatur, in Poesie gesetzt; das Werk eines Mannes, der sich als Meister aller Geschichte und Mythologie, aller Philosophien, Wissenschaften und Nationalliteraturen fühlen mußte in jener enzyklopädischen Weise, in welcher die moderne Bildung mit ihrem internationalen Verkehr der Bevölkerung der ganzen Erde bis in die indischen, etruskischen und in die zyklopischen Künste, in die Reiche der Geologie, der Chemie, der Astronomie forscht, wobei jedes dieser Reiche in dem Werke einen luftigen und poetischen Charakter annimmt, weil ihrer so viele sind. Man sieht einen König mit Ehrfurcht an, aber wenn wir zufällig zu einem Kongreß von Königen kämen, würde sich das Auge mit den Eigenheiten eines jeden Freiheiten herausnehmen. Es sind keine wilden, wunderhaften Gesänge, sondern sorgfältig ausgearbeitete Formen, welchen der Dichter das Resultat achtzigjähriger Beobachtung anvertraut hat. Diese reflektierende und kritische Weisheit läßt das Buch in noch vollerem Sinne als die

Blüte dieser Zeit erscheinen. Es datiert sich selbst. Dennoch ist er ein Dichter – ein Dichter mit einem stolzeren Lorbeerkranz denn irgendein Zeitgenosse, und unter der Qual all dieser Mikroskope (denn es ist, als sähe er mit jeder Pore seiner Haut) schlägt er die Harfe mit der Kraft und mit der Anmut eines Helden.

Das Wunderbare an dem Buche ist die gewaltige Intelligenz darin. Der Verstand dieses Mannes ist ein so mächtiges Lösungsmittel, daß die vergangenen und das gegenwärtige Zeitalter, ihre Religionen, Politiken und Denkungsarten sich darin zu Urtypen und Ideen auflösen. Welche neuen Mythologien keimen in diesem Kopf! Die Griechen sagten, Alexander sei so weit gekommen, daß er das Chaos erreichte; Goethe kam vor wenigen Tagen ebensoweit, ja er wagte sich noch einen Schritt weiter und kam sicher zurück.

Sein ganzes Denken ist von herzerfreuender Freiheit erfüllt. Der unendliche Horizont, der stets mit uns reist, verleiht Kleinigkeiten, konventionellen und notwendigen Dingen die gleiche Majestät wie feierlichen und festlichen Ereignissen. Er war die Seele seines Jahrhunderts. Wenn dieses gelehrt war, wenn es durch seine Volksausbreitung, seine kompakte Organisation, den Drill der einzelnen Teile, eine große Forschungsexpedition geworden war, wenn es eine Fülle von Tatsachen und Resultaten anhäufte, viel zu rasch, als daß irgendeiner der bis dahin existierenden Gelehrten sie hätte klassifizieren können – der Geist dieses Mannes hatte weiten Raum, um sie alle einzuordnen. Er besaß die Macht, die losgelösten Atome nach ihren eigenen Gesetzen wieder zu vereinigen. Er hat unsere moderne Existenz mit Poesie umkleidet. Im Kleinsten, im Vereinzelten erkannte er den Genius des Lebens, den alten listenersinnenden Proteus, der dicht bei uns haust, zeigte, daß die Langeweile und Prosa, die wir unserem Zeitalter zuschreiben, nur eine andere seiner Masken sei:

»Selbst seine Flucht ist nur verkanntes Nahen«,

daß er nur die fröhliche Uniform abgelegt und ein Werktags-
kleid angezogen und nicht ein Tittelchen weniger lebensfrisch
oder reich in Haag oder Liverpool ist, als er es einst in Rom
oder Antiochia war. Er suchte ihn auf in den belebten Straßen, auf den öffentlichen Plätzen, auf den Boulevards und in
Hotels; und im grundfesten Reich des Alltags und der Sinne
zeigte er die lauernde Dämonenkraft; zeigte, daß durch die
alltäglichsten Handlungen sich ein mythologischer Faden
spinnt, der uns bis zu den alten Fabeln zurückführt, sobald
wir den Stammbaum jeden Gebrauchs, jeder Gewohnheit,
jeder Institution, jedes Mittels und Werkzeugs bis zu seinem
Ursprung im Entwicklungsbau der Menschheit verfolgen.

Fragmente

Der Schöpfer des guten Buches ist der gute Leser. Ein guter
Kopf wird nichts nutzlos lesen: in jedem Buche findet er ver-
trauliche Mitteilungen und Seitenbemerkungen, die allen anderen verborgen bleiben und die zweifellos nur für sein Ohr
bestimmt sind. Jeder muß die Kunst des guten Lesens für sich
neu entdecken. Es gibt ebensogut ein schöpferisches Lesen,
wie es ein schöpferisches Schreiben gibt.

Wolf, Schlange und Krokodil sind nichts Unharmonisches im
Haushalte der Natur, sondern haben die Bedeutung von
Hemmschuhen, Gassenkehrern und Wegmachern, und wir
müssen einen ebenso großen Gesichtskreis haben wie die Natur, um mit bestialischen Menschen verkehren zu können
und einzusehen, daß ihnen die Rolle von Schauerknechten
zugewiesen ist und daß sie mit der zunehmenden Veredlung
unseres Planeten überflüssig werden und aussterben müssen.

Wenn du kein Vertrauen in die gütige Macht hast, die über
dir waltet, sondern nur an ein diamanthartes Schicksal
glaubst, das Natur und Menschen in seinen dunklen Mantel
hüllt, dann bedenke, daß der beste Gebrauch, den du vom
Schicksal machen kannst, der ist, den Mut zu lernen, und sei
es auch nur deshalb, weil Feigheit an dem vorbestimmten
Ausgang nichts zu ändern vermag. Wenn du einsiehst, daß
deine Gedanken die Eingebungen einer höchsten Intelligenz
sind, gehorche ihnen, wenn sie dir schwierige Pflichten vor-
schreiben, die sich ja doch immer nur ergeben, wenn sie na-
turnotwendig sind. Und wenn dein Skeptizismus den äußersten Schritt tun sollte und du kein Vertrauen zu irgendeinem
fremden Geist mehr hast, gerade dann mußt du doppelt tapfer
sein, denn es gibt eine gute Meinung, die für dich immer ge-
wichtig ist, nämlich deine eigene.

Georg Büchner
Der Hessische Landbote

*A*m *17. Oktober 1813 wurde Georg Büchner in Goddelau
bei Darmstadt geboren. Im Jahre 1837 starb er. Der Vierundzwanzigjährige hinterließ fünf Meisterwerke:* Dantons Tod,
Leonce und Lena, Wozzeck, *die Novelle* Lenz *und das politische Manifest* Der Hessische Landbote.

*Georg war das älteste von drei Kindern. Der Philosoph
Ludwig Büchner, der bekannte Verfasser von* Kraft und
Stoff, *war sein Bruder. Der Vater, ein nüchterner, phrasen-
loser, mit scharfem Blick für die Wirklichkeit ausgestatteter
Mann, war großherzoglicher Distriktionsarzt, von den
Rheinbundtagen her noch ein überzeugter Anhänger Napo-
leons.*

*Der Gymnasiast Georg verherrlicht die Französische Revo-
lution. Den Primaner begeistert die Pariser Erhebung von
1830. Der Student atmet in vollen Zügen in Straßburg revolutionäre Luft, schwärmt für den romantischen Liberalismus
Victor Hugos und diskutiert mit Enthusiasmus Saint-Simons
und Fouriers sozialistische Utopien; in Briefen an die Familie
entlädt sich der vehemente Ausbruch des Revolutionärs:
». . . weil wir im Kerker geboren und großgezogen sind, merken wir nicht mehr, daß wir im Loch stecken, mit an-
geschmiedeten Händen und Füßen und einem Knebel im
Munde.«*

*In der Landesuniversität Gießen muß er seine medizi-
nischen und naturwissenschaftlichen Studien beenden. Hier
– auf revolutionärem Boden – gründet er nach dem Vorbild
der französischen Arbeitervereine eine ›Gesellschaft der*

Menschenrechte‹. Als die Burschenschafter zu dieser Vereini-
gung nur Akademiker zulassen wollen, trennt er sich von
ihnen.

Von Straßburg nach Gießen: das heißt aus einer Atmo-
sphäre der Bewegtheit und der Zukunftsträchtigkeit zurück in
einen Kerker, in ein stagnierendes Dasein, in das Land ver-
geblicher Erhebungen. Hessen, politisch Vulkanboden, ist zu-
gleich Hort der Reaktion. Die Briefe, die der Student in sei-
nem letzten Gießener Semester an die Braut in Straßburg
schreibt, sind die furchtbaren Anklagen eines lebendig Be-
grabenen.

Ein Denunziant verrät die revolutionären Konventikel.
Büchner wird scharf bewacht. In seiner Abwesenheit hält
man Haussuchung. Im elterlichen Haus in Darmstadt steht er
dann unter doppelter Aufsicht. Vor der Tür hat die Polizei
ihre Spione. Im Haus spioniert der Vater ihn aus. Vor all die-
sen lauernden Augen muß er sein Danton-Manuskript ver-
bergen. In fünf Wochen schreibt er mit fliegender Feder seine
erste Dichtung nieder. Er sendet sie Gutzkow und bittet um
Geld zur Flucht. Doch kann er den Bescheid nicht mehr ab-
warten. In der letzten Minute verläßt er Darmstadt. »Das
große Übel einer freiwilligen Verbannung« beginnt.

In Straßburg schießt seine Produktivität üppig auf. In we-
niger als zwei Jahren entstehen die Novelle Lenz, *die Komö-*
die Leonce und Lena *und die Tragödie* Wozzeck. *Und neben*
dem dichterischen Werk reifen seine Übersetzungen Victor
Hugos, kritische Arbeiten für den ›Phoenix‹ wie für die von
Gutzkow und Wienbarg herausgegebene ›Deutsche Revue‹
und philosophische Studien, vornehmlich über Thales, Epi-
kur, Spinoza und Descartes. Mit einer Dissertation über ›Das
Nervensystem der Fische‹ promoviert er in Zürich und habili-
tiert sich sogleich. Ein Semester liest er ›Vergleichende Ana-
tomie‹; er plant ein Kolleg über die ›Entwicklung der deut-
schen Philosophie seit Cartesius‹, nachdem er an Gutzkow
vorher geschrieben, daß er im Studium der Philosophie die

»*Armseligkeit des menschlichen Geistes wieder von einer neuen Seite kennengelernt habe*«.

Wir zeigen zuerst den leidenschaftlichen Kämpfer. Und dann in einem Brief an die Braut: die große Resignation.

Der Hessische Landbote
Erste Botschaft

Darmstadt, im Juli 1834

Vorbericht

Dieses Blatt soll dem hessischen Lande die Wahrheit melden, aber wer die Wahrheit sagt, wird gehenkt; ja sogar der, welcher die Wahrheit liest, wird durch meineidige Richter vielleicht gestraft. Darum haben die, welchen dies Blatt zukommt, folgendes zu beobachten:

1. Sie müssen das Blatt sorgfältig außerhalb ihres Hauses vor der Polizei verwahren;
2. sie dürfen es nur an treue Freunde mitteilen;
3. denen, welchen sie nicht trauen, wie sich selbst, dürfen sie es nur heimlich hinlegen;
4. würde das Blatt dennoch bei einem gefunden, der es gelesen hat, so muß er gestehen, daß er es eben dem Kreisrat habe bringen wollen;
5. wer das Blatt nicht gelesen hat, wenn man es bei ihm findet, der ist natürlich ohne Schuld.

Friede den Hütten! Krieg den Palästen!

Im Jahr 1834 siehet es aus, als würde die Bibel Lügen gestraft. Es sieht aus, als hätte Gott die Bauern und Handwerker am

fünften Tage und die Fürsten und Vornehmen am sechsten
gemacht, und als hätte der Herr zu diesen gesagt: »Herrschet
über alles Getier, das auf Erden kriecht«, und hätte die Bauern und Bürger zum Gewürm gezählt. Das Leben der Vornehmen ist ein langer Sonntag, sie wohnen in schönen Häusern, sie tragen zierliche Kleider, sie haben feiste Gesichter
und reden eine eigne Sprache; das Volk aber liegt vor ihnen
wie Dünger auf dem Acker. Der Bauer geht hinter dem Pflug,
der Vornehme aber geht hinter ihm und dem Pflug und treibt
ihn mit dem Ochsen am Pflug, er nimmt das Korn und läßt
ihm die Stoppeln. Das Leben des Bauern ist ein langer Werk-
tag; Fremde verzehren seine Äcker vor seinen Augen, sein
Leib ist eine Schwiele, sein Schweiß ist das Salz auf dem Tische des Vornehmen ... An den Staat jährlich an 6 363 436
Gulden. Dies Geld ist der Blutzehnte, der von dem Leib des
Volkes genommen wird. An 700 000 Menschen schwitzen,
stöhnen und hungern dafür. Im Namen des Staates wird erpreßt, die Presser berufen sich auf die Regierung, und die Regierung sagt, das sei nötig, die Ordnung im Staat zu erhalten.
Was ist denn nun das für ein gewaltiges Ding: der Staat?
Wohnt eine Anzahl Menschen in einem Land, und es sind
Verordnungen und Gesetze vorhanden, nach denen jeder sich
richten muß, so sagt man, sie bilden einen Staat. Der Staat
also sind *alle;* die Ordner im Staate sind die Gesetze, durch
welche das Wohl *aller* gesichert wird, und die aus dem Wohl
aller hervorgehen sollen. Sehet nun, was man in dem Großherzogtum aus dem Staat gemacht hat; seht, was es heißt: die
Ordnung im Staate erhalten! 700 000 Menschen bezahlen dafür 6 Millionen, d. h. sie werden zu Ackergäulen und Pflug-
stieren gemacht, damit sie in Ordnung leben. In Ordnung leben heißt, hungern und geschunden werden.

Wer sind denn die, welche diese Ordnung gemacht haben,
und die wachen, diese Ordnung zu erhalten? Das ist die
Großherzogliche Regierung. Die Regierung wird gebildet
von dem Großherzog und seinen obersten Beamten, die an-

dern Beamten sind Männer, die von der Regierung berufen
werden, um jene Ordnung in Kraft zu erhalten. Ihre Anzahl ist Legion: Staatsräte und Regierungsräte, Landräte
und Kreisräte, geistliche Räte und Schulräte, Finanzräte und
Forsträte usw. mit allem ihrem Heer von Sekretären usw. Das
Volk ist ihre Herde, sie sind seine Hirten, Melker und Schin-
der; sie haben die Häute der Bauern an, der Raub der Armen
ist in ihrem Hause; die Tränen der Witwen und Waisen sind
das Schmalz auf ihren Gesichtern; sie herrschen frei und ermahnen das Volk zur Knechtschaft. Ihnen gebt ihr 6 000 000
Gulden Abgaben; sie haben dafür die Mühe, euch zu regieren; d. h. sich von euch füttern zu lassen und euch eure Men-
schen- und Bürgerrechte zu rauben. Sehet, was die Ernte
eures Schweißes ist.

Für das Militär wird bezahlt 914 820 Gulden.

Dafür kriegen eure Söhne einen bunten Rock auf den Leib,
ein Gewehr oder eine Trommel auf die Schulter und dürfen
jeden Herbst einmal blind schießen und erzählen, wie die
Herren vom Hof und die ungeratenen Buben vom Adel allen
Kindern ehrlicher Leute vorgehen und mit ihnen in den brei-
ten Straßen der Städte herumziehen mit Trommeln und
Trompeten. Für jene 900 000 Gulden müssen eure Söhne den
Tyrannen schwören und Wache halten an ihren Palästen. Mit
ihren Trommeln übertäuben sie eure Seufzer, mit ihren Kol-
ben zerschmettern sie euch den Schädel, wenn ihr zu denken
wagt, daß ihr freie Menschen seid. Sie sind die gesetzlichen
Mörder, welche die gesetzlichen Räuber schützen, denkt an
Södel! Eure Brüder, eure Kinder waren dort Brüder- und
Vatermörder.

Für die Pensionen 80 000 Gulden.

Dafür werden die Beamten aufs Polster gelegt, wenn sie
eine gewisse Zeit dem Staate treu gedient haben, d. h.
wenn sie eifrige Handlanger bei der regelmäßig eingerichteten Schinderei gewesen, die man Ordnung und Gesetz
heißt.

Für das Staatsministerium und den Staatsrat 174 600 Gulden.

Die größten Schurken stehen wohl jetzt allwärts in Deutschland den Fürsten am nächsten, wenigstens im Großherzogtum. Kommt ja ein ehrlicher Mann in einen Staatsrat, so wird er ausgestoßen. Könnte aber auch ein ehrlicher Mann jetzo Minister sein oder bleiben, so wäre er, wie die Sachen stehn, in Deutschland, nur eine Drahtpuppe, an der die fürstliche Puppe zieht; und an dem fürstlichen Popanz zieht wieder ein Kammerdiener oder ein Kutscher oder seine Frau und ihr Günstling oder sein Halbbruder oder alle zusammen. In Deutschland stehet jetzt, wie der Prophet Micha schreibt, Kap. 7, V. 3 und 4: »Die Gewaltigen raten nach ihrem Mutwillen, Schaden zu tun und drehen es, wie sie es wollen. Der Beste ist unter ihnen wie ein Dorn, und der Redlichste wie eine Hecke.« Ihr müßt die Dornen und Hecken teuer bezahlen; denn ihr müßt ferner für das großherzogliche Haus und den Hofstaat 827 772 Gulden bezahlen.

Die Anstalten, die Leute, von denen ich bis jetzt gesprochen, sind nur Werkzeuge, sind nur Diener. Sie tun nichts in ihrem Namen, unter der Ernennung zu ihrem Amt steht ein L., das bedeutet, Ludwig von Gottes Gnaden, und sie sprechen mit Ehrfurcht: »Im Namen des Großherzogs.« Dies ist ihr Feldgeschrei, wenn sie euer Gerät versteigern, euer Vieh wegtreiben, euch in den Kerker werfen. Im Namen des Großherzogs, sagen sie, und der Mensch, den sie so nennen, heißt: unverletzlich, heilig, souverän, königliche Hoheit. Aber tretet zu dem Menschenkinde und blickt durch seinen Fürstenmantel. Es ißt, wenn es hungert, und schläft, wenn sein Auge dunkel wird. Sehet, es kroch so nackt und weich in die Welt wie ihr und wird so hart und steif hinausgetragen wie ihr, und doch hat es seinen Fuß auf eurem Nacken, hat 700 000 Menschen an seinem Pflug, hat Minister, die verantwortlich sind für das, was es tut, hat Gewalt über euer Eigentum durch die Steuern, die es ausschreibt, über euer Leben

durch die Gesetze, die es macht, es hat adlige Herren und
Damen um sich, die man Hofstaat heißt, und seine göttliche
Gewalt vererbt sich auf seine Kinder mit Weibern, welche aus
ebenso übermenschlichen Geschlechtern sind.

Wehe über euch Götzendiener! Ihr seid wie die Heiden, die
das Krokodil anbeten, von dem sie zerrissen werden. Ihr setzt
ihm eine Krone auf, aber es ist eine Dornenkrone, die ihr euch
selbst in den Kopf drückt; ihr gebt ihm ein Szepter in die
Hand, aber es ist eine Rute, womit ihr gezüchtigt werdet; ihr
setzt ihn auf euern Thron, aber es ist ein Marterstuhl für euch
und eure Kinder. Der Fürst ist der Kopf des Blutigels, der
über euch hinkriecht, die Minister sind seine Zähne und die
Beamten sein Schwanz. Die hungrigen Mägen aller vornehmen Herren, denen er die hohen Stellen verteilt, sind
Schröpfköpfe, die er dem Lande setzt. Das L., was unter seinen Verordnungen steht, ist das Malzeichen des Tieres, das
die Götzendiener unserer Zeit anbeten. Der Fürstenmantel
ist der Teppich, auf dem sich die Herren und Damen von
Adel und Hofe in ihrer Geilheit übereinander wälzen, mit
Orden und Bändern decken sie ihre Geschwüre, und mit
kostbaren Gewändern bekleiden sie ihre aussätzigen Leiber.
Die Töchter des Volks sind ihre Mägde und Huren, die Söhne
des Volks ihre Lakaien und Soldaten. Geht einmal nach
Darmstadt und seht, wie die Herren für euer Geld sich dort
lustig machen, und erzählt dann euern hungernden Weibern
und Kindern, daß ihr Brot an fremden Bäuchen herrlich angeschlagen sei, erzählt ihnen von den schönen Kleidern, die in
ihrem Schweiß gefärbt, und von den zierlichen Bändern, die
aus den Schwielen ihrer Hände geschnitten sind, erzählt von
den stattlichen Häusern, die aus den Knochen des Volks gebaut sind; und dann kriecht in eure rauchigen Hütten und
bückt euch auf euren steinichten Äckern, damit eure Kinder
auch einmal hingehen können, wenn ein Erbprinz mit einer
Erbprinzessin für einen andern Erbprinzen Rat schaffen will,
und durch die geöffneten Glastüren das Tischtuch sehen,

wovon die Herren speisen, und die Lampen riechen, aus denen man mit dem Fett der Bauern illuminiert. Das alles duldet ihr, weil euch Schurken sagen: »Diese Regierung sei von Gott.« Diese Regierung ist nicht von Gott, sondern vom Vater der Lügen. Diese deutschen Fürsten sind keine rechtmäßige Obrigkeit, sondern die rechtmäßige Obrigkeit, den deutschen Kaiser, der vormals vom Volke frei gewählt wurde, haben sie seit Jahrhunderten verachtet und endlich gar verraten. Aus Verrat und Meineid, und nicht aus der Wahl des Volkes, ist die Gewalt der deutschen Fürsten hervorgegangen, und darum ist ihr Wesen und Tun von Gott verflucht, ihre Weisheit ist Trug, ihre Gerechtigkeit ist Schinderei. Sie zertreten das Land und zerschlagen die Person des Elenden. Ihr lästert Gott, wenn ihr einen dieser Fürsten einen Gesalbten des Herrn nennt, das heißt: Gott habe die Teufel gesalbt und zu Fürsten über die deutsche Erde gesetzt. Deutschland, unser liebes Vaterland, haben diese Fürsten zerrissen, den Kaiser, den unsere freien Voreltern wählten, haben diese Fürsten verraten, und nun fordern diese Verräter und Menschenquäler Treue von euch! Doch das Reich der Finsternis neigt sich zum Ende. Über ein Kleines, und Deutschland, das jetzt die Fürsten schinden, wird als ein Freistaat mit einer vom Volk gewählten Obrigkeit wieder auferstehn.

Die Heilige Schrift sagt: »Gebet dem Kaiser, was des Kaisers ist.« Was ist aber dieser Fürsten, der Verräter – das Teil von Judas!

Für die Landstände 16 000 Gulden.

Im Jahr 1789 war das Volk in Frankreich müde, länger die Schindmähre seines Königs zu sein. Es erhob sich und berief Männer, denen es vertraute, und die Männer traten zusammen und sagten, ein König sei ein Mensch wie ein anderer auch, er sei nur der erste Diener im Staat, er müsse sich vor dem Volk verantworten, und wenn er sein Amt schlecht verwalte, könne er zur Strafe gezogen werden. Dann erklärten sie die Rechte des Menschen: »Keiner erbt vor dem andern

mit der Geburt ein Recht oder einen Titel, keiner erwirbt mit
dem Eigentum ein Recht vor dem andern. Die höchste Gewalt ist in dem Willen aller oder der Mehrzahl . . .«

Die übrigen Könige aber entsetzten sich vor der Gewalt des
französischen Volkes, sie dachten, sie könnten alle über der
ersten Königsleiche den Hals brechen, und ihre mißhandelten
Untertanen möchten bei dem Freiheitsruf der Franken erwachen. Mit gewaltigem Kriegsgerät und reisigem Zeug stürzten
sie von allen Seiten auf Frankreich, und ein großer Teil der
Adligen und Vornehmen im Lande stand auf und schlug sich
zu dem Feind. Da ergrimmte das Volk und erhob sich in seiner Kraft. Es erdrückte die Verräter und zerschmetterte die
Söldner der Könige. Die junge Freiheit wuchs im Blut der
Tyrannen, und vor ihrer Stimme bebten die Throne und
jauchzten die Völker. Aber die Franzosen verkauften selbst
ihre junge Freiheit für den Ruhm, den ihnen Napoleon darbot, und erhoben ihn auf den Kaiserthron. Da ließ der Allmächtige das Heer des Kaisers in Rußland erfrieren und züch-
tigte Frankreich durch die Knute der Kosaken und gab den
Franzosen die dickwanstigen Bourbonen wieder zu Königen,
damit Frankreich sich bekehre vom Götzendienst der erbli-
chen Königsherrschaft und dem Gotte diene, der die Menschen frei und gleich geschaffen. Aber als die Zeit seiner Strafe
verflossen war und tapfere Männer im Julius 1830 den mein-
eidigen König Karl den Zehnten aus dem Lande jagten, da
wendete dennoch das befreite Frankreich sich abermals zur
halberblichen Königsherrschaft und band sich in dem Heuchler Louis Philipp eine neue Zuchtrute auf. In Deutschland
und ganz Europa aber war große Freude, als der zehnte Karl
vom Thron gestürzt ward, und die unterdrückten deutschen
Länder richteten sich zum Kampf für die Freiheit. Da rat-
schlagten die Fürsten, wie sie dem Grimm des Volkes entgehen sollten, und die listigen unter ihnen sagten: »Laßt uns
einen Teil unserer Gewalt abgeben, daß wir das übrige behalten. Wir wollen euch die Freiheit schenken, um die ihr

kämpfen wollt. Und zitternd vor Furcht warfen sie einige
Brocken hin und sprachen von ihrer Gnade. Das Volk traute
ihnen leider und legte sich zur Ruhe. Und so ward Deutschland betrogen wie Frankreich ...

An die Braut   Gießen 1833.
Hier ist kein Berg, wo die Aussicht frei ist. Hügel hinter
Hügel und breite Täler, eine hohle Mittelmäßigkeit in allem;
ich kann mich nicht an diese Natur gewöhnen, und die Stadt
ist abscheulich. Bei uns ist Frühling, ich kann deinen Veil-
chenstrauß immer ersetzen, er ist unsterblich wie der Lama.
Lieb Kind, was macht denn die gute Stadt Straßburg? Es geht
dort allerlei vor, und Du sagst kein Wort davon. Je baise les
petites mains, en goûtant les souvenirs doux de Strasbourg.
»Prouve-moi que tu m'aimes encore beaucoup en me donnant
bientôt des nouvelles.« Und ich ließ Dich warten! Schon seit
einigen Tagen nehme ich jeden Augenblick die Feder in die
Hand, aber es war mir unmöglich, nur ein Wort zu schreiben.
Ich studierte die Geschichte der Revolution. Ich fühlte mich
wie vernichtet unter dem gräßlichen Fatalismus der Geschichte. Ich finde in der Menschennatur eine entsetzliche
Gleichheit, in den menschlichen Verhältnissen eine unab-
wendbare Gewalt, allen und keinem verliehen. Der einzelne
nur Schaum auf der Welle, die Größe ein bloßer Zufall, die
Herrschaft des Genies ein Puppenspiel, ein lächerliches Ringen gegen ein ehernes Gesetz, es zu erkennen das Höchste, es
zu beherrschen unmöglich. Es fällt mir nicht mehr ein, vor
den Paradegäulen und Eckstehern der Geschichte mich zu
bücken. Ich gewöhnte mein Auge ans Blut. Aber ich bin kein
Guillotinenmesser. Das Muß ist eins von den Verdam-
mungsworten, womit der Mensch getauft worden. Der Ausspruch: Es muß ja Ärgernis kommen, aber wehe dem, durch
den es kommt, ist schauderhaft. Was ist das, was in uns lügt,
mordet, stiehlt? Ich mag dem Gedanken nicht weiter nach-

gehen. Könnte ich aber dies kalte und gemarterte Herz an Deine Brust legen ... Ich habe nicht einmal die Wollust des Schmerzes und des Sehnens. Seit ich über die Rheinbrücke ging, bin ich wie in mir vernichtet. Ein einzelnes Gefühl taucht nicht in mir auf. Ich bin ein Automat, die Seele ist mir genommen ...

Heinrich Heine
Memoiren

*H*einrich Heine starb, mit 59 Jahren, 1856. Das letzte Jahrzehnt seines Lebens, seine sogenannte Matratzengruft, ein
Jahrzehnt des Leidens, ein Jahrzehnt der Schmerzen, ein
Jahrzehnt des körperlichen Verfalls brachte die volle Blüte
seines Geistes. Es entstanden seine schönsten Gedichte, seine
reifsten Prosastücke, die Aphorismen, die später unter der
Überschrift Gedanken und Einfälle *gesammelt wurden – und
seine* Memoiren.

*Dies Werk hat eine lange Geschichte. Wir hören davon
schon in der Jugend, zur Zeit, als er auch einen* Faust *begann.
Und schon in der frühsten Form stand eine Person im Mittelpunkt, die dem Werk verhängnisvoll werden sollte, Onkel
Salomon Heine, der Millionär und Hamburger Bankier. 1836
schrieb Heine noch an den Verleger Campe: »Gottlob, als ich
meine ›Memoiren‹ schrieb, wo er oft besprochen werden
mußte, standen wir noch brillant, und ich habe ihn wahrlich
con amore gezeichnet.« 1836 plante Heine eine sehr umfang-
reiche Autobiographie; die Zeit seines Lebens sollte in diesem
Selbstporträt mitgezeichnet werden.*

*Aber um diese Zeit waren die Spannungen zu seinem Onkel
schon so stark, und das, was er in sein Buch hineinschreiben
mußte, war so bedenklich, daß er daran dachte, es erst nach
seinem Tode erscheinen zu lassen. Ja, bei Konflikten, deren
Mittelpunkt immer das Geld war, drohte er dem Onkel mit
diesen Memoiren; sie würden noch aus Heines Grab heraus
eine Abrechnung sein, die man nicht vergessen werde. Aber
dieses persönliche Thema war nur eins unter vielen. 1840 heißt*

es: »*Selbst wenn ich heute stürbe, so blieben doch schon vier
Bände Lebensbeschreibung oder Memoiren von mir übrig,
die mein Sinnen und Wollen vertreten und schon ihres historischen Stoffes wegen, der treuen Darstellung der mysteriöse-
sten Übergangskrise auf die Nachwelt kommen. Das neue
Geschlecht wird auch die . . . Windeln sehen wollen, die seine
erste Hülle waren.*«

*Dann kam es zum öffentlichen Konflikt mit dem Erben
Onkel Salomons, Karl Heine, wegen des Testaments. Die
Abmachung zwischen den Vettern schloß die Kastrierung der*
Memoiren *ein; nichts durfte stehenbleiben, was die Familie
Salomon Heine nicht liebte. Heine dichtete:*

> »*Wenn ich sterbe, wird die Zunge
> Ausgeschnitten meiner Leiche;
> Denn sie fürchten, redend käm' ich
> Wieder aus dem Schattenreiche.
> Stumm verfaulen wird der Tote
> In der Gruft, und nie verraten
> Werd' ich die an mir verübten
> Lächerlichen Freveltaten.*«

Heine ging daran, in seinen letzten Jahren die Memoiren *in
einem »populären und pittoresken Stil« neu zu schreiben. Alte
Freunde halfen ihm beim Sammeln des Materials. Alfred
Meißner schätzte noch 1854 das Werk auf drei Bände. Was
uns erhalten geblieben ist, sind nur etwas über 60 Seiten. Ein
Bruder Heines vernichtete sie bis auf diesen Rest.*

*In ihm werden Heines Heimat Düsseldorf und seine Fami-
lie geschildert. Eine ähnliche Schilderung, wie er sie schon
früh, im Werk* Ideen. Das Buch le Grand *gegeben hat.*

*Eins der besten Porträts dieses Fragments ist das Bildnis
seines Vaters, das wir hier bringen. Heine hat ihn, außer an
diesen beiden Stellen, nur selten erwähnt. Aber er bekannte
einmal:* »*Er war von allen Menschen derjenige, den ich am
meisten auf dieser Erde geliebt.*« *Vielleicht hat der tragische*

Lebensgenießer Heine im glücklicheren Vater das Paradies einer bruchlos in die Harmonie des Daseins eingefügten, zufriedenen Kreatur geliebt.

Die Schönheit meines Vaters hatte etwas Überweiches, Charakterloses, fast Weibliches. Sein Bruder besaß vielmehr eine männliche Schönheit, und er war überhaupt ein Mann, dessen Charakterstärke sich auch in seinen edelgemessenen, regelmäßigen Zügen imposant, ja manchmal sogar verblüffend offenbarte.

Seine Kinder waren alle ohne Ausnahme zur entzückendsten Schönheit emporgeblüht, doch der Tod raffte sie dahin in ihrer Blüte, und von diesem schönen Menschenblumenstrauß leben jetzt nur zwei, der jetzige Chef des Bankierhauses und seine Schwester, eine seltene Erscheinung mit ...

Ich hatte alle diese Kinder so lieb, und ich liebte auch ihre Mutter, die ebenfalls so schön war und früh dahinschied, und alle haben mir viele Tränen gekostet. Ich habe wahrhaftig in diesem Augenblick nötig, meine Schellenkappe zu schütteln, um die weinerlichen Gedanken zu überklingeln.

Ich habe oben gesagt, daß die Schönheit meines Vaters etwas Weibliches hatte. Ich will hiermit keineswegs einen Mangel an Männlichkeit andeuten: letztere hat er zumal in seiner Jugend oft erprobt, und ich selbst bin am Ende ein lebendes Zeugnis derselben. Es sollte das keine unziemliche Äußerung sein; im Sinne hatte ich nur die Formen seiner körperlichen Erscheinung, die nicht straff und drall, sondern vielmehr weich und zärtlich gegründet waren. Den Konturen seiner Züge fehlte das Markierte, und sie verschwammen ins Unbestimmte. In seinen späteren Jahren wird er fett, aber auch in seiner Jugend scheint er nicht eben mager gewesen zu sein.

In dieser Vermutung bestätigt mich ein Porträt, welches seitdem in einer Feuerbrunst bei meiner Mutter verlorenging und meinen Vater als einen jungen Menschen von etwa 18 oder 19 Jahren, in roter Uniform, das Haupt gepudert und versehen mit einem Haarbeutel, darstellt.

Dieses Porträt war günstigerweise mit Pastellfarbe gemalt. Ich sage günstigerweise, da letztere weit besser als die Ölfarbe mit dem hinzukommenden Ganzleinenfirnis jenen Blüten-staub wiedergeben kann, den wir auf den Gesichtern der Leu-te, welche Puder tragen, bemerken, und die Unbestimmtheit der Züge vorteilhaft verschleiert. Indem der Maler auf besag-tem Porträt mit den kreideweiß gepuderten Haaren und der ebenso weißen Halsbinde das rosige Gesicht enkadrierte, ver-lieh er demselben durch den Kontrast ein stärkeres Kolorit, und es tritt kräftiger hervor.

Auch die scharlachrote Farbe des Rocks, die auf Ölgemäl-den so schauderhaft uns angrinst, macht hier im Gegenteil einen guten Effekt, indem dadurch die Rosenfarbe des Ge-sichts angenehm gemildert wird.

Der Typus von Schönheit, der sich in den Zügen desselben aussprach, erinnerte weder an die strenge, keusche Idealität der griechischen Kunstwerke noch an den spiritualistisch schwärmerischen, aber mit heidnischer Gesundheit ge-schwängerten Stil der Renaissance; nein, besagtes Porträt trug vielmehr ganz den Charakter einer Zeit, die eben keinen Charakter besaß, die minder die Schönheit als das Hübsche, das Niedliche, das Kokett-Zierliche liebte; einer Zeit, die es in der Fadheit bis zur Poesie brachte, jener süßen, geschnör-kelten Zeit des Rokoko, die man auch die Haarbeutelzeit nannte und die wirklich als Wahrzeichen, nicht an der Stirn, sondern am Hinterkopfe einen Haarbeutel trug. Wäre das Bild meines Vaters auf besagtem Porträt etwas mehr Miniatur gewesen, so hätte man glauben können, der vortreffliche Watteau habe es gemalt, um mit phantastischen Arabesken von bunten Edelsteinen und Goldflitter umrahmt, auf einem Fächer der Frau von Pompadour zu paradieren.

Bemerkenswert ist vielleicht der Umstand, daß mein Vater

auch in seinen späteren Jahren der altfränkischen Mode des
Puders treu blieb und bis an sein seliges Ende sich alle Tage
pudern ließ, obgleich er das schönste Haar, das man sich denken kann, besaß. Es war blond, fast golden und von einer
Weichheit, wie ich sie nur bei chinesischer Flockseide gefunden.

Den Haarbeutel hätte er gewiß ebenfalls gern beibehalten,
jedoch der fortschreitende Zeitgeist war unerbittlich. In dieser Bedrängnis fand mein Vater ein beschwichtigendes Aus-
kunftsmittel. Er opferte nur die Form, das schwarze Säck-
chen (sachet), den Beutel; die langen Haarlocken jedoch trug
er seitdem wie ein breitgeflochtenes Chignon, mit kleinen
Kämmchen auf dem Haupte befestigt. Diese Haarflechte war
bei der Weichheit der Haare und wegen des Puders fast gar
nicht bemerkbar, und so war mein Vater doch im Grunde
kein Abtrünniger des alten Haarbeuteltums, und er hatte nur
wie so mancher Krypto-Orthodoxe dem grausamen Zeit-
geiste sich äußerlich gefügt.

Die rote Uniform, worin mein Vater auf dem erwähnten
Porträt abkonterfeit ist, deutet auf hannöversche Dienstver-
hältnisse. Im Gefolge des Prinzen Ernst von Cumberland befand sich mein Vater zu Anfang der Französischen Revolution
und machte den Feldzug in Flandern und Brabant mit in der
Eigenschaft eines Proviantmeisters oder Kommissarium
oder, wie es die Franzosen nennen, eines officier de bouche,
die Preußen nennen es einen ›Mehlwurm‹.

Das eigentliche Amt des blutjungen Menschen war aber das
eines Günstlings des Prinzen, eines Brumels au petit pied und
ohne gesteifte Krawatte, und er teilte auch am Ende das
Schicksal solcher Spielzeuge der Fürstengunst. Mein Vater
blieb zwar zeitlebens fest überzeugt, daß der Prinz, welcher
später König von Hannover ward, ihn nie vergessen habe,
doch wußte er sich nie zu erklären, warum der Prinz niemals
nach ihm schickte, niemals sich nach ihm erkundigen ließ,
da er doch nicht wissen konnte, ob sein ehemaliger Günstling

nicht in Verhältnissen lebte, wo er etwa seiner bedürftig sein möchte.

Aus jener Feldzugsperiode stammen manche bedenkliche Liebhabereien meines Vaters, die ihm meine Mutter nur allmählich abgewöhnen konnte. Z. B. er ließ sich gern zu hohem Spiel verleiten, protegierte die dramatische Kunst oder vielmehr ihre Priesterinnen, und gar Pferde und Hunde waren seine Passion.

Bei seiner Ankunft in Düsseldorf, wo er sich aus Liebe für meine Mutter als Kaufmann etablierte, hatte er zwölf der schönsten Gäule mitgebracht. Er entäußerte sich aber derselben auf ausdrücklichen Wunsch seiner jungen Gattin, die ihm vorstellte, daß dieses vierfüßige Kapital zuviel Hafer fresse und gar nichts eintrage.

Schwerer ward es meiner Mutter, auch den Stallmeister zu entfernen, einen vierschrötigen Flegel, der beständig mit irgendeinem aufgegabelten Lump im Stalle lag und Karten spielte. Er ging endlich von selbst in Begleitung einer goldenen Repetieruhr meines Vaters und einiger anderer Kleinodien von Wert.

Nachdem meine Mutter den Taugenichts los war, gab sie auch den Jagdhunden meines Vaters ihre Entlassung, mit Ausnahme eines einzigen, welcher Joly hieß, aber erzhäßlich war. Er fand Gnade in ihren Augen, weil er eben gar nichts von einem Jagdhund an sich hatte und ein bürgerlich treuer und tugendhafter Haushund werden konnte. Er bewohnte im leeren Stalle die alte Kalesche meines Vaters, und wenn dieser hier mit ihm zusammentraf, warfen sie sich wechselseitig bedeutende Blicke zu. »Ja, Joly«, seufzte dann mein Vater, und Joly wedelte wehmütig mit dem Schwanze.

Ich glaube, der Hund war ein Heuchler, und einst in übler Laune, als sein Liebling über einen Fußtritt allzu jämmerlich wimmerte, gestand mein Vater, daß die Kanaille sich verstelle. Am Ende ward Joly sehr räudig, und da er eine wandelnde Kaserne von Flöhen geworden, mußte er ersäuft werden, was mein Vater ohne Einspruch geschehen ließ. – Die Menschen sakrifizieren ihre vierfüßigen Günstlinge mit derselben Indifferenz wie die Fürsten die zweifüßigen.

Aus der Feldlagerperiode meines Vaters stammte auch wohl seine grenzenlose Vorliebe für den Soldatenstand oder vielmehr für das Soldatenspiel, die Lust an jenem lustigen müßigen Leben, wo Goldflitter und Scharlachlappen die innere Leere verhüllen und die berauschte Eitelkeit sich als Mut gebärden kann.

In jener junkerlichen Umgebung gab es weder militärischen Ernst noch wahre Ruhmsucht; von Heroismus konnte gar nicht die Rede sein. Als die Hauptsache erschien ihm die Wachtparade, das klirrende Wehrgehenke, die straffanliegende Uniform, so kleidsam für schöne Männer.

Wie glücklich war daher mein Vater, als zu Düsseldorf die Bürgergarden errichtet wurden und er als Offizier derselben die schöne dunkelblaue, mit himmelblauen Sammetaufschlägen versehene Uniform tragen und an der Spitze seiner Kolonnen an unserm Hause vorbeidefilieren konnte. Vor meiner Mutter, welche errötend am Fenster stand, salutierte er dann mit allerliebster Courtoisie; der Federbusch auf seinem dreieckigen Hute flatterte da so stolz, und im Sonnenlicht blitzten freudig die Epauletten.

Noch glücklicher war mein Vater in jener Zeit, wenn die Reihe an ihn kam, als kommandierender Offizier die Hauptwache zu beziehen und für die Sicherheit der Stadt zu sorgen. An solchen Tagen floß auf der Hauptwache eitel Rüdesheimer und Aßmannshäuser von den trefflichsten Jahrgängen, alles auf Rechnung des kommandierenden Offiziers, dessen Freigebigkeit seine Bürgergardisten, seine Krethi und Plethi, nicht genug zu rühmen wußten.

Auch genoß mein Vater unter ihnen eine Popularität, die gewiß ebenso groß war wie die Begeisterung, womit die alte Garde den Kaiser Napoleon umjubelte. Dieser freilich verstand seine Leute in anderer Weise zu berauschen. Den Garden meines Vaters fehlte es nicht an einer gewissen Tapferkeit, zumal wo es galt, eine Batterie von Weinflaschen, deren Schlünde vom größten Kaliber, zu erstürmen. Aber ihr Heldenmut war doch von einer andern Sorte als die, welche wir bei der alten Kaisergarde fanden. Letztere starb und übergab sich nicht, während die Gardisten meines Vaters immer am Leben blieben und sich oft übergaben.

Was die Sicherheit der Stadt Düsseldorf betrifft, so mag es sehr bedenklich damit ausgesehen haben in den Nächten, wo mein Vater auf der Hauptwache kommandierte. Er trug zwar Sorge, Patrouillen auszuschicken, die singend und klirrend in verschiedenen Richtungen die Stadt durchstreiften. So geschah einst, daß zwei solcher Patrouillen sich begegneten und in der Dunkelheit die einen die andern als Trunkenbolde und Ruhestörer arretieren wollten. Zum Glück sind meine Landsleute ein harmlos fröhliches Völkchen, sie sind im Rausche gutmütig, »ils ont le vin bon«, und es geschah kein Malheur; sie übergaben sich wechselseitig.

Eine grenzenlose Lebenslust war ein Hauptzug im Charakter meines Vaters, er war genußsüchtig, frohsinnig, rosenlaunig. In seinem Gemüte war beständig Kirmes, und wenn auch manchmal die Tanzmusik nicht sehr rauschend, so wurden doch immer die Violinen gestimmt. Immer himmelblaue Heiterkeit und Fanfaren des Leichtsinns. Eine Sorglosigkeit, die des vorigen Tages vergaß und nie an den kommenden Morgen denken wollte.

Dieses Naturell stand im wunderlichsten Widerspruch mit der Gravität, die über sein strengruhiges Antlitz verbreitet war und sich in der Haltung und jeder Bewegung des Körpers kundgab. Wer ihn nicht kannte und zum ersten Male diese ernsthafte, gepuderte Gestalt und diese wichtige Miene sah, hätte gewiß glauben können, einen von den sieben Weisen Griechenlands zu erblicken. Aber bei näherer Bekanntschaft merkte man wohl, daß er weder ein Thales noch ein Lampsakus war, der über kosmogonische Probleme nachgrüble. Jene

Gravität war zwar nicht erborgt, aber sie erinnerte doch an jene antiken Basreliefs, wo ein heiteres Kind sich eine große tragische Maske vor das Antlitz hält.

Er war wirklich ein großes Kind mit einer kindlichen Naivität, die bei platten Verstandesvirtuosen sehr leicht für Einfalt gelten konnte, aber manchmal durch irgendeinen tiefsinnigen Ausspruch das bedeutendste Anschauungsvermögen (Intuition) verriet.

Er witterte mit seinen geistigen Fühlhörnern, was die Klugen erst langsam durch die Reflektion begriffen. Er dachte weniger mit dem Kopfe als mit dem Herzen und hatte das liebenswürdigste Herz, das man sich denken kann. Das Lächeln, das manchmal um seine Lippen spielte und mit der obenerwähnten Gravität gar drollig anmutig kontrastierte, war der süße Widerschein seiner Seelengüte.

Auch seine Stimme, obgleich männlich, klangvoll, hatte etwas Kindliches, ich möchte fast sagen etwas, das an Waldtöne, etwa an Rotkehlchenlaute erinnerte; wenn er sprach, so drang seine Stimme so direkt zu Herzen, als habe sie gar nicht nötig gehabt, den Weg durch die Ohren zu nehmen.

Er redete den Dialekt Hannovers, wo, wie auch in der südlichen Nachbarschaft dieser Stadt, das Deutsche am besten ausgesprochen wird. Das war ein großer Vorteil für mich, daß solchermaßen schon in der Kindheit durch meinen Vater mein Ohr an eine gute Aussprache des Deutschen gewöhnt wurde, während in unserer Stadt selbst jenes fatale Kauderwelsch des Niederrheins gesprochen wird, das zu Düsseldorf noch einigermaßen erträglich, aber in dem nachbarlichen Köln wahrhaft ekelhaft wird.

Er war von allen Menschen derjenige, den ich am meisten auf dieser Erde geliebt. Er ist jetzt tot, seit länger als 25 Jahren. Ich dachte nie daran, daß ich ihn einst verlieren würde, und selbst jetzt kann ich es kaum glauben, daß ich ihn wirklich verloren habe. Es ist so schwer, sich von dem Tod der Menschen zu überzeugen, die wir so innig liebten. Aber sie sind auch nicht tot, sie leben fort in uns und wohnen in unserer Seele.

Es verging seitdem keine Nacht, wo ich nicht an meinen seligen Vater denken mußte, und wenn ich des Morgens erwache, glaube ich oft den Klang seiner Stimme zu hören wie das Echo eines Traumes. Alsdann ist mir zu Sinn, als müßt' ich mich geschwind ankleiden und zu meinem Vater hinabeilen in die große Stube, wie ich als Knabe tat.

Mein Vater pflegte immer sehr frühe aufzustehen und sich an seine Geschäfte zu begeben, im Winter wie im Sommer, und ich fand ihn gewöhnlich schon am Schreibtisch, wo er ohne aufzublicken mir die Hand hinreichte zum Kusse. Eine schöne, feingeschnittene, vornehme Hand, die er immer mit Mandelkleie wusch. Ich sehe sie noch vor mir, ich sehe noch jedes blaue Äderchen, das diese blendendweiße Marmorhand durchrieselte. Mir ist, als steige der Mandelduft prickelnd in meine Nase, und das Auge wird feucht.

Zuweilen blieb es nicht beim bloßen Handkuß, und mein Vater nahm mich zwischen seine Knie und küßte mich auf die Stirn. Eines Morgens umarmte er mich mit ganz besonderer Zärtlichkeit und sagte: »Ich habe diese Nacht etwas Schönes von dir geträumt und bin sehr zufrieden mit dir, mein lieber Harry.« Während er diese naiven Worte sprach, zog ein Lächeln um seine Lippen, welches zu sagen schien: mag der Harry sich noch so unartig in der Wirklichkeit aufführen, ich werde dennoch, um ihn ungetrübt zu lieben, immer etwas Schönes von ihm träumen.

Ludwig Feuerbach
Grundsätze der Philosophie der Zukunft

Der Philosoph Ludwig Andreas Feuerbach war der Sohn des bekannten Strafrechtlers Anselm Ritter von Feuerbach und Onkel des Malers Anselm von Feuerbach. Er wurde 1804 geboren und einer der einflußreichsten Links-Hegelianer, der große Lehrer von Marx und Engels, die dann in Kritik seines philosophischen Anthropologismus ihre eigene Lehre ausbildeten.

Der 26jährige Privatdozent Feuerbach veröffentlichte eine ketzerische Schrift Gedanken über Tod und Unsterblichkeit; sie schien eine Universitätskarriere sehr zu erschweren. So zog er sich vom Lehramt zurück. Er heiratete; seine Frau machte ihm eine unabhängige Existenz möglich. Im Wintersemester 1848/49 hielt er in Heidelberg öffentliche Vorlesungen Über das Wesen der Religion; diese Vorlesungen wurden 1851 gedruckt. Sie enthielten einen Zentralgedanken Feuerbachs: daß der Mensch aus seinen Bedürfnissen und Idealen heraus die Götter geschaffen hat. Das bezeichnet er, der sich einen »geistigen Naturforscher« nennt, als das »anthropologische Wesen« der Religion.

In seinem Hauptwerk Das Wesen des Christentums schied sich der Hegelianer Feuerbach von Hegels »rationeller Mystik«. Der Kampf ging gegen alle Spekulation, im besonderen gegen die spekulative Theologie. Im Wesen des Christentums verkündete er programmatisch: »Ich verwerfe überhaupt unbedingt die absolute, die immaterielle, die mit sich selbst zufriedene Spekulation – die Spekulation, die ihren Stoff aus sich selbst schöpft. Ich bin himmelweit unterschieden von den

Philosophen, welche sich die Augen aus dem Kopfe reißen, um besser sehen zu können; ich brauche zum Denken die Sinne, vor allem die Augen.« Und weiter heißt es: »Ich bin Idealist nur auf dem Gebiet der praktischen Philosophie.«

Feuerbachs Lehre von der Religion, vom Christentum als der Manifestation – nicht eines Gottes, sondern der Menschheit, enthusiasmierte die Zeitgenossen. Engels schrieb: »Die Begeisterung war allgemein; wir waren alle momentan Feuerbachianer.« Auch Marx hielt, trotz schärfster Kritik, daran fest, daß Feuerbach ein Wegbereiter des revolutionären Sozialismus gewesen ist – auch wenn er, Feuerbach, innerhalb des Theoretischen blieb.

Feuerbachs Grundsätze der Philosophie der Zukunft, *eine kleine Schrift, die 1843 erschien (daraus im folgenden die ersten Paragraphen), ist als die wichtigste unter seinen philosophischen Arbeiten anerkannt. Sie sind in unseren Tagen als bedeutende Quelle gegenwärtigen Denkens wiederentdeckt worden. Sie setzten nicht nur der spekulativen Theologie, sondern auch der spekulativen Philosophie ein Ende.*

§ 1.

Die Aufgabe der neueren Zeit war die Verwirklichung und Vermenschlichung Gottes – die Verwandlung und Auflösung der Theologie in die Anthropologie.

§ 2.

Die religiöse oder praktische Weise dieser Vermenschlichung war der Protestantismus. Der Gott, welcher Mensch ist, der menschliche Gott also: Christus – dieser nur ist der Gott des Protestantismus. Der Protestantismus kümmert sich nicht mehr, wie der Katholizismus, darum, was Gott an sich selber ist, sondern nur darum, was er für den Menschen ist; er hat deshalb keine spekulative oder kontemplative Tendenz mehr

wie jener; er ist nicht mehr Theologie – er ist wesentlich nur
Christologie, das ist religiöse Anthropologie.

§ 3.

Der Protestantismus negierte jedoch den Gott an sich oder
Gott als Gott – denn Gott an sich ist erst eigentlicher Gott –
nur praktisch; theoretisch ließ er ihn bestehen; er ist, aber nur
nicht für den Menschen, das heißt den religiösen Menschen –
er ist ein jenseitiges Wesen, ein Wesen, das einst erst dort im
Himmel ein Gegenstand für den Menschen wird. Aber was
jenseits der Religion, das liegt diesseits der Philosophie, was
kein Gegenstand für jene, das ist gerade der Gegenstand für
diese.

§ 4.

Die rationelle oder theoretische Verarbeitung und Auflösung
des für die Religion jenseitigen, ungegenständlichen Gottes
ist die spekulative Philosophie.

§ 5.

Das Wesen der spekulativen Philosophie ist nichts anderes als
das rationalisierte, realisierte, vergegenwärtigte Wesen Gottes. Die spekulative Philosophie ist die wahre, die konse-
quente, die vernünftige Theologie.

§ 6.

Gott als Gott – als geistiges oder abstraktes, das ist nicht
menschliches, nicht sinnliches, nur der Vernunft oder Intelligenz zugängliches und gegenständliches Wesen – ist nichts
anderes als das Wesen der Vernunft selbst, welches aber von
der gemeinen Theologie oder vom Theismus vermittels der
Einbildungskraft als ein von der Vernunft unterschiedenes,
selbständiges Wesen vorgestellt wird. Es ist daher eine innere,
eine heilige Notwendigkeit, daß das von der Vernunft unterschiedene Wesen der Vernunft endlich mit der Vernunft iden-

tifiziert, das göttliche Wesen also als das Wesen der Vernunft erkannt, verwirklicht und vergegenwärtigt werde. Auf dieser Notwendigkeit beruht die hohe geschichtliche Bedeutung der spekulativen Philosophie.

Der Beweis, daß das göttliche Wesen das Wesen der Vernunft oder Intelligenz ist, liegt darin, daß die Bestimmungen oder Eigenschaften Gottes – soweit natürlich diese vernünftige oder geistige sind, nicht Bestimmungen der Sinnlichkeit oder Einbildungskraft – Eigenschaften der Vernunft sind.

»Gott ist das unendliche Wesen, das Wesen ohne alle Einschränkungen.« Aber was keine Grenze oder Schranke Gottes, das ist auch keine Schranke der Vernunft. Wo zum Beispiel Gott ein über die Schranken der Sinnlichkeit erhabenes Wesen ist, da ist es auch die Vernunft. Wer keine andere Existenz denken kann als eine sinnliche, wer also eine durch die Sinnlichkeit beschränkte Vernunft hat, der hat auch eben deswegen einen durch die Sinnlichkeit beschränkten Gott. Die Vernunft, welche Gott als ein unbeschränktes Wesen denkt, die denkt in Gott nur ihre eigene Unbeschränktheit. Was der Vernunft das göttliche, das ist ihr auch erst das wahrhaft vernünftige Wesen – das heißt das vollkommen der Vernunft entsprechende und eben deswegen sie befriedigende Wesen. Das aber, worin sich ein Wesen befriedigt, ist nichts anderes als sein gegenständliches Wesen. Wer sich in einem Dichter befriedigt, ist selbst eine dichterische, wer in einem Philosophen, selbst eine philosophische Natur, und daß er es ist, das wird ihm und anderen erst in dieser Befriedigung Gegenstand. Die Vernunft »bleibt aber nicht bei den sinnlichen, endlichen Dingen stehen; sie befriedigt sich nur in dem unendlichen Wesen« – also ist uns erst in diesem Wesen das Wesen der Vernunft aufgeschlossen.

»Gott ist das notwendige Wesen.« Aber diese seine Notwendigkeit beruht darauf, daß er ein vernünftiges, intelligentes Wesen ist. Die Welt, die Materie hat den Grund, warum sie ist und so ist, wie sie ist, nicht in sich, denn es ist ihr völlig

einerlei, ob sie ist oder nicht ist, ob sie so oder anders ist. Sie
setzt daher notwendig als Ursache ein anderes Wesen voraus,
und zwar ein verständiges, selbstbewußtes, nach Gründen
und Zwecken wirkendes Wesen. Denn nimmt man von diesem anderen Wesen die Intelligenz weg, so entsteht von
neuem die Frage nach dem Grund desselben. Die Notwendigkeit des ersten, höchsten Wesens beruht darum auf der
Voraussetzung, daß der Verstand allein das erste und höchste, das notwendige und wahre Wesen ist. Wie überhaupt die
metaphysischen oder ontotheologischen Bestimmungen erst
Wahrheit und Realität haben, wenn sie auf psychologische
oder vielmehr anthropologische Bestimmungen zurückgeführt werden, so hat also auch die Notwendigkeit des göttlichen Wesens in der alten Metaphysik oder Ontotheologie erst
Sinn und Verstand, Wahrheit und Realität in der psychologischen oder anthropologischen Bestimmung Gottes als eines
intelligenten Wesens. Das notwendige Wesen ist das notwendig zu denkende, schlechterdings zu bejahende, schlechterdings unleugbare oder unaufhebbare Wesen, aber nur als ein
selbstdenkendes Wesen. In dem notwendigen Wesen beweist
und zeigt also die Vernunft nur ihre eigene Notwendigkeit
und Realität.

»Gott ist das unbedingte, allgemeine – ›Gott ist nicht dies
und das‹ – unveränderliche, ewige oder zeitlose Wesen.«
Aber Unbedingtheit, Unveränderlichkeit, Ewigkeit, Allgemeinheit sind selbst nach dem Urteil der metaphysischen
Theologie auch Eigenschaften der Vernunftwahrheiten oder
Vernunftgesetze, folglich Eigenschaften der Vernunft selbst;
denn was sind diese unveränderlichen, allgemeinen, unbedingten, immer und überall gültigen Vernunftwahrheiten anderes als Ausdrücke von dem Wesen der Vernunft?

· »Gott ist das unabhängige, selbständige Wesen, welches
keines anderen Wesens zu seiner Existenz bedarf, folglich
von und durch sich selbst ist.« Aber auch diese abstrakte metaphysische Bestimmung hat nur Sinn und Realität als eine

Definition von dem Wesen des Verstandes und sagt daher nichts weiter aus, als daß Gott ein denkendes, intelligentes Wesen oder umgekehrt nur das denkende Wesen das göttliche ist; denn nur ein sinnliches Wesen bedarf zu seiner Existenz andere Dinge außer ihm. Luft bedarf ich zum Atmen, Wasser zum Trinken, Licht zum Sehen, pflanzliche und tierische Stoffe zum Essen, aber nichts, wenigstens unmittelbar, zum Denken. Ein atmendes Wesen kann ich nicht denken ohne die Luft, ein sehendes nicht ohne Licht, aber das denkende Wesen kann ich für sich isoliert denken. Das atmende Wesen bezieht sich notwendig auf ein Wesen außer ihm, hat seinen wesentlichen Gegenstand, das, wodurch es ist, was es ist, außer sich; aber das denkende Wesen bezieht sich auf sich selbst, ist sein eigener Gegenstand, hat sein Wesen in sich selbst, ist, was es ist, durch sich selbst.

§ 7.

Was im Theismus Objekt, das ist in der spekulativen Philosophie Subjekt, was das dort nur gedachte, vorgestellte Wesen der Vernunft, ist hier das denkende Wesen der Vernunft selbst.

Der Theist stellt sich Gott als ein außer der Vernunft, außer dem Menschen überhaupt existierendes, persönliches Wesen vor – er denkt als Subjekt über Gott als Objekt. Er denkt Gott als ein dem Wesen, das heißt seiner Vorstellung nach geistiges, unsinnliches, aber der Existenz, das heißt der Wahrheit nach sinnliches Wesen; denn das wesentliche Merkmal einer objektiven Existenz, einer Existenz außer dem Gedanken oder der Vorstellung ist die Sinnlichkeit. Er unterscheidet Gott von sich in demselben Sinne, in welchem er die sinnlichen Dinge und Wesen als außer ihm existierende von sich unterscheidet; kurz, er denkt Gott vom Standpunkt der Sinnlichkeit aus. Der spekulative Theologe oder Philosoph dagegen denkt Gott vom Standpunkt des Denkens aus; er hat daher nicht zwischen sich und Gott in der Mitte die störende

Vorstellung eines sinnlichen Wesens; er identifiziert somit ohne Hindernis das objektive, gedachte Wesen mit dem subjektiven, denkenden Wesen.

Die innere Notwendigkeit, daß Gott aus einem Objekt des Menschen zum Subjekt, zum denkenden Ich des Menschen wird, ergibt sich aus dem bereits Entwickelten näher so: Gott ist Gegenstand des Menschen, und nur des Menschen, nicht des Tieres. Was aber ein Wesen ist, das wird nur aus seinem Gegenstand erkannt; der Gegenstand, auf den sich ein Wesen notwendig bezieht, ist nichts anderes als sein offenbares Wesen. So ist der Gegenstand der pflanzenfressenden Tiere die Pflanze; aber durch diesen Gegenstand unterscheiden sich wesentlich dieselben von den anderen, den fleischfressenden Tieren. So ist der Gegenstand des Auges das Licht, nicht der Ton, nicht der Geruch. Im Gegenstand des Auges ist uns aber sein Wesen offenbar. Ob einer nicht sieht oder kein Auge hat, ist darum einerlei. Wir benennen daher auch im Leben die Dinge und Wesen nur nach ihren Gegenständen. Das Auge ist das ›Lichtorgan‹. Wer den Boden bebaut, ist ein Bauer; wer die Jagd zum Objekt seiner Tätigkeit hat, ist ein Jäger; wer Fische fängt, ein Fischer und so weiter. Wenn also Gott – und zwar, wie er es ja ist, notwendig und wesentlich – ein Gegenstand des Menschen ist, so ist in dem Wesen dieses Gegenstandes nur das eigene Wesen des Menschen ausgesprochen. Stelle Dir vor, ein denkendes Wesen auf einem Planeten oder gar Kometen bekäme zu Gesicht die paar Paragraphen einer christlichen Dogmatik, welche von dem Wesen Gottes handeln. Was würde dieses Wesen aus diesen Paragraphen folgern? Etwa die Existenz eines Gottes im Sinne einer christlichen Dogmatik? Nein! Es würde nur daraus folgern, daß auch auf der Erde denkende Wesen sind; es würde in den Definitionen der Erdbewohner von ihrem Gott nur Definitionen von ihrem eigenen Wesen, zum Beispiel in der Definition: Gott ist ein Geist, nur den Beweis und Ausdruck ihres eigenen Geistes finden; kurz, es würde aus dem Wesen und

den Eigenschaften des Objektes auf das Wesen und die Eigenschaften des Subjektes schließen. Und mit vollem Recht;
denn die Unterscheidung zwischen dem, was der Gegenstand
an sich selbst, und dem, was er für den Menschen ist, fällt bei
diesem Objekt weg. Diese Unterscheidung ist nur an ihrem
Platz bei einem unmittelbar sinnlich und eben deswegen
auch noch anderen Wesen außer dem Menschen gegebenen
Gegenstand. Das Licht ist nicht nur für den Menschen da, es
affiziert auch die Tiere, auch die Pflanzen, auch die unorgani-
schen Stoffe: es ist ein allgemeines Wesen. Um zu erfahren,
was das Licht ist, betrachten wir darum nicht nur die Eindrücke und Wirkungen desselben auf uns, sondern auch auf
andere, von uns unterschiedene Wesen. Notwendig, objektiv
begründet ist daher hier die Unterscheidung zwischen dem
Gegenstand an sich selbst und dem Gegenstand für uns, namentlich zwischen dem Gegenstand in der Wirklichkeit und
dem Gegenstand in unserem Denken und Vorstellen. Gott
aber ist nur ein Gegenstand des Menschen. Die Tiere und
Sterne preisen Gott nur im Sinne des Menschen. Es gehört
also zum Wesen Gottes selbst, daß er keinem anderen Wesen
außer dem Menschen Gegenstand, daß er ein spezifisch
menschlicher Gegenstand, ein Geheimnis des Menschen ist.
Wenn aber Gott nur ein Gegenstand des Menschen ist, was
offenbart sich uns im Wesen Gottes?

Max Stirner
Der Einzige und sein Eigentum

*M*ax *Stirner ist ein Pseudonym für Kaspar Schmidt. Er wurde 1806 in Bayreuth geboren und starb 1856 in Berlin. Er studierte hier von 1826 bis 1828, in der Blütezeit des Hegelianismus, bei Hegel und Schleiermacher. Dann ging er an die Universitäten zu Erlangen und Königsberg. Er lebte als Journalist und Privatgelehrter in wirtschaftlich ungünstigen Umständen.*

Stirner gehört zu der recht bunten Front der Antihegelianer, die so verschiedene Denker wie Schopenhauer und Feuerbach, Kierkegaard und Nietzsche in eine Reihe stellte. Vor allem rebellierte er gegen Hegels Ignorieren des Individuums und schuf einen radikalen Individualismus, der, überspitzt, dennoch anzeigte, was eine der wesentlichsten Schwächen des deutschen Idealismus, vor allem der Philosophie Hegels war.

Was wirklich ist, meinte Stirner, ist allein das empirische Ich. Er faßte sein Bekenntnis in den Satz: »Mir geht nichts über mich.« Stirner entdeckte die Vergewaltigung des Individuums bereits in den Allgemeinbegriffen, den Ideen, den Idealen. Er behandelte sie weniger als Illusionen denn als Despotien, welche den einzelnen nicht aufkommen lassen.

Stirners Hauptwerk Der Einzige und sein Eigentum *(1845) hat als Motto: »Ich hab’ Mein’ Sach’ auf nichts gestellt.« Mit nichts ist hier gemeint: auf keine Philosophie, keine Religion, keine Ethik, nur auf mein Dasein. In dieser Haltung nennt er das Ich den ›Einzigen‹. »Ich bin nicht ein Ich neben anderen Ichen«, heißt es bei ihm, »ich bin einzig.«*

So kämpft er gegen die Gesellschaft und den Staat, gegen

Gott und Vaterland – gegen alle Ideale, die dem Ideal ›Der Einzige‹ Konkurrenz machen. Es ist sehr leicht, diese pointierte Vergötzung des Individuums zu kritisieren; es ist sehr leicht, wie es Feuerbach und Marx und Engels dann taten, in Stirner den Hymniker des anarchischen Bourgeois zu bekämpfen. Aber hier kam auch eine echte Opposition zum Durchbruch, die wir in Kierkegaard und Nietzsche wiederfinden (sosehr sie auch von Stirners Primitivität entfernt waren): daß der Lebende nicht für Staat und Gesellschaft, für Metaphysik und Moral da ist – sondern ein sehr konkretes, sehr individuelles Leben zu leben hat.

Zur Zeit der Weimarer Republik gab es noch einmal eine Art von kleiner Renaissance des Einzigen und sein Eigentum. *Anselm Ruest und Mynona gaben eine Zeitschrift ›Der Einzige‹ heraus, veranstalteten Kongresse und scharten eine Gruppe von Stirnerianern um sich. Einen größeren Einfluß konnte Stirner nicht haben, weil er die gewaltigen gesellschaftlichen Probleme seiner (und unserer) Zeit ignorierte. Aber als Gegengift gegen das gedankenlose Denken in Anonyma wie Geschichtliche Mächte, Soziale Tendenzen, das nicht bedenkt, wie alle diese Hilfskonstruktionen nur da sind für lebende Einzelne ... als Korrektur jedes Denkens ausschließlich in Institutionen, ist Stirner noch heute aktuell.*

Ich hab' Mein' Sach' auf nichts gestellt

Was soll nicht alles meine Sache sein! Vor allem die gute Sache, dann die Sache Gottes, die Sache der Menschheit, der Wahrheit, der Freiheit, der Humanität, der Gerechtigkeit; ferner die Sache meines Volkes, meines Fürsten, meines Vaterlandes; endlich gar die Sache des Geistes und tausend andere Sachen. Nur *meine* Sache soll niemals meine Sache sein. »Pfui über den Egoisten, der nur an sich denkt!«

Sehen wir denn zu, wie diejenigen es mit *ihrer* Sache machen, für deren Sache wir arbeiten, uns hingeben und begeistern sollen.

Ihr wißt von Gott viel Gründliches zu verkünden und habt Jahrtausende lang ›die Tiefen der Gottheit erforscht‹ und ihr ins Herz geschaut, so daß Ihr uns wohl sagen könnt, wie Gott die ›Sache Gottes‹, der wir zu dienen berufen sind, selber betreibt. Und ihr verhehlt es auch nicht, das Treiben des Herrn. Was ist nun seine Sache? Hat er, wie es *uns* zugemutet wird, eine fremde Sache, hat er die Sache der Wahrheit, der Liebe zur seinigen gemacht? Euch empört dies Mißverständnis, und ihr belehrt uns, daß Gottes Sache allerdings die Sache der Wahrheit und Liebe sei, daß aber diese Sache keine ihm fremde genannt werden könne, weil Gott ja selbst die Wahrheit und Liebe sei; euch empört die Annahme, daß Gott uns armen Würmern gleichen könnte, indem er eine fremde Sache als eigene beförderte. »Gott sollte der Sache der Wahrheit sich annehmen, wenn er nicht selbst die Wahrheit wäre?« Er sorgt nur für *seine* Sache, aber weil er Alles in Allem ist, darum ist auch alles *seine* Sache; wir aber, wir sind nicht Alles in Allem, und unsere Sache ist gar klein und verächtlich; darum müssen wir einer ›höheren Sache dienen‹. – Nun, es ist klar, Gott bekümmert sich nur um's Seine, beschäftigt sich nur mit sich, denkt nur an sich und hat nur sich im Auge; wehe allem, was *ihm* nicht wohlgefällig ist. Er dient keinem Höheren und befriedigt nur sich. Seine Sache ist eine – rein egoistische Sache.

Wie steht es mit der Menschheit, deren Sache wir zur unsrigen machen sollen? Ist ihre Sache etwa die eines andern, und dient die Menschheit einer höheren Sache? Nein, die Menschheit sieht nur auf sich, die Menschheit will nur die Menschheit fördern, die Menschheit ist sich selber ihre Sache. Damit sie sich entwickle, läßt sie Völker und Individuen in ihrem Dienste sich abquälen, und wenn diese geleistet haben, was die Menschheit braucht, dann werden sie von ihr aus Dankbarkeit auf den Mist der Geschichte geworfen. Ist die Sache der Menschheit nicht eine – rein egoistische Sache?

Ich brauche gar nicht an jedem, der seine Sache uns zuschieben möchte, zu zeigen, daß es ihm nur um sich, nicht um uns, nur um sein Wohl, nicht um das unsere zu tun ist. Seht euch die Übrigen nur an. Begehrt die Wahrheit, die Freiheit, die Humanität, die Gerechtigkeit etwas anderes, als daß Ihr euch enthusiasmiert und ihnen dient?

Sie stehen sich alle ausnehmend gut dabei, wenn ihnen pflichteifrigst gehuldigt wird. Betrachtet einmal das Volk, das von ergebenen Patrioten geschützt wird. Die Patrioten fallen im blutigen Kampfe oder im Kampfe mit Hunger und Not; was fragt das Volk darnach? Das Volk wird durch den Dünger ihrer Leichen ein ›blühendes Volk‹! Die Individuen sind ›für die große Sache des Volks‹ gestorben, und das Volk schickt ihnen einige Worte des Dankes nach und – hat den Profit davon. Das nenn' ich mir einen einträglichen Egoismus.

Aber seht doch jenen Sultan an, der für die Seinen so liebreich sorgt. Ist er nicht die pure Uneigennützigkeit selber und opfert er sich nicht stündlich für die Seinen? Jawohl, für die ›Seinen‹. Versuch es einmal und zeige dich nicht als der Seine, sondern als der Deine: du wirst dafür, daß du seinem Egoismus dich entzogst, in den Kerker wandern. Der Sultan hat seine Sache auf nichts als auf sich gestellt: er ist sich alles in allem, ist sich der einzige und duldet keinen, der es wagte, nicht einer der ›Seinen‹ zu sein.

Und an diesen glänzenden Beispielen wollt ihr nicht lernen, daß der Egoist am besten fährt? Ich meinesteils nehme mir eine Lehre daran und will, statt jenen großen Egoisten ferner uneigennützig zu dienen, lieber selber der Egoist sein.

Gott und die Menschheit haben ihre Sache auf nichts gestellt, auf nichts als auf sich. Stelle ich denn meine Sache gleichfalls auf *mich,* der ich so gut wie Gott das Nichts von allem andern, der ich mein alles, der ich der einzige bin.

Hat Gott, hat die Menschheit, wie ihr versichert, Gehalt genug in sich, um sich alles in allem zu sein: so spüre ich, daß es *mir* noch weit weniger daran fehlen wird und daß ich über meine ›Leerheit‹ keine Klage zu führen haben werde. Ich bin nicht nichts im Sinne der Leerheit, sondern das schöpferische Nichts, das Nichts, aus welchem ich selbst als Schöpfer alles schaffe.

Fort denn mit jeder Sache, die nicht ganz und gar meine Sache ist! Ihr meint, meine Sache müsse wenigstens die ›gute Sache‹ sein? Was gut, was böse! Ich bin ja selber meine Sache, und ich bin weder gut noch böse. Beides hat für mich keinen Sinn.

Das Göttliche ist Gottes Sache, das Menschliche Sache ›des Menschen‹. Meine Sache ist weder das Göttliche noch das Menschliche, ist nicht das Wahre, Gute, Rechte, Freie und so weiter, sondern allein das *Meinige,* und sie ist keine allgemeine, sondern ist – *einzig,* wie ich einzig bin.

Mir geht nichts über mich!

Ein Menschenleben

Von dem Augenblicke an, wo er das Licht der Welt erblickt, sucht ein Mensch aus ihrem Wirrwarr, in welchem auch er mit allem andern bunt durcheinander herumgewürfelt wird, sich herauszufinden und sich zu gewinnen.

Doch wehrt sich wiederum alles, was mit dem Kinde in Berührung kommt, gegen dessen Eingriffe und behauptet sein eigenes Bestehen.

Mithin ist, weil Jegliches auf sich hält und zugleich mit anderem in stete Kollision gerät, der Kampf der Selbstbehauptung unvermeidlich.

Siegen oder Unterliegen – zwischen beiden Wechselfällen schwankt das Kampfgeschick. Der Sieger wird der Herr, der Unterliegende der Untertan: jener übt die Hoheit und

›Hoheitsrechte‹, dieser erfüllt in Ehrfurcht und Respekt die ›Untertanenpflichten‹.

Aber Feinde bleiben beide und liegen immer auf der Lauer: sie lauern einer auf die Schwäche des andern, Kinder auf die der Eltern und Eltern auf die der Kinder (zum Beispiel ihre Furcht), der Stock überwindet entweder den Menschen, oder der Mensch überwindet den Stock.

Im Kindheitsalter nimmt die Befreiung den Verlauf, daß wir auf den Grund der Dinge oder ›hinter die Dinge‹ zu kommen suchen: daher lauschen wir allen ihre Schwächen ab, wofür bekanntlich Kinder einen sichern Instinkt haben, daher zerbrechen wir gerne, durchstöbern gern verborgene Winkel, spähen nach dem Verhüllten und Entzogenen und versuchen uns an allem. Sind wir erst dahintergekommen, so wissen wir uns sicher; sind wir zum Beispiel dahintergekommen, daß die Rute zu schwach ist gegen unsern Trotz, so fürchten wir sie nicht mehr, ›sind ihr entwachsen‹.

Hinter der Rute steht, mächtiger als sie, unser – Trotz, unser trotziger Mut. Wir kommen gemach hinter alles, was uns unheimlich und nicht geheuer war, hinter die unheimlich gefürchtete Macht der Rute, der strengen Miene des Vaters und so weiter, und hinter allem finden wir unsere – Ataraxie, das heißt Unerschütterlichkeit, Unerschrockenheit, unsere Gegengewalt, Übermacht, Unbezwingbarkeit. Was uns erst Furcht und Respekt einflößte, davor ziehen wir uns nicht mehr scheu zurück, sondern fassen Mut. Hinter allem finden wir unsern Mut, unsere Überlegenheit; hinter dem barschen Befehl der Vorgesetzten und Eltern steht doch unser mutiges Belieben oder unsere überlistende Klugheit. Und je mehr wir uns fühlen, desto kleiner erscheint, was zuvor unüberwindlich dünkte. Und was ist unsere List, Klugheit, Mut, Trotz? Was sonst als – Geist!

Eine geraume Zeit hindurch bleiben wir mit einem Kampfe, der später uns so sehr in Atem setzt, verschont, mit dem Kampfe gegen die Vernunft. Die schönste Kindheit geht vorüber, ohne daß wir nötig hätten, uns mit der Vernunft herumzuschlagen. Wir kümmern uns gar nicht um sie, lassen uns mit ihr nicht ein, nehmen keine Vernunft an. Durch Überzeugung bringt man uns zu nichts, und gegen die guten Gründe, Grundsätze und so weiter sind wir taub; Liebkosungen, Züchtigungen und ähnlichem widerstehen wir dagegen schwer.

Dieser saure Lebenskampf mit der Vernunft tritt erst später auf und beginnt eine neue Phase: in der Kindheit tummeln wir uns, ohne viel zu grübeln.

Geist heißt die erste Selbstfindung, die erste Entgötterung des Göttlichen, das heißt des Unheimlichen, des Spuks, der ›oberen Mächte‹. Unserem frischen Jugendgefühl, diesem Selbstgefühl, imponiert nun nichts mehr: die Welt ist in Verruf erklärt, denn wir sind über ihr, sind Geist.

Jetzt erst sehen wir, daß wir die Welt bisher gar nicht mit Geist angeschaut haben, sondern nur angestiert.

An Naturgewalten üben wir unsere ersten Kräfte. Eltern imponieren uns als Naturgewalt; später heißt es: Vater und Mutter sei zu verlassen, alle Naturgewalt für gesprengt zu erachten. Sie sind überwunden. Für den Vernünftigen, das heißt ›Geistigen Mensch‹, gibt es keine Familie als Naturgewalt: es zeigt sich eine Absagung von Eltern, Geschwistern und so weiter. Werden diese als geistige, vernünftige Gewalten ›wiedergeboren‹, so sind sie durchaus nicht mehr das, was sie vorher waren.

Und nicht bloß die Eltern, sondern die Menschen überhaupt werden von dem jungen Menschen besiegt: sie sind ihm kein Hindernis und werden nicht mehr berücksichtigt: denn, heißt es nun: man muß Gott mehr gehorchen als den Menschen.

Alles ›Irdische‹ weicht unter diesem hohen Standpunkte in verächtliche Ferne zurück: denn der Standpunkt ist der – *himmlische.*

Die Haltung hat sich nun durchaus umgekehrt, der Jüngling nimmt ein geistiges Verhalten an, während der Knabe, der sich noch nicht als Geist fühlte, in einem geistlosen Lernen aufwuchs. Jener sucht nicht der Dinge habhaft zu werden, zum Beispiel nicht die Geschichtsdata in seinen Kopf zu bringen, sondern der Gedanken, die in den Dingen verborgen liegen, also zum Beispiel des Geistes der Geschichte; der Knabe hingegen versteht wohl Zusammenhänge, aber nicht Ideen, den Geist; daher reiht er Lernbares an Lernbares, ohne apriorisch und theoretisch zu verfahren, das heißt ohne nach Ideen zu suchen.

Hatte man in der Kindheit den Widerstand der Weltgesetze zu bewältigen, so stößt man nun bei allem, was man vorhat, auf eine Einrede des Geistes, der Vernunft, des eigenen Gewissens. ›Das ist unvernünftig, unchristlich, unpatriotisch‹ und dergleichen, ruft uns das Gewissen zu, und – schreckt uns davon ab. – Nicht die Macht der rächenden Eumeniden, nicht den Zorn des Poseidon, nicht den Gott, so fern er auch das Verborgene sieht, nicht die Strafrute des Vaters fürchten wir, sondern das – *Gewissen*.

Wir ›hängen nun unsern Gedanken nach‹ und folgen ebenso ihren Geboten, wie wir vorher den elterlichen, menschlichen folgten. Unsere Taten richten sich nach unseren Gedanken (Ideen, Vorstellungen, Glauben), wie in der Kindheit nach den Befehlen der Eltern.

Indes gedacht haben wir auch schon als Kinder, nur waren unsere Gedanken keine fleischlosen, abstrakten, absoluten, das heißt nichts als Gedanken, ein Himmel für sich, eine reine Gedankenwelt, logische Gedanken.

Im Gegenteil waren es nur Gedanken gewesen, die wir uns über eine Sache machten: wir dachten uns das Ding so oder so. Wir dachten also wohl: die Welt, die wir da sehen, hat Gott gemacht; aber wir dachten (›erforschten‹) nicht die ›Tiefen der Gottheit selber‹; wir dachten wohl: ›Das ist das Wahre an der Sache‹, aber wir dachten nicht das Wahre oder die Wahrheit selbst und verbanden nicht zu einem Satze ›Gott ist die Wahrheit‹. Die ›Tiefen der Gottheit, welche die Wahrheit ist‹, berührten wir nicht. Bei solchen rein logischen, das heißt theologischen Fragen: ›Was ist Wahrheit‹ hält sich Pilatus nicht auf, wenngleich er im einzelnen Falle darum nicht zweifelt, zu ermitteln, ›was Wahres an der Sache ist‹, das heißt, ob die Sache wahr ist.

Jeder an eine Sache gebundene Gedanke ist noch nicht nichts als Gedanke, absoluter Gedanke.

Den reinen Gedanken zu Tage zu fördern oder ihm anzuhängen, das ist Jugendlust, und alle Lichtgestalten der Gedankenwelt, wie Wahrheit, Freiheit, Menschentum, der Mensch und so weiter erleuchten und begeistern die jugendliche Seele.

Ist aber der Geist als das Wesentliche erkannt, so macht es doch einen Unterschied, ob der Geist arm oder reich ist, und man sucht deshalb reich an Geist zu werden: es will der Geist sich ausbreiten, sein Reich zu gründen, ein Reich, das nicht von dieser Welt ist, der eben überwundenen. So sehnt er sich denn alles in allem zu werden, das heißt, obgleich ich Geist bin, bin ich doch nicht vollendeter Geist und muß den vollkommenen Geist erst suchen.

Damit verliere ich aber, der ich mich soeben als Geist gefunden hatte, sogleich mich wieder, indem ich vor dem vollkommenen Geiste, als einem mir nicht eigenen, sondern jenseitigen mich beuge und meine Leerheit fühle.

Auf Geist kommt zwar alles an, aber ist auch jeder Geist der ›rechte‹ Geist? Der rechte und wahre Geist ist das Ideal des Geistes, der ›heilige Geist‹. Er ist nicht mein oder dein Geist, sondern eben ein – idealer, jenseitiger, er ist ›Gott‹. ›Gott ist Geist.‹ Und dieser jenseitige ›Vater im Himmel gibt ihn denen, die ihn bitten‹.

Den Mann scheidet es vom Jünglinge, daß er die Welt nimmt, wie sie ist, statt sie überall im argen zu wähnen und verbessern, das heißt nach seinem Ideale modeln zu wollen; in ihm befestigt sich die Ansicht, daß man mit der Welt nach seinem Interesse verfahren müsse, nicht nach seinen Idealen.

Solange man sich nur als Geist weiß und all seinen Wert darein legt, Geist zu sein (dem Jünglinge wird es leicht, sein Leben, das ›leibliche‹, für ein Nichts hinzugeben, für die albernste Ehrenkränkung), so lange hat man auch nur Gedanken, Ideen, die man einst, wenn man einen Wirkungskreis gefunden, verwirklichen zu können hofft; man hat also einstweilen nur Ideale, unvollzogene Ideen oder Gedanken.

Erst dann, wenn man sich leibhaftig liebgewonnen und an sich, wie man leibt und lebt, eine Lust hat – so aber findet sich's im reifen Alter, beim Manne –, erst dann hat man ein persönliches oder egoistisches Interesse, das heißt ein Interesse nicht etwa nur unseres Geistes, sondern totaler Befriedigung, Befriedigung des ganzen Kerls, ein eigennütziges Interesse. Vergleicht doch einmal einen Mann mit einem Jünglinge, ob er euch nicht härter, ungroßmütiger, eigennütziger erscheinen wird. Ist er darum schlechter? Ihr sagt nein, er sei nur bestimmter oder, wie ihr's auch nennt, ›praktischer‹ geworden. Hauptsache jedoch ist dies, daß er sich mehr zum Mittelpunkte macht als der Jüngling, der für anderes, zum Beispiel Gott, Vaterland und dergleichen ›schwärmt‹.

Darum zeigt der Mann eine zweite Selbstfindung. Der Jüngling fand sich als Geist und verlor sich wieder an den allgemeinen Geist, den vollkommenen, heiligen Geist, den Menschen, die Menschheit, kurz alle Ideale; der Mann findet sich als leibhaftigen Geist.

Knaben hatten nur ungeistige, das heißt gedankenlose und ideenlose, Jünglinge nur geistige Interessen; der Mann hat leibhaftige, persönliche, egoistische Interessen.

Wenn das Kind nicht einen Gegenstand hat, mit welchem es sich beschäftigen kann, so fühlt es Langeweile: denn mit sich weiß es sich noch nicht zu beschäftigen. Umgekehrt wirft der Jüngling den Gegenstand auf die Seite, weil ihm Gedanken aus dem Gegenstande aufgingen: er beschäftigt sich mit seinen Gedanken, seinen Träumen, beschäftigt sich geistig, oder ›sein Geist ist beschäftigt‹.

Alles nicht Geistige befaßt der junge Mensch unter dem verächtlichen Namen der ›Äußerlichkeiten‹. Wenn er gleichwohl an den kleinlichsten Äußerlichkeiten haftet (zum Beispiel burschikosen und anderen Formalitäten), so geschieht es, weil und wenn er in ihnen Geist entdeckt, das heißt, wenn sie ihm Symbole sind.

Wie ich mich hinter den Dingen finde, und zwar als Geist, so muß ich mich später auch hinter den Gedanken finden, nämlich als ihr Schöpfer und Eigner.

Marx – Engels
Aus dem Briefwechsel

*V*ielleicht *hat es noch nie eine solche Lebens-, Werk- und Wirkungsgemeinschaft gegeben wie die zwischen Karl Marx und Friedrich Engels, der zwei Jahre jünger war als sein Freund und ihn um zwölf Jahre überlebte.*

Ihre Werke sind in einer einzigen Gesamtausgabe des Marx-Engels-Lenin-Instituts veröffentlicht worden; bisweilen kann man den Anteil des einen von dem des andern nicht mehr sondern – wie zum Beispiel in ihrer berühmtesten Gemeinschaftsproduktion, dem Manifest der Kommunistischen Partei *vom Jahre 1848.*

Wie sehr sie eins waren und doch zwei recht verschiedene Individualitäten, verschieden im Temperament und in der Begabung, zeigt der Briefwechsel, der innerhalb der Gesamtausgabe in vier dicken Bänden erschienen ist: eine Fundgrube für alle, welche die Entstehung und Wandlung des Marxismus in den ersten vierzig Jahren seines Daseins studieren wollen. Dies Studium ist sehr lehrreich, aus mehr als einem Grunde. Denn der Briefwechsel gibt nicht nur ein sehr anschauliches Bild von der deutschen und europäischen, auch der amerikanischen Kultur um die Mitte des neunzehnten Jahrhunderts und in den folgenden Jahrzehnten; er schenkt auch den gründlichsten Einblick in die theoretischen und praktisch-politischen Probleme zu Beginn der Kommunisten-Bewegung.

Hätten selbst nur die besten deutschen kommunistischen Intellektuellen heute wie Lukácz und Bloch auch nur annähernd so viel Mut zu eigenen Gedanken, dann stünde es heute besser um den Marxismus.

*Wir bringen im Folgenden die beiden ersten Briefe des vier-
undzwanzigjährigen Fabrikantensohns Friedrich Engels aus
Barmen an seinen Freund Karl Marx, der bereits das erste Mal
ins Exil gegangen ist, nach Paris, dort deutsche Zeitschriften
herausgibt und an jenen Werken arbeitet, die unter dem Titel*
Frühschriften *zusammengefaßt werden.*

*Dies ist der junge Engels, wie er in den folgenden zwei Brie-
fen sichtbar wird: lustig, voll von Humor, politisch-aggressiv
gegen die Bourgeoisie seiner industriellen Heimat, ein leidenschaftlicher politischer Agitator, im schärfsten Gegensatz zu
seinem respektablen, wohlhabenden Papa, der einen ehrbaren
Fabrikantensohn will. Der vierundzwanzigjährige Jüngling
hat viel gelesen, weiß besonders gut Bescheid über die sozialen
Verhältnisse des fortgeschrittensten europäischen Landes,
England, und bereitet gerade die Schrift vor, die mehr als
irgendeine mit seinem Namen verbunden ist:* Die Lage der
arbeitenden Klassen in England. *Sie erschien im Jahr nach
unseren Briefen: 1845.*

*Der junge Engels verfolgt die Literatur Gleichgesinnter mit
Lob und Kritik, wie man sehen wird – und nimmt in den Briefen hier besonders das gerade erschienene, aufregende Werk
Max Stirners* Der Einzige und sein Eigentum *aufs Korn. So ist
Engels mit Haut und Haaren hingegeben der philosophisch-
politischen Auseinandersetzung mit seinen Zeitgenossen und
der praktisch-politischen Werbung und leidet schwer unter
seinem Doppelleben, wie er es sah: als Nutznießer der herrschenden Klasse und als Trommler für die beherrschte.*

*Dieser Gewissenskonflikt wird noch stärker ausgedrückt in
einem Schreiben vom 17. März 1845, wo es heißt:* »Der Schacher ist zu scheußlich, Barmen ist scheußlich, die Zeitver-
schwendung ist scheußlich, und besonders ist es zu scheußlich,
nicht nur Bourgeois, sondern sogar Fabrikant, aktiv gegen das
Proletariat auftretender Bourgeois zu bleiben. Ein paar Tage
auf der Fabrik meines Alten haben mich dazu gebracht, diese
Scheußlichkeit, die ich etwas übersehen hatte, mir wieder vor

*Augen zu stellen. Ich hatte natürlich darauf gerechnet, nur so
lange im Schacher zu bleiben, als mir paßte, und dann irgend
etwas Polizeiwidriges zu schreiben, um mich mit guter Manier über die Grenze drücken zu können, aber selbst bis dahin
halt ich's nicht aus.«*

*Und dann mußte er es aushalten, von 1850 bis 1869 im vä-
terlichen Geschäft in Manchester tätig zu sein – im »Schacher«, um mit Engels zu reden. Und dieser »Schacher« finan-
zierte Karl Marx, der so imstande war, das* Kapital *und die
anderen Werke zu schreiben, welche mithalfen, die Welt zu
verändern.*

1. Engels an Marx in Paris
(Barmen, zwischen dem 8. oder 10. Oktober 1844)

Lieber Marx,

Du wirst Dich wundern, daß ich nicht früher schon Nachricht von mir gab, und Du hast ein Recht dazu; indes kann ich
Dir auch jetzt noch nichts wegen meiner Rückkehr dorthin
sagen. Ich sitze jetzt hier seit drei Wochen in Barmen und
amüsiere mich so gut es geht mit wenig Freunden und viel
Familie, unter der sich glücklicherweise ein halb Dutzend lie-
benswürdiger Weiber befinden. An Arbeiten ist hier nicht zu
denken, um so weniger, als meine Schwester sich mit dem
Londoner Kommunisten Emil Blank, den Ewerbeck kennt,
verlobt hat und jetzt natürlich ein verfluchtes Rennen und
Laufen im Hause ist. Übrigens sehe ich wohl, daß meiner
Rückkehr nach Paris noch bedeutende Schwierigkeiten werden in den Weg gelegt werden, und daß ich wohl werde auch
ein halbes oder ganzes Jahr mich in Deutschland herumtreiben müssen; ich werde natürlich alles aufbieten, um dies zu
vermeiden, aber Du glaubst nicht, was für kleinliche Rücksichten und abergläubische Befürchtungen mir entgegengestellt werden.

Ich war in Köln drei Tage und erstaunte über die ungeheure Propaganda, die wir dort gemacht haben. Die Leute sind sehr tätig, aber der Mangel an einem gehörigen Rückhalt ist doch sehr fühlbar. Solange nicht die Prinzipien logisch und historisch aus der bisherigen Anschauungsweise und der bisherigen Geschichte und als die notwendige Fortsetzung derselben in ein paar Schriften entwickelt sind, so lange ist es doch alles noch halbes Dösen und bei den meisten blindes Umhertappen. Später war ich in Düsseldorf, wo wir auch einige tüchtige Kerls haben. Am besten gefallen mir übrigens noch meine Elberfelder, bei denen die menschliche Anschauungsweise wirklich in Fleisch und Blut übergegangen ist; diese Kerls haben wirklich angefangen, ihre Familienwirtschaft zu revolutionieren und lesen ihren Alten jedesmal den Text, wenn sie sich unterfangen, die Dienstboten oder Arbeiter aristokratisch zu behandeln – und so was ist schon viel in dem patriarchalischen Elberfeld. Außer dieser einen Clique existiert aber auch noch eine zweite in Elberfeld, die auch sehr gut, aber etwas konfuser ist. In Barmen ist der Polizeikommissär Kommunist. Vorgestern war ein alter Schulkamerad und Gymnasiallehrer bei mir, der auch stark angesteckt ist, ohne daß er irgendwie mit Kommunisten in Berührung gekommen wäre. Könnten wir unmittelbar aufs Volk wirken, so wären wir bald obendrauf, aber das ist so gut wie unmöglich, besonders da wir Schreibenden uns still halten müssen, um nicht gefaßt zu werden. Im übrigen ist es hier sehr sicher, man kümmert sich wenig um uns, solange wir still sind, und ich glaube, H(eß) mit seinen Befürchtungen sieht etwas Gespenster. Ich bin hier noch nicht im allergeringsten molestiert worden, und bloß der Oberprokurator hat sich einmal bei einem unsrer Leute angelegentlich nach mir erkundigt, das ist alles, was mir bis jetzt zu Ohren gekommen ist.

Hier hat in der Zeitung gestanden, der Bernays sei dort von der hiesigen Regierung belangt worden und vor Gericht gewesen. Schreib mir doch, ob das wahr ist, und auch was die

Broschüre macht, sie wird jetzt doch wohl fertig sein. Von den Bauers hört man hier nichts, kein Mensch weiß was von ihnen. Dagegen um die Jahrbücher reißt man sich noch bis auf die heutige Stunde. Mein Artikel über Carlyle hat mir bei der ›Masse‹ ein enormes Renommee verschafft, lächerlicherweise, während den über Ökonomie nur sehr wenige gelesen haben. Das ist natürlich.

Auch in Elberfeld haben die Herren Pastores, wenigstens der Krummacher, gegen uns gepredigt; vorläufig bloß gegen den Atheismus der jungen Leute, indes hoffe ich, daß bald auch eine Philippika gegen den Kommunismus folgen werde. Vorigen Sommer sprach ganz Elberfeld bloß von diesen gottlosen Kerls. Überhaupt ist hier eine merkwürdige Bewegung. Seit ich fort war, hat das Wuppertal einen größeren Fortschritt in jeder Beziehung gemacht als in den letzten fünfzig Jahren. Der soziale Ton ist zivilisierter geworden, die Teilnahme an der Politik, die Oppositionsmacherei ist allgemein, die Industrie hat rasende Fortschritte gemacht, neue Stadtviertel sind gebaut, ganze Wälder ausgerottet worden, und das ganze Ding steht jetzt doch eher über als unter dem Niveau der deutschen Zivilisation, während es noch vor vier Jahren tief darunter stand – kurz, hier bereitet sich ein prächtiger Boden für unser Prinzip vor, und wenn wir erst unsre wilden, heißblütigen Färber und Bleicher in Bewegung setzen können, so sollst Du Dich über das Wuppertal noch wundern. Die Arbeiter sind so schon seit ein paar Jahren auf der letzten Stufe der alten Zivilisation angekommen, sie protestieren durch eine reißende Zunahme von Verbrechen, Räubereien und Morden gegen die alte soziale Organisation. Die Straßen sind bei Abend sehr unsicher, die Bourgeoisie wird geprügelt und mit Messern gestochen und beraubt; und wenn die hiesigen Proletarier sich nach denselben Gesetzen entwickeln wie die englischen, so werden sie bald einsehen, daß diese Manier, als *Individuen* und gewaltsam gegen die soziale Ordnung zu protestieren, nutzlos ist, und als *Menschen* in

ihrer allgemeinen Kapazität durch den Kommunismus protestieren. Wenn man den Kerls nur den Weg zeigen könnte!
Aber das ist unmöglich.

Mein Bruder ist jetzt Soldat in Köln und wird, solange er
unverdächtig bleibt, eine gute Adresse sein, um Briefe für
H(eß) etc. einzuschicken. Einstweilen weiß ich indes seine
Adresse selbst noch nicht genau und kann sie Dir also auch
nicht angeben.

Seit ich das Vorhergehende schrieb, war ich in Elberfeld
und bin wieder auf ein paar mir früher total unbekannte
Kommunisten gestoßen. Man mag sich hindrehen und hinwenden, wohin man will, man stolpert über Kommunisten.
Ein sehr wütender Kommunist, Karikaturen- und angehender Geschichtsmaler, namens Seel, geht in zwei Monaten
nach Paris, ich werde ihn an Euch adressieren, der Kerl wird
Euch durch sein enthusiastisches Wesen, seine Malerei und
Musikliebhaberei gefallen und ist sehr gut zu gebrauchen als
Karikaturenmacher. Vielleicht bin ich dann selbst schon da,
das ist aber noch sehr zweifelhaft.

Das Vorwärts kommt in ein paar Exemplaren her, ich habe
dafür gesorgt, daß andre bestellen werden; laß die Expedition
Probeexemplare schicken: nach Elberfeld: an Richard Roth,
Wilhelm Blank-Hauptmann junior, J. W. Strücker, baye-
risch Bierwirt Meyer in der Funkenstraße (kommunistische
Kneipe), und zwar alle durch den kommunistischen Buchhändler Bädeker daselbst und kuvertiert. Wenn die Kerls erst
sehen, daß Exemplare herüberkommen, so werden sie auch
bestellen. Nach Düsseldorf an W. Müller, Dr. med.; nach
Köln meinetwegen an Dr. med. D'Ester, Bierwirt Lölgen, an
Deinen Schwager etc. Alles natürlich per Buchhandel und
kuvertiert.

Nun sorge dafür, daß die Materialien, die Du gesammelt
hast, bald in die Welt hinausgeschleudert werden. Es ist verflucht hohe Zeit. Ich werde mich auch tüchtig an die Arbeit
setzen und gleich heute wieder anfangen. Die Germanen sind

alle noch sehr im unklaren wegen der praktischen Ausführbarkeit des Kommunismus; um diese Lumperei zu beseitigen, werd' ich eine kleine Broschüre schreiben, daß die Sache schon ausgeführt ist, und die in England und Amerika bestehende Praxis des Kommunismus populär schildern. Das Dings kostet mich drei Tage oder so und muß die Kerls sehr aufklären. Das hab ich schon in meinen Gesprächen mit den Hiesigen gesehen.

Also tüchtig gearbeitet und rasch gedruckt! Grüße Ewerbeck, Bakunin, Guerrier und die andern, und Deine Frau nicht zu vergessen, und schreibe mir recht bald über alles. Schreibe, falls dieser Brief richtig und uneröffnet ankommt, unter Kuvert an »J. W. Strücker und Comp., Elberfeld«, mit möglichst kaufmännischer Handschrift auf der Adresse, sonst an irgend eine andre Adresse, von denen, die ich Ewerbeck gab. Ich bin begierig, ob die Posthunde sich durch das damenhafte Aussehen dieses Briefes täuschen lassen werden.

Nun leb wohl, lieber Kerl, und schreibe recht bald. Ich bin seitdem doch nicht wieder so heiter und menschlich gestimmt gewesen, als ich die zehn Tage war, die ich bei Dir zubrachte. Wegen des zu etablierenden Etablissements hatte ich noch keine rechte Gelegenheit, Schritte zu tun.

2. *Engels an Marx in Paris*

Barmen, 19. November 1844

Lieber M.,

Ich habe vor etwa vierzehn Tagen ein paar Zeilen von Dir und B(ernays) erhalten, datiert 8. Oktober, und mit Poststempel Brüssel, 27. Oktober. Ungefähr um dieselbe Zeit, als Du das Billett schriebst, schickte ich einen Brief für Dich, adressiert an Deine Frau, ab und hoffe, daß Du ihn erhalten hast. Um in Zukunft sicher zu sein, daß mit unsren Briefen kein Unterschleif getrieben wird, wollen wir sie numerieren; mein jetziger ist also No. 2, und wenn Du schreibst, so zeig eben an, bis zu welcher Nummer Du erhalten hast und ob einer in der Reihenfolge fehlt.

Ich war vor ein paar Tagen in Köln und Bonn. In Köln geht alles gut. Grün wird Dir von der Tätigkeit der Leute erzählt haben. Heß gedenkt in vierzehn Tagen bis drei Wochen auch dort hinzukommen, wenn er die gehörigen Gelder dazu bekommt. Den Bürgers habt Ihr ja jetzt auch da, und damit ein gehöriges Konzilium. Um so weniger werdet Ihr mich nötig haben, und um so nötiger bin ich hier. Daß ich jetzt noch nicht kommen kann, ist klar, weil ich mich sonst mit meiner ganzen Familie überwerfen müßte. Zudem hab' ich eine Liebesgeschichte, die ich auch erst ins reine bringen muß. Und einer von uns muß jetzt doch hier sein, weil die Leute alle nötig haben, gestachelt zu werden, um in der gehörigen Tätigkeit zu bleiben und nicht auf allerhand Flausen und Abwege zu geraten. So ist z. B. Jung und eine Menge andrer nicht zu überreden, daß zwischen uns und Ruge ein prinzipieller Unterschied obwaltet, und noch immer der Meinung, es sei lediglich persönlicher Skandal. Wenn man ihnen sagt, R(uge) sei kein Kommunist, so glauben sie das nicht recht und meinen, es sei immer schade, daß eine solche ›literarische Autorität‹ wie R(uge) unbedachtsam weggeworfen sei! Was soll man da sagen? Man muß warten, bis R(uge) sich einmal wieder mit einer kolossalen Dummheit losläßt, damit es den Leuten ad oculos demonstriert werden kann. Ich weiß nicht, es ist mit dem J(ung) doch nichts Rechtes, der Kerl hat nicht Entschiedenheit genug. Wir haben jetzt überall öffentliche Versammlungen, um Vereine zur Hebung der Arbeiter zu stiften; das bringt famos Bewegung unter die Germanen und lenkt die Aufmerksamkeit des Philisteriums auf soziale Fragen. Man beruft diese Versammlungen ohne weiteres, ohne die Polizei zu befragen. In Köln haben wir die Hälfte des Komitees zur Statutenentwerfung mit Unsrigen besetzt, in Elberfeld war wenigstens einer drin, und mit Hülfe der Rationalisten brachten wir in zwei Versammlungen den Frommen eine famose

Schlappe bei; mit ungeheurer Majorität wurde alles Christliche aus den Statuten verbannt. Ich hatte meinen Spaß dran, wie gründlich lächerlich sich diese Rationalisten mit ihrem theoretischen Christentum und praktischen Atheismus machten. Im Prinzip gaben sie der christlichen Opposition vollkommen recht, in der Praxis aber sollte das Christentum, das nach ihrer eignen Aussage doch die Basis des Vereins bilde, auch mit keinem Wort in den Statuten erwähnt werden; die Statuten sollten alles enthalten, nur nicht das Lebensprinzip des Vereins! Die Kerls hielten sich aber so steif auf dieser lächerlichen Position, daß ich gar nicht nötig hatte, ein Wort zu sagen, und wir doch solche Statuten bekamen, wie sie bei den bestehenden Verhältnissen nur zu wünschen sind. Nächsten Sonntag ist wieder Versammlung, ich kann aber nicht beiwohnen, weil ich morgen nach Westfalen gehe.

Ich sitze bis über die Ohren in englischen Zeitungen und Büchern vergraben, aus denen ich mein Buch über die Lage der englischen Proletarier zusammenstelle. Bis Mitte oder Ende Januar denk' ich fertig zu sein, da ich durch die schwierigste Arbeit, die Anordnung des Materials, seit acht bis vierzehn Tagen durch bin. Ich werde den Engländern ein schönes Sündenregister zusammenstellen; ich klage die englische Bourgeoisie vor aller Welt des Mordes, Raubes und aller übrigen Verbrechen in Masse an und schreibe eine englische Vorrede dazu, die ich apart abziehen lassen und an die englischen Parteichefs, Literaten und Parlamentsmitglieder einschicken werde. Die Kerls sollen an mich denken. Übrigens versteht es sich, daß ich den Sack schlage und den Esel meine, nämlich die deutsche Bourgeoisie, der ich deutlich genug sage, sie sei ebenso schlimm wie die englische, nur nicht so couragiert, so konsequent und so geschickt in der Schinderei. Sobald ich damit fertig bin, geht's an die soziale Entwicklungsgeschichte der Engländer, die mir noch weniger Mühe kosten wird, weil ich das Material dazu fertig und im Kopfe geordnet habe und weil mir die Sache ganz klar ist. In der

Zwischenzeit schreib ich wohl einige Broschüren, namentlich gegen *List,* sobald ich Zeit habe.

Du wirst von dem Stirnerschen Buche »Der Einzige und sein Eigentum« gehört haben, wenn es noch nicht da ist. Wigand schickte mir die Aushängebogen, die ich mit nach Köln nahm und bei Heß ließ. Das Prinzip des edlen Stirner – Du kennst den Berliner Schmidt, der in der Buhlschen Sammlung über die mystères schrieb – ist der Egoismus Benthams, nur nach der einen Seite hin konsequenter, nach der andern weniger konsequent durchgeführt. Konsequenter, weil St(irner) den einzelnen als Atheist auch über Gott stellt oder vielmehr als Allerletztes hinstellt, während Bentham den Gott noch in nebliger Ferne darüber bestehen läßt, kurz, weil St(irner) auf den Schultern des deutschen Idealismus steht, in Materialismus und Empirismus umgeschlagener Idealist, wo Bentham einfacher Empiriker ist. Weniger konsequent ist St(irner), weil er die Rekonstruierung der in Atome aufgelösten Gesellschaft, die B(entham) bewerkstelligt, vermeiden möchte, aber es doch nicht kann. Dieser Egoismus ist nur das zum Bewußtsein gebrachte Wesen der jetzigen Gesellschaft und des jetzigen Menschen, das letzte, was die jetzige Gesellschaft gegen uns sagen kann, die Spitze aller Theorie innerhalb der bestehenden Dummheit. Darum ist das Ding aber wichtig, wichtiger als Heß z. B. es dafür ansieht. Wir müssen es nicht beiseit werfen, sondern eben als vollkommenen Ausdruck der bestehenden Tollheit ausbeuten und, indem wir es umkehren, darauf fortbauen. Dieser Egoismus ist so auf die Spitze getrieben, so toll und zugleich so selbstbewußt, daß er in seiner Einseitigkeit sich nicht einen Augenblick halten kann, sondern gleich in Kommunismus umschlagen muß. Erstens ist es Kleinigkeit, dem St(irner) zu beweisen, daß seine egoistischen Menschen notwendig aus lauter Egoismus Kommunisten werden müssen. Das muß dem Kerl erwidert werden. Zweitens muß ihm gesagt werden, daß das menschliche Herz schon von vornherein, unmittelbar, in seinem Ego-

ismus uneigennützig und aufopfernd ist und er also doch
wieder auf das hinauskommt, wogegen er ankämpft. Mit diesen paar Trivialitäten kann man die *Einseitigkeit* zurückweisen. Aber was an dem Prinzip wahr ist, müssen wir auch aufnehmen. Und wahr ist daran allerdings das, daß wir erst eine
Sache zu unsrer eignen, egoistischen Sache machen müssen,
ehe wir etwas dafür tun können – daß wir also in diesem Sinne, auch abgesehen von etwaigen materiellen Hoffnungen,
auch aus Egoismus Kommunisten sind, aus Egoismus Menschen sein wollen, nicht bloße Individuen. Oder um mich
anders auszudrücken: St(irner) hat recht, wenn er ›den Menschen‹ Feuerbachs, wenigstens des *Wesens des Christentums*
vorwirft: der F(euerbach)sche ›Mensch‹ ist von Gott abgeleitet, F(euerbach) ist von Gott auf den ›Menschen‹ gekommen,
und so ist ›der Mensch‹ allerdings noch mit einem theologischen Heiligenschein der Abstraktion bekränzt. Der wahre
Weg, zum ›Menschen‹ zu kommen, ist der umgekehrte. Wir
müssen vom Ich, vom empirischen, leibhaftigen Individuum
ausgehen, um nicht, wie Stirner, drin stecken zu bleiben,
sondern uns von da aus zu ›dem Menschen‹ zu erheben. ›Der
Mensch‹ ist immer eine Spukgestalt, solange er nicht an dem
empirischen Menschen seine Basis hat. Kurz, wir müssen vom
Empirismus und Materialismus ausgehen, wenn unsre Gedanken und namentlich unser ›Mensch‹ etwas Wahres sein
sollen; wir müssen das Allgemeine vom Einzelnen ableiten,
nicht aus sich selbst oder aus der Luft à la Hegel. Das sind
alles Trivialitäten, die sich von selbst verstehen und die von
Feuerbach schon einzeln gesagt sind und die ich nicht wiederholen würde, wenn Heß nicht – wie mir scheint, aus alter
idealistischer Anhänglichkeit – den Empirismus, namentlich
Feuerbach und jetzt Stirner, so scheußlich heruntermachte.
Heß hat in vielem, was er über Feuerbach sagt, recht, aber auf
der andern Seite scheint er noch einige idealistische Flausen
zu haben – wenn er auf theoretische Dinge zu sprechen
kommt, geht es immer in Kategorien voran, und daher kann

er auch nicht populär schreiben, weil er viel zu abstrakt ist. Daher haßt er auch allen und jeden Egoismus und predigt Menschenliebe usw., was wieder auf die christliche Aufopferung herauskommt. Wenn aber das leibhaftige Individuum die wahre Basis, der wahre Ausgangspunkt ist für unsren ›Menschen‹, so ist auch selbstredend der Egoismus – natürlich nicht der Stirnersche Verstandesegoismus *allein,* sondern auch der Egoismus des *Herzens* – Ausgangspunkt für unsre Menschenliebe, sonst schwebt sie in der Luft. Da Heß jetzt bald herüberkommt, so wirst Du selbst mit ihm darüber sprechen können. Übrigens langweilt mich all dies theoretische Gerätsch alle Tage mehr, und jedes Wort, das man noch über ›den Menschen‹ verlieren, jede Zeile, die man gegen die Theologie und Abstraktion wie gegen den krassen Materialismus schreiben oder lesen muß, ärgert mich. Es ist doch etwas ganz anderes, wenn man sich statt all dieser Luftgebilde – denn selbst der noch nicht realisierte Mensch bleibt bis zu seiner Realisierung ein solches – mit wirklichen, lebendigen Dingen, mit historischen Entwicklungen und Resultaten beschäftigt. Das ist wenigstens das Beste, solange wir noch allein auf den Gebrauch der Schreibfeder angewiesen sind und unsre Gedanken nicht unmittelbar mit den Händen oder, wenn es sein muß, mit den Fäusten realisieren können.

Das Stirnersche Buch zeigt aber wieder, wie tief die Abstraktion in dem Berliner Wesen steckt. St(irner) hat offenbar von den Freien am meisten Talent, Selbständigkeit und Fleiß, aber bei alledem purzelt er aus der idealistischen in die materialistische Abstraktion und kommt zu nichts. Wir hören von Fortschritten des Sozialismus in allen Teilen Deutschlands, aber von Berlin keine Spur. Diese superklugen Berliner werden sich noch eine Démocratie pacifique auf der Hasenheide etablieren, wenn ganz Deutschland das Eigentum abschafft – weiter bringen die Kerle es gewiß nicht. Gib acht, nächstens steht in der Uckermark ein neuer Messias auf, der Fourier nach Hegel zurechtschustert, das Phalanster aus den ewigen

Kategorien konstruiert und es als ein ewiges Gesetz der zu sich kommenden Idee hinstellt, daß Kapital, Talent und Arbeit zu bestimmten Teilen am Ertrage partizipieren. Das wird das Neue Testament der Hegelei werden, der alte Hegel wird Altes Testament, der ›Staat‹, das Gesetz wird ein ›Zuchtmeister auf Christum‹, und das Phalanster, in dem die Abtritte nach logischer Notwendigkeit placiert werden, das wird der ›neue Himmel‹ und die ›neue Erde‹, das neue Jerusalem, das herabfährt vom Himmel, geschmückt wie eine Braut, wie das alles des breiteren in der neuen Apokalypse zu lesen sein wird. Und wenn das alles vollendet sein wird, dann kommt die Kritische Kritik, erklärt, daß sie alles in allem ist, daß sie Kapital, Talent und Arbeit in ihrem Kopfe vereinigt, daß alles, was produziert sei, durch *sie* sei, und nicht durch die ohnmächtige Masse – und nimmt alles für sich in Beschlag. Das wird das Ende der Berliner Hegelschen (fried)lichen Demokratie sein.

Wenn die Kritische Kritik fertig ist, so schick mir ein paar Exemplare kuvertiert und versiegelt auf dem Wege des Buchhandels zu – sie mögen konfisziert werden. Für den Fall, daß Du meinen letzten Brief nicht erhalten haben solltest, setz ich nochmals her, daß Du mir entweder für E. junior, Barmen, oder per Kuvert an F. W. Strücker und Co., Elberfeld, schreiben kannst. Dieser Brief geht Dir auf einem Umwege zu.

Nun schreib aber bald – es sind über zwei Monate, daß ich nichts von Dir höre – was macht das Vorwärts? Grüß die Leute alle.

Dein

F. E.

Barmen, den 19. November 1844.

David F. Strauß – F. Theodor Vischer
Briefwechsel

David Friedrich Strauß wurde im Jahre 1808 geboren. 1821 trat er in die Klosterschule Blaubeuren ein. Hier war Friedrich Theodor Vischer sein Mitschüler. Diese beiden Männer verband eine lebenslange Freundschaft. Wir bringen einen Briefwechsel zwischen ihnen aus dem Revolutionsjahr 1849; ein interessanter Beitrag zu dem immer noch aktuellen Kapitel: die Philosophen und die Tagespolitik.

Im Folgenden sollen kurz die biographischen Daten und Werke beider Denker bis zu diesem Jahre 1849 gegeben werden. 1832 wurde Strauß Repetent am Tübinger Stift. 1835 erschien sein Leben Jesu. *Seine These war: Im heidnischen Mythos wie im christlichen liegt eine philosophische Wahrheit – die in ein vergängliches (nur historisches) Gewand gekleidet ist. Aus der Wahrheit einer Idee darf nicht auf die Wahrheit ihres historischen Kostüms, zum Beispiel der biblischen Märchen, geschlossen werden. Und er kommt zu dem Resultat, Jesus verkörpere die Göttlichkeit der Menschheit – nicht die Göttlichkeit eines einzigen Menschen; es sei »gar nicht die Art, wie die Idee sich realisiert, in* ein *Exemplar ihre ganze Fülle auszuschütten«. 1848 wird Strauß württembergischer Abgeordneter.*

Friedrich Theodor Vischer, ein Jahr älter als sein Freund Strauß, wird 1833 neben Strauß Repetent am Tübinger Stift, lehnt seine Ernennung zum Pfarrer ab und habilitiert sich 1836 in Tübingen für Ästhetik und deutsche Literatur. Seit 1837 liest er über Philosophie, vor allem über das Hegelsche System. Er greift in die erregte Diskussion über das Leben

Jesu *zugunsten von David Friedrich Strauß ein und wird als
»religions- und staatsfeindlich« verschrien. Von 1845 bis 1847
suspendiert, schreibt er sein Hauptwerk* Ästhetik *oder Wissenschaft des Schönen. 1848 wird er Mitglied des Frankfurter
Parlaments, wo er der gemäßigten Linken angehört.*

*Das Verhältnis der beiden zur Revolution läßt sich kurz so
formulieren: Strauß war beim Ausbruch der Pariser Februarrevolution enthusiastisch und wurde sehr bald von den deutschen Ereignissen ernüchtert. Vischer, »trunken vom Weine
der Zeit«, war von Temperament politischer. Aber auch er
hielt nur ungern als Politiker aus. Interessant ist für uns ihr
Hin und Her zwischen Hingezogensein zu den politischen Ereignissen des Tages und der radikalen Desillusionierung.*

Vischer an Strauß Frankfurt, 21. Februar 1849

Lieber Freund!
Das ist ja eine komische Geschichte mit unserer Politik. Es
scheint, Du, Märklin, Kern meinen, wir zwei können miteinander die Politik nicht berühren, ohne Händel zu kriegen,
und das aus dem Grunde, weil ich in derselben ganz Traban-
tengockeler sei. Fast fürchte ich, das stehe vielmehr so, daß
ich meinerseits mit ruhigerem Blute über die Sache mit Dir
reden könnte, als Du mit mir. Wenigstens ist das Kreuz, das
Du davor machst, offenbar kein geringer Schein von Beweis,
daß Du Deine Leidenschaft mehr fürchtest als die meine. Ich
bin mir bewußt, mit Dir in allem besten Humor mich herum-
zanken zu können – natürlich nicht eben in Briefen, denn da
ist ja gar kein Raum. Warum meinst Du, ich stehe in unserem
gemeinschaftlichen Boden nicht so fest, als Ihr? In dem Boden nämlich *über* der Politik. Was ich immer wußte, habe ich
hier in Frankfurt zur Erfahrung und Anschauung erhoben:
die Politik wird durch relativ *blinde* Kräfte betrieben; der

Sehende ist hier Fremdling; die Wahrheit geht, ein ungesehener Geist, durch die Parteien hindurch; *meine* Anschauung wird von keiner Partei dargestellt, und es kann sich für sie auch keine bilden, denn Parteien sind eben Parteien, das heißt sie sind borniert. Nichtsdestoweniger werde ich nie bereuen, hierher gegangen zu sein. Es ist doch soviel auf Tat, Eile, Beschluß dringender Stoß in meiner Natur, daß ich ferne vom Zentrum der jetzigen Bewegung zerborsten wäre. Und im einzelnen erreicht man doch etwas. So hab ich neulich gegen zwei Badenser, bei denen es doch immer etwas muffelt und lumpelt, durchgedruckt und wesentlich zum Beschluß der Aufhebung der Spielbanken beigetragen. Auch könnt ich's zum Beispiel nicht ertragen, wenn das Wehrgesetz ohne mich beraten würde. Im ganzen und großen würdest Du Dich vielleicht wundern, wieviel ich Dir einräume, aber daß Du Dich so mit Baumwolle einwickelst, daß Du im Umgang mit dem sanften Neumann seinen Republikanismus für einen unberührbar heikeln Punkt erklärst, dazu kann ich Dir vor Gott und Menschen kein Recht einräumen.

Du schreibst mir, Du schreibest etwas Theologisches, Märklin: eine Moral; ist's etwa Kritik der theologischen Moral? Freuen sollte es mich, wenn Du eine positive Moral aus einer solchen Kritik hervorspringen ließest. Es wäre die Krönung Deines bisherigen Werks. Du bist der Welt noch die Position zur Negation schuldig, oder vielmehr die Aufzeigung, daß Position der Grund Deiner, unserer Negation ist.

Es freut mich, daß Du gesund bist! Ich bins nicht. Noch nicht einen Tag bin ich hier gesund gewesen. Es ist nicht bloß der giftige Zug und die Pestluft der Paulskirche, nicht bloß der unregelmäßige und schlecht bereitete Fraß, das Debattieren in die Nacht, die zu starken Weine, die Nervenaufregungen, sondern offenbar die Luft; sie ist schlaff und doch zugig. Es ist ein Sau-Nest, die Einwohner potenzierte Tübinger. Und nun weiß der Himmel, wann wir fortkommen. Ich möchte gern um Ostern austreten, allein vor Torschluß zu gehen, ist doch auch gegen mein Gefühl; man schleppt dann einen Faden am Fuße nach oder geht um, wie einer, der ein Restchen Wein hat stehenlassen.

Solang haben wir uns nicht geschrieben (und ich weiß nicht, wer der letzte Schuldner war), daß ich Dir, glaub' ich, nicht einmal von dem Besuch Deines Bruders erzählt und meine Freude über seine fortschreitende Genesung ausgesprochen habe. Ich beneide Dich um die Kunstschätze. Hier bin ich so, daß ich Kunst nicht einmal sehen *mag,* es fehlt alle innere Muße. – Ich wohne bei Pietisten, die den ganzen Tag singen und predigen, und in Tübingen mußte ich bei Jenters einmieten, wo der Jud wohnt. Schreib mir bälder wieder. Meine Frau grüßt herzlich.

Dein Vischer.

Strauß an Vischer   München, den 24. Februar 1849

Dacht' ichs doch, daß ich bei Dir nicht so leichten Kaufs davonkommen würde. Ich wollte um unsere politische Differenz herumschleichen wie eine Katze, da kommst Du wie ein ›Biedermann‹ und ziehst mich mitten hinein. In der Tat ist unsere Hund- und Katzenliebhaberei für uns beide bezeichnender, als man glaubt, und wenn wir uns einmal für Hardeggs Galerie merkwürdiger Ludwigsburger malen lassen, so wird man uns diese Tiere, wie den Evangelisten ihre Ochsen, Löwen et cetera, beigeben müssen.

Daß ich diese Sache umgehen will und kann, Du aber nicht, das scheint mir einfach daher zu rühren, daß ich mich davon losgemacht habe, Du aber noch darin steckst; daher, daß ich einfach sage: Politik ist uns beiden ein ganz gleich fremdes Feld, Du hast so wenig etwas in Frankfurt zu schaffen, als ich in Stuttgart hatte, also gleich von gleich geht auf – daß ich dieses einräume, sag' ich, Du aber es von Dir nicht einräumst. Du sagst, Du wärest, entfernt vom Schauplatz, zerborsten;

das glaube ich, aber es beweist nichts für Deinen Beruf, sondern nur für einen Trieb, deren unvollständige Naturen wie
wir manche in sich tragen, die zu keinem fruchtbaren Ziel
führen, sondern uns nur äffen. Du habest manches durchsetzen helfen, wie zum Beispiel die Aufhebung der Spielbanken;
nun, deswegen brauchtest Du nicht nach Frankfurt zu gehen,
die würden sich gewiß nicht länger gehalten haben. Aber das
Wehrgesetz – das ist Dein Steckenpferd, worüber ich mir kein
Urteil erlaube, weil ich mich hiezu bloß ironisch verhalten
kann; Du wirst sagen, wie der Fuchs zur hochhängenden
Traube – was ich mir gefallen lassen muß. Du gestehst, daß es
Dir in Frankfurt nicht wohl ist, und damit habe ich vollkommen genug; denn ich bleibe auf dem Axiom: wofür einer Beruf hat, in dessen Ausübung ist ihm auch wohl. Daß Du diese
Gleichheit zwischen uns nicht einräumst, hat auch darin noch
seinen Grund, daß Du mit Neigung, ich gegen dieselbe in die
Politik hineingezogen worden bin. Du wolltest mitraten,
tratst aus eigenem innerem Antrieb auf; mich schoben andere
hinterrücks in die Lanne, die Ludwigsburger packten mich an
der schwächsten Seite, an der gemütlichen, und aus dieser
Rücksicht gab ich mich zu einer Rolle her, die mir an sich
immer fatal erschien. Zur ganz gerechten Strafe für ein solches Handeln aus bloßer Rücksicht schlug dann die gemütliche Stimmung der Ludwigsburger in der Weise um, die
mich zur Fortführung der Stelle unfähig machte. Du hingegen kommst mir vor wie ein Mann, der als Maler groß wäre
und die erste Stellung einnehmen könnte – er hat aber eine
Marotte für Musik und spielt lieber bei einem Orchester die
6. Violine oder den Triangel, als dort die erste Rolle zu spielen.

   Ganz gleichartig sind unsere beiden Naturen darin, daß sie
künstlerisch-wissenschaftlich sind. Den Unterschied in dieser Einheit möchte ich so ausdrücken, daß Du ein wissenschaftlicher Künstler, ich ein künstlerischer Wissenschafter
bin; das heißt, Dir ist die Kunst Stoff, den Du wissenschaftlich

behandelst, mir ist die Wissenschaft Stoff, den ich künstlerisch zu gestalten strebe. Daraus kann ich für mich gleich ableiten, warum für mich Politik kein Feld ist. Goethe schreibt einmal, ich meine an die Stein, nachdem ihm als Staatsmann manches mißlungen, nun wolle er sich aber mit nichts mehr befassen, was er nicht so ganz in seiner Gewalt habe wie ein Gedicht. Das ist's. Wer wird denn auf eine Fläche malen wollen, auf der im nächsten Augenblick andere mit Bärenfüßen herumtreten? Dann kommt noch das allzu Affizible meiner Natur hinzu, kraft dessen mich ein tägliches persönliches Gegenüberstehen mit Menschen, deren Treiben ich hasse und von denen ich weiß, daß sie mich hassen, aufreibt. Machte mich dies überhaupt für politisch-parlamentarisches Wirken zu jeder Zeit untauglich, so kommt für die Politik der Gegenwart noch mein absoluter Widerwillen gegen alles Revolutionäre, die Massen Entfesselnde hinzu. Dieser Widerwille ist sehr natürlich, er ist der Schauder jedes Geschöpfs vor einem Element, in dem es nicht leben kann. Unter russischem Despotismus könnte ich, zwar mit beschnittenen Flügeln, doch noch existieren, aber Massenherrschaft würde mich vernichten. Daher hasse ich, was dahin führt, so sehr, wie ich nie etwas gehaßt habe, weil mir nie etwas mich so absolut Negierendes entgegengetreten war. So sehr nun aber der vernünftige Politiker der Gegenwart auf Bezähmung dieses Elements aus sein muß, so darf er dies doch nur so, wie Mephistopheles: »Sei ruhig, freundlich Element!« – er muß nötigenfalls selbst ein wenig drinleben können, darf es nicht, wie ich, schlechterdings perhorreszieren. Hieran nun würde es bei Dir nicht fehlen; es käme Dir das Kriegerische in Deiner Natur zu Hilfe; aber im Ergebnis würdest Du gewiß immer zu kurz kommen, weil, wie Du selbst sagst, nur blinde (und unreine) Kräfte den Ausschlag geben.

Den politischen Hang Deiner Natur halte ich für einen zu beschneidenden Seitenschößling, den ich mit meiner zeitweisen Neigung zum Versemachen in Parallele setze. Es ist wahr,

zur künstlerischen Bearbeitung gehört eigentlich auch ein
künstlerischer, von der Phantasie geschaffener Stoff; künstlerische Bearbeitung der Wissenschaft ist das Belegen eines
Esels durch ein Pferd; deswegen wird der so wie ich Ange-
legte notwendig bisweilen den Trieb zu ganz künstlerischer
Produktion empfinden, was aber, da die Phantasie fehlt, ein
Umarmen der Wolke statt der Juno, mithin ganz fruchtlos,
ist. Kann daher aus diesem Treiben nie etwas Selbständiges
werden und ist es daher sehr streng zu beschneiden, so wird es
doch, in diesen Schranken gehalten, durch Verfeinerung des
Formsinns auch für die künstlerisch-wissenschaftliche Tätigkeit nicht ohne Nutzen sein. Ebenso nun, wie mir die Wissenschaft, scheint Dir die Kunst als Stoff oft nicht ganz genügen zu wollen. Sie scheint Dir oft zu unwirklich, unlebendig,
jenseitig zu sein. Und dazu auch die wissenschaftliche Tätigkeit zu abstrakt. So willst Du Leben lebendig gestalten. Ganz
recht! es wird Deiner wissenschaftlich-künstlerischen, mithin Deiner Berufstätigkeit zugute kommen, Du wirst die
Kunst als Gewächs aus dem Leben heraus lebendig behandeln. Aber mehr auch nicht. Beweis: daß Du, den die Natur
zum Protagonisten in seinem Fach gebildet hat, es dort unter
so vielen Schreiern nicht einmal zum Tritagonisten bringen
kannst; daß es Dir nicht wohl ist in Deiner politischen Tätigkeit; daß Du Dir besonders solche Gegenstände heraus-
wählst, die, wie die Wehrfrage, Deine ästhetische Seite berühren, eine Seite, die aber politisch nur Nebensache sein
kann.

Noch einmal und mit einem Wort: In so unvollständigen
und ungleichmäßigen Naturen, wie die unsern, gibt es Reize,
die keinen Beruf anzeigen, keine Frucht versprechen, denen
man mithin nicht oder nur sehr mit Maße nachhängen darf.
So will ich ja gar nicht sagen, daß Dein Frankfurter Aufenthalt Dir ganz unnütz gewesen sei. Aber ich erwarte die Frucht
davon nicht in den Paragraphen der künftigen Reichsverfas-
sung, sondern des 3. Teils Deiner Ästhetik zu sehen.

Nun genug! repliziere bald, damit wir den Punkt vom Hals bekommen und uns wieder wie sonst schreiben können. Die besten Grüße Deiner Frau und dem Kleinen. Aber

»Macht, daß Ihr fortkommt!

Euer treuer Isolan.«

Eben sehe ich, heut ist ja der Jahrestag der glorreichen Französischen Revolution, die jetzt jedermann dort im stillen reut. – Mit Neumann heut ziemlich politisiert; ich war anfangs ängstlich, unser gutes Vernehmen dadurch zu stören, das meinen hiesigen Aufenthalt bedingt; doch sehe ich jetzt, es hat keine Gefahr.

Vischer an Strauß   Frankfurt, 3. April 1849

Lieber Freund!

Spät! Spät! Aber Du weißt ja, wie es hier geht. Dein Brief war schön und wahr und steht eigentlich nicht in Widerspruch mit meinem Selbstbewußtsein. Ich habe nur noch zu sagen, daß ich nicht hiehergegangen wäre, wenn ich gewußt hätte, daß es so lange dauert. Damit sind wir wohl über die ganze Frage hinaus; denn daß in einer, wie man erwartete, schöpferischen Versammlung auch einige geistige Menschen, sofern sie nur ihrer sonstigen Aufgabe nicht zu viel Zeit entziehen, sitzen dürfen und sollen, bestreitest Du wohl nicht.

Einige brave und uneigennützige Männer, darf ich, unter uns Mädchen, wohl hinzusetzen; denn die eigentlichen Politiker suchen halt alle eine Laufbahn, und da tut's gut, wenn einige dabei sind, die nichts suchen.

Jetzt haben wir unsern Erbkaiser soweit fertig. Ich habe einen furchtbaren inneren Kampf gekämpft und bin dadurch zu dem Standpunkt gelangt, den Kerl zwar nicht machen zu helfen, aber auch nicht zu hindern, sondern nur, wie der liebe Gott das Böse, zuzulassen. Wie dies meinen drei Abstimmungen zugrund liegt, ist zu langweilig nachzuweisen. Ich

will überhaupt nicht weiter in die Politik hinein in diesem
Brief, als eben mein subjektiver Zustand es unvermeidlich mit
sich bringt; aber folgende Reflexion mußt Du Dir gefallen lassen. Es ist wahr, daß keine Ruhe wird, wenn nicht der oberste
Platz im Staate ein für allemal besetzt ist; aber ebenso wahr,
daß der Gewinn, den die Erbmonarchie dadurch bietet, daß
sie dies leistet, wieder rein aufgehoben wird durch das Stan-
desinteresse, das alle Fürsten als kulminierte Adelsextrakte
gegen das Volk haben *müssen,* und umgekehrt durch das un-
heilbare Mißtrauen, das eben deswegen das Volk gegen sie
hat. Könnt ihr daher nicht eine Vorrichtung, einen Mechanismus erfinden, der die Vorteile der Erbmonarchie ohne diesen ihren absoluten Schaden herschafft, so ist überhaupt kein
erträglicher Staat möglich; denn die Republik ist nichts, weil
der Zufall der Leidenschaft waltet und das Schiff in beständigem Sturm bleibt; die Erbmonarchie ist aus dem genannten
Grunde nichts. Das ist eben am End auch das Wahre, daß es
auf diesem ganzen Gebiete nichts Gutes gibt, und unser alter
Hegel behält eben Recht mit seiner Stellung der Sphären des
absoluten Geistes an das Ende und den Gipfel des Ganzen.

Richard Wagner
Die Kunst und die Revolution

*D*ie Revolution, auf die sich diese als Dokument kennens-
werte Schrift bezieht, ist die bürgerliche Revolution von 1848,
an der Wagner auf seiten der Liberalen teilnahm. Als die Revolutionäre besiegt waren, mußte auch Richard Wagner seine
Stellung als Königlich-Sächsischer Hofkapellmeister in Dresden aufgeben und ins Exil nach Zürich gehen. Er schrieb mehrere Jahre keine Musik, nur Dramen und Pamphlete poli-
tisch-ästhetischer Art. In dem Jahre 1848, in dem die größte
bürgerliche Revolution des neunzehnten Jahrhunderts und
auch das Kommunistische Manifest zur Welt kamen, verfaßte Wagner einen Essay mit dem Titel Die Nibelungen und
zwei kurze dramatische Skizzen: Der Nibelungen-Mythos
und Siegfrieds Tod. Vier Jahre später, 1852, waren die vier
Dramen Der Ring des Nibelungen beendet. Es nahm die
nächsten zwanzig Jahre, die Musik zu schreiben.

Wagner hat lange geschwankt, ob er Siegfried, Jesus oder
Apollo zum Träger seines Ideals machen sollte; im Jahre 1848
hat er auch die »dramatische Skizze« Jesus von Nazareth aufgezeichnet. Im Jahrfünft nach der Revolution, in dem er, wie
gesagt, Musik kaum produzierte, veröffentlichte er außer
dem Ring vier große theoretische Werke: Die Kunst und die
Revolution (1849), aus dem unser Stück stammt; Das Kunstwerk der Zukunft und Das Judentum in der Musik, ein anti-
semitisches Pamphlet (1850); Oper und Drama (1851).

Der liberale Wagner war damals nicht nur antisemitisch,
auch antichristlich und für Jesus von Nazareth. Er griff schon
vor Nietzsche im Christentum nicht den Stifter, sondern die

Religion an, die alles Irdische entwerte. Er suchte eine Syn-
these von Jesus und Apollo. Er war noch nicht der deutsch-
germanische Chauvinist, der er später wurde; erst Cosima,
seine Frau, stellte dann Bayreuth unter germanisch-chri-
stelnde Vormundschaft. 1849, als die Schrift, von der wir hier
sprechen, erschien, war er noch ausgesprochen antinationali-
stisch, weltbürgerlich.

Die Römer hatten einen Gott Merkurius, den sie dem griechischen Hermes verglichen. Seine geflügelte Geschäftigkeit
gewann bei ihnen aber eine praktische Bedeutung; sie galt
ihnen als die bewegliche Betriebsamkeit jener schachernden
und wuchernden Kaufleute, die von allen Enden in den Mittelpunkt der römischen Welt zusammenströmten, um den
üppigen Herren dieser Welt gegen vorteilhaften Gewinn alle
sinnlichen Genüsse zuzuführen, die die nächst umgebende
Natur ihnen nicht zu bieten vermochte. Dem Römer erschien
der Handel beim Überblick seines Wesens und Gebarens zugleich als Betrug, und wie ihm diese Krämerwelt bei seiner
immer steigenden Genußsucht ein notwendiges Übel dünkte,
hegte er doch eine tiefe Verachtung vor ihrem Treiben, und so
ward ihm der Gott der Kaufleute, Merkur, zugleich zum
Gott der Betrüger und Spitzbuben.

Dieser verachtete Gott rächte sich aber an den hochmütigen Römern und warf sich statt ihrer zum Herrn der Welt auf;
denn krönet sein Haupt mit dem Heiligenscheine christlicher
Heuchelei, schmückt seine Brust mit dem seelenlosen Abzeichen abgestorbener, feudalistischer Ritterorden, so habt ihr
ihn, den Gott der modernen Welt, den heilighochadeligen
Gott der fünf Prozent, den Gebieter und Festordner unserer
heutigen Kunst. Leibhaftig seht ihr ihn in einem bigotten englischen Banquier, dessen Tochter einen ruinierten Ritter vom
Hosenbandorden heiratete, vor euch, wenn er sich von den

ersten Sängern der italienischen Oper lieber noch in seinem Salon als im Theater (jedoch auch hier um keinen Preis am heiligen Sonntage) vorsingen läßt, weil er den Ruhm hat, sie hier noch teurer bezahlen zu müssen als dort. Das ist Merkur und seine gelehrige Dienerin, die moderne Kunst.

Das ist die Kunst, wie sie jetzt die ganze zivilisierte Welt erfüllt! Ihr wirkliches Wesen ist die Industrie, ihr moralischer Zweck der Gelderwerb, ihr ästhetisches Vorgeben die Unterhaltung der Gelangweilten. Aus dem Herzen unserer modernen Gesellschaft, aus dem Mittelpunkte ihrer kreisförmigen Bewegung, der Geldspekulation im großen, saugt unsere Kunst ihren Lebenssaft, erborgt sich eine herzlose Anmut aus den leblosen Überresten mittelalterlich ritterlicher Konvention und läßt sich von da – mit scheinbarer Christlichkeit auch das Schärflein des Armen nicht verschmähend – zu den Tiefen des Proletariats herab, entnervend, entsittlichend, entmenschlichend überall, wohin sich das Gift ihres Lebenssaftes ergießt.

Ihren Lieblingssitz hat sie im Theater aufgeschlagen, gerade wie die griechische Kunst zu ihrer Blütezeit; und sie hat ein Recht auf das Theater, weil sie der Ausdruck des gültigen öffentlichen Lebens unserer Gegenwart ist. Unsere moderne theatralische Kunst versinnlicht den herrschenden Geist unsres öffentlichen Lebens, sie drückt ihn in einer alltäglichen Verbreitung aus wie nie eine andere Kunst, denn sie bereitet ihre Feste Abend für Abend fast in jeder Stadt Europas. Somit bezeichnet sie, als ungemein verbreitete dramatische Kunst, dem Anschein nach die Blüte unserer Kultur, wie die griechische Tragödie den Höhepunkt des Griechengeistes bezeichnete; aber diese ist die Blüte der Fäulnis, einer hohlen, seelenlosen, naturwidrigen Ordnung der menschlichen Dinge und Verhältnisse.

Diese Ordnung der Dinge brauchen wir hier nicht selbst näher zu charakterisieren, wir brauchen nur ehrlich den Inhalt und das öffentliche Wirken unserer Kunst, und nament-

lich eben der theatralischen zu prüfen, um den herrschenden
Geist der Öffentlichkeit in ihr wie in einem getreuen Spiegel-
bilde zu erkennen, denn solch ein Spiegelbild war die öffentliche Kunst immer.

Und so erkennen wir denn in unserer öffentlichen theatralischen Kunst keineswegs das wirkliche Drama, dieses eine,
unteilbare, größte Kunstwerk des menschlichen Geistes: unser Theater bietet bloß den bequemen Raum zur lockenden
Schaustellung einzelner, kaum oberflächlich verbundener
künstlerischer, oder besser, kunstfertiger Leistungen. Wie
unfähig unser Theater ist, als wirkliches Drama die innige
Vereinigung aller Kunstzweige zum höchsten, vollendeten
Ausdrucke zu bewirken, zeigt sich schon in seiner Teilung in
die beiden Sonderarten des Schauspiels und der Oper, wodurch dem Schauspiel der unendlich steigernde Ausdruck der
Musik entzogen, der Oper aber von vornherein der Kern und
die höchste Absicht des wirklichen Dramas abgesprochen ist.
Während im allgemeinen das Schauspiel somit nie zu idealem,
poetischem Schwunge sich erheben konnte, sondern – auch
ohne des hier zu übergehenden Einflusses einer unsittlichen
Öffentlichkeit – fast schon wegen der Armut an Mitteln des
Ausdrucks aus der Höhe in die Tiefe, aus dem erwärmenden
Elemente der Leidenschaft in das erkältende der Intrige fallen
mußte, ward vollends die Oper zu einem Chaos durcheinan-
derflatternder, sinnlicher Elemente ohne Haft und Band, aus
dem sich ein jeder nach Belieben auflesen konnte, was seiner
Genußfähigkeit am besten behagte, hier die zierliche Hüfte
einer Tänzerin, dort die verwegene Passage eines Sängers,
dort den glänzenden Effekt eines Dekorationsmalerstücks,
dort den vehementen Ausbruch eines Orchestervulkans: oder
liest man nicht heutzutage, diese oder jene neue Oper sei
ein Meisterwerk, denn sie enthalte viele schöne Arien und
Duette, auch sei die Instrumentation des Orchesters sehr
brillant usw.? Der Zweck, der einzig den Verbrauch so
mannigfaltiger Mittel zu rechtfertigen und zu richten hat,

der große dramatische Zweck, fällt den Leuten gar nicht mehr ein.

Solche Urteile sind borniert, aber ehrlich; sie zeigen ganz einfach, um was es dem Zuhörer zu tun ist. Es gibt auch eine große Anzahl beliebter Künstler, welche durchaus nicht in Abrede stellen, daß sie gerade nicht mehr Ehrgeiz hätten, als jenen bornierten Zuhörer zu befriedigen. Sehr richtig urteilen sie, wenn der Prinz von einer anstrengenden Mittagstafel, der Banquier von einer angreifenden Spekulation, der Arbeiter vom ermüdenden Tagewerk im Theater anlangt, so will er ausruhen, sich zerstreuen, unterhalten, er will sich nicht anstrengen und von neuem aufregen. Dieser Grund ist so schlagend wahr, daß wir ihm einzig nur zu entgegnen haben, wie es schicklicher sei, zu dem angegebenen Zwecke alles mögliche, nur nicht das Material und das Vorgeben der Kunst verwenden zu wollen. Hierauf wird uns dann aber erwidert, daß, wolle man die Kunst nicht so verwenden, die Kunst ganz aufhören und dem öffentlichen Leben gar nicht mehr beizubringen sein, d. h. die Künstler nicht mehr zu leben haben würden.

Nach dieser Seite hin ist alles jämmerlich, aber treuherzig, wahr und ehrlich: zivilisierte Versunkenheit, modern christlicher Stumpfsinn.

Was sagen wir aber bei unleugbar so bewandten Umständen zu dem heuchlerischen Vorgeben manches unserer Kunstheroen, dessen Ruhm an der Tagesordnung ist, wenn er sich den melancholischen Anschein wirklich künstlerischer Begeisterung gibt, wenn er nach Ideen greift, tiefe Beziehungen verwendet, auf Erschütterungen Bedacht nimmt, Himmel und Hölle in Bewegung setzt, kurz, wenn er sich so gebärdet, wie jene ehrlichen Tageskünstler behaupteten, daß man nicht verfahren müsse, wolle man seine Ware loswerden? Was sagen wir dazu, wenn solche Heroen wirklich nicht nur unterhalten wollen, sondern sich selbst in die Gefahr stürzen, zu langweilen, um für tiefsinnig zu gelten, wenn sie somit selbst auf großen Erwerb verzichten, ja – doch nur ein geborener Reicher vermag das – sogar um ihrer Schöpfungen willen selbst Geld ausgeben, somit also das höchste moderne Selbstopfer bringen? Zu was dieser ungeheure Aufwand? Ach, es gibt ja noch eins außer Geld, nämlich das, was man unter anderen Genüssen auch durch Geld heutzutage sich verschaffen kann: Ruhm – welcher Ruhm ist aber in unserer öffentlichen Kunst zu erringen? Der Ruhm derselben Öffentlichkeit, für welche diese Kunst berechnet ist und welcher der Ruhmgierige nicht anders beizukommen vermag, als wenn er ihren trivialen Ansprüchen dennoch sich unterzuordnen weiß. So belügt er denn sich und das Publikum, indem er ihm sein scheckiges Kunstwerk gibt, und das Publikum belügt ihn und sich, indem es ihm Beifall spendet; aber diese gegenseitige Lüge ist der großen Lüge des modernen Ruhms an sich wohl schon wert, wie wir es denn überhaupt verstehen, unsere allereigensüchtigsten Leidenschaften mit den schönen Hauptlügen von ›Patriotismus‹, ›Ehre‹, ›Gesetzlichkeitssinn‹ usw. zu behängen.

Woher kommt es aber, daß wir es für nötig halten, uns gegenseitig so offenkundig zu belügen? Weil jene Begriffe und Tugenden im Gewissen unserer herrschenden Zustände allerdings vorhanden sind, zwar nicht in ihrem guten, aber doch in ihrem schlechten Gewissen; denn so gewiß es ist, daß das Edle und Wahre wirklich vorhanden ist, so gewiß ist es auch, daß die wahre Kunst vorhanden ist. Die größten und edelsten Geister, Geister, vor denen Äschylos und Sophokles freudig als Brüder sich geneigt haben würden, haben seit Jahrhunderten ihre Stimme aus der Wüste erhoben; wir haben sie gehört, und noch tönt ihr Ruf in unsern Ohren: aber aus unseren eitlen, gemeinen Herzen haben wir den lebendigen Nachklang ihres Rufes verwischt; wir zittern vor ihrem Ruhm, lachen aber vor ihrer Kunst; wir ließen sie erhabene Künstler sein, verwehrten ihnen aber das Kunstwerk, denn das große, wirkliche, eine Kunstwerk können sie nicht allein schaffen, sondern dazu müssen wir mitwirken: die Tragödie des Äschylos und Sophokles war das Werk Athens.

Was nützt nun dieser Ruhm der Edlen? Was nützte es uns, daß Shakespeare als zweiter Schöpfer den unendlichen Reichtum der wahren, menschlichen Natur uns erschloß? Was nützte es uns, daß Beethoven der Musik männliche, selbständige Dichterkraft verlieh? Fragt die armseligen Karikaturen eurer Theater, fragt die gassenhauerischen Gemeinplätze eurer Opernmusiken, und ihr erhaltet die Antwort! Aber, braucht ihr erst zu fragen? Ach nein!, ihr wißt es recht gut, ihr wollt es ja eben nicht anders, ihr stellt euch nur, als wüßtet ihr es nicht!

Was ist nun Eure Kunst, was ist Euer Drama?

Die Februarrevolution entzog in Paris den Theatern die öffentliche Teilnahme, viele von ihnen drohten einzugehen. Nach den Junitagen kam ihnen Cavaignac, mit der Aufrechterhaltung der bestehenden gesellschaftlichen Ordnung beauftragt, zu Hilfe und forderte Unterstützung zu ihrem Weiterbestehen, warum? Weil die Brotlosigkeit des Proletariats durch das Eingehen der Theater vermehrt werden würde. Also bloß dieses Interesse hat der Staat am Theater. Er sieht in ihm die industrielle Anstalt, nebenbei wohl aber auch ein geistschwächendes, Bewegung absorbierendes, erfolgreiches Ableitungsmittel für die gefahrdrohende Regsamkeit des erhitzten Menschenverstandes, welcher im tiefsten Mißmut über die Wege brütet, auf denen die entwürdigte menschliche Natur wieder zu sich selbst gelangen solle, sei es auch auf Kosten des Bestehens unserer – sehr zweckmäßigen Theaterinstitute.

Der Künstler hat, außer an dem Zwecke seines Schaffens, schon an diesem Schaffen, an der Behandlung des Stoffes und dessen Formung selbst Genuß, sein Produzieren ist ihm an und für sich erfreuende und befriedigende Tätigkeit, nicht Arbeit. Dem Handwerker gilt nur der Zweck seiner Bemühung, der Nutzen, den ihm seine Arbeit bringt; die Tätigkeit,

die er verwendet, erfreut ihn nicht, sie ist ihm nur Beschwer-
de, unumgängliche Notwendigkeit, die er am liebsten einer
Maschine aufbürden möchte: seine Arbeit vermag ihn nur aus
Zwang zu fesseln, deshalb ist er auch nicht mit dem Geiste
dabei gegenwärtig, sondern beständig darüber hinaus bei dem
Zwecke, den er so gerade wie möglich erreichen möchte. Ist
nun aber der unmittelbare Zweck des Handwerkers nur die
Befriedigung eines eigenen Bedürfnisses, z. B. die Herstellung seiner eigenen Wohnung, seiner eignen Gerätschaften,
Kleidung usw., so wird ihm mit dem Behagen an den ihm
verbleibenden nützlichen Gegenständen allmählich auch
Neigung zu einer solchen Zubereitung des Stoffes, wie sie
seinem persönlichen Geschmacke zusagt, eintreten; nach der
Herstellung des Notwendigsten wird daher sein auf weniger
drängende Bedürfnisse gerichtetes Schaffen sich von selbst zu
einem künstlerischen erheben: gibt er aber das Produkt seiner
Arbeit von sich, verbleibt ihm davon nur der abstrakte Gel-
deswert, so kann sich unmöglich seine Tätigkeit je über den
Charakter der Geschäftigkeit der Maschine erheben; sie gilt
ihm nur als Mühe, als traurige, saure Arbeit. Die Letztere ist
das Los des Sklaven der Industrie; unsere heutigen Fabriken
geben uns das jammervolle Bild tiefster Entwürdigung des
Menschen: ein beständiges, geist- und leibtötendes Mühen
ohne Lust und Liebe, oft ohne Zweck.

Die beklagenswerte Einwirkung des Christentums läßt
sich auch hierin nicht verkennen. Setzte dieses nämlich den
Zweck des Menschen gänzlich außerhalb seines irdischen Daseins, und galt ihm nur dieser Zweck, der absolute, außer-
menschliche Gott, so konnte das Leben nur in bezug auf
seine unumgänglichst notwendigen Bedürfnisse Gegenstand
menschlicher Sorgfalt sein; denn, da man das Leben nun einmal empfangen hatte, war man auch verpflichtet, es zu erhalten, bis es Gott allein gefallen möchte, uns von seiner Last zu
befreien: keineswegs aber durften seine Bedürfnisse uns Lust
zu einer liebevollen Behandlung des Stoffes erwecken, den

wir zu ihrer Befriedigung zu verwenden hatten; nur der abstrakte Zweck der notdürftigen Erhaltung des Lebens konnte unsere sinnliche Tätigkeit rechtfertigen, und so sehen wir mit Entsetzen in einer heutigen Baumwollenfabrik den Geist des Christentums ganz aufrichtig verkörpert: zugunsten der Reichen ist Gott Industrie geworden, die den armen christlichen Arbeiter gerade nur so lange am Leben erhält, bis himmlische Handelskonstellationen die gnadenvolle Notwendigkeit herbeiführen, ihn in eine bessere Welt zu entlassen.

Aber eben die Revolution, nicht etwa die Restauration, kann uns jenes höchste Kunstwerk wiedergeben. Die Aufgabe, die wir vor uns haben, ist unendlich viel größer als die, welche bereits einmal gelöst worden ist. Umfaßte das griechische Kunstwerk den Geist einer schönen Nation, so soll das Kunstwerk der Zukunft den Geist der freien Menschheit über alle Schranken der Nationalitäten hinaus umfassen; das nationale Wesen in ihm darf nur ein Schmuck, ein Reiz individueller Mannigfaltigkeit, nicht eine hemmende Schranke in ihm sein. Etwas ganz anderes haben wir daher zu schaffen, als etwa eben nur das Griechentum wiederherzustellen; gar wohl ist die törichte Restauration eines Scheingriechentums im Kunstwerke versucht worden. Aber etwas anderes als wesenloses Gaukelspiel hat nie daraus hervorgehen können: es waren dies eben nur Kundgebungen desselben heuchlerischen Strebens, welches wir in unserer ganzen offiziellen Zivilisationsgeschichte immer im Ausweichen des einzig richtigen Strebens begriffen sehen, des Strebens der Natur.

Nein, wir wollen nicht wieder Griechen werden, denn was die Griechen nicht wußten und weswegen sie eben zugrunde gehen mußten, das wissen wir. Gerade ihr Fall, dessen Ursache wir nach langem Elend und aus tiefstem allgemeinen Leiden heraus erkennen, zeigt uns deutlich, was wir werden müssen: er zeigt uns, daß wir alle Menschen lieben müssen, um uns selbst wieder lieben, um Freude an uns selbst wieder haben zu können. Aus dem entehrenden Sklavenjoche des

allgemeinen Handwerkertums mit seiner bleichen Geldseele
wollen wir uns zum freien künstlerischen Menschentume mit
seiner strahlenden Weltseele aufschwingen: aus mühselig be-
ladenen Tagelöhnern der Industrie wollen wir alle zu schönen, starken Menschen werden, denen die Welt gehört als
ein ewig unversiegbarer Quell höchsten künstlerischen Genusses.

Zu diesem Ziele bedürfen wir der allgewaltigsten Kraft der
Revolution; denn nur die Revolutionskraft ist die unsrige, die
an das Ziel hindringt, an das Ziel, dessen Errichtung sie einzig
dafür rechtfertigen kann, daß sie ihre erste Tätigkeit in der
Zersplitterung der griechischen Tragödie, in der Auflösung
des athenischen Staates ausübte.

Woher sollen wir nun aber diese Kraft schöpfen im Zustande tiefster Entkräftigung? Woher die menschliche Stärke
gegen den alles lähmenden Druck einer Zivilisation, welche
den Menschen vollkommen verleugnet? Gegen den Übermut
einer Kultur, welche den menschlichen Geist nur als Dampf-
kraft der Maschine verwendet? Woher das Licht zur Erleuchtung jenes herrschenden grausamen Aberglaubens, daß jene
Zivilisation, jene Kultur an sich mehr wert seien als der wirkliche lebendige Mensch? Daß der Mensch nur als Werkzeug
jener gebietenden abstrakten Mächte Wert und Geltung habe,
nicht an sich und als Mensch?

Wo der gelehrte Arzt kein Mittel mehr weiß, da wenden
wir uns endlich verzweifelnd wieder an – die *Natur*. Die Natur, und nur die Natur, kann auch die Entwirrung des großen
Weltgeschickes allein vollbringen. Hat die Kultur, von dem
Glauben des Christentums an die Verwerflichkeit der
menschlichen Natur ausgehend, den Menschen verleugnet,
so hat sie sich eben einen Feind erschaffen, der sie notwendig
einst so weit vernichten muß, als der Mensch nicht in ihr
Raum hat: denn dieser Feind ist eben die ewig und einzig lebende Natur. Die Natur, die menschliche Natur, wird den
beiden Schwestern, Kultur und Zivilisation, das Gesetz ver-

künden: »So weit ich in euch enthalten bin, sollt ihr leben und blühen; so weit ich nicht in euch bin, sollt ihr aber sterben und verdorren!«

In dem menschenfeindlichen Fortschreiten der Kultur sehen wir jedenfalls dem glücklichen Erfolge entgegen, daß ihre Last und Beschränkung der Natur so riesenhaft anwachse, daß sie der zusammengepreßten unsterblichen Natur endlich die nötige Schnellkraft gibt, mit einem einzigen Rucke die ganze Last und Beengung weit von sich zu schleudern; und diese ganze Kulturanhäufung hatte somit die Natur nur ihre ungeheure Kraft *erkennen* gelehrt: die Bewegung dieser Kraft aber ist – die *Revolution*.

Gottfried Keller
Die Romantik und die Gegenwart

Die nachstehende, posthum erschienene Arbeit des großen Erzählers Gottfried Keller gehört zu den wenigen Essays, die der Dichter geschrieben hat; sie sind im letzten Band der 22bändigen Ausgabe der ›Sämtlichen Werke‹ enthalten – unter dem Titel Aufsätze zur Literatur und Kunst – Miszellen – Reflexionen.

Der Aufsatz hat den Untertitel ›Eine Grille‹, ist datiert Heidelberg, Juni 1849 – und vielleicht nicht einmal für eine Veröffentlichung geschrieben.

Das eine Motiv war wohl, den Begriff Romantik von der Assoziation ›Reaktion‹ zu reinigen. Diese Assoziation ist nicht unberechtigt; unberechtigt aber ist die Identifizierung von Romantik und Reaktion – wie sie sowohl in Deutschland als auch im Ausland vorgenommen worden ist. So setzte der liberale Historiker Veit Valentin noch in unseren Tagen Romantik gleich mit: Teutonismus, Pangermanismus, Nationalismus, altpreußischem Junkertum, autoritärer Tendenz, Antisemitismus, Machtpolitik . . .

Dieser falschen oder nur halbwahren Definition setzte Keller schon vor hundert Jahren eine Richtigstellung entgegen, die ihrerseits nun auch wieder nur halbrichtig ist: »Romantik ist nur die unschuldige, reinliche Romantik, wie sie sich in den liebenswürdigen Äußerungen der deutschen Schule dargestellt hat.« Aber die Äußerungen der Frühromantiker (von Schopenhauer und Richard Wagner und Nietzsche gar nicht zu reden) waren nicht immer und nicht zentral »unschuldig« und »liebenswürdig«.

Der größte Teil des Aufsatzes Die Romantik und die Gegenwart *ist eine malerisch-poetische, romantisierende Verklärung der Revolution von 1848, vor allem des badischen Auf-
stands von 1849. Das bunte, farbenreiche Bild, das Keller von
dieser Revolution gibt, ist ›romantisch‹ im Sinne einer sinnen-
freudig-schwärmerischen Freiheitsreligion. Es zeigt nicht die
schlimme politische Wirklichkeit, nur die Erhebung als Volks-
fest, das sie auch war.*

Die Romantik und die Gegenwart
Eine Grille

Ich meine nicht die systematische Romantik der Reaktion
noch die blutschauerliche Romantik der Franzosen, auch
nicht die subjektive, ironische Partie der Schule, ich denke
nur an die unschuldige, reinliche Romantik an sich, wie sie
sich in den liebenswürdigen Äußerungen der deutschen
Schule dargestellt hat, wie sie im ›Oktavian‹ und anderen Gedichten Tiecks, im ›Ofterdingen‹, in den helleren Arnims, in
einigen Märchen Brentanos und in Uhlands Balladen und
Romanzen lebt. Ich ging auf den grünen Bergen zu Heidelberg spazieren, wo man in die Hardt hinüber sieht, zu seinen
Füßen die herrliche Ebene, weiter hin den schimmernden
Rhein, an ihm südlich der Dom von Speyer und nördlich die
Türme von Worms und zuhinterst der blaue schöne Gebirgs-
zug der Hardt. Hinter mir hervor aber kam der Neckar, dem
gebrochenen Bergpalaste vorbei, und schlängelte sich ebenfalls in das flache Land hinaus. Er brachte aus seinen Tälern
hervor die schwäbischen Erinnerungen mit, während der
Odenwald mit seinen Sagen sich fast bis unter die Füße heran-
schob. Ich spekulierte just über die Art von Sehnsucht, welche das Anschaun eines schönen Landstriches in uns erweckt;
denn schon oft glaube ich beobachtet zu haben, daß die

schönste Landschaft, gerade weil sie so schön ist, noch irgendeine Befriedigung unerfüllt läßt und irgendeiner unbekannten Ergänzung mangelt. Besonders die klare Ferne tut dies aller Orten, so wie fern glänzendes Wasser. Ebenso überkommt einen dies Gefühl, in einem tüchtigen, stillen Wald, wenn man allein ist. Wie ich also darüber nachdachte, was dies Fehlende wohl sein möge, gingen Fremde an mir vorüber und ließen das Wort ›romantisch‹ in meine Ohren fallen.

Wie ein heller Glockenton ertönte alsbald das Wort Romantik in mir wieder. Ich hatte seit Jahr und Tag dieses Begriffes nicht mit Liebe gedacht, obgleich ich alle Jahre wenigstens *einen* seiner Vertreter wieder lese; aber in diesem Augenblicke war es mir, als ob er dasjenige sein müßte, was zum Genusse des vor mir liegenden Landes gehört, wie Salz zum Brote. Alle Poesie bedarf zuvorderst eines günstigen Terrains, eines entsprechenden Bodens, auf welchem ihre Gebilde leben und handeln können. Dies nährende Land muß sogar vor den Leuten vorhanden sein und dem Ganzen den Grundton geben. In Neapel und Sizilien, am Strande des Meeres, hat Goethe erst den Homer und das antike Leben recht begriffen, und er wurde sofort zu eigener Produktion in jenem Sinne angetrieben. Der Norden mit seiner düstern See, mit seinen gigantischen Wolkenmassen, mit seinen mattsonnigen Heiden nährt wieder andere poetische Gestalten, welche sich zu den griechischen verhalten wie er selbst zum Süden. In unserer schönen Mittelzone, links und rechts vom Rheine, können aber seine schattenhaften Riesen so wenig Platz finden, als Achill und Odysseus angemessenen Raum für ihre Taten finden würden; es bedarf hier einer dritten Sorte von Leuten und Trachten, von Schicksal und Lebensart, von Göttern und Menschen, und hier mag man sich drehen, wie man will, ich glaube, man wird am Ende doch eingestehen müssen, daß die Romantik im oben angedeuteten besseren Sinne der einzige und beste Ausdruck ist für das, was man bisher beim Anblick dieser mäßigen Berge und Flüsse, dieser Wälder und Felder, dieser Burgen und alten Städtchen fühlte, abgesehen von aller lächerlichen und schlechten Tendenz und vorausgesetzt, daß die Geschichte überall einen tüchtigen Boden durchblicken lasse.

Ich sage bisher. Wenn jede Poesie ihren gehörigen landschaftlichen Boden braucht, so braucht auch jede Landschaft ihre poetischen Bewohner; am liebsten möchten wir selbst eine tüchtige Rolle darin spielen; ist dies nicht der Fall, so müssen die Vorfahren, welche auf diesem Boden wandelten, mit ihrem poetischen Leben aushelfen, und dies haben gerade die Romantiker bisher am besten vermittelt; denn mich wenigstens dünkt, daß durch ihre Gläser besehen das Land noch einmal so reizend geworden ist.

Gegenwärtig aber ringt alle Welt nach einem neuen Sein und nach einem neuen Gewande. Ein Teil sucht dies im Vergangenen, von oben herab möchte man am liebsten sich ganz wieder zurückstürzen und wird dies im ersten besten günstigen Momente versuchen, von unten herauf will man vorwärts, in ein neues Leben. Jeder möchte frei und ganz, ein voller Mensch, ein Mann der Tat durch das Leben schweifen, ohne Vormundschaft und ohne Rücklehne, nach allen Seiten seine vorteilhafteste Seite herauskehrend, nur durch eine geschworene Gleichheit seine kühnsten Wünsche beschränkend. Bloß eine blutlose Bourgeoisie möchte bleiben, wo und wie wir sind, an dem halbverdorrten Zweige hangend mit der ganzen Last und seine paar Beeren benagend, bis er reißt und der ganze Klumpen in den Abgrund purzelt. Wahrlich, wenn ich nicht zu gut wüßte, daß die Philister eben Philister sind, so müßte ich sie für die leichtsinnigsten aller poetischen Käuze halten, denn nur solchen kann es eigentlich in einer solchen zweideutigen Lage wohlgefallen. Doch komme es, wie es wolle: aus der Reibung dieser verschiedenen Tendenzen ist schon Handlung und Poesie die Fülle entstanden, und mithin sind die bisherigen Surrogate entbehrlich in Hinsicht der poetischen Bevölkerung unserer Räume. Die Junitage zu Paris, der ungarische Krieg, Wien, Dresden, und vielleicht auch Venedig und Rom, werden unerschöpfliche Quellen für poetische Produzenten aller Art sein. Eine neue Ballade sowohl wie das Drama, der historische Roman, die Novelle werden ihre Rechnung dabei finden. Daß man sie aber auch unmittelbar am Leben selbst findet, habe ich nun in der badischen Revolution gesehen.

Wie ›deutsch‹ eigentlich nichts anderes heißt als volkstümlich, so sollte auch ›poetisch‹ zugleich mit inbegriffen sein, weil das Volk, sobald es Luft bekommt, sogleich poetisch, das heißt, es selbst wird. Als die Waffenvorräte aus Karlsruhe und Rastatt nach den Pfingsttagen durch das ganze Land verbreitet wurden, kamen große Züge Landvolk in die Städte, um sie in Empfang zu nehmen; da glaubte man öfter wandelnde Gärten zu sehen, alle Hüte und die Mündungen der Gewehre waren mit den ersten Mairosen und andern roten Blumen vollgesteckt, so daß ganze Straßen von Blumen wogten, und darunter hervor tönten die Freiheitslieder. Andere Züge hatten sich mit grünen Zweigen und Farrenkräutern geschmückt, so daß man gleich Macbeth den Birnamswald nahen zu sehen glaubte. Einem solchen marschierenden Park ging ein Jüngling mit einer Kindertrommel, einem anderen ein alter lustiger Geiger voran. Nach und nach verschwand dies liebenswürdige Volk wieder, um sich in den Gemeinden einzuüben; dafür erschienen aber bald die geordneten Bataillone, die Offenburger Volkswehr und Freischaren. Die Blumen waren zwar weg, aber die keckste malerische Tracht und Behabung in der größten Mannigfaltigkeit da: Der Turnerhut in der größtmöglichen Auswahl von Aufstülpungen und mit Bändern aller Art geschmückt, die blaue Bluse, dreifarbig oder rot gegürtet, Ränzel und Bündel in den kühnsten Lagen an Hüften und Rücken, kampflustige, frohe Gesichter und bei all dem Durcheinander eine feste kriegerische Haltung, nur durch den feurigsten Willen so bald erworben, machten viele

dieser Scharen zu einem Paradiese für Maler und Romanschreiber, freilich auch zu einer Hölle für Herrn Bassermann.
Es gab köstliche Gruppen, wo man stand und ging. Da halten
einige Führer zu Pferd, etwa Metternich und Böhning; der erstere jung, den braunen Bart bis auf die Brust, in Reitstiefeln
und Lederhose, Bluse und Hut, der zweite ein alter Phil-
hellene mit grauem herrlichem Bart und fliegenden grauen
Locken, ebenfalls in der Bluse; zu Fuß stehen andere Offiziere
bei ihnen, auf schwere Säbel gestützt, mit roter wallender
Feder und breiten Feldbinden, und nicht weit davon endlich
als Schildwache ein dünner spitziger, aber entschlossener
Schneidergeselle, eine zerrupfte Hahnenfeder auf dem alten
Seidenhut, begeistert salutierend. Gutmütige Bummler, welche ihr Blut spottwohlfeil anschlugen und sehr humoristisch
anzusehen waren, tranken zum permanenten Schrecken der
Heidelberger Gelehrten sehr viel Bier. Die Hitze war auch
darnach, und man hätte es ihnen wohl gegönnt, wenn man
nur hätte nachweisen können, daß sie das Kupfer dazu gestohlen hätten.

Paul Heyse
Jugenderinnerungen

Paul Heyse, der erste deutsche Dichter, der den Nobelpreis erhielt (1910, vor Thomas Mann und Hermann Hesse), wurde 1830 in Berlin geboren und starb 1914 in München. Er gehörte zu den großen Repräsentanten jener Generation, die den Naturalisten vorausging – und von ihnen zur Zielscheibe ihrer literaturpolitischen Polemik gemacht wurde. So schrieb Alberti damals: »Heyse lesen, Heyse bewundern heißt: ein Lump sein.«

Sohn des Sprachforschers Karl Wilhelm Ludwig Heyse, studierte er in Berlin klassische Philologie, seit 1850 in Bonn romanische Sprachen. Er promovierte mit einer Arbeit über den Refrain in den Liedern der Troubadours. In der Schweiz und in Italien durchforschte er die Bibliotheken nach romanischen Sprachdenkmälern.

Bekannt wurde er 1850 mit einer Tragödie, Francesca von Rimini. *Im Frühjahr 1850 trat das entscheidende Ereignis seines Lebens ein: König Maximilian II. berief ihn nach München. Dieser Mann, der eine Reihe von Männern der Kunst und Wissenschaft in seiner Hauptstadt vereinigte, schuf eine Tradition oder besser: schuf aus einer Tradition, die München zu einem der wichtigsten deutschen Kulturzentren machte. Die* Jugenderinnerungen *Heyses, aus denen hier Auszüge folgen, geben ein farbiges Bild von dem geistigen München unter Max II.*

Das Genre, in dem Heyse am meisten leistete, war die Novelle.

Von seinen vielen Dramen, die sich auf der deutschen

Bühne lange mit großem Erfolg behaupteten, heute aber kaum mehr aufgeführt werden, sind vor allem zu nennen: Hans Lange, Colberg *und* Maria Magdalena. *Da wir aus den* Jugenderinnerungen *Abschnitte gewählt haben, die sich mit dem ›Münchner Dichterkreis‹ beschäftigen, deren Führer Emanuel Geibel und Paul Heyse wurden, setzen wir hier ein zeitgenössisches Urteil über diesen Kreis her, das Alfred Zäch (Zürich) in dem 1946 erschienenen Buch* Deutsche Literaturgeschichte in Grundzügen *abgegeben hat:* »Unfähig, Neues an Gestalt und Gehalt zu ersinnen, halten sie sich an die Nachahmung überlieferten Guts. Ein Sammelpunkt so gerichteter Geister ist der ›Münchner Dichterkreis‹, dem als Führer Emanuel Geibel und Paul Heyse und als weitere Mitglieder Grosse, Lingg, Leuthold, Bodenstedt, Schack und andere angehören und der jahrzehntelang den Lesehunger des zahmen, sich gebildet gebärdenden Bürgers zu stillen vermag. Korrektheit der Form, Freiheit von Tendenz (Geibel: ›Der Dichter steht auf einer höhern Warte als auf den Zinnen der Partei‹) ist diesen etwas meistersingerlichen, aber hohepriesterlich als ›Idealisten‹ auftretenden Poeten das Hauptanliegen. Mühelos betätigen sie sich in allen Dichtungsgattungen.«*

Das alte und das neue literarische München

Bei der ganzen Anlage seines geistigen und sittlichen Naturells war nun nichts natürlicher, als daß der König gerade für Geibel vor allen anderen zeitgenössischen Dichtern die wärmste Sympathie fühlte. Der melodische Fluß und die glänzende Vollendung seiner Verse bezauberten ihn; der tiefste Brustton idealer Gefühle und Gesinnungen kam einer verwandten Stimmung in der Seele des Königs entgegen.

Schon im Frühjahr 1852 berief er den ihm so teuren Dichter in seine Nähe und war glücklich, daß er im persönlichen

Verkehr Geibels Charakter ebenso schätzen lernte, wie er seine Dichtungen bewundert hatte. Geibel war nach München übergesiedelt und hatte dort seinen jungen Hausstand gegründet. Eine Professur der Literaturgeschichte und Poetik war ihm übertragen worden, die er in den ersten Jahren ziemlich ernst nahm; eine Schar angehender junger Poeten sammelte sich um ihn und suchte in den Vorlesungen, die er in seinem Hause hielt, Belehrung über poetische Technik. Ob es dabei zu eigentlich wissenschaftlicher Arbeit, zumal im Gebiete der Literaturgeschichte, gekommen, weiß ich nicht zu sagen. Jedenfalls war das Verhältnis zum Könige der Hauptzweck seiner Gegenwart in München.

Er war freilich bei aller angeborenen Loyalität nicht fähig, die Rolle eines geschmeidigen Höflings zu spielen. Gleich zu Anfang, als der König ihm durch seinen bisherigen Amanuensis, den Ministerialrat Daxenberger, eine Auswahl seiner eigenen Gedichte zur Prüfung geschickt hatte mit der Frage, ob er sie zur Veröffentlichung geeignet halte, hatte Geibel unumwunden vom Druckenlassen abgeraten. Der König, weit davon entfernt, darüber empfindlich zu werden, hatte ihm diese Warnung als einen Freundschaftsdienst hoch angerechnet und ist auf den Lieblingswunsch eines jeden, der sich dilettantisch mit Versemachen beschäftigt, nie wieder zurückgekommen.

Der Verkehr mit Geibel aber regte in ihm die Neigung zur Poesie so lebhaft an, daß er neben den Männern der Wissenschaft, die er an seine Universität berief, um auch privatim ihres belehrenden Umgangs zu genießen, auch einige Poeten zu den Abendgesellschaften zuzuziehen beschloß, in denen er geistige Nahrung und Erfrischung der verschiedensten Art zu gewinnen wünschte.

Es konnte nicht fehlen, daß diese Gründung einer ›geistigen Tafelrunde‹ in den Kreisen der einheimischen Gelehrten und Dichter eine sehr unfreundliche Stimmung erzeugte. Schon die Berufung hervorragender Gelehrter an die Universität hatte, wie oben bemerkt, aus den verschiedensten Ursachen lebhaften Unmut erregt. Die besondere Gunst, die einigen dieser Fremden, vor allem Liebig, durch die Teilnahme an den Symposien des Königs zuteil wurde, mußte die feindselige Stimmung der zunächst betroffenen altbayerischen Kreise nur noch erheblich steigern, da die bevorzugten ›Berufenen‹ allgemein im Verdacht standen, weil sie das Ohr des Königs hätten und zwangloser als selbst die Minister mit ihm verkehrten, diesen Vorzug, wenn auch nicht immer in persönlichem Interesse, doch zu immer stärkerer Zurückdrängung der verdienten einheimischen Männer zu mißbrauchen. Es half nichts, daß auch bayrische Gelehrte zu den Symposien geladen wurden. Die Liebig, Bischof, Jolly, Riehl, Bluntschli, Carriere, späterhin Sybel und Windscheid waren doch in der Mehrzahl und gehörten zu den Stammgästen an diesem königlichen Tische.

Nun vollends die Bevorzugung fremder Poeten, da es in dem bayrischen Dichterwald doch wahrlich ›von allen Zweigen schallte‹! Schon mit Dingelstedts Berufung war man unzufrieden gewesen. Man hielt ihn nach seinen ›Nachtwächterliedern‹ nur für einen der politischen Dichter und Tendenzpoeten, die nachgerade abgetan waren; zudem hatte er sich durch seine ›Verhofräterei‹ den Liberalen verdächtig gemacht, während er den Altgesinnten durch allerlei Frivolitäten Anstoß zu geben fortfuhr. Immerhin war er nicht als Dichter, sondern als Theaterintendant nach München gekommen und hatte ein Amt, mit dem ohnehin ein Gehalt verbunden war. Auch wurde er nicht zu dem engeren Kreise des Königs hinzugezogen. Daß aber zwei andre fremde Dichter durch die Gnade des Königs eine Jahrespension genossen, ohne weitere Verpflichtung, als an den Symposien teilzunehmen und in München ihr Dichten und Trachten weiterzutreiben, entflammte die Gemüter, zumal der einheimischen Kollegen, zu heftiger Empörung.

Die Schuld an dieser unerhörten Vernachlässigung der

talentvollen Landeskinder schob man nächst Dönniges natürlich Geibel in die Schuhe. Zwar hatte er von vornherein ein
freundliches Verhältnis zu dem angesehensten der bayrischen
Dialektdichter, Franz von Kobell, gefunden, der zu den In-
timen des Hofes gehörte. Wo aber blieben die anderen, die
zwar über die Grenzen Bayerns hinaus sich nicht bekannt
gemacht hatten, aber innerhalb derselben eines gewissen Ansehens genossen? Wo blieb sogar der berühmte Oskar von
Redwitz, dann Andreas May, Ludwig Steub, Franz Traut-
mann, Hermann Schmid, Franz Bonn, Heinrich Reder,
Teichlein, Ille und so viele andere unter den jüngeren Talenten, denen ein königliches Jahresgehalt und die Soupers in der
›Grünen Galerie‹ des Königsschlosses von ihren Freunden
und Lesern lieber gegönnt worden wären als dem in Peine an
der Fuse geborenen Bodenstedt und gar dem Schreiber dieser
Zeilen, dem es als ein unvertilgbarer Makel anhaftete, mit
Spreewasser getauft worden zu sein?

Gewiß wäre niemand froher gewesen als Geibel, wenn er
unter den genannten einheimischen Poeten den oder jenen
dem Könige zur Aufnahme in seinen engeren Kreis hätte
empfehlen können. Wie weit entfernt er von jeder prinzipiellen Geringschätzung der süddeutschen Talente war, hatte er
zunächst durch die liebevolle Sorgfalt bewiesen, mit der er
Hermann Linggs Gedichte herausgab, in der Vorrede auf ihn
als einen ›Ebenbürtigen‹ hinweisend, und späterhin durch das
freundschaftliche Verhältnis mit dem Münchner Hans Hop-
fen, dem Schweizer Leuthold und dem Schwaben Wilhelm
Hertz. Er war es auch, der Lingg und später Melchior Meyr
eine Jahrespension beim König erwirkte, wie er denn überhaupt in materieller Fürsorge für Dichter, die er anerkannte,
unermüdlich war, nicht nur durch sein Fürwort beim Könige
(das auch Otto Ludwig zugute kam), sondern in großherzig-
ster Weise aus seiner eigenen Tasche.

Wenn er sich gleichwohl den damaligen Poeten Münchens
gegenüber zurückhaltend bewies, so geschah es ohne alle per-

sönlichen Motive, aus dem Grunde, weil er keinen darunter für voll nahm.

Daß er ein gutes Recht dazu hatte, hat einer der talentvollsten jüngeren Münchener Dichter offen ausgesprochen, Max Haushofer in dem trefflichen, durch feines Urteil und gerechte Verteilung von Licht und Schatten ausgezeichneten Essay ›Die literarische Blüte Münchens unter König Max II.‹, aus dem oben schon eine bezeichnende Stelle angeführt worden ist.

»Den vormärzlichen Dichtern Münchens gebrach es nicht an Talent, aber an der Energie des Strebens. Süddeutsche Gemütlichkeit ging ihnen über jeden Erfolg. Vormittags beim Bockfrühschoppen im ›Achazgarten‹ zu sitzen, den Nachmittag in einem der Kaffeehäuser des Hofgartens zu verplaudern und den Abend, wenn er schön war, auf einem der damals noch so prächtigen aussichtsreichen Keller zuzubringen: das war in jener Zeit ein viel schöneres und poetischeres Tun als das Sitzen am Schreibtisch.«

Es war aber doch wohl nicht vorzugsweise diese Neigung zu vergnüglichem Lebensgenuß, was die talentvollen Altbayern nicht zu strenger Arbeit im Dienst der Musen kommen ließ. Gerade weil hier im Süden der poetische Trieb den Begabteren mehr im Blute lag, ihre Natur von Hause aus künstlerischer gestimmt war als dem nüchternen Menschenschlag im Norden, fühlten sie weniger die Pflicht innerer Vertiefung und glaubten den Kranz ›schon im Spazierengehen‹ zu erringen. Daß auch der Dichter nicht nur im Technischen viel zu lernen habe – hatte doch auch der berühmteste bayrische Poet, Graf Platen, sich nachgerühmt: »Die Kunst zu lernen, war ich nie zu träge« –, sondern daß es etwas wie ein künstlerisches Gewissen gebe, dessen Mahnungen nicht als Schulweisheit eines pedantischen Präzeptors verspottet und vernachlässigt werden dürften, ahnten die wenigsten. Sie begnügten sich nach Art aller Dilettanten mit dem, was ihnen in angeregter Stunde von ihrem Genius beschert worden war, und antworteten, wenn sie auf Mängel dieses ersten Hinwurfs hingewiesen wurden, wie jener Poet in Shakespeares ›Timon‹: »'s ist eben nur ein Ding, mir leicht entschlüpft.«

Dazu kam, daß es vor fünfzig Jahren in München völlig an einer einsichtsvollen literarischen Kritik gebrach. Der Journalismus stand selbst in Bayerns Hauptstadt auf keiner höheren Stufe als heutzutage in den Lokalblättern kleinerer Provinzstädte, und auch das ›Blatt für Diplomaten und Staatsmänner‹, die ›Augsburger Allgemeine Zeitung‹ befaßten sich nur gelegentlich in der Beilage mit neueren belletristischen Erscheinungen. Was in norddeutschen kritischen Journalen hin und wieder geurteilt wurde über ein Buch, das aus dem Süden kam, machte, wenn es noch so sachlich und maßvoll klang, keine tiefere Wirkung, da man überzeugt war, die norddeutsche Kritik stehe der süddeutschen Produktion von vornherein mit geringschätzigem Vorurteil gegenüber. Auch fehlte es in München an einem Verleger für andere als wissenschaftliche, geistliche und pädagogische Literatur, und bei Cotta anzukommen war ein seltener Glücksfall.

Noch verhängnisvoller aber als der Mangel einer öffentlichen Kritik war hier die Scheu vor jenen ›goldenen Rücksichtslosigkeiten‹ im persönlichen Verkehr der Schriftsteller, die den Berliner Tunnel trotz manches pedantischen Zuges für die Bildung junger Talente so ersprießlich gemacht hatten. Junge Künstler haben in der Regel mehr Vorteil von kameradschaftlicher wetteifernder Anregung untereinander als von der eindringlichsten Unterweisung älterer Meister. Nun galt es aber für sehr unschicklich, offen ins Gesicht seine Meinung zu sagen, da man ja hinter dem Rücken der guten Freunde seiner scharfen Zunge keinen Zwang anzutun brauchte. Ich selbst, als ich einigen Kollegen keinen besseren Beweis meines freundschaftlichen guten Willens geben zu können meinte, als wenn ich ihnen in der schonendsten Form aussprach, was mir neben dem Gelungenen noch einer Besserung fähig schien, mußte zu meinem Schaden erfahren, daß dies des Landes nicht der Brauch sei. Man wollte en bloc gelobt werden und beschuldigte den unberufenen Tadler eines Mangels an guter Erziehung oder einer hochmütigen, wenn nicht gar feindseligen Gesinnung. Ich sah denn auch bald ein, daß mein redliches Bemühen hier an die Unrechten kam. Den wenigsten war es so ernstlich um die Sache zu tun, daß sie die Mühe daran gewendet hätten, auch wenn sie einen Einwand zugeben mußten, noch einmal Hand an ihr Werk zu legen. Sie fühlten sich persönlich beleidigt und trotzten nun erst recht auf die Unantastbarkeit ihres ersten Hinwurfs.

Einem so viel älteren Poeten wie Franz von Kobell gegenüber hätte ich mich wohl gehütet, meinem kritischen Vorwitz Luft zu machen. Auch waren seine frischen Lieder und kleinen anekdotischen Gedichte in bayrischer und pfälzischer Mundart voll Mutterwitz und volkstümlichem Reiz schon durch den Zügel des Dialekts in ihrem munteren Gange gesichert, wie ja auch im Dialekt keine Sprachfehler gemacht werden. Was er hochdeutsch dichtete oder gelegentlich für die Bühne schrieb, hatte freilich auch einen dilettantischen Anstrich, fand aber ebenfalls so allgemeinen Beifall, daß sich niemand versucht fühlen konnte, die höchsten ästhetischen Maßstäbe daran zu legen. Sowenig wie an die Verse seines Freundes, des Grafen Franz von Pocci, der so recht der Typus des vielseitig begabten altbayrischen Dilettantismus war. Als Knabe hatte ich den ›Festkalender‹, den er in Gemeinschaft mit Guido Görres herausgab, mit Entzücken studiert, die schnurrigen oder romantischen Balladen auswendig gelernt, die hübschen Bilder eifrig nachgezeichnet. Nun begnügte sich der liebenswürdige Mann freilich nicht mit seinen Erfolgen in geselligen Kreisen, wo er seine witzigen, oft sehr anzüglichen Karikaturen durch lustige Verse erklärte, noch mit dem Beifall der Kinderwelt, für die er seine vielen drolligen Puppenspiele dichtete, sondern er verfaßte auch anspruchsvollere Dramen, die allerdings von neuem bewiesen, daß es in dieser dichterischen Gattung mit einer leichtherzigen Improvisation nicht getan, sondern ernste Arbeit unerläßlich ist.

Ich gedenke aber nicht, hier die Geschichte des literarischen Münchens um die Zeit, ehe ich mich dazugesellte, zu schreiben. Einen hinlänglichen Überblick über die Bestrebungen der einheimischen Poeten hat Max Haushofer in dem erwähnten Aufsatz gegeben, aus dem ich selbst erst manches erfahren habe, was mir damals entgangen war. Unter anderm, daß schon im Jahre 1848 in München – überhaupt die Stadt der Vereine – ein ›Verein für deutsche Dichtkunst‹ gegründet wurde, der im Jahre 1851 ein Jahrbuch erscheinen ließ, darin unter mir bekannten Namen viele völlig verschollene. Sieben Jahre später gab Graf Pocci – »auf eine Anregung, die vom Königshause ausgegangen war« – ein Münchner Album heraus, in dem sich eine noch viel größere Anzahl von einheimischen Namen findet. Dann entstand im Jahre 1852 ›Der Poetenverein an der Isar‹ unter dem Vorsitz des eifrig dichtenden Papierfabrikanten Medicus, der besonders einen jüngeren Freund, August Becker, zu fördern bemüht war und viel dazu beitrug, diesen hoffnungsvollen Anfänger in dem Wahn einer früh erreichten Meisterschaft zu bestärken.

All diese Vorgänge auf dem bayrischen Parnaß habe ich nur erwähnt, um den Boden zu schildern, der dem Neuling heiß genug werden sollte, und die Stimmung der kollegialen Gesellschaft, die alle drei Berufenen empfing.

Bekannt ist das satirische Gedicht, mit dem der witzige Redakteur der Augsburger Allgemeinen Zeitung, Altenhöfer, die fremden Poeten begrüßte. Es war den autochthonen Gegnern aus der Seele gesprochen: Merkt es euch, ihr *Geibel*, *Heyse*, die ein Wind *beliebig* dreht, Hofgunst ist ein *Dingel*, das auf keinem *festen Boden* steht.

Bodenstedts Berufung war durch Dönniges veranlaßt worden, der an dem ziemlich äußerlichen Witz des Mirza-Schaffy Gefallen gefunden hatte und von dem Verfasser der ›Völker des Kaukasus‹ und ›Tausendundein Tag im Orient‹ sich für

die Unterhaltung der königlichen Tafelrunde viel versprach.
– Geibel hatte sich fügen müssen, obwohl er von Bodenstedts
Talent nicht so gut dachte. Im Vergleich zu den anderen
west-östlichen Poeten – außer Goethe vor allem Rückert,
Daumer und Platen – schien ihm Mirza-Schaffy des tieferen
poetischen Gehalts, der echten, leidenschaftlichen Empfindung zu entbehren und der vielgerühmte Witz oft nur in billigen Reimspielen zu liegen, die höchstens einem Laienpubli-
kum imponieren konnten. Was Bodenstedt nicht in der
orientalischen Maske, sondern als guter Deutscher geschaffen
hatte, seine eigenen Gedichte, Dramen, Novellen, stand so
tief unter jenen poetischen Reifefrüchten, daß man sich des
Verdachts nicht erwehren konnte, es handle sich bei diesen
mehr oder weniger nur um Nachdichtungen geistvollerer
Originale – worüber Bodenstedts Erklärungen nie ein volles
Licht verbreiteten.

Auf seine eigene Verantwortung hatte Geibel dagegen, wie
gesagt, meine Berufung befürwortet und durchgesetzt, in jeder Weise ein Wagnis. Es war nichts Unerhörtes, daß ein
Fürst einen anerkannten Dichter in seine Nähe rief und ihn
aller Lebenssorgen überhob. So hatte Friedrich Wilhelm IV.
Kopisch nach Potsdam berufen, Rückert als Professor an die
Berliner Universität, und Tiecks müder Pegasus genoß den
königlichen Gnadenhafer. Was aber bisher von meinen Sachen gedruckt worden war, hatte schwerlich den Weg nach
Bayern gefunden und konnte höchstens als Talentproben gelten, die mir keinen Anspruch darauf gaben, so vielen älteren
einheimischen Dichtern vorgezogen zu werden. Dazu war
mein Äußeres noch jugendlicher als meine jungen vierundzwanzig Jahre. Ich sehe noch Liebigs verwunderte Miene bei
meinem ersten Besuch, da er glaubte, ich sei gekommen, für
meinen Vater, der berufen worden, Quartier zu machen, und
hörte das Lachen der Frau von Dönniges, als ich ihr erzählte,
ich würde in sechs Wochen Hochzeit machen.

Der König indes hatte durch die ›Urica‹, die ›Brüder‹ und

das ›Spanische Liederbuch‹, die Geibel ihm vorgelegt, eine
günstige Meinung von meinem Talent gewonnen, auch darein
gewilligt, daß mir die erbetene Honorarprofessur an der Universität übertragen wurde. Nicht daß ich denn doch Zweifel
gehegt hätte, ob ich es wagen dürfe, mich als Poet zu etablieren und in dichterischen Aufgaben ein ganzes Leben lang Genüge zu finden, sondern weil ich nicht wußte, wie mir in der
Stellung eines königlichen ›Günstlings‹ und Pensionärs zumute sein würde. Da ich mir wenig Talent zum Hofmann zutraute, wollte ich mir den Rückzug an die Universität offen-
halten.

Meine erste Audienz bei dem Könige, die am 28. März
1854 stattfand, überzeugte mich, daß es mir nicht schwerfal-
len würde, nach dem Wunsch dieses gütigen Fürsten in seiner
Nähe ausschließlich meinem Talent zu leben.

Ich habe daher von dem Recht, an der Universität Vorlesungen zu halten, nie Gebrauch gemacht, zumal nachdem ich
in Konrad Hofmann einen der gelehrtesten und geistvollsten
Meister der romanischen Philologie kennengelernt hatte,
demgegenüber vollends ich mir der Unzulänglichkeit meines
fragmentarischen Wissens beschämend bewußt wurde.

Die einfache Güte aber, mit der mein hoher Gönner mich
empfing, das freundliche Interesse, das er an meinen Erstlin-
gen zeigte, verscheuchten sofort jedes Gefühl von Befangenheit, mit dem ich ihm gegenübergetreten war. Ich fand ihn
stattlicher, als er mir von Italien her im Gedächtnis geblieben
war, das Gesicht jugendlicher und frischer, sein Anstand voll
einfacher, natürlicher Würde.

Nun konnte ich ihm endlich persönlich für das mir in Rom
bewiesene Wohlwollen danken, da er sich in meinen Biblio-
theksnöten für mich verwendet hatte. Er erinnerte sich der
Sache, fragte, ob ich auch in Spanien gewesen, was ich verneinen mußte, und ob in den dortigen Bibliotheken nicht noch
ungekannte Schätze vergraben seien. Er knüpfte dabei an das
Spanische Liederbuch an und fragte nach meinen gegenwär-

tigen Arbeiten, wobei er seine Neigung zur Poesie lebhaft äußerte. – »Majestät sind selbst Dichter.« – »Meine Zeit ist leider nicht mein. Aber ich kenne nichts, was eine bessere Erholung wäre, mehr das Gemüt und den Geist erhöhe, gerade in einer Zeit, die poetischen Bestrebungen so ungünstig ist. Was halten Sie davon, ob ein modernes geschichtliches Epos möglich wäre? Ich habe schon öfters mit Professor Geibel davon gesprochen, der aber nichts davon wissen will.«

Meine Antwort darauf, und was ich über den weiteren Gang des Gesprächs an meine Eltern berichtet, will ich hier übergehen. Man wird begreifen, daß ich sehr glücklich war, in dem Fürsten, dessen Gnade mir zuteil geworden, einen Mann zu finden, den ich mit aufrichtigem Herzen verehren durfte. »Ich verspare mir«, hieß es in einem nach der Audienz geschriebenen Brief an die Eltern, »alles Nähere auf mündlich, wo auch allerlei Züge von hoher Menschlichkeit und Noblesse verraten werden dürfen, die der histoire secrète des Hofes angehören.« (Was hier gemeint war, ist mir nicht mehr erinnerlich.) Im ganzen hatte die Unterredung eine halbe Stunde gedauert, und ich war von ihrem Verlauf höchst befriedigt. Abends sah ich mit Geibel die Terenzischen ›Brüder‹ im Theater, mit jener Frische und gutem Willen aufgeführt, wie man sie sonst bei Liebhabertheatern trifft. Nur einer war eigentlich ein voller Künstler (Christen?). König Ludwig und Königin Therese saßen links in der Proszeniumsloge, so daß ich sie genau und lange betrachten konnte. Der alte Herr ist sehr verwittert. Gegen die Mitte des Stücks kam das regierende Paar in die Loge gegenüber, die junge Königin sehr hübsch und beide stattlich zusammen. Geibel sah, wie der König mich von fern der Königin vorstellte. Eine nähere Bekanntschaft wartete meiner im Sommer. Darauf sind wir wieder bis gegen Mitternacht bei sehr gutem Wein und noch besserer Freundschaft beisammen geblieben.

Leopold von Ranke
Über die Epochen
der neueren Geschichte

Leopold von Ranke, geboren 1795, seit 1825 Professor der Geschichtswissenschaft in Berlin, lehnte jede Geschichtsmetaphysik ab. Sein charakteristischster Ausspruch, welcher die Entwicklung zu einem Endziel verneint, lautet: »Jede Epoche ist unmittelbar zu Gott.« Vor allem interessiert an den politischen Ereignissen, steht im Mittelpunkt seines Interesses die historische Individualität: der einzelne und die besondere Epoche.

Seine allgemeinen Reflexionen über geschichtliches Leben sind vor allem in den Vorträgen Über die Epochen der neueren Geschichte *enthalten. Sie verdankten ihr Entstehen dem Wunsch Maximilians II. von Bayern, von dem großen Historiker einen Überblick über den Lauf der Weltgeschichte zu erhalten. Wir bringen den ersten Vortrag, den er am 25. September 1854 hielt.*

Als Maximilian, 20jährig, in Berlin studierte, hörte er mit Begeisterung Rankes Kolleg. Als Ludwig I. 1848 auf den Thron verzichtete und Maximilian König wurde, wollte er Ranke für München gewinnen. Ranke lehnte ab, wurde aber sozusagen des Königs Privatlehrer. Eine besondere Bedeutung gewann sein Besuch in Berchtesgaden, vom 20. September bis Mitte Oktober 1854. Es wurde auch vom Krimkrieg gesprochen. Vor allem aber entwickelte Ranke seine religiösen Ideen. In einem Brief an seine Frau schrieb er: »Mit meiner Anschauung vom Christentum fand ich hier volles und ent-

gegenkommendes Verständnis. *Der König ist der erste, der mir vorkommt, der in der Tat etwas von Schelling gelernt hat und durch philosophische Bildung auf Geschichte und Religion des Menschen zurückgekommen ist.«* Aber auch die Unterhaltungen über Politik müssen so ausgiebig gewesen sein, daß Friedrich Wilhelm IV. Ranke beauftragte, ihm einen Vortrag über die politischen Ansichten Maximilians zu halten.

Maximilian nun äußerte den Wunsch, von Ranke über den Gang der Weltgeschichte belehrt zu werden. Der Historiker berichtete seiner Frau über diese Vorträge in seinem Brief: »Wir haben hier historische Vorträge begonnen . . . Ein Stenograf, der am Hof in der Kanzlei ist, nimmt jedes Wort auf . . . Ich habe nicht die Spur eines Buches bei mir und bin selbst begierig, wie sich meine Rhapsodien ausnehmen werden, wenn man mir sie einmal, wie man versprochen hat, reinlich abgeschrieben, zuschickt. Meiner Historie habe ich mich, glaube ich, noch nie so von ganzem Herzen und vollkommen gefreut, wie hier am Ort. Aber Du siehst wohl, daß es neben Vergnügen und Leibesübung an geistiger Arbeit nicht fehlt; der König ist in beiden unermüdlich.«

Der König unterzeichnete seine Briefe: »von Ihrem treuen Schüler Max«. Die ›Rhapsodie der Weltgeschichte‹ veröffentlichte Ranke nicht. Sie kam erst 33 Jahre später ans Licht. Eine Darstellung der Weltgeschichte begann der Historiker erst im hohen Alter und kam nur bis ins frühe Mittelalter.

Nach dem Vortrag vom 25. September 1854 bringen wir noch das Protokoll des anschließenden Gesprächs zwischen Ranke und König Maximilian.

Erster Vortrag – Vom 25. September 1854

Einleitung.

Zum Behufe der gegenwärtigen Vorträge ist es vor allem nötig, sich über zweierlei zu verständigen: 1. über den Ausgangspunkt, den man dabei zu nehmen haben wird; 2. über die Hauptbegriffe.

Was den Ausgangspunkt betrifft, so würde es uns für den vorliegenden Zweck viel zu weit führen, wenn wir uns mit der Anschauung in ganz entfernte Zeiten, in ganz abgelegene Zustände versetzen wollten, welche zwar noch immer einen Einfluß auf die Gegenwart ausüben, aber nur einen indirekten. Wir werden also, um uns nicht ins rein Historische zu verlieren, von der römischen Zeit ausgehen, in welcher eine Kombination der verschiedensten Momente zu finden ist.

Hiernächst haben wir uns zu verständigen: 1. über den Begriff des Fortschritts im allgemeinen; 2. über das, was man im Zusammenhang damit unter ›leitenden Ideen‹ zu verstehen habe.

1. Wie der Begriff ›Fortschritt‹ in der Geschichte aufzufassen sei.

Wollte man mit manchem Philosophen annehmen, daß die ganze Menschheit sich von einem gegebenen Urzustande zu einem positiven Ziel fortentwickelte, so könnte man sich dieses auf zweierlei Weise vorstellen: entweder, daß ein allgemein leitender Wille die Entwickelung des Menschengeschlechtes von einem Punkt nach dem anderen förderte – oder, daß in der Menschheit gleichsam ein Zug der geistigen Natur liege, welche die Dinge mit Notwendigkeit nach einem bestimmten Ziel hintreibt. Ich möchte diese beiden Ansichten weder für philosophisch haltbar noch für historisch nachweisbar halten.

Philosophisch kann man diesen Gesichtspunkt nicht für annehmbar erklären, weil er im ersten Fall die menschliche Freiheit geradezu aufhebt und die Menschen zu willenlosen

Werkzeugen stempelt; und weil im anderen Falle die Menschen geradezu entweder Gott oder gar nichts sein müßten.

Auch historisch aber sind diese Ansichten nicht nachweisbar; denn fürs erste findet sich der größte Teil der Menschheit noch im Urzustande, im Ausgangspunkt selbst; und dann fragt es sich: Was ist Fortschritt? Wo ist der Fortschritt der Menschheit zu bemerken? Es gibt Elemente der großen historischen Entwicklung, die sich in der römischen und germanischen Nation fixiert haben; hier gibt es allerdings eine von Stufe zu Stufe sich entwickelnde geistige Macht. Ja, es ist in der ganzen Geschichte eine gleichsam historische Macht des menschlichen Geistes nicht zu verkennen; das ist eine in der Urzeit gegründete Bewegung, die sich mit einer gewissen Stetigkeit fortsetzt. Allein es gibt in der Menschheit überhaupt doch nur ein System von Bevölkerungen, welche an dieser allgemein historischen Bewegung teilnehmen, dagegen andere, die davon ausgeschlossen sind. Wir können aber im allgemeinen auch die in der historischen Bewegung begriffenen Nationalitäten nicht als im stetigen Fortschritt befindlich ansehen. Wenden wir z. B. unser Augenmerk auf Asien, so sehen wir, daß dort die Kultur entsprungen ist und daß dieser Weltteil mehrere Kulturepochen gehabt hat. Allein dort ist die Bewegung im ganzen eher eine rückgängige gewesen; denn die älteste Epoche der asiatischen Kultur war die blühendste; die zweite und dritte Epoche, in welcher das griechische und römische Element dominierten, war schon nicht mehr so bedeutend, und mit dem Einbrechen der Barbaren – der Mongolen – fand die Kultur in Asien vollends ein Ende. Man hat sich dieser Tatsache gegenüber mit der Hypothese geographischen Fortschreitens helfen wollen; allein ich muß es von vornherein für eine leere Behauptung erklären, wenn man annimmt, wie z. B. Peter der Große, die Kultur mache die Runde um den Erdball, sie sei vom Osten gekommen und kehre dahin wieder zurück.

Fürs zweite ist hiebei ein anderer Irrtum zu vermeiden,

nämlich der, als ob die fortschreitende Entwickelung der Jahrhunderte zu gleicher Zeit alle Zweige des menschlichen Wesens und Könnens umfaßte. Die Geschichte zeigt uns, um beispielsweise nur einen Moment hervorzuheben, daß in der neueren Zeit die Kunst im 15. und in der ersten Hälfte des 16. Jahrhunderts am meisten geblüht hat; dagegen ist sie am Ende des 17. und in den ersten drei Vierteln des 18. Jahrhunderts am meisten heruntergekommen. Gerade so verhält es sich mit der Poesie: auch hier sind es nur Momente, wo diese Kunst wirklich hervortritt; es zeigt sich jedoch nicht, daß sich dieselbe im Laufe der Jahrhunderte zu einer höheren Potenz steigert.

Wenn wir somit ein geographisches Entwickelungsgesetz ausschließen, wenn wir andererseits annehmen müssen, wie uns die Geschichte lehrt, daß Völker zugrunde gehen können, bei denen die begonnene Entwickelung nicht stetig alles umfaßt, so werden wir besser erkennen, worin die fortdauernde Bewegung der Menschheit wirklich besteht. Sie beruht darauf, daß die großen geistigen Tendenzen, welche die Menschheit beherrschen, sich bald auseinander erheben, bald aneinander reihen. In diesen Tendenzen ist aber immer eine bestimmte partikuläre Richtung, welche vorwiegt und bewirkt, daß die übrigen zurücktreten. So war z. B. in der zweiten Hälfte des 16. Jahrhunderts das religiöse Element so überwiegend, daß das literarische vor demselben zurücktrat. Im 18. Jahrhundert hingegen gewann das Utilisierungsbestreben ein solches Terrain, daß vor diesem die Kunst und die ihr verwandten Tätigkeiten weichen mußten.

In jeder Epoche der Menschheit äußert sich also eine bestimmte große Tendenz, und der Fortschritt beruht darauf, daß eine gewisse Bewegung des menschlichen Geistes in jeder Periode sich darstellt, welche bald die eine, bald die andere Tendenz hervorhebt und in derselben sich eigentümlich manifestiert.

Wollte man aber im Widerspruch mit der hier geäußerten

Ansicht annehmen, dieser Fortschritt bestehe darin, daß in jeder Epoche das Leben der Menschheit sich höher potenziert, daß also jede Generation die vorgehende vollkommen übertreffe, mithin die letzte allemal die bevorzugte, die vorhergehenden aber nur die Träger der nachfolgenden wären, so würde das eine Ungerechtigkeit der Gottheit sein. Eine solche gleichsam mediatisierte Generation würde an und für sich eine Bedeutung nicht haben; sie würde nur insofern etwas bedeuten, als sie die Stufe der nachfolgenden Generation wäre und würde nicht in unmittelbarem Bezug zum Göttlichen stehen. Ich aber behaupte: jede Epoche ist unmittelbar zu Gott, und ihr Wert beruht gar nicht auf dem, was aus ihr hervorgeht, sondern in ihrer Existenz selbst, in ihrem eigenen Selbst. Dadurch bekommt die Betrachtung der Historie, und zwar des individuellen Lebens in der Historie, einen ganz eigentümlichen Reiz, indem nun jede Epoche als etwas für sich Gültiges angesehen werden muß und der Betrachtung höchst würdig erscheint.

Der Historiker hat also ein Hauptaugenmerk erstens darauf zu richten, wie die Menschen in einer bestimmten Periode gedacht und gelebt haben; dann findet er, daß, abgesehen von gewissen unwandelbaren ewigen Hauptideen, z. B. den moralischen, jede Epoche ihre besondere Tendenz und ihr eigenes Ideal hat. Wenn nun aber auch jede Epoche an und für sich ihre Berechtigung und ihren Wert hat, so darf doch nicht übersehen werden, was aus ihr hervorging. Der Historiker hat also fürs zweite auch den Unterschied zwischen den einzelnen Epochen wahrzunehmen, um die innere Notwendigkeit der Aufeinanderfolge zu betrachten. Ein gewisser Fortschritt ist hiebei nicht zu verkennen; aber ich möchte nicht behaupten, daß sich derselbe in einer geraden Linie bewegt, sondern mehr wie ein Strom, der sich auf seine eigene Weise den Weg bahnt. Die Gottheit – wenn ich diese Bemerkung wagen darf – denke ich mir so, daß sie, da ja keine Zeit vor ihr liegt, die ganze historische Menschheit in ihrer Gesamtheit

überschaut und überall gleich wert findet. Die Idee von der
Erziehung des Menschengeschlechts hat allerdings etwas
Wahres an sich, aber vor Gott erscheinen alle Generationen
der Menschheit gleichberechtigt, und so muß auch der Historiker die Sache ansehen.

Ein unbedingter Fortschritt, eine höchst entschiedene Steigerung ist anzunehmen, so weit wir die Geschichte verfolgen
können, im Bereiche der materiellen Interessen, in welchen
auch ohne eine ganz ungeheure Umwälzung ein Rückschritt
kaum wird stattfinden können; in moralischer Hinsicht aber
läßt sich der Fortschritt nicht verfolgen. Die moralischen
Ideen können freilich extensiv fortschreiten, und so kann
man auch in geistiger Hinsicht behaupten, daß z. B. die großen Werke, welche die Kunst und Literatur hervorgebracht,
heutzutage von einer größeren Menge genossen werden als
früher; aber es wäre lächerlich, ein größerer Epiker sein zu
wollen als Homer oder ein größerer Tragiker als Sophokles.

2. Was von den sogenannten leitenden Ideen in der Geschichte zu halten sei.

Die Philosophen, namentlich aber die Hegelsche Schule,
hat hierüber gewisse Ideen aufgestellt, wonach die Geschichte der Menschheit wie ein logischer Prozeß in Satz,
Gegensatz, Vermittelung, in Positivem und Negativem sich
abspinne. In der Scholastik aber geht das Leben unter, und so
würde auch diese Anschauung von der Geschichte, dieser
Prozeß des sich selbst nach verschiedenen logischen Kategorien entwickelnden Geistes auf das zurückführen, was wir
oben bereits verwarfen. Nach dieser Ansicht würde bloß die
Idee ein selbständiges Leben haben; alle Menschen aber
wären bloß Schatten oder Schemen, welche sich mit der Idee
erfüllten. Der Lehre, wonach der Weltgeist die Dinge gleichsam durch Betrug hervorbringt und sich der menschlichen
Leidenschaften bedient, um seine Zwecke zu erreichen, liegt
eine höchst unwürdige Vorstellung von Gott und der
Menschheit zugrunde; sie kann auch konsequent nur zum

Pantheismus führen; die Menschheit ist dann der werdende Gott, der sich durch einen geistigen Prozeß, der in seiner Natur liegt, selbst gebiert.

Ich kann also unter leitenden Ideen nichts anderes verstehen, als daß sie die herrschenden Tendenzen in jedem Jahrhunderte sind. Diese Tendenzen können indessen nur beschrieben, nicht aber in letzter Instanz in einem Begriff summiert werden; sonst würden wir auf das oben Verworfene neuerdings zurückkommen.

Der Historiker hat nun die großen Tendenzen der Jahrhunderte auseinanderzunehmen und die große Geschichte der Menschheit aufzurollen, welche eben der Komplex dieser verschiedenen Tendenzen ist. Vom Standpunkte der göttlichen Idee kann ich mir die Sache nicht anders denken, als daß die Menschheit eine unendliche Mannigfaltigkeit von Entwicklungen in sich birgt, welche nach und nach zum Vorschein kommen, und zwar nach Gesetzen, die uns unbekannt sind, geheimnisvoller und größer, als man denkt.

Gespräch

König Max: Sie haben oben vom moralischen Fortschritt gesprochen, haben Sie dabei auch den inneren Fortschritt des einzelnen im Auge gehabt?

Ranke: Nein, sondern nur den Fortschritt des menschlichen Geschlechtes; das Individuum hingegen muß sich immer zu einer höheren moralischen Stufe erheben.

König Max: Da aber die Menschheit aus Individuen zusammengesetzt ist, so fragt es sich, ob, wenn das Individuum zu einer höheren moralischen Stufe sich erhebt, dieser Fortschritt nicht auch die ganze Menschheit umfassen wird.

Ranke: Das Individuum stirbt; es hat ein endliches Dasein; die Menschheit dagegen ein unendliches. In materiellen Dingen nehme ich einen Fortschritt an, weil hier eines aus dem anderen hervorgeht; anders in moralischer Beziehung. Ich glaube, daß in jeder Generation die wirkliche moralische Größe der in jeder anderen gleich ist und daß es in der moralischen Größe gar keine höhere Potenz gibt, wie wir denn z. B. die moralische Größe der alten Welt gar nicht übertreffen können. Es kommt in der geistigen Welt sogar häufig vor, daß die intensive Größe zu der extensiven in umgekehrtem Verhältnis steht; man vergleiche unsere heutige Literatur mit der klassischen.

König Max: Sollte man aber nicht doch annehmen dürfen, daß die Vorsehung, unbeschadet der freien Selbstbestimmung des einzelnen, der Menschheit im ganzen ein gewisses Ziel gesteckt hat, auf welche dieselbe, wenn auch nicht gewaltsam, hingeleitet wird?

Ranke: Dies ist eine kosmopolitische Hypothese, die man aber nicht historisch nachweisen kann. Wir haben hiefür zwar den Ausspruch der Heiligen Schrift, wonach einst nur ein Hirt und eine Herde sein wird; aber bis jetzt hat sich dies noch nicht als der herrschende Gang der Weltgeschichte ausgewiesen. Dafür dient zum Beweise die Geschichte Asiens, welches nach Perioden der größten Blüte wieder in die Barbarei zurückgefallen ist.

König Max: Ist nicht aber doch jetzt eine größere Anzahl von Individuen zu einer höheren moralischen Entwickelung gediehen als früher?

Ranke: Ich gebe das zu, aber nicht prinzipgemäß; denn die Geschichte lehrt uns, daß manche Völker gar nicht kulturfähig sind und daß oft frühere Epochen viel moralischer waren als spätere. Frankreich in der Mitte des 17. Jahrhunderts z. B. war viel moralischer und gebildeter als zu Ende des 18. Jahrhunderts. Wie gesagt, eine größere Expansion der moralischen Ideen läßt sich behaupten, aber nur in bestimmten Kreisen. Vom allgemein menschlichen Standpunkt aus ist es mir wahrscheinlich, daß die Idee der Menschheit, die historisch nur in den großen Nationen repräsentiert ist, allmählich die ganze Menschheit umfassen sollte, und dies wäre dann der innere moralische Fortschritt. Die Historie opponiert sich dieser Anschauung nicht, weist sie aber nicht nach. Insbesondere müssen wir uns hüten, diese Anschauung zum Prinzip der Geschichte zu machen.

Unsere Aufgabe ist, uns bloß an das Objekt zu halten.

Sören Kierkegaard
Die Schriften über sich selbst

*I*n den über hundert Jahren seit seinem Tode (1855) ist das Leben Sören Kierkegaards immer kräftiger geworden. Er ist heute die Quelle vieler Ideen und Haltungen; aber er ist mit Worten wie existentialistisch und neo-protestantisch nicht einzufangen. Deshalb sollen hier einige Stellen zitiert werden, an denen er über sich selbst gesprochen hat.

Er wurde 1813 in Kopenhagen geboren und starb mit zweiundvierzig. Von seinen Werken nennen wir Entweder-Oder, Die Krankheit zum Tode, Der Begriff Angst, Furcht und Zittern. Er gehört zu jenen Denkern, deren Leben nicht abzutrennen ist von ihrem Werk. Es waren vor allem vier Ereignisse, welche seine Bücher immer wieder ausphilosophierten.

Das erste war sein Verhältnis zum Vater, der in einem kleinen Dorf Westjütlands zur Welt kam. Eines Tages, auf der Heide, als er die Kühe hütete – einsam, frierend, hungrig – wurde der Knabe in einem hiobartigen Aufruhr rebellisch. Er stieg auf einen Stein wie auf eine Kanzel und fluchte Gott. Er erwartete, bestraft zu werden. Das Gegenteil trat ein: er prosperierte außerordentlich und war bereits in jungen Jahren ein wohlhabender Mann. Diesen Erfolg interpretierte der schwermütige Mann: seine Sünde sei so groß gewesen, daß sie in diesem Leben nicht gesühnt werden konnte ... Kierkegaard erbte von ihm das Geld und die Melancholie.

Das zweite Ereignis, das immer wieder Ausgangspunkt seiner Reflexionen wurde, war seine Verlobung mit Regine Olsen und die von ihm erzwungene Entlobung. Kierkegaard kam zu dem Resultat, daß ein Mann, der so verzweifelt war

*wie er, nicht das Recht habe, sich zu binden; besser: einen an-
deren an sich zu binden. Sein Problem war: die Verlobung zu
lösen, ohne die Braut zu verletzen. Seine Taktik war: sich so
schlecht zu benehmen, daß sie ihn für unwürdig hielt, ihr
Mann zu werden.*

*Das dritte große Ereignis seines Lebens war sein Zwist mit
der liberalen, witzigen Zeitschrift ›Der Korsar‹. Sie war sehr
eingenommen von dem Schriftsteller Kierkegaard. Man hatte
ihn »eine mächtige Seele« genannt, »einen Aristokraten des
Geistes«. Da erklärte der also Gespriesene in aller Öffentlichkeit: es wäre ihm lieber, hier angegriffen zu werden. Die Bitte
wurde ihm erfüllt, weit über Erwarten. Man machte ihn in
einer Serie von Karikaturen lächerlich. Er sah schon in jungen
Jahren uralt aus, war verwachsen, hatte tiefliegende Augen
und ein eckiges Gesicht. Besonders hatte man es mit seinen
spindeldürren Beinen zu tun, die auch nicht gleich lang zu sein
schienen. Kopenhagen war ein Nest. Kierkegaard war eine
stadtbekannte Figur . . . nun konnte er nicht mehr auf die
Straße gehen, ohne daß die Kinder »Herr Entweder-Oder«
hinter ihm herriefen.*

*Dieser Trieb, sich zum Märtyrer zu machen, öffentlich zu
bekennen, sich nicht zu drücken, kam am stärksten im letzten
Jahr seines Lebens heraus. Vom 24. bis zum 31. Mai 1855 veröffentlichte er neun Flugblätter unter dem Titel* Der Augenblick. *Es war der Augenblick, den er für gekommen hielt, um
mit märtyrerhafter Rücksichtslosigkeit den Kampf gegen die
dänische Staatskirche, ja gegen das Christentum zu eröffnen.
Es war der Augenblick, in dem der verehrte Primas seines
Landes, der Bischof Mynster, hochbetagt gestorben war.*

*Der Refrain der neun Pamphlete lautete: Eine Million
Dänen ernähren tausend Beamte des Christentums. Die Masse
macht's. Es kommt nicht mehr darauf an, was für ein Christ
man ist – nur daß es viele Christen gibt; er nannte sie ›Titu-
larchristen‹. Er schrieb nicht fein. Unter dem Titel ›Nimm
ein Brechmittel‹ teilte er dem Leser mit, was es bewirken*

werde: »*Du kommst mit dir darüber ins reine, daß das Ganze faul, ekelhaft ist.*« *Und er endete:* »*Luther hatte 95 Thesen; ich hätte nur eine; das Christentum ist nicht vorhanden.*«

Also ein neuer Savonarola? Ein neuer Luther, der eine Reform an Haupt und Gliedern wollte? Er war viel radikaler. Er unternahm es, den sogenannten Frommen erst zu zeigen, was Glauben ist: viel mehr als ein Spekulieren über Endlichkeit und Unendlichkeit und auch viel mehr als ein erhebendes Gefühl.

Kopenhagen im März 1849

Ist ein Land klein, so sind selbstverständlich in allen Verhältnissen die Maßstäbe klein in so einem kleinen Lande. So auch im Literarischen; das Honorar und alles, was dazu gehört, wird nur unbedeutend sein; Schriftsteller sein – wenn man denn nicht Dichter ist, und dann wiederum dramatischer, oder Lehrbücher schreibt oder auf sonst eine Weise Schriftsteller ist in Beziehung auf eine amtliche Stellung – ist so ungefähr die am schlechtesten ausgestattete, die am wenigsten gesicherte, insofern die undankbarste Bestallung. Lebt da nun ein einzelner, dem die Fähigkeit dazu eignet, Schriftsteller sein zu können, ist er dazu so glücklich, etwas Vermögen zu haben, so wird er denn also Schriftsteller, so beinahe auf eigne Rechnung. Dies ist indes ganz in der Ordnung und nichts weiter darüber zu sagen; so soll der einzelne in seiner Tätigkeit Liebe haben zu seiner Idee, zu dem Volke, dem er angehört, der Sache, der er dient, der Sprache, die er als Schriftsteller zu schreiben die Ehre hat. Das wird auch so sein, wo Einträchtigkeit besteht zwischen dem einzelnen und dem Volke, welches denn auch bei gegebnem Anlaß ein bißchen erkenntlich sein wird gegen diesen einzelnen.

Ob gewissermaßen das Gegenteil hiervon das mir Wider-

fahrene sein sollte, ob ich von irgendwem oder irgendwelchen mit Unerkenntlichkeit behandelt sein sollte, das geht ja
eigentlich nicht mich an, sondern recht eigentlich jene und ist
deren eigene Sache. Dahingegen was mich angeht, und wovon es mir so lieb ist, daß es mich angeht, ist für das danken zu
müssen und zu sollen, was an Gunst und Wohlwollen und
Entgegenkommen und Anerkennung da, im allgemeinen
oder von einzelnen insbesondere, mir bezeigt worden ist.

Kopenhagen im November 1850

Niemals hab ich so gekämpft, daß ich sagte: ich bin der
wahre Christ, die andern sind nicht Christen oder wohl gar
Heuchler u. dgl. Nein, ich habe so gekämpft: ich weiß, was
Christentum ist; meine Unvollkommenheit als Christ erkenne ich selbst – aber ich weiß, was Christentum ist. Und
dies zweckdienlich zu wissen, zu bekommen, scheint mir in
jedes Menschen Interesse zu liegen, er sei nun Christ oder
Nicht-Christ, seine Absicht sei, das Christentum anzunehmen oder es aufzugeben. Aber keinen hab ich angegriffen,
daß er kein Christ sei, keinen hab ich gerichtet; ja das Pseudonym, Joh. Climacus, welches das Fragmal ›Christ Werden‹ stellt, tut sogar das Gegenteil, stellt es für sich in Abrede, Christ zu sein, und gesteht es den anderen zu – doch wohl
die größte mögliche Ferne vom Richten andrer! Und ich selber habe von Anfang an eingeschärft, und wieder und wieder
und wieder, mit Gleichmäßigkeit wiederholt: ich bin ›ohne
Vollmacht‹. Endlich ist im letzten Buche von Anti-Climacus
(welcher, besonders in Nr. 1, mittels eines Dichterischen, das
alles zu sagen wagt, und eines Dialektischen, das keine Folgerung scheut, den ganzen Sinnentrug zu zerstören strebt) wiederum keiner, keiner gerichtet; der einzige namhaft Gemachte, über den der Spruch ergeht, daß er, im Streben nach der
Idealität, nur ein sehr unvollkommener Christ sei, das (vgl.
das dreimal wiederholte Vorwort) bin ich selbst, der einzige

Geurteilte, und darein finde ich mich willig, denn es beschäftigt mich unendlich, daß die Forderungen der Idealität zum wenigsten gehört werden. Aber das ist doch wiederum die größte mögliche Ferne vom Richten anderer.

Daß die ›Christenheit‹ ein ungeheuerlicher Sinnentrug ist.

Jedermann, welcher mit Ernst und dazu mit etlicher Fähigkeit zu sehen, sich das, was man so Christenheit nennt, betrachtet oder auch den Zustand in einem sogenannten christlichen Lande, muß doch unzweifelhaft alsbald recht bedenklich werden. Was mag es doch besagen, daß alle diese Tausende und aber Tausende sich Christen nennen! Diese vielen, vielen Menschen, deren weit, weit überwiegende Mehrzahl gemäß allem, was man vermuten kann, ihr Leben in ganz anderen Kategorien haben, etwas, dessen man sich mit der simpelsten Beobachtung vergewissern kann! Menschen, die vielleicht nicht ein einziges Mal zur Kirche gehen, niemals an Gott denken, niemals seinen Namen nennen, außer wenn sie fluchen! Menschen, denen es niemals aufgegangen ist, daß ihr Leben irgendeine Verpflichtung Gott gegenüber haben möchte, Menschen, welche entweder auf eine gewisse bürgerliche Unsträflichkeit als das Höchste halten oder gar auch diese nicht so durchaus nötig befinden! Jedoch alle diese Menschen, sogar die, welche behaupten, es gebe keinen Gott, sie sind allesamt Christen, nennen sich Christen, werden als Christen anerkannt vom Staate, als Christen begraben von der Kirche, als Christen verabschiedet in die Ewigkeit.

Daß hierin eine ungeheuerliche Verwirrung stecken muß, ein fürchterlicher Sinnentrug, darüber kann doch gewiß kein Zweifel sein. Aber daran rühren! Ja, ich kenne die Einwendung wohl. Denn da ist schon der und auch jener, der versteht, was ich meine, der denn aber mit einer gewissen Gutmütigkeit mir auf die Schulter klopfen und sprechen würde: »Lieber Freund, Sie sind doch noch ziemlich jung; mit so einem Unternehmen anfangen wollen, einem Unternehmen, das, wo es nur einigermaßen gelingen soll, zum mindesten ein kleines Dutzend wohlabgerichteter Missionare verlangen würde, einem Unternehmen, das eigentlich auf nicht mehr oder weniger hinausläuft, als das Christentum wieder einzuführen – in die Christenheit. Nein, lieber Freund, lassen Sie uns Menschen sein, ein solches Unternehmen geht sowohl über Ihre wie über meine Kraft. Dies Unternehmen ist ebenso unsinnig großartig, wie wenn man die ›Menge‹ reformieren wollte, und mit der läßt kein Verständiger sich ein, sondern läßt sie laufen als das, was sie ist. Mit so etwas anfangen, das ist der sichere Untergang.« Ja, vielleicht; aber ist oder wäre der Untergang auch sicher, sicher ist auch, daß man diese Einwendung nicht vom Christentum gelernt hat, denn als es in die Welt kam, war es mit noch ganz anderer Entschiedenheit der sichere Untergang, damit anzufangen – jedoch man fing an; und sicher ist auch, daß man diese Einwendung auch nicht von Sokrates gelernt hat, denn er ließ sich doch mit der ›Menge‹ ein und wollte sie reformieren.

Ungefähr so verhält sich die Sache. Zwischendurch einmal schlägt ein Pastor auf der Kanzel ein bißchen Lärm, daß es nicht mit rechten Dingen zugehe mit den vielen Christen – aber alle die, welche ihn hören und da zur Stelle sind, also alle die, zu denen er spricht, die sind Christen; und die, von denen er spricht, zu denen spricht er ja nicht. Das nennt man höchst angemessen eine vorgetäuschte Bewegung.

Zwischendurch einmal tritt ein erweckter Frommer auf; er stürmt auf die Christenheit ein, er macht Krach und Lärm, erklärt, daß nahezu alle keine Christen seien – und er richtet nichts aus. Er nimmt sich davor nicht in acht, daß ein Sinnentrug nicht so leicht zu beheben ist. Wofern es so ist, daß die meisten in einer Einbildung befangen sind, wenn sie sich Christen nennen, was tun sie dann gegen solch einen Erweckten? Zuallererst denn, sie scheren sich überhaupt nicht um ihn, sie gucken nicht in sein Buch, sondern legen es augenblicklich ad acta; oder betätigt er sich mit der lebendigen Rede, so machen sie einen Umweg durch eine andere Straße

und hören ihn überhaupt nicht. Sodann praktizieren sie ihn
mit Hilfe einer Begriffsbestimmung hinweg und richten sich
ganz wohlbehaglich im Sinnentrug ein. Sie machen ihn zu
einem Schwärmer, sein Christentum zu einer Übertriebenheit – zuguterletzt wird er der einzige oder einer von den wenigen, die nicht im Ernste (denn Übertriebenheit ist ja auch
Mangel an Ernst) Christen sind; die anderen sind sämtlich
ernsthafte Christen.

Nein, ein Sinnentrug wird niemals geradenwegs behoben,
und mittelbar lediglich bei gründlichem Vorgehen. Ist es ein
Sinnentrug damit, daß alle Christen sind – und soll da etwas
getan werden, so muß es mittelbar geschehen, nicht von
einem, der mit lauter Stimme verkündigt, er sei ein außerordentlicher Christ, sondern von einem, der, besser Bescheid
wissend, erklärt, er selber sei auch kein Christ. Das heißt,
man muß von hinten her über den kommen, welcher im Sinnentrug befangen ist. Anstatt den Vorteil haben zu wollen,
daß man selber der seltene Christ ist, muß man dem Ver-
stockten den Vorteil lassen, daß er Christ sei, und selber
Selbstbescheidung genug haben, um der zu sein, der weit hinter ihm zurücksteht – sonst bekommt man ihn denn gewiß
nicht aus dem Sinnentrug heraus, auch so noch kann es
schwierig genug sein.

                                                        1846

Lieber! Nimm diese Zuneigung entgegen; sie wird gleichsam
blindlings gegeben, darum aber auch von jedem Zwecke un-
gestört mit Aufrichtigkeit! Wer du bist, weiß ich nicht; wo du
bist, weiß ich nicht; welches dein Name ist, weiß ich nicht.
Dennoch bist du meine Hoffnung, meine Freude, mein Stolz,
bei aller Ungekanntheit meine Ehre.

Es ist mir tröstlich, daß jetzt für dich die gelegene Zeit
kommt; ich habe während meiner Arbeit und in meiner Arbeit redlich darauf Bedacht genommen. Denn wofern es,

gesetzt, daß dies möglich wäre, wofern es weltlich Schick und Brauch würde, zu lesen, was ich schreibe, oder doch so zu tun, als ob man es gelesen hätte, weil man hofft, damit in der Welt etwas zu gewinnen, so wäre die gelegene Zeit nicht, im Gegenteil, so hätte das Mißverstehen gesiegt, und es hätte zugleich mich betört, wenn ich mich nicht bemüht hätte, zu verhindern, daß dergleichen geschehe.

Dies ist bei mir zum Teil eine Stimmung in Seele und Sinn, die, wie ich selbst wünsche, möglicher Veränderung unterworfen ist, und beansprucht nicht mehr zu sein, macht mithin nichts weniger als Ansprüche, weit eher Zugeständnisse, zum Teil ist es eine durchdachte und wohlbedachte Anschauung vom ›Leben‹, von ›der Wahrheit‹, vom ›Wege‹.

Es gibt eine Anschauung vom Leben, welche meint, daß da, wo Menge ist, auch die Wahrheit ist, daß es der Wahrheit selber ein Bedürfnis ist, Menge für sich zu haben. Vielleicht ist es doch am richtigsten, ein für alle Mal zu bemerken, was sich von selbst versteht und was ich freilich niemals geleugnet habe, daß in Beziehung auf alle zeitlichen, weltlichen, irdischen Zwecke Menge ihre Gültigkeit haben kann, sogar ihre Gültigkeit als das, was entscheidet, das heißt als Instanz. Doch von derlei rede ich ja nicht, so wenig wie ich mich damit befasse. Ich spreche von dem Ethischen, dem Ethisch-Religiösen, von ›der Wahrheit‹ und davon, daß, ethisch-religiös betrachtet, die Menge die Unwahrheit ist, wenn sie gelten soll als die Instanz für das, was ›Wahrheit‹ ist. Es gibt eine andere Anschauung vom Leben, sie meint, daß überall da, wo Menge ist, die Unwahrheit ist, so daß, ob etwa, um die Sache einen Augenblick auf die äußerste Spitze zu treiben, gleich alle einzelnen, jeder für sich in der Stille die Wahrheit hätten, dennoch alsogleich da, wo sie in Menge zusammenkämen (dergestalt, daß die ›Menge‹ irgendeine entscheidende, abstimmende, lärmende, laute Bedeutung bekäme), die Unwahrheit zur Stelle wäre. Vielleicht ist es doch am richtigsten, wenn es mir auch nahezu überflüssig erscheint, zu bemerken,

daß es mir natürlich nicht einfallen könnte, etwas dagegen einzuwenden, daß zum Beispiel gepredigt werde oder die ›Wahrheit‹ verkündigt werde, wenn es sich so träfe, vor einer
Versammlung von hunderttausend. Jedoch falls es bloß eine
Versammlung von zehn wäre – und falls darin abgestimmt
werden sollte, das heißt, wenn die Versammlung die Instanz
sein, die Menge den Ausschlag geben sollte: so ist die Unwahrheit da.

Denn ›Menge‹ ist die Unwahrheit. Ewig, fromm, christlich
gilt nämlich das, was Paulus sagt: »Nur einer gelangt zum
Ziel«, nicht etwa vergleichsweise, denn im Vergleiche sind ja
doch ›die andern‹ mit dabei. Das will besagen, ein jeder kann
dieser eine sein, dazu wird Gott ihm helfen – aber nur einer
gelangt zum Ziel; und das wieder will besagen, ein jeder soll
mit ›den andern‹ nur vorsichtig sich einlassen, wesentlich allein mit Gott und mit sich selber reden – denn nur einer gelangt zum Ziel; und das wieder will besagen, der Mensch ist
verwandt mit oder Mensch sein heißt verwandt sein mit der
Gottheit.

Weltlich, zeitlich, geschäftig, gesellig-freundschaftlich
heißt es: »Welch eine Ungereimtheit, daß nur einer zum Ziele
gelangt, es ist ja doch weit wahrscheinlicher, daß viele vereint
zum Ziel gelangen; und wenn wir unser viel werden, so wird
es sicherer und zugleich leichter für jeden einzelnen.«

Ganz gewiß, es ist weit wahrscheinlicher; und es ist auch
wahr für alle irdischen und sinnenfälligen Ziele; und es wird
das einzig Wahre, wenn es frei walten und schalten darf, denn
dann schafft diese Betrachtung Gott ab und die Ewigkeit und
die Verwandtschaft des ›Menschen‹ mit der Gottheit, schafft
das ab oder verwandelt es in eine Fabel und setzt an die Stelle
das Moderne (was im übrigen das alte Heidnische ist),
Mensch sein heiße als Exemplar einem verstandesbegabten
Geschlechte zugehören, so daß das Geschlecht, die Art, höher ist als das Individuum, oder so, daß es bloß Exemplare,
keine Individuen gibt.

Aber die Ewigkeit, die sich hoch über der Zeitlichkeit wölbt, stille wie der Himmel der Nacht, und Gott im Himmel, der von der Seligkeit dieser erhabenen Stille her, ohne daß es ihm auch nur im mindesten schwindelt, Überschau hält über diese unzähligen Millionen und jeden einzelnen kennt, er, der große Prüfer, er sagt: Nur einer gelangt zum Ziel; das will besagen, ein jeder vermag es, und ein jeder sollte dieser eine werden, aber nur einer gelangt zum Ziel.

Wo daher Menge ist oder wo dem, daß Menge da ist, entscheidende Bedeutung beigelegt wird, da ist das, dafür man arbeitet und lebt und strebt, nicht das höchste Ziel, sondern lediglich das eine oder andere irdische Ziel; denn für das Ewige kann, entscheidend, nur gearbeitet werden, wo da einer ist; und dieser eine sein, zu dem alle werden können, heißt sich von Gott helfen lassen wollen – ›die Menge‹ ist die Unwahrheit.

Arthur Schopenhauer
Über Lärm und Geräusch

*S*chopenhauers populärstes Werk kam im Jahre 1851 heraus, *eine Sammlung von Essays:* Parerga und Paralipomena. *Sie enthält seine bekanntesten Aufsätze und seine bekanntesten Formulierungen. Da ist unter den 37 Arbeiten die berühmte Schimpferei* Über die Universitätsphilosophie, *in der Fichte ein »Windbeutel« und Hegels System eine »philosophische Hanswurstiade« genannt wird. Und neben den einst viel ge-lesenen* Aphorismen zur Lebensweisheit *gibt es da zum Bei-spiel noch ein Stück* Über Lärm und Geräusch, *in dem sich Schopenhauer über das »wahrhaft infernale Peitschenklat-schen« beschwert. Mancher Leser – in der Zeit der Lautspre-cher, der Drillmaschinen und der Düsenflugzeuge – wird la-chen über seine Empfindlichkeit gegen das »Peitschenklat-schen«. Aber er war der erste, der Lärm gegen den Lärm machte. Schopenhauer ist heute ein Klassiker, von dem nicht allzuviel gesprochen wird. Am stärksten im Bewußtsein ist noch (außer der Kennmarke ›Pessimismus‹) sein Leben, das er einmal ausgezeichnet in der Parabel von den Stachelschwei-nen darstellte, welche er der Frau von Heggendorf (der ehe-maligen Weimarer Schauspielerin Jagemann) erzählte:*

»Eine Gesellschaft Stachelschweine drängte sich an einem kalten Wintertage recht nah zusammen, um sich durch die ge-genseitige Wärme vor dem Erfrieren zu schützen. Jedoch bald empfanden sie die gegenseitigen Stacheln, welche sie dann wieder voneinander entfernten. Wenn nun das Bedürfnis der Erwärmung sie wieder näher zusammenbrachte, wiederholte sich jenes zweite Übel, so daß sie zwischen beiden Leiden hin

und her geworfen wurden, bis sie eine mäßige Entfernung voneinander herausgefunden hatten, in der sie es am besten aushalten konnten.« Das ist Schopenhauers kürzeste Autobiographie; und es ist nur noch hinzuzufügen, daß er empfindlicher war für die Stacheln als für einen Mangel an Wärme.

Wenn er in unseren Jahrzehnten nicht im Gespräch ist wie Hegel und Marx und Kierkegaard und Nietzsche und Freud, so hängt das vor allem wohl mit drei Dingen zusammen. Erstens: das 20. Jahrhundert ist system- und metaphysikfeindlich; Schopenhauer aber war der letzte große Metaphysiker und Systematiker. Zweitens: Schopenhauer war quietistisch, das 20. Jahrhundert ist aber aktivistisch. Und schließlich: Schopenhauer war ein so naiver Reaktionär, daß sein Essay Zur Rechtslehre und Politik *selbst dem reaktionärsten Politiker heute keine brauchbare Ideologie liefern kann.*

Neben den Hauptwerken der Philosophen werden die Nebenwerke viel zuwenig gewürdigt. Neben den nur noch historisch bedeutsamen zentralen Kategorien eines Systems gibt es oft Hunderte von begrenzten Einsichten, die nicht Vergangenheit sind. Das wird besonders deutlich im Falle Schopenhauer, dessen kleiner Aufsatz Über Lesen und Bücher, *aus dem wir ebenfalls einige Paragraphen abdrucken, von eminenter Aktualität ist.*

§ 378

Kant hat eine Abhandlung über die lebendigen Kräfte geschrieben: ich aber möchte eine Nänie und Threnodie über dieselben schreiben; weil ihr so überaus häufiger Gebrauch im Klopfen, Hämmern und Rammeln mir mein Leben hindurch zur täglichen Pein gereicht hat. Allerdings gibt es Leute, ja recht viele, die hierüber lächeln; weil sie unempfindlich gegen Geräusch sind: es sind jedoch eben die, welche auch unempfindlich gegen Gründe, gegen Gedanken, gegen Dichtungen und Kunstwerke, kurz, gegen geistige Eindrücke jeder Art sind: denn es liegt an der zähen Beschaffenheit und handfesten Textur ihrer Gehirnmasse. Hingegen finde ich Klagen über die Pein, welche denkenden Menschen der Lärm verursacht, in den Biographien oder sonstigen Berichten persönlicher Äußerungen fast aller großen Schriftsteller, zum Beispiel Kants, Goethes, Lichtenbergs, Jean Pauls; ja, wenn solche bei irgendeinem fehlen sollten, so ist es bloß, weil der Kontext nicht darauf geführt hat. Ich lege mir die Sache so aus: wie ein großer Diamant in Stücke zerschnitten an Wert nur noch eben so vielen kleinen gleich kommt; oder wie ein Heer, wenn es zersprengt, das heißt in kleine Haufen aufgelöst ist, nichts mehr vermag; so vermag auch ein großer Geist nicht mehr als ein gewöhnlicher, sobald er unterbrochen, gestört, zerstreut, abgelenkt wird; weil seine Überlegenheit dadurch bedingt ist, daß er alle seine Kräfte, wie ein Hohlspiegel alle seine Strahlen, auf einen Punkt und Gegenstand konzentriert; und hieran eben verhindert ihn die lärmende Unterbrechung. Darum also sind die eminenten Geister stets jeder Störung, Unterbrechung und Ablenkung, vor allem aber der gewaltsamen durch Lärm so höchst abhold gewesen; während die übrigen dergleichen nicht sonderlich anficht. Die verständigste und geistreichste aller europäischen Nationen hat sogar die Regel *never interrupt* – du sollst niemals unterbrechen – das elfte Gebot genannt. Der Lärm aber ist die impertinenteste aller Unterbrechungen, da er sogar unsere eigenen Gedanken unterbricht, ja zerbricht. Wo jedoch nichts zu unterbrechen ist, da wird er freilich nicht sonderlich empfunden werden. – Bisweilen quält und stört ein mäßiges und stetiges Geräusch mich eine Weile, ehe ich seiner mir deutlich bewußt werde, indem ich es bloß als eine konstante Erschwerung meines Denkens wie einen Block am Fuße empfinde, bis ich innewerde, was es sei. –

Nunmehr aber, vom *genus* auf die *species* übergehend, habe ich, als den unverantwortlichsten und schändlichsten Lärm, das wahrhaft infernale Peitschenklatschen in den hallenden Gassen der Städte zu denunzieren, welches dem Leben alle Ruhe und alle Sinnigkeit benimmt. Nichts gibt mir vom Stumpfsinn und der Gedankenlosigkeit der Menschen einen so deutlichen Begriff, wie das Erlaubtsein des Peitschenklatschens. Dieser plötzliche, scharfe, hirnlähmende, alle Besinnung zerschneidende und gedankenmörderische Knall muß von jedem, der nur irgend etwas einem Gedanken Ähnliches im Kopfe herumträgt, schmerzlich empfunden werden: jeder solcher Knall muß daher Hunderte in ihrer geistigen Tätigkeit, so niedriger Gattung sie auch immer sein mag, stören: dem Denker aber fährt er durch seine Meditationen so schmerzlich und verderblich wie das Richtschwert zwischen Kopf und Rumpf. Kein Ton durchschneidet so scharf das Gehirn wie dieses vermaledeite Peitschenklatschen: man fühlt geradezu die Spitze der Peitschenschnur im Gehirn, und es wirkt auf dieses wie die Berührung auf die *mimosa pudica;* auch eben so nachhaltig. Bei allem Respekt vor der hochheiligen Nützlichkeit sehe ich doch nicht ein, daß ein Kerl, der eine Fuhr Sand oder Mist von der Stelle schafft, dadurch das Privilegium erlangen soll, jeden etwan aufsteigenden Gedanken in sukzessive zehntausend Köpfen (eine halbe Stunde Stadtweg) im Keime zu ersticken. Hammerschläge, Hundegebell und Kindergeschrei sind entsetzlich; aber der rechte Gedankenmörder ist allein der Peitschenknall. Jeden guten, sinnigen Augenblick, den etwan hier und da irgendeiner hat, zu zermalmen, ist seine Bestimmung. Nur wenn, um Zugtiere anzutreiben, kein anderes Mittel vorhanden wäre als dieser abscheulichste aller Klänge, würde er zu entschuldigen sein. Aber ganz im Gegenteil: dieses vermaledeite Peitschenklatschen ist nicht nur unnötig, sondern sogar unnütz. Die durch dasselbe beabsichtigte psychische Wirkung auf die Pferde nämlich ist durch die

Gewohnheit, welche der unablässige Mißbrauch der Sache
herbeigeführt hat, ganz abgestumpft und bleibt aus: sie beschleunigen ihren Schritt nicht danach; wie besonders an leeren und Kunden suchenden Fiakern, die, im langsamsten
Schritt fahrend, unaufhörlich klatschen, zu ersehn ist: die lei-
seste Berührung mit der Peitsche wirkt mehr. Angenommen
aber, daß es unumgänglich nötig wäre, die Pferde durch den
Schall beständig an die Gegenwart der Peitsche zu erinnern,
so würde dazu ein hundertmal schwächerer Schall ausrei-
chen; da bekanntlich die Tiere sogar auf die leisesten, ja auf
kaum merkliche Zeichen, hörbare wie sichtbare, achten; wovon abgerichtete Hunde und Kanarienvögel staunenerre-
gende Beispiele liefern. Die Sache stellt demnach sich eben
dar als reiner Mutwille, ja als ein frecher Hohn des mit den
Armen arbeitenden Teiles der Gesellschaft gegen den mit dem
Kopfe arbeitenden. Daß eine solche Infamie in Städten geduldet wird, ist eine grobe Barbarei und eine Ungerechtigkeit; um so mehr, als es gar leicht zu beseitigen wäre, durch
polizeiliche Verordnung eines Knotens am Ende jeder Peitschenschnur. Es kann nicht schaden, daß man die Proletarier
auf die Kopfarbeit der über ihnen stehenden Klassen aufmerksam mache: denn sie haben vor aller Kopfarbeit eine un-
bändige Angst. Daß nun aber ein Kerl, der mit ledigen Post-
pferden oder auf einem losen Karrengaul die engen Gassen
einer volkreichen Stadt durchreitend oder gar neben den
Tieren hergehend, mit einer klafterlangen Peitsche aus Lei-
beskräften unaufhörlich klatscht, nicht verdiene, sogleich
abzusitzen, um fünf aufrichtig gemeinte Stockprügel zu empfangen, das werden mir alle Philanthropen der Welt nebst
den legislativen, sämtliche Leibesstrafen aus guten Gründen
abschaffenden Versammlungen nicht einreden. Aber etwas
noch Stärkeres als jenes kann man oft genug sehn, nämlich
so einen Fuhrknecht, der allein und ohne Pferde durch die
Straßen gehend, unaufhörlich klatscht: so sehr ist diesem
Menschen der Peitschenklatsch zur Gewohnheit geworden,

infolge unverantwortlicher Nachsicht. Soll denn bei der so allgemeinen Zärtlichkeit für den Leib und alle seine Befriedigungen der denkende Geist das einzige sein, was nie die geringste Berücksichtigung noch Schutz, geschweige Respekt erfährt? Fuhrknechte, Sackträger, Eckensteher und dergleichen sind die Lasttiere der menschlichen Gesellschaft; sie sollen durchaus human, mit Gerechtigkeit, Billigkeit, Nachsicht und Vorsorge behandelt werden: aber ihnen darf nicht gestattet sein, durch mutwilligen Lärm dem höhern Bestreben des Menschengeschlechts hinderlich zu werden. Ich möchte wissen, wie viele große und schöne Gedanken diese Peitschen schon aus der Welt geknallt haben. Hätte ich zu befehlen, so sollte in den Köpfen der Fuhrknechte ein unzerreißbarer *nexus idearum* zwischen Peitschenklatschen und Prügelkriegen erzeugt werden. – Wir wollen hoffen, daß die intelligenteren und feiner fühlenden Nationen auch hierin den Anfang machen und dann auf dem Wege des Beispiels die Deutschen ebenfalls dahin werden gebracht werden. Von diesen sagt inzwischen Thomas Hood (*up the Rhine*) *for a musical people, they are the most noisy I ever met with* (für eine musikalische Nation sind sie die lärmendeste, welche mir je vorgekommen). Daß sie dies sind, liegt aber nicht daran, daß sie mehr als andere zum Lärmen geneigt wären, sondern an der aus Stumpfheit entspringenden Unempfindlichkeit derer, die es anzuhören haben, als welche dadurch in keinem Denken oder Lesen gestört werden, weil sie eben nicht denken, sondern bloß rauchen, als welches ihr Surrogat für Gedanken ist. Die allgemeine Toleranz gegen unnötigen Lärm, zum Beispiel gegen das so höchst ungezogene und gemeine Türenwerfen, ist geradezu ein Zeichen der allgemeinen Stumpfheit und Gedankenleere der Köpfe. In Deutschland ist es, als ob es ordentlich darauf angelegt wäre, daß vor Lärm niemand zur Besinnung kommen solle: zum Beispiel das zwecklose Trommeln.

Was nun endlich die Literatur des in diesem Kapitel abgehandelten Gegenstandes betrifft; so habe ich nur ein Werk, aber ein schönes, zu empfehlen, nämlich eine poetische Epistel in Terzerimen, von dem berühmten Maler Bronzino, betitelt ›*De' romori, a Messer Luca Martini*‹; hier wird nämlich die Pein, die man von dem mannigfaltigen Lärm einer italienischen Stadt auszustehn hat, in tragikomischer Weise ausführlich und sehr launig geschildert. Man findet diese Epistel Seite 258 des zweiten Bandes der *Opere burlesche del Berni, Aretino ed altri*, angeblich erschienen in Utrecht, 1771.

§ 291

Wann wir lesen, denkt ein anderer für uns: wir wiederholen bloß seinen mentalen Prozeß. Es ist damit, wie wenn beim Schreibenlernen der Schüler die vom Lehrer mit Bleistift geschriebenen Züge mit der Feder nachzieht. Demnach ist beim Lesen die Arbeit des Denkens uns zum größten Teile abgenommen. Daher die fühlbare Erleichterung, wenn wir von der Beschäftigung mit unsern eigenen Gedanken zum Lesen übergehn. Aber während des Lesens ist unser Kopf doch eigentlich nur der Tummelplatz fremder Gedanken. Wenn nun diese endlich abziehn, was bleibt? Daher kommt es, daß wer sehr viel und fast den ganzen Tag liest, dazwischen aber sich in gedankenlosem Zeitvertreibe erholt, die Fähigkeit, selbst zu denken, allmälig verliert, – wie einer, der immer reitet, zuletzt das Gehn verlernt. Solches aber ist der Fall sehr vieler Gelehrten: sie haben sich dumm gelesen. Denn beständiges, in jedem freien Augenblicke sogleich wieder aufgenommenes Lesen ist noch geisteslähmender als beständige Handarbeit; da man bei dieser doch den eigenen Gedanken nachhängen kann. Aber wie eine Springfeder durch den anhaltenden Druck eines fremden Körpers ihre Elastizität endlich einbüßt; so der Geist die seine, durch fortwährendes Aufdringen fremder Gedanken. Und wie man durch zu viele Nahrung den Magen verdirbt und dadurch dem ganzen Leibe schadet; so kann man auch durch zu viele Geistesnahrung den Geist überfüllen und ersticken. Denn je mehr man liest, desto weniger Spuren läßt das Gelesene im Geiste zurück: er wird wie eine Tafel, auf der vieles übereinander geschrieben ist. Daher kommt es nicht zur Rumination (Ja, der fortgesetzte starke Zufluß von neu Gelesenem dient bloß, das Vergessen des früher Gelesenen zu beschleunigen): aber durch diese allein eignet man sich das Gelesene an, wie die Speisen nicht durch das Essen, sondern durch die Verdauung uns ernähren. Liest man hingegen immerfort, ohne späterhin weiter daran zu denken; so faßt es nicht Wurzel und geht meistens verloren. Überhaupt aber geht es mit der geistigen Nahrung nicht anders als mit der leiblichen: kaum der fünfzigste Teil von dem, was man zu sich nimmt, wird assimiliert: das übrige geht durch Evaporation, Respiration oder sonst ab.

Zu diesem allen kommt, daß zu Papier gebrachte Gedanken überhaupt nichts weiter sind, als die Spur eines Fußgängers im Sande: man sieht wohl den Weg, welchen er genommen hat; aber um zu wissen, was er auf dem Wege gesehn, muß man seine eigenen Augen gebrauchen.

§ 295

Es ist in der Literatur nicht anders als im Leben: wohin auch man sich wende, trifft man sogleich auf den inkorrigibeln Pöbel der Menschheit, welcher überall legionenweise vorhanden ist, alles erfüllt und alles beschmutzt, wie die Fliegen im Sommer. Daher die Unzahl schlechter Bücher, dieses wuchernde Unkraut der Literatur, welches dem Weizen die Nahrung entzieht und ihn erstickt. Sie reißen nämlich Zeit, Geld und Aufmerksamkeit des Publikums, welche von Rechts wegen den guten Büchern und ihren edelen Zwecken gehören, an sich, während sie bloß in der Absicht, Geld einzutragen, oder Ämter zu verschaffen, geschrieben sind. Sie sind also nicht bloß unnütz, sondern positiv schädlich. Neun Zehntel unserer ganzen jetzigen Literatur hat keinen andern Zweck, als dem Publiko einige Taler aus der Tasche zu spielen: dazu haben sich Autor, Verleger und Rezensent fest verschworen.

Ein verschmitzter und schlimmer, aber erklecklicher Streich ist es, der den Literaten, Brodschreibern und Vielschreibern gegen den guten Geschmack und die wahre Bildung des Zeitalters gelungen ist, daß sie es dahin gebracht haben, die gesamte elegante Welt am Leitseile zu führen, in der Art, daß diese abgerichtet worden, *a tempo* zu lesen, nämlich alle stets das Selbe, nämlich das Neueste, um in ihren Zirkeln, einen Stoff zur Konversation daran zu haben: zu diesem Zweck dienen denn schlechte Romane und ähnliche Produktionen aus einmal renommierten Federn, wie früher die der Spindler, Bulwer, Eugen Sue und dergleichen. Was aber kann elender sein, als das Schicksal eines solchen belletristischen Publikums, welches sich verpflichtet hält, allezeit das neueste Geschreibe höchst gewöhnlicher Köpfe, die bloß des Geldes wegen schreiben, daher eben auch stets zahlreich vorhanden sind, zu lesen, und dafür die Werke der seltenen und überlegenen Geister aller Zeiten und Länder bloß dem Namen nach zu kennen! – Besonders ist die belletristische Tagespresse ein schlau ersonnenes Mittel, dem ästhetischen Publiko die Zeit, die es den echten Produktionen der Art, zum Heil seiner Bildung, zuwenden sollte, zu rauben, damit sie den täglichen Stümpereien der Alltagsköpfe zufalle.

Weil die Leute, statt des Besten aller Zeiten, immer nur das Neueste lesen, bleiben die Schriftsteller im engen Kreise der zirkulierenden Ideen, und das Zeitalter verschlammt immer tiefer in seinem eigenen Dreck.

Daher ist, in Hinsicht auf unsere Lektüre, die Kunst, nicht zu lesen, höchst wichtig. Sie besteht darin, daß man das, was zu jeder Zeit soeben das größere Publikum beschäftigt, nicht deshalb auch in die Hand nehme; wie etwan politische oder literarische Pamphlete, Romane, Poesien und dergleichen mehr, die gerade eben Lärm machen, wohl gar zu mehreren Auflagen in ihrem ersten und letzten Lebensjahre gelangen: vielmehr denke man alsdann, daß wer für Narren schreibt allezeit ein großes Publikum findet, und wende die stets knapp gemessene, dem Lesen bestimmte Zeit ausschließlich den Werken der großen, die übrige Menschheit überragenden Geister aller Zeiten und Völker zu, welche die Stimme des Ruhmes als solche bezeichnet. Nur diese bilden und belehren wirklich.

Vom Schlechten kann man nie zuwenig und das Gute nie zu oft lesen. Schlechte Bücher sind intellektuelles Gift: sie verderben den Geist.

Um das Gute zu lesen, ist eine Bedingung, daß man das Schlechte nicht lese: denn das Leben ist kurz, Zeit und Kräfte beschränkt.

§ 296a

Es wäre gut Bücher kaufen, wenn man die Zeit, sie zu lesen, mitkaufen könnte, aber man verwechselt meistens den Ankauf der Bücher mit dem Aneignen ihres Inhalts. –

Zu verlangen, daß einer alles, was er je gelesen, behalten hätte, ist wie verlangen, daß er alles, was er je gegessen hat, noch in sich trüge. Er hat von diesem leiblich, von jenem geistig gelebt und ist dadurch geworden, was er ist. Wie aber der Leib das ihm Homogene assimiliert; so wird jeder behalten, was ihn interessiert, das heißt was in sein Gedankensystem oder zu seinen Zwecken paßt. Letztere hat freilich jeder; aber etwas einem Gedankensystem Ähnliches haben gar wenige: daher nehmen sie an nichts ein objektives Interesse, und dieserhalb wieder setzt sich von ihrer Lektüre nichts bei ihnen an: sie behalten nichts davon. –

Repetitio est mater studiorum. Jedes irgend wichtige Buch

soll man sogleich zweimal lesen, teils weil man die Sachen das
zweite Mal in ihrem Zusammenhange besser begreift und den
Anfang erst recht versteht, wenn man das Ende kennt; teils
weil man zu jeder Stelle das zweite Mal eine andere Stimmung
und Laune mitbringt als beim ersten, wodurch der Eindruck
verschieden ausfällt und es ist, wie wenn man einen Gegenstand in anderer Beleuchtung sieht. –

Die Werke sind die Quintessenz eines Geistes: sie werden
daher, auch wenn er der größte ist, stets ungleich gehaltrei-
cher sein als sein Umgang, auch diesen im wesentlichen ersetzen, – ja, ihn weit übertreffen und hinter sich lassen. Sogar die
Schriften eines mittelmäßigen Kopfes können belehrend, lesenswert und unterhaltend sein, eben weil sie seine Quintessenz sind, das Resultat, die Frucht alles seines Denkens und
Studierens; – während sein Umgang uns nicht genügen kann.
Daher kann man Bücher von Leuten lesen, an deren Umgang
man kein Genügen finden würde, und deshalb wieder bringt
hohe Geisteskultur uns allmälig dahin, fast nur noch an Büchern, nicht mehr an Menschen Unterhaltung zu finden. –

Es gibt doch keine größere Erquickung für den Geist als die
Lektüre der alten Klassiker: sobald man irgendeinen von ihnen, und wäre es auch nur auf eine halbe Stunde, in die Hand
genommen hat, fühlt man alsbald sich erfrischt, erleichtert,
gereinigt, gehoben und gestärkt; nicht anders, als hätte man
an der frischen Felsenquelle sich gelabt. Liegt dies an den alten Sprachen und ihrer Vollkommenheit? Oder an der Größe
der Geister, deren Werke von den Jahrtausenden unversehrt
und ungeschwächt bleiben? Vielleicht an beidem zusammen.
Dies aber weiß ich, daß wenn, wie es jetzt droht, die Erler-
nung der alten Sprachen einmal aufhören sollte, dann eine
neue Literatur kommen wird, bestehend aus so barbari-
schem, plattem und nichtswürdigem Geschreibe, wie es noch
gar nicht dagewesen; zumal da die deutsche Sprache, welche
doch einige der Vollkommenheiten der alten besitzt, von den
nichtswürdigen Skriblern heutiger ›Jetztzeit‹ eifrig und me-

thodisch dilapidiert und verhunzt wird, so daß sie allmälig, verarmt und verkrüppelt, in einen elenden Jargon übergeht. –

Es gibt zwei Geschichten: die politische und die der Literatur und Kunst. Jene ist die des Willens, diese die des Intellekts. Daher ist jene durchweg beängstigend, ja schrecklich: Angst, Not, Betrug und entsetzliches Morden, in Masse. Die andere hingegen ist überall erfreulich und heiter wie der isolierte Intellekt, selbst wo sie Irrwege schildert. Ihr Hauptzweig ist die Geschichte der Philosophie. Eigentlich ist diese ihr Grundbaß, der sogar in die andere Geschichte hinübertönt und auch dort, aus dem Fundament, die Meinung leitet: diese aber beherrscht die Welt. Daher ist die Philosophie eigentlich und wohlverstanden auch die gewaltigste materielle Macht; jedoch sehr langsam wirkend.

Eduard von Hartmann
Mein Entwicklungsgang

*E*duard von Hartmann *wurde im Jahre 1842 in Berlin geboren. Sein Vater, ein Offizier, war zur ›Artillerieprüfungs-
kommission‹ kommandiert. Der Junge lernte schon im vierten
Jahr lesen; im fünften und sechsten wurde er zwei Stunden
täglich unterrichtet, so daß er bereits in der Vorschule drei
Klassen überspringen konnte. Er schrieb, daß er nur in seinem
zehnten Jahr dem christlichen Theismus etwas näher gekommen sei, wenngleich er »schon damals den Vorzug der luthe-
rischen Abendmahlslehre vor der reformierten, die Berechtigung der Kindertaufe, den Ausschluß der totgeborenen
Kinder und der Haustiere von der Unsterblichkeit und manches andere schlechterdings nicht begreifen konnte, worüber
auch zehnjährige Knaben sich sonst wohl kein Kopfzerbre-
chen machen«.*

*Er verließ die Schule ohne Sehnsucht, sich auf der Universi-
tät weiterzubilden. Auch hatte er einen Widerwillen »gegen
studentische Roheit und Verwilderung, Kneiperei und Re-
nommisterei«. Im Vergleich dazu erschien ihm, dem Sohn
eines Offiziers, der Ton in jüngeren Offizierskreisen ideal.
Und er stellte sich vor, erst als Soldat »ein ganzer Mann werden zu können«.*

*Seine Militärzeit, deren Mußestunden er zum Klavierspie-
len und zur Lektüre philosophischer, kunstwissenschaftlicher
und naturwissenschaftlicher Werke benutzte, wurde durch
ein Knieleiden beendet. Er nahm seinen Abschied als Pre-
mier-Leutnant.*

Er versuchte Maler zu werden. Er versuchte es mit der

Musik. Im zweiundzwanzigsten Jahr kam er zu dem Resultat, daß alle diese Versuche Irrtümer seien. In diesem Jahr, 1864, schrieb er das Werk, dessen Titel bis zum heutigen Tage mit seinem Namen aufs engste verbunden ist: Die Philosophie des Unbewußten.

Er selbst charakterisierte seine Philosophie so: »Mein System ist eine Synthese Hegels und Schopenhauers unter entschiedenem Übergewicht des ersteren.« Mit Schopenhauer teilte er die Lehre, daß der blinde Wille unvernünftigerweise aus dem seligen Nichts in ein unseliges Dasein getreten sei. Mit Schopenhauer teilte er auch die Idee, daß das Bewußtsein von dieser Situation den Menschen auf den richtigen Weg bringen wird: diese Welt aufzuheben. Das kann aber, wie er meinte, nur in einer langen Entwicklung der Bewußtwerdung geschehen. So wurde Hegels geschichtliche Entwicklung zum Ziel verbunden mit Schopenhauers Pessimismus. Eduard von Hartmann wollte sich einreden und redete es auch einigen Historikern der Philosophie ein, daß somit die pessimistische Metaphysik hoffnungsfreudig geworden sei.

Seine Biographie enthält übrigens eine der amüsantesten Mystifikationen. Die Philosophie des Unbewußten *wurde gleich nach Erscheinen heftig angegriffen, vor allem von Darwinisten. Da ließ er im Jahre 1872 eine Schrift* Das Unbewußte vom Standpunkt der Philosophie und Deszendenztheorie *anonym erscheinen; hier argumentierte er mit den Argumenten der Darwinisten gegen seine eigenen tragenden Ideen. Fünf Jahre später, nachdem sich die Gegner wieder und wieder auf diese Schrift berufen hatten, veröffentlichte er sie noch einmal, diesmal mit seinem Namen, und widerlegte die Einwände seiner eigenen Schrift.*

Wir entnehmen das folgende Stück seiner autobiographischen Skizze Mein Entwicklungsgang.

Daß ich seit meinem Abgang von der Artillerieschule im Jahre 1862 die geistige Fortbildung durch Lektüre nach Maßgabe der vermehrten Muße nicht vernachlässigt hatte, brauche ich wohl kaum besonders hervorzuheben. Wenn ich auch mitunter mir von wichtigeren Werken Exzerpte gemacht hatte, so hatten doch im allgemeinen meine philosophischen Versuche keine unmittelbare Beziehung zu meiner Lektüre; vielmehr liefen beide als unabhängige Bildungsbestrebungen nebeneinander her. Ganz unabsichtlich hatte ich meist über solche Fragen geschrieben, bei denen besondere sachliche Vorstudien weniger nötig waren, weil der Stoff sich unmittelbar aus der psychologischen Beobachtung seiner selbst und anderer ergab. Völlig unbekümmert darum, was etwa der oder jener vor mir über den Gegenstand ermittelt habe, hatte ich nur das Bedürfnis, mich in meinem eigenen Denken zurechtzufinden und mir über mich selbst und meine Beobachtungen klar zu werden. Deshalb sind diese Versuche völlig naive Monologe, in keiner Weise für ein fremdes Auge bestimmt und somit auch nicht zur Veröffentlichung vor dem Forum moderner, kritischer Ansprüche geeignet. Auch die ›Philosophie des Unbewußten‹ ist noch durchaus als Selbstgespräch geschrieben, um dem eigenen metaphysischen Bedürfnis Genüge zu tun; zwar schwebte mir bei fortschreitender Arbeit der Gedanke an eine mögliche spätere Veröffentlichung vor, aber ich hatte solche keineswegs in bestimmte oder baldige Aussicht genommen, und nachdem das vollständig druckfertige Manuskript ein reichliches Jahr nach seiner Vollendung unberührt in meinem Pulte gelegen hatte, war es nur die zufällige Bekanntschaft mit einem passenden und entgegenkommenden Verleger, welche den Anstoß zur Einleitung des Druckes gab, und das Horazische ›*nonum prematur in annum*‹ kürzte.

Durch diese völlige Freiheit von jedem Dienst zu äußeren persönlichen oder materiellen Zwecken unterscheidet sich die ›Philosophie des Unbewußten‹ spezifisch von den meisten

Erzeugnissen des modernen philosophischen Büchermarktes, die entweder als Unterlage für beabsichtigte Habilitierung oder als Bewerbungsmittel um eine Professur oder zur Befestigung des im Lehramt erlangten persönlichen Ansehens oder endlich dem schriftstellerischen Broterwerb dienen. Ich konstatiere hiemit nur eine meinen Bestrebungen zugute gekommene Konstellation äußerer Verhältnisse, an welcher ich weit entfernt bin, mir ein Verdienst zuzuschreiben. Ihr allein verdanke ich die Unbefangenheit gegenüber den maßgebenden Meinungen des Tages, die Unbekümmertheit um die landläufigen Vorurteile und konventionell geheiligten Irrtümer, die Mißachtung gegen den wertlosen Plunder einer mumienhaften Gelehrsamkeit, die Gleichgültigkeit gegen Lob und Tadel, gleichviel von welcher Seite sie auch kommen mögen, und die Rücksichtslosigkeit gegen die Entrüstung, welche durch mein ungeniertes Nennen der Dinge beim rechten Namen unausbleiblich hervorgerufen werden mußte, lauter Eigenschaften, die oft genug bald als höchstes Lob, bald als schärfster Tadel gegen mein Buch ausgesprochen worden sind. Wie ich gearbeitet habe, um meinem eigenen Drang nach Erkenntnis zu genügen, so ist auch mein eigenes Urteil mir allezeit das einzige Richtmaß für den Wert meiner Leistungen geblieben, wie es mir denn für den Begriff des Philosophen als eines Selbstdenkers selbstverständlich erscheint, daß sein Denken ihm als die höchste inappellable Instanz gelten müsse, die für fremden Beifall oder Mißfallen sich als schlechterdings unbestechlich zu bewähren habe. Ich kann selbst heute nach allen erfahrenen Angriffen mit gutem Gewissen sagen, daß keiner meiner Gegner die wirklichen Mängel meines Systems so klar und bestimmt erkannt hat, wie ich mir derselben, und zwar in den Hauptpunkten schon vor der Veröffentlichung, bewußt geworden bin, und daß ich über die Aporien meines Systems nicht nur ein deutlicheres Bewußtsein besitze als die meisten meiner Vorgänger über die ihrigen, sondern daß auch niemand sich weniger bemüht hat, diese Aporien zu verschleiern und zu verbergen als ich. Man wird unter solchen Umständen meiner Versicherung glauben dürfen, wenn ich wiederhole, daß ich den Wert von äußerem Lob und Tadel lediglich danach abschätze, wieviel dieselben etwa zur Verbreitung meiner Schriften und dadurch zur Förderung der von mir vertretenen Ideen beitragen mögen. Ich weiß sehr wohl, daß der Zunftphilosophie der Begriff des Selbstdenkens so sehr abhanden gekommen ist, daß sie mir wie jedem wirklichen Selbstdenker seine Selbständigkeit als frevelhafte und sträfliche Überhebung anrechnet; aber ich nehme ihr das nicht übel, weil ich ja einsehe, daß es eine bloße Betätigung des Selbsterhaltungstriebes ist, wenn sie ihr Forum als das in philosophischen Fragen allein maßgebende und für jedermann objektiv entscheidende aufrechtzuerhalten sucht.

Für nichts habe ich mehr Ursache, meinem Schicksal dankbar zu sein, als dafür, daß es meine Jugend vor dieser Zunftphilosophie in Gnaden bewahrt hat. Die Hörsäle der Universität habe ich nur als neugieriger Gymnasiast mit meinen Vettern einigemal besucht, fand mich aber schon damals durch die daselbst gehaltenen philosophischen Vorlesungen wenig angesprochen. Ein glücklicher Instinkt drängte mich, bei der Wasserleitung vorüber bis zu den Quellen zu gehen; denn was ich suchte, war das Große, Bedeutende im Reiche des Gedankens, und ich wußte, daß alles Große selten, aber in der Wissenschaft glücklicherweise im Original zugänglich sei. Da ich das Glück hatte, daß mir alle persönlichen Beziehungen zu den Kreisen der Professorenphilosophie zufällig verschlossen blieben, so gab es keine Versuchung für mich, welche mich von den Wegen, die mein Instinkt mir vorzeichnete, hätte ablenken können.

Die Zunftphilosophie besteht nämlich einesteils in einer Philologie der philosophischen Klassiker, wo wie in aller Philologie die Buchstabenklauberei der Geist verdrängt, andernteils in einer ameisenartigen Geschäftigkeit behufs Ausprobierung aller möglichen Permutationen und Kombinationen der von anderen gedachten Gedanken. Dieselbe denkt, mit einem Wort, nicht über das unmittelbar Gegebene, sondern sie denkt über die Gedanken, welche die Selbstdenker über das Gegebene gedacht haben, kritisiert dieselben und kritisiert die Kritiken, welche ihre Vorgänger über die Kritiken der Kritiken dieser Originalgedanken geschrieben haben. Um seinen Vortrag über irgendein spezielles Gebiet, z. B. über Ethik oder Ästhetik zu halten, nimmt sich ein Professor ein halbes Dutzend Ethiken und Ästhetiken seiner Kollegen vor, stellt daraus sein Kollegienheft zusammen und läßt es endlich als das siebente desselben Genres drucken. So wird die Professorenphilosophie durch die Anforderungen ihres Berufs unvermeidlich zu einer forcierten Systemmacherei gedrängt, welche natürlich bei dem Mangel eines neuen bahnbrechenden Grundprinzips hinter den systematischen Schulformen nur den äußerlichsten Eklektizismus verbergen kann; sie wiegt sich aber in der Selbsttäuschung, so den höchsten Anforderungen genügt zu haben und durch ihr Wissen um die Gedanken wahrer Philosophen sowie durch ihre kritische Reflexion über dieselben diesen originalen Selbstdenkern überlegen zu sein. Lichtenberg sagt: »Unter den Gelehrten sind gemeiniglich diejenigen die größten Verächter aller übrigen, die aus einer mühsamen Vergleichung unzähliger Schriftsteller endlich eine gewisse Meinung über einen Punkt festgesetzt haben.« Und an einer andern Stelle: »Das viele Lesen ist dem Denken schädlich. Die größten Denker, die mir vorgekommen sind, waren gerade unter allen Gelehrten die, welche am wenigsten gelesen hatten.«

Dazu kommt, daß die Zunftphilosophie ihren Ursprung aus der Schülerbelehrung nicht verleugnen und den ihr daraus anhaftenden schulmeisterlichen Anstrich nicht abstreifen kann. Wenn sich das Wesen des Schulmeisterlichen in einem pedantischen Unfehlbarkeitsdünkel der unantastbaren Superiorität des Meisters gegen die Schüler ausspricht, welche dann, zur Gewohnheit geworden, auf das Verhalten zur ganzen übrigen Welt übertragen wird, so trifft dieses Merkmal kaum irgendwo in höherem Grade zu als bei der Professorenphilosophie, widerspricht aber keinem Gegenstande so sehr als der Natur der Philosophie, welche in dem freien, d. h. von keiner Pietät gegen irgendwelche Autorität beengten Denken besteht.

So kann die Professorenphilosophie in jeder Beziehung auf einen angehenden Selbstdenker nur erdrückend, verwirrend und kopfverderbend wirken, und es muß eine ganz eminente Begabung sein, welche, durch diese Schule gegangen, sich doch noch zum originellen Denken durcharbeitet. Jedenfalls wird auch ein solches Talent eine unverhältnismäßige Menge Kraft vergeuden müssen, um nur die Schädigungen wieder zu überwinden, welche es durch den an die Flügel seines himmelanstrebenden Geistes gehängten Ballast von scholastischem Krimskrams erlitten, und um seine Seele nur dem unmittelbaren und intuitiven Denken neu zu erschließen. Darum preise ich mein Geschick, welches mir vergönnte, in jenen Lebensjahren, wo ich andernfalls dieser Danaidenarbeit hätte obliegen müssen, mit frischem, von keinem System befangenen Blick in das reale Leben und in die ideale Welt der Schönheit zu schauen, und mich so durch objektive Anschauung zum intuitiven Denken reiferer Jahre vorzubereiten.

Den literarischen Niederschlag der Professorenphilosophie bildet jene massenhafte philosophische Literatur der lebenden Generation, welche mit der nächsten für immer vergessen ist. Außer dem kleinen Kreise der Philosophieprofessoren und Dozenten selbst würde sich um diese Literatur niemand bekümmern, wenn nicht anerkennende Besprechungen in kritischen und literarischen Blättern gelegentlich einen Draußenstehenden zur Kenntnisnahme verleiteten. Diese Verführung wäre auch mir schwerlich erspart geblieben, wenn ich nicht in einer so hermetischen Abgeschlossenheit von der wissenschaftlichen Welt gelebt hätte, daß ich in meiner literarischen Unschuld nicht einmal eine Ahnung von der Existenz solcher Blätter hatte. Wenn ich jetzt wieder einmal einige unwiederbringliche Stunden auf das Durchblättern eines angepriesenen neuen philosophischen Werkes verschwendet habe, so sehne ich mich manchmal nach jener idyllischen Unkenntnis zurück, die mir so viele Zeitvergeudung und Langeweile ersparte.

Mein Philosophieren war in jeder Beziehung ein rein monologisierendes, d. h. ich hatte unter meinen Freunden keinen, mit dem ich ein irgendwie philosophisch gefärbtes Gespräch führen konnte. Mein Vater ließ mir zwar meinen Willen, erklärte sich aber von seinem realistischen Standpunkte entschieden gegen solchen Zeitverderb und sprach bei meinem Ausscheiden aus dem Dienst unverhohlen sein Bedauern über meine nebulose Richtung und seinen Wunsch aus, daß ich greifbareren Gegenständen meine Studien und meine Befähigung zuwenden möchte. Der einzige, der meinem Denken Nahrung und Anregung gab, war ein bei meinen Eltern verkehrender Privatgelehrter, der auf Hegel und Schelling fußte und nur ein dialektisches Denken im Hegelschen Sinne als philosophisches Denken gelten ließ. Er gab mir Hegel, Schelling, Schopenhauer, Kuno Fischer und manches andere zu lesen und hatte von meiner Knabenzeit an erheblichen Einfluß auf meine geistige Entwicklung. Da ich aber gegen seine Dialektik mich stets oppositionell verhielt und er mein induktives Vorgehen nicht für Philosophie gelten ließ, so entfernten wir uns nur um so mehr voneinander, je selbständiger und entschiedener mein Denken sich entwickelte. Der bestrickende Reiz, in welchem ich durch ihn die dialektische Methode kennenlernte, wurde ein Hauptgrund, daß ich später im Sommer 1867 in Wiesbaden mit dieser formellen Seite des Hegelianismus eine gründliche Abrechnung in einer eigenen Schrift vornahm.

Bis zum Herbst 1864 war meine Lektüre wie meine Schriftstellerei planlos und ohne gegenseitigen Zusammenhang gewesen; von da an, wo ich nach Aufgeben der Künste meine ganze Zeit der Philosophie widmete, trat ich in ein systematisches Studium der philosophischen Klassiker ein und bewältigte außerdem mit Rücksicht auf die begonnene Arbeit eine große Masse naturwissenschaftlicher und psychologischer Literatur. Hier dienten mir zum Teil befreundete Mediziner als Ratgeber; insbesondere verdanke ich der Güte des Nestors der deutschen Psychiatriker, Geh. Medizinalrat Flemming, den ich im Bade kennenzulernen das Glück hatte, die wertvollsten Fingerzeige und Hülfen. Im übrigen war ich auf die literarischen Verweisungen beschränkt, welche ich in den gelesenen Werken fand, und auf die zum Teil wie gerufen kommenden Funde, welche mir ein glücklicher Zufall in die Hände spielte. Ohne Zweifel hatte diese Beschränkung in den Hülfsmitteln ihre großen Mängel, aber ich war mir dieser Mängel damals nicht bewußt und fand später, daß sie auf den Inhalt meiner Arbeit keinen erheblich beeinträchtigenden Einfluß geübt hatten. Ich verließ mich wesentlich auf einen gewissen natürlichen Instinkt betreffs der Unterscheidung bedeutender und unbedeutender Schriftsteller und betreffs der Sonderung des Bedeutenden von dem Unbedeutenden in den einzelnen Büchern und bin hiermit, wie ich nachträglich wohl konstatieren darf, leidlich gut gefahren – jedenfalls im ganzen tausendmal besser, als wenn ich mich der Leitung eines Philosophieprofessors anvertraut hätte, wodurch mir freilich vieles erleichtert und manche unnütze Mühe erspart worden wäre.

Im Frühjahr 1865 gelangte ich bis Abschn. B, Kap. II, im Frühjahr 66 bis C, Kap. V, im April 1867 war das Werk vollendet. In den Sommern 65 und 66 lebte ich nur der Erholung und Zerstreuung, freilich auch der Lektüre, und im Herbst 66 verfaßte ich, durch die Lektüre Immermanns angeregt, in fünf Wochen das Drama ›Tristan und Isolde‹, ohne von den früheren dramatischen Bearbeitungen etwas zu wissen und hauptsächlich in dem Wunsche, daß ein so prächtiger Tragödienstoff nicht unverwertet bleibe. Wie zu meinem dicken philosophischen Manuskript der leise, so fehlte mir hier bei diesem Eintritt in den Dienst der tragischen Muse der laute Spott nicht.

Und doch war in der oben geschilderten Situation nur meine Fähigkeit und Kraft zur Objektivation meine Rettung vor geistigem Untergange gewesen. In ihr fand ich einen zunächst freilich rein innerlichen Beruf und die höchste Befriedigung schöpferischer Tätigkeit, in ihr fand ich aber auch das Mittel, mich von demjenigen zu befreien, was unausgesprochen die Seele zernagt. Mit dem Pessimismuskapitel habe ich mir für immer den Weltschmerz als solchen vom Halse geschrieben und ihn in ein objektives affektloses Wissen vom Elend des Daseins geläutert, dadurch aber auch die ungetrübte Heiterkeit des im Äther des reinen Gedankens schwebenden und von ihm aus die Welt und sein eigenes Leid wie ein fremdes Untersuchungsobjekt betrachtenden Philosophen mir zurückerobert. Daß der Schopenhauersche Pessimismus auch da begeisterte Jünger finden, der Weltschmerz auch da sich spontan erzeugen kann, wo die bei mir zusammengetroffenen äußeren Verhältnisse fehlen, beweisen zahllose Beispiele ; es wäre daher logisch ganz ungerechtfertigt, meinen Pessimismus aus meinen äußeren Lebensumständen erklären zu wollen. Vor allem spricht das dagegen, daß nicht der Pessimismus das mir Eigentümliche ist, sondern seine Verschmelzung mit der optimistischen Entwicklungstheorie und die hieraus sich ergebende Überwindung des Schopenhauerschen Quietismus und seiner Verneinung des Willens zum Leben; diese Überwindung aber habe ich mir nicht wegen, sondern gerade trotz der niederdrückenden äußeren Umstände errungen.

Ich weiß sehr wohl, daß das Werk, welches meinen Namen bekanntgemacht hat, ein Jugendwerk mit den Vorzügen und Fehlern eines solchen ist; ich gestehe offen, daß ich heute manches anders einteilen, darstellen und ausdrücken würde. Aber ich weiß ebensogut, daß es schade darum wäre, das

Werk umzugestalten und dem Publikum die weitere Benutzung desselben in seiner ursprünglichen Gestalt zu entziehen, in welcher es nun einmal Eigentum der Geschichte der Philosophie geworden ist und als solches eine charakteristische Entwicklungsphase derselben repräsentiert. Deshalb habe ich in den späteren Auflagen von Änderungen Abstand genommen und mich auf erläuternde und vertiefende Zusätze beschränkt und habe es vorgezogen, die etwa in Rede kommenden Modifikationen in besonderen Schriften und Abhandlungen niederzulegen. Um Mißverständnissen vorzubeugen, will ich jedoch ausdrücklich hinzufügen, daß die beiden Punkte, welche die heftigsten, sinnlosesten und unflätigsten Angriffe gegen mich hervorgerufen haben, ich meine meine Ansichten über die Geschlechtsliebe und das Elend des Daseins, von solchen Modifikationen nicht betroffen werden, sondern sich mir im Laufe der Zeit nur bestätigt und verschärft haben.

Der Grundirrtum in den betreffenden Angriffen ist die anscheinend durch keine Deutlichkeit meinerseits und durch keine Belehrung und Zurechtweisung von seiten meiner Verteidiger auszurottende Verwechslung zwischen dem Schopenhauerschen Standpunkt der Verneinung des Willens zum Leben und dem meinigen der Bejahung desselben. Ihre Anknüpfung findet diese Verwechslung darin, daß ich die Ausrottung des Geschlechtstriebes, beziehungsweise den Selbstmord als die allein folgerichtige Konsequenz des Egoismus oder Individual-Eudämonismus aufzeige und daß die betreffenden Gegner gar nicht begreifen können, wie dieser ihnen allein geläufige Standpunkt des Individual-Eudämonismus als ein schlechthin berechtigungsloser, notwendig zu überwindender von mir hingestellt wird. Aus meinem philosophischen Gesichtspunkt, insbesondere aus dem meines Monismus, ist nun aber das Ganze das dem einzelnen unbedingt Überlegene, und vom Standpunkte der hingebungsvollen Mitwirkung am Prozeß des Ganzen sind demnach alle jene

Instinkte zu restituieren, welche vom Standpunkte des Individual-Eudämonismus als trügerische Illusionen entlarvt und verurteilt werden. So wird unter andern auch die Liebe mit ihrer segensreichen unbewußten Wirksamkeit für die Veredelung der Menschheit und den Fortschritt des bewußten Geistes restituiert, und wie Luther dem katholischen Zölibat gegenüber, so habe ich der Schopenhauerschen Askese und Willensverneinung gegenüber durch meine Verheiratung vor aller Welt dokumentiert, daß mein praktisches Verhalten sich mit meinen philosophischen Theorien im völligen Einklang befindet.

Die liebende Gattin, die verständnisvolle Genossin meiner idealen Bestrebungen, waltet in meiner bescheidenen, aber freundlichen Häuslichkeit, in einer Wohnung, die, dem parkartigen botanischen Garten Berlins gegenüber gelegen, die Annehmlichkeiten der Winter- und Sommerwohnung in sich vereinigt. In unserer Ehe vertritt sie das pessimistische Element, indem sie sich dem von mir verfochtenen evolutionistischen Optimismus gegenüber skeptisch verhält. Zu unseren Füßen spielt mit dem treuen vierfüßigen Gefährten ein schönes blühendes Kind, das eben mit der Verbindung von Zeit- und Hauptworten experimentiert, bereits bis zu dem Fichteschen Prinzip des ›Ich‹ vorgedrungen ist, aber dasselbe, wie auch Fichte zu tun pflegt, vorläufig noch mit der dritten Person des Zeitworts verknüpft. Meine Eltern und Schwiegereltern sowie ein erlesener Freundeskreis sorgen für geistige Abwechslung und gemütliche Anregung, und ein philosophischer Freund äußerte kürzlich: »Wenn man wieder einmal zufriedene und heitere Gesichter sehen will, so muß man zu den Pessimisten gehen!«

Hermann Helmholtz
Über das Verhältnis der Naturwissenschaften zur Gesamtheit der Wissenschaft

*H*ermann Helmholtz (1821–1894) aus Potsdam, Physiologe, Physiker und Philosoph, schrieb Über das Sehen des Menschen, Die Lehre von den Tonempfindungen, Handbuch der physiologischen Optik, Die Tatsachen in der Wahrnehmung. *Sein Beitrag zur Philosophie besteht vor allem in seinen Schriften zur Erkenntnistheorie.*

Helmholtz studierte in Berlin Medizin, war 1842 Militärarzt an der Charité, 1843 in Potsdam. Im Jahre 1848 wurde er Lehrer der Anatomie an der Berliner Kunstakademie und Assistent am Anatomischen Museum in Berlin. Seine weitere Karriere weist folgende Daten auf: 1849 Professor der Physiologie in Königsberg, 1855 in Bonn, 1858 in Heidelberg. 1871 wurde er Professor der Physik in Berlin, 1888 Präsident der Physikalisch-Technischen Reichsanstalt.

Sein Verhältnis zur Philosophie wurde gleichermaßen bestimmt durch seinen Ausgangspunkt von Kant und der Physiologie. Wie Friedrich Albert Lange suchte er Kants Aprioris in der Sinnesphysiologie zu begründen. Zwar gab er mit diesen Versuchen den Anstoß zur Überwindung der Kluft zwischen der Philosophie und den Wissenschaften (vor allem den Naturwissenschaften), wie sie sich nach dem Zusammenbruch des spekulativen Idealismus gebildet hatte. Aber mit Kant hat diese Ableitung der Aprioris wenig zu tun; sie war recht antikantisch.

*Es war aber ein großes Verdienst von Helmholtz, zu unter-
streichen, daß bei Kant der Bruch zwischen Philosophie und
wissenschaftlicher Forschung noch nicht eingetreten war.
»Kant«, schrieb er, »stand in Beziehung auf die Naturwissenschaften mit den Naturforschern auf genau denselben Grundlagen – wie am besten seine eigenen naturwissenschaftlichen
Arbeiten zeigen.« Und noch ein anderes verband ihn mit
Kant: die Ablehnung der reinen Spekulation, sein »oberster
Satz«, »daß alle Erkenntnis der Wirklichkeit aus der
Erfahrung geschöpft werden müsse«. Und ganz kantisch defi-
nierte er Philosophie als die »Lehre von den Wissensquellen«,
die Metaphysik aber als die »vermeintliche Wissenschaft, deren Zweck es ist, durch reines Denken Aufschlüsse über die
letzten Prinzipien des Zusammenhangs der Welt zu gewinnen«.*

Wir bringen hier seine Rede Über das Verhältnis der Naturwissenschaften zur Gesamtheit der Wissenschaft. *Sie
wurde gehalten als ›Akademische Festrede‹, Heidelberg, den
22. November 1862. Sie rührt an ein Thema, das in den 100
Jahren seitdem immer wieder Gegenstand akademischer und
nichtakademischer Klagen geworden ist: daß die Universitas
litterarum sehr locker wurde ... vor allem auch, weil selbst
die kleinsten Bezirke innerhalb der Wissenschaften bereits
unübersichtlich geworden sind. Helmholtz sagte das vor mehr
als drei Generationen folgendermaßen:*

Hochgeehrte Versammlung!

Unsere Universität erneuert in der jährlichen Wiederkehr
des heutigen Tages die dankbare Erinnerung an einen er-
leuchteten Fürsten dieses Landes, Karl Friedrich, der während einer Zeit, wo die ganze alte Ordnung Europas umzustürzen schien, eifrig und im edelsten Sinne bemüht war,
das Wohl und die geistige Entwickelung seines Volkes zu

befördern, und der es richtig zu erkennen wußte, daß die Erneuerung und Wiederbelebung dieser Universität eines der
Hauptmittel zur Erreichung seiner wohlwollenden Absichten sein würde. Indem ich an einem solchen Tage von diesem
Platze aus als Stellvertreter unserer gesamten Universität zu
der gesamten Universität zu sprechen habe, ziemt es sich
wohl, einen Blick auf den Zusammenhang der Wissenschaften und ihres Studiums im Ganzen zu werfen, soweit dies von
dem beschränkten Standpunkte aus möglich ist, den der einzelne einnimmt.

Wohl kann es in jetziger Zeit so scheinen, als ob die gemeinsamen Beziehungen aller Wissenschaften zueinander,
um derentwillen wir sie unter dem Namen einer Universitas
litterarum zu vereinigen pflegen, lockerer als je geworden sei-
en. Wir sehen die Gelehrten unserer Zeit vertieft in ein Detail-
studium von so unermeßlicher Ausdehnung, daß auch der
größte Polyhistor nicht mehr daran denken kann, mehr als
ein kleines Teilgebiet der heutigen Wissenschaft in seinem
Kopfe zu beherbergen. Den Sprachforscher der drei letztver-
gangenen Jahrhunderte beschäftigte das Studium des Griechischen und Lateinischen schon genügend; nur für unmittelbar praktische Zwecke lernte man vielleicht noch einige
europäische Sprachen. Jetzt hat sich die vergleichende Sprach-
forschung keine geringere Aufgabe gestellt als die, alle Sprachen aller menschlichen Stämme kennenzulernen, um an
ihnen die Gesetze der Sprachbildung selbst zu ermitteln, und
mit dem riesigsten Fleiße hat sie sich an ihre Arbeit gemacht.
Selbst innerhalb der klassischen Philologie beschränkt man
sich nicht mehr darauf, diejenigen Schriften zu studieren,
welche durch ihre künstlerische Vollendung, durch die
Schärfe ihrer Gedanken oder die Wichtigkeit ihres Inhalts die
Vorbilder der Poesie und Prosa für allezeit geworden sind;
man weiß, daß jedes verlorene Bruchstück eines alten Schriftstellers, jede Notiz eines pedantischen Grammatikers oder
eines byzantinischen Hofpoeten, jeder zerbrochene Grab-

stein eines römischen Beamten, der sich in einem unbekannten Winkel Ungarns, Spaniens oder Afrikas vorfindet, eine
Nachricht oder ein Beweisstück enthalten kann, welches an
seiner Stelle wichtig sein möchte, und so ist denn wieder eine
andere Zahl von Gelehrten mit der Ausführung des riesigen
Unternehmens beschäftigt, alle Reste des klassischen Altertums, welcher Art sie sein mögen, zu sammeln und zu katalo-
gisieren, damit sie zum Gebrauch bereit seien. Nehmen Sie
dazu das historische Quellenstudium, die Durchmusterung
der in den Archiven der Staaten und der Städte aufgehäuften
Pergamente und Papiere, das Zusammenlesen der in Memoiren, Briefsammlungen und Biographien zerstreuten Notizen
und die Entzifferung der in den Hieroglyphen und Keil-
schriften niedergelegten Dokumente; nehmen Sie dazu die
noch immer an Umfang schnell wachsenden systematischen
Übersichten der Mineralien, der Pflanzen und Tiere, der lebenden wie der vorsündflutlichen, so entfaltet sich vor unserem Blicke eine Masse gelehrten Wissens, welche uns schwin-
deln macht. In allen diesen Wissenschaften nimmt der Kreis
der Forschung noch fortdauernd in demselben Maße zu, als
die Hilfsmittel der Beobachtung sich verbessern, ohne daß ein
Ende abzusehen ist. Der Zoolog der vergangenen Jahrhunderte war meist zufrieden, wenn er die Zähne, die Behaarung,
die Bildung der Füße und andere äußerliche Kennzeichen
eines Tieres beschrieben hatte. Der Anatom dagegen beschrieb
die Anatomie des Menschen allein, soweit er sie mit dem Messer, der Säge und dem Meißel oder etwa mit Hilfe von Injek-
tionen der Gefäße ermitteln konnte. Das Studium der
menschlichen Anatomie galt schon als ein entsetzlich weitläufiges und schwer zu erlernendes Gebiet. Heutzutage begnügt
man sich nicht mehr mit der sogenannten gröberen menschlichen Anatomie, welche fast, wenn auch mit Unrecht, als ein
erschöpftes Gebiet angesehen wird, sondern die vergleichende Anatomie, das heißt die Anatomie aller Tiere und die
mikroskopische Anatomie, also Wissenschaften von einem

unendlich breiteren Inhalte, sind hinzugekommen und absorbieren das Interesse der Beobachter.

Die vier Elemente des Altertums und der mittelalterlichen Alchymie sind in unserer jetzigen Chemie auf 64 gewachsen; die drei letzten von ihnen sind nach einer an unserer Universität entdeckten Methode aufgefunden worden, welche noch viele ähnliche Funde in Aussicht stellt. Aber nicht bloß die Zahl der Elemente ist außerordentlich gewachsen, auch die Methoden, komplizierte Verbindungen derselben herzustellen, haben solche Fortschritte gemacht, daß die sogenannte organische Chemie, welche nur die Verbindungen des Kohlenstoffs mit Wasserstoff, Sauerstoff, Stickstoff und mit einigen wenigen anderen Elementen umfaßt, schon wieder eine Wissenschaft für sich geworden ist.

»So viel Stern' am Himmel stehen« war in alter Zeit der natürliche Ausdruck für eine Zahl, welche alle Grenzen unseres Fassungsvermögens übersteigt; Plinius findet es ein an Vermessenheit streifendes Unternehmen des Hipparch, daß er die Sterne zu zählen und ihre Örter einzeln abzumessen unternommen habe. Und doch liefern die bis zum 17. Jahrhundert ohne Hilfe von Fernrohren angefertigten Sternverzeichnisse nur 1000 bis 1500 Sterne 1ter bis 5ter Größe. Gegenwärtig ist man an mehreren Sternwarten beschäftigt, diese Kataloge bis zur 10ten Größe festzusetzen, was eine Gesamtzahl von etwa 200 000 Fixsternen über den ganzen Himmel ergeben wird, welche alle aufgezeichnet, und deren Örter messend bestimmt werden sollen. Die nächste Folge dieser Untersuchungen ist dann auch die Möglichkeit gewesen, eine große Menge neuer Planeten zu entdecken, von denen vor 1781 nur 6 bekannt waren, im gegenwärtigen Augenblicke dagegen 75.

Wenn wir diese riesige Tätigkeit in allen Zweigen überblikken, so können uns die verwegenen Anschläge der Menschen wohl in ein erschrecktes Staunen versetzen, wie der Chor in

der Antigone, wo er ausruft: »Vieles ist erstaunlich, aber
nichts erstaunlicher als der Mensch.«

Wer soll noch das Ganze übersehen, wer die Fäden des Zusammenhangs in der Hand behalten und sich zurechtfinden?
Die natürliche Folge sehen wir zunächst darin vor Augen,
daß jeder einzelne Forscher ein immer kleiner werdendes Gebiet zu seiner Arbeitsstätte zu wählen gezwungen ist und nur
unvollständige Kenntnisse von den Nachbargebieten sich
bewahren kann. Wir sind jetzt geneigt, zu lachen, wenn wir
hören, daß im 17. Jahrhundert Kepler als Professor der Mathematik und Moral nach Grätz berufen wurde oder daß am
Anfange des 18. Jahrhunderts Boerhave zu Leyden gleichzeitig die Professuren der Botanik, Chemie und klinischen Medizin innehatte, worin natürlich damals auch noch die Phar-
mazie eingeschlossen war. Jetzt brauchen wir mindestens
vier, an vollständig besetzten Universitäten sogar sieben bis
acht Lehrer, um alle diese Fächer zu vertreten. Ähnlich ist es
in den anderen Disziplinen.

Ich habe um so mehr Veranlassung, die Frage nach dem
Zusammenhange der verschiedenen Wissenschaften hier zu
erörtern, als ich selbst dem Kreise der Naturwissenschaften
angehöre und man die Naturwissenschaften in neuerer Zeit
gerade am meisten beschuldigt hat, einen isolierten Weg eingeschlagen zu haben und den übrigen Wissenschaften, die
durch gemeinsame philologische und historische Studien untereinander verbunden sind, fremd geworden zu sein. Ein
solcher Gegensatz ist in der Tat eine Zeitlang fühlbar gewesen
und scheint mir namentlich unter dem Einflusse der Hegelschen Philosophie sich entwickelt zu haben oder durch diese
Philosophie mindestens klarer als vorher an das Licht gezogen worden zu sein. Denn am Ende des vorigen Jahrhunderts
unter dem Einflusse der Kantschen Lehre war eine solche
Trennung noch nicht ausgesprochen; diese Philosophie stand
vielmehr mit den Naturwissenschaften auf genau gleichem
Boden, wie am besten Kants eigene naturwissenschaftliche

Arbeiten zeigen, namentlich seine auf Newtons Gravitationsgesetz gestützte kosmogonische Hypothese, welche später unter Laplaces Namen allgemeine Anerkennung erhalten hat. Kants kritische Philosophie ging nur darauf aus, die Quellen und die Berechtigung unseres Wissens zu prüfen und den einzelnen übrigen Wissenschaften gegenüber den Maßstab für ihre geistige Arbeit aufzustellen. Ein Satz, der a priori durch reines Denken gefunden war, konnte nach seiner Lehre immer nur eine Regel für die Methode des Denkens sein, aber keinen positiven und realen Inhalt haben. Die Identitätsphilosophie war kühner. Sie ging von der Hypothese aus, daß auch die wirkliche Welt, die Natur und das Menschenleben das Resultat des Denkens eines schöpferischen Geistes sei, welcher Geist seinem Wesen nach als dem menschlichen gleichartig betrachtet wurde. Sonach schien der menschliche Geist es unternehmen zu können, auch ohne durch äußere Erfahrungen dabei geleitet zu sein, die Gedanken des Schöpfers nachzudenken und durch eigene innere Tätigkeit dieselben wiederzufinden. In diesem Sinne ging nun die Identitätsphilosophie darauf aus, die wesentlichen Resultate der übrigen Wissenschaften a priori zu konstruieren. Es mochte dieses Geschäft mehr oder weniger gut gelingen in bezug auf Religion, Recht, Staat, Sprache, Kunst, Geschichte, kurz in allen den Wissenschaften, deren Gegenstand sich wesentlich aus psychologischer Grundlage entwickelt und die daher unter dem Namen der Geisteswissenschaften passend zusammengefaßt werden. Staat, Kirche, Kunst, Sprache sind dazu da, um gewisse geistige Bedürfnisse der Menschen zu befriedigen. Wenn auch äußere Hindernisse, Naturkräfte, Zufall, Nebenbuhlerschaft anderer Menschen oft störend eingreifen, so werden schließlich doch die beharrlich das gleiche Ziel verfolgenden Bestrebungen des menschlichen Geistes über die planlos waltenden Hindernisse das Übergewicht erhalten und den Sieg erringen müssen. Unter diesen Umständen wäre es nicht gerade unmöglich, den allgemeinen Entwicklungsgang der Menschheit in bezug auf die genannten Verhältnisse aus einem genauen Verständnis des menschlichen Geistes a priori vorzuzeichnen, namentlich wenn der Philosophierende schon ein breites empirisches Material vor sich hat, dem sich seine Abstraktionen anschließen können. Hegel wurde in seinen Versuchen, diese Aufgabe zu lösen, auch wesentlich unterstützt durch die tiefen philosophischen Blicke in Geschichte und Wissenschaft, welche die Philosophen und Dichter der ihm unmittelbar vorausgehenden Zeit getan hatten und die er hauptsächlich nur zusammenzuordnen und zu verbinden brauchte, um ein durch viele überraschende Einsichten imponierendes System herzustellen. So gelang es ihm, bei der Mehrzahl der Gebildeten seiner Zeit einen enthusiastischen Beifall zu finden und überschwengliche Hoffnungen auf die Lösung der tiefsten Rätsel des Menschenlebens zu erregen; das letztere um so mehr, als der Zusammenhang des Systems durch eine sonderbar abstrakte Sprache verhüllt war und vielleicht von wenigen seiner Verehrer wirklich verstanden und durchschaut worden ist.

Daß nun die Konstruktion der wesentlichen Hauptresultate der Geisteswissenschaften mehr oder weniger gut gelang, war immer noch kein Beweis für die Richtigkeit der Identitätshypothese, von der Hegels Philosophie ausging. Es wären im Gegenteil die Tatsachen der Natur das entscheidende Prüfmittel gewesen. Daß in den Geisteswissenschaften sich die Spuren der Wirksamkeit des menschlichen Geistes und seiner Entwickelungsstufen wiederfinden mußten, war selbstverständlich. Wenn aber die Natur das Resultat der Denkprozesse eines ähnlichen schöpferischen Geistes abspiegelte, so mußten sich die verhältnismäßig einfacheren Formen und Vorgänge der Natur um so leichter dem Systeme einordnen lassen. Aber hier gerade scheiterten die Anstrengungen der Identitätsphilosophie, wir dürfen wohl sagen, vollständig. Hegels Naturphilosophie erschien, den Natur-

forschern wenigstens, absolut sinnlos. Von den vielen ausgezeichneten Naturforschern jener Zeit fand sich nicht ein
einziger, der sich mit den Hegelschen Ideen hätte befreunden
können. Da andrerseits für Hegel es von besonderer Wichtigkeit war, gerade in diesem Felde sich Anerkennung zu er-
fechten, die er anderwärts so reichlich gefunden hatte, so
folgte eine ungewöhnlich leidenschaftliche und erbitterte Polemik von seiner Seite, die namentlich gegen I. Newton, als
den ersten und größten Repräsentanten der wissenschaftlichen Naturforschung, gerichtet war. Die Naturforscher
wurden von den Philosophen der Borniertheit geziehen, die
letzteren von den ersteren der Sinnlosigkeit. Die Naturforscher fingen nun an, ein gewisses Gewicht darauf zu legen,
daß ihre Arbeiten ganz frei von allen philosophischen Einflüssen gehalten seien, und es kam bald dahin, daß viele von
ihnen, und zwar selbst Männer von hervorragender Bedeutung, alle Philosophie nicht nur als unnütz, sondern selbst als
schädliche Träumerei verdammten. Wir können nicht leugnen, daß hierbei mit den ungerechtfertigten Ansprüchen,
welche die Identitätsphilosophie auf Unterordnung der übrigen Disziplinen erhob, auch die berechtigten Ansprüche der
Philosophie, nämlich die Kritik der Erkenntnisquellen aus-
zuüben und den Maßstab der geistigen Arbeit festzustellen,
über Bord geworfen wurden.

In den Geisteswissenschaften war der Verlauf ein anderer,
wenn er auch schließlich ziemlich zu demselben Resultate
führte. In allen Zweigen der Wissenschaft, für Religion,
Staat, Recht, Kunst, Sprache, standen begeisterte Anhänger
der Hegelschen Philosophie auf, welche jeder sein Gebiet im
Sinne dieser Lehre zu reformieren und schnell auf spekulati-
vem Wege Früchte einzusammeln suchten, denen man sich
bis dahin nur langsam durch langwierige Arbeit genähert hatte. So stellte sich eine Zeitlang ein schneidender und scharfer
Gegensatz zwischen den Naturwissenschaften auf der einen
und den Geisteswissenschaften auf der andern Seite her, wo-

bei den ersteren nicht selten der Charakter der Wissenschaft ganz abgesprochen wurde.

Freilich dauerte das gespannte Verhältnis in seiner ersten Bitterkeit nicht lange. Die Naturwissenschaften erwiesen vor jedermanns Augen durch eine schnell aufeinander folgende Reihe glänzender Entdeckungen und Anwendungen, daß ein gesunder Kern ungewöhnlicher Fruchtbarkeit in ihnen wohne; man konnte ihnen Achtung und Anerkennung nicht versagen. Und auch in den übrigen Gebieten des Wissens erhoben gewissenhafte Erforscher der Tatsachen bald ihren Widerspruch gegen den allzu kühnen Ikarusflug der Spekulation. Doch läßt sich auch ein wohltätiger Einfluß jener philosophischen Systeme nicht verkennen; wir dürfen wohl nicht leugnen, daß seit dem Auftreten Hegels und Schellings die Aufmerksamkeit der Forscher in den verschiedenen Zweigen der Geisteswissenschaften lebhafter und dauernder auf ihren geistigen Inhalt und Zweck gerichtet gewesen ist, als in den vorausgehenden Jahrhunderten vielleicht der Fall war, und die große Arbeit jener Philosophie ist deshalb nicht ganz vergebens gewesen.

In dem Maße nun, als die empirische Erforschung der Tatsachen auch in den anderen Wissenschaften wieder in den Vordergrund trat, ist nun allerdings der Gegensatz zwischen ihnen und den Naturwissenschaften gemildert worden. Indessen, wenn derselbe durch Einfluß der genannten philosophischen Meinungen auch in übertriebener Schärfe zum Ausdruck gekommen war, läßt sich doch nicht verkennen, daß ein solcher Gegensatz wirklich in der Natur der Dinge begründet ist und sich geltend macht. Es liegt ein solcher zum Teil in der Art der geistigen Arbeit begründet, zum Teil in dem Inhalt der genannten Fächer, wie es der Name der Natur- und Geisteswissenschaften schon andeutet.

Gustave Flaubert
Briefe an Zeit- und Zunftgenossen

Gustave Flaubert *wurde 1821 in Rouen, der alten Haupt-stadt der Normandie, geboren und starb 1880 in Croisset bei Rouen – jenem abgelegenen Platz an der Seine, eine Stunde flußabwärts von Rouen –, einer der berühmtesten Stätten der Weltliteratur; hier wurden seine großen Werke gemeißelt, von hier aus gingen viele hundert großartige Briefe an seine Zeitgenossen.*

In diesem Asyl arbeitete er fast dreißig Jahre, seit er 1851 von seiner großen Orientreise zurückgekehrt war. Zuerst lebte er hier mit seiner Mutter und seiner Nichte Karoline. Seine Mutter starb, seine Nichte heiratete, Freunde besuchten ihn hier, die von Jahrzehnt zu Jahrzehnt immer weniger wurden. Schließlich vereinsamte er völlig. Ein kleiner Pavillon, der zum Besitz Flauberts gehörte, ist heute Flaubert-Museum.

Mit Madame Bovary *(1857), dem Roman des bornierten Landarztes und seiner in romantischer Schwärmerei zum Ehebruch und in den Tod getriebenen Frau, begann sein ge-waltiges Werk. Es endete, fünfundzwanzig Jahre später, mit dem (nachgelassenen und unvollendeten)* Bouvard und Pé-cuchet, *einer satirischen Enzyklopädie der menschlichen Dummheiten. Und neben die Reihe der Werke ist seine große Korrespondenz zu stellen.*

Aus den Briefen an Gautier, Baudelaire, die Goncourts, Sainte-Beuve, Renan, Zola, Maupassant wird sein Selbst-porträt sichtbar. Wir bringen im folgenden einige Briefe an George Sand aus dem Jahre 1866. Flaubert war damals 45,

George Sand 62. *Beide waren auf der Höhe ihrer Schaffens-*
kraft und ihres Ansehens.

Sie, die intelligenteste Frau ihrer Zeit, hatte ihn sehr erfreut
mit einem Artikel über seinen Roman Salammbo. *In ihrem*
Briefwechsel haben wir so etwas wie einen Dialog zwischen
Kunst und Leben, eins der großen Themen der zweiten Hälfte
des neunzehnten Jahrhunderts. Sie *weist der Kunst die Rolle*
zu, dem Leben zu dienen, es schöner zu machen. Ihm *ist die*
Kunst eine Überwindung des öden Lebens, eine strenge Auf-
gipfelung der unerträglichen Alltäglichkeit zur Schönheit.

Heinrich Mann, dessen erste Jahrzehnte von diesem Thema
›Das Leben und die Kunst‹ beherrscht waren (ebenso wie die
ersten Arbeiten Thomas Manns), schrieb im Jahre 1905 einen
seiner besten Essays: Gustave Flaubert und George Sand.
Hier arbeitete er die Antithese in dieser Korrespondenz
außerordentlich klar heraus. George Sand sagte: »Ein gesun-
des frisches Talent ist immer fertig zur Inspiration«, und:
»Der Wind spielt auf meiner alten Harfe, wie er mag, bald
hoch, bald tief, bald falsch.« Und Heinrich Mann faßte ihre
Haltung zur Kunst so zusammen: »Was liegt daran, wenn das
Herz richtig geht, wenn das Werk ihr selbst und andern wohl-
tut?« Ihr Verhältnis zu Flaubert? Heinrich Mann formulierte
es so: »Die Verstiegenheit des priesterlich von der Welt gelö-
sten Künstlers wird sie zärtlich und mitleidig belächeln.« Und
er resümierte den Gegensatz zwischen den beiden: »Die
Kunst, die ihm *Absehen und Enthaltung vom Leben ist, kalte*
Herrschaft über das Leben, unerbittlich gegen die Mensch-
heit, deren letzter Richter sie ist, und gegen den Künstler, den
sie erschöpft: hier zeigt sie sich verbündet mit dem Leben,
gütig gegen alle, leicht für den, der sie übt.«

Als Flaubert unter ihrem wärmenden Einfluß seine Ge-
schichte einer einfachen Dienstmagd schrieb, war George
Sand bereits tot.

Croisset, Dienstag (Frühj.-Sommer 1866)
Sie sind allein und traurig da unten, ich bin es ebenso hier.
Woher kommen sie, die Anfälle schwarzer Laune, die einen
manchmal fassen? Das steigt wie eine Flut, man fühlt sich er-
tränkt, man muß fliehen. Ich, ich lege mich auf den Rücken.
Ich tue nichts, und die Flut läuft vorüber.

Mein Roman kommt im Moment sehr schlecht vorwärts.
Nehmen Sie die Tode dazu, die ich erfahren habe, den Cor-
menins (eines Freundes durch fünfundzwanzig Jahre), den
Gavarins, und all das andere; nun, das wird vorübergehn. Sie,
Sie wissen nicht, was es heißt, einen ganzen Tag dazusitzen,
den Kopf in beiden Händen, und sich das unglückliche Gehirn zu drücken, um ein Wort zu finden. Bei Ihnen fließt der
Gedanke reichlich, unaufhörlich wie ein Fluß. Bei mir ist er
ein dünner Wasserfaden. Ich brauche große Kunstarbeiten,
um einen Wasserfall zustande zu bringen ... Ah! ich werde
sie einmal kennen, die Schrecken des Stils!

Kurz, mein Leben geht hin, indem ich mir Herz und Gehirn verzehre. Das ist der wahre Untergrund Ihres Freundes!

Sie fragen ihn, ob er bisweilen an seinen alten ›Uhrentruba-
dur‹ denkt! aber ich glaube wohl! Und er sehnt ihn herbei. Sie
waren so hübsch, unsere nächtlichen Plaudereien (es gab
Momente, in denen ich mich zurückhielt, um Sie nicht wie ein
großes Kind zu küssen). Gestern abend müssen Ihnen die
Ohren geklungen haben. Ich aß mit der ganzen Familie bei
meinem Bruder. Es ist kaum von anderem geredet worden als
von Ihnen, und jedermann sang Ihr Lob, nur ich, wohl verstanden, habe Sie nach Kräften angeschwärzt, teure, geliebte
Meisterin.

Ich habe bei Gelegenheit Ihres letzten Briefes (und infolge
einer ganz natürlichen Ideenverbindung) wieder einmal das
›Einige Verse Vergils‹ betitelte Kapitel des Vaters Montaigne
gelesen. Was er von der Keuschheit sagt, ist genau, was ich
glaube.

Das Streben ist schön, nicht die Abstinenz an sich. Sonst

müßte man wie die Katholiken dem Fleische fluchen. Gott weiß, wohin das führt. Auf die Gefahr hin also, wiederzukauen und mich als Biedermann zu zeigen, wiederhole ich, Ihr junger Mann hat unrecht. Wenn er mit zwanzig Jahren mäßig ist, wird er mit fünfzig ein unedler Bock sein. Alles will seinen Preis. Die großen Naturen, und das sind die guten, sind vor allem verschwenderisch und sehn nicht so genau darauf, ob sie sich ausgeben. Man muß lachen und weinen, lieben, arbeiten, genießen und leiden, kurz, in seinem ganzen Umfang soviel wie möglich vibrieren.

Das, glaube ich, ist das echt Menschliche.

Croisset, Samstagabend ... 1866 (Sommer)

Also ich habe sie, diese schöne, teure und erlauchte Miene. Ich will ihr einen breiten Rahmen machen lassen und sie an meine Wand hängen, und dann kann ich, wie M. de Talleyrand zu Louis-Philippe, sagen: »Das ist die größte Ehre, die mein Haus empfangen hat.« Ein schlechtes Wort, denn wir sind mehr wert als diese beiden Leute.

Von den beiden Bildern ist mir Coutures Zeichnung das liebere. Marchal hat in Ihnen nur ›die gute Frau‹ gesehen; aber ich, der ich ein alter Romantiker bin, ich finde in dem andern ›den Kopf des Autors‹ wieder, von dem ich in meiner Jugend soviel habe träumen müssen.

Croisset (August) 1866

Ich, ein rätselhaftes Wesen, teure Meisterin, hören Sie! Ich finde mich von ekelhafter Flachheit, und bisweilen ärgert mich der Bürger recht, der in meiner Haut steckt. Sainte-Beuve kennt mich, unter uns, keineswegs, was er auch sage. Ich schwöre Ihnen sogar (beim Lächeln Ihrer Enkelin), ich kenne wenig weniger ›verderbte‹ Leute als mich. Ich habe sehr viel geträumt und sehr wenig ausgeführt. Die oberflächliche

Beobachtung täuscht ein Mißklang zwischen meinen Empfindungen und meinen Ideen. Wenn Sie meine Beichte wollen, so will ich sie Ihnen ganz geben.

Der Sinn für das Groteske hat mich auf der schiefen Ebene
der Unordnung zurückgehalten. Ich behaupte, der Zynismus
beschränkt auf die Keuschheit. Wir werden uns (wenn Ihnen
das Herz danach steht), sobald wir uns wiedersehen, viel darüber zu sagen haben.

Dies das Programm, das ich Ihnen vorschlage. Mein Haus
wird einen Monat lang voll und unbehaglich sein. Aber Ende
Oktober oder Anfang November (nach Bouilhets Stück)
wird, hoffe ich, nichts Sie hindern, mit mir hierher zu
kommen, nicht, wie Sie sagen, auf einen Tag, sondern mindestens auf eine Woche. Sie sollen Ihr Zimmer haben, ›mit
einem Tisch und allem, was zum Schreiben nötig ist‹. Abgemacht?

Was die Feerie angeht, Dank für Ihr Angebot, mir zu dienen. Ich werde Ihnen die Sache vorbrüllen (sie ist unter
Bouilhets Mitarbeiterschaft entstanden). Aber ich halte sie
für ein wenig schwach, und ich schwanke zwischen dem
Wunsche, mir einige Piaster zu verdienen, und der Scham,
eine Albernheit auszustellen.

Ich finde Sie ein wenig streng gegen die Bretagne, nicht gegen die Bretonen, die mir wie widerborstige Tiere erschienen
sind. Über die keltische Archäologie habe ich 1858 im *Artiste*
einen recht guten Ulk veröffentlicht: über die Zittersteine.
Aber ich habe die Nummer nicht mehr und entsinne mich
nicht einmal mehr des Monats.

Croisset, Samstagabend, 1866

Ich habe nicht wie Sie dies Gefühl eines beginnenden Lebens, das starre Staunen über ein frisch erblühtes Dasein. Mir
scheint vielmehr, ich bin immer dagewesen! Und ich besitze
Erinnerungen, die auf die Pharaonen zurückgehn. Ich sehe

mich sehr deutlich in verschiedenen Epochen der Geschichte, mit verschiedenen Berufen und in vielfältigen Schicksalen. Mein gegenwärtiges Individuum ist das Ergebnis meiner verschwundenen Individualitäten. Ich bin Barkenführer auf dem Nil gewesen, leno in Rom zur Zeit der punischen Kriege, dann griechischer Rhetor in der Suburra, wo mich Wanzen verzehrten. Während des Kreuzzugs bin ich gestorben, weil ich auf Syriens Strand zuviel Trauben aß. Ich bin Pirat gewesen und Mönch, Bänkelsänger und Kutscher. Vielleicht auch Kaiser des Ostens?

Viele Dinge würden sich erklären, wenn wir unsere wahre Genealogie kennten. Denn da die Elemente, die einen Menschen bilden, begrenzt sind, so müssen sich die gleichen Kombinationen wiederholen! So ist die Vererbung ein richtiges Prinzip, das falsch angewandt worden ist.

Es geht mit diesem Wort wie mit vielen anderen. Jeder faßt es an einem Ende, und man versteht sich nicht. Die psychologischen Wissenschaften bleiben, wo sie liegen, das heißt in Finsternis und in Tollheit, so lange sie keine exakte Nomenklatur haben, so lange es erlaubt ist, denselben Ausdruck für die verschiedensten Ideen zu verwenden. Wenn man die Kategorien verwischt, adieu, Moral!

Finden Sie nicht im Grunde, daß man seit 89 beständig abschweift? Statt auf der großen Straße weiterzugehen, die breit und schön war wie eine Triumphstraße, ist man auf kleinen Gassen entflohen, und man watet im Schlamm. Es wäre vielleicht geraten, für den Moment auf Holbach zurückzugreifen! Wenn man Turgot kennte, ehe man Proudhon bewunderte.

Aber was würde aus dem Schick, dieser modernen Religion?

Schicke Ansichten: für den Katholizismus sein (ohne ein Wort davon zu glauben), für die Sklaverei sein, für das Haus Österreich sein, um die Königin Amelie Trauer tragen, Orpheus in der Unterwelt bewundern, sich um Ackerbau-

vereine kümmern, von Sport reden, sich kalt zeigen, so idio-
tisch sein, daß man die Verträge von 1815 bedauert. Das ist
das Allerneueste.

Ah! Sie glauben, weil ich mein Leben in dem Bemühen ver-
bringe, harmonische Sätze zu bauen, in dem ich Assonanzen
meide, ich habe nicht auch meine kleinen Urteile über die
Dinge der Welt? Ach ja! und ich werde sogar vor Wut krepie-
ren, weil ich sie nicht sage.

Aber genug geschwätzt! ich würde Sie schließlich langweilen. Bouilhets Stück kommt in den ersten Novembertagen
dran. Wir werden uns also in einem Monat sehen.

Ich umarme Sie sehr kräftig, teure Meisterin.

Mittwochnacht (Oktober 1866)
Ich bin durchaus nicht erstaunt, daß Sie von meinen literarischen Qualen nichts verstehen! Ich verstehe selber nichts
davon. Aber trotzdem sind sie da, und zwar heftig. Ich weiß
nicht mehr, wie man es anfangen muß, um zu schreiben, und
es gelingt mir nur, nach unendlichem Tasten den hundertsten
Teil meiner Ideen auszudrücken. Kein rascher Geist, ihr
Freund, nein! durchaus nicht! So drehe und wende ich da seit
zwei ganzen Tagen einen Absatz, ohne zum Ziel zu kommen.
Mitunter möchte ich weinen! Ich muß Ihnen erbarmungswert
vorkommen! und mir erst!

Ich glaube nicht (im Gegensatz zu Ihnen), daß mit dem
Charakter des idealen Künstlers etwas Gutes zu machen
wäre; er wäre ein Ungeheuer. Die Kunst ist nicht da, um die
Ausnahmen zu malen, und dann habe ich eine unbezwing-
liche Abneigung dagegen, etwas aus meinem Herzen aufs Papier zu setzen. Ich finde sogar, ein Romanschreiber hat nicht
das Recht, seine Meinung über irgend etwas auszusprechen.
Hat der liebe Gott sie je gesagt, seine Meinung? Deshalb leide
ich an Dingen, die mich ersticken, die ich ausspeien möchte
und die ich hinunterschlucke. Wozu sie auch sagen! Der erste

beste ist interessanter als Herr Gustave Flaubert, denn er ist allgemeiner und also typischer.

Es gibt jedoch Tage, an denen ich mich unter dem Kretinismus fühle. Jetzt habe ich ein Bassin mit roten Fischen, und das amüsiert mich. Sie leisten mir Gesellschaft, wenn ich esse. Ist das dumm, sich für so einfältige Dinge zu interessieren! Adieu, es ist spät, mir brennt der Kopf.

Ich umarme Sie.

Croisset, Samstagnacht (Januar 1867)

Nein, teure Meisterin, Sie sind Ihrem Ende noch nicht nahe. Vielleicht um so schlimmer für Sie. Aber Sie werden alt werden, sehr alt, wie die Riesen, denn Sie sind von deren Rasse: nur, Sie *müssen* ruhen. Eins erstaunt mich: daß Sie nicht schon zwanzigmal gestorben sind, da Sie so viel gedacht, geschrieben und gelitten haben. Gehen Sie doch ein wenig, wie Sie es möchten, an die Küste des Mittelmeers. Der Azur spannt ab und kräftigt. Es gibt Verjüngungsländer, wie die Bucht von Neapel. In gewissen Momenten machen sie vielleicht nur trauriger? Ich weiß es nicht.

Das Leben ist nicht leicht! Was für eine komplizierte und kostspielige Sache! Davon weiß ich zu reden. Man braucht für *alles* Geld! So daß man sich bei einem bescheidenen Einkommen und bei einem unproduktiven Beruf auf *weniges* beschränken muß. Das tu ich! Daran ist nichts zu ändern, aber an den Tagen, wo die Arbeit nicht vorwärtskommt, ist es nicht lustig. Ah! ja, ah! ja! ich will Ihnen gern auf einen andern Planeten folgen. Und was das Geld angeht, so wird das den unseren in absehbarer Zeit unbewohnbar machen, denn es wird selbst den Reichsten nicht mehr möglich sein, auf ihm zu wohnen, ohne sich um das Ihre zu bekümmern; alle Welt wird des Tages mehrere Stunden damit verbringen müssen, Ihre Kapitalien zu verwalten. Reizend! Ich fahre fort, meinen Roman zu schmieden, und ich gehe nach

Paris, sowie ich mein Kapitel zu Ende habe, Mitte nächsten
Monats.

Und was Sie auch vermuten, ›keine schöne Dame‹ besucht
mich. Die schönen Damen haben meinen Geist sehr beschäftigt, aber sie haben mir sehr wenig Zeit genommen. Mich
einen Anachoreten nennen, das ist vielleicht ein richtigerer
Vergleich als Sie glauben.

Ich verlebe ganze Wochen, ohne mit einem menschlichen
Wesen ein Wort zu wechseln, und am Schluß der Woche ist es
mir nicht möglich, mich eines einzigen Tages noch irgendeines Ereignisses zu entsinnen. Ich sehe sonntags meine Mutter und meine Nichte, und das ist alles. Meine einzige Gesellschaft besteht aus einer Rattenbande, die auf dem Boden,
über meinem Kopf, einen Höllenlärm vollführt, wenn nicht
das Wasser brüllt oder der Wind keucht. Die Nächte sind
schwarz wie Tinte, und mich umgibt ein Schweigen wie das
der Wüste. In einem solchen Milieu steigert sich die Empfindlichkeit maßlos. Mir pocht das Herz um ein Nichts.

All das kommt von unsern hübschen Beschäftigungen. Das
heißt sich Körper und Seele foltern. Aber wenn diese Folter
das einzig Saubere ist, das es hier unten gibt?

Charles Darwin
Die Abstammung des Menschen

*Charles Robert Darwin, einer der einflußreichsten Denker
des neunzehnten Jahrhunderts, wurde 1809 geboren und
starb im Jahre 1882. Er studierte Medizin und Naturwissenschaften. Eine Südamerika-und-Australien-Reise entschied
über die Interessen seines Lebens. Seine berühmtesten Werke
erschienen 1859* (Die Entstehung der Arten) *und 1871* (Die
Abstammung des Menschen und die geschlechtliche Zuchtwahl, *2 Bände*). *Aus dem letzten Werk bringen wir die Einleitung und die ersten Seiten des Kapitels ›Zusammenfassung
und Schluß‹.*

*Der Leser kann schon aus diesen kurzen Abschnitten ent-
nehmen, daß Darwin kein Dogmatiker war, sondern ein sehr
vorsichtiger Forscher; mehr der Entdecker einer sehr fruchtbaren Methode, der Evolutionstheorie, als ein Dogmatiker,
wie er in dem populären ›Der Mensch stammt vom Affen ab‹
hervorzutreten scheint. Man beachte, daß er nur zur Methode
ohne Einschränkung steht – nicht zu den philosophischen Interpretationen, welche mit ihrer Hilfe gemacht werden. Was
er angreift, ist die Konstanz der Arten: als seien sie durch
Schöpfungsakte unabhängig voneinander entstanden. Was er
behauptet, ist nur dies: daß die Gattungen in einem Zusammenhang des Werdens stehen – und daß der Mensch keine
Ausnahme macht. Die moderne philosophische Anthropologie sieht keine Schwierigkeit darin, dies Prinzip zuzugeben –
und trotzdem die restlose Reduzierbarkeit des Menschen auf
seine tierischen Vorfahren zu leugnen. Sie bestreitet also nur
einen dogmatischen Darwinismus, die zur Metaphysik, zum*

philosophischen Biologismus erhobene Verabsolutierung der Methode Darwins.

Auch das Prinzip der Selektion, die Auswahl des Stärkeren im Kampf ums Leben, war eine methodische Hypothese, mit der er arbeitete, keine ›Philosophie‹, erst recht keine Ethik. Wie es überhaupt sehr nützlich ist, zu erkennen, daß Darwins Theorien nicht Spekulationen, sondern Erfahrungen ihren Ursprung verdanken. Bei der Weltumsegelung auf dem englischen Schiff ›Beagle‹ war er noch von der biblischen Schöpfungslehre beherrscht. Dann war er überrascht, wie sich die Tierwelt veränderte, je weiter er nach Süden kam: andere, aber den unmittelbar vorhergehenden doch immer noch verwandte Arten folgten aufeinander. Auf den Galapagos-Inseln sah er: diese Tierwelt war mit der des Festlands verwandt – und insular variiert. Diese Entdeckungen schienen ihm »ein wenig Licht zu werfen auf den Ursprung der Arten«.

Wenn inzwischen Darwins große Entdeckung eines großen Prinzips im Bezirke der Biologie zu einem philosophischen Vulgär-Darwinismus wurde, wie Marx' Lehre zu einem Vulgär-Marxismus und Freuds Einsichten zu einer Vulgär-Psychoanalyse, so sagt das nichts gegen die fruchtbaren Einsichten des großen Lehrers: nachdem der Darwinismus seit 100 Jahren Zentrum eines Weltanschauungskampfs gewesen ist, sind wir heute ruhiger . . . und wissen, was dieser große Gelehrte entdeckt hat: eine Einstellung zum Phänomen Leben, die uns selbstverständlich geworden ist.

Viele Jahre hindurch habe ich Notizen über den Ursprung oder die Abstammung des Menschen gesammelt, ohne die Absicht, etwas darüber zu veröffentlichen; ich war im Gegenteil entschlossen, nichts davon in die Öffentlichkeit zu bringen, weil ich fürchtete, damit nur die Vorurteile gegen meine Ansichten zu vermehren. In der ersten Ausgabe meiner

›Entstehung der Arten‹ ließ ich es bei der Andeutung bewenden, daß durch dieses Werk Licht verbreitet würde auch über den Ursprung des Menschen und seine Geschichte. Darin lag eingeschlossen, daß der Mensch hinsichtlich seines Erscheinens auf der Erde denselben allgemeinen Schlußfolgerungen unterworfen sei wie jedes andere Lebewesen.

Jetzt liegen die Dinge wesentlich anders. Wenn ein Naturforscher von der Bedeutung Karl Vogts als Präsident des Nationalinstituts von Genf (1869) erklären darf: »Niemand, wenigstens in Europa, wagt mehr, die Erschaffung der Arten, unabhängig voneinander, zu verteidigen«, so muß jetzt offenbar eine große Zahl von Naturforschern geneigt sein, die Arten als veränderte Nachkommen anderer Arten zu betrachten. Dies gilt besonders für die jüngeren und aufstrebenden Naturforscher. Die Mehrzahl derselben anerkennt die natürliche Zuchtwahl, wenn auch einige meinen, ich hätte ihre Bedeutung sehr überschätzt. Ob sie recht haben, muß die Zukunft entscheiden. Unter den älteren und angeseheneren Naturforschern gibt es leider auch noch solche, die von einer Entwicklung überhaupt nichts wissen wollen.

Den gegenwärtig von den meisten Naturforschern angenommenen Anschauungen werden schließlich auch die Laien folgen; und so habe ich mich denn entschlossen, meine Notizen zusammenzustellen, um zu sehen, inwieweit sich die allgemeinen Schlußfolgerungen meiner früheren Werke auch auf den Menschen anwenden lassen. Dies zu tun erschien mir um so notwendiger, als ich meine Betrachtungsweise bisher noch nicht auf eine einzelne Art angewendet habe. Wenn wir unser Augenmerk auf eine einzige Form beschränken, so verzichten wir auf die wichtigen Beweismittel, die uns die verwandtschaftlichen Beziehungen ganzer Organismengruppen, ihre geographische Verbreitung in Gegenwart und Vergangenheit und ihre geologische Aufeinanderfolge liefern. Übrig bleiben für die Betrachtung die gleichartigen Bildungen (homologe Strukturen), die rudimentären Organe und die embryonale Entwicklung einer Art, sei es nun des Menschen oder irgendeines anderen Tieres, worauf sich unser Augenmerk richtet. Aber gerade diese großen Gruppen von Tatsachen erheben, wie mir scheint, das Prinzip der allmählichen Entwicklung zur höchsten Wahrscheinlichkeit. Indessen wird es gut sein, auch die Beweiskraft der anderen Tatsachen im Auge zu behalten.

In diesem Werke soll nun untersucht werden: erstens, ob der Mensch – wie jede andere Art – von einer früher existierenden Form abstammt; zweitens die Art und Weise seiner Entwicklung; drittens der Wert der Unterschiede zwischen den sogenannten Menschenrassen. Diese Unterschiede im einzelnen aufzuzählen ist unnötig; diese umfassende Arbeit ist bereits in wertvollen Werken in vollem Umfang ausgeführt worden. Von einer Reihe hervorragender Männer, zuerst von Boucher de Perthes, ist das hohe Alter des Menschen nachgewiesen worden, und dies ist die unentbehrliche Grundlage für das Verständnis seines Ursprungs, deren Richtigkeit im folgenden vorausgesetzt wird. Ich verweise hier meine Leser auf die vortrefflichen Abhandlungen von Charles Lyell, John Lubbock u. a. Auch die Unterschiede zwischen dem Menschen und dem Menschenaffen werde ich nur flüchtig berühren; denn nach der Meinung der berufensten Beurteiler hat Professor Huxley überzeugend nachgewiesen, daß der Mensch in jedem einzelnen seiner erkennbaren Merkmale weniger von den höheren Affen abweicht, als diese von den niederen Vertretern derselben Ordnung (der Primaten oder Herrentiere) verschieden sind.

Mein Werk enthält kaum neue Tatsachen; die Schlüsse jedoch, zu denen mich eine flüchtige Übersicht führte, schienen mir interessant genug, um sie auch anderen mitzuteilen. Es ist oft mit größter Entschiedenheit behauptet worden, der Ursprung des Menschen werde immer in Dunkel gehüllt bleiben. Allein, Entschiedenheit wurzelt häufiger in Unwissenheit als im Wissen. Es sind immer nur diejenigen, die wenig wissen, und nicht diejenigen, die viel wissen, welche positiv behaupten, daß dieses oder jenes Problem von der Wissenschaft niemals gelöst werden könne.

Die Folgerung, daß der Mensch ebenso wie andere Arten von einer alten, tiefstehenden, ausgestorbenen Form abstamme, ist keineswegs neu. Sie wurde schon vor langer Zeit von Lamarck gezogen, ebenso wie später von mehreren hervorragenden Naturforschern und Philosophen, von Wallace, Lyell, Huxley, Vogt, Lubbock, Büchner, Rolle u. a., besonders aber von Ernst Haeckel. Außer in seiner großen ›Generellen Morphologie der Organismen‹ (1866) hat der zuletzt genannte Naturforscher die Genealogie des Menschen auch in seiner ›Natürlichen Schöpfungsgeschichte‹ eingehend erörtert (1868). Wäre dieses Buch schon vor der Niederschrift meiner Arbeit erschienen, so wäre diese wahrscheinlich nie beendet worden. Fast alle Schlüsse, zu denen ich gekommen bin, finde ich durch diesen Naturforscher bestätigt, dessen Kenntnisse in vielen Punkten viel vollkommener sind als die meinigen.

Eine kurze Zusammenfassung wird genügen, um dem Leser die wichtigeren Punkte dieses Werkes ins Gedächtnis zurückzurufen. Viele der Ansichten, die ich ausgesprochen habe, sind sehr spekulativ, und manche werden sich zweifellos als irrig erweisen; aber ich habe in jedem einzelnen Fall die Gründe angegeben, die mir die eine Ansicht annehmbarer machten als eine andere. Es schien mir der Mühe wert, zu versuchen, wieweit das Prinzip der Entwicklung einige der kompliziertesten Probleme in der Naturgeschichte des Menschen aufklären könne. Falsche Tatsachen sind äußerst schädlich für den Fortschritt der Wissenschaft, denn sie erhalten sich oft lange; falsche Theorien dagegen, die einigermaßen durch Beweise gestützt werden, tun keinen Schaden; denn jedermann bestrebt sich mit löblichem Eifer, ihre Unrichtigkeit

zu beweisen. Und wenn diese Arbeit getan ist, so ist ein Weg
zum Irrtum gesperrt, und der Weg zur Wahrheit ist oft in
demselben Moment eröffnet.

Die wichtigste Schlußfolgerung, zu der wir hier gekommen
sind und die jetzt von vielen kompetenten und urteilsfähigen
Naturforschern angenommen wird, ist der Satz, daß der
Mensch von einer weniger hoch organisierten Form abstammt. Die Gründe, auf denen diese Schlußfolgerung ruht,
werden niemals erschüttert werden. Die große Ähnlichkeit
zwischen dem Menschen und den unter ihm stehenden Tieren
sowohl in der Embryonalentwicklung als auch in unzähligen
bedeutungsvollen oder auch bedeutungslosen Punkten der
Struktur und der Konstitution, die Rudimente, die er noch
bewahrt, und die abnormen Rückschläge, denen er zuweilen
unterworfen ist – das sind Tatsachen, die nicht bestritten
werden können. Man hat sie schon lange gekannt, aber bis
vor kurzem haben sie uns nichts über den Ursprung des Menschen zu sagen gewußt. Wenn man sie jetzt im Lichte unserer
Kenntnisse über die ganze organische Welt betrachtet, ist ihre
Bedeutung unverkennbar. Das große Prinzip der Entwicklung steht da klar und fest, wenn diese Tatsachengruppen
betrachtet werden in Verbindung mit anderen, wie den wech-
selseitigen Verwandtschaftsbeziehungen der Glieder einer
Gruppe, ihrer geographischen Verbreitung in Vergangenheit
und Gegenwart und ihrer geologischen Aufeinanderfolge. Es
ist nicht anzunehmen, daß alle diese Tatsachen eine falsche
Sprache reden sollten. Wer nicht gleich einem Wilden damit
zufrieden ist, die Naturerscheinungen als unzusammenhän-
gende Geschehnisse zu betrachten, der kann nicht länger
mehr glauben, daß der Mensch seinen Ursprung einem sepa-
raten Schöpfungsakt verdanke. Er wird sich zur Erkenntnis
gezwungen sehen, daß die große Ähnlichkeit eines Menschen-
embryos mit dem Embryo z. B. eines Hundes, der Bau seines
Schädels, seiner Gliedmaßen und seines ganzen Körpers nach
demselben Plan wie bei den anderen Säugetieren, unabhängig

von dem Gebrauch, zu dem die Teile bestimmt sind, das gele-
gentliche Wiedererscheinen verschiedener Strukturen, z. B.
verschiedener Muskeln, die der Mensch normalerweise nicht
besitzt, die jedoch bei den Quadrumanen gewöhnlich sind,
und eine Menge analoger Tatsachen in der deutlichsten Weise
zu dem Schluß führen, daß der Mensch und die anderen
Säugetiere von derselben Stammform abstammen.

Wir haben gesehen, daß der Mensch beständig individuelle
Verschiedenheiten in allen Teilen seines Körpers wie in seinen
geistigen Fähigkeiten aufweist. Diese Verschiedenheiten oder
Variationen scheinen auf denselben allgemeinen Ursachen zu
beruhen und denselben Gesetzen zu gehorchen wie bei den
tiefer stehenden Tieren. Bei beiden herrschen die gleichen
Gesetze der Vererbung. Der Mensch vermehrt sich in einem
stärkeren Maße als seine Existenzmittel; infolgedessen ist er
gelegentlich einem harten Kampf um die Existenz ausgesetzt,
und die natürliche Zuchtwahl wird getan haben, was in ihrer
Macht steht. Eine Aufeinanderfolge gut ausgeprägter Variationen von ähnlichem Charakter ist durchaus nicht erforderlich; geringe fluktuierende individuelle Verschiedenheiten
genügen für die Betätigung der natürlichen Zuchtwahl; anzunehmen, daß in derselben Spezies alle Teile des Körpers der
Variation in demselben Grade unterliegen, haben wir keinen
Grund. Wir können versichert sein, daß die vererbten Wirkungen des lange andauernden Gebrauchs oder Nichtgebrauchs der Teile viel getan haben und in derselben Richtung
wie die natürliche Zuchtwahl. Vormals bedeutungsvolle Modifikationen werden immer wieder vererbt, wenn sie gleich
keinen speziellen Nutzen mehr haben. Wird der eine Teil
modifiziert, so ändern sich andere Teile nach dem Prinzip der
Korrelation, von dem wir Beispiele in vielen merkwürdigen Fällen von korrelativen Monstrositäten besitzen. Etwas
kann auch der direkten und bestimmten Wirkung der umgebenden Lebensbedingungen zugeschrieben werden, wie
z. B. reichlicher Nahrung, Wärme oder Feuchtigkeit; und

schließlich sind auch viele Eigenschaften von geringer, einige
von beträchtlicher physiologischer Bedeutung durch sexuelle
Zuchtwahl erworben worden.

Es ist kein Zweifel, daß der Mensch ebenso wie jedes andere
Tier Strukturen aufweist, die nach unserer beschränkten
Kenntnis durchaus keinen Nutzen für ihn haben noch jemals
gehabt haben, sei es im Hinblick auf die allgemeinen Lebensbedingungen oder sei es für die Beziehungen des einen Geschlechtes zum anderen. Solche Strukturen können durch
keine Art von Selektion, auch nicht durch die vererbten Wirkungen des Gebrauchs oder Nichtgebrauchs, erklärt werden.
Wir wissen, daß viele seltsame und ausgeprägte Besonderheiten der Struktur gelegentlich bei unseren domestizierten
Erzeugnissen erscheinen, und wenn ihre unbekannten Ursachen gleichmäßig wirken würden, so würden sie wahrscheinlich bei allen Individuen einer Art gemein werden. Wir können hoffen, daß wir künftig etwas von den Ursachen solcher
gelegentlicher Modifikationen wissen werden, besonders
durch das Studium der Monstrositäten; hier versprechen die
Arbeiten der Experimentatoren, wie eines Camille Dareste,
viel für die Zukunft. Im allgemeinen können wir nur sagen,
daß die Ursachen jeder geringen Modifikation wie jeder
Monstrosität mehr in der Konstitution des Organismus als in
der Natur der umgebenden Bedingungen liegen, wenn auch
neue und veränderte Bedingungen für die Anregung organi-
scher Veränderungen von mancherlei Art sicherlich eine bedeutende Rolle spielen.

Durch die angeführten Mittel, unterstützt vielleicht durch
andere, noch unentdeckte, hat sich der Mensch auf seine gegenwärtige Stellung erhoben. Seitdem er aber die Würde der
Menschheit erreicht hat, hat er sich in verschiedene Rassen,
oder, wie sie passender genannt werden können, in Sub-Spe-
zies gespalten. Einige von diesen, wie die Neger und Europäer, sind so verschiedenartig, daß, wenn einem Naturforscher einige Exemplare ohne weitere Information übergeben

würden, dieser sie unzweifelhaft als gute und echte Arten betrachten würde. Es stimmen aber alle Rassen in so vielen unbedeutenden Details der Struktur und in so vielen geistigen Besonderheiten überein, daß sie nur durch Vererbung von einer gemeinsamen Stammform erklärt werden können; und eine so charakterisierte Stammform würde wahrscheinlich als Mensch bezeichnet werden müssen.

Es darf nicht angenommen werden, daß die Differenz der Rassen untereinander und aller von ihrem gemeinsamen Stammvater auf irgendein Paar ihrer Vorfahren zurückgeführt werden müsse. Im Gegenteil: auf jeder Stufe der Modifikation werden die für ihre Lebensbedingungen besser, wenn auch in verschiedenem Grade, ausgestatteten Individuen in größerer Zahl überlebt haben als die weniger gut ausgestatteten.

Der Vorgang wird dem ähnlich gewesen sein, dem der Mensch folgte, wenn er zwar nicht absichtlich besondere Individuen auswählte, aber doch die Jungen von allen vortrefflicheren Individuen aufzog und die der minderwertigen vernachlässigte. So modifizierte er langsam, aber sicher den ursprünglichen Stamm und formte unbewußt einen neuen Zweig. Hinsichtlich der unabhängig von Selektion erworbenen Modifikationen, also Variationen, die auf der Natur des Organismus und der Wirkung der Umgebungsbedingungen beruhen oder auf veränderten Lebensgewohnheiten, wird kein einzelnes Paar mehr als die anderen Paare desselben Landes modifiziert worden sein; denn alle werden sich beständig miteinander vermischt haben.

Jacob Burckhardt
Über Glück und Unglück in der Weltgeschichte

Jacob Burckhardt wurde im Jahre 1818 in Basel geboren und starb dort 79 Jahre später.

Basel, dessen letzte Stadtmauern und Bastionen erst im Jahre 1859 niedergerissen wurden, war ein aristokratisch-konservativer Stadtstaat, wie Athen und Florenz und das alte Boston. Dies Gesellschaftsgebilde blieb Burckhardts Ideal. Die Aristokratie Basels bestand aus Kaufleuten, Gelehrten und Geistlichen.

In Basel studierte er Theologie und Geschichte, in Berlin widmete er sich dem politischen Journalismus. Bald gab er die Politik auf. Wie Bachofen sagte er: »Ich hasse die Demokratie, weil ich die Freiheit liebe.« Ein aristokratischer Pessimist, schrieb er: »Mit Leuten wie mir kann man keinen Staat bauen . . . aber ich habe die Absicht, ein guter Mitbürger zu werden.«

1843 kam er an die Universität Basel; die Stadt hatte weniger als 30 000 Einwohner und nur wenige Studenten. Er wurde nie ein glänzender Professor. Am 10. Oktober 1863 schrieb er an Emanuel Geibel einen Brief, der charakteristisch ist für seine Haltung als Einspänner: »Die fünf Bretter, welche mein Katheder ausmachen, haben wenigstens das für sich, daß ich weder großdeutsch noch kleindeutsch, weder etc. noch etc. zu predigen brauche, sondern auf alle Manieren meine Meinung sagen kann.« Während des Krieges 1870/71 waren er und sein junger Freund Friedrich Nietzsche verzweifelt,

*weil sie im Kampf der beiden großen Kulturnationen gegen-
einander das Ende voraussahen.*

*Und als dann Deutschland siegte, waren er und Nietzsche
feindlich gegen das Bismarck-Reich, sein Heer, seine Groß-
mäuligkeit, seine Gründerjahre.* Nach dem Tode Rankes
bot man Burckhardt dessen Lehrstuhl an. Burckhardt
*sagte ab. Er blieb in Basel – jenseits der deutschen Tages-
kämpfe.*

1852 veröffentlichte er Das Zeitalter Konstantins des Großen, *1855* Der Cicerone, eine Anleitung zum Genuß der
Kunstwerke Italiens, *1860* Die Kultur der Renaissance in Italien, *1898–1902* Griechische Kulturgeschichte. *1905 erschien
dann nach seinem Tode, mit einem Titel, der nicht von ihm
stammte, aber weltberühmt wurde, die Sammlung* Weltge-
schichtliche Betrachtungen.

*Burckhardts Neffe, der Altphilologe Jakob Oeri, taufte das
Buch auf diesen Namen. Es setzte sich aus folgenden Reden
und Aufsätzen Jacob Burckhardts zusammen: Im Jahre 1868,
während vier Wochen Sommerferien in Konstanz, schrieb er
die Vorlesungen* Über das Studium der Geschichte. *Im November 1870 hielt er in der Aula des Museums einen Vortrag*
Die historische Größe; *und im November 1871, ebendort,
den hier ausgewählten Vortrag* Über Glück und Unglück in
der Weltgeschichte.

Die Reaktion auf die Weltgeschichtlichen Betrachtungen
*war vielfältig. Nietzsche, ein Hörer der Vorlesungen, schrieb
begeistert über sie an seinen Freund Freiherr von Gersdorf.
Gundolf pries die Gabe des ›ästhetischen Erfassens der Gegenstände‹. Benedetto Croce, der Liberale, verurteilte den Pessimismus. Und Wilamowitz urteilte: »Für die Wissenschaft
existiert das Buch nicht.«*

Über Glück und Unglück in
der Weltgeschichte

In unserem eigenen Leben sind wir gewöhnt, das uns Gewordene teils als Glück, teils als Unglück aufzufassen, und tragen dies wie selbstverständlich auf die vergangenen Zeiten über.

Obwohl uns von Anfang an dabei Zweifel aufsteigen müßten, indem je nach Lebensaltern und Erfahrungen unser Urteil in eigenen Sachen sich stark ändern kann; erst die letzte Lebensstunde gewährt den abschließenden Spruch über diejenigen Menschen und Dinge, mit welchen wir in Berührung gekommen sind – und dieser Spruch kann ganz verschieden lauten, je nachdem wir im vierzigsten oder im achtzigsten Jahre sterben –, und er hat doch nur eine subjektive Wahrheit für uns selbst und keine objektive. Das erlebt vollends jeder, daß ihm früher gehegte Wünsche später als Torheit vorkommen.

Trotz allem aber haben sich geschichtliche Urteile über Glück und Unglück in der Vergangenheit gebildet, sowohl solche über einzelne Ereignisse als solche über ganze Zeiten und Zustände, und zwar liebt derartige Urteile hauptsächlich die neuere Zeit.

Wohl gibt es auch einige ältere Aussagen: das Wohlbehagen einer über Dienende herrschenden Klasse spricht sich hin und wieder, z. B. im Skolion des Hybreas, aus; Macchiavelli rühmt das Jahr 1298, freilich um den gleich darauf erfolgten Umschlag damit in Kontrast zu setzen, und ähnlich zeichnet Justinger das Bild des alten Bern um 1350. Dies alles ist zwar viel zu lokal, und das betreffende Glück beruhte zum Teil auf den Leiden anderer; doch haben immerhin diese Aussagen wenigstens die Naivität für sich und sind nicht im Sinne weltgeschichtlicher Perspektiven ersonnen.

Wir aber urteilen zum Beispiel folgendermaßen:

Es war ein Glück, daß die Griechen über die Perser, Rom über Karthago siegte.

Ein Unglück, daß Athen im Peloponnesischen Kriege den Spartanern unterlag.

Ein Unglück, daß Cäsar ermordet wurde, bevor er dem römischen Weltreich eine angemessene Form sichern konnte.

Ein Unglück, daß in der Völkerwanderung so unendlich vieles von den höchsten Errungenschaften des menschlichen Geistes unterging.

Ein Glück aber, daß die Welt dabei erfrischt wurde durch neuen gesunden Völkerstoff.

Ein Glück, daß Europa im 8. Jahrhundert sich im ganzen des Islams erwehrte.

Ein Unglück, daß die deutschen Kaiser im Kampf mit den Päpsten unterlagen und daß die Kirche eine so furchtbare Gewaltherrschaft entwickeln konnte.

Ein Unglück, daß die Reformation sich nur in halb Europa vollzog und daß der Protestantismus sich in zwei Konfessionen teilte.

Ein Glück, daß Spanien und dann Ludwig XIV. mit ihren Weltherrschaftsplänen am Ende unterlagen, und so weiter.

Freilich, je näher der Gegenwart, desto mehr gehen dann die Urteile auseinander. Man könnte aber sagen, daß damit gegen das Urteilen an sich nichts bewiesen sei, indem dasselbe, sobald man eine etwas größere Zeitenfolge übersehe, sein gutes Recht habe und die Ursachen und Wirkungen, die Ereignisse und Folgen richtig schätzen könne.

Eine optische Täuschung spiegelt uns das Glück in gewissen Zeiten, bei gewissen Völkern vor, und wir malen es nach Analogie der menschlichen Jugend, des Frühlings, des Sonnenaufgangs und in andern Bildern aus. Ja wir denken es uns in einer schönen Gegend, in einem bestimmten Hause wohnhaft, etwa wie abendlicher Rauch aus einer entfernten Hütte die Wirkung hat, daß wir uns eine Vorstellung von der Innigkeit zwischen den dort Wohnenden machen.

Auch ganze Zeitalter gelten als glücklich oder unglücklich; die glücklichen sind die sogenannten Blütezeiten der

Menschheit. Ernstlich wird etwa hierfür das perikleische Zeitalter in Anspruch genommen, in welchem der Höhepunkt des ganzen Lebens des Altertums in bezug auf Staat, Gesellschaft, Kunst und Poesie erkannt wird. Andere dergleichen Zeitalter, z. B. die Zeit der guten Kaiser, sind als zu einseitig gewählt aufgegeben worden. Doch sagt noch Renan von den drei Jahrzehnten zwischen 1815 und 1848, es seien die besten, welche Frankreich und vielleicht die Menschheit erlebt habe.

Als eminent unglücklich gelten natürlich alle Zeiten großer Zerstörung, indem man das Glücksgefühl des Siegers (und zwar mit Recht) nicht zu rechnen pflegt.

Es ist erst ein Zug der neueren Zeit, denkbar erst bei dem neueren Betrieb der Geschichte, solche Urteile zu fällen. Das Altertum glaubte an ein ursprüngliches goldenes Zeitalter, auf welches hin die Dinge immer schlimmer geworden; Hesiod malt das ›jetzige‹ eiserne Zeitalter mit düsteren Nachtfarben. In der jetzigen Zeit macht sich eher eine Theorie der wachsenden Vervollkommnung (der sogenannte Fortschritt) zugunsten von Gegenwart und Zukunft geltend.

Soviel lassen die prähistorischen Entdeckungen erraten, daß die vorgeschichtlichen Zeiten des Menschengeschlechts in großer Dumpfheit, halbtierischer Angst, Kannibalismus usw. möchten dahingegangen sein. Jedenfalls sind diejenigen Epochen, welche bisher als Jugendalter der einzelnen Völker galten, nämlich diejenigen, in welchen sie zuerst kenntlich auftreten, an sich schon sehr abgeleitete und späte Zeiten.

Wer ist es nun aber, der im ganzen diese Urteile fällt?

Es ist eine Art von literarischem Konsensus, allmählich angehäuft aus Wünschen und Räsonnements der Aufklärung und aus den wahren oder vermeinten Resultaten einer Anzahl vielgelesener Historiker.

Auch verbreiten sie sich nicht absichtslos, sondern sie werden oft publizistisch verbraucht zu Beweisen für oder gegen bestimmte Richtungen der Gegenwart. Sie gehören mit zu dem umständlichen Gepäck der öffentlichen Meinung und tragen zum Teil sehr deutlich (schon in der Heftigkeit, respektive Grobheit ihres Auftretens) den Stempel der betreffenden Zeitlichkeit. Sie sind die Todfeinde der wahren geschichtlichen Erkenntnis.

Und nun mögen einige ihrer Einzelquellen nachgewiesen werden.

Vor allem haben wir es mit dem Urteil aus *Ungeduld* zu tun. Es ist spezifisch dasjenige des Geschichtsschreibers und Geschichtslesers und entsteht, wenn man sich zu lange mit einer Epoche hat beschäftigen müssen, zu deren Beurteilung vielleicht die Kunde, vielleicht auch nur unsere Anstrengung nicht hinreicht. Wir wünschen, die Dinge möchten geschwinder gegangen sein, und würden z. B. von den 26 ägyptischen Dynastien einige aufopfern, damit nur endlich König Amasis und sein liberaler Fortschritt Meister würden. Die Könige von Medien, obwohl ihrer nur vier sind, machen uns ungeduldig, weil wir so wenig von ihnen wissen, während das große Phantasieobjekt Cyrus bereits vor der Tür zu warten scheint.

Summa: wir nehmen Partei für das uns Ignoranten interessant Erscheinende, als für ein Glück, gegen das Langweilige als gegen ein Unglück. Wir verwechseln das Wünschbare entlegener Zeiten (wenn es eins gab) mit dem Ergötzen unserer Einbildungskraft.

Bisweilen suchen wir uns hierüber durch eine scheinbar edlere Auffassung zu täuschen, während uns doch nur eine retrospektive Ungeduld bestimmt.

Wir bedauern vergangene Zeiten, Völker, Parteien, Bekenntnisse usw. als unglücklich, welche lange Zeit um ein höheres Gut gekämpft haben. Gerade wie man heute den Richtungen, welche beim einzelnen in Gunsten sind, gerne die Kämpfe ersparen und den Sieg ohne Mühe pflücken möchte, so auch in der Vergangenheit. Wir bemitleiden z. B. die römischen Plebejer und die Athener vor Solon in ihrem

Kampf von Jahrhunderten gegenüber den harten Patriziern und Eupatriden und dem erbarmungslosen Schuldrecht derselben.

Allein erst durch den langen Kampf war nun einmal der Sieg möglich und die Lebensfähigkeit und der hohe Wert der Sache erweisbar.

Und dann, wie kurz war die Freude, und wie nehmen wir ein Hinfälliges in Schutz gegen ein anderes Hinfälliges! Athen geriet mit der Zeit durch den Sieg der Demokratie in politische Ohnmacht, und Rom eroberte Italien und endlich die Welt unter unendlichen Leiden der Völker und bei starker innerer Entartung.

Besonders aber meldet sich diese Stimmung, der Vergangenheit ihre Kämpfe ersparen zu wollen, bei der Betrachtung von *Religionskriegen*. Es empört, daß irgendeine Wahrheit (oder was uns dafür gilt) sich nur durch äußere Gewalt solle Bahn machen können und daß sie, wenn diese nicht genügt, unterdrückt wird. Unfehlbar verliert auch während längerer Kämpfe die Wahrheit innerlich von ihrer Reinheit und Weihe durch die zeitlichen Absichten ihrer Vertreter und Parteigänger. So erscheint es uns als ein Unglück, daß die Reformation politisch in der Welt Stellung fassen, materiell gegen eine furchtbare materielle Gegnerschaft kämpfen und dabei Regierungen zu Vertretern haben mußte, welchen oft mehr an den Kirchengütern als an der Religion gelegen war.

Allein absolut nur im Kampf, und zwar nicht nur in der gedruckten Polemik, entwickelt sich das ganze, volle Leben, das aus Religionsstreitigkeiten kommen muß; nur der Kampf macht auf beiden Seiten alles bewußt; nur durch ihn, und zwar in allen Zeiten und Fragen der Weltgeschichte, erfährt der Mensch, was er eigentlich will und was er kann.

Zunächst wurde auch der Katholizismus wieder eine Religion, was er eben kaum noch gewesen war; dann wurde der Geist nach tausend Seiten hin geweckt, Staatsleben und Kultur mit dem religiösen Kampf in alle mögliche Verbindung und Gegensatz bracht und am Ende die Welt umgewandelt und geistig unermeßlich bereichert, was bei bloßem glattem Gehorsam unter dem neuen Glauben unterblieben wäre.

Ferner das Urteil nach der *Kultur*. Es besteht darin, daß man Glück und Moralität eines vergangenen Volkes oder Zustandes nach der Verbreitung der Schulbildung, der Allerweltskultur und des Komforts im Sinne der Neuzeit beurteilt, wobei dann gar nichts die Probe besteht und alle vergangenen Zeitalter nur mit einem größeren oder geringeren Grade des Mitleids abgefertigt werden. ›Gegenwart‹ galt eine Zeitlang wörtlich gleich Fortschritt, und es knüpfte sich daran der lächerlichste Dünkel, als ginge es einer Vollendung des Geistes oder gar der Sittlichkeit entgegen. Unvermerkt wird dabei auch der Maßstab der unten zu besprechenden Sekurität mit ins Spiel gezogen, und ohne diese und ohne die eben geschilderte Kultur könnten wir allerdings nicht mehr leben. Aber ein einfaches, kräftiges Dasein, noch mit dem vollen physischen Adel der Rasse, unter beständiger gemeinsamer Gegenwehr gegen Feinde und Bedrücker, ist auch eine Kultur und möglicherweise mit einer hohen innern Herzenserziehung verbunden. Der Geist war schon früh komplett! Und die Erkundigung nach ›moral progresses‹ überlassen wir billig Buckle, der sich so naiv verwundert, wenn sich keine finden wollen, während sie sich doch auf das Leben des einzelnen, nicht auf ganze Zeitalter beziehen. Wenn schon in alten Zeiten einer für andere das Leben hingab, so ist man seither darüber nicht mehr hinausgekommen.

Es folgt nun, indem wir hier mehreres zusammenfassen, das Urteil nach dem *Geschmack überhaupt*. Dasselbe hält diejenigen Zeitalter und Völker für glücklich, in und bei welchen *das* Element besonders mächtig war, welches jedem gerade das teuerste ist. Je nachdem nun Gemüt, Phantasie oder Verstand vorherrschen, wird man solchen Zeiten und Völkern die Krone reichen, da eine möglichst große Quote von Menschen sich ernsthaft mit den übersinnlichen Dingen beschäftigte oder da Kunst und Poesie herrschten und möglichst viele Zeit und Teilnahme für edlere Geistesarbeit und Kontemplation übrig hatten oder da möglichst viele Leute guten Verdienst hatten und alles rastlos für Gewerbe und Verkehr tätig war.

Mit Leichtigkeit könnte man allen dreien beweisen, wie einseitig ihr Urteil ist, wie wenig es das ganze damalige Leben umfaßt und wie unerträglich ihnen der Aufenthalt in jenen gepriesenen Zeiten aus verschiedenen Gründen sein würde.

Auch das Urteil nach der *politischen Sympathie* läßt sich oft hören. Der eine kann die vergangenen Zeiten z. B. nur da für glücklich halten, wo Republik, der andere nur da, wo Monarchie gewesen ist; der eine nur, wo beständig heftige Bewegung, der andere nur, wo Ruhe herrscht; denken wir dabei z. B. an Gibbons Ansicht von der Zeit der guten Kaiser als der glücklichsten des Menschengeschlechts überhaupt.

Diese Urteile heben einander gegenseitig von selbst auf. Und vollends diejenigen, welche das Glück der vergangenen Zeiten je nach der Konfession des Urteilenden bemessen.

Schon bei den obigen Fällen, zumal bei der Kultur, spielt stellenweise das Urteil nach der *Sekurität* hinein. Dasselbe verlangt als Vorbedingung jeglichen Glückes die Unterordnung der Willkür unter polizeilich beschütztes Recht, die Behandlung aller Eigentumsfragen nach einem objektiv feststehenden Gesetz, die Sicherung des Erwerbs und Verkehrs im größten Maßstab. Unsere ganze jetzige Moral ist auf diese Sekurität wesentlich orientiert, d. h. es sind dem Individuum die stärksten Entschlüsse der Verteidigung von Haus und Herd erspart, wenigstens in der Regel. Und was der Staat nicht leisten kann, das leistet die Assekuranz, d. h. der Abkauf bestimmter Arten des Unglücks durch bestimmte jährliche Opfer. Sobald die Existenz oder deren Rente wertvoll genug geworden ist, ruht auf dem Unterlassen der Assekuranz sogar ein sittlicher Vorwurf.

An dieser Sekurität fehlt es nun in bedenklichem Grade in

mehreren Zeitaltern, welche sonst einen ewigen Glanz um sich verbreiten und in der Geschichte der Menschheit bis aufs Ende der Tage eine hohe Stelle einnehmen werden.

Nicht nur in der Zeit, welche Homer schildert, sondern auch offenbar in derjenigen, in welcher er lebte, versteht sich der Raubüberfall von selbst, und Unbekannte werden ganz höflich und harmlos darüber befragt. Die Welt wimmelt von freiwilligen und unfreiwilligen Mördern, welche bei den Königen Gastfreundschaft genießen, und selbst Odysseus in einem seiner ersonnenen Lebensläufe dichtet sich eine Mordtat an. Daneben aber welche Einfachheit und welcher Adel der Sitte! Und eine Zeit, da der epische Gesang als Gemeingut vieler Sänger und als allverständliche Wonne der Nation von Ort zu Ort wanderte, wird man ewig um ihr Schaffen und Empfinden, um ihre Macht und ihre Naivität beneiden. Denken wir dabei nur an die eine Gestalt der Nausikaa.

Die Zeit des Perikles in Athen war vollends ein Zustand, dessen Mitleben sich jeder ruhige und besonnene Bürger unserer Tage verbitten würde, in welchem er sich todesunglücklich fühlen müßte, selbst wenn er nicht zu der Mehrzahl der Sklaven und nicht zu den Bürgern einer Stadt der attischen Hegemonie, sondern zu den Freien und zu den athenischen Vollbürgern gehörte. Enorme Brandschatzung des einzelnen durch den Staat und beständige Inquisition in betreff der Erfüllung der Pflichten gegen denselben durch Demagogen und Sykophanten waren an der Tagesordnung. Und dennoch muß ein Gefühl des Daseins in den damaligen Athenern gelebt haben, das keine Sekurität der Welt aufwiegen könnte.

Sehr beliebt ist in den jetzigen Zeiten das Urteil nach der Größe. Man kann zwar dabei nicht leugnen, daß rasch und hoch entwickelte politische Macht herrschender Völker und einzelner nur zu erkaufen war durch das Leiden von Unzähligen; allein man veradelt das Wesen des Herrschers und seiner Umgebung nach Kräften und legt in ihn alle möglichen Ahnungen derjenigen Größe und Güte, welche später sich an die

Folgen seines Tuns angeknüpft hat. Endlich setzt man voraus, der Anblick des Genius habe verklärend und beglückend
auf die von ihm behandelten Völker gewirkt.

Mit dem Leiden der Unzähligen aber verfährt man als mit
einem ›vorübergehenden Unglück‹ äußerst kühl; man ver-
weist auf die unleugbare Tatsache, daß dauernde Zustände,
also nachheriges ›Glück‹, sich überhaupt fast nur dann gebildet haben, wenn schreckliche Kämpfe die Machtstellung so
oder so entschieden hatten; in der Regel beruht Herkommen
und Dasein des Urteilenden auf so gewonnenen Zuständen,
und daher seine Nachsicht.

August Bebel
Aus meinem Leben

*D*er dänische Literaturhistoriker Georg Brandes unternahm es einst, die Memoirenliteratur, zu der auch die folgenden Erinnerungen des Sozialistenführers August Bebel
gehören, zu klassifizieren.

Brandes fand es charakteristisch, daß in früheren Zeiten
drei Typen von Autobiographien vorherrschten. Der Typ
Augustinus: So sehr irrte ich vom rechten Wege ab, so wurde
ich bekehrt. Der Typ Rousseau: So schlecht war ich! Wer
aber wagte, sich besser zu nennen? Und schließlich der Typ
Goethe: So formte sich langsam von innen heraus und durch
die Gunst der Umstände ein Genie. Der Verfasser sei also
immer mit sich selbst beschäftigt gewesen.

Im Gegensatz dazu sei man jetzt vornehmlich damit beschäftigt, was die Mitmenschen von einem gedacht und gesagt
haben, und er führt als Beispiel Hans Christian Andersen an.
In diesem Schema ist eine sehr zahlreiche Art von Selbstbe-
schreibungen gar nicht erwähnt, welche nicht ein Ich beschreibt, sondern den Bezirk der Kultur, in dem es wirksam
war. Hierher gehören viele Autobiographien von Politikern.
Hierher gehören auch die Memoiren August Bebels.

Geboren 1840 in Köln, ließ er sich 1864 als Drechslermeister
in Leipzig nieder. Schon drei Jahre zuvor hatte er sich der
deutschen Arbeiterbewegung angeschlossen. 1865 wurde er
Vorsitzender des Leipziger Arbeiterbildungsvereins und dann
einer der Gründer der Sozialdemokratischen Arbeiterpartei,
die 1869 in Eisenach entstand. 1867 wurde er in den Norddeutschen Reichstag gewählt, 1871 in den Deutschen Reichs-

tag. Im Gegensatz zu der nationalen Richtung Lassalles schloß er sich an die von Marx geleitete Internationale Arbeiterassoziation an.

1872 wurde er (und Liebknecht) des Hochverrats angeklagt, zu zwei Jahren Festungshaft verurteilt und – wegen Beleidigung des Kaisers – zu neun Monaten Gefängnis. Als er auf Grund des Sozialistengesetzes aus Leipzig ausgewiesen wurde, ließ er sich in Plauen bei Dresden nieder. 1886 wurde er abermals zu Gefängnis verurteilt wegen Geheimbündelei. 1890, nach Erlöschen des Sozialistengesetzes, siedelte er nach Berlin über. Hier gehörte er zum Stab der Redaktion des führenden sozialistischen Blattes, des Vorwärts. *Er trat für eine Eroberung der Macht auf legalem, parlamentarischem Boden ein. Seine literarischen Werke waren zahlreich. Besonders zu nennen sind:* Christentum und Sozialismus *von 1883 und vom selben Jahr* Die Frau und der Sozialismus, *1904 bereits in der 36. Auflage. Der erste Band seiner Autobiographie erschien 1892. Wenige Jahre vor seinem Tode (1913) begann das ganze dreibändige Werk* Aus meinem Leben *(1910–1914) zu erscheinen. Es schildert vor allem die Politik Deutschlands vor und nach der Gründung des Reichs – und zugleich den Aufstieg der Sozialdemokratischen Partei.*

Wir bringen im folgenden die Darstellung des Jahres 1878, im besonderen die Attentate auf Kaiser Wilhelm I. Die entsprechenden Abschnitte sind überschrieben: ›Das Hödel-Attentat und seine Folgen‹, ›Das erste Ausnahmegesetz‹, ›Das Nobiling-Attentat und seine Wirkung‹.

Am 12. Mai wurde mir in die Zelle die Nachricht, die mich im höchsten Grad überraschte, überbracht, daß am Tage zuvor, nachmittags 3 Uhr, ein gewisser Hödel aus Leipzig, der Sozialdemokrat wäre, ein Attentat auf den alten Kaiser gemacht habe, der aber unverwundet geblieben sei. Mir erschien der

Vorgang zunächst unerklärlich. Der Name Hödel, alias Lehmann, war mir bekannt. Hödel war das Jahr zuvor in Leipzig in der Partei aufgetaucht. Persönlich kannte ich ihn nicht. Da er keine Arbeit hatte, vielleicht auch keine nehmen wollte – er hatte als Klemperer gelernt –, hatte er sich mit der Verbreitung unseres Leipziger Lokalorgans, ›Die Fackel‹, und mit dem Verkauf sozialistischer Schriften beschäftigt. Aber er erwies sich bald als Schwindler. Er unterschlug die eingenommenen Gelder, was die Expedition der ›Fackel‹ schon am 5. April veranlaßte, bekanntzumachen, daß Hödel der Vertrieb des Blattes entzogen worden sei. Ferner hatte einige Tage später die Leipziger Parteimitgliedschaft beschlossen, Hödels Ausschließung aus der Partei am 9. Mai, also zwei Tage vor seinem Attentat, öffentlich im ›Vorwärts‹ bekanntzumachen.

Hödel hatte sich alsdann, nachdem er bei uns unmöglich geworden war, an den national-liberalen Agitator Sparig und die Redaktion des national-liberalen ›Leipziger Tageblatts‹ gewendet und lieferte diesen für Geld eine Reihe unwahrer und übertriebener Anklagen gegen die Partei, die das ›Leipziger Tageblatt‹ gegen uns auszuschlachten versuchte. Nachdem er in Leipzig seine Mission gegen die Partei erfüllt hatte, suchten ihn Sparig und Konsorten loszuwerden; sie gaben ihm das Geld zur Reise nach Berlin. Hier angekommen, hielt er es mit beiden Lagern. Er trat in einen sozialdemokratischen Verein und gleichzeitig in die Christlich-Soziale Partei des Hofpredigers Stöcker ein, um den sich damals eine große Zahl katilinarischer Existenzen aus den verschiedensten Schichten gesammelt hatte. So auch der Schneider Grüneberg, der zwei Jahre zuvor in Stuttgart und München von der Sozialdemokratischen Partei wegen Betrügereien ausgeschlossen worden war. Grüneberg, der später auch von Stöcker ›gegangen‹ wurde, verriet, daß neben Hödel auch Dr. Nobiling, der spätere zweite Attentäter auf den Kaiser, Mitglied der Christlich-Sozialen Partei gewesen war. Er,

Grüneberg, habe auf Geheiß des Hofpredigers eine neue
Mitgliederliste anfertigen müssen, in der der Name Nobi-
lings fehlte. In Berlin hatte Hödel sowohl sozialdemokra-
tische wie christlichsoziale Blätter und Schriften, so den
›Staatssozialist‹ und ein Flugblatt ›Über die Liebe zu König
und Vaterland‹ verbreitet. Als er verhaftet wurde, fand
man auch Photographien von Liebknecht, Most und
mir bei ihm, mit denen er handelte. Über die moralische
Qualifikation dieses Menschen konnte wohl kein Zweifel
bestehen.

Sobald Bismarck die Nachricht von dem Hödel-Attentat in
Friedrichsruh erhielt, telegraphierte er nach Berlin: *Ausnahmegesetz gegen die Sozialdemokratie,* woraus ersichtlich
wurde, wie gierig er auf irgendeine Gelegenheit wartete, der
verhaßten Partei womöglich den Todesstoß zu versetzen.
Anfangs nahm die Öffentlichkeit und die Presse die Nachricht von dem Attentat ziemlich kühl auf. Als einzelne Blätter
den Versuch machten, die Sozialdemokratie für das Attentat
verantwortlich zu machen, wies der offiziöse Hamburger
Korrespondent in einem Artikel nach, daß binnen 78 Jahren
35 Meuchelmorde und Meuchelmordversuche gegen hervorragende politische Persönlichkeiten vorgekommen seien, und
zwar von Angehörigen der verschiedensten Parteien. Die
Anklage, der politische Meuchelmord sei am Holze der
Sozialdemokratie gewachsen, sei unhaltbar. Auch im Reichstag faßte man den Vorgang zunächst noch so kühl auf, daß ein
Antrag von uns auf Einstellung eines Strafverfahrens gegen
Most am 14. Mai ohne jede Debatte angenommen wurde.

Bei seiner ersten Vernehmung bestritt Hödel, daß er auf
den Kaiser habe schießen wollen, er habe vielmehr die Absicht gehabt, Selbstmord zu begehen als Zeichen der Erbärm-
lichkeit unserer Zustände, die ihn dazu genötigt hätten. Dafür sprach, daß, als er verhaftet wurde, er keinen Pfennig in
der Tasche hatte und daß der Revolver, den er benutzte, ein
elendes Ding war, der, wie der Büchsenmacher, der ihn un-

tersuchte, feststellte, auf wenige Schritte sein Ziel verfehlen mußte.

Es wurde weiter festgestellt, daß Hödel als uneheliches Kind seiner Mutter, die einen Lehmann geheiratet hatte, weshalb er sich auch zeitweilig Lehmann nannte, eine schlechte Erziehung genossen hatte. Man hatte ihm zwar das Hirn mit Katechismus- und Bibelsprüchen vollgepfropft, aber er konnte keinen Satz richtig schreiben. Außerdem wurde eine venerische Verseuchung bei ihm festgestellt. Als er zur Gerichtsverhandlung geführt wurde, betrat er blöde lachend den Gerichtssaal, und mit dem gleichen Lachen verließ er ihn nach seiner Verurteilung. Einen Brief, den er an seine Eltern schrieb, unterzeichnete er: Max Hödel, Attentäter Sr. Majestät des Deutschen Kaisers. Festgestellt war auch worden, daß er von Jugend auf ein Lügner und Dieb war. Das ganze Benehmen des Mannes war, wie der Gerichtshof, der ihn nichtsdestoweniger zum Tode verurteilte, feststellte, das eines geistig und körperlich zerrütteten Menschen. Und wegen der Tat eines solchen Menschen sollte die deutsche Sozialdemokratie ans Kreuz geschlagen werden.

Hödel hatte den Rechtsanwalt Otto Freytag in Leipzig als Verteidiger gewünscht. Freytag erklärte sich auch bereit, die Verteidigung zu übernehmen, er verlangte aber die Zusendung der Akten und eine achttägige Frist zum Studium derselben und zur Vorbereitung der Verteidigung. Bezeichnenderweise wurde ihm beides abgeschlagen. Man hatte es sehr eilig mit Hödels Prozeß und Hinrichtung. Hödel erhielt jetzt einen Offizialverteidiger, der nichts Besseres zu tun wußte, als sich vor Gericht zu entschuldigen, daß ihn das Los getroffen habe, die Verteidigung eines Hochverräters übernehmen zu müssen. Hödels Kopf fiel unter dem Beil des Henkers. Als Professor Virchow bat, ihm den Kopf Hödels zur anatomischen Untersuchung zu überlassen, wurde ihm dieses verweigert.

Die Hinrichtungsurkunde mußte der Kronprinz Friedrich

unterzeichnen, der die Stellvertretung des Kaisers übernommen hatte, nachdem dieser mittlerweile durch das am 2. Juni erfolgte Nobiling-Attentat schwer verwundet worden war. Der Kronprinz hat dann während seiner Regentschaft kein einziges Todesurteil mehr unterzeichnet, obgleich sich unter den Verurteilten ein Doppelmörder befand. Auch noch andere Symptome sprachen dafür, wie anders er die ganzen Vorgänge auffaßte.

Das erste Ausnahmegesetz. Das Verlangen Bismarcks nach einem Ausnahmegesetzentwurf gegen die Sozialdemokratie wurde bald erfüllt. Bereits am 12. Mai traf Bismarcks Entwurf für ein Ausnahmegesetz in Berlin ein, den 14. Mai war derselbe von seiner Kanzlei fertiggestellt worden und fand seine Zustimmung. Bereits am 16. wurde derselbe vom Bundesrat genehmigt – am eifrigsten plädierte die sächsische Regierung dafür –, und am 20. Mai kam er mit den Motiven an den Reichstag, der ihn schon am 23. auf seine Tagesordnung setzte.

Den National-Liberalen war bei diesen ganzen Vorgängen nicht wohl zumute; sie fühlten instinktiv, daß Bismarck noch andere Pläne im Hintergrund habe, die sich gegen sie selbst richteten. In der preußischen Regierung waren Wandlungen vor sich gegangen, die nichts Gutes ahnen ließen. Statt des Eintritts von Bennigsen und Forkenbeck in das Ministerium waren zwei Hochkonservative, der Graf Botho zu Eulenburg und der Graf Udo zu Stolberg-Wernigerode, derselbe, der 1909 als Präsident des Reichstags starb, berufen worden. Der freihändlerische liberale Finanzminister von Camphausen hatte ebenfalls seinen Abschied nehmen müssen; an seine Stelle kam der charakterschwache national-liberale Hobrecht. Ebenso mußte der liberale Kultusminister Falk, der Verfasser der Maigesetze gegen das Zentrum und des einzig liberalen Gesetzes aus dem Kulturkampf, des Gesetzes über die Einführung der Zivilstandsregister, das Feld räumen, was eine große Konzession an das Zentrum bedeutete.

Die National-Liberalen hatten also alle Ursache zum Mißtrauen.

Nach der sechs Paragraphen umfassenden Sozialistenge-
setzvorlage konnten Drucksachen und Vereine, welche die
Ziele der Sozialdemokratie verfolgten, vom Bundesrat verboten werden. Dem Reichstag mußte, sobald derselbe versammelt war, Mitteilung von den Verboten gemacht werden. Ein
Verbot mußte außer Kraft gesetzt werden, wenn der Reichstag dies verlangte. Die Polizeibehörden konnten die Verbreitung von Druckschriften auf öffentlichen Wegen, Straßen,
Plätzen oder anderen öffentlichen Orten vorläufig verbieten.
Das Verbot sollte erlöschen, wenn nicht innerhalb vier Wochen die Druckschrift seitens des Bundesrats verboten wurde. Das Verbot und die Auflösung von Versammlungen war
ganz und gar in die Hände der Polizei gelegt. Berufung sollte
es hiergegen nicht geben. Die Zuwiderhandlungen gegen die
Verbote sollten mit Gefängnis bis zu fünf Jahren bestraft
werden. Die Beschlagnahme einer Druckschrift sollte ohne
richterliche Anordnung vorgenommen werden können. Vorsteher von verbotenen Vereinen, Unternehmer und Leiter
von verbotenen Versammlungen und diejenigen, die ein
Lokal für einen verbotenen Verein oder eine verbotene Versammlung hergaben, sollten mit einer Mindeststrafe von
nicht unter drei Monaten belegt werden. Das Gesetz sollte für
einen Zeitraum von drei Jahren Gültigkeit haben.

In der Annahme, die Fraktion werde bei Beratung der Vorlage durch einen Redner gegen dieselbe scharf ins Zeug gehen,
schrieb ich Motteler unter dem 20. Mai aus dem Gefängnis:
»Da die Einbringung der Ausnahmemaßregel Tatsache ist, so
mag derjenige, der von unserer Seite dazu zum Wort kommt,
nicht vergessen, daß seine Rede in einigen hunderttausend
Exemplaren verbreitet werden muß. Auch ist zu beachten,
daß im Falle der Ablehnung der Vorlage der Reichstag aufgelöst wird, wir also vor einer Wahlkampagne stehen und dann
diese Rede ihre Dienste leisten muß. Also vor allen Dingen

alles, was auf den Täter Bezügliches in unseren Händen ist, Punkt für Punkt erörtert.

Das Sonntag-Morgenblatt der Frankfurter Zeitung bringt einen guten Leitartikel, den ich euch zur Beachtung empfehle. Der Gesetzentwurf grenzt an Wahnsinn.«

Die Fraktion hatte aber nach längerer Beratung beschlossen, durch Liebknecht eine Erklärung abgeben zu lassen und sich an den weiteren Verhandlungen nicht zu beteiligen.

Die Beratung im Reichstag wurde eingeleitet mit einer kurzen Rede des Grafen zu Eulenburg. Dann erhielt Liebknecht das Wort zu folgender Erklärung:

»Der Versuch, die Tat eines Wahnwitzigen, noch ehe die gerichtliche Untersuchung geschlossen ist, zur Ausführung eines lang vorbereiteten Reaktionsstreichs zu benutzen und die ›moralische Urheberschaft‹ des noch unerwiesenen Mordattentats auf den deutschen Kaiser einer Partei aufzuwälzen, welche den Mord in jeder Form verurteilt und die wirtschaftliche und politische Entwicklung als von dem Willen einzelner Personen ganz unabhängig auffaßt, richtet sich selbst so vollständig in den Augen jedes vorurteilslosen Menschen, daß wir, die Vertreter der sozialdemokratischen Wähler Deutschlands, uns zu der Erklärung gedrungen fühlen:

Wir erachten es mit unserer Würde nicht vereinbar, an der Diskussion des dem Reichstage heute vorliegenden Ausnahmegesetzes teilzunehmen, und werden uns durch keine Provokationen, von welcher Seite sie auch kommen mögen, in diesem Beschluß erschüttern lassen. Wohl aber werden wir uns an der Abstimmung beteiligen, weil wir es für unsere Pflicht halten, zur Verhütung eines beispiellosen Attentats auf die Volksfreiheit das Unserige beizutragen, indem wir unsere Stimmen in die Waagschale werfen.

Falle die Entscheidung des Reichstags aus, wie sie wolle – die deutsche Sozialdemokratie, an Kampf und Verfolgungen gewöhnt, blickt weiteren Kämpfen und Verfolgungen mit jener zuversichtlichen Ruhe entgegen, die das Bewußtsein einer guten und unbesiegbaren Sache verleiht.«

Nach Liebknecht nahm Bennigsen das Wort. Er hielt eine Rede, die ich für die beste ansehe, die er bis dahin gehalten hatte: Sie zeigte, daß er auch anders konnte und daß er vermochte, die Dinge auch von einem höheren Standpunkt, als er bisher bei den national-liberalen Rednern zur Geltung kam, zu beurteilen. Es sei die Ansicht laut geworden, führte er unter anderem aus, die Regierung habe die Vorlage eingebracht, obgleich sie wisse, daß sie abgelehnt werde. Er erwarte, daß diese Ansicht dementiert werde. Er wies auf die Unsicherheit und die schwankenden Verhältnisse der Regierung hin, die niemals so schlimm gewesen seien wie jetzt. *In Preußen sei die Ministerkrise in Permanenz.* Wollte man diktatorische Gewalt, müsse man vor allen Dingen wissen: wer übt sie aus? Seine Partei könnte kein Ausnahmegesetz wie das verlangte bewilligen. Die Geschichte zeige, wohin diese führten und daß sie nichts nützten. Er machte darüber längere historische Betrachtungen. Weiter sprach er sich im Laufe der Rede für das Aufhören des Kulturkampfes aus. Das war der müde Mann, der einen Kampf beendet zu sehen wünschte, bei dem bisher die sogenannten Kulturkampfer keine Seide gesponnen hatten, obgleich einstmals er und seine Freunde diesen Kampf unter Führung Bismarcks mit Jubel begrüßt und durchgefochten hatten. Schließlich erbot er sich, auf dem Boden des gemeinen Rechtes im nächsten Jahre eine Vorlage durchbringen zu helfen, die die bürgerliche Freiheit mit gesetzlicher Ordnung und fester Autorität im öffentlichen Leben für alle Klassen vereinige.

Er erbot sich also jetzt zu dem, was er und seine Freunde zwei Jahre früher mit guten Gründen abgelehnt hatten. Das war wieder ganz national-liberal. Aber die Ereignisse schritten über diese Vorsätze hinweg und zwangen Bennigsen und seine Freunde, doch zu tun, was sie augenblicklich ablehnten. Nach zweitägiger Verhandlung wurde Paragraph 1 der

Vorlage mit 243 gegen 60 Stimmen bei 6 Enthaltungen abgelehnt. Noch stimmte das Zentrum geschlossen gegen die Vorlage; von den National-Liberalen erklärten sich die Professoren Beseler, Gneist und von Treitschke dafür. Nach diesem
Resultat zog die Regierung die Vorlage zurück.

War das Ausnahmegesetz einstweilen gefallen, so veranlaßte nunmehr Graf zu Eulenburg durch einen Erlaß vom
1. Juni an die Polizeibehörden diese zu scharfem Einschreiten
gegen die Partei. »Es sei Pflicht, der sozialdemokratischen
Agitation entschieden entgegenzutreten und zu diesem
Zwecke von den zu Gebote stehenden gesetzlichen Mitteln,
unter sorgfältiger Einhaltung der durch die Gesetze gezoge-
nen Schranken, innerhalb derselben aber bis zur Grenze des
Zulässigen Gebrauch zu machen.«

Einer solchen Aufforderung bedurfte es nicht erst. Die Polizei zeigt überall den größten Eifer für ihre staatsretterische
Tätigkeit, und Staatsanwälte und Richter nicht minder.

Das Nobiling-Attentat und seine Wirkung. Ich war Ende
Mai aus der Haft entlassen worden. Am 2. Juni, einem Sonntag, machte ich mit Frau und Kind einen Spaziergang, von
dem wir nach 7 Uhr abends zurückkehrten. Kaum waren wir
zu Hause angekommen, so trat die Schwester des Rechtsan-
walts Freytag in großer Eile in unsere Wohnung und fragte
aufgeregt, ob wir nicht wüßten, was passiert sei. Wir wohnten in der äußeren Stadt, wohin Nachrichten, namentlich am
Sonntag, nicht rasch drangen. Ich verneinte die Frage. Darauf
stellte Fräulein Freytag weiter die Frage: »Kennen Sie einen
Doktor Nobiling? Der hat heute nachmittag auf den Kaiser
geschossen und ihn schwer verwundet.« Ich war sprachlos,
wie vom Blitz getroffen. Ich antwortete, der Name Nobiling
sei mir nicht bekannt, ich hielt für ausgeschlossen, daß er zur
Partei gehöre. Beruhigt entfernte sich die junge Dame.

Am nächsten Morgen eilte ich auf die Redaktion des ›Vorwärts‹, um zu hören, was man dort wisse und wie man den
Fall beurteile. Ein öffentlich angeschlagenes Telegramm

enthielt kein Wort davon, daß Nobiling der Sozialdemokratie
angehöre. Erleichtert atmete ich auf und trat in die Redaktion
mit den Worten ein: »Na, den können sie uns nicht an die
Rockschöße hängen.« Liebknecht, Hasenclever und alle übrigen Anwesenden waren mit mir der gleichen Ansicht, niemand kannte den Attentäter, keiner hatte vorher auch nur
seinen Namen gehört. In beruhigter Stimmung verließ ich die
Redaktion, mußte aber nach wenigen Minuten wieder umkehren, weil mittlerweile ein zweites Telegramm veröffentlicht worden war, in dem es hieß: Nobiling habe in seiner ersten Vernehmung bekannt, er sei Sozialdemokrat und habe
Mitschuldige. Wir alle waren sprachlos.

Diese Angaben des Wolffschen Telegraphenbüros erwiesen sich nachher, wie viele andere Nachrichten gleicher Art,
die damals mit größter Geflissentlichkeit verbreitet wurden,
als grobe Unwahrheiten und Fälschungen. Aber sie erreichten im vollsten Maße ihren Zweck. Die öffentliche Meinung,
die schon durch die am 1. Juni eingetroffene Nachricht aufs
höchste erregt worden war, daß der »Große Kurfürst«, eines
der größten Schiffe der damaligen deutschen Flotte, bei hellem Tage infolge einer Kollision mit einem anderen Schiffe
mit fast fünfhundert Köpfen Besatzung angesichts der englischen Küste untergegangen sei, geriet über das zweite
Attentat in Siedehitze.

Als bei Bismarck die Nachricht eintraf, rief er frohlockend:
Jetzt habe ich die Kerle – die National-Liberalen –, jetzt
drücke ich sie an die Wand, daß sie quietschen; dann erst erkundigte er sich nach dem Befinden des durch die Nobiling-
sche Schrotflinte schwer verwundeten Kaisers. Die Auflösung des Reichstags und infolgedessen Neuwahlen standen
nunmehr in sicherer Aussicht, durch die er eine Mehrheit zu-
sammenzubekommen hoffen durfte, die ihm sowohl ein
Ausnahmegesetz gegen uns wie neue Einnahmen durch die
einzuführende Schutzpolitik gewährte.

Otto von Bismarck
Gedanken und Erinnerungen

Rund 75 Jahre sind seit Bismarcks Tod (1898) vergangen und rund 85 Jahre seit seiner Entlassung aus dem Dienst der Hohenzollern-Monarchie (1890). Zwei Weltkriege haben inzwischen die Welt und Deutschland verheert. Bismarck widmete seine Autobiographie Gedanken und Erinnerungen den Söhnen und Enkeln – was können die Urenkel und die Ururenkel von ihnen lernen? Seine Widmung lautete: »Zum Verständnis der Vergangenheit und zur Lehre für die Zukunft.« Aber die Vergangenheit wird heute unter der Perspektive des Friedens von Versailles gesehen und der des Jahres 1945. Und die Zukunft ist das Schicksal des zweigeteilten Bismarck-Reichs (vermindert um die Verluste im zweiten Weltkrieg) zwischen Amerika und Rußland.

Es ist also recht fraglich, ob seine ›Gedanken‹ irgend etwas enthalten, was zukunftsträchtig ist. Und es ist schon länger die Frage gestellt worden, wieweit seine ›Erinnerungen‹ eine brauchbare Geschichtsquelle sind. Es ist nicht die Aufgabe dieser Einleitung, diese beiden Fragen zu beantworten. Wir zitieren Bismarck hier, um einen der besten deutschen Schriftsteller in Erinnerung zu bringen. Viele Partien dieser Memoiren sind ebenbürtig den vollkommensten deutschen Essays. So ist sein Kapitel über Wilhelm II., dessen ersten Teil wir hier abdrucken, meisterhaft.

Bismarck schied vom Kaiser im Bösen. Er konnte ihm nie vergessen, daß er den Baumeister des Deutschen Reichs so schnöde behandelt hatte. Aber Bismarck war nach wie vor der treue Diener der Dynastie, welcher sein Leben gewidmet war.

So ist es ihm unmöglich, über den Enkel, Wilhelm II., als un-
gebundener Polemiker zu schreiben. Er wollte ihn treffen –
aber mit jener Reserve, die den Inhaber des Throns immer
noch als den gekrönten Hohenzollern respektiert – obwohl
Bismarck ihn eher verachtete. Das war eine der schwierigsten
Aufgaben, die je einem Schriftsteller gestellt wurde. Bismarck
löste das Problem bewundernswert. Es ist die unverschämte-
ste Reverenz, die je bekundet worden ist.

Der erste Satz lautet: »*Der Kaiser hat in seiner natürlichen*
Veranlagung von den Eigenschaften seiner Vorfahren eine
gewisse Mannigfaltigkeit zur Mitgift erhalten.« *Und nun*
vergleicht er ihn mit Friedrich Wilhelm I. und Friedrich dem
Großen und Friedrich Wilhelm IV. und Wilhelm I. . . . und
immer zeigt sich, fast unauffällig, daß er alle Laster der Ah-
nen geerbt hat – aber nicht ihre Tugenden. So, wenn es heißt:
»*Bei Friedrich II. waren Geist und Mut so groß, daß sie durch*
keine Selbstüberschätzung entwertet werden konnten«, *ist es*
dem Leser überlassen, dies auf Wilhelm II. zu übertragen.
Oder wenn es heißt: »*Das versöhnende Element für alle*
Schärfen in Charakter und Haltung unserer früheren Könige
lag in ihrem herzlichen und ehrlichen Wohlwollen für ihre
Untertanen und Diener, in ihrer Treue gegen beide.«

Unter den streitbarsten deutschen Pamphletisten ist Bis-
marck der subtilste. Er verletzte den Monarchen tödlich – in
der Zeremonie des treuesten Monarchisten.

Der Kaiser hat in seiner natürlichen Veranlagung von den
Eigenschaften seiner Vorfahren eine gewisse Mannigfaltigkeit
zur Mitgift erhalten. Von unserm ersten Könige hat er die
Prachtliebe, die Neigung zu einem durch das Kostüm gehob-
nen Hofzeremoniell bei feierlichen Gelegenheiten, verbunden mit einer lebhaften Empfänglichkeit für geschickte Anerkennung. Die Selbstherrlichkeit der Zeiten Friedrichs 1. ist in

ihrer praktischen Erscheinung durch den Lauf der Zeiten wesentlich modifiziert; aber wenn es heut innerhalb der gesetzlichen Möglichkeiten läge, so würde mir, glaube ich, als Abschluß meiner politischen Laufbahn das Geschick des Grafen
Eberhard Danckelmann nicht erspart geblieben sein. Ich
würde angesichts der Kürze der Lebensdauer, auf die ich in
meinem Alter überhaupt noch zu rechnen habe, einem dramatischen Abschlusse meiner politischen Laufbahn nicht aus
dem Wege gegangen sein und auch diese Ironie des Schicksals
mit heitrer Ergebung in Gottes Willen ertragen haben. Den
Sinn für Humor habe ich auch in den ernstesten Lagen des
Lebens niemals verloren.

Gleiche erbliche Anklänge zeigt der Kaiser an Friedrich
Wilhelm 1., zuerst in der Äußerlichkeit der Vorliebe für
›lange Kerls‹. Wenn man die Flügeladjutanten des Kaisers
unter das Maß stellt, so findet man fast lauter Offiziere von
ungewöhnlicher Körperlänge, um 6 Fuß herum und darüber.
Es ist vorgekommen, daß sich an dem Hoflager im Marmor-
palais ein unbekannter, hochgewachsener Offizier meldete,
Zulaß zu Sr. M. verlangte und auf Befragen erklärte, er sei
zum Flügeladjutanten ernannt, eine Angabe, die erst nach
Rückfrage bei Sr. M. Glauben fand. Der neue Flügeladjutant
überragte an Körperlänge seine Kameraden, welche er bei
seinem Erscheinen im Palais nicht ohne Schwierigkeit von
seiner Berechtigung überzeugt hatte.

Ausgeprägter noch ist die Vererbung der Neigung Friedrich Wilhelms 1. und Friedrichs 11. zu selbstherrlicher Leitung
der Regierungsgeschäfte und der Glaube an die Berechtigung
des hoc volo, sic jubeo. Aber jene übten die Selbstherrlichkeit, wie es der Tendenz ihrer Zeit entsprach, ohne Rücksicht
darauf, ob sie durch die Art, wie sie regierten, Beifall erwar-
ben oder nicht. Es läßt sich kaum ermitteln, ob die Zeitgenossen Friedrich Wilhelms 1. ihm die Anerkennung gezollt haben
wie die Nachwelt, daß er in seinem gewalttätigen Eingreifen
frei gewesen ist von der Rücksicht auf das Urteil anderer, wie

sein Vater sie nahm. Heute steht das Urteil der Geschichte fest, daß ihm salus publica und nicht Anerkennung seiner Person suprema lex gewesen ist.

Friedrich der Große hat sein Blut nicht fortgepflanzt; seine Stellung in unserer Vorgeschichte muß aber auf jeden seiner Nachfolger wirken als eine Aufforderung, ihm ähnlich zu werden. Ihm waren zwei einander fördernde Begabungen eigen, des Feldherrn und eines hausbackenen, bürgerlichen Verständnisses für die Interessen seiner Untertanen. Ohne die erste würde er nicht in der Lage gewesen sein, die zweite dauernd zu betätigen, und ohne die zweite würde sein militärischer Erfolg ihm die Anerkennung der Nachwelt nicht in dem Maße erworben haben, wie es der Fall ist – obschon man von den europäischen Völkern im allgemeinen sagen kann, daß diejenigen Könige als die volkstümlichsten und beliebtesten gelten, welche ihrem Lande die blutigsten Lorbeern gewonnen, zuweilen auch wieder verscherzt haben. Karl XII. hat seine Schweden eigensinnig dem Niedergange ihrer Machtstellung entgegengeführt, und dennoch findet man sein Bild in den schwedischen Bauernhäusern als Symbol des schwedischen Ruhmes häufiger als das Gustav Adolfs. Friedliebende, zivilistische Volksbeglückung wirkt auf die christlichen Nationen Europas in der Regel nicht so werbend, so begeisternd wie die Bereitwilligkeit, Blut und Vermögen der Untertanen auf dem Schlachtfelde siegreich zu verwenden. Ludwig XIV. und Napoleon, deren Kriege die Nation ruinierten und mit wenig Erfolg abschlossen, sind der Stolz der Franzosen geblieben, und die bürgerlichen Verdienste anderer Monarchen und Regierungen treten gegen sie in den Hintergrund.

Wenn ich mir die Geschichte der europäischen Völker vergegenwärtige, so finde ich kein Beispiel, daß eine ehrliche und hingebende Pflege des friedlichen Gedeihens der Völker für das Gefühl der letzteren eine stärkere Anziehungskraft gehabt hätte als kriegerischer Ruhm, gewonnene

Schlachten und Eroberungen selbst widerstrebender Landstriche.

Im Gegensatz gegen seinen Vater hatte Friedrich II. unter dem Einfluß der veränderten Zeiten und seines Verkehrs mit ausländischen Schöngeistern ein Beifallsbedürfnis, das sich früh im kleinen verriet. In seinem Briefwechsel mit dem Grafen Seckendorff sucht er diesem alten Sünder durch Exzesse auf dem geschlechtlichen Gebiet und daraus folgende Krankheiten zu imponieren, und seinen Aufbruch nach Schlesien gleich nach dem Regierungsantritt bezeichnet er selbst als das Ergebnis seines Verlangens nach Ruhm. Er versandte Gedichte aus dem Felde mit der Unterschrift: »Pas trop mal pour la veille d'une grande bataille.« Aber das Verlangen nach Beifall, love of approbation, ist in einem Monarchen eine mächtige und mitunter nützliche Triebfeder; fehlt dieselbe, so verfällt er leichter als ein anderer in genußsüchtige Untätigkeit.

Hätte die Welt den »großen« Friedrich, hätte sie den heldenmütigen Einsatz Wilhelms I. erlebt, wenn beide ohne Beifallsbedürfnis gewesen wären? Die Eitelkeit an sich ist eine Hypothek, welche von der Leistungsfähigkeit des Mannes, auf dem sie lastet, in Abzug gebracht werden muß, um den Reinertrag darzustellen, der als brauchbares Ergebnis seiner Begabung übrigbleibt. Bei Friedrich II. waren Geist und Mut so groß, daß sie durch keine Selbstüberschätzung entwertet werden konnten und daß man Übertreibungen seines Selbstvertrauens, wie bei Colin und Kunersdorf, bei der Vergewaltigung des Kammergerichts in dem Arnoldschen Prozesse und bei der Mißhandlung Trencks, ohne Schaden für das Gesamturteil in den Kauf nimmt. Bei Wilhelm I. war das Bewußtsein als preußischer Offizier und als preußischer König sehr lebhaft, aber die edlen Eigenschaften seines Herzens, die Zuverlässigkeit und Gradheit seines Charakters waren groß genug, um die Belastung zu ertragen, um so mehr, als sein Bedürfnis nach Anerkennung frei von Selbstüberschätzung, im Gegen-

teil seine vornehme Bescheidenheit ebensogroß wie sein
Pflichtgefühl und seine Tapferkeit war. Das versöhnende
Element für alle Schärfen in Charakter und Haltung unsrer
früheren Könige lag in ihrem herzlichen und ehrlichen
Wohlwollen für ihre Untertanen und Diener, in ihrer Treue
gegen beide.

Die Gewohnheit Friedrichs des Großen, in die Ressorts
seiner Minister und Behörden und in die Lebensverhältnisse
seiner Untertanen einzugreifen, schwebt Sr. M. zeitweise als
Muster vor. Die Neigung zu Randbemerkungen in dessen
Stile, verfügender oder kritisierender Natur, war während
meiner Amtszeit so lebhaft, daß dienstliche Unbequemlich-
keit daraus entstand, weil der drastische Inhalt und Ausdruck
dazu nötigte, die betreffenden Aktenstücke streng zu sekre-
tieren. Vorstellungen, welche ich darüber an S. M. richtete,
fanden keine gnädige Aufnahme, hatten indessen doch die
Folge, daß die Marginalien nicht mehr auf den Rand unent-
behrlicher Aktenstücke geschrieben, sondern denselben an-
geklebt wurden. Die weniger komplizierte Verfassung und
der geringere Umfang Preußens gestatteten Friedrich dem
Großen eine leichtere Übersicht der Gesamtlage des Staates
im Innern und nach außen, so daß für einen Monarchen von
seiner geschäftlichen Erfahrung, seiner Neigung zu gründ-
lichster Arbeit und seinem klaren Blicke die Praxis kurzer
Randbescheide im Kabinettsdienste weniger Schwierigkeit
darbot als in den heutigen Verhältnissen. Die Geduld, mit
welcher er sich vor definitiven Entscheidungen über Rechts-
und Sachfragen unterrichtete, die Gutachten kompetenter
und sachkundiger Geschäftsleute hörte, gab seinen Marginalien ihre geschäftliche Autorität.

An dem Erbe Friedrich Wilhelms II. ist Kaiser Wilhelm II.
nach zwei Richtungen hin nicht unbeteiligt. Die eine ist die
starke sexuelle Entwicklung, die andre eine gewisse Empfänglichkeit für mystische Einflüsse. Auf welche Weise der
Kaiser sich über den Willen Gottes vergewissert, in dessen

Dienst er seine Tätigkeit stellt, darüber wird kaum ein klassisches Zeugnis beizubringen sein.

Mit Friedrich Wilhelm III. finde ich keine Ähnlichkeit in der Erscheinung Wilhelms II. Jener war schweigsam, schüchtern, offnen Schaustellungen und Popularitätsbestrebungen abgeneigt. Ich erinnere mich, daß er bei einer Revue in Stargard zu Anfang der dreißiger Jahre über die Ovationen, mit welchen man sein Behagen inmitten seiner pommerschen Untertanen störte, in dem Momente, als man ihm »Heil Dir im Siegerkranz«, untermischt mit Hurrahschreien, auf kurze Entfernung in das Gesicht sang, in eine Verstimmung geriet, deren lauter und energischer Ausdruck die Sänger sofort verstummen ließ. Wilhelm I. hatte Anteil an diesem väterlichen Erbe selbstbewußter Bescheidenheit und wurde empfindlich berührt, wenn die ihm dargebrachte Huldigung die Grenzen des guten Geschmackes überschritt. Schmeicheleien à brûle pourpoint machten ihn verstimmt; sein Entgegenkommen für jeden Ausdruck sympathischer Treue erkaltete momentan unter dem Eindruck der Übertreibung und des Strebertums.

Mit Friedrich Wilhelm IV. hat der regierende Kaiser die Gabe der Beredsamkeit und das Bedürfnis gemein, sich ihrer öfter als geboten zu bedienen. Auch ihm fließen die Worte leicht zu; in der Wahl derselben war aber sein Großoheim vorsichtiger, vielleicht auch arbeitsamer und wissenschaftlicher. Für den Großneffen ist der Stenograph nicht immer zulässig, an den Reden Friedrich Wilhelms IV. dagegen läßt sich selten eine sprachliche Kritik anbringen. Dieselben sind ein beredter und mitunter dichterischer Ausdruck der Gedanken, welche jene Zeit in Bewegung zu setzen imstande waren, wenn die entsprechenden Taten gefolgt wären. Ich erinnere mich sehr wohl der Begeisterung, welche die Krönungsrede und Auslassungen des Königs bei anderen öffentlichen Gelegenheiten erregten. Wenn ihnen tatkräftige Entschließungen in demselben schwunghaften Sinne gefolgt wären, so hätten sie schon damals eine gewaltige Wirkung hervorbringen kön-

nen, um so mehr, als man in Betreff politischer Gemütsbewe-
gungen noch nicht abgestumpft war. In den Jahren 1841 und
1842 war mit weniger Mitteln mehr zu erreichen als 1849.
Darüber läßt sich unparteiisch urteilen, nachdem das damals
Wünschenswerte erreicht ist und im nationalen Sinne das Bedürfnis von 1840 nicht mehr vorliegt, im Gegenteil. Le mieux
est l'ennemi du bien ist eins der durchschlagendsten Sprich-
wörter, gegen welches zu sündigen die Deutschen theoretisch
mehr Neigung haben als andre Völker. Mit Friedrich Wilhelm IV. hat Wilhelm II. darin eine Ähnlichkeit, daß die
Grundlage ihrer Politik in der Vorstellung wurzelt, daß der
König, und er allein, den Willen Gottes näher kenne als andre, nach demselben regiere und deshalb vertrauensvollen Gehorsam verlange, ohne sein Ziel mit den Untertanen zu disku-
tieren oder denselben kundzugeben. Friedrich Wilhelm IV.
hatte an dieser seiner bevorzugten Stellung zu Gott keinen
Zweifel; sein ehrlicher Glaube entsprach dem Bilde von dem
Hohenpriester der Juden, der allein hinter den Vorhang
tritt.

In gewissen Beziehungen sucht man vergebens nach Analogien zwischen Wilhelm II. und seinen nächsten drei Aszen-
denten; Eigenschaften, welche Grundzüge in den Charakteren Friedrich Wilhelms III., Wilhelms I. und Friedrichs III.
bildeten, treten bei dem jungen Herrn nicht in den Vordergrund. Ein gewisses schüchternes Mißtrauen in die eigne Leistungsfähigkeit hat in der vierten Generation einem Maße von
zuversichtlichem Selbstvertrauen Platz gemacht, wie wir es
seit Friedrich dem Großen nicht auf dem Throne gesehn haben, doch nur bei dem regierenden Herrn. Sein Bruder, Prinz
Heinrich, scheint das gleiche Mißtrauen in eigne Kräfte und
die gleiche innerliche Bescheidenheit zu haben, die man trotz
allem olympischen Bewußtsein bei näherer Bekanntschaft in
den Kaisern Friedrich und Wilhelm I. zum Grunde liegend
fand. Bei dem letzteren gehörte das starke und gläubige Gott-
vertrauen dazu, um bei der bescheidenen und vor Gott und

Menschen demütigen Auffassung der eignen Persönlichkeit die Festigkeit der Entschlüsse zu gewähren, welche er in der Konfliktszeit an den Tag gelegt hat. Beide Herren versöhnten durch ihre Herzensgüte und ihre ehrliche Wahrheitsliebe mit gelegentlichen Abweichungen von der landläufigen Einschätzung der praktischen Wirkungen Königlicher Geburt und Salbung.

Wenn ich mir ein Bild des jetzigen Kaisers nach Abschluß meiner Beziehungen zu seinem Dienste zu machen suche, so finde ich in ihm Eigenschaften seiner Vorfahren in einer Weise verkörpert, die für meine Anhänglichkeit eine starke Anziehungskraft haben würden, wenn sie durch das Prinzip einer Gegenseitigkeit zwischen Monarch und Untertanen, zwischen Herrn und Diener belebt wären. Das germanische Lehnrecht gibt dem Vasallen außer dem Besitz des Gegenstandes wenig Anspruch, aber doch den auf Gegenseitigkeit der Treue zwischen ihm und dem Lehnsherrn; Verletzung derselben von der einen wie von der andern Seite heißt Felonie. Wilhelm I., sein Sohn und seine Vorfahren besaßen das entsprechende Gefühl in hohem Maße, und dasselbe ist die wesentliche Basis der Anhänglichkeit des preußischen Volkes an seinen Monarchen, was psychologisch erklärlich ist, denn die Neigung, einseitig zu lieben, liegt nicht als dauernde Triebkraft in der menschlichen Seele. Kaiser Wilhelm II. gegenüber habe ich mich des Eindrucks einseitiger Liebe nicht erwehren können. Das Gefühl, welches die festeste Grundlage der Verfassung des preußischen Heeres ist, das Gefühl, daß der Soldat den Offizier, aber auch der Offizier den Soldaten niemals im Stiche läßt, ein Gefühl, welchem Wilhelm I. seinen Dienern gegenüber bis zur Übertreibung nachlebte, ist in der Auffassung des jungen Herrn bisher nicht in dem Maße erkennbar; der Anspruch auf unbedingte Hingebung, auf Vertrauen und unerschütterliche Treue ist in ihm gesteigert, eine Neigung, dafür seinerseits Vertrauen und Sicherheit zu gewähren, hat sich bisher nicht betätigt. Die Leichtigkeit, mit welcher er bewährte Diener, auch solche, die er bis dahin als persönliche Freunde behandelt hat, ohne Klarstellung der Motive, von sich scheidet, fördert nicht, sondern schwächt den Geist des Vertrauens, wie er seit Generationen in den Dienern der Könige von Preußen gewaltet hat.

Karl Kautsky
Karl Marx' ökonomische Lehren

Es dauerte sehr lange, bis die Lehre des Karl Marx ins allgemeine Bewußtsein drang. Innerhalb der deutschen Sozialdemokratie wurde sie populär durch das denkwürdige Buch Karl Kautskys: Karl Marx' ökonomische Lehren *(1887). Es beginnt in allgemeinverständlicher Sprache mit dem Kapitel ›Ware, Geld, Kapital‹, behandelt dann den ›Mehrwert‹, im dritten Abschnitt ›Arbeitslohn und Kapitaleinkommen‹ und schließlich in den beiden letzten Abschnitten den ›Zirkulationsprozeß des Kapitals‹ und den ›Gesamtprozeß der kapitalistischen Produktion‹. Es ist immer noch eine ausgezeichnete Einführung. Wir bringen im folgenden einige Abschnitte über das Thema ›Die Ware‹.*

Karl Kautsky, 1854 in Prag geboren, studierte in Wien Geschichte und Philosophie. Mit zwanzig schloß er sich der Sozialdemokratie an, ihrem marxistischen Flügel. Seine wesentliche Aufgabe sah er in der Popularisierung und Weiterentwicklung der Lehren von Marx und Engels. Seit 1883 gab er die Zeitschrift ›Die neue Zeit‹ heraus.

Nach seinem Erstlingswerk, mit dem wir es hier zu tun haben, veröffentlichte er 1887 unter anderen Büchern Thomas More und seine Utopie, Die soziale Revolution *(1902) und* Die materialistische Geschichtsauffassung *(1927). Er war auch Mitarbeiter der* Geschichte des Sozialismus in Einzeldarstellungen, *die seit 1894 erschien.*

Er starb 1938 in der Emigration, in Amsterdam.

Was Marx in seinem »Kapital« zu erforschen sich vornahm, war die kapitalistische Produktionsweise, welche die heute herrschende ist. Er beschäftigt sich in dem Werk nicht mit den Naturgesetzen, die dem Vorgang des Produzierens zugrunde liegen; deren Erforschung ist eine der Aufgaben der Mechanik und Chemie, nicht der politischen Ökonomie. Er stellt sich andererseits nicht die Aufgabe, nur die Formen der Produktion zu erforschen, die allen Völkern gemein, da eine solche Untersuchung zum großen Teil nur Gemeinplätze zutage fördern kann, wie etwa, daß der Mensch, um produzieren zu können, stets Werkzeuge, Boden und Lebensmittel braucht. Marx untersuchte vielmehr die Bewegungsgesetze einer bestimmten Form des gesellschaftlichen Produzierens, die einer bestimmten Zeit (den letzten Jahrhunderten) und bestimmten Nationen eigentümlich ist (den europäischen oder aus Europa stammenden; in letzter Zeit beginnt sich diese unsere Produktionsweise auch bei anderen Nationen einzubürgern, zum Beispiel bei den Japanern und Hindus). Diese heute herrschende Produktionsweise, die kapitalistische, deren Eigentümlichkeit wir noch näher kennenlernen werden, ist von anderen Produktionsweisen streng geschieden, zum Beispiel der feudalen, wie sie in Europa im Mittelalter herrschte, oder der urwüchsigen kommunistischen, wie sie an der Schwelle der Entwicklung aller Völker steht.

Betrachten wir die heutige Gesellschaft, so finden wir, daß ihr Reichtum aus Waren besteht. Eine Ware ist ein Arbeitsprodukt, das nicht für den eigenen Gebrauch, sei es des Produzenten oder mit ihm verbundener Menschen, sondern zum Zwecke des Austausches mit anderen Produkten erzeugt worden ist. Es sind also nicht natürliche, sondern gesellschaftliche Eigentümlichkeiten, welche ein Produkt zur Ware machen. Ein Beispiel wird das klarmachen. Das Garn, das ein Mädchen in einer urwüchsigen Bauernfamilie aus Flachs spinnt, damit aus ihm Leinwand gewebt werde, welche in der Familie selbst verbraucht wird, ist ein Gebrauchsgegenstand,

aber keine Ware. Wenn aber ein Spinner Flachs verspinnt, um
vom Nachbar Bauer Weizen gegen das Leinengarn einzutauschen, oder wenn gar ein Fabrikant tagaus, tagein viele
Zentner von Flachs verspinnen läßt, um das Produkt zu
verkaufen, so ist dieses eine Ware. Es ist wohl auch ein Gebrauchsgegenstand, aber Gebrauchsgegenstand, der eine besondere Rolle zu spielen hat, das heißt der ausgetauscht werden soll. Man sieht es dem Leinengarn nicht an, ob es eine
Ware ist oder nicht. Seine Naturalform kann dieselbe sein, ob
es in einer Bauernhütte zur Aussteuer der Spinnerin von dieser selbst gesponnen worden oder in einer Fabrik von einem
Fabrikmädchen, das vielleicht nie auch nur einen Faden davon selbst benutzen wird. Erst an der gesellschaftlichen Rolle, der gesellschaftlichen Funktion, in der das Leinengarn tätig ist, kann man erkennen, ob es Ware ist oder nicht.

In der kapitalistischen Gesellschaft nehmen nun in immer
steigendem Maße die Arbeitsprodukte die Form von Waren
an; wenn heute noch nicht alle Arbeitsprodukte bei uns Waren sind, so deswegen, weil noch Reste früherer Produktionsweisen in die jetzige hineinragen. Sieht man von diesen
ab, die ganz unbedeutend sind, so kann man sagen, daß heute
alle Arbeitsprodukte die Form von Waren annehmen. Wir können die heutige Produktionsweise nicht verstehen, wenn wir
uns über den Charakter der Ware nicht klargeworden. Wir
haben daher mit einer Untersuchung der Ware zu beginnen.

Das Verständnis dieser Untersuchung wird jedoch unseres
Erachtens sehr gefördert, wenn wir vor allem die charakteristischen Eigentümlichkeiten der Warenproduktion im Gegensatz zu anderen Arten der Produktion darlegen. Wir gelangen
dadurch am leichtesten zum Verständnis des Standpunkts,
den Marx bei seiner Untersuchung der Ware eingenommen.

Soweit wir in der Geschichte des Menschengeschlechts zu-
rücksehen können, immer finden wir, daß die Menschen in
kleineren oder größeren Gesellschaften ihren Lebensunterhalt erworben haben, daß die Produktion stets einen gesell-

schaftlichen Charakter hatte. Marx hat diesen bereits in seinem Artikel über ›Lohnarbeit und Kapital‹ in der ›Neuen Rheinischen Zeitung‹ (1849) klar dargetan.

»In der Produktion beziehen sich die Menschen nicht allein auf die Natur«, heißt es da. »Sie produzieren, indem sie auf eine bestimmte Weise zusammenwirken und ihre Tätigkeit gegeneinander austauschen. Um zu produzieren, treten sie in bestimmte Beziehungen und Verhältnisse zueinander, und nur innerhalb dieser gesellschaftlichen Beziehungen und Verhältnisse findet ihre Beziehung zur Natur, findet die Produktion statt.

Je nach dem Charakter der Produktionsmittel werden natürlich diese gesellschaftlichen Verhältnisse, worin die Produzenten zueinander treten, die Bedingungen, unter welchen sie ihre Tätigkeiten austauschen und an dem Gesamtakt der Produktion teilnehmen, verschieden sein. Mit der Erfindung eines neuen Kriegsinstruments, des Feuergewehrs, änderte sich notwendig die ganze innere Organisation der Armee, verwandelten sich die Verhältnisse, innerhalb deren Individuen eine Armee bilden und als Armee wirken können, änderte sich auch das Verhältnis verschiedener Armeen zueinander.

Die gesellschaftlichen Verhältnisse, worin die Individuen produzieren, die gesellschaftlichen Produktionsverhältnisse, ändern sich also, verwandeln sich mit der Veränderung und Entwicklung der Produktionsmittel, der Produktionskräfte. Die Produktionsverhältnisse in ihrer Gesamtheit bilden das, was man die gesellschaftlichen Verhältnisse, die Gesellschaft nennt, und zwar eine Gesellschaft auf bestimmter geschichtlicher Entwicklungsstufe, eine Gesellschaft mit eigentümlichem, unterscheidendem Charakter.«

Einige Beispiele mögen das Gesagte illustrieren. Nehmen wir irgendein urwüchsiges Volk, das auf einer niederen Stufe der Produktion steht, bei dem Jagd einen Hauptzweig der Erwerbung von Nahrungsmitteln bildet, wie die Indianer.

Dodge berichtet in seinem Buche ›Über die heutigen Indianer
des fernen Westens‹ folgendes über deren Art und Weise, zu
jagen:

»Da Kopf und Herz nur gelegentlich zu Hilfe gerufen werden, die Anforderungen des Magens aber unaufhörlich sind,
so steht der Stamm gewöhnlich unter der Herrschaft des ›dritten Standes‹. Diese Macht besteht aus sämtlichen Jägern des
Stammes, welche eine Art Zunft oder Gilde bilden, von deren
Entscheidungen in ihrem eigenen besonderen Bereich es keine
Appellation gibt. Unter den Cheyennes heißen diese Männer
›Hundesoldaten‹. Die jüngeren und rührigeren Häuptlinge
gehören stets diesen ›Hundesoldaten‹ an, befehligen dieselben aber nicht notgedrungen. Die ›Soldaten‹ selbst verfügen
durch mündlichen Entschluß über allgemeine Angelegenheiten, deren Einzelheiten dann den unter ihnen ausgewählten
berühmtesten und scharfsinnigsten Jägern überlassen bleiben. Unter diesen ›Hundesoldaten‹ befinden sich viele Jungen, welche die einweihende Probe als Krieger noch nicht bestanden haben. Mit einem Worte, diese Jägerzunft umfaßt
die ganze Arbeitskraft der Bande und ist diejenige Macht,
welche die Weiber und Kinder beschützt und mit Nahrung
versieht.

Jedes Jahr finden die großen Herbstjagden statt, um möglichst viel Wild zu erlegen und einen bedeutenden Fleischvor-
rat für den Winter einzutun und zu dörren. Jetzt sind die
›Hundesoldaten‹ die Herren des Tages, und wehe dem Unglücklichen, der auch die unbedeutendsten ihrer willkürli-
chen oder demokratischen Bestimmungen ungehorsam zu
mißachten wagt! Wenn alles fertig ist, so ziehen die besten Jäger morgens lange vor Tagesanbruch aus. Werden mehrere
Büffelherden entdeckt, so wird diejenige zum Schlachten
ausersehen, deren Stellung so ist, daß die einleitenden Vor-
kehrungen und Manöver zum Umzingeln derselben und das
Geschrei und Schießen beim Anreiten am wenigsten imstande ist, die übrigen Herden zu beunruhigen ... Während

dieser ganzen Zeit hält der gesamte männliche Teil der Bande, welcher bei der bevorstehenden Niedermetzelung der Büffel mitzuwirken imstande ist, zu Pferde auf einem Haufen in irgendeiner benachbarten Schlucht, außerhalb des Gesichtskreises der Büffel, schweigend und vor Aufregung zitternd. Ist die Herde in einer für die Jagd günstigen Stellung, so zählen die leitenden Jäger ihre Leute ab und schicken sie unter zeitweiligen Anführern nach den vorbezeichneten Örtlichkeiten. Wenn der leitende Jäger dann sieht, daß jeder Mann an seiner richtigen Stelle und alles bereit ist, so sucht er mit einer Abteilung Reiter die Herde zu umflügeln und die offene Seite zu schließen, gibt dann das Zeichen, und nun sprengt die ganze Schar mit einem gellenden Geschrei, das beinahe die Toten auferwecken könnte, voran und dringt dicht auf das Wild ein. Binnen wenigen Minuten ist das Gemetzel in vollem Gange; einige wenige mögen den Kordon durchbrochen haben und entkommen sein, diese werden aber nicht verfolgt, wenn andere Herden in der Nähe sind.

Als noch Bogen und Pfeile allein gebraucht wurden, kannte jeder Krieger seine Pfeile und hatte keine Schwierigkeit, die von ihm getöteten Büffel positiv zu erkennen. Diese waren ganz sein individuelles Eigentum, ausgenommen, daß er um einen gewissen Teil desselben besteuert wurde zum Besten der Witwen oder der Familien, welche keinen Krieger als Versorger für sich hatten. Fanden sich Pfeile von verschiedenen Männern in demselben toten Büffel, so wurden die Eigentumsansprüche je nach deren Lage entschieden. Wenn jeder Pfeil eine tödliche Wunde verursachte, so wurde der Büffel geteilt oder nicht selten auch irgendeiner Witwe zugeschieden. Der oberste Jäger entschied alle derartigen Fragen, allein gegen seine Entscheidung konnte noch eine Berufung an das allgemeine Urteil der ›Hundesoldaten‹ eingelegt werden. Seit aber der allgemeine Gebrauch der Feuerwaffen die Identifizierung der toten Büffel unmöglich gemacht hat, sind die Indianer in ihren Ansichten kommunistischer geworden,

und die gesamte Masse von Fleisch und Häuten wird nach
irgendeinem Maßstab der gleichen verhältnismäßigen Verteilung nach ihrer eigenen Erfindung ausgeteilt.«

Wir sehen, bei diesem Jägervolk wird gesellschaftlich produziert; es wirken verschiedene Arten von Arbeit zusammen,
um ein Gesamtresultat zu erzielen.

Wir finden hier bereits Anfänge der Arbeitsteilung und
des planmäßigen Zusammenarbeitens (der Kooperation). Je
nach den verschiedenen Fähigkeiten verrichten die Jäger verschiedene Arbeiten, aber nach gemeinsamem Plane. Das
Ergebnis des Zusammenwirkens der verschiedenen Arbeiten, »des Austausches der Tätigkeiten«, wie Marx sich in
›Lohnarbeit und Kapital‹ ausdrückt, die Jagdbeute, wird
nicht ausgetauscht, sondern verteilt. Nur nebenbei sei darauf hingewiesen, wie die Änderung in den Produktions-
mitteln – Ersetzung von Bogen und Pfeil durch das Feuer-
gewehr – eine Änderung des Verteilungsmodus zur Folge
gehabt.

Betrachten wir nun eine andere, höhere Art einer gesellschaftlichen Produktionsweise, zum Beispiel die auf dem
Ackerbau beruhende indische Dorfgemeinde. Von dem urwüchsigen Kommunismus, der in derselben herrschte, finden
sich in Indien nur noch einige kümmerliche Reste. Aber
Nearch, der Admiral des mazedonischen Alexander des Großen, berichtete noch von Gegenden Indiens, wo das Land Gemeineigentum war, gemeinsam bebaut und nach der Ernte
der Ertrag des Bodens unter die Dorfgenossen verteilt wurde. Nach Elphinstone hat diese Gemeinschaft noch im Anfang
unseres Jahrhunderts in einigen Teilen Indiens bestanden.
Auf Java besteht der Dorfkommunismus in der Weise fort,
daß das Ackerland von Zeit zu Zeit von neuem unter die
Dorfgenossen verteilt wird, welche ihre Anteile nicht als Privateigentum, sondern nur zur Nutznießung für eine bestimmte Periode erhalten. In Vorderindien ist das Land meist
schon in das Privateigentum der einzelnen Dorfgenossen

übergegangen, Wald, Weide und unbebauter Boden sind jedoch vielfach noch Gemeineigentum, an dem alle Gemeindemitglieder das Nutzungsrecht haben.

Was uns an einer solchen Dorfgemeinde interessiert, die noch nicht dem zersetzenden Einfluß der englischen Herrschaft, namentlich der durch diese eingeführten Steuersysteme, zum Opfer gefallen, ist der Charakter, den die Arbeitsteilung in derselben annimmt. Wir fanden bereits bei den Indianern eine solche; eine viel höhere jedoch bietet die indische Dorfgemeinde.

Neben dem Gemeindevorstand, der Pateel heißt, wenn er aus einer einzelnen Person besteht, Pantsch dagegen, wenn er ein Kollegium von fünf Mitgliedern bildet, finden wir in der indischen Wirtschaftskommune noch eine Reihe von Beamten: den Karnam oder Matsaddi, den Rechnungsführer, der die finanziellen Verhältnisse der Gemeinde zu ihren einzelnen Mitgliedern und zu anderen Gemeinden und zum Staate zu überwachen und zu leiten hat; den Tallier für die Erforschung von Verbrechen und Übertretungen, dem zugleich der Schutz der Reisenden und deren sicheres Geleit über die Gemeindegrenze in die nächste Gemeinde obliegt; den Toti, den Flurschütz und Landvermesser, der darauf zu sehen hat, daß nicht benachbarte Gemeinden die Grenzen der Flur verrücken, ein Umstand, der sich namentlich beim Reisbau leicht ereignen kann; den Aufseher über die Wasserläufe, der sie imstande zu halten und dafür zu sorgen hat, daß sie gehörig geöffnet und geschlossen werden und jedes Feld genügend Wasser erhalte, was insbesondere beim Reisbau von großer Wichtigkeit ist; den Brahmanen zur Vollziehung der notwendigen Gottesdienste; den Schullehrer, der die Kinder im Lesen und Schreiben unterrichtet; den Kalenderbrahmanen oder Astrologen, der die glücklichen oder unglücklichen Tage für Säen, Ernten, Dreschen und andere wichtige Arbeiten auszuforschen hat; den Schmied, den Zimmermann und Radmacher; den Töpfer; den Wäscher; den Barbier;

den Kuhhirten; den Arzt; die Devadaschi (das Tanzmäd-
chen); mitunter sogar einen Sänger.

Alle diese haben für die ganze Gemeinde und deren Mitglieder zu arbeiten und werden dafür entweder durch Anteile
an der Feldmark oder durch Anteile an den Ernteerträgen
entschädigt. Auch hier bei dieser hochentwickelten Arbeitsteilung sehen wir Zusammenwirken der Arbeiten, Verteilung
der Produkte.

Nehmen wir noch ein Beispiel, das jedermann bekannt sein
dürfte: das einer patriarchalischen Bauernfamilie, die ihren
Bedarf selbst befriedigt; ein gesellschaftliches Gebilde, das
sich aus einer Produktionsweise herausentwickelt hat, wie
wir sie eben in der indischen Wirtschaftskommune geschildert haben, einer Produktionsweise, die sich im Anfang der
Entwicklung aller näher bekannten Kulturvölker nachweisen läßt.

Eine solche Bauernfamilie zeigt uns ebenfalls keine isolierten Menschen, sondern ein gesellschaftliches Zusammenarbeiten und ein Zusammenwirken verschiedener Arbeiten, die
nach Alter, Geschlecht und Jahreszeit wechseln. Da wird ge-
pflügt, gemäht, das Vieh gewartet, gemolken, Holz gesammelt, gesponnen, gewebt, genäht, geschnitzt, gezimmert
usw. Die verschiedensten Arbeiten wirken da zusammen, beziehen sich aufeinander; die Produkte werden hier ebensowenig wie in den früheren Beispielen von den einzelnen Arbeitern ausgetauscht, sondern unter diese den Verhältnissen
entsprechend verteilt.

Nehmen wir nun an, die Produktionsmittel einer Ackerbaugemeinde, wie wir sie geschildert, vervollkommneten sich
so sehr, daß weniger Arbeit als bisher dem Ackerbau zu widmen ist. Arbeitskräfte werden frei, die vielleicht, wenn die
technischen Hilfsmittel so weit entwickelt, dazu verwendet
werden, ein auf dem Gemeindegebiet gelegenes Lager von
Feuerstein auszubeuten, Feuersteinwerkzeuge und Waffen
zu fabrizieren. Die Produktivität der Arbeit ist so groß, daß

weit mehr Werkzeuge und Waffen erzeugt werden, als die Gemeinde braucht.

Ein Stamm nomadischer Hirten kommt auf seinen Wanderungen in Berührung mit dieser Gemeinde. Die Produktivität der Arbeit ist in diesem Stamme auch gestiegen, er ist dahin gekommen, mehr Vieh zu züchten, als er bedarf. Es liegt nahe, daß dieser Stamm gern seinen Überschuß an Vieh gegen überschüssige Werkzeuge und Waffen der Ackerbaugemeinde austauschen wird. Das überschüssige Vieh und die überschüssigen Werkzeuge werden durch diesen Austausch zu Waren.

Wilhelm Dilthey
Einleitung in die Geisteswissenschaften

*E*s ist einmal gesagt worden (ich glaube von Thomas Mann), daß Nietzsche ein Zentralgestirn war – und viele, die ihm folgten, waren einzelne Strahlen dieses Gestirns. Wir wollen hier sechs nennen: Wilhelm Dilthey (1833–1911), William James (1842–1910), Otto Vaihinger (1852–1933), Georg Simmel (1858–1918), Henri Bergson (1859–1941), Oswald Spengler (1888–1936).

Wenn sie alle als Strahlen einer zentralen Sonne bezeichnet werden, so will das nicht sagen, daß sie darüber hinaus nichts waren. Es will nicht einmal sagen, daß sie alle wesentlich von ihm abhängig gewesen sind. Nur gehörten sie alle in den Bereich des Denkens und Fühlens, in dem Nietzsche die weitaus stärkste, weitaus umfassendste Potenz gewesen ist. Man hat einen Namen für diesen Bereich geprägt: »Lebensphilosophie«.

Wilhelm Dilthey war elf Jahre älter als Nietzsche. Er wurde 1833 in Biebrich am Rhein geboren und wird als ›der große Historiker der Geistesgeschichte seit Hegel‹ gefeiert. Auf die Frage, was Philosophie sei, antwortet er charakteristisch, was Philosophien sind: »Abbreviaturen dessen, was für eine historische Form der Philosophie charakteristisch ist.« Er kennzeichnete die Philosophien in den verschiedenen Zeiten. Bei den Orientalen: kein Unterschied zwischen Philosophie, Religion und Kunst. Bei den Griechen: Liebe zur Weisheit, Suche nach der Weisheit. Aber dann auch schon das theoretische Weltbild. Später, nach Platon und Aristoteles: Lebensphilosophie. Für die Römer war Philosophie die »Lehrerin des Lebens, Erfindung der Gesetze, Anleitung zu jeder Tugend«.

Und auch Seneca meinte, sie lehrte, wie man zu leben hat. Dann, im Mittelalter, hatte die Philosophie die Offenbarungen des Christentums zu beweisen.

Im 17. Jahrhundert wurden die griechischen Systeme restauriert, mit Hilfe der neuen Einsichten. Man baute auf der Basis der Mathematik. Im 18. Jahrhundert war Philosophie Erkenntnistheorie und Metaphysik des Geistes. Danach wurde sie metaphysikfeindlich. Hermann Helmholtz stellte ihr die Aufgabe, »die Quellen unseres Wissens und den Grad seiner Berechtigung zu untersuchen«. Daneben wurde Philosophie mehr und mehr »Wissenschaft der inneren Erfahrung oder Geisteswissenschaft«. Man strebte eine »Naturwissenschaft der menschlichen Seele« an.

Im Gegensatz zu diesem Streben schuf Dilthey die Unterscheidung: »Beschreibende, zergliedernde und verstehende Psychologie« – und fragte: Was haben eigentlich all die verschiedenen Philosophien miteinander gemein? Und antwortete: Im Unterschied von den einzelnen Wissenschaften den Charakter der Universalität. Aber klafft hier nicht ein Abgrund zwischen dem alten Gedanken von der ewigen Wahrheit und dem neuen, daß es nur historisch begrenzte Wahrheiten gibt?

Dilthey versuchte die Unzahl der philosophischen Meinungen auf drei große Tendenzen zu reduzieren. In seinem Todesjahr, 1911, erschienen Die Typen der Weltanschauung und ihre Ausbildung in den metaphysischen Systemen. *Er fand diese drei Typen: 1. den »materialistisch-naturalistischen Positivismus«, wie er von Archimedes und Ptolemaios und Comte ausgebildet worden ist, 2. den »Idealismus der Freiheit« von Sokrates und Platon, Augustinus und Descartes bis zu Kant, Fichte und Schiller, 3. den »objektiven Idealismus« Spinozas und Hegels.*

Seinem Schüler Georg Misch zufolge hat Dilthey einmal fingiert, er habe einen Traum gehabt. Nach einem philosophischen Gespräch mit Graf York von Wartenburg

*hätte er schon müde Raffaels ›Schule von Athen‹ betrachtet,
die über seinem Bette hing – und darauf hätten sich dann im
Schlaf diese drei Gruppen gebildet.*

*Diltheys größte Sorge, die größte Sorge vieler Philosophen,
war: ist das nicht bare Skepsis? Wenn es drei Lösungen gibt,
gibt es eben keine. Hatte er nicht geschrieben: »Die letzte
Wurzel der Weltanschauung ist das Leben, das sich von jedem
Individuum aus seine eigene Welt erschafft«? Ist das nicht
wieder Nietzsches Perspektivismus? Allerdings hatte Dilthey,
haben die meisten Philosophen nicht Nietzsches Mut gehabt,
den Relativismus frei und frank zu bekennen. Dilthey sagte:
Jede Weltanschauung »drückt in unseren Denkgrenzen eine
Seite des Universums aus, jede ist wahr«, aber wenn drei wahr
sind, dann ist eben keine wahr.*

*Dilthey war nicht bereit, vor der unerforschbaren absolu-
ten Wahrheit zu resignieren. Er schrieb: »Nicht die Relativität jeder Weltanschauung ist das letzte Wort des Geistes, der
sie alle durchlaufen hat, sondern die Souveränität des Geistes
gegenüber einer jeden einzelnen von ihnen.« Diltheys Bedeutung aber liegt nicht in der Verschleierung der Skepsis, sondern in seinen Untersuchungen zur Ideengeschichte. Eine
fruchtbare Schule ging von ihm aus; die bekanntesten Namen
sind Georg Misch, Hermann Nohl, Eduard Spranger.*

Wir bringen im folgenden eine Stelle aus der Einleitung in
die Geisteswissenschaften. Versuch einer Grundlegung für
das Studium der Gesellschaft und Geschichte.

Die Geisteswissenschaften

Aus der Metaphysik löste sich ein zweiter Zusammenhang
von Wissenschaften, der ebenfalls eine in unserer Erfahrung
gegebene Wirklichkeit zum Gegenstande hat und dieselbe
aus ihr allein erklärt. Auch hier hat die Analysis für immer die

Begriffe zerstört, durch welche die metaphysische Epoche die Tatsachen gedeutet hatte. So ist die metaphysische Konstruktion der Gesellschaft und Geschichte, welche das Mittelalter geschaffen hatte, nicht nur an den dargelegten Widersprüchen und Lücken der Beweisführung zugrunde gegangen, sondern indem ihre Allgemeinvorstellungen durch eine wirkliche Zerlegung in den Einzelwissenschaften des Geistes ersetzt zu werden begannen.

Zwischen der Schöpfung Adams und dem Weltuntergang hatte diese Metaphysik die Fäden ihres Netzes von Allgemeinvorstellungen ausgespannt. In der humanistischen Epoche begann die Herstellung eines ausreichenden geschichtlichen Materials, Kritik der Quellen, Arbeit nach philologischer Methode. So wurde das wirkliche Leben der Griechen vermittels ihrer Dichter und Geschichtsschreiber wieder sichtbar. Ja, wie wir emporsteigend immer entfernter liegende Landschaften und Städte gewahr werden, so hat sich der geschichtliche Überblick den aufwärts schreitenden neueren Völkern immer mehr erweitert, und der mythische Anfang des Menschengeschlechts verschwand nun vor einer Forschung, welche den geschichtlichen Zügen in der ältesten Überlieferung nachging. Hierzu trat die Erweiterung des räumlichen, geographischen Horizontes der gesellschaftlichen Wirklichkeit. Schon den Abenteurern, welche in die neuen Weltteile jenseits des Ozeans vordrangen, traten Völker von niederer Kulturstufe und von abweichendem Typus entgegen. Unter der Gewalt dieser Eindrücke hat man gelegentlich einen schwarzen, einen roten und einen weißen Adam unterschieden. Das historische Gerüst der Metaphysik der Geschichte brach zusammen. Überall hat die historische Kritik das Gewebe der Sagen, Mythen und Rechtsfabeln zerstört, durch welche die theokratische Gesellschaftslehre die Institutionen mit dem Willen Gottes verknüpfte.

Blieb aber nicht eine metaphysische Konstruktion übrig, welche die nunmehr von der Arbeit philologischer und

historischer Kritik reinlich festgestellten Tatsachen zu einem
sinnvollen Ganzen verknüpfen würde? Die mittelalterliche
Vorstellung hatte die Einheit des Menschengeschlechtes
durch ein reales Band erklärt, wie ein solches als Seele die
Teile eines Organismus vereinige, und eine solche Vorstellung wurde nicht durch die historische Kritik zerstört wie die
von der Schenkung Konstantins. Sie hatte von ihrem theokra-
tischen Gedanken aus den Zusammenhang der Geschichte einer teleologischen Deutung unterworfen, und auch diese
wurde von den Ergebnissen der Kritik nicht direkt vernichtet. Aber nachdem einmal die festen Prämissen dieser teleologischen Deutung in der historischen Tradition von Anfang,
Mitte und Ende der Geschichte sowie in der positiv theologischen Bestimmung ihres Sinnes sich aufgelöst hatten, trat nun
die grenzenlose Vieldeutigkeit des geschichtlichen Stoffes
hervor. Hierdurch wurde die Unbrauchbarkeit eines teleologischen Prinzips der Geschichtserkenntnis nachgewiesen.
Wie denn veraltete Dogmen zumeist weniger dem direkten
Argument erliegen als dem Gefühl der Nichtübereinstim-
mung mit dem auf anderen Gebieten des Wissens Erworbenen. Die Kausaluntersuchung und das Gesetz wurden von
der Naturforschung auf die Geisteswissenschaften übertragen, so wurde der ganze Unterschied des Erkenntniswertes
von teleologischen Ausdeutungen und von wirklichen Erklärungen besser als durch jedes Argument deutlich, als man die
Entdeckungen von Galilei und Newton mit den Behauptungen von Bossuet verglich. Und im einzelnen hat die Anwendung der Analysis auf die zusammengesetzten geistigen Erscheinungen und die aus ihnen abstrahierten Allgemeinvorstellungen schrittweise diese Allgemeinvorstellungen und die
aus ihnen gewebte Metaphysik der Geisteswissenschaften
aufgelöst.

Aber der Gang dieser Auflösung der metaphysischen Vorstellungen und der Herstellung eines selbständigen Zusammenhangs der auf unbefangene Erfahrung gegründeten Kau-

salerkenntnis ist auf dem Gebiet der Geisteswissenschaften
ein viel langsamerer gewesen als auf dem der Naturwissenschaften, und es muß dargelegt werden, wodurch dies bedingt war. Das Verhältnis der geistigen Tatsachen zur Natur
legte den Versuch einer Unterordnung insbesondere der Psychologie unter die mechanische Naturwissenschaft nahe.
Und das berechtigte Streben, Gesellschaft und Geschichte als
ein Ganzes aufzufassen, hat sich nur langsam und schwer von
den aus dem Mittelalter stammenden metaphysischen Hilfs-
mitteln zur Lösung dieser Aufgabe getrennt. Dies beides erläutert die folgenden geschichtlichen Tatsachen, aber sie zeigen zugleich, wie nebeneinander fortschreitend das Studium
des Menschen, das der Gesellschaft und das der Geschichte
die Schemen metaphysischer Erkenntnisse zerstört und überall lebensvolles, wirkungskräftiges Wissen an ihre Stelle zu
setzen begonnen haben.

Der Analysis der menschlichen Gesellschaft ist der Mensch
selber als lebendige Einheit gegeben, und die Zergliederung
dieser Lebenseinheit bildet daher ihr fundamentales Problem.
Die Betrachtungsweise der älteren Metaphysik wird zunächst
auf diesem Gebiet dadurch beseitigt, daß hinter die theologische Gruppierung allgemeiner Formen des geistigen Lebens
zurückgegangen wird auf erklärende Gesetze.

Die neue Psychologie strebte also, die Gleichförmigkeit zu
erkennen, nach welcher ein Vorgang im psychischen Leben
von anderen bedingt ist. Hierdurch erwies sie die untergeordnete Bedeutung der in der metaphysischen Epoche ausgebildeten Psychologie, welche für die einzelnen Vorgänge
Klassenbegriffe aufgesucht und diesen Vermögen der Kräfte
untergelegt hatte. Es ist höchst interessant, in dem zweiten
Drittel des siebzehnten Jahrhunderts zwischen den unzähligen klassifizierenden Werken diese neue Psychologie sich erheben zu sehen. Und zwar stand sie naturgemäß zunächst unter dem Einfluß der herrschenden Naturerklärung, innerhalb
deren eine fruchtbare Methode zuerst durchgeführt worden

war. Der Einführung der mechanischen Naturerklärung
durch Galilei und Descartes folgte daher unmittelbar die
Ausdehnung dieser Erklärungsweise auf den Menschen und
den Staat durch Hobbes und danach durch Spinoza.

Spinozas Philosophie stammt aus den Prinzipien der mechanischen Schule; er ordnet augenscheinlich dem Naturbe-
griff der Trägheit das Lebendige des um sich greifenden Willens unter. Nach denselben Prinzipien ist der weitere Aufbau
einer Mechanik der psychischen Totalzustände (affectus) bei
Spinoza durchgeführt. Er zieht Gesetze hinzu, denen gemäß
psychische Totalzustände auf ihre Ursachen zurückbezogen,
nach Gleichartigkeit und Ähnlichkeit zurückgerufen und
fremde Gemütszustände in der Sympathie auf das Eigenleben
übertragen werden. Wohl war diese Theorie höchst unvollkommen. Der tote und starre Begriff der Selbsterhaltung
drückt den Lebensdrang nicht zureichend aus; wenn wir die
Theorie durch den Satz ergänzen, daß die Gefühle ein Innewerden der Zustände des Willens sind, so kann nur ein Teil
der Gefühlszustände dieser Voraussetzung untergeordnet
werden; und die Sympathie wird nur durch einen Trugschluß
aus der Selbsterhaltung abgeleitet. Aber die außerordentliche
Bedeutung von Spinozas Theorie lag darin, daß sie im Geiste
der großen Entdeckungen der Mechanik und Astronomie die
scheinbar regellosen und von Willkür geleiteten Totalzustände des psychischen Lebens dem einfachen Gesetz der
Selbsterhaltung unterzuordnen den Versuch machte. Dies geschieht, indem die Lebenseinheit, der Modus Mensch, welcher sich zu erhalten strebt, in das System der Bedingungen
gleichsam hineingezeichnet wird, welches sein Milieu bildet.
Dadurch, daß für die Selbsterhaltung Förderungen von außen
und Hemmungen in diesem Zusammenhang abgeleitet und die
so entstehenden Affektionen unter Grundgesetze der Verkettung psychischer Zustände gestellt werden, entsteht ein
Schema des Kausalsystems der psychischen Zustände. Feste
Stellen werden bezeichnet, an welchen in den so entworfenen

mechanischen Zusammenhang die einzelnen psychischen Erlebnisse eingesetzt werden. Die Definitionen der Totalzustände sind nur solche Bestimmungen der Stelle derselben in der Konstruktion des Mechanismus der Selbsterhaltung, und ihnen fehlte nur die quantitative Bestimmung, um äußerlich den Anforderungen einer Erklärung zu entsprechen.

David Hume, welcher über zwei Generationen nach Spinoza dessen Werk fortsetzte, verhält sich zu Newton genauso wie Spinoza zu Galilei und Descartes. Seine Assoziationstheorie ist ein Versuch, nach dem Vorbild der Gravitationslehre Gesetze des Aneinanderhaftens von Vorstellungen zu entwerfen. »Die Astronomen«, so erklärt er, »hatten sich lange begnügt, aus den sichtbaren Erscheinungen die wahren Bewegungen, die wahre Ordnung und Größe der Himmelskörper zu beweisen, bis sich endlich ein Philosoph erhob, welcher durch ein glückliches Nachdenken auch die Gesetze und Kräfte bestimmt zu haben scheint, durch welche der Lauf der Planeten beherrscht und geleitet wird. Das gleiche ist auf anderen Gebieten der Natur vollbracht worden. Und man hat keinen Grund, an einem gleichen Erfolg bei den Untersuchungen der Kräfte und der Einrichtung der Seele zu verzweifeln, wenn dieselben mit gleicher Fähigkeit und Vorsicht angestellt werden. Es ist wahrscheinlich, daß die eine Kraft und der eine Vorgang in der Seele von dem andern abhängt.«

So begann die erklärende Psychologie in der Unterordnung der geistigen Tatsachen unter den mechanischen Naturzusammenhang, und diese Unterordnung wirkte bis in die Gegenwart. Zwei Theoreme haben die Grundlage des Versuchs gebildet, einen Mechanismus des geistigen Lebens zu entwerfen. Die Vorstellungen, welche von den Eindrücken zurückbleiben, werden als feste Größen behandelt, die immer neue Verbindungen eingehen, aber in ihnen dieselben bleiben, und Gesetze ihres Verhaltens zueinander werden aufgestellt, aus denen die psychischen Tatsachen von Wahrnehmung, Phantasie usw. abzuleiten die Aufgabe ist. Hierdurch wird eine

Art von psychischer Atomistik ermöglicht. Jedoch werden wir zeigen, daß die eine wie die andere dieser beiden Voraussetzungen falsch ist. So wenig als der neue Frühling die alten Blätter auf den Bäumen nur wieder sichtbar macht, werden die Vorstellungen des gestrigen Tages am heutigen, nur etwas dunkler, wiedererweckt; vielmehr baut sich die erneuerte Vorstellung von einem bestimmten inneren Gesichtspunkt aus auf, wie die Wahrnehmung von einem äußeren. Und die Gesetze der Reproduktion von Vorstellungen bezeichnen zwar die Bedingungen, unter welchen das psychische Leben wirkt, doch ist unmöglich, aus diesen den Hintergrund unseres psychischen Lebens bildenden Prozessen einen Schlußvorgang oder einen Willensakt abzuleiten. Die psychische Mechanik opfert das, dessen wir in innerer Wahrnehmung innewerden, einem mit den Analogien der äußeren Natur spielenden Räsonnement auf. Und so hat die von der Naturwissenschaft geleitete erklärende Psychologie, in deren Bahnen sich später auch Herbart bewegte, die klassifizierende der älteren metaphysischen Schulen zerstört und die wahre Aufgabe der Seelenlehre im Sinne der modernen Wissenschaft gezeigt; wo sie aber selber von der Metaphysik der Naturwissenschaften beeinflußt wurde, vermag sie nicht, ihre Behauptungen aufrechtzuerhalten. Auch auf diesem Gebiet vernichtet die Wissenschaft die Metaphysik, die alte wie die neue.

Das nächste Problem der Geisteswissenschaften bilden die Systeme der Kultur, welche in der Gesellschaft untereinander verwoben sind, sowie die äußere Organisation derselben, sonach Erklärung und Leistung der Gesellschaft.

Die Wissenschaften, welche dieses Problem behandeln, begreifen ganz verschiedene Klassen von Aussagen in sich: Urteile, welche die Wirklichkeit aussprechen, und Imperative sowie Ideale, welche die Gesellschaft leiten wollen. Das Denken über die Gesellschaft hat seine tiefste Aufgabe in der Verknüpfung der einen Klasse von Aussagen mit der anderen. Die metaphysischen und theologischen Prinzipien des Mittelalters hatten eine solche ermöglicht, vermittels des Bandes, durch welches die Gottheit und das ihr einwohnende Gesetz mit dem Organismus des Staates, dem mystischen Körper der Christenheit verbunden war. Der zeitige Zustand der Gesellschaft, die Summe der Traditionen, die in ihr angesammelt war, und das Gefühl von Autorität höherer Abkunft, das sie durchdrang, standen in dieser Metaphysik mit dem Gedanken Gottes in wohlgefügter Verbindung. Dieser Verband wurde nun schrittweise gelockert. Das geschah auch hier, indem die Analysis hinter den äußeren teleologischen Zusammenhang nach Formbegriffen jetzt zurückging und einen Zusammenhang nach Gesetzen aufsuchte. Es wurde ermöglicht durch Anwendung der erklärenden Psychologie und Ausbildung der abstrakten Wissenschaften, welche die Grundeigenschaften der innerhalb der einzelnen Lebenskreise (Recht, Religion, Kunst und so weiter) zusammengehörigen Teilinhalte entwickeln. So wurden die Zweckvorstellungen des Aristoteles und der Scholastiker durch angemessene Kausalbegriffe, die allgemeinen Formen durch Gesetze, die transzendente Begründung durch eine immanente und im Studium der menschlichen Natur gewonnene ersetzt. Damit war die Stellung der älteren Metaphysik zu den Tatsachen der Gesellschaft und Geschichte überwunden.

Indem wir erläutern, wie die moderne Wissenschaft die theologische und metaphysische Auffassung der Gesellschaft zersetzt hat, schränken wir uns auf die erste Phase ein, die mit dem achtzehnten Jahrhundert abgeschlossen hinter uns liegt. Zunächst entstand nämlich das natürliche System der Erkenntnis der menschlichen Gesellschaft, ihrer Zweckzusammenhänge wie ihrer äußeren Organisation, wie es das siebzehnte und achtzehnte Jahrhundert ausgebildet haben: eine nicht minder großartige, wenn auch weniger haltbare Schöpfung als die Begründung der Naturwissenschaft.

Denn dieses natürliche System bedeutet, daß die Gesellschaft hinfort aus der menschlichen Natur verstanden werden wird, aus der sie entsprungen ist. In diesem System haben die Wissenschaften des Geistes zuerst ihr eigenes Zentrum gefunden – die menschliche Natur. Insbesondere ging nun die Analysis auf die psychologischen Wahrheiten zweiter Ordnung (wie wir sie genannt haben) zurück. Sie entdeckte in dem Seelenleben des Individuums auch die Triebfedern des praktischen Verhaltens und überwand so den alten Gegensatz zwischen theoretischer und praktischer Philosophie. Der Ausdruck dieser wissenschaftlichen Umwälzung in der systematischen Gliederung ist, daß an die Stelle des Gegensatzes der theoretischen und praktischen Philosophie der einer Grundlegung für die Wissenschaften der Natur und einer solchen für die Wissenschaften des Geistes tritt. In der letzteren ist das Studium der Erklärungsgründe für Urteile über Wirklichkeit verbunden mit dem der Erklärungsgründe für Wertaussagen und Imperative, wie sie das Leben des einzelnen und der Gesellschaft zu regeln bestimmt sind.

Die Methode, nach welcher das natürliche System Religion, Recht, Sittlichkeit, Staat behandelte, war unvollkommen. Sie war vorherrschend von dem mathematischen Verfahren bestimmt, welches für die mechanische Naturerklärung so außerordentliche Ergebnisse gehabt hatte. Condorcet war der Überzeugung, daß die Menschenrechte durch ein ebenso sicheres Verfahren entdeckt worden seien, als das der Mechanik ist. Sieyès glaubte die Politik als Wissenschaft vollendet zu haben. Die Grundlage des Verfahrens bildete ein abstraktes Schema der Menschennatur, welches in wenigen und allgemeinen psychischen Teilinhalten den Erklärungsgrund für die Tatsachen des geschichtlichen Lebens der Menschheit aufstellte. So war noch eine falsche metaphysische Methode mit den Ansätzen einer fruchtbaren Zergliederung vermischt. Aber so arm dieses natürliche System uns heute erscheinen mag, das metaphysische Stadium der Erkenntnis der Gesellschaft wurde definitiv durch diese dürftigen Sätze der natürlichen Theologie über die Religion, der Theoretiker des moralischen Sinns über Sittlichkeit, der physiokratischen Schule über das Wirtschaftsleben usw. überwunden. Denn diese Sätze entwickeln die Grundeigenschaften der innerhalb dieser Systeme der Gesellschaft zusammengehörigen Teilinhalte, setzen diese Grundeigenschaften mit der menschlichen Natur in Beziehung, und so eröffnen dieselben in das innere Wirken der Faktoren des gesellschaftlichen Lebens einen ersten Einblick.

Das letzte und am meisten verwickelte Problem der Geisteswissenschaften bildet die Geschichte.

Ernst Haeckel
Die Welträtsel

*E*rnst *Haeckel, 1834 bis 1919, war seit 1861 Professor der Zoologie in Jena. 1866 veröffentlichte er seine* Generelle Morphologie der Organismen. *Populär wurde er mit seinem Buch* Die Welträtsel, *das 1899 erschien und 1933 das 410. Tausend erreichte. Selbst ein idealistischer Gegner wie Rudolf Eucken hat seine philosophische Leidenschaft anerkannt: »Er hat seine ganze Seele an sein Werk gesetzt: schon das genügt, sein Streben hoch zu schätzen.« Das muß hier zitiert werden, weil die hier abgedruckte Stelle aus dem Nachwort zu den* Welträtseln *den Eindruck erwecken könnte, als habe Haeckel nur Gegner gehabt. Auch aus Gerhart Hauptmanns Drama* Einsame Menschen *kann man erkennen, daß Ernst Haeckels Philosophie, heute nur noch belustigt zitiert, einst einen außerordentlichen Einfluß ausgeübt hat.*

Allerdings war das philosophische Deutschland in der zweiten Hälfte des neunzehnten Jahrhunderts nicht mehr im Zentrum philosophischer Bedeutsamkeit wie zwischen 1780 und 1830. Es gab in jener Zeit keinen deutschen Philosophen, der an Bedeutung Bergson oder dem amerikanischen Pragmatismus gleichkam – von Schopenhauer und Nietzsche abgesehen. Die meisten deutschen Denker jener Zeit (etwa Fechner und Lotze) versuchten, der naturwissenschaftlichen Forschung gerecht zu werden – und trotzdem mit der Empirie irgendeinen Spiritualismus zu vereinen.

Haeckel versuchte eine monistische (pantheistische) Metaphysik auf Grund der Evolutionstheorie. Er sagte: »Nach meiner Überzeugung ist das, was man ›Seele‹ nennt, in

Wahrheit eine Naturerscheinung.« Er sagte: »*Der Mensch besitzt keine einzige ›Geistestätigkeit‹, welche ihm ausschließlich eigentümlich ist; sein ganzes Seelenleben ist von demjenigen der nächstverwandten Säugetiere nur dem Grad, nicht der Art nach, nur quantitativ, nicht qualitativ unterschieden.«* Es war seine Feindschaft gegen den metaphysischen Dualismus, der zukunftsträchtig war. Es war aber sein Dogma von der Reduzierbarkeit des Menschen auf die anderen Lebewesen, das ihn heute veraltet erscheinen läßt. Denn die philosophische Anthropologie unserer Tage (Cassirer, Plessner, Loewith) hat herausgearbeitet, wie wenig der Kampf gegen den dogmatischen Dualismus das Dogma von der Rückführbarkeit des Menschen auf frühere Stadien der Entwicklung einschließt.*

Haeckels biologischer Monismus war verbunden mit einem sehr aggressiven politischen Antiklerikalismus. Allerdings war sein Ausdruck recht oft auch Aufklärung im schlechtesten Sinne des Wortes. Das, was im achtzehnten Jahrhundert Ironie gewesen wäre, war im neunzehnten schon reichlich platt.

Die ersten Auflagen meiner Schrift über die ›Welträtsel‹, die im Herbst des Jahres 1899 erschienen, fanden einen sehr raschen Absatz; innerhalb weniger Monate wurden zehntausend Exemplare verkauft. Es war mir daher zu meinem Bedauern nicht möglich, sofort die Verbesserung einiger Fehler vorzunehmen, auf welche ich erst durch mehrere inzwischen erschienene Gegenschriften aufmerksam gemacht wurde. Erst bei Gelegenheit einer späteren Auflage fand ich hinreichend Muße, jene Irrtümer zu berichtigen.

Schon während des ersten Jahres nach dem Erscheinen meines Buches wurden mehr als hundert verschiedene Besprechungen desselben in zahlreichen Zeitschriften veröffentlicht sowie ein Dutzend größerer Broschüren. Eine

übersichtliche Zusammenstellung und kritische Vergleichung derselben gab im Herbst 1900 einer meiner Schüler,
Heinrich Schmidt, in seiner Broschüre ›Der Kampf um die
Welträtsel‹. Später ist die Zahl der Gegenschriften noch bedeutend gestiegen, nachdem Übersetzungen des Buches
in die englische, französische, italienische und spanische
Sprache erschienen waren und auch in diesen Nachbarlän-
dern starken Absatz gefunden hatten. Gegenwärtig mag die
Anzahl der verschiedenen Besprechungen wohl mehrere
hundert betragen.

Dieser unerwartete Erfolg eines philosophischen Buches
legt dem Verfasser gewissermaßen die Pflicht auf, wenigstens
die wichtigsten von jenen Gegenschriften zu beantworten
und die zum Teil sehr schweren Vorwürfe zu widerlegen. In
der Tat fühlte ich mich auch zu einer solchen umfassenden
Entgegnung, zu der ich direkt und indirekt vielfach aufgefordert wurde, meiner Neigung zuwider fast gezwungen. Die
Ausführung derselben wurde aber durch meine zweite Reise
nach Indien vereitelt, die ich im August 1900 nach Java und
Sumatra antrat und über welche ich in meinen ›Malajischen
Reisebriefen‹ Bericht erstattet habe. Wollte ich eine eingehende Antwort auf alle verschiedenen gegen die ›Welträtsel‹
gerichteten Angriffe geben, so würde ein neues Buch entstehen, weit umfangreicher als das erste. Eine derartige ausführ-
liche Gegenschrift aber erscheint mir bei der gegenwärtigen
Lage des großen Kampfes um die Weltanschauung weder
notwendig noch zweckmäßig; es genügt vielmehr, wenn ich
in diesem kurzen ›Nachwort‹ die wichtigsten Einwände be-
leuchte, starke Mißverständnisse aufkläre und meinen prinzipiellen Standpunkt nochmals klar darlege. Die äußere Veranlassung dazu gibt mir gerade jetzt, nachdem mit der letzten
(achten) Auflage 16 000 Exemplare des Buches in deutscher
Sprache verbreitet sind, die Veröffentlichung der billigen
Volksausgabe. Zu einer solchen war ich schon im Laufe des
letzten Jahres von mehreren Seiten dringend aufgefordert

worden; ich konnte mich aber zur Erfüllung dieses Wunsches
– trotz mancher Bedenken – erst jetzt entschließen, bewogen
durch den starken Erfolg der englischen Übersetzung. Von
dieser hatte die ›Rationalist Press Association‹ in London zu
Ende vorigen Jahres eine billige Volksausgabe veranstaltet
und innerhalb dreier Monate 30 000 Exemplare abgesetzt.
Durch die deutsche Volksausgabe wird es nunmehr auch
unbemittelten Gebildeten (namentlich Lehrern und Studierenden) möglich sein, sich mit dem Inhalt des Buches bekanntzumachen; ich habe darin tatsächlich Irrtümer verbessert, viele
Sätze gekürzt und überflüssiges Beiwerk (Motti, Literatur-
angaben) sowie sämtliche Anmerkungen fortgelassen.

Der überraschende Erfolg der ›Welträtsel‹ erklärt sich
wohl großenteils durch das stetig wachsende Bedürfnis weiter
Bildungskreise nach einer klaren, einheitlichen Weltanschauung. Die Gewinnung einer solchen wird von Tag zu Tag
schwieriger durch das erstaunliche Wachstum der empirischen Spezialforschung und die damit verknüpfte vielfache
Arbeitsteilung in allen einzelnen Wissensgebieten. Je mehr
sich hier der denkende Beobachter in der unübersehbaren
Masse von besonderen Einzelheiten zu verlieren droht, desto
lebhafter wird auf der andern Seite sein Bedürfnis nach der
Gewinnung einheitlicher Gesichtspunkte und einer allgemeinen Übersicht über das ganze Erkenntnisgebiet. Eine solche
Philosophie kann aber nur auf naturwissenschaftlicher
Grundlage ruhen, auf kritischer Zusammenfassung aller
allgemeinen Ergebnisse der Erfahrungswissenschaften. Zu
einer solchen echten ›Naturphilosophie‹ ist jeder denkende
und wissenschaftlich gebildete Mensch berechtigt; sie ist
nicht das privilegierte Eigentum einer bevorzugten Gelehr-
ten-Kaste.

Die allgemeinen Betrachtungen, welche ich diesem
›Nachwort zu den Welträtseln‹ voranschicken möchte, sind
ganz dieselben, welche David Strauß vor dreißig Jahren in
seiner meisterhaften Broschüre gegeben hat: »Ein Nachwort

als Vorwort zu den neuen Auflagen meiner Schrift: ›Der alte und der neue Glaube‹.« Alles, was hier in vollkommenster Form der größte Theologe des 19. Jahrhunderts über die Entstehung und Absicht seines berühmten Buches sagt, über die Motive und Methoden seiner zahlreichen Gegner zur Begründung und Verteidigung seines ›Bekenntnisses‹ – alles das gilt wörtlich auch für mich und meine ›Welträtsel‹. Denn auch dieses Buch ist nur das offene und ehrliche Bekenntnis eines Mannes, der ein halbes Jahrhundert hindurch nach Erkenntnis der Wahrheit geforscht hat und der nun die allgemeinen Ergebnisse seiner mühsamen Forschungen nach bestem Wissen und Gewissen seinen Mitmenschen nutzbar machen möchte. Indem ich also bezüglich aller allgemeinen Beziehungen auf jenes klassische ›Bekenntnis‹ von David Strauß und auf die Erklärungen seines bedeutungsvollen ›Nachworts‹ hinweise, begnüge ich mich hier mit einer kurzen Entgegnung auf diejenigen Broschüren über die Welträtsel, welche am dringendsten dazu auffordern; es sind die beiden philosophischen Schriften von Paulsen und Adickes, die beiden theologischen von Loofs und Nippold.

Unter allen Gegenschriften, die seit drei Jahren gegen mein Buch veröffentlicht wurden, hat mich keine in so hohem Maße überrascht und befremdet, als diejenige von Friedrich Paulsen, Professor der Philosophie an der Universität Berlin. Sie erschien im Juli 1900 im ersten Hefte des 101. Bandes der Preußischen Jahrbücher, unter dem Titel: Ernst Haeckel als Philosoph; sie wurde dann später abgedruckt in einer Sammlung von Aufsätzen, betitelt ›Philosophia militans‹; ›gegen Naturalismus und Klerikalismus‹. Diese Schmähschrift verurteilt nicht allein mein ganzes Buch in den schärfsten Ausdrücken, sie übergießt nicht nur alle angreifbaren Stellen desselben mit Spott und Hohn – sondern, was schlimmer ist: Paulsen verschweigt viele wichtige Sätze meiner Weltanschauung, in denen er mit mir übereinstimmt, und rupft dagegen aus dem Reste alle die Sätze heraus, die ihm zum Angriff geeignet erscheinen. Eine verblüffende Dreistigkeit ist es, wenn Paulsen fortwährend behauptet, daß ich die Philosophie überhaupt verwerfe, während ich doch mehr Gewicht auf sie lege als die meisten andern Naturforscher; was ich bekämpfe, ist die herrschende falsche Metaphysik! Es genügt zur Charakteristik von Paulsens Pamphlet, wenn ich hier seine Schlußsätze wörtlich anführe: »Ich habe mit brennender Scham dieses Buch gelesen, mit Scham über den Stand der allgemeinen Bildung und der philosophischen Bildung unseres Volkes. Daß ein solches Buch möglich war, daß es geschrieben, gedruckt, gekauft, gelesen, bewundert, geglaubt werden konnte bei dem Volk, das einen Kant, einen Goethe, einen Schopenhauer besitzt, das ist schmerzlich! Indessen: ›Nosce te ipsum!‹«

Dieses maßlose Verdammungsurteil von Paulsen gehört zu den härtesten und heftigsten, die mir in den langen vierzig Jahren meiner literarischen Kämpfe entgegengeschleudert worden sind. Der unbefangene Leser könnte vermuten, daß ein scharfer persönlicher Gegensatz hinter demselben sich verberge; indessen ist das nicht der Fall. Weder kenne ich Professor Paulsen persönlich, noch habe ich jemals in einer literarischen Beziehung zu ihm gestanden – ausgenommen, daß ich auf Seite 2 der ›Welträtsel‹ seine ›Einleitung in die Philosophie‹ vor vielen ähnlichen Büchern dem Leser zum Studium empfohlen habe. Sein Buch ist vortrefflich geschrieben und gibt eine klare Übersicht über die wichtigsten Probleme der Weltanschauung. Der persönliche Standpunkt des Verfassers ist der herrschende, durch die Autorität von Kant gedeckte Dualismus, obgleich gerade Paulsen am wenigsten berechtigt ist, sich zum Verteidiger von Kant aufzuwerfen; daß gerade ihm das Verständnis für die Kantische Philosophie in hohem Maße abgeht, wird von den tüchtigsten Kantforschern einstimmig behauptet (zum Beispiel von Cohen, Vorländer, Goldschmidt und anderen). Andererseits bemüht Paulsen sich doch, in den meisten kosmologischen Fragen den Anforderungen der modernen Naturwissenschaft gerecht zu werden, und stimmt darin mit den wichtigsten Hauptsätzen meines Monismus überein. Daher haben mehrere unparteiische Zuschauer dieses Kampfes darauf hingewiesen, daß der von Paulsen geschaffene schroffe Gegensatz zu meinen Prinzipien ein ganz künstlicher ist und daß seine scharfen Angriffe unbegreiflich sind. Die einzig mögliche Erklärung derselben liegt in dem maßlosen (auch von anderen Gegnern geteilten) Ärger über den literarischen Erfolg meiner ›Welträtsel‹ und darüber, daß überhaupt ein Naturforscher sich untersteht, Studien über ›Philosophie‹ zu veröffentlichen. Denn dieses Recht steht nach ihrer Ansicht nur den privilegierten ›Fachmännern‹ zu; sie halten eben für wahre ›Philosophie‹ nur die transzendentale, auf ›Erkenntnisse a priori‹ gegründete Metaphysik; hingegen bin ich mit den meisten anderen Naturphilosophen der Überzeugung, daß die ersten Grundlagen aller wahren Philosophie auf der Naturerkenntnis beruhen und durch denkende Erfahrung – a posteriori entstanden sind. Auf eine Widerlegung der gehässigen und sophistischen Angriffe von Paulsen im einzelnen einzugehen würde zu nichts führen; es ist ihm nicht um Erkenntnis der Wahrheit zu tun, sondern um Vernichtung eines verhaßten Gegners. Da Paulsen jedoch als unterhaltender Feuilleton-Schreiber mit Recht sehr beliebt ist und als redegewandter Lehrer der Metaphysik in Berlin großen Einfluß übt, möchte ich noch besonders darauf hinweisen, daß er als selbständiger Philosoph keine Geltung hat und nicht einen einzigen neuen Gedanken oder Begriff in die ›Weltweisheit‹ eingeführt hat; daher auch sein Ingrimm über die zahlreichen neuen Lehrsätze und Begriffe, zu deren Aufstellung ich im Laufe fünfzigjähriger Gedankenarbeit durch das beständige Bestreben geführt wurde, die moderne Entwicklungslehre zur festen Grundlage unserer gesamten Weltanschauung zu machen.

Ein weit ehrlicherer und anständigerer Gegner als der Berliner Sophist ist Erich Adickes, Professor der Philosophie in

Kiel – obgleich auch er mich als Philosoph für eine Null erklärt. Seine Gegenschrift (130 Seiten stark) ist betitelt ›Kant
contra Haeckel; Erkenntnistheorie gegen naturwissenschaftlichen Dogmatismus‹ (Berlin, 1901). Schon in diesem Titel ist
richtig der unversöhnliche Gegensatz ausgesprochen, in welchem sich unser moderner Monismus zu dem durch Kant vertretenen Dualismus befindet. Seit dreißig Jahren predigt die
herrschende Schul-Philosophie ihr ›Zurück zu Kant‹ als einziges Rettungsmittel, während gleichzeitig die moderne Biologie auf den Schultern von Darwin ihre Antwort ruft: »Zurück zur Natur!« Dieser prinzipielle Gegensatz zwischen der
Kantischen Metaphysik und der Darwinschen Entwicklungslehre hat sich neuerdings immer schärfer entwickelt, je mehr
die letztere ihr erklärendes Licht über das ganze weite Gebiet
des organischen Lebens und des darin inbegriffenen menschlichen Seelenlebens ergoß . . .

Was zunächst die Religion betrifft, so ist es eine offenkundige Unwahrheit, wenn viele meiner Gegner mich ohne weiteres als Feind derselben hinstellen. Es war mein vollkommener Ernst, wenn ich 1892 in meiner Altenburger Rede den
›Monismus als Band zwischen Religion und Wissenschaft‹ zu
begründen versuchte; und ebenso war es meine volle Überzeugung, wenn ich im 18. Kapitel der ›Welträtsel‹ ›unsere
monistische Religion‹ und im 19. ›unsere monistische Sittenlehre‹ auf dem Grunde unserer modernen Entwicklungslehre
festzustellen versuchte. Der Unterschied dieser monistischen
Religion und Ethik von allen anderen Formen derselben besteht nur darin, daß wir als festes Fundament derselben ausschließlich die reine Vernunft in Anspruch nehmen, die Weltanschauung auf Grund der Wissenschaft, der Erfahrung und
des vernünftigen Glaubens (der wissenschaftlichen Hypothese). Im Gegensatz dazu stehen alle Religons-Formen, welche
sich auf sogenannte ›Offenbarungen‹ stützen, das heißt
auf übernatürliche Erscheinungen, welche der wissenschaftlichen Erfahrung und der reinen Vernunft widersprechen,

mithin dem weiten Phantasiegebiete der Dichtung angehören oder dem Bereiche des unvernünftigen Glaubens, das
heißt des ›Aberglaubens‹.

Das Christentum in dieser Beziehung zu betrachten – wenn
auch nur vorübergehend – war unvermeidlich, wenn ich meinem Buche einen gerundeten Abschluß geben wollte; und so
war ich denn gezwungen, im 17. Kapitel der ›Welträtsel‹ eine
allgemeine Übersicht über ›den wachsenden Gegensatz
zwischen moderner Naturerkenntnis und christlicher Weltanschauung‹ zu geben; ich mußte den neuen Glauben der
Vernunft und den alten Glauben der Offenbarung gegenüberstellen. Wenn daraufhin viele meiner Gegner mich
schlechthin als ›Feind des Christentums‹ denunzieren, so entspricht das nicht der Wahrheit. Denn ich habe stets den wertvollen Kern seiner reinen Sittenlehren anerkannt, vor allem
das ethische Grundgesetz oder die ›goldene Regel‹, das auch
den Kern unserer monistischen Ethik bildet. Zwar war dasselbe nicht neu (wie ich im 19. Kapitel gezeigt habe); aber es
bleibt das hohe Verdienst des Christentums, das Gebot der
Menschenliebe und Selbstverleugnung mehr als alle anderen
Religionen betont und zu einem der wichtigsten Kultur-Faktoren erhoben zu haben. Im Laufe von fast zwei Jahrtausenden hat sich der ethische Wert des echten Christentums –
trotz aller Verunstaltungen durch seine ›Kirche‹ und deren
Diener – so vielseitig fruchtbar bewährt und ist so eng mit den
verschiedensten Einrichtungen des höheren Kulturlebens
verwachsen, daß es in der Hauptsache deren Grundlage auch
in der Zukunft bilden wird.

Anders ist der Wert des dogmatischen Christentums, welchem als Hauptpflicht der blinde Glaube an einen bunten
orientalischen Sagenkreis gilt, an Wunder und Zaubermärchen und an Legenden von übernatürlichen Erscheinungen,
welche im Lichte der reinen Vernunft als unmöglich erscheinen. Dieses dogmatische Lehrgebäude ist im Laufe des neunzehnten Jahrhunderts haltlos zusammengebrochen. Die

scharfsinnige Kritik der Kirchengeschichte hat gelehrt, daß die Lehren des Alten und Neuen Testamentes auf Traditionen von sehr verschiedenem Alter und Werte beruhen. Die Archäologie des Orients hat nachgewiesen, daß ein großer Teil der Bibel von Babel stammt und daß der Monotheismus der Hebräer schon lange vor Moses in Babylon Wurzel hatte. Die kritischen Forschungen nach dem ›Leben Jesu‹ haben uns überzeugt, daß diese herrliche Ideal-Figur des christlichen Trinitäts-Glaubens nicht der ›Sohn Gottes‹, sondern ein edler Mensch von höchster sittlicher Vollkommenheit war (vorausgesetzt die historische Existenz seiner Person, die doch auch von kritischen Theologen bestritten wird!). Die fortgeschrittene Kosmologie und Astronomie hat das geozentrische Himmelsbild des Altertums ebenso zerstört wie die moderne Biologie das anthropozentrische Menschenbild des Christentums. Endlich hat uns die Entwicklungslehre bewiesen, daß das Menschengeschlecht weiter nichts ist als ein spät aus Primaten-Ahnen entstandener Zweig des Säugetierstammes und daß die Seele der einzelnen Personen ebensowenig unsterblich sein kann, wie die der anderen Wirbeltiere.

Dieser fundamentale Gegensatz der modernen Wissenschaft gegen den christlichen Wunderglauben ist nicht nur durch die unbefangenen Forschungen der verschiedensten historischen und philosophischen Autoritäten zur Gewißheit geworden, sondern auch durch die kritischen Untersuchungen der bedeutendsten christlichen Theologen selbst; ich erinnere nur an die bahnbrechenden Deutschen David Strauß und Ludwig Feuerbach, an den Franzosen Ernst Renan und den Engländer Stewart Ross. Der letztere hatte 1896 unter dem Pseudonym Saladin eine besonders scharfe ›kritische Untersuchung des jüdisch-christlichen Religions-Gebäudes auf Grund der Bibelforschung‹ gegeben. Daß ich mich in meinem 17., besonders hart angegriffenen Kapitel mehrfach auf diese Autorität bezogen habe, ist mir von meinen

theologischen Gegnern zum allerschwersten Vorwurf gemacht worden. Wieweit dieser sachlich berechtigt ist, vermag
ich nicht zu entscheiden, da die spezielle Theologie mir zu
fern liegt. Ich kann nur entgegnen, daß erstens Saladin unzweifelhaft ein sehr vielseitig gebildeter Theologe ist und daß
andererseits seine unumwundene Kritik der Bibel, besonders
der klare Nachweis unzähliger Irrtümer und Widersprüche in
diesem ›Wort Gottes‹, dem unbefangenen gesunden Menschenverstand ohne weiteres einleuchtet. In vielem einzelnen
hat gewiß Saladin – zu dem ich keinerlei persönliche Beziehungen habe – ebenso geirrt wie alle anderen Bibel-Ausleger.
Auch muß ich vielfach den gehässigen Ton seiner scharfen
Angriffe auf ›Jehovas gesammelte Werke‹ mißbilligen. Wenn
aber jetzt evangelische und katholische Theologen diesen
englischen Kollegen in der heftigsten Weise angreifen und mit
den derbsten Schimpfworten beehren, so dürften sie daran
zu erinnern sein, daß sie unter sich vielfach gegenseitig
in gleicher Weise verfahren. Von demselben Ton und
Wert sind die Bannflüche, welche der römische Papst gegen
alle Andersgläubigen schleudert, und die Verdammungs-
Urteile, mit denen die orthodoxen Häupter der evange-
lischen Synoden die liberalen Theologen des Protestanten-
Vereins belegen.

Unzweifelhaft besitzen viele Sagen und Legenden der ›Biblischen Geschichte‹ (– nicht alle! –) einen hohen ethischen
und namentlich pädagogischen Wert, ebenso wie viele Mythen
und Erzählungen anderer Religionen und wie diejenigen des
klassischen Altertums. Auch sind die Phantasie-Gebilde derselben von höchster Bedeutung für alle Zweige der Kunst, der
Dichtkunst und der Tonkunst ebenso wie der bildenden
Kunst. Wir verdanken ihnen eine Fülle der herrlichsten
Schöpfungen des Menschengeistes; und für unser Gemüt ist
diese Ideal-Welt eine unerschöpfliche Quelle der Erbauung
und des Trostes inmitten unseres unvollkommenen realen
Lebens. Aber dieselben Ideal-Gebilde bergen in sich die

höchsten Gefahren, wenn sie als reale Wahrheiten gepredigt
werden, von deren Anerkennung Seligkeit oder Verdammnis
abhängt; und wenn sie zur Grundlage oder gar zur Voraussetzung der Wissenschaft gemacht werden. Dann gleitet die
letztere unaufhaltsam auf der schiefen Ebene der Mystik in
die Arme des Aberglaubens; sie wird zur Todfeindin der reinen Vernunft.

Vollends verderblich werden diese Ideal-Gebilde der Dichtung, wenn sie als übernatürliche ›Offenbarungen‹ gedeutet
und von der praktischen Vernunft zu politischen und weltlichen Zwecken gemißbraucht werden. Dann entwickelt sich
jenes verderbliche Übergewicht der geistlichen über die weltliche Macht, jene unzähmbare Herrschsucht der Kirche,
welche den Staat lediglich zu ihren egoistischen Zwecken aus-
beutet. Je höher und anspruchsvoller sich die einheitliche
Organisation der Kirche erhebt, desto gefährlicher wird sie
für den von ihr bedrohten Kulturstaat. Das lehrt vor allem die
Geschichte des Papismus oder Ultramontanismus, der großartigsten und erfolgreichsten Hierarchie in der gesamten Kulturgeschichte.

Der Hinweis auf diese größte Gefahr der modernen Kultur
erscheint gerade jetzt geboten, wo im deutschen Reichstag
das römische Zentrum den Ausschlag gibt und wo diese politische Partei den Deckmantel der Religion benutzt, um jede
freie Entwickelung der modernen Kultur zu hemmen und
den denkenden Geist in Fesseln zu schlagen. Täglich wird
dieser Kulturkampf gefahrdrohender. Die leitenden Staatsmänner der beiden größten deutschen Staaten, ebenso des
überwiegend protestantischen Preußens wie des katholischen
Bayerns, weichen in unbegreiflicher Verblendung und Feigheit vor den maßlos frechen Angriffen der ultramontanen
Kirche zurück, und der jammervolle Reichstag fördert diese
Niederlagen. Während in dem republikanischen Frankreich
die einsichtige und energische Regierung den römischen Klerus zum Gehorsam gegen die Staatsgesetze zwingt und den

vatikanischen Todfeind der modernen Kultur mit fester
Hand niederhält, geschieht in dem monarchischen Deutschland das Gegenteil. Der deutsche Reichstag, der sich mit vielen Debatten vor der ganzen gebildeten Welt lächerlich gemacht hat, fordert beharrlich vom Bundesrat die Zulassung
der Jesuiten, die selbst in vielen katholischen Staaten wegen
ihres gemeingefährlichen Treibens immer wieder ausgewiesen werden. Dagegen werden die Altkatholiken, welche die
ursprüngliche katholische Religion in ihrer Reinheit wiederherstellen wollen, und deren Förderung im eigensten Interesse des Staates läge, von diesem im Stich gelassen. Die
Reichsregierung läßt sich von den Schmeichelworten des römischen Papstes und seiner Bischöfe umgarnen und macht ihren gefährlichsten Feinden die größten Konzessionen. Dieser
bedauerlichen Sachlage gegenüber muß der energische Kampf
gegen den Ultramontanismus allen Vaterlands-Freunden zur
sittlichen Pflicht gemacht werden. Denn dieser mächtige
Feind der höheren Geisteskultur ist viel gefährlicher als die
Sozial-Demokratie. Das hat einleuchtend Graf von Hoens-
broech gezeigt, der in seinem großen Werk ›Das Papsttum in
seiner sozial-kulturellen Wirksamkeit‹ auf Grund der sichersten historischen Quellen den ganzen ungeheuren Trug der
römischen Hierarchie entlarvt hat.

Die mächtigste Waffe in diesem neuen Kulturkampfe bleibt
die Aufklärung und Bildung des Volkes; kein Weg führt
sicherer zu derselben als derjenige der unbefangenen Natur-
Erkenntnis, und vor allem ihrer jüngsten herrlichen Frucht,
der Entwicklungslehre. Wenn in diesem heißen Kampfe der
laute Ruf erschallt: »Völker Europas, wahrt eure heiligsten
Güter« – so können wir von unserem monistischen Standpunkt aus darunter nur die Wahrung der Vernunft gegenüber
dem Aberglauben verstehen. Unser Monismus ist im Sinne
von Goethe zugleich der reinste Monotheismus. In diesem
Sinne mag auch diese neue Ausgabe der ›Welträtsel‹ – als ein
ehrliches und offenes ›Glaubensbekenntnis der reinen Ver-

nunft‹ – dazu dienen, in weiten Kreisen die veredelnde Bildung des Volkes zu heben und den Kultus unserer idealen Gottheit zu fördern, der Dreieinigkeit des Wahren, Guten und Schönen!

Jena, am 2. April 1903.

Grimms Deutsches Wörterbuch
Artikel »Gemüt«

*J*akob Grimm, geboren 1785, gestorben 1863, begann ein Werk, zusammen mit seinem Bruder Wilhelm, das erst vor rund 20 Jahren zur Vollendung gekommen ist: Grimms Deutsches Wörterbuch.

In ihm sollte der neuhochdeutsche Sprachschatz gesammelt und etymologisch-historisch erläutert werden. Jakob Grimm war besonders für diese Aufgabe geeignet. Er hatte einen Instinkt für das anschauliche Bild, aus dem das abstrakte Wort gewachsen war. Er hat nur den ersten und den dritten Band dieses gewaltigen Monumentalwerks schreiben können. Sein Bruder Wilhelm stellte noch Band II fertig. Dann wurde das Werk fortgesetzt von Weigand, Hildebrand, Heyne, Lexer, von Generationen von Germanisten bis zum Jahr 1954, in dem es abgeschlossen worden ist. Wir entnehmen eine charakteristische, interessante Probe dem Band IV, der im Jahre 1897 erschien, bearbeitet von Rudolf Hildebrand.

Gemüt – Der Bedeutungswandel eines deutschen Wortes. ›Gemüt‹ ist das Kollektivum zu ›mut‹, althochdeutsch gimuati, mittelhochdeutsch gemüete, mittelniederdeutsch gemode, auch gemote und gemot. Das Gemüt ist ursprünglich, wie der Mut, unser Inneres überhaupt im Unterschied vom Körper oder Leib, daher ›Leib und Gemüt‹ und ähnliches wie ›Leib und Seele‹. So noch im achtzehnten Jahrhundert, ›Körper

und Gemüte‹, der ganze Mensch. – Da ohne Aneignung kein
Nahrungsstoff weder in das Gemüt noch in den Körper übergeht. W. von Humboldt: ›Ästhet. Versuche‹ 1. 13. Auch bild-
lich, um das rechte Verhältnis zwischen Fürst und Staat klarzumachen: . . . der Fürst ist also das Gemüte, respublica das
corpus. J. von Wedel: ›Hausbuch‹ 189. Daher auch das Gemüt für den Mann selber, wo das Geistige in Frage kommt;
oder auch ›mein Gemüt‹, wie mhd. ›min muot‹, gleich ›Ich‹ –
wie anderseits so häufig min lip. Unterm Volke ist noch beliebt zum Beispiel: Ich war damals recht ruhig in meinem
Gemüte, wo der Gebildete: ›in mir‹, ›bei mir‹ sagt. ›Gemüt‹
wird lange dem lateinischen ›mens‹ gleichgesetzt – auch in bezug auf Gott selbst: Anaxagoras hat vermeint, Gott sei ein
Gemüt ohn Ende, das sich von ihm selbst beweget. (Alpinus
P. Verg.) Nach Thomas von Aquino ›in mente aedificatori in
mente divina‹: aus dem Vater als aus göttlichem Gemüt fleusst
der sun als gottes Wort und Weisheit. Man sieht, wie weit es
da von dem heutigen Begriff entfernt war, wie viel umfassender. Dies zeigt sich besonders darin, daß dem Gemüt auch das
Denken, Verstand und Vernunft zugeeignet werden, und
zwar bis nahe an unsere Zeit heran.

So denkt denn das Gemüt auch im tiefsten Sinne. »Wem
Foebus macht ein Herz aus tüchtigem Geblüte / dem leibt er
gleichfalls ein ein lebendes Gemüte / das Lust zur Weisheit
hat . . .« heißt es bei Fleming. Im Jahre 1684 erschien in Jena
ein Buch von Erhart Weigel: ›Von der Wirkung (Tätigkeit)
des Gemüts, die man das rechnen heißt‹. – »Wenn man als
Hypothese annimmt, daß dem Gemüt im empirischen Denken . . . ein Vermögen der Nerven unterlegt sei« – bei Kant –
»in dem ersten Falle befindet es (das Gemüt) sich, wenn es
empfindet, in dem zweiten, wenn es denkt« – bei Schiller
(Ästhet. Briefe).

Für uns jetzt ist es auch auffällig, wie ›Geist‹ und ›Gemüt‹
früher gleichgesetzt werden oder sonst in engster Beziehung
erscheinen, während sie für uns eigentlich zu Gegensätzen

geworden sind; aber auch ›Geist‹ hat von Haus aus nicht die
heutige Einseitigkeit, eben wie ›Gemüt‹ von der andern Seite.
Das Gemüt ist früher die Wohn- und Werkstätte der Vorstellungen, inneren Bilder; noch im ganzen 18. Jahrhundert hat
das Gemüt nicht bloß mit Anschauungen, auch mit Begriffen
und Ideen zu tun. Es fällt aber zugleich von jeher mit ›Seele‹
und ›Herz‹ zusammen oder berührt sich nahe damit, nur daß
auch diese beiden bis ins achtzehnte Jahrhundert in unserem
Innenleben einen viel weiteren Kreis beherrschen als jetzt. So
ist das Wesentlichste des Begriffes die Einheit unsers Inneren,
in der auch der Geist in dem heutigen engeren Sinne mit auf-
geht als in seinem Ganzen; es kommt ›Gemüt‹ darin mit ›Sinn‹
ganz oder nahe überein, worin auch jener ursprünglichen
Einheit ein glücklicher Ausdruck aus alter Zeit her bewahrt
geblieben ist bis heute.

Die sprachlichen Bilder dienen dazu, Begriff und Wesen
des Gemütes deutlicher zu zeichnen, wie sie sich im Sprach-
bewußtsein ein- und ausgeprägt haben. Das Gemüt ist unser
Inneres, nicht nur dem Leibe, auch der Welt gegenüber, in
das man sich zum Beispiel von und aus der Welt zurückzieht,
um sich selbst, sein reines Ich wiederzufinden. Dies Innere
hat aber wieder sein Innerstes, seine Tiefe und ähnliches.

So, in der mittleren Zeit, Eckhardt: »In der Verborgenheit
des Gemütes, wan dem ist got allerheimlichest«; so in der neueren, Goethe: »Kehrte ich dann wieder zu meinem Freunde
Jacobi zurück, so genoß ich des entzückenden Gefühls einer
Verbindung durch das innerste Gemüt«; oder Fichte: »Sage
mir, worauf deine Gedanken, wenn du nicht mehr mit straf-
fer Hand sie nach einem Ziele hinrichtest, sondern ihnen zur
Erholung erlaubst, frei zu schweifen, worauf sie sodann fallen ... woran du dich in der innersten Tiefe deines Gemütes
ergötzest.« – Also ›Gedanken‹ des innersten Gemütes, noch
nicht wesentlich anders als im siebzehnten Jahrhundert: »die
innersten Gedanken des Gemüts revelieren« (Schuppius).

Es hat das Gemüt in und neben dieser Tiefe aber auch seine

Weite: Es kann sich ausdehnen in die Welt und diese in sich aufnehmen sowohl an der Hand der Augen, der Sinne, als an der Hand der Gedanken; auch das Ewige, ja Himmel und Erde kann es in sich aufnehmen: »Der Jugend Nachtgefährt ist Leidenschaft .../ der Greis hingegen wacht mit hellem Sinn / und sein Gemüt umschließt das Ewige.« (Goethe, Epimenides Erwachen.)

Es ist in sich bewegt oder still; es strebt und trachtet, es steht oder ist hoch oder niedrig; in mutiger Freudigkeit oder gedrückter Lage; es ist in sich heiter, klar oder trübe, düster; es ist und wird auch so und so gestimmt, eigentlich wie ein Saitenspiel, durch äußere Einflüsse oder aus sich; es wird gesättigt, gespeist, erquickt und belebt. Noch manche andre Bilder dienen zur Verdeutlichung der wechselnden Zustände des Gemüts: zum Beispiel ein wild Gemüt, animus sylvestris; dagegen ›gelindes Gemüt‹. Hartes und weiches Gemüt, ja auch ein verbeintes, verknöchertes; nicht vom Empfinden, sondern vom Wollen und Denken, wie in dieser Wendung des Schuppius: ».. . welche ein so verbeintes Gemüt tragen« (daß sie ihre Geheimnisse nicht doch einmal verraten).

Dem Gemüt gehört insbesondere das Gebiet der Kunst und des Schönen an oder fällt damit zusammen. In diesem liegt die rechte Arbeitsstätte des Gemütes, in seinem reinsten Sinn, wobei der Begriff bald weiter, bald enger genommen wird: »Freie Wirksamkeit des Gemüts ist der Wirkung des Schönen wesentlich« (Schiller). Oder bei Goethe in der Einleitung zu den Propyläen vom Jahre 1798: »So ist es, besonders in der neuern Zeit, noch viel seltener, daß ein Künstler sowohl in die Tiefe der Gegenstände als in die Tiefe seines eigenen Gemüts zu dringen vermag, um etwas Geistig-Organisches hervorzubringen.« – Goethe tritt da in die ästhetische Sprache und Denkweise Schillers, nach Kant, ein.

So in der Schrift ›Der Sammler und die Seinigen‹ – »und doch gibt es einen allgemeinen Punkt, in welchem die Wirkungen aller Kunst, redender sowohl als bleibender, sich

sammeln, aus welchem alle ihre Gesetze fließen. – Gast: Und
dies wäre? – Das menschliche Gemüt.«

Bei den Romantikern werden Poesie und Gemüt einfach als
gleich gesetzt. Zum Beispiel von Friedrich von Schlegel in den
sogenannten Fragmenten: »Gemüt ist die Poesie der erhabenen Vernunft, und durch Vereinigung mit Philosophie und
sittlicher Erfahrung entspringt aus ihr die namenlose Kunst,
welche das verworrne flüchtige Leben ergreift und zur ewigen Einheit bildet.« (Athenaeum 1798). – Tieck in der ›Vorrede zu den altdeutschen Minneliedern‹ (1803): »... denn es
gibt doch nur eine Poesie (die durch alle Völker und Zeiten
dahingeht) ... sie ist nichts weiter als das menschliche Gemüt
selbst in allen seinen Tiefen, jenes unbekannte Wesen, welches immer ein Geheimnis bleiben wird ... Je mehr der
Mensch von seinem Gemüte weiß, je mehr weiß er von der
Poesie, ihre Geschichte kann keine andre sein als die des Gemüts von den ersten Offenbarungen und dem Wunderglauben der Kindheit an ...«

Daher das ›Gemüt‹ für den Dichter besonders wesentlich,
ja sein innerstes Wesen selber, als Spiegel seiner Welt. So
›dichterisches‹, ›poetisches‹ Gemüt, in dem besonderen Sinne, und auch auf andere Künste angewandt: »So erinnere ich
mich (Tieck) eines Streites über die Landschaftsmalerei, in
welchem ich seine, Novalis', Ansicht nicht fassen konnte, die
aber nachher aus eignem reichen poetischen Gemüt der Land-
schaftsmaler Friedrich großenteils wirklich gemacht hat.«

Wie fern aber noch um 1800 dem allgemeinen Sprachbe-
wußtsein der heutige engere Begriff lag, zeigt sicher Adelungs
Begriffsbestimmung noch in der zweiten Ausgabe (1796), der
zwar ›Gemüt‹ und ›Geist‹ schon sondert, bei jenem aber
nichts sagt von dem Leben in Gefühlen und Empfindungen,
das für uns jetzt das Gemütsleben im engeren Sinne ausmacht. ›Gemüt‹ ist ihm »die Seele, in Ansehung der Begierden und des Willens, so wie sie in Ansehung des Verstandes
und der Vernunft oft der Geist genannt wird«. Bei Campe

(1808) ist es »das gesamte Begehrungsvermögen des Menschen, sowohl das vernünftige als das sinnliche«, dann aber nachträglich: »Seit einigen Jahren ist es zum Modewort für ›Seele‹ geworden, und neue Schriftsteller gebrauchen es häufig von einem Zustande und Ausdrucke des sanften liebenden Begehrens.« Das Auftreten des neuern engeren und engsten Begriffes ist sicher zu erkennen, wenn ›Geist und Gemüt‹, ›Verstand und Gemüt‹ im Unterschied oder Gegensatz auftreten, oder wenn einem das Gemüt gar abgesprochen wird; der engere Begriff beschränkte es auf Gefühl und Empfinden, der engste machte dies Empfinden zu einem mehr leidenden als tätigen. Die schärfere oder entschiedene Trennung zeigt sich sicher erkennbar, wenn zum Beispiel eins ohne das andere auftreten kann: »Aus demselben Grunde ist es einem Volke der ersten Art (nämlich der lebendigen Sprache, wie den Germanen) mit aller Geistesbildung rechter eigentlicher Ernst ... dagegen einem von der letztern Art (mit nicht lebendiger Sprache, wie den Romanen) diese vielmehr ein genialisches Spiel ist ... die letztern haben Geist, die erstern haben zum Geiste auch noch Gemüt« (Fichte, Reden). Oder wenn beide in demselben Manne scharf geschieden werden: »Aber nach seinem Gemüt wirst du unstreitig mehr fragen als nach seinem Geist und Genie« (Schleiermacher an seine Schwester im Jahre 1797). Es ist also wie mit ›Kopf‹ und ›Herz‹ als Gegensätze, die sich auch erst im achtzehnten Jahrhundert, doch früher als ›Geist‹ und ›Gemüt‹ getrennt haben, während im sechzehnten Jahrhundert ›Kopf‹ auch für das Gemütsleben gebraucht wird, wie ›Herz‹ auch für Denken und Wissen.

Noch schärfer erscheint die Trennung bei ›Gemüt‹ und ›Verstand‹, die allerdings auch im sechzehnten Jahrhundert schon geschieden auftreten, als die beiden Bestandteile der Seele: mens und animus; so bei Fischart im podagrammisch Trostbüchlein: »In der sel steck das gemüt.«

Während im sechzehnten Jahrhundert die Tätigkeit von

Verstand oder Verständnis auch im Ganzen des Gemüts inbegriffen sind, ja beide als gleichgesetzt werden, auch bei
Kant und Schiller noch der Verstand als eine Gemütskraft erscheint neben der Einbildungskraft, so gut wie die Vernunft
– treten sie am Ende des achtzehnten Jahrhunderts auseinander. Sie erscheinen nun nebeneinander, als verschiedene Seiten oder Richtungen des Geistes oder der Seele, wie Geist und
Gemüt. – »Ein anderes, versetzte Klingsohr, ist es mit der
Natur für unsern Genuß und unser Gemüt, ein anderes für
unsern Verstand, für das leitende Vermögen unserer Welt-
kräfte. Man muß sich wohl hüten, nicht eins über das andere
zu vergessen« (Novalis). »Mein Verstand geht in die Schule
bei ihr, und mein uneinig Gemüt besänftiget, erheitert sich
täglich in ihrem Frieden« (Hölderlin). Aber sie erscheinen
auch in starker Trennung, selbst als sich ausschließende Gegensätze oder Gegner. Man findet die Beispiele bei Schiller
schon, dann bei neueren Schriftstellern, wie Wolfgang Men-
zel, Wienbarg. An ihnen – aus einem Zeitraum von nur etwa
vierzig Jahren – sieht man, wie sich die beiden ›Gemütskräf-
te‹, das Denken und Empfinden, die sonst mehr einig Hand in
Hand gingen, nun trennen wollen und trennen, wie sie aus
Brüdern zu Gegnern, ja Feinden werden. Der Gegensatz ist
nun ganz geläufig ausgeprägt, zum Beispiel in der Unterscheidung von Gemütsmensch und Verstandesmensch, während doch die alte Einheit, in der alles Heil beruht, in Wahrheit noch genügend waltet, wenn uns zum Beispiel so oft
Menschen begegnen, die zugleich ›verständig‹ und ›gemüt-
lich‹ heißen können. Übrigens gehörte zum Verständnis der
ganzen wichtigen Bewegung oder Verschiebung im Quellge-
biete unsres geistigen Lebens eigentlich die Ausführung, wie
der Begriff ›Verstand‹ sich auch erst seit so kurzer Zeit zugespitzt hat, wie auf der andern Seite der Begriff ›Gemüt‹. Am
schärfsten wird der Begriff zugespitzt, wenn man von Menschen ›ohne Gemüt‹ spricht, sie ›gemütlos‹ nennt (wie man
nun andrerseits Leuten auch den ›Verstand‹ abspricht), was

mit dem alten Begriffe ganz unmöglich war. So braucht Goethe das Wort ganz im heutigen Sinne, wenn er schreibt: »– Auch war sie die einzige, die diese Begebenheit von Nahem ansah und ganz ohne Empfindung blieb. Ich tue ihr nicht zu viel, wenn ich sage, daß sie kein Gemüt und die eingeschränktesten Begriffe hatte.« Oder Fichte, wenn er von den Germanen spricht, die zum Geiste auch noch Gemüt haben, während die Romanen nur Geist hätten, also kein Gemüt. So tritt der neue Begriff auch bei Herder schon auf, im Gegensatz zu Kant, dessen Gebrauch des Wortes im alten weiten Sinne er verwirft. »Und welche elende Rolle spielt der Name Gemüt in diesen wie in andern Stellen des kritischen Probabilismus!« – das heißt, er verstand Kants Gebrauch des Wortes nicht mehr, der in der hier angefochtenen Äußerung (Kritik der reinen Vernunft 848) Gemüt nicht als Gegensatz zum Verstand meint, sondern als diesen mitumfassend, als Wohn- und Arbeitsstätte des Ichs überhaupt.

Die erste Erörterung des Begriffes von ›Gemüt‹, die noch bei Kant fehlt, indem er ihn als gegeben und bekannt voraussetzt, hat wohl Friedrich Schlegel versucht, in den ›Fragmenten‹, wenn er die Vergleichung vornimmt mit ›Sinn‹, ›Geist‹ und ›Seele‹, freilich jugendlich orakelhaft und verschwimmend: Sinn, der sich selbst sieht, wird Geist. Geist ist innre Geselligkeit (Geisterverkehr), Seele ist verborgene Liebenswürdigkeit. Aber die eigentliche Lebenskraft der innern Schönheit und Vollendung ist das Gemüt. Man kann etwas Geist haben ohne Seele, und viel Seele bei weniger Gemüt. Der Instinkt der sittlichen Größe aber, den wir Gemüt nennen, darf nur sprechen lernen, so hat er (auch) Geist und so weiter.

Gemüt ist ihm die »Poesie der erhabenen Vernunft«. Oder: »Wer nur Sinn hat, sieht keinen Menschen, sondern bloß Menschliches, dem Zauberstabe des Gemüts allein tut sich alles auf« – also: vom Geist unterschieden und doch in nächster Beziehung zu ihm, ja als eigentlicher Kern und Keim auch des

Geisterlebens, aber noch nicht in dem heutigen engeren Sinne, der durch ›Seele‹ vertreten ist, sondern als die wesentlichste Kraft in uns, welche die Welt in ihrem Kern und Wesen erfaßt – das heißt, es ist wesentlich Kants und Schillers ›Gemüt‹ in einem Versuch schärferer begrifflicher Fassung und mit romantisch bunter Färbung zugleich im Grunde wieder das ›Ich‹ in seinem Geheimnis.

Der Begriff wendete sich in dieser Zeit einseitig nach der Seite des Empfindungslebens und spitzte sich dahin zu bis ins Übermaß. Nach dieser Seite neigt besonders das ›Gemüt der Frauen‹, von dem nun gern die Rede ist (noch nicht aber zum Beispiel in Schillers ›Würde der Frauen‹). »Wie bei einem Manne der äußre Adel zum Genie, so verhält sich die Schönheit der Frauen zur Liebesfähigkeit, zum Gemüt« (Friedrich Schlegel, Athenaeum). Auf Mißbrauch des neuen Modewortes schon im Anfang unsres Jahrhunderts, gewiß ebenso in der Gesellschaft wie in der Literatur, deutet eine Äußerung Goethes, erst aus dem Nachlaß mitgeteilt, etwa aus den zwanziger Jahren: »Die Deutschen sollten in einem Zeitraum von dreißig Jahren das Wort Gemüt nicht aussprechen, dann würde nach und nach Gemüt sich wieder erzeugen. Jetzt heißt es nur Nachsicht mit Schwächen, eignen und fremden.« Den neuen Begriff des Wortes nach der guten Seite spricht er in derselben Zeit einmal so aus ». . . ein freies Walten der Einbildungskraft (verlangt Manzoni vom Dichter), welche besonders dem, was der Deutsche ›Gemüt‹ nennt, dem innern Gefühl, worin alle gutartigen Menschen übereinkommen, das heißt also der Humanität ganz eigentlich zusagen solle« – mit dem Hinzufügen: »Genau betrachtet, dürfte hier kein Streit sein (das heißt zwischen klassisch und romantisch), denn die Alten haben ja auch unter bestimmten Formen das eigentliche Menschliche dargebracht, welches immer zuletzt, wenn auch im höchsten Sinne, das Gemütliche bleibt –« das heißt, in dem Sinne und der Verwendung für die Kunst, wie er sie schon im ›Sammler und den Seinigen‹ verfocht, und, aufs Leben angewandt, in einem Spruche aus gleicher Zeit, der (nach seiner Umgebung zu urteilen) an ihn selbst gerichtet erscheint: »Ohne Umschweife / begreife / was dich mit der Welt entzweit: / nicht will sie Gemüt, will Höflichkeit. Sie will nicht hören, wie dir ›zumute‹ ist, die Wahrheit deines Inneren« – mit dem ›Menschlichen‹ vorhin eigentlich zusammenfallend. Denn daß er hier nicht etwa den engsten Begriff von ›Gemüt‹ für sich in Anspruch nimmt, verbürgt zum Überfluß eine Äußerung vom Jahre 1805, die scharf vorgeht gegen die neue Romantik in der bildenden Kunst, die »durch Frömmelei ihr unverantwortliches Rückstreben beschönigende Kunst«, durch die er seine eigenen Kunstbestrebungen auf einmal als veraltet verdrängt fühlt: »Gemüt wird (nun) über Geist gesetzt. Naturell über Kunst, und so ist der Fähige wie der Unfähige gewonnen.« Vergleiche noch jenen Ausruf: »Gefühl habt ihr alle, aber keinen Geist!«

Auch vom ›deutschen Gemüt‹, das sich eben damals endlich wiederfand unter dem äußern Druck und der inneren Erhebung, ist nun wieder gern die Rede, und der Begriff fand darin eigentlich seine reine Vollendung; denn neu war der Ausdruck keineswegs; er ist schon im fünfzehnten Jahrhundert zu belegen, dann aus dem sechzehnten und siebzehnten bei Fischart und Moscherosch; es sind aber da Redlichkeit, Festigkeit, Zuverlässigkeit die Eigenschaften des ›deutschen Gemütes‹, aber auch Dankbarkeit und Treue (so bei der Elisabeth Charlotte von Orleans). Nun aber treten die Eigenschaften der Tiefe und Innigkeit, das reine Empfinden dabei in den Vordergrund, so zum Beispiel, wenn es Fichte zur Ehre des ›deutschen Geblüts und Gemüts‹ anmerkt, daß wir in der mechanischen Auffassung des Staatsbegriffes gegen das Ausland zurückblieb. In solchem Sinne wird bei Arndt wie bei Heine, bei Auerbach wie bei Geibel das deutsche Volksgemüt gepriesen. Auf den einzelnen aber angewandt, wird es nun besonders gebraucht von Menschen mit einem reichen oder weichen Gefühlsleben, aber mit der stillen Voraussetzung, daß darüber bei ihnen einerseits scharfes Denken, andererseits die Tatkraft zu kurz kommen. So spricht man von einem ›sanften, innigen, tiefen, warmen, weichen Gemüt‹, einem ›zufriedenen, stillen, duldsamen Gemüt‹, von ›frommen, sinnigen, redlichen Gemütern‹, die zum Beispiel vor einer kalten Wahrheit oder einer entschiedenen Tat zurückscheuen, und ›starkes, festes, großes Gemüt‹ und Ähnliches, die anfangs und lange ebenso geläufig waren wie jene, sind dem Sprachvorrat entwichen, obwohl zum Glück nicht dem Leben. Wie aber unterm Volke der alte Begriff nachlebt, zeigt zum Beispiel eben das ›gute Gemüt‹. Es wird da einer gelobt, man sagt, er sei von ›Gutem Gemüt‹, man meint aber guten Charakter, Gemütsart, und er kann dabei gar tatkräftig sein. Auch im höhern Gebrauch lebt doch vom alten, weiteren und kräftigeren Begriffe noch manches halb bewußt nach, was aus zeitgenössischen Blättern und Schriften zu sammeln wäre. Man möchte dem edlen Worte, das wirklich unsrer Sprache eigentümlich angehört, und den Übersetzern gar eigne Schwierigkeiten macht, wie der entsprechenden Sache ein gesundes Wiederaufleben herzlich wünschen.

Fürst Peter Kropotkin
Memoiren eines Revolutionärs

Im Jahre 1899 erschienen in London die Memoiren eines Revolutionärs *von Fürst Peter Alexejewitsch Kropotkin in zwei Bänden. Die deutsche Ausgabe wurde 1901 veröffentlicht und von dem berühmten dänischen Literaturhistoriker Georg Brandes eingeleitet.*

Kropotkin, 1842 in Moskau geboren, stammte aus einem der ältesten Adelsgeschlechter und diente zwischen 1862 und 1867 bei den Amurkosaken. Dann studierte er in Petersburg Mathematik, wurde Sekretär der Geographischen Gesellschaft, unternahm in ihrem Auftrag Expeditionen und veröffentlichte Forschungen über die Gletscherperiode.

Auf einer Reise, die er 1872 nach Belgien und in die Schweiz machte, lernte er den Sozialismus kennen und schloß sich der sozialistischen Internationale an. Nachdem er nach Rußland zurückgekehrt war, wurde er ein Anhänger der ›Nihilisten‹; unter dem Namen Borodin nahm er an geheimen Arbeiterkonferenzen teil. 1874 wurde er verhaftet und in die Peter-Pauls-Festung gebracht, dann ins Gefängnis des Militärhospitals in Petersburg. Von hier floh er 1876 nach England. Ein Jahr später ging er in die Schweiz und redigierte die Zeitung ›La Révolte‹, die in Genf erschien. Vier Jahre darauf wurde er ausgewiesen. 1881 wurde er in Lyon zu fünf Jahren Gefängnis verurteilt, nach drei Jahren aber begnadigt. Bis zum Jahre 1917 lebte er in London, ging dann nach Rußland zurück und starb 1921.

Seine Memoiren, *die Erinnerungen eines russischen Fürsten, der ein russischer Revolutionär wurde, schildern den*

Hof und das Gefängnis, Kaiser, Großfürsten und Proletarier,
das glänzende Rußland und das ausgebeutete. Sie gehören zu
jenem Typ von Autobiographien, die mehr eine Welt darstel-
len als ein Ich. Georg Brandes charakterisierte dies Werk mit
den Worten: »Er ist eifriger bestrebt, eine Schilderung seiner
Zeit als seiner selbst zu geben . . .« und setzte, im Jahre 1901,
hinzu: »Es gibt augenblicklich zwei große Männer in Ruß-
land, deren Denken im Dienste des russischen Volkes steht
und deren Gedanken der Menschheit zugute kommen, Tol-
stoi und Kropotkin.«

Wir bringen im folgenden eine Stelle, die sich mit dem Be-
griff ›Nihilismus‹ befaßt. Sie kann diejenigen, die ihn als
Schimpfwort gebrauchen, belehren, was er bei seiner Geburt
im neunzehnten Jahrhundert gewesen ist.

Inzwischen entwickelte sich unter der gebildeten russischen
Jugend eine gewaltige Bewegung. Die Leibeigenschaft war
aufgehoben. Es blieb aber als Folge dieser zweihundertfünf-
zig Jahre bestehenden Institution im häuslichen Leben in
mehrfacher Beziehung ein gut Teil Sklaverei zurück. Diese
bekundete sich vornehmlich in der despotischen Mißachtung
menschlicher Individualität seitens der Väter und in der
heuchlerischen Unterwürfigkeit der übrigen Familienmit-
glieder, der Frauen, Söhne und Töchter. Am Anfang des
neunzehnten Jahrhunderts herrschte in Europa, wie man aus
Thackerays und Dickens' Romanen zur Genüge ersehen
kann, überall in bedeutendem Maße ein häuslicher Despotismus, aber nirgends sonst hatte sich diese Tyrannei so üppig
entfaltet wie in Rußland. Hiervon legt das ganze russische
Leben in der Familie, in den Beziehungen zwischen Vorgesetzten und Untergebenen, zwischen Offizieren und Soldaten, zwischen Arbeitgebern und Angestellten Zeugnis ab.
Eine ganze Welt von Unsitten und falschen Anschauungen,

von Vorurteilen und moralischer Feigheit, von Gewohnheiten, wie sie ein träges Leben erzeugt, hatte sich allmählich herausgebildet, und selbst die Besten dieser Zeit zahlten jenen Produkten der Periode der Sklavenzeit einen reichen Tribut.

Das Gesetz war hier ohnmächtig. Nur eine das Übel an der Wurzel angreifende, kräftige soziale Bewegung konnte eine Reform in den Gewohnheiten und Sitten des täglichen Lebens hervorbringen, und diese Bewegung – diese Empörung des Individuums – gewann in Rußland einen weit entschiedeneren und radikaleren Charakter als sonstwo in Westeuropa oder Amerika. ›Nihilismus‹ nannte sie Turgenjew in seinem epochemachenden Roman ›Väter und Söhne‹.

Diese Bewegung wurde in Westeuropa falsch verstanden. So wird der Nihilismus in der Presse nicht vom Terrorismus unterschieden. Die revolutionären Unruhen, die gegen das Ende der Regierungszeit Alexanders II. ausbrachen und schließlich zu dem tragischen Tode des Zaren führten, werden regelmäßig als nihilistisch bezeichnet. Das ist jedoch ein Irrtum. Den Nihilismus mit dem Terrorismus zusammenzuwerfen ist ebenso verkehrt als eine philosophische Bewegung wie den Stoizismus oder den Positivismus mit einer politischen Bewegung, zum Beispiel dem Republikanismus, zu identifizieren. Der Terrorismus wurde zu einem gegebenen historischen Zeitpunkt durch bestimmte besondere Momente des politischen Kampfes ins Leben gerufen. Er hat bestanden und hat sein Ende gefunden. Er kann wieder aufleben und wieder verschwinden. Aber der Nihilismus hat dem ganzen Leben der gebildeten Klassen Rußlands ein eigenes Gepräge aufgedrückt, und dieses Gepräge wird noch eine gute Reihe von Jahren vorhalten. Seiner herberen, bei einer jungen Bewegung der Art unvermeidlichen Züge meist entkleidet, verleiht er noch jetzt vielfach dem Leben der gebildeten Klassen Rußlands einen gewissen, besonderen Charakter, dessen Nichtvorhandensein im westeuropäischen Leben uns Russen bedauerlich erscheint. Eine Erscheinungsform des Nihilismus ist es auch, wenn vielen von unsern Schriftstellern jene beachtenswerte Aufrichtigkeit, jene Gewohnheit, ›laut zu denken‹, eigen ist, die westeuropäischen Lesern so erstaunlich erscheint.

Zuvörderst erklärte der Nihilist den Krieg gegen alles, was man ›die konventionellen Lügen der zivilisierten Gesellschaft‹ nennen kann. Unbedingte Aufrichtigkeit war für ihn charakteristisch, und um dieser Aufrichtigkeit willen gab er jeden Wahn, jedes Vorurteil, jede Angewohnheit und Sitte auf, die sich vor dem Richterstuhl ihrer eigenen Vernunft nicht rechtfertigen ließen, und forderte von andern das gleiche Verhalten. Vor keiner Autorität außer der Vernunft wollte er sich beugen; er unterzog alle sozialen Einrichtungen oder Sitten einer kritischen Prüfung und empörte sich dabei gegen jede Art von mehr oder minder verhülltem Sophismus.

Natürlich warf er den Aberglauben seiner Väter von sich und war seiner philosophischen Auffassung nach ein Positivist, ein Agnostiker, ein Evolutionist in Spencerschem Sinne oder ein Anhänger des wissenschaftlichen Materialismus; und während er niemals den einfachen, aufrichtigen religiösen Glauben, der eine psychologisch begründete Forderung des Gefühls bildet, bekämpfte, wandte er sich heftig gegen die Heuchelei, welche die Leute antreibt, sich die Maske einer Religion anzulegen, die sie doch beständig als unnützen Ballast beiseite werfen.

Das ›gesittete‹ Leben ist voll von kleinen konventionellen Lügen. Wenn sich Leute, die einander nicht leiden mögen, auf der Straße treffen, so lassen sie ihr Gesicht von einem glücklichen Lächeln erglänzen; der Nihilist blieb gleichgültig und lächelte nur denen zu, über deren Begegnung er sich wirklich freute. Alle nur zum Schein dienenden äußeren Höflichkeitsformen waren ihm in gleicher Weise verhaßt, und er nahm sogar als einen Protest gegen die glatte Liebenswürdigkeit seiner Väter eine gewisse äußere Rauheit an. Er bemerkte, wie jene sich in ihren Reden in ungehemmter idealer Sentimentalität ergingen und sich doch zur selben Zeit in ihren Handlungen als wirkliche Barbaren gegen ihre Frauen, Kinder und Leibeigenen zeigten; und er empörte sich gegen diese Art von Sentimentalität, die sich schließlich so gut mit den nichts weniger als idealen Zuständen des russischen Lebens abzufinden verstand. In der Kunst machte sich der kritisch verneinende Geist in ebenso durchgreifender Weise geltend. Das beständige Geschwätz von Schönheit, Ideal, Kunst um der Kunst willen, Ästhetik und dergleichen, in dem man sich so gern erging – während doch jeder Kunstgegenstand mit Geld bezahlt wurde, das man halbverhungerten Bauern und schlecht bezahlten Arbeitern entzogen hatte, und während der sogenannte ›Kultus des Schönen‹ nichts war als eine Maske für die gemeinste Zügellosigkeit –, dieses Geschwätz widerte ihn an, und die Kritik der Kunst, die einer der größten Künstler des neunzehnten Jahrhunderts, Tolstoi, jetzt so hinreißend formuliert hat, faßte der Nihilist der sechziger Jahre in der Versicherung zusammen: »Ein Paar Stiefel ist mehr wert als alle eure Madonnen und all euer spitzfindiges Geschwätz über Shakespeare.«

Ehe ohne Liebe und vertrauter Verkehr ohne Freundschaft wurde ebenfalls verworfen. Die Nihilistin, die ihre Eltern nötigten, eine Puppe in einem Puppenhause zu sein und sich zu einer Geldheirat herzugeben, ließ lieber ihr elterliches Haus und ihre seidenen Kleider im Stich; sie legte ein schwarzes Wollenkleid der einfachsten Art an, schnitt ihre Haare kurz und besuchte eine Hochschule, um sich selbständig ihr Brot verdienen zu können. Sah eine Frau, daß ihre Ehe keine Ehe mehr war – daß weder Liebe noch Freundschaft mehr die verband, die vor dem Gesetz als Weib und Mann galten, so zerbrach sie lieber die Bande, die allen ihren Wert verloren hatten; oft genug schaute sie mit ihren Kindern der Armut ins Auge, zog aber Einsamkeit und Elend einem bequemen Leben vor, in dem sie ihr besseres Ich beständig verleugnen mußte.

Der Nihilist betätigte seine Wahrheitsliebe sogar in den geringsten Angelegenheiten des täglichen Lebens. Ohne Rücksicht auf die konventionellen Formen gesellschaftlicher Unterhaltung gab er seinen Gedanken in einfacher, ungeschminkter Weise Ausdruck, ja er suchte sich dabei wohl absichtlich den Anschein der Rauheit zu geben.

Wir pflegten in Irkutsk einmal wöchentlich abends zusammenzukommen, wobei auch etwas getanzt wurde. Eine Zeitlang besuchte ich diese Gesellschaften regelmäßig, kam aber dann, weil ich zu arbeiten hatte, immer seltener. Als ich mehrere Wochen hintereinander weggeblieben war, fragte eines Abends eine von den Damen einen jungen Freund von mir, warum ich mich nicht mehr sehen ließe. »Er reitet jetzt, wenn er Bewegung braucht«, lautete die nicht eben höfliche Erwiderung. »Er könnte aber doch auf ein paar Stunden in unsern Kreis kommen, ohne zu tanzen«, wagte eine andere zu bemerken. »Was sollte er hier?« versetzte mein nihilistischer Freund, »mit Ihnen über Mode und Putz reden? Er hat genug von dem Unsinn gehabt.« »Aber er kommt doch hin und wieder mit Fräulein Soundso zusammen«, warf schüchtern eine dritte ein. »Ja, aber die ist ein geistig strebsames Mädchen«, entgegnete er derb, »er hilft ihr beim Studium des Deutschen.« Ich muß noch erwähnen, daß diese zweifellos grobe Zurückweisung zur Folge hatte, daß die meisten von den Irkutskerinnen in nächster Zeit meinen Bruder, meinen Freund und mich mit Fragen bestürmten, was sie nach unserm Rate lesen oder studieren sollten. Mit derselben Offenheit trat der Nihilist seinen Bekannten gegenüber und sagte ihnen, all ihr Gerede über ›diese armen Leute‹ sei bloße Heuchelei, solange sie von der schlecht bezahlten Arbeit dieser Leute lebten, die sie bei ihrer Unterhaltung in den Prunkzimmern gemächlich bedauerten. Und mit dem gleichen Freimut erklärte auch ein Nihilist einem hohen Beamten, er (der Beamte) frage gar nichts nach der Wohlfahrt seiner Untergebenen, sondern sei einfach ein Dieb!

Herb erschien gewiß auch der Nihilist, wenn er einer Dame unumwunden sagte, sie habe allein am Klatsch ihre Freude und sei nur auf ihre feinen Manieren und ausgesuchte Toilette stolz, oder wenn er einem jungen Mädchen ohne Umschweife erklärte: »Wie, Sie schämen sich nicht, solchen Unsinn zu schwatzen und einen täuschenden Chignon an sich zu tragen?« In einem Weibe wollte er einen Kameraden, ein menschliches Wesen, aber keine Puppe und keinen Kleiderstock sehen und wies es mit Entschiedenheit von sich, die kleinlichen Höflichkeitsbeweise mitzumachen, mit denen die Männer den von ihnen mit Vorliebe als ›schwächeres Geschlecht‹ angesehenen Frauen entgegenzutreten pflegen. Trat eine Dame ins Zimmer, so sprang ein Nihilist nicht von seinem Sitz auf und bot ihn ihr an, wenn sie nicht etwa offenbar müde war und sich kein anderer Sitz im Zimmer befand. Sein Verhalten gegen sie unterschied sich nicht von dem gegen einen Kameraden männlichen Geschlechts. Wenn aber eine Dame, die ihm vielleicht im übrigen völlig fremd war, etwas zu lernen wünschte, das er kannte und sie nicht, so kam es ihm nicht darauf an, jeden Abend bis in das entgegengesetzte Stadtende zu gehen, um ihr bei ihren Studien zu helfen. Der junge Mann, der keine Hand rührte, einer Dame eine Tasse Tee zu reichen, überließ einem Mädchen, das studienhalber nach Moskau oder Petersburg kam, seine einzige Privatstunde, die ihm seinen Lebensunterhalt verschaffte, mit den einfachen Worten: »Ein Mann kann leichter Arbeit finden als eine Frau. In meinem Anerbieten soll nichts Ritterliches liegen, es entspringt nur dem Gefühle der Gleichheit und Brüderlichkeit.«

Zwei große Romandichter, Turgenjew und Gontscharow, haben diesen neuen Typus in ihren Werken darzustellen versucht. Gontscharow bot in seinem ›Absturz‹ eine Karikatur des Nihilismus, indem er wohl nach dem Leben zeichnete, aber ein dem Durchschnitt keineswegs entsprechendes Mitglied jener Richtung sich auswählte. Turgenjew war ein zu

großer Künstler, war auch selbst zu sehr für den neuen Typus
von Bewunderung erfüllt, um sich zur Zeichnung eines Zerr-
bildes verleiten zu lassen, aber auch sein Nihilist, Basarow,
befriedigte uns nicht. Er war uns, besonders in seinen Beziehungen zu seinen alten Eltern, zu rauh, und vor allem warfen
wir ihm seine anscheinende Vernachlässigung seiner Bürger-
pflichten vor. Der russischen Jugend konnte die rein negative
Haltung von Turgenjews Helden nimmermehr genügen. Der
Nihilismus war mit seiner Betonung der Rechte jedes einzelnen und seiner Ablehnung aller Heuchelei nur der erste
Schritt zu einem höheren Typus von Männern und Frauen,
die, ebenso frei von Vorurteilen, in positiver Arbeit ihr
Leben einer großen Sache weihen. In Tschernischewskys
als Kunstwerk weit tiefer stehendem Roman ›Was tun?‹
fanden die Nihilisten bessere Abbilder ihrer selbst.

»Bitter ist das Brot, das Sklavenhand bereitet«, schrieb der
russische Dichter Nekrassow. Das junge Geschlecht wollte
tatsächlich dies Brot nicht essen noch den Reichtum genießen, der im väterlichen Hause durch Sklavenarbeit angehäuft
war, mochten die Arbeiter wirkliche Leibeigene oder Lohn-
sklaven des bestehenden Wirtschaftssystems sein.

Mit Erstaunen erfuhr das ganze Rußland aus der Anklageschrift gegen Karakosow und seine Freunde, daß diese jungen
Männer, die über ein beträchtliches Vermögen verfügten, zu
dreien oder vieren in einem Zimmer wohnten, mit je zehn
Rubeln monatlich ihren ganzen Unterhalt bestritten und dabei ihr Vermögen für kooperative Genossenschaften, kooperative Werkstätten, in denen sie selbst mitarbeiteten, und
dergleichen hergaben. Fünf Jahre später taten Tausende und
aber Tausende, und zwar die Auserlesensten der russischen
Jugend, das gleiche. Ihre Losung war: »W narod!« (zum Volke; seid Volk!). Während der Jahre 1860 bis 1865 fand fast in
jeder reichen Familie ein erbitterter Kampf statt zwischen den
Vätern, die die alten Traditionen aufrechterhalten wollten,
und den Söhnen und Töchtern, die für das Recht stritten, ihr

Leben nach ihren eigenen Idealen einrichten zu dürfen. Vom Dienst im Heer, vom Ladentisch, von der Werkstätte strömten die jungen Männer nach den Universitätsstädten. Mädchen aus den vornehmsten Häusern eilten ohne einen Pfennig nach Petersburg, Moskau und Kiew, voll eifrigen Verlangens, etwas zu erlernen, das sie vom häuslichen Joche und vielleicht auch von dem drohenden Ehejoche frei machen könnte. Nach hartem und erbittertem Kampfe errangen auch viele diese persönliche Freiheit. Nun wollten sie sie aber nützlich anwenden, nicht zu eigenem, persönlichem Gewinn, sondern um sie dem Volke, das sie selbst frei gemacht hatte, zu übermitteln.

Otto Weininger
Geschlecht und Charakter

In einer Einleitung zu seinem Buch Die Sittlichkeitsmeta-
physik Otto Weiningers *schrieb Paul Biro im Jahre 1927:
»Bekanntlich gehört Otto Weininger zu den meistgelesenen,
meistbestaunten und meistgeschmähten Denkern der neuesten Zeit.«*

*Das ist also vor 50 Jahren geschrieben worden. Heute ist
Otto Weininger so wenig »meistgelesen«, »meistbestaunt«
und »meistgeschmäht«, daß er den meisten wohl unbekannt
ist. Schlägt man Lexika nach, so wird man entdecken, daß er
entweder gar nicht erwähnt ist oder höchstens mit ein paar
Zeilen.*

*Vielleicht ist einer der Gründe, daß seine Theorie von der
Zweigeschlechtlichkeit, von der psychophysischen Bisexualität des Menschen in der modernen Sexologie und für das allgemeine Bewußtsein eine Selbstverständlichkeit geworden ist:
männliche und weibliche Elemente sind gemischt unter der
Dominante von Männlich oder Weiblich. Der andere Grund
für sein Verschwinden aus dem Gedächtnis der Lebenden ist
wahrscheinlich der Umstand, daß seine Frauenfeindschaft
heute ohne jedes Echo sein muß. Seine These lautete: »Amora-
lität, nicht Antimoralität des Weibes.«*

Doch seinerzeit war Otto Weiningers Geschlecht und Charakter, *das 1903 erschien, eine der aufsehenerregenden Schriften um die Jahrhundertwende. Der Freitod des Dreiund-
zwanzigjährigen machte das Buch zu einer Sensation.*

*Weininger wuchs in einem kultivierten Wiener Bürgerhaus
auf. Sein Vater, ein hervorragender Kunstgewerbler, ein*

Kenner und Liebhaber der Musik, machte auf den Sohn, der sich ihm eng anschloß, einen starken Eindruck. Er sollte Philologe werden, weil sehr früh seine große Begabung für Sprachen sichtbar geworden war. Aber bei aller Bindung an den Vater rebellierte Otto gegen die schroffe Disziplin, die Leopold Weininger für notwendig hielt, weil ihn der Hochmut des Jungen erschreckte.

Nach der Reifeprüfung entschloß sich Otto, nicht Philologie, sondern Philosophie und Naturwissenschaft zu studieren. Er verließ das Elternhaus und erwarb sich seinen Lebensunterhalt mit Stundengeben. In der Philosophie wurde er vom herrschenden Pragmatismus und Empiriokritizismus angezogen. In der Naturwissenschaft widmete er sich vor allem der Biologie, die ihm Material über das Geschlechterproblem liefern sollte.

Er machte nicht den Eindruck, als ob er sich in wenigen Jahren das Leben nehmen würde. Er tanzte, focht, war Mitglied einer Korporation. Daneben arbeitete er mit einer ungewöhnlichen Energie und erwarb sich in jungen Jahren ein sehr beträchtliches Wissen. Er war erst zwanzig, als er aktiv am Pariser Psychologenkongreß des Jahres 1900 teilnahm.

Die Doktor-Prüfung bestand er mit Auszeichnung. Seine Arbeit über Die sexuelle Mannigfaltigkeit *wurde dann später der erste Teil seines Buches* Geschlecht und Charakter; *die spätere Wertung von Mann und Frau spielte in der Dissertation noch keine Rolle.*

Am Tage seiner Promotion trat er vom Judentum zum protestantischen Glauben über. Aber dieser Übertritt zum Christentum war nicht der übliche formale Religionswechsel, wie wir ihn aus vielen Biographien des neunzehnten Jahrhunderts kennen. Weiningers Kampf gegen das Judentum ist, wie Geschlecht und Charakter *zeigt, eins der Zentren seines Lebens gewesen. Seine These: »Christus als Überwindung des Judentums in sich.«*

Er machte dann noch eine große Reise durch Deutschland

*und Skandinavien. Die Beziehung zum Elternhaus gestaltete
sich wieder günstiger. Er fuhr nach Italien. Die biographischen Informationen, die wir aus seinen letzten Jahren haben,
lauten immer wieder: Depressionen. Das Motiv ist schwer zu
erkennen. Seine Wendung zum philosophischen Idealismus,
vor allem zu Schelling und der Mystik, hüllt mit unklaren
Worten ein, was ihn bewegte. In der Sammlung seiner Aufzeichnungen,* Über die letzten Dinge, *die vier Jahre nach seinem Tod, 1907, erschien, heißt es: »Ein Mensch kann innerlich an nichts anderem zugrund gehen als an einem Mangel an
Religion.«*

*Dieser Satz ist so vieldeutig, daß er den Grund zu seinem
Freitod nicht aufklärt.*

Wer hat nicht im Freundeskreis oder im Salon, in wissenschaftlicher oder in öffentlicher Versammlung die heftigsten
Diskussionen über ›Männer und Frauen‹, über die ›Befreiung
des Weibes‹ angehört und mitgemacht? Gespräche und Debatten, in denen mit trostloser Regelmäßigkeit ›die Männer‹
und ›die Weiber‹ einander gegenübergestellt wurden wie
weiße und rote Kugeln, von denen die gleichfarbigen keine
Unterschiede mehr untereinander aufweisen! Nie wurde eine
individuelle Behandlung der Streitpunkte versucht; und da
jeder nur individuelle Erfahrungen hatte, war naturgemäß
eine Einigung ausgeschlossen wie überall dort, wo verschiedene Dinge mit dem gleichen Worte bezeichnet werden,
Sprache und Begriffe sich nicht decken. Sollten wirklich alle
›Weiber‹ und alle ›Männer‹ streng voneinander geschieden
sein und doch auf jeder Seite alle untereinander, Weiber einerseits, Männer andererseits, sich in einer Reihe von Punkten vollständig gleichen? Wie ja bei allen Verhandlungen über
Geschlechtsunterschiede, meist natürlich unbewußt, vorausgesetzt wird. Nirgends in der Natur ist sonst eine so klaffende

Unstetigkeit; wir finden stetige Übergänge von Metallen zu Nichtmetallen, von chemischen Verbindungen zu Mischungen; zwischen Tieren und Pflanzen, zwischen Phanerogamen und Kryptogamen, zwischen Säugetieren und Vögeln gibt es Vermittlungen. Zunächst nur aus allgemeinstem praktischem Bedürfnis nach Übersicht teilen wir ab, halten gewaltsam Grenzen fest, hören Arien heraus aus der unendlichen Melodie alles Natürlichen. Aber ›Vernunft wird Unsinn, Wohltat Plage‹ gilt von den alten Begriffen des Denkens wie von den ererbten Gesetzen des Verkehrs. Wir werden es nach den angeführten Analogien auch hier von vornherein für unwahrscheinlich halten dürfen, daß in der Natur ein Schnitt geführt sei zwischen allen Masculinis einerseits und allen Femininis andererseits, und ein lebendiges Wesen in dieser Hinsicht einfach so beschreibbar, daß es diesseits oder jenseits einer solchen Kluft sich aufhalte. Nicht einmal die Grammatik ist so streng.

Man hat in dem Streite um die Frauenfrage vielfach den Anatomen als Schiedsrichter angerufen, um durch ihn die kontroverse Abgrenzung der unabänderlichen, weil angebornen, gegen die erworbenen Eigenschaften der männlichen und weiblichen Sinnesart vornehmen zu lassen. (Sonderbar genug war es, von seinen Befunden die Entscheidung abhängig zu machen in der Frage der natürlichen Begabung von Mann und Weib: als ob, wenn wirklich alle andere Erfahrung hier keinerlei Unterschied hätte feststellen können, zwölf Deka Hirn plus auf der einen Seite ein solches Resultat zu widerlegen vermöchten.) Aber die besonnenen Anatomen geben, um ausnahmslose Kriterien gefragt, in jedem Falle, handle es sich nun um das Gehirn oder sonst um irgendein Organ des Körpers, zur Antwort: durchgehende sexuelle Unterschiede zwischen allen Männern einerseits und allen Frauen andererseits sind nicht nachweisbar. Wohl sei auch das Handskelett der Mehrzahl der Männer ein anderes als das der Mehrzahl der Frauen, doch sei mit Sicherheit weder aus

den Skelettierten noch aus den mit Muskeln, Bändern, Sehnen, Haut, Blut und Nerven aufbewahrten (isolierten) Be-
standteilen das Geschlecht mit Sicherheit bestimmbar. Ganz
das gleiche gelte vom Thorax, vom Kreuzbein, vom Schädel.
Und wie steht es mit dem Skelett, bei dem, wenn überhaupt
irgendwo, strenge geschlechtliche Unterschiede hervortreten
müßten, was ist's mit dem Becken? Das Becken ist doch der
allgemeinen Überzeugung nach im einen Fall dem Geburts-
akt angepaßt, im anderen nicht. Aber nicht einmal beim Bek-
ken ist mit Sicherheit ein Maßstab anzulegen. Es gibt, wie jeder von der Straße her weiß – und die Anatomen wissen da
auch nicht mehr –, genug ›Weiber‹ mit männlichem, schma-
lem, und genug ›Männer‹ mit weiblichem, breitem Becken.
Also ist es nichts mit den Geschlechtsunterschieden? Da wäre
es ja fast geraten, Männer und Weiber überhaupt nicht mehr
zu unterscheiden?!

Wie helfen wir uns aus der Frage? Das Alte ist ungenügend
und wir können es doch gewiß nicht entbehren. Reichen die
überkommenen Begriffe nicht aus, so werden wir sie nur
aufgeben, um zu versuchen, uns neu und besser zu orientieren.

Mit der allgemeinsten Klassifikation der meisten Lebewesen, ihrer Kennzeichnung schlechtweg als Männchen oder
Weibchen, Mann oder Weib, kommen wir den Tatsachen gegenüber nicht länger aus. Die Mangelhaftigkeit dieser Begriffe wird von vielen mehr oder weniger klar gefühlt. Hier
ins reine zu kommen, ist zunächst das Ziel dieser Arbeit.

Ich schließe mich anderen Autoren, welche in jüngster Zeit
über zu diesem Thema gehörige Erscheinungen geschrieben
haben, an, wenn ich zum Ausgangspunkt der Betrachtung die
von der Entwicklungsgeschichte (Embryologie) festgestellte
Tatsache der geschlechtlichen Undifferenziertheit der ersten
embryonalen Anlage des Menschen, der Pflanzen und der
Tiere wähle.

Einem menschlichen Embryo beispielsweise kann man,

wenn er jünger als fünf Wochen ist, das Geschlecht nicht an-
kennen, zu dem er sich später entwickeln wird. Erst in der
fünften Fötalwoche beginnen hier jene Prozesse, welche gegen Ende des dritten Monats der Schwangerschaft zur Entwicklung einer ursprünglich beiden Geschlechtern gemeinsamen Genitalanlage nach einer Seite hin und weiter zur
Gestaltung des ganzen Individuums als eines sexuell genau
definierten führen. Die Einzelheiten dieser Vorgänge sollen
hier nicht näher beschrieben werden.

Zu jener bisexuellen Anlage eines jeden, auch des höchsten
Organismus, läßt sich sehr gut das ausnahmslose Beharren,
der Mangel eines völligen Verschwindens der Charaktere
des anderen Geschlechtes beim noch so eingeschlechtlich
entwickelten pflanzlichen, tierischen und menschlichen Individuum in Beziehung bringen. Die geschlechtliche Differenzierung ist nämlich nie eine vollständige. Alle Eigentümlichkeiten des männlichen Geschlechtes sind irgendwie, wenn
auch noch so schwach entwickelt, auch beim weiblichen
Geschlechte nachzuweisen; und ebenso die Geschlechts-
charaktere des Weibes auch beim Manne sämtlich irgendwie
vorhanden, wenn auch noch so zurückgeblieben in ihrer Ausbildung. Man sagt, sie seien ›rudimentär‹ vorhanden. So, um
gleich den Menschen, der uns weiterhin fast ausschließlich interessieren wird, als Beispiel anzuführen, hat auch die weib-
lichste Frau einen feinen Flaum von unpigmentierten Woll-
haaren, ›Lanugo‹ genannt, an den Stellen des männlichen
Bartes, auch der männlichste Mann in der Entwicklung
stehengebliebene Drüsenkomplexe unter einer Brustwarze.
Im einzelnen nachgegangen ist man diesen Dingen vor allem
in der Gegend der Geschlechtsorgane und ihrer Ausführungs-
wege, im eigentlichen ›Tractus urogenitalis‹ und hat bei jedem Geschlechte alle Anlagen des anderen im rudimentären
Zustande in lückenlosem Parallelismus nachweisen können.
Diese Feststellungen des Embryologen können, mit anderen zusammengehalten, in einen systematischen Zusammen-

hang gebracht werden. Bezeichnet man nach Haeckel die
Trennung der Geschlechter als ›Gonochorismus‹, so wird
man zunächst bei verschiedenen Klassen und Arten verschiedene Grade dieses Gonochorismus zu unterscheiden haben.
Nicht nur die verschiedenen Arten der Pflanzen, sondern
auch die Tierspezies werden sich durch die größere oder geringere Latenz der Charaktere des zweiten Geschlechtes voneinander abheben.

Es ist nun von vornherein anzunehmen, daß es nicht nur
extreme Männchen mit geringsten Resten der Weiblichkeit
und auf der anderen Seite extreme Weibchen mit ganz redu-
zierter Männlichkeit und in der Mitte zwischen beiden gedrängt jene Zwitterformen, zwischen jenen drei Punkten aber
nur leere Strecken geben werde. Uns beschäftigt speziell der
Mensch.

Vom Menschen aber gilt ohne jeden Zweifel folgendes: Es
gibt unzählige Abstufungen zwischen Mann und Weib, ›sexuelle Zwischenformen‹. Wie die Physik von idealen Gasen
spricht, d. h. solchen, die genau dem Boyle-Gay-Lussac-
schen Gesetze folgen (in Wirklichkeit gehorcht ihm kein einziges), und von diesem Gesetze ausgeht, um im konkreten
Falle die Abweichungen von ihm zu konstatieren: so können
wir einen idealen Mann M und ein ideales Weib W, die es in
Wirklichkeit nicht gibt, aufstellen als sexuelle Typen. Diese
Typen können nicht nur, sie müssen konstruiert werden.
Nicht allein das ›Objekt der Kunst‹, auch das Objekt der Wissenschaft ist der Typus, die platonische Idee. Die wissenschaftliche Physik erforscht das Verhalten des vollkommen
starren und des vollkommen elastischen Körpers – wohl bewußt, daß die Wirklichkeit weder den einen noch den anderen ihr je zur Bestätigung darbieten wird; die empirisch gegebenen Vermittlungen zwischen beiden dienen ihr nur als
Ausgangspunkt für diese Aufsuchung der typischen Verhal-
tensweisen und werden bei der Rückkehr aus der Theorie zur
Praxis als Mischfälle behandelt und erschöpfend dargestellt.

Und ebenso gibt es nur alle möglichen vermittelnden Stufen zwischen dem vollkommenen Manne und dem vollkommenen Weibe, Annäherungen an beide, die selbst nie von der Anschauung erreicht werden.

Man achte wohl: hier ist nicht bloß von bisexueller Anlage die Rede, sondern von dauernder Doppelgeschlechtlichkeit. Und auch nicht bloß von den sexuellen Mittelstufen (körperlichen oder psychischen Zwittern), auf die bis heute aus naheliegenden Gründen alle ähnlichen Betrachtungen beschränkt sind. In dieser Form ist also der Gedanke durchaus neu. Bis heute bezeichnet man als sexuelle ›Zwischenstufen‹ nur die sexuellen Mittelstufen: als ob dort, mathematisch gesprochen, eine Häufungsstelle wäre, mehr wäre als eine kleine Strecke auf der überall gleich dicht besetzten Verbindungslinie zweier Extreme!

Also Mann und Weib sind wie zwei Substanzen, die in verschiedenem Mischungsverhältnis, ohne daß je der Koeffizient der einen Substanz Null wird, auf die lebenden Individuen verteilt sind. Es gibt in der Erfahrung nicht Mann noch Weib, könnte man sagen, sondern nur männlich und weiblich. Ein Individuum A oder ein Individuum B darf man darum nicht mehr schlechthin als ›Mann‹ oder ›Weib‹ bezeichnen, sondern ein jedes ist nach den Bruchteilen zu beschreiben, die es von beiden hat.

Die genaueren Belege für diese Auffassung – einiges Allgemeinste wurde vorbereitend in der Einleitung angedeutet – sind zahllos. Es sei erinnert an alle ›Männer‹ mit weiblichem Becken und weiblichen Brüsten, fehlendem oder spärlichem Bartwuchs, mit ausgesprochener Taille, überlangem Kopfhaar, an alle ›Weiber‹ mit schmalen Hüften und flachen Brüsten, mageren Nates und Femurfettpolstern, tiefer rauher Stimme und einem Schnurrbart (zu dem die Anlage viel öfter ausgiebig vorhanden ist, als man sie gemeiniglich bemerkt, weil er natürlich nie belassen wird; vom Barte, der so vielen Frauen nach dem Klimakterium wächst, ist hier nicht die Rede) etc.,

etc. Alle diese Dinge, die sich bezeichnenderweise fast immer am selben Menschen beisammen finden, sind jedem Kliniker und praktischen Anatomen aus eigener Anschauung bekannt, nur noch nirgends zusammengefaßt.

Den umfassendsten Beweis für die hier verfochtene Anschauung liefert aber die große Schwankungsbreite der Zahlen für geschlechtliche Unterschiede, die innerhalb der einzelnen Arbeiten wie zwischen den verschiedenen anthropologischen und anatomischen Unternehmungen zur Messung derselben ohne Ausnahme anzutreffen ist, die Tatsache, daß die Zahlen für das weibliche Geschlecht nie dort anfangen, wo jene für das männliche aufhören, sondern stets in der Mitte ein Gebiet liegt, in welchem Männer und Frauen vertreten sind. So sehr diese Unsicherheit der Theorie von den sexuellen Zwischenformen zugute kommt, so aufrichtig muß man sie im Interesse wahrer Wissenschaft beklagen. Die Anatomen und Anthropologen vom Fach haben eben eine wissenschaftliche Darstellung des sexuellen Typus noch gar nicht angestrebt, sondern wollten immer nur allgemein in gleichem Ausmaße gültige Merkmale haben, und hieran wurden sie durch die Überzahl der Ausnahmen verhindert. So erklärt sich die Unbestimmtheit und Weite aller hieher gehörigen Resultate der Messung.

Gar sehr hat der Zug zur Statistik, der unser industrielles Zeitalter vor allen früheren auszeichnet, in dem es – offenbar der schüchternen Verwandtschaft mit der Mathematik wegen – seine Wissenschaftlichkeit besonders betont glaubt, auch hier den Fortschritt der Erkenntnis gehemmt. Den Durchschnitt wollte man wissen, nicht den Typus. Man begriff gar nicht, daß es im Systeme reiner (nicht angewandter) Wissenschaft nur auf diesen ankommt. Darum lassen diejenigen, welchen es um die Typen zu tun ist, die bestehende Morphologie und Psychologie mit ihren Angaben gänzlich im Stich. Es wären da alle Messungen wie auch alle übrigen Detailforschungen erst auszuführen. Was existiert, ist für eine Wissenschaft auch in laxerem (nicht erst in Kantischem) Sinne völlig unverwendbar.

Alles kommt auf die Kenntnis von M und W, auf die richtige Feststellung des idealen Mannes und des idealen Weibes an (ideal im Sinne von typisch, ohne jede Bewertung).

Wird es gelungen sein, diese Typen zu erkennen und zu konstruieren, so wird die Anwendung auf den einzelnen Fall, seine Darstellung durch ein quantitatives Mischungsverhältnis, ebenso unschwer wie fruchtbar sein.

Ich resümiere den Inhalt dieses Kapitels: es gibt keine kurzweg als ein- und bestimmt-geschlechtlich zu bezeichnenden Lebewesen. Vielmehr zeigt die Wirklichkeit ein Schwanken zwischen zwei Punkten, auf denen selbst kein empirisches Individuum sich aufhält. Aufgabe der Wissenschaft ist es, die Stellung jedes Einzelwesens zwischen jenen zwei Bauplänen festzustellen; diesen Bauplänen ist keineswegs eine metaphysische Existenz neben oder über der Erfahrungswelt zuzuschreiben, sondern ihre Konstruktion ist notwendig aus dem heuristischen Motive einer möglichst vollkommenen Abbildung der Wirklichkeit. — —

Die Ahnung dieser Bisexualität alles Lebenden (durch die nie ganz vollständige sexuelle Differenzierung) ist uralt. Vielleicht ist sie chinesischen Mythen nicht fremd gewesen; jedenfalls war sie im Griechentum äußerst lebendig. Hierfür zeugen die Personifikation des Hermaphroditos als einer mythischen Gestalt; die Erzählung des Aristophanes im Platonischen Gastmahl; ja noch in später Zeit galt der gnostischen Sekte der Ophiten der Urmensch als mannweiblich.

Sigmund Freud
Zur Psychopathologie des Alltagslebens

Geboren am 6. 5. 1856 in der kleinen mährischen Stadt
Freiberg, 1860 nach Wien verpflanzt, wo er dann achtund-
siebzig Jahre wirkte, absolvierte Freud 1873 das Wiener
Sperl-Gymnasium, um Medizin zu studieren. Von 1876 bis
1882 arbeitete er im Physiologischen Institut des berühmten
Professors Ernst Brücke, dann bei dem Gehirn-Pathologen
Professor Meynert. 1885 wurde Freud Dozent der Neuropa-
thologie an der Universität Wien. Zum ordentlichen Professor
und zum Nobelpreisträger brachte er es nicht. 1930 wurde
ihm eine der wenigen Ehrungen seines Lebens zuteil: die Stadt
Frankfurt am Main verlieh ihm den Goethe-Preis. 1936
wurde er zum Mitglied der Royal Academy (London) ernannt. 1938 verließ er das von den Nationalsozialisten be-
setzte Wien und ging nach London ins Exil. Hier starb er am
23. September 1939.

Freud hat nicht die Lust, die Libido entdeckt – sondern ihre
zwei gewaltigen Tragödien; die erste, engere, die der junge
Freud beschrieb, wurde ein Teil der zweiten, weiteren, als der
Horizont sich weitete. Im ersten Trauerspiel hat der Gegen-
spieler die Namen: ›Egoismus‹ und ›Über-Ich‹. Der Held aber
heißt: ›Trieb‹, ›Sexualität‹, ›Libido‹, ›Es‹. Diese Namen haben nicht bei jedem Auftauchen dieselbe Aura. Aber es
kommt doch immer wieder darauf hinaus, daß der Held
›Trieb‹, eine unpersönliche Gier, und sein Feind, das ›Ego‹,
der Anwalt des Triebverzichts, den die Realität in ihrer materiellen oder gesellschaftlichen Form von ihm fordert (um seiner Selbstbehauptung willen) . . ., daß diese beiden Urmächte

aneinander geraten. Lust oder Leben – das ist die Frage. Die Epikureer aller Jahrhunderte haben sich den Kopf zerbrochen: Wieviel soll man genießen, wieviel opfern? Freud, dessen leise Ethik dem großen Epikur nicht unverwandt ist, entdeckte bei der Betrachtung des welthistorischen Duells: daß die besiegte Lust nicht aus der Welt herausgesiegt werden kann. Zwar verschwindet sie; aber nicht aus der Seele, nur aus dem Blick. Verdrängen ist noch nicht Zerstören. Diese Erkenntnis war der Beginn vieler großartiger Entdeckungen.

Freud schätzte die Kultur-Reiche (Religion, Metaphysik, Kunst) je nach ihrer Kraft, Glück zu spenden: Ersatz-Glück. Er brachte das bei den Denkern in Ungnade gefallene, von den Massenschriftstellern verballhornte ›Glück‹ wieder zurück auf den Thron, der ihm zukommt – und scheute nicht einmal den weniger respektablen Namen ›Lust‹. Er lehrte: »Es ist das Programm des Lustprinzips, das den Lebenszweck setzt.« Aber »ein jeder muß selbst versuchen, auf welche besondere Façon er selig werden kann«.

Freuds Façon war das wissenschaftliche Denken. Als er von einem Chirurgen hörte, der vor Gottes Thron einen vom Krebs zerfressenen Knochen vorzeigen wollte, meinte er: »Der entscheidende Vorwurf, den ich dem Allmächtigen machen würde: warum er mir kein besseres Gehirn gegeben?«

Und Freud suchte den Sinn. Er wollte verstehen. Selbst hinter dem alltäglichen Versprechen machte er, wie hinter der Hysterie und den unverständlichen Dogmen und Riten, das (nur sehr verschlüsselte, aber sinnvolle) Leben der Seele sichtbar. Das Buch, aus dem der folgende Auszug stammt, erschien im Jahre 1904.

Fast regelmäßig entdecke ich einen störenden Einfluß von etwas *außerhalb* der intendierten Rede, und das Störende ist entweder ein einzelner, unbewußt gebliebener Gedanke, der sich durch das Versprechen kundgibt und oft erst durch eingehende Analyse zum Bewußtsein gefördert werden kann, oder es ist ein allgemeineres psychisches Motiv, welches sich gegen die ganze Rede richtet.

1) Ich will gegen meine Tochter, die beim Einbeißen in einen Apfel ein garstiges Gesicht geschnitten hat, zitieren:

> »Der Affe gar possierlich ist,
> Zumal wenn er vom Apfel frißt.«

Ich beginne aber: Der *Apfe* . . . Dies scheint eine Kontamination von ›*Affe*‹ und ›*Apfel*‹ (Kompromißbildung) oder kann auch als Antizipation des vorbereiteten ›*Apfel*‹ aufgefaßt werden. Der genauere Sachverhalt ist aber der: Ich hatte das Zitat schon einmal begonnen und mich das erstemal dabei nicht versprochen. Ich versprach mich erst bei der Wiederholung, die sich als notwendig ergab, weil die Angesprochene, von anderer Seite mit Beschlag belegt, nicht zuhörte. Diese Wiederholung, die mit ihr verbundene Ungeduld, des Satzes ledig zu werden, muß ich in die Motivierung des Sprachfehlers, der sich als eine Verdichtungsleistung darstellt, mit einrechnen.

2) Meine Tochter sagt: Ich schreibe der Frau *Schre*singer . . . Die Frau heißt *Schle*singer. Dieser Sprechfehler hängt wohl mit einer Tendenz zur Erleichterung der Artikulation zusammen, denn das *l* ist nach wiederholtem *r* schwer auszusprechen. Ich muß aber hinzufügen, daß sich dieses Versprechen bei meiner Tochter ereignete, nachdem ich ihr wenige Minuten zuvor ›Apfe‹ statt ›Affe‹ vorgesagt hatte. Nun ist das Versprechen in hohem Maße ansteckend, ähnlich wie das Namenvergessen, bei dem *Meringer* und *Mayer* diese Eigentümlichkeit bemerkt haben. Einen Grund für diese psychische Kontagiosität weiß ich nicht anzugeben.

3) »Ich klappe zusammen wie ein *Tassenmescher* – *Taschenmesser*«, sagt eine Patientin zu Beginn der Behandlungsstunde, die Laute vertauschend, wobei ihr wieder die Artiku-

lationsschwierigkeit (›Wiener Weiber Wäscherinnen waschen weiße Wäsche‹ – ›Fischflosse‹ und ähnliche Prüfworte) zur Entschuldigung dienen kann. Auf den Sprechfehler aufmerksam gemacht, erwidert sie prompt: »Ja, das ist nur, weil Sie heute ›Ernscht‹ gesagt haben.« Ich hatte sie wirklich mit der Rede empfangen: »Heute wird es also Ernst« (weil es die letzte Stunde vor dem Urlaub werden sollte) und hatte das ›Ernst‹ scherzhaft zu ›Ernscht‹ verbreitert. Im Laufe der Stunde verspricht sie sich immer wieder von neuem, und ich merke endlich, daß sie mich nicht bloß imitiert, sondern daß sie einen besonderen Grund hat, im Unbewußten bei dem Worte Ernst als Namen zu verweilen.

Sie stand nämlich, wie sich zeigte, unter dem Einfluß von unbewußten Gedanken über Schwangerschaft und Kinderverhütung. Mit den Worten: »zusammengeklappt wie ein Taschenmesser«, welche sie bewußt als Klage vorbrachte, wollte sie die Haltung des Kindes im Mutterleibe beschreiben. Das Wort ›Ernst‹ in meiner Anrede hatte sie an den Namen (S. Ernst) einer bekannten Wiener Firma in der Kärntner Straße gemahnt, welche sich als Verkaufsstätte von Schutzmitteln gegen die Konzeption zu annoncieren pflegt.

4) »Ich bin so verschnupft, ich kann nicht durch die *Ase natmen – Nase atmen*« – passiert derselben Patientin ein andermal. Sie weiß sofort, wie sie zu diesem Sprechfehler kommt. »Ich steige jeden Tag in der *Hasenauerstraße* in die Tramway, und heute früh ist mir während des Wartens auf den Wagen eingefallen, wenn ich eine Französin wäre, würde ich *Asenauer* aussprechen, denn die Franzosen lassen das *H* im Anlaut immer weg.« Sie bringt dann eine Reihe von Reminiszenzen an Franzosen, die sie kennengelernt hat, und langt nach weitläufigen Umwegen bei der Erinnerung an, daß sie als vierzehnjähriges Mädchen in dem kleinen Stück ›Kurmärker und Picarde‹ die Picarde gespielt und damals gebrochen Deutsch gesprochen hat. Die Zufälligkeit, daß in ihrem Logierhaus ein Gast aus Paris angekommen ist, hat die ganze

Reihe von Erinnerungen wachgerufen. Die Lautvertau-
schung ist also Folge der Störung durch einen unbewußten
Gedanken aus einem ganz fremden Zusammenhang.

5) Ähnlich ist der Mechanismus des Versprechens bei einer
anderen Patientin, die mitten in der Reproduktion einer
längst verschollenen Kindererinnerung von ihrem Gedächtnis verlassen wird. An welche Körperstelle die vorwitzige
und lüsterne Hand des anderen gegriffen hat, will ihr das Gedächtnis nicht mitteilen. Sie macht unmittelbar darauf einen
Besuch bei einer Freundin und unterhält sich mit ihr über
Sommerwohnungen. Gefragt, wo denn ihr Häuschen in M.
gelegen sei, antwortet sie: an der *Berglende* anstatt *Berglehne*.

6) Eine andere Patientin, die ich nach Abbruch der Stunde
frage, wie es ihrem Onkel geht, antwortet: »Ich weiß nicht,
ich sehe ihn jetzt nur *in flagranti*.« Am nächsten Tag beginnt
sie: »Ich habe mich recht geschämt, Ihnen eine so dumme
Antwort gegeben zu haben. Sie müssen mich natürlich für
eine ganz ungebildete Person halten, die beständig Fremdwörter verwechselt. Ich wollte sagen: *en passant*.« Wir wußten damals noch nicht, woher sie die unrichtig angewendeten
Fremdwörter genommen hatte. In derselben Sitzung aber
brachte sie als Fortsetzung des vortägigen Themas eine Remi-
niszenz, in welcher das Ertapptwerden *in flagranti* die
Hauptrolle spielte. Der Sprechfehler am Tage vorher hatte
also die damals noch nicht bewußt gewordene Erinnerung an-
tizipiert.

7) Gegen eine andere muß ich an einer gewissen Stelle der
Analyse die Vermutung aussprechen, daß sie sich zu der Zeit,
von welcher wir eben handeln, ihrer Familie geschämt und
ihrem Vater einen uns noch unbekannten Vorwurf gemacht
habe. Sie erinnert sich nicht daran, erklärt es übrigens für unwahrscheinlich. Sie setzt aber das Gespräch mit Bemerkungen über ihre Familie fort: »Man muß ihnen das eine lassen:
Es sind doch besondere Menschen, sie haben alle *Geiz* – ich
wollte sagen *Geist*.« Das war auch denn wirklich der Vor-

wurf, den sie aus ihrem Gedächtnis verdrängt hatte. Daß sich in dem Versprechen gerade jene Idee durchdrängt, die man zurückhalten will, ist ein häufiges Vorkommnis (vgl. den Fall von *Meringer:* zum Vorschwein gekommen). Der Unterschied liegt nur darin, daß die Person bei *Meringer* etwas zurückhalten will, was ihr bewußt ist, während meine Patientin das Zurückgehaltene nicht weiß oder, wie man auch sagen kann, nicht weiß, daß sie etwas und was sie zurückhält.

8) Auf absichtliche Zurückhaltung geht auch das nachstehende Beispiel von Versprechen zurück. Ich treffe einmal in den Dolomiten mit zwei Damen zusammen, die als Touristinnen verkleidet sind. Ich begleite sie ein Stück weit, und wir besprechen die Genüsse, aber auch die Beschwerden der touristischen Lebensweise. Die eine der Damen gibt zu, daß diese Art, den Tag zu verbringen, manches Unbequeme hat. »Es ist wahr«, sagt sie, »daß es gar nicht angenehm ist, wenn man so in der Sonne den ganzen Tag marschiert hat und Bluse und Hemd ganz durchgeschwitzt sind.« In diesem Satze hat sie einmal eine kleine Stockung zu überwinden. Dann setzt sie fort: »Wenn man aber dann nach *Hose* kommt und sich umkleiden kann . . .« Ich meine, es bedurfte keines Examens, um dieses Versprechen aufzuklären. Die Dame hatte offenbar die Absicht gehabt, die Aufzählung vollständig zu halten und zu sagen: Bluse, Hemd und Hose. Dies dritte Wäschestück zu nennen, unterdrückte sie dann aus Gründen der Wohlanständigkeit. Aber im nächsten, inhaltlich unabhängigen Satz setzte sich das unterdrückte Wort als Verunstaltung des ähnlichen Wortes ›nach *Hause*‹ wider ihren Willen durch.

9) »Wenn Sie Teppiche kaufen wollen, so gehen Sie nur zu Kaufmann in der Matthäusgasse. Ich glaube, ich kann Sie dort auch empfehlen«, sagte mir eine Dame. Ich wiederhole: »Also bei *Matthäus* . . . bei *Kaufmann* will ich sagen.« Es sieht aus wie Folge von Zerstreutheit, wenn ich den einen Namen an Stelle des anderen wiederhole. Die Rede der Dame hat mich auch wirklich zerstreut gemacht, denn sie hat meine

Aufmerksamkeit auf anderes gelenkt, was mir weit wichtiger ist als Teppiche. In der Matthäusgasse steht nämlich das Haus, in dem meine Frau als Braut gewohnt hatte. Der Eingang des Hauses war in einer anderen Gasse, und nun merke ich, daß ich deren Namen vergessen habe und ihn mir erst auf einem Umweg bewußt machen muß. Der Name Matthäus, bei dem ich verweile, ist mir also ein Ersatzname für den vergessenen Namen der Straße. Er eignet sich besser dazu als der Name Kaufmann, denn Matthäus ist ausschließlich ein Personenname, was Kaufmann nicht ist, und die vergessene Straße heißt auch nach einem Personennamen: *Radetzky*.

10) Folgenden Fall könnte ich ebensogut bei den später zu besprechenden ›Irrtümern‹ unterbringen, führe ihn aber hier an, weil die Lautbeziehungen, auf Grund deren die Wortersetzung erfolgt, ganz besonders deutlich sind. Eine Patientin erzählt mir ihren Traum: Ein Kind hat beschlossen, sich durch einen Schlangenbiß zu töten. Es führt den Beschluß aus. Sie sieht zu, wie es sich in Krämpfen windet usw. Sie soll nun die Tagesanknüpfung für diesen Traum finden. Sie erinnert sofort, daß sie gestern abends eine populäre Vorlesung über erste Hilfe bei Schlangenbissen mit angehört hat. Wenn ein Erwachsener und ein Kind gleichzeitig gebissen worden sind, so soll man zuerst die Wunde des Kindes behandeln. Sie erinnert auch, welche Vorschriften für die Behandlung der Vortragende gegeben hat. Es käme sehr viel darauf an, hatte er auch geäußert, von welcher Art man gebissen worden ist. Hier unterbreche ich sie und frage: Hat er denn nicht gesagt, daß wir nur sehr wenige giftige Arten in unserer Gegend haben, und welche die gefürchteten sind? »Ja, er hat die *Klapper*schlange hervorgehoben.« Mein Lachen macht sie dann aufmerksam, daß sie etwas Unrichtiges gesagt hat. Sie korrigierte jetzt aber nicht etwa den Namen, sondern sie nimmt ihre Aussage zurück. »Ja so, die kommt ja bei uns nicht vor, er hat von der Viper gesprochen. Wie gerate ich nur auf die Klapperschlange?« Ich vermute, durch die

Einmengung der Gedanken, die sich hinter ihrem Traum verborgen hatten. Der Selbstmord durch Schlangenbiß kann kaum etwas anderes sein als eine Anspielung auf die schöne *Kleopatra*. Die weitgehende Lautähnlichkeit der beiden Worte, die Übereinstimmung in den Buchstaben *Kl . . p . . r* in der nämlichen Reihenfolge und in dem betonten *a* sind nicht zu verkennen. Die gute Beziehung zwischen den Namen *Klapperschlange* und *Kleopatra* erzeugt bei ihr eine momentane Einschränkung des Urteils, derzufolge sie an der Behauptung, der Vortragende habe sein Publikum in Wien in der Behandlung von Klapperschlangenbissen unterwiesen, keinen Anstoß nimmt. Sie weiß so gut wie ich, daß diese Schlange nicht zur Fauna unserer Heimat gehört. Wir wollen es ihr nicht verübeln, daß sie an die Versetzung der Klapperschlange nach Ägypten ebensowenig Bedenken knüpfte, denn wir sind gewohnt, alles Außereuropäische, Exotische zusammenzuwerfen, und ich selbst mußte mich einen Moment besinnen, ehe ich die Behauptung aufstellte, daß die Klapperschlange nur der Neuen Welt angehört.

Weitere Bestätigungen ergeben sich bei Fortsetzung der Analyse. Die Träumerin hat gestern zum erstenmal die in der Nähe ihrer Wohnung aufgestellte *Antonius*gruppe von *Straßer* besichtigt. Dies war also der zweite Traumanlaß (der erste der Vortrag über Schlangenbisse). In der Fortsetzung ihres Traumes wiegte sie ein Kind in ihren Armen, zu welcher Szene ihr das Gretchen einfällt. Weitere Einfälle bringen Reminiszenzen an ›*Arria* und *Messalina*‹. Das Auftauchen so vieler Namen von Theaterstücken in den Traumgedanken läßt bereits vermuten, daß bei der Träumerin in früheren Jahren eine geheimgehaltene Schwärmerei für den Beruf der Schauspielerin bestand. Der Anfang des Traumes: »Ein Kind hat beschlossen, sein Leben durch einen Schlangenbiß zu enden«, bedeutet wirklich nichts anderes als: Sie hat sich als Kind vorgenommen, einmal eine berühmte Schauspielerin zu werden. Von dem Namen *Messalina* zweigt endlich der

Gedankenweg ab, der zu dem wesentlichen Inhalt dieses Traumes führt. Gewisse Vorfälle der letzten Zeit haben in ihr die Besorgnis erweckt, daß ihr einziger Bruder eine nicht standesgemäße Ehe mit einer Nicht-*Arierin*, eine *Mésalliance* eingehen könnte.

11) Ein völlig harmloses oder vielleicht uns nicht genügend in seinen Motiven aufgeklärtes Beispiel will ich hier wiedergeben, weil es einen durchsichtigen Mechanismus erkennen läßt:

Ein in Italien reisender Deutscher bedarf eines Riemens, um seinen schadhaft gewordenen Koffer zu umschnüren. Das Wörterbuch liefert ihm für Riemen das italienische Wort *coreggia*. Dieses Wort werde ich mir leicht merken, meint er, indem ich an den Maler (*Correggio*) denke. Er geht dann in einen Laden und verlangt: una *ribera*.

Es war ihm anscheinend nicht gelungen, das deutsche Wort in seinem Gedächtnis durch das italienische zu ersetzen, aber seine Bemühung war doch nicht gänzlich ohne Erfolg geblieben. Er wußte, daß er sich an den Namen eines Malers halten müsse, und so geriet er nicht auf jenen Malernamen, der an das italienische Wort anklingt, sondern an einen anderen, der sich dem deutschen Worte *Riemen* annähert. Ich hätte dieses Beispiel natürlich ebensowohl beim Namenvergessen wie hier beim Versprechen unterbringen können.

Als ich Erfahrungen von Versprechern für die erste Auflage dieser Schrift sammelte, ging ich so vor, daß ich alle Fälle, die ich beobachten konnte, darunter also auch die minder eindrucksvollen, der Analyse unterzog. Seither haben manche andere sich der amüsanten Mühe, Versprechen zu sammeln und zu analysieren, unterzogen und mich so in den Stand gesetzt, Auswahl aus einem reicheren Material zu schöpfen.

12) Ein junger Mann sagt zu seiner Schwester: Mit den D. bin ich jetzt ganz zerfallen, ich grüße sie nicht mehr. Sie antwortet: Überhaupt eine saubere *Lippschaft*. Sie wollte sagen:

*Sipp*schaft, aber sie drängte noch zweierlei in dem Sprechirrtum zusammen, daß ihr Bruder einst selbst mit der Tochter dieser Familie einen Flirt begonnen hatte und daß es von dieser hieß, sie habe sich in letzter Zeit in eine ernsthafte unerlaubte *Liebschaft* eingelassen.

13) Ein junger Mann spricht eine Dame auf der Straße mit den Worten an: »Wenn Sie gestatten, mein Fräulein, möchte ich Sie *begleit-digen*.« Er dachte offenbar, er möchte sie gern *begleiten*, fürchtete aber, sie mit dem Antrag zu *beleidigen*. Daß diese beiden einander widerstreitenden Gefühlsregungen in einem Worte – eben dem Versprechen – Ausdruck fanden, weist darauf hin, daß die eigentlichen Absichten des jungen Mannes jedenfalls nicht die lautersten waren und ihm dieser Dame gegenüber selbst beleidigend erscheinen mußten. Während er aber gerade dies vor ihr zu verbergen sucht, spielt ihm das Unbewußte den Streich, seine eigentliche Absicht zu verraten, wodurch er aber andererseits der Dame gleichsam die konventionelle Antwort: »Ja, was glauben Sie denn von mir, wie können Sie mich denn so *beleidigen*« vorwegnimmt. (Mitgeteilt von O. *Rank*).

Eine Anzahl von Beispielen entnehme ich einem Aufsatz von W. *Stekel* aus dem ›Berliner Tageblatt‹ vom 4. Jänner 1904, betitelt ›Unbewußte Geständnisse‹.

14) »Ein unangenehmes Stück meiner unbewußten Gedanken enthüllt das folgende Beispiel. Ich schicke voraus, daß ich in meiner Eigenschaft als Arzt niemals auf meinen Erwerb bedacht bin und immer nur das Interesse des Kranken im Auge habe, was ja eine selbstverständliche Sache ist. Ich befinde mich bei einer Kranken, der ich nach schwerer Krankheit in einem Rekonvaleszentenstadium meinen ärztlichen Beistand leiste. Wir haben schwere Tage und Nächte mitgemacht. Ich bin glücklich, sie besser zu finden, male ihr die Wonnen eines Aufenthaltes in Abbazia aus und gebrauche dabei den Nachsatz: ›wenn Sie, was ich hoffe, das Bett bald *nicht* verlassen werden –‹. Offenbar entsprang das einem

egoistischen Motiv des Unbewußten, diese wohlhabende Kranke noch länger behandeln zu dürfen, einem Wunsche, der meinem wachen Bewußtsein vollkommen fremd ist und den ich mit Entrüstung zurückweisen würde.«

William James
Pragmatismus

Der Amerikaner William James: Harvard-Student, Harvard-Professor, Familienvater, Europareisender, achtundsechzig, als er, von Amerikanern und Europäern hochgeehrt, 1910 starb . . . war den größten Teil seines Lebens krank und hielt die Gesundheit (wie der drei Jahre jüngere Nietzsche) für die geliebteste Pflicht. Er rappelte sich hoch wie Nietzsche gegen Demoralisierendes, das auch in ihm stark war. Beider Leben war ein einziges Liebesgedicht an das Auf-der-Welt-Sein. William James ähnelte Nietzsche wie kein anderer Amerikaner: ein Tragiker im Klima der Neuen Welt, ein ganz solider Tragiker, ein sehr ziviler Dionys und ein unpathetischer Gekreuzigter.

William James hat einmal erklärt, wie man am zuverlässigsten den Kern eines Charakters finde: in jenen Momenten nämlich, in denen der Mann, den man zu ergründen sucht, zu sich sagt: »Das bin wirklich ich.« Und James verriet, wann er »Das bin wirklich ich« zu sich sagte. Wenn er eine Probe zu bestehen hatte. Wenn er sich auf sich zu verlassen hatte – und auf das gute Glück. Wenn er keine Garantie für den guten Ausgang hatte. Sobald aber alles gesichert sei, würde er gleichgültig werden. Nur wenn das Unternehmen riskant sei, fühle er einen tiefen, heiligen Enthusiasmus und eine fast bittere Entschlossenheit, alles auf sich zu nehmen. So hielt er »die Person im Singular« für »ein fundamentaleres Phänomen« als jede Institution, jede Gemeinschaft und Gesellschaft. Das Individuum ist eine einmalige Chance, eine expansive Einmaligkeit.

Dies Individuum ist nicht gemeinschaftsfeindlich, wie man unter dem alten Denkzwang denkt: je mehr Individuum, um so weniger Gesellschaft. Nietzsches Satz in Schopenhauer als Erzieher: *»Der Sinn des Lebens liegt nicht in der Erhaltung der Institutionen oder in deren Fortschritt, sondern in den Individuen«, könnte man dem Werk des William James als Motto voranstellen. Sein Kernsatz lautet: »Es gibt Neues unter der Sonne.« In jedem einzelnen potentiell Neues. Sein sogenannter ›Pluralismus‹ ist der philosophische Terminus für diese Absage an jede theologische, metaphysische, moralische Monotonie.*

Am populärsten wurde William James als Verkünder des Pragmatismus, den er nicht erfand, sondern nur popularisierte; oft so sehr, daß er schuld an manchen Attacken wurde, denen dieser ›Pragmatismus‹ dann ausgesetzt war. Wir zitieren im folgenden aus der berühmten Vortragsreihe über dies Thema, 1907 erschienen, und zwar aus dem zweiten Kapitel mit der Überschrift: ›Was will der Pragmatismus?‹ James spricht hier über die Entstehung einer der einflußreichsten philosophischen Tendenzen dieses Jahrhunderts.

Vor einigen Jahren war ich mit einer Gesellschaft in den Bergen. Wie ich nun einmal von einem einsamen Spaziergang zurückkomme, finde ich die ganze Gesellschaft in einem heftigen philosophischen Streit begriffen. Der Gegenstand des Streites war ein Eichhörnchen – ein lebendiges Eichhörnchen, von dem man annahm, daß es sich an eine Seite eines Baumstammes anlehne. Gegenüber, auf der andern Seite des Baumes, stand, so stellte man sich vor, ein Mann. Dieser Mann will das Eichhörnchen zu Gesicht bekommen und bewegt sich mit großer Schnelligkeit um den Baum herum; aber wie schnell er auch geht, das Eichhörnchen bewegt sich ebenso schnell in der entgegengesetzten Richtung, der Baum bleibt immer zwischen beiden, so daß der Mann das Eichhörnchen nicht zu sehen bekommt. Das philosophische Problem, das sich aus der Situation ergab, war nun folgendes: Geht der Mann um das Eichhörnchen herum oder nicht? Zweifellos ist, daß er um den Baum herumgeht; aber geht er auch um das Eichhörnchen herum? In der unbeschränkten Muße des Landaufenthaltes waren die Gründe für und wider bald erschöpft. Jeder hatte Partei ergriffen und blieb hartnäckig bei seiner Ansicht; die Zahl der Streitenden war in beiden Parteien gleich groß, und so appellierten, als ich kam, beide Parteien an mich, damit ich der einen oder der andern zur Majorität verhelfe. Ich erinnerte mich nun an die alte scholastische Lehre, die uns anweist, dort, wo wir einen Widerspruch finden, eine Unterscheidung zu machen, suchte nach einer und fand bald die folgende: »Welche von beiden Parteien recht hat«, sagte ich, »das hängt davon ab, was Sie mit dem Ausdruck ›um das Eichhörnchen herumgehen‹ tatsächlich meinen. Wenn Herumgehen soviel heißt, als sich vom Norden des Eichhörnchens zum Osten, dann zum Süden, zum Westen und dann wieder zum Norden bewegen, dann geht der Mann um das Eichhörnchen herum, denn er nimmt tatsächlich alle diese Stellungen nacheinander ein. Wenn Sie aber unter Herumgehen eine Bewegung verstehen, infolge deren der Mann zuerst vor dem Eichhörnchen, dann rechts von ihm, dann hinter ihm, dann links von ihm und dann wieder vor ihm zu stehen kommt, dann ist es ebenso zweifellos, daß er nicht um das Eichhörnchen herumgeht, denn durch die kompensierenden Bewegungen des Eichhörnchens kehrt es dem Manne immer seinen Bauch zu und seinen Rücken ab. Machen Sie die Unterscheidung, und es ist kein Grund mehr zu weiterem Streit. Sie haben beide recht oder unrecht, je nachdem Sie ›herumgehen‹ in dem einen oder dem andern Sinne auffassen.«

Obwohl einer oder zwei der leidenschaftlichen Streiter meine Darlegung ein Ausweichen nannten und meinten, sie brauchten keine scholastischen Haarspaltereien, sondern verstünden unter Herumgehen eben das, was der einfache ehrliche Sprachgebrauch darunter verstünde, so war doch die Mehrzahl der Ansicht, daß durch meine Unterscheidung der Streit beigelegt sei.

Ich erzähle diese triviale Anekdote, weil sie ein besonders einfaches Beispiel der pragmatischen Methode ist, von der ich jetzt sprechen will. Die pragmatische Methode ist zunächst eine Methode, um philosophische Streitigkeiten zu schlichten, die sonst endlos wären. Ist die Welt eine Einheit oder eine Vielheit? Herrscht ein Schicksal, oder gibt es freien Willen? Ist die Welt materiell oder geistig? Hier liegen Urteile über die Welt vor, die ebensogut gelten als nicht gelten können, und die Streitigkeiten darüber sind endlos. Die pragmatische Methode besteht in solchen Fällen in dem Versuch, jedes dieser Urteile dadurch zu interpretieren, daß man seine praktischen Konsequenzen untersucht. Was für ein Unterschied würde sich praktisch für irgend jemanden ergeben, wenn das eine und nicht das andere Urteil wahr wäre? Wenn kein wie immer gearteter praktischer Unterschied sich nachweisen läßt, dann bedeuten die beiden entgegengesetzten Urteile praktisch dasselbe, und jeder Streit ist müßig. Soll ein Streit wirklich von ernster Bedeutung sein, so müssen wir imstande sein, irgendeinen praktischen Unterschied aufzuzeigen, der sich ergibt, je nachdem die eine oder die andere Partei recht hat.

Ein Blick auf die Geschichte dieses Gedankens wird noch besser zeigen, was der Pragmatismus will. Der Name kommt vom griechischen Wort ›pragma‹, das ›Handlung‹ bedeutet; von demselben Stamme, der unsern Worten ›Praxis‹ und ›praktisch‹ zugrunde liegt. In die Philosophie wurde er von Charles Pierce in einem Aufsatz eingeführt, der unter dem Titel ›Wie wir unsere Ideen klarmachen können‹ in der Zeitschrift ›Popular Science Monthly‹ (Januarheft 1878) erschien. Pierce weist darauf hin, daß unsere Überzeugungen tatsächlich Regeln für unser Handeln sind, und sagt dann, daß wir, um den Sinn eines Gedankens herauszubekommen, nichts anderes tun müssen, als die Handlungsweise bestimmen, die dieser Gedanke hervorzurufen geeignet ist. Die Handlungsweise ist für uns die ganze Bedeutung dieses Gedankens. Die konkrete Tatsache, die allen unseren noch so subtilen Gedanken-Distinktionen zugrunde liegt, ist diese: Keine dieser Distinktionen ist so subtil, daß sie in irgend etwas anderem bestünde als in einer Unterscheidung, die das Handeln beeinflussen kann. Um also vollkommene Klarheit in unsere Gedanken über einen Gegenstand zu bringen, müssen wir nur erwägen, welche praktischen Wirkungen dieser Gegenstand in sich enthält, was für Wahrnehmungen wir zu erwarten und was für Reaktionen wir vorzubereiten haben. Unsere Vorstellung von diesen Wirkungen, mögen sie unmittelbare oder mittelbare sein, macht dann für uns die ganze Vorstellung des Gegenstandes aus, insofern diese Vorstellung überhaupt eine positive Bedeutung hat.

Das ist das Prinzip von Pierce, das Prinzip des Pragmatismus. Es blieb zwanzig Jahre hindurch unbemerkt, bis ich es in einem Vortrag von Professor Howisons philosophischer Gesellschaft an der Universität von Kalifornien wieder aufnahm und auf die Religion anwendete. Von da an (1898) schien die Zeit reif für die Aufnahme des Prinzips. Das Wort Pragmatismus verbreitete sich, und gegenwärtig füllt es die Seiten der philosophischen Zeitschriften. Man spricht überall von der pragmatischen Bewegung, bald mit Achtung, bald mit Geringschätzung, selten mit klarem Verständnis. Es ist zweifellos, daß auf eine Anzahl von Richtungen, die bisher eines gemeinsamen Namens ermangelten, der Ausdruck Pragmatismus entsprechende Anwendung findet und daß er sich bereits festgelegt hat.

Um die Bedeutung des Pierceschen Prinzips vollständig zu erfassen, muß man sich daran gewöhnen, es auf konkrete Fälle anzuwenden. Ich fand vor einigen Jahren, daß Ostwald, der berühmte Leipziger Chemiker, in seinen Vorlesungen

über Naturphilosophie das Prinzip des Pragmatismus in vollkommener Klarheit anwendet, obwohl er es nicht mit diesem
Namen bezeichnet.

»Alle Wirklichkeiten«, so schrieb er mir, »beeinflussen unser Handeln, und dieser Einfluß ist das, was sie für uns bedeuten. Ich pflege in meinen Vorlesungen die Frage zu stellen: In
welcher Beziehung wäre die Welt anders, wenn diese oder
jene Alternative wahr wäre? Wenn ich nichts finden kann, das
anders würde, dann hat die Alternative keinen Sinn.«

Das heißt: die rivalisierenden Ansichten bedeuten praktisch dasselbe, und eine andere als eine praktische Bedeutung
gibt es für uns nicht. Es ist erstaunlich, zu sehen, wie viele
philosophische Kontroversen in dem Augenblick zur Bedeu-
tungslosigkeit herabsinken, wo Sie dieselben dieser einfachen
Probe unterwerfen, indem Sie nach den konkreten Konsequenzen fragen. Es kann unmöglich eine Differenz in einem
Punkte geben, die nicht eine Differenz an einem andern
Punkte zur Folge hat, keine Unterscheidung im Abstrakten,
die nicht in einem Unterschied im Konkreten, im Tatsächlichen und in der daraus sich ergebenden Handlungsweise zum
Ausdruck käme, für irgend jemand, irgendwie, irgendwo
und irgendwann. Die ganze Aufgabe der Philosophie sollte
darin bestehen, herauszufinden, welchen bestimmten Unterschied es für Sie und für mich in bestimmten Momenten
des Lebens ausmacht, ob diese oder jene Weltformel die
wahre ist.

Die pragmatische Methode ist nichts absolut Neues. Sokrates war ein Anhänger derselben. Aristoteles machte me-
thodischen Gebrauch von ihr. Locke, Berkeley und Hume
schufen mit ihrer Hilfe bedeutsame Beiträge zur Wahrheit.
Aber diese Vorläufer des Pragmatismus machten davon nur
fragmentarischen Gebrauch, sie waren nur ein Vorspiel. Erst
in unserer Zeit hat sich die Methode verallgemeinert, ist sich
ihrer universellen Aufgabe bewußt geworden und erhebt den
Anspruch auf eine sieghafte Mission. Ich glaube an diese Mis-

sion und hoffe, am Ende auch Sie mit meinem Glauben zu erfüllen.

Der Pragmatismus repräsentiert eine uns durchaus vertraute Richtung in der Philosophie, nämlich die empirische Richtung, allein er repräsentiert sie in einer radikaleren und zugleich einwandfreieren Form, als die war, die sie bisher angenommen hatte. Ein Pragmatist wendet einem ganzen Haufen veralteter Gewohnheiten, die den Fachphilosophen liebgeworden sind, ein für allemal entschlossen den Rücken.

Er wendet sich weg von Abstraktionen und Unzulänglichkeiten, weg von Problemlösungen, die nur Worte sind, weg von schlechten A-priori-Begründungen, von festgelegten Prinzipien, von geschlossenen Systemen, weg von dem Absoluten und den Ursprüngen. Er wendet sich vielmehr zu der Wirklichkeit und Angemessenheit, zu den Tatsachen, zum Handeln und zur Macht. Das bedeutet soviel als Herrschaft der empirischen Stimmung und ehrliches Aufgeben des rationalistischen Temperamentes. Es bedeutet die freie Luft und die mannigfachen Gestaltungen der Natur, engegengehalten dem Dogma, der Künstelei, dem Anspruch auf endgültige Wahrheit.

Dabei stellt der Pragmatismus keineswegs bestimmte Ergebnisse fest. Er ist nur eine Methode. Aber der allgemeine Sieg dieser Methode würde eine große Veränderung dessen herbeiführen, was ich in meiner ersten Vorlesung das Temperament der Philosophie genannt habe. Die Anhänger des extrem rationalistischen Typus würden kaltgestellt werden, ebenso wie der Höflingstypus in Republiken und der Typus des ultramontanen Priesters in protestantischen Ländern kaltgestellt werden. Wissenschaft und Metaphysik würden einander näherkommen und könnten tatsächlich Hand in Hand miteinander arbeiten.

Die Metaphysik hat in der Regel eine recht primitive Art der Untersuchung zur Anwendung gebracht. Sie wissen, welche Vorliebe die Menschen immer für verbotene Magie hatten, und Sie wissen, welche große Rolle in der Magie immer die Worte gespielt haben. Sie können den Geist, den Dämon, oder wie immer die Macht heißt, beherrschen, wenn Sie nur seinen Namen und die Zauberformel kennen, die ihn bindet. Salomo kannte die Namen der Geister, und da er die Namen hatte, so waren sie alle seinem Willen unterworfen. So erschien das Universum dem natürlichen Geist immer wie ein Rätsel, dessen Lösung in der Gestalt eines erleuchtenden, Macht bringenden Wortes oder Namens gesucht wurde. Dieses Wort gibt dem Weltprinzip einen Namen, und dieses Wort besitzen heißt in gewissem Sinne so viel als die Welt besitzen. ›Gott‹, ›Materie‹, ›Vernunft‹, ›Das Absolute‹, ›Energie‹, das alles sind solche rätsellösende Namen. Wir können uns beruhigen, wenn wir sie haben. Wir sind am Ende unserer metaphysischen Untersuchung angelangt.

Wenn Sie aber der pragmatischen Methode folgen, dann können Sie solch ein Wort niemals als den Abschluß Ihrer Untersuchung ansehen. Sie müssen aus jedem solchen Wort seinen praktischen Kassenwert herausbringen, müssen es innerhalb des Stromes Ihrer Erfahrung arbeiten lassen. Dann erscheint es nicht mehr als eine Lösung, sondern vielmehr als ein Programm für neue Arbeit und, genauer gesagt, als ein Hinweis auf die Mittel, durch welche existierende Realitäten verändert werden können.

Theorien sind dann nicht mehr Antworten auf Rätselfragen, Antworten, bei denen wir uns beruhigen können; Theorien werden vielmehr zu Werkzeugen.

Wir liegen nicht ruhig auf dem Faulbett der Theorien, wir dringen vorwärts und bearbeiten mit ihrer Hilfe wiederholt die Natur. Der Pragmatismus nimmt allen Theorien ihre Steifheit, macht sie geschmeidig und läßt jede arbeiten. Da er nichts wesentlich Neues ist, so harmoniert er mit vielen alten philosophischen Richtungen.

Heinrich Mann
Reichstag

*H*einrich Mann kam im selben Jahre 1871 zur Welt wie das Deutsche Reich und überlebte es um fünf Jahre, bis 1950. Er liebte Italien, wurde in vielem ein sehr repräsentativer Franzose (man sehe sich Photographien von ihm an, auch seine Grammatik) und ein sehr strenger Lehrer der Deutschen. Seine Lehren prallten ab. Aber er war die lebendige Opposition: erst gegen Wilhelm II., dann gegen die anti-republikanischen Tendenzen der Weimarer Zeit, dann gegen Hitler.

Er schrieb den Untertan, als der Kaiser auf dem Gipfel seiner Macht stand. Er schrieb den Professor Unrat (den Blauen Engel), als die Schultyrannen noch jeden Tag Sedan über die Pennäler feierten. Er schrieb das tödlichste Buch des Exils, Der Haß, in dem Augenblick, da das Dritte Reich wirklich Miene machte, tausend Jahre alt zu werden. Und sein großes zweibändiges Alterswerk Henri Quatre ist unter anderem auch ein Schlüsselroman, in dem die berühmtesten und ekelhaftesten Deutschen jener Zeit meisterhaft abgebildet sind.

Er war zu Hause im achtzehnten Jahrhundert. In den letzten Jahren, in Santa Monica, California, las er zum dritten Mal in seinem Leben Voltaires Werke von A bis Z.

Neben seinen großen Romanen sind seine Essays denkwürdig. Der berühmteste ist sein Zola-Essay. Unsere bittere Glosse, die den wilhelminischen ›Reichstag‹ schildert, stammt aus dem Jahre 1911. Mit der Meisterschaft im Satirischen, die sich später in seinen besten Romanen zeigte, ist hier der Hochadel, der Grundbesitz und das mit ihnen verbündete katholische Zentrum karikiert. Aber auch die Parteibonzen von der

Linken. Es ist der Geist des alten ›Simplizissimus‹, der in diesen paar Seiten lebt.

Als zweites Stück bringen wir einen Essay aus dem Jahre 1917, dem vorletzten Jahre des Ersten Weltkriegs. Das liberale ›Berliner Tageblatt‹ veröffentlichte Das junge Geschlecht, *obwohl es Gedanken ausspricht, die in jenem Moment nicht ungefährlich waren. Zum Beispiel:* »*Wer von Euch wird sich einen Patrioten nennen, weil seine Gedanken in bezwungenen, für ihn auszunutzenden Ländern sind?*«

Ganz abgesehen von seinen gewaltigen künstlerischen Qualitäten war Heinrich Mann einer der mutigsten, einer der kämpferischsten Deutschen.

Da bis auf kurze Zwischenfälle den ganzen Tag nur ein Abgeordneter aus der Mitte des Hauses redet, ist das Zentrum vollauf beschäftigt. Es lacht, wo immer es einen Witz argwöhnt. So oft nötig, inszeniert es dumpfes Entrüstungsgepolter. Und pünktlich ist es zur Stelle, wenn von links ein Zwischenruf droht: mit Stimmen wie fette Hände, die abwehren, weil eine Fliege ins Bier fällt. Es scheint, daß die tausendjährige Seele des katholischen Christentums grade hier nur wenig vertreten ist; vertreten sind Lebensformen und Interessen ganz materieller Art. Geistliche – diese schwer an ihren Leibern Tragenden? Diese schlauen und plumpen Gesichter, ohne Menschengläubigkeit? Aber hier, unter den Vierhundert, die die Nation selbst sind, füllen sie die breite Mitte; ihr Beauftragter redet tagelang. Er hat gewiß alles im deutschen Parlament erlangbare Können, hat den in dieser Mitte erlaubten Ehrgeiz und so viel Temperament, als hier gedeiht. Ein arbeitsamer Redner ohne Geste, seine Hände sind immer in den Akten.

Dann und wann betritt, die Hände in den Hosentaschen, ein Konservativer den Saal und überzeugt sich, daß die Sache

gemacht wird. Sie wird gemacht. Nach dem gestrigen Zusammenstoß mit dem Reichskanzler, wobei Wahlgeheimnisse platzten, ist Marokko gefährlich geworden, und man
mogelt es besser in eine Sozialistendebatte um. Von Dreckwitz ruft: »Hört, hört!« – aber er selbst kehrt lieber zu den
Freunden ins Foyer zurück, auf das rote Sofa, wo sie sich, die
Glatzen zwischen den Schultern, so tief einsenken, wie nur
des Nachts in die Polster des Palais de danse. Schmunzeln um
die funkelnd schwarzen Schnurrbärte, plaudert man von den
kleinen Freuden des Augenblicks, von den Sorgen der Zeit –
und wieviel edler genährt als an den geistlichen Freunden
glänzt in diesen Mienen der Speck! Nun geht ein Lächeln darüber, denn jemand hat sich die Saaltür öffnen lassen, man
sieht drinnen die Proleten sich abarbeiten. Dies Lächeln! Es
sagt: »Komödie! Indes ihr schwatzt, ist das Geschäft längst
fertig.« Es sagt: »Komödie! Ihr alle seid Objekte der Gesetzgebung, die Subjekte sitzen hier.« Es sagt: »Ein Leutnant mit
zehn Mann.« Es ist ein Lächeln von Holofernes bis Dschingis-Khan. Es ist das Wulstlächeln aller Schweine der Weltgeschichte: aller Herrenschweine.

Von Dreckwitz hat »Bravo!« gerufen, weil der Redner die
rote Bande nicht übel anhaucht; aber er behält den Mund offen, denn droben steht jetzt ein Freisinniger und beweist den
Sozialdemokraten, daß sie beim Ausbruch eines Krieges gestreikt haben würden. Er ist sichtlich überzeugt, daß er heute
gar nichts Besseres tun könnte. Die Ironie rechts sieht und
hört er nicht; flammend reckt er sich nach links und gegen den
Umsturz. Der Mann ist Arzt, er wird tätlich mit Sozialdemokraten zu tun haben, muß genau wissen, daß diese Leute sich
von ihm selbst höchstens durch ein paar historische Redensarten unterscheiden, daß sie maßvolle kleine Bürger sind, die
nichts wollen als Kindern und Enkeln ein spießiges Wohlleben verschaffen und daß sie zum Generalstreik so stehen wie
die Jungtürken zum heiligen Krieg, nämlich selbst die größte
Angst davor haben. Aber die Wollust, positiv und erhaltend

zu sein, macht ihm Kongestionen, er weiß nichts mehr. Und
der Mann ist Jude. Sein Leben ist sicher nicht vergangen,
ohne daß er die Feindseligkeit des christlich geschminkten
Feudalstaates erfahren hat. Wenn er den Kopf wenden wollte, auf wie viele Blicke würde er dort rechts treffen, worin
nicht freche Geringschätzung läge? Gleichviel, er sieht nicht
hin, und für einen Augenblick ist auch er ein Herr, ein
Machthaber, der zum Volk vom Pferd herab spricht (bevor es
ihn wieder abwirft) und hinter sich Edelleute und Priester
hat.

Die Instinktverlassenheit dieses Bürgertums ist vollständig. So vollständig kann sie sich nur an großen Tagen bewähren. Marokko mußte verloren werden, das Reich durch die
Adeligen, die es regieren, tiefer gedemütigt werden als je vorher, und die Adeligen selbst mußten, von Panik erfaßt, aneinander geraten mit den sogenannten Staatsmännern, die nur
ein Ausschuß ihres eigenen Klüngels sind: solche glänzende
Kombination mußte eintreten, damit der liberale Bürger dem
Zentrumsredner auf seinen ordinären Trick hineinfallen
konnte und mitschimpfte, gegen wen? gegen die Sozialdemokratie!

Was er über die Diplomaten vorbringt, klingt flau; man
hört die Demut, die sich einen Stoß gibt, um Ungezogenheit
zu werden. Überlegenheit wird sie nicht. Die ›Herren dort
oben‹ bleiben oben, noch im tiefsten Sumpf. Der Bürger läßt
es ohne Widerspruch geschehen, daß auf alle seine Beschwerden der Staatssekretär als Antwort einen Witz setzt. Warum
sollte der Staatssekretär es sich schwerer machen? Seine wahre, ach so schlecht weggekommene Gestalt kennt nur Europa. Hier drinnen sieht man ihn nicht bloß in gelber Weste,
man sieht ihn gepanzert. Alle seinesgleichen, die sich draußen
ducken müssen in ihrem geistigen Elend, ihrem trüben Mangel an Weltläufigkeit und Kenntnis der Geschäfte: so oft sie
zurückkehren aus den Niederlagen, die englische Kaufleute
und französische Literaten ihnen beigebracht haben, ah!

welch ein Prunken vor den verschüchterten Landsleuten, welch Auftreten, welche furchteinflößende Autorität – zwischen den Niederlagen!

Sie sind komisch, sie sind abstoßend: empörend sind sie nicht, denn sie erhalten sich selbst wie sie können, und sind wohl nicht fähig einzusehen, daß an ihnen das Land zugrunde geht. Empörend ist der Bürger, die Masse dieser gebildeten, wohlhabenden Leute, die durchaus den Haß nicht kennen wollen; die ihren lehrhaften Dünkel für die radikaleren Volksgenossen aufsparen und dem Volksfeind, der rechts steht, mit Rücksichten begegnen, als lebten sie mit ihm auf derselben Plattform, als ließe sich paktieren, als gäbe es verbindende Menschlichkeit. Aber es gibt keine. Habt ihr denn kein Blut? Niedergehalten in eurer öffentlichen Selbstbestimmung, ausgeschlossen vom Staat, von Macht und Ehren, von der Vertretung der Leistungen und Werte, die nur die euren sind, der Welt gegenüber: ist das nicht genug? Ist es nicht genug, ein Leben lang von Fremden, die über ihren Willen und ihre Sprache selbst verfügen, gefragt zu werden: »Was sagt euer Kaiser? Was will eure Regierung?« Und wenn ihr einen anständigen Kopf habt, gefragt zu werden: »Sie gehören wohl zur Aristokratie Ihres Landes?« – da in einem unterdrückten Arbeitsvolk niemand die Gesichter der höchsten europäischen Kulturschicht sucht. Letzer Hohn eines deutschen Schicksals: verwechselt werden mit dem von Dreckwitz, mit dieser Elite des Stalls und der Nachtlokale, mit dieser Edelzucht von Zirkusdirektor und Schieber! Habt ihr kein Blut? Steigt es euch nicht in die Stirn beim Anblick der frechen Feindseligkeit einer Kaste, die es noch wagt, sich zu zeigen, noch wagt, befehlen zu wollen, mitten im Sammelpunkt eurer bürgerlichen Anstrengungen, in der Schöpfung eurer Väter, im Reichstag? Gutmütige Vorträge haltet ihr ihnen? Seid und bleibt fern aller Konventsstimmung, dem ›Du oder ich!‹, dem ›Auf ihn!‹ der großen Geschichte?

Dann laßt euch immerhin am 12. Januar ein wenig zahlreicher in dies Haus zurückschicken: das ändert nichts. Ihr werdet öfter reden, und sie werden euch höhnischer trotzen. Auf ihr letztes Wort, das Gewalt heißt, bleibt ihr immer ohne Antwort – da ihr ja niemals die Kasse sperren und abwarten werdet, ob die Kanonen sich gegen die Gebäude der Großbanken richten. Der Versuch wäre lächerlich einfach, und im Handumdrehen würde sich zeigen, daß sogenannte Herren, die es nur durch faule Übereinkunft und durch Suggestion sind, nicht aber kraft des Geistes und nicht einmal auf Grund des Geldes, daß sie noch gar nichts für sich haben, wenn sie nur die Gewalt haben ... Aber es wäre unnütz, euch zu raten. Die Geschlechter müssen vorübergehen, der Typus, den ihr darstellt, muß sich abnutzen: dieser widerwärtig interessante Typus des imperialistischen Untertanen, des Chauvinisten ohne Mitverantwortung, des in der Masse verschwindenden Machtanbeters, des Autoritätsgläubigen wider besseres Wissen und politischen Selbstkasteiers. Noch ist er nicht abgenutzt. Nach den Vätern, die sich zerrackerten und Hurra schrien, kommen Söhne mit Armbändern und Monokeln, ein Stand von formvollen Freigelassenen, der sehnsüchtig im Schatten des Adels lebt ... Geht heim, Volksvertreter, kehrt zurück in die bürgerliche Wüste dieses Landes, und braucht ihr Stärkung für eure Demut, dann tretet ins allgemeine Restaurationszimmer eures Reichstages ein. Nebenan, abgesondert vom Pöbel, speist der konservative Adel. Ihr werdet ihn nicht hinausprügeln.

Das junge Geschlecht

Bei dem Anblick Zwanzigjähriger sage man sich: »Sie kennen schon das Leiden«, und »Sie lernen früh sehen, zu viel sehen«. Die Jungen von heute sind streng mit den Älteren; sie prüfen uns, so tief sie können; sie rechnen uns keine Leistung an, auch nicht die unter zehntausend einzige: sie komme denn

aus einer vollen und reinen Menschlichkeit. Sie wollen keine
Nachsicht üben mit denen, die sich selbst zu viel Nachsicht
schenkten und es bequem fanden, ›umzulernen‹, wo es galt,
sich zu behaupten. Die Zahl derer, die sie des Lebens wert
halten, ist erschreckend klein. Aber wie viele sahen sie auch
schon sterben. Man möchte sie anmaßend nennen, aber man
sage sich: »Sie kennen schon das Leiden, und schuldig daran
sind wir.« Als sie nur erst geboren wurden, handelten wir
schon oder ließen geschehen, führten, zumeist unwissentlich
und lässig, einfach indem wir lebten, diese unnennbaren
Jahre herbei, die für die Zwanzigjährigen nun ›die Jugend‹
sind.

Wir ließen geschehen; und manche taten mehr. Als wir anfingen – kurz gesagt, wir wollten nur genießen, und weder
bessern noch uns bessern. Die geistig Lebenden waren keines
anderen Wesens als jene, die wirtschaftlich und politisch
obenauf waren, oder als selbst die Unterlegenen und Armen.
Für Ideen leben anstatt für Erwerb und Genuß – vom Ende
des Jahrhunderts bis 1914 schien es unmöglich, es würde ausgesehen haben wie Selbstbetrug oder wie Spaß. Sogar die Armen samt ihren Führern verloren stückweise ihren Glauben
und kämpften bloß noch um Pfennige, um ein Weniges mehr
an Wohlleben. Die Lebensgier war bei allen und auch bei uns.
Ihre vermessenste Form ist es, aus dem Geist selbst ein Spiel
und einen Genuß zu machen, ihn nicht um seiner Sittlichkeit
willen zu erstreben, nur weil er blenden und kitzeln kann. Ein
verantwortungsloser Unernst der Geister zeitigt das Paradox.
Das Paradox ist ein geistreicher Versuch, der Wahrheit auszuweichen. Die Wahrheiten galten bei uns für langweilig und
für unbequem. Sie waren zu lange bekannt und schon so vielfach in der Welt verwirklicht, daß es nicht vornehm schien,
sie auch diesem Land noch zu erkämpfen. Um so weniger
schien es vornehm, je mehr man fühlte, man könne es nicht.

Die Demokratie, die Humanität, der freie literarische Geist
und das Bewußtsein der Einheit mit unserm Erdteil, alles war

seit 1870 zurückgegangen, in seinem Ansehen und Bestand
nur immer zurückgegangen. Wie vielversprechend, falsche
Werte in Umlauf zu setzen, den klugen Teufel zu spielen und
nicht für die notwendige, offenkundige Wahrheit einzuste-
hen, nein, für den schwieriger zu beweisenden Schein. Dies
übernahmen sehr viele. Es waren natürlich nicht die Besten
und nicht einmal immer die Geehrtesten, aber sie überwogen
durch ihre jährlich wachsende Zahl und die Anpassung an
das, was bestand und vorging. Von Jahr zu Jahr vollständiger
bis zum Kriege erschöpfte sich die literarische Denkarbeit
Deutschlands im Rechtfertigen des Falschen und im Auf-
trumpfen mit Paradoxen. Persönlichkeit und Auszeichnung
statt des überall sich vollziehenden Ausgleichs. Heiligung des
Eingesetzten statt der überall umgehenden Revolte. Der Staat
und seine Größe statt des Menschen und seines Glücks. Die
Macht statt der Sittlichkeit, die Macht des Stoffes, nicht die
des Geistes. Die Verachtung der Vernunft – und damit die
Verachtung des Menschen, statt des europäischen Glaubens
an seine höhere Bestimmung. So die meisten. Einige von uns
bewahrten sich so rein, wie wir schnell Vergehenden uns rein
bewahren können von dem Augenblick, mit dem wir vergehen. An sie nun hält sich das junge Geschlecht.

Denn es ist anderen Wesens. Es glaubt nicht, daß irgendein
Talent genüge zur Beschönigung des Widergeistes. Es glaubt
an das absolute literarische Kunstwerk, nicht aber, dies
könne entstehen und nichts dahinter sein als Selbstaufgabe
und Bankerott. Es will nicht spielen, sondern verwirklichen:
Werke des Geistes, seien sie Bücher oder Taten.

Gruppen der Tat sind schon da in den Städten Deutschlands, gebildet aus lauter Jugend, die die Beschlüsse der Vernunft für bündig hält, im Geist die Tat schon mitbegreift, ja,
die Literatur und die Politik, solange ruchlos getrennt, endlich wieder vereint in ihrem Herzen. Die Gruppen warten auf
ihren Zusammenschluß – und in der deutschen Öffentlichkeit
wird wieder erscheinen, was sie lange verlernt und vergessen

hatte, eine Partei des Geistes, erste Auflehnung gegen den in Riesenverbänden organisierten Widergeist, unter dessen Schreckensherrschaft wir gelebt haben. Die gealterten Mitglieder der Parlamente, die nach vierzigjähriger Unbesorgtheit jetzt plötzlich unter ihren Tischen einige liegengebliebene Volksrechte entdecken, gehen unbequemen Tagen entgegen. Mit dieser Jugend wird nicht zu handeln sein. Die ›Realpolitik‹ der Gealterten wird sich als Illusion erweisen, gesetzt, sie habe zuletzt noch jemanden getäuscht. Sie werden das große Dementi erfahren, daß die wahre Wirklichkeit in den Geistern besteht, nicht in den Tatsachen. Sie werden einer Macht begegnen, die diesen Machtpolitikern noch nicht dämmerte, der Idee. Große Wandlung, tiefe Erneuerung, aber sie kommt. Wer denkt denn, es sei getan mit Sätzen in der Verfassung? Was sich ändert, ist die Ansicht vom Staat, das Gefühl vom Volk, die Stellung zur Menschheit, die Grundempfindung des Lebens selbst.

Der Staat. Zerstoben ist dann der Unfug einer Ansicht vom Staat, der über den Menschen sei und nicht frage nach ihrem Glück und Dasein. Dies war der Irrtum einer ganz nach außen gerichteten Menschenart, die nur ›Erfolge‹ kennen wollte, aber keine Besserung, kein Hinan. Der Staat hängt einzig ab von uns Menschen, von unserem Willen und Blut. Ob er gut ist, entscheiden unsere Tugenden und Laster; und er führt uns hinan oder drängt uns hinab, je nachdem unsere Triebe ihn beherrschen oder unser Ideal. Selbst für sich verantwortlich, erfüllt ein Volk seinen Staat mit seinen schöpferischen Kräften, – indes Machthaber höchstens seine erhaltenden nutzen, wenn nicht gar seine noch nicht menschlichen. Zwischen den Deutschen und ihrem Reich liegt es so, daß sie früher wenig Wert auf die Eigenschaften gelegt haben, die in ihm nun vorherrschen, und daß alte und wesentliche deutsche Kräfte noch unbeteiligt sind an dem Reich. Das junge Geschlecht wird sie geltend machen. Das Reich wird endlich seine Wurzeln hinabsenken bis in die

deutsche Landschaft, die deutsche Musik. Der menschheit-
lich denkende Goethe wird in ihm wirken und der freiheitlie-
bende Schiller ihm nicht weniger verschmolzen sein als Kant,
Gesetzgeber der Vernunft. Das Reich, zu sehr bislang nur
technischer Betrieb und Wirtschaftsverband, von außen, aus
einem Kriege heimgebracht, anders als die Deutschen es er-
träumt hatten, und so, wie es war, noch nicht die Heimat
ihrer Seele: es wird der Staat werden, der ganz dieses Volk
ausdrückt, heraufgestiegen aus seinem eigenen, im Tiefsten
unzerstörbaren Wesen.

Das Volk. Dann steht es anders da. Ihr Volk der Zwanzigjährigen werdet im Menschlichen höhere Stufen erreichen,
und euer Staat selbst erbaut sie euch. Er dient euch nicht weniger als ihr ihm. Um zu wachen über ihn, wacht über euch
selbst. Hütet jeder in euch das Bewußtsein der Gleichberech-
tigung und der eigenen Verantwortung. Demokratien schaffen die Eigennaturen nicht ab, sie wollen, daß jeder eine
sei. Verlaßt euch nicht auf große Männer, so entgeht ihr den
Katastrophen. Verehrt niemand, verachtet niemand. Kennet
den Menschen und pflegt ihn, dann habt ihr in einem Zivilisation und Kultur. Euer Volk betrachtet durchdringend und
mit Güte. Fürchtet nicht den Kampf mit ihm. Gewiß, nichts
werdet ihr weniger fürchten als den inneren Kampf, diese
Selbsteinkehr der Nationen. Ihn fürchten nur die, die sich
überheben. Für sie ist immer irgendein ›innerer Feind‹ da,
den sie hassen. Ihr aber, gleichberechtigt und verantwortlich,
werdet lieben, auch wenn ihr kämpft.

Euer Volk liebend, könnt ihr die Menschheit nicht hassen.
Seinem eigenen Volk in wahrer Liebe zugeneigt ist der allein,
der auch zwischen den Völkern von Güte weiß. Ein Volk, das
alle seine Rechte hat, verletzt in unserem Erdteil nicht die der
anderen. Zu Unterdrückern machen sich nur Unterdrückte;
ihr aber seid frei. Das Mehr an Freiheit entspricht überall
einem zunehmenden Gefühl normalen Menschentums. Wer
von euch wird sich einen Patrioten nennen, weil seine Ge-

danken in bezwungenen, für ihn auszunutzenden Ländern sind, anstatt daß er sein Bestes in dem Glück seines Volkes sucht und das Glück seines Volkes in dem Glück aller Völker?

Eure Grundempfindung des Lebens, Zwanzigjährige, wird die Gewißheit des Glückes sein. Ihr werdet euch nicht scheuen, es für erreichbar zu halten. Niemand wird euch vortäuschen, es widerstreite dem inneren Gesetz, das nicht Glück von uns wolle, sondern Pflicht. Denn eure Pflicht ist der Geist, die Durchdringung der Welt mit Geist, der Staat als Gebilde der Erkenntnis, das Volk angeschaut mit dem Wissen um die Seele, und das Leben selbst erfüllt mit jener leichten Luft, die durch die schönen Werke des Geistes weht. Dies aber ist Glück. Eure Pflicht, Zwanzigjährige, wird das Glück sein.

Karl Kraus
Heine und die Folgen

Karl Kraus war einer von den drei großen deutschen Journalisten um die Jahrhundertwende: die andern beiden waren Maximilian Harden und Alfred Kerr.

1874 in Gitschin in Böhmen geboren, kam Karl Kraus als Kind nach Wien und blieb dort bis zu seinem Tod im Jahre 1936. Im Ersten Weltkrieg schrieb er das riesenlange Lesedrama Die letzten Tage der Menschheit: 763 Seiten lang, zwölf davon sind damit angefüllt, die Liste der mehr als 500 Figuren zu geben. Neben den fünf Akten hat es einen Prolog und Epilog. Kraus schrieb: »Die Aufführung des Dramas, dessen Umfang nach irdischem Zeitmaß etwa zehn Abende umfassen würde, ist einem Marstheater zugedacht. Theatergänger dieser Welt vermöchten ihm nicht standzuhalten ... Die Handlung, in hundert Szenen und Höllen führend, ist unmöglich, zerklüftet, heldenlos wie jene. Der Humor ist nur der Selbstvorwurf eines, der nicht wahnsinnig wurde bei dem Gedanken, mit heilem Hirn die Zeugenschaft dieser Zeitdinge bestanden zu haben.« Dieses klassische Antikriegsstück gibt getreulich, in mächtigster Breite, die Sprache des Krieges wieder, wie sie sich in hunderttausend winzigen Wendungen verrät.

Kraus, der sich in seiner Zeitschrift ›Die Fackel‹ ein mächtiges Organ schuf, nahm vor allem die Sprache der Presse aufs Korn. Seine Kulturkritik gab er vor allem als Sprachkritik. In einer seiner vielen prinzipiellen Auseinandersetzungen mit der lebenden und toten Sprache schrieb er einmal: »Es wäre dem Menschen geholfen, könnte man ihm, wenn schon nicht *das Auge für die fremde Schrift, wenigstens das Ohr für die eigene Sprache öffnen und ihn wieder die Bedeutungen erleben lassen, die er, ohne es zu wissen, täglich zum Munde führt. Ihn die Verlebendigung der Redensarten zu lehren, die Auffrischung der Floskeln des täglichen Umgangs, die Agnostizierung des Nichtssagenden, das einmal etwas gesagt hat.«*

Unter den vielen Pamphleten, die er in seiner Fackel *veröffentlicht hat, ist das wirksamste am 31. August 1911 erschienen:* Heine und die Folgen. *Es hat die Haltung des zwanzigsten Jahrhunderts zum Dichter Heinrich Heine mehr beeinflußt als irgendein anderer Angriff.*

Heinrich Heine ist durch die hundert Jahre seit seinem Tode vor allem vom deutschen Nationalismus und Antisemitismus attackiert worden. Hundert Jahre hindurch weigerte man sich, ihm ein Denkmal zu setzen. Die Anti-Heine-Entrüstung erreichte ihren Höhepunkt in dem Sieg des Nationalsozialismus über ihn.

Karl Kraus traf im Dichter Heinrich Heine den Repräsentanten des blutlos-sentimentalen deutschen Liberalismus und des feuilletonistischen Epigonentums. Heine und die Folgen *ist eine Schrift, die pure Wahrheit wäre, wenn sie ›Heines Folgen‹ betitelt worden wäre. Obwohl Kraus vor allem die bekannten billigen Verschen aus dem* Buch der Lieder *treffen wollte, traf er Heine. Der großartige Pamphletist machte zu wenig deutlich, daß er nur Heines Sterblichstes getötet hatte. So kam das Falsche, Schädliche in diese großartige Streitschrift. Wir führen sie hier vor, weil wir glauben: sie ist, in ihrer berechtigten Polemik, Geist und Sprache vom besten Heine.*

Heinrich Heine aber hat den Deutschen die Botschaft dieses Himmels gebracht, nach dem es ihr Gemüt mit einer Sehnsucht zieht, die sich irgendwo reimen muß und die in unter-

irdischen Gängen direkt vom Kontor zur blauen Grotte
führt. Und auf einem Seitenweg, den deutsche Männer meiden: von der Gansleber zur blauen Blume. Es mußte geschehen, daß die einen mit ihrer Sehnsucht, die andern mit ihren
Sehnsüchten Heinrich Heine für den Erfüller hielten. Von einer Kultur gestimmt, die im Lebensstoff schon alle Kunst erlebt, spielt er einer Kultur auf, die von der Kunst nur den
stofflichen Reiz empfängt. Seine Dichtung wirkt aus dem
romanischen Lebensgefühl in die deutsche Kunstanschau-
ung. Und in dieser Bindung bietet sie das utile dulci, orna-
mentiert sie den deutschen Zweck mit dem französischen
Geist. So, in diesem übersichtlichen Nebeneinander von
Form und Inhalt, worin es keinen Zwist gibt und keine Einheit, wird sie die große Erbschaft, von der der Journalismus
bis zum heutigen Tage lebt, zwischen Kunst und Leben ein
gefährlicher Vermittler, Parasit an beiden, Sänger, wo er nur
Bote zu sein hat, meldend, wo zu singen wäre, den Zweck im
Auge, wo eine Farbe brennt, zweckblind aus Freude am Ma-
lerischen, Fluch der literarischen Utilität, Geist der Utilite-
ratur. Das Instrument zum Ornament geworden, und so
entartet, daß mit dem kunstgewerblichen Fortschritt in der
täglichen Presse kaum noch jene Dekorationswut wetteifern
kann, die sich an den Gebrauchsgegenständen betätigt, denn
wir haben wenigstens noch nicht gehört, daß die Einbruchs-
instrumente in der Wiener Werkstätte erzeugt werden. Und
selbst im Stil der modernsten Impressionsjournalistik verleugnet sich das Heinesche Modell nicht. Ohne Heine kein
Feuilleton. Das ist die Franzosenkrankheit, die er uns einge-
schleppt hat. Wie leicht wird man krank in Paris! Wie lockert
sich die Moral des deutschen Sprachgefühls! Die französische
gibt sich jedem Filou hin. Vor der deutschen Sprache muß
einer schon ein ganzer Kerl sein, um sie herumzukriegen,
und dann macht sie ihm erst die Hölle heiß. Bei der französischen aber geht es glatt, mit jenem vollkommenen Mangel
an Hemmung, der die Vollkommenheit einer Frau und der

Mangel einer Sprache ist. Und die Himmelsleiter, die zu ihr
führt, ist eine Klimax, die du im deutschen Wörterbuch findest: Geschmeichel, Geschmeide, Geschmeidigkeit, Ge-
schmeiß. Jeder hat bei ihr das Glück des Feuilletons. Sie ist
ein Faulenzer der Gedanken. Der ebenste Kopf ist nicht ein-
fallssicher, wenn er es mit ihr zu tun hat. Von den Sprachen
bekommt man alles, denn alles ist in ihnen, was Gedanke
werden kann. Die Sprache regt an und auf, wie das Weib, gibt
die Lust und mit ihr den Gedanken. Aber die deutsche Sprache ist eine Gefährtin, die nur für den dichtet und denkt, der
ihr Kinder machen kann. Mit keiner deutschen Hausfrau
möchte man so verheiratet sein. Doch die Pariserin braucht
nichts zu sagen als im entscheidenden Augenblick très joli,
und man glaubt ihr alles. Sie hat den Geist im Gesicht. Und
hätte ihr Partner dazu die Schönheit im Gehirn, das romanische Leben wäre nicht bloß très joli, sondern fruchtbar, nicht
von Niedlichkeiten und Nippes umstellt, sondern von Taten
und Monumenten.

Wenn man einem deutschen Autor nachsagt, er müsse
bei den Franzosen in die Schule gegangen sein, so ist es erst
dann das höchste Lob, wenn es nicht wahr ist. Denn es will
besagen: er verdankt der deutschen Sprache, was die französische jedem gibt. Hier ist man noch sprachschöpferisch, wenn
man dort schon mit den Kindern spielt, die hereingeschneit
kamen, man weiß nicht wie. Aber seit Heinrich Heine den
Trick importiert hat, ist es eine pure Fleißaufgabe, wenn
deutsche Feuilletonisten nach Paris gehen, um sich Talent zu
holen. Wenn einer heute wirklich nach Rhodos fährt, weil
man dort besser hopsen kann, so ist er wahrlich ein übertrieben gewissenhafter Schwindler. Das war zu Heines Zeiten
notwendig. Man war in Rhodos gewesen, und da glaubten sie
einem den Hopser. Heute glauben sie einem Lahmen, der in
Wien bleibt, den Cancan, und mancher spielt jetzt die Brat-
sche, dem einst kein Finger war heil. Der produktive Anteil
der Entfernung vom Leser ist ja noch immer nicht zu unter-

schätzen, und nach wie vor ist es das fremde Milieu, was sie
für Kunst halten. In den Dschungeln hat man viel Talent, und
das Talent beginnt im Osten, etwa bei Bukarest. Der Autor,
der fremde Kostüme ausklopft, kommt dem stofflichen Interesse von der denkbar bequemsten Seite bei. Der geistige
Leser hat deshalb das denkbar stärkste Mißtrauen gegen jene
Erzähler, die sich in exotischen Milieus herumtreiben. Der
günstigste Fall ist noch, daß sie nicht dort waren; aber die
meisten sind leider doch so geartet, daß sie wirklich eine Reise
tun müssen, um etwas zu erzählen. Freilich, zwei Jahre in
Paris gewesen zu sein, ist nicht nur der Vorteil solcher Ha-
bakuks, sondern ihre Bedingung. Den Flugsand der französischen Sprache, der jedem Tropf in die Hand weht, streuen sie
dem deutschen Leser in die Augen. Und ihnen gelte die Um-
kehrung eines Wortes Nestroys, dieses wahren satirischen
Denkers: ja von Paris bis Sankt Pölten geht's noch, aber von
da bis Wien zieht sich der Weg! (Wenn nicht auf dieser Strecke
wieder die Heimatsschwindler ihr Glück machen.) Mit Paris
nun hatte man nicht bloß den Stoff, sondern auch die Form
gewonnen. Aber die Form, diese Form, die nur eine Enve-
loppe des Inhalts, nicht er selbst, die nur das Kleid zum Leib
ist und nicht das Fleisch zum Geist, diese Form mußte nur
einmal entdeckt werden, um für allemal da zu sein. Das hat
Heinrich Heine besorgt, und dank ihm müssen sich die Herren nicht mehr selbst nach Paris bemühen. Man kann heute
Feuilletons schreiben, ohne zu den Champs Elysées mit der
eigenen Nase gerochen zu haben. Der große sprachschwind-
lerische Trick, der sich in Deutschland viel besser lohnt als die
größte sprachschöpferische Leistung, wirkt fort durch die
Zeitungsgeschlechter und schafft aller Welt, welcher Lektüre
ein Zeitvertreib ist, den angenehmsten Vorwand, der Literatur auszuweichen. Das Talent flattert schwerpunktlos in der
Welt und gibt dem Haß des Philisters gegen das Genie süße
Nahrung. Ein Feuilleton schreiben heißt auf einer Glatze
Locken drehen; aber diese Locken gefallen dem Publikum

besser als eine Löwenmähne der Gedanken. Esprit und Grazie, die gewiß dazu gehört haben, auf den Trick zu kommen und ihn zu handhaben, gibt er selbsttätig weiter. Mit leichter Hand hat Heine das Tor dieser furchtbaren Entwicklung aufgestoßen, und der Zauberer, der der Unbegabung zum Talent verhalf, steht gewiß nicht allzu hoch über der Entwicklung.

Der Trick wirkt sofort. Der Verschweinung des praktischen Lebens durch das Ornament, wie sie der gute Amerikaner Adolf Loos nachweist, entspricht die Durchsetzung des Journalismus mit Geistelementen, die aber zu einer noch katastrophaleren Verwirrung führen mußte. Anstatt die Presse geistig trocken zu legen und die Säfte, die aus der Literatur ›gepreßt‹, ihr erpreßt wurden, wieder der Literatur zuzuführen, betreibt die demokratische Welt immer aufs neue die Renovierung des geistigen Zierats. Das literarische Ornament wird nicht zerstampft, sondern in den Wiener Werkstätten des Geistes modernisiert. Feuilleton, Stimmungsbericht, Schmucknotiz – dem Pöbel bringt die Devise ›Schmücke dein Heim‹ auch die poetischen Schnörkel ins Haus. Und nichts ist dem Journalismus wichtiger, als die Glasur der Korruption immer wieder auf den Glanz herzurichten. In dem Maße, als er den Wucher an dem geistigen und materiellen Wohlstand steigert, wächst auch sein Bedürfnis, die Hülle der schlechten Absicht gefällig zu machen. Dazu hilft der Geist selbst, der sich opfert, und der Geist, der dem Geist erstohlen ward. Der Fischzug einer Sonntagsauflage kann nicht mehr ohne den Köder der höchsten literarischen Werte sich vollziehen, der ›Volkswirt‹ läßt sich auf keinen Raub mehr ein, ohne daß die überlebenden Vertreter der Kultur die Hehler machen.

Aber weit schändlicher als diese Aufführung der Literatur im Triumph dieses Raubzugs, weit gefährlicher als dies Attachement geistiger Autorität an die Schurkerei ist deren Durchsetzung, deren Verbrämung mit dem Geist, den sie der Literatur abgezapft hat und den sie durch alle lokalen Teile und alle andern Aborte der öffentlichen Meinung schleift. Die Presse als eine soziale Einrichtung, weil's denn einmal unvermeidlich ist, daß die Phantasiearmut mit Tatsachen geschoppt wird, hätte in der demokratischen Ordnung ihren Platz. Was aber hat die Meldung, daß es in Hongkong geregnet hat, mit dem Geist zu schaffen? Und warum erfordert eine arrangierte Börsenkatastrophe oder eine kleine Erpressung oder gar nur die unbezahlte Verschweigung einer Tatsache den ganzen großen Apparat, an dem mitzuwirken Akademiker sich nicht scheuen und selbst Ästheten den Schweiß ihrer Füße sich kosten lassen? Daß Bahnhöfe oder Anstandsorte, Werke des Nutzens und der Notwendigkeit, mit Kinkerlitzchen dekoriert werden, ist erträglich. Aber warum werden Räuberhöhlen von Van de Velde eingerichtet? Nur deshalb, weil sonst ihr Zweck auf den ersten Blick kenntlich wäre und die Passanten sich nicht willig täglich zweimal die Taschen umkehren ließen. Die Neugierde ist immer größer als die Vorsicht, und darum schmückt sich die Lumperei mit Troddeln und Tressen.

Ihren besten Vorteil dankt sie jenem Heinrich Heine, der der deutschen Sprache so sehr das Mieder gelockert hat, daß heute alle Kommis an ihren Brüsten fingern können. Das Gräßliche an dem Schauspiel ist die Identität dieser Talente, die einander wie ein faules Ei dem andern gleichen. Die impressionistischen Laufburschen melden heute keinen Beinbruch mehr ohne Stimmung und keine Feuersbrunst ohne die allen gemeinsame persönliche Note. Wenn der eine den deutschen Kaiser beschreibt, beschreibt er ihn genau so, wie der andere den Wiener Bürgermeister, und von den Ringkämpfern weiß der andere nichts anderes zu sagen als der eine von einem Flußbad. Immer paßt alles zu allem, und die Unfähigkeit, alte Worte zu finden, ist eine Subtilität, wenn schon die neuen zu allem passen. Dieser Typus ist entweder ein Beobachter, der in schwelgerischen Adjektiven reichlich einbringt, was ihm die Natur an Hauptwörtern versagt hat, oder ein Ästhet, der durch Liebe zur Farbe und durch Sinn für die Nuance hervorsticht und an den Dingen der Erscheinungswelt noch so viel wahrnimmt, als Schwarz unter den Fingernagel geht. Dabei haben sie einen Entdeckerton, der eine Welt voraussetzt, die eben erst erschaffen wurde, als Gott das Sonntagsfeuilleton erschuf und sahe, daß es gut war. Diese jungen Leute gehen zum erstenmal in ein Bad, wenn sie als Berichterstatter hineingeschickt werden. Das mag ein Erlebnis sein. Aber sie verallgemeinern es. Freilich kommt die Methode, einen Livingston in der dunkelsten Leopoldstadt zu zeigen, der Wiener Phantasiearmut zu Hilfe. Denn die kann sich einen Beinbruch nicht vorstellen, wenn man ihr nicht das Bein beschreibt. In Berlin steht es trotz üblem Ehrgeiz noch nicht so schlimm. Wenn dort ein Straßenbahnunfall geschehen ist, so beschreiben die Berliner Reporter den Unfall. Sie greifen das Besondere dieses Straßenbahnunfalls heraus und ersparen dem Leser das allen Straßenbahnunfällen Gemeinsame. Wenn in Wien ein Straßenbahnunglück geschieht, so schreiben die Herren über das Wesen der Straßenbahn, über das Wesen des Straßenbahnunglücks und über das Wesen des Unglücks überhaupt, mit der Perspektive: Was ist der Mensch? ... Über die Zahl der Toten, die uns etwa noch interessieren würde, gehen die Meinungen auseinander, wenn sich nicht eine Korrespondenz ins Mittel legt. Aber die Stimmung, die Stimmung treffen sie alle; und der Reporter, der als Kehrichtsammler der Tatsachenwelt sich nützlich machen könnte, kommt immer mit einem Fetzen Poesie gelaufen, den er irgendwo im Gedränge an sich genommen hat. Der eine sieht grün, der andere sieht gelb, Farben sehen sie alle.

Georg Simmel
Der Schauspieler und die Wirklichkeit

*D*er Philosoph Georg Simmel wurde 1858 in Berlin geboren und starb in seinem sechzigsten Jahr, am Ende des ersten Weltkrieges. In dem Vierteljahrhundert zwischen 1892 und 1918 verfaßte er eine große Reihe von Büchern, welche leider heute nicht mehr die Beachtung finden, die sie verdienen. Vor allem zu nennen sind: seine Probleme der Geschichtsphilosophie (1892), die Philosophie des Geldes (1900) und die Soziologie (1908), vielleicht sein bedeutendstes Werk.

Georg Simmel stand der wissenschaftlichen Schule Stefan Georges nahe, ohne ihr anzugehören. Die bedeutenden Monographien: Kant, Goethe, Schopenhauer und Nietzsche zeigen dieselbe Deutung der Persönlichkeit wie die biographischen Werke des George-Kreises; Simmel prägte für diese Interpretation die Formel: »das individuelle Gesetz«. Auch er war abhold dem Biographisch-Deskriptiven und dem Soziologisch-Erklärenden. Diese Darstellungen sind höchst abstrakt, ein Präparat der geistigen Struktur.

Als Professor der Philosophie an der Universität von Berlin hatte Simmel einen Einfluß, der nicht auf die Studenten beschränkt war. Das ganze gebildete Berlin saß zu seinen Füßen, vor allem in den öffentlichen Vorlesungen. Er belastete nie (selbst nicht mit Wissenswertem); er setzte im Hörer Prozesse in Bewegung, die fühlen ließen, was Freiheit ist: unkontrolliertes Sichbewußtwerden; man hat keine Ahnung, wohin es noch führen wird. An der äußersten Kante des Katheders stehend, mit einem spitzen Bleistift sich in irgendeine Unzulänglichkeit einbohrend, von Rembrandt und Stefan George

*und dem Geld und der Ästhetik des Henkels sprechend, setzte
der zarte, behende, mausfarbene Mann etwas in Gang, was
nie wieder zum Stillstand kam: das grenzenlose Fort und Fort
des Einsehens, auch in das, was es mit dem Einsehen auf
sich hat.*

*Da er Jude war, konnte er in Berlin nicht ordentlicher Pro-
fessor werden. Er erhielt wenige Jahre vor seinem Tode ein
Ordinariat in Straßburg.*

*Der Essay, den wir abdrucken, ist erst in einem Band er-
schienen, der fünf Jahre nach seinem Tod veröffentlicht wurde:* Fragmente und Aufsätze aus dem Nachlaß und Veröffent-
lichungen der letzten Jahre. *Die Arbeit über den* Schauspieler
und die Wirklichkeit *schafft Klarheit über die spezifische
Wirklichkeit der Bühnenszene, eine Mitte zwischen dem
dramatischen Gebilde des Dichters und der Realität.*

Wie zurückhaltend und kritisch man auch über die ›allgemeine Meinung‹, über die Vox populi, denken möge – die
dunklen Ahnungen, Instinkte, Wertungen der großen Masse
haben in der Regel einen Kern von Zutreffendem und Zuver-
lässigem, den freilich eine dicke Schale von Oberflächlichem
und Verblendetem umgibt; aber er wird im Religiösen und
Politischen, im Intellektuellen und Ethischen doch immer
wieder als eine fundamentale Richtigkeit fühlbar werden.
Nur auf einem Gebiet, das sogar zugänglicher als jene anderen erscheint, zeigt sich das Urteil der Allgemeinheit als sozusagen von allen Göttern verlassen, gerade im Fundamentalen
schlechthin unzugänglich: auf dem Gebiete der Kunst. Hier
trennt ein brückenloser Abgrund die Meinung der Majorität
von aller Einsicht in das Wesentliche, und in ihm wohnt die
tiefe soziale Tragik der Kunst.
Der Schauspielkunst gegenüber, die mehr als jede andere
an das unmittelbare Publikum appelliert, scheint deshalb

allenthalben in dem Maße von dessen massenmäßiger Demokratisierung der Wertmaßstab sich von dem eigentlich Künstlerischen weg zu der Unmittelbarkeit des Natureindrucks zu
wenden. Und, eigentümlich hiermit zusammenhängend,
scheint das Wesen dieser Kunst selbst ihren Naturalismus tiefer als jede andere Kunst zu begründen. Denn so ungefähr
wird dieses Wesen populär verstanden: durch den Schauspieler würde das Dichtwerk ›real gemacht‹.

Das Drama besteht als abgeschlossenes Kunstwerk. Hebt
der Schauspieler dies nun in eine Kunst zweiter Potenz?
Oder, wenn dies sinnlos ist, führt er, als leibhaft lebende Erscheinung, es nicht doch in die überzeugende Wirklichkeit
zurück? Warum aber, wenn dies der Fall ist, fordern wir von
seiner Leistung den Eindruck von Kunst und nicht den von
bloßer realer Natur? In diesen Fragen treffen sich alle kunst-
philosophischen Probleme der Schauspielkunst.

Die Bühnenfigur, wie sie im Buche steht, ist sozusagen
kein ganzer Mensch, sie ist nicht ein Mensch im sinnlichen
Sinne – sondern der Komplex des literarisch Erfaßbaren an
einem Menschen. Weder die Mienen noch der Tonfall, weder
das Ritardando noch das Accelerando des Sprechens, weder
die Gesten noch das Maß anschaulicher Lebendigkeit der
Gestalt kann der Dichter zeichnen oder auch nur wirklich
unzweideutige Prämissen dafür geben. Er hat vielmehr
Schicksal, Erscheinung, Seele dieser Gestalt in den nur ein-
dimensionalen Verlauf des bloß Geistigen projiziert. Diesen
nun überträgt der Schauspieler gleichsam in die Dreidimen-
sionalität der Vollsinnlichkeit.

Und hier liegt das erste Motiv jener naturalistischen Verbannung der Schauspielkunst in die Wirklichkeit. Es ist die
Verwechslung der Versinnlichung eines geistigen Gehalts mit
seiner Verwirklichung. Wirklichkeit ist eine metaphysische
Kategorie, in Sinnesimpressionen gar nicht auflösbar: der Inhalt, den der Dichter zum Dramatischen gestaltet hat, zeigt
ganz verschiedene Bedeutung, wenn er von da aus in die Ka-

tegorie sinnlicher Gestaltung wie wenn er in die der Wirklichkeit überginge. Der Schauspieler versinnlicht das Drama, aber er verwirklicht es nicht, und deshalb kann sein Tun Kunst sein, was Wirklichkeit ihrem Begriffe nach eben nicht sein könnte. So erscheint Schauspielerei zunächst als die Kunst der Vollsinnlichkeit, wie die Malerei die Kunst der Augensinnlichkeit, Musik die der Gehörsinnlichkeit ist.

Innerhalb des realen Daseins ist jedes einzelne Stück und Ereignis in endlos weiterwebende Reihen räumlicher, begrifflicher, dynamischer Art eingestellt. Darum ist jede einzelne bezeichenbare Wirklichkeit ein Fragment, keine ist eine in sich geschlossene Einheit. Zu einer solchen aber die Inhalte des Daseins zu gestalten ist das Wesen der Kunst. Der Schauspieler hebt alle Sichtbarkeiten und Hörbarkeiten der Wirklichkeitserscheinung in eine gleichsam eingerahmte Einheit: durch die Gleichmäßigkeit des Stils, durch die Logik in Rhythmus und Ablauf der Stimmungen, durch die fühlbar gemachte Beziehung jeder Äußerung auf den beharrenden Charakter, durch das Abzielen aller Einzelheiten auf die Pointe des Ganzen. Er ist der Stilisierer aller sinnlichen Beeindruckbarkeiten als einer Einheit.

Von neuem aber scheint an diesem Punkt die Realität in den Kunstbezirk einzubrechen, um eine innere Lücke in ihm zu füllen. Woher weiß der Schauspieler sein durch die Rolle notwendig gemachtes Verhalten, da, wie ich andeutete, es in der Rolle nicht steht und nicht stehen kann? Mir scheint: wie sich Hamlet zu benehmen hat, kann der Schauspieler unmöglich anderswoher wissen als aus der Erfahrung, der äußeren und vor allem inneren, wie ein Mensch, der wie Hamlet spricht und Hamlets Schicksal erlebt, sich in Wirklichkeit zu verhalten pflegt. Der Schauspieler taucht also, von dem Dichtwerk nur geführt, in den Realitätsgrund hinab, aus dem auch Shakespeare es erhoben hat, und erschafft von ihm aus das schauspielerische Kunstwerk Hamlet. Die Dichtung führt den Schauspieler auf reale Koordinationen von Innerem

und Äußerem hin, von Schicksal und Reaktion, von Ereignissen und dem Luftton um sie herum – Koordinationen, zu denen auch jene Führung ihn nie bringen könnte, wenn er sie
oder ihre schlußkräftigen Analogien nicht empirisch, in der
Kategorie der Realität, kennengelernt hätte. Und nun
schließt der Naturalismus: da der Schauspieler außer dem
Hamlet Shakespeares nur die empirische Wirklichkeit hat, an
der er sich für alles von Shakespeare nicht Gesagte orientieren
kann, so muß er sich so benehmen, wie ein realer Hamlet, der
auf die von Shakespeare vorgezeichneten Worte und Ereignisse festgelegt ist, sich benehmen würde.

Dies ist dennoch ganz irrig; über jene Wirklichkeit, zu der
der Schauspieler gleichsam an der Hand des Dramas hinabsteigt, über das sozusagen passiv gewonnene Wissen, das den
Stoff für die Gestalt Hamlets bietet, kommt nun die Aktivität
der künstlerischen Formung, der Aufbau des künstlerischen
Eindrucks. Er hält an der empirischen Wirklichkeit nicht
still. Jene realen Koordinationen werden umgelagert, die Ak-
zente abgetönt, die Zeitmaße rhythmisiert, aus allen Möglichkeiten, die diese Wirklichkeit gibt, das einheitlich zu Stili-
sierende ausgewählt. Kurz, der Schauspieler macht auch um
dieser Unentbehrlichkeit der Realität willen nicht das dramatische Kunstwerk zur Realität, sondern umgekehrt, die
Wirklichkeit, die jenes ihm zugewiesen hat, zum schauspiele-
rischen Kunstwerk.

Wenn heute viele sensible Menschen ihre Aversion gegen
das Theater damit begründen, daß ihnen dort zuviel vorgelo-
gen wird, so liegt das Recht dazu nicht in seinem Zuwenig,
sondern in seinem Zuviel an Wirklichkeit. Denn der Schauspieler überzeugt uns nur, indem er innerhalb der künstlerischen Logik verbleibt, nicht aber durch Hineinnehmen von
Wirklichkeitsmomenten, die einer ganz anderen Logik
folgen.

Ganz fälschlich deutet man es als die Verlogenheit des
Schauspielers, daß er in seiner Realität etwas anderes ist, als er

auf der Bühne uns zu sein glauben macht. Es ist doch keine
Verlogenheit des Lokomotivführers, daß er nicht auch an seinem Familientisch Lokomotiven führt. Nicht daß der Schauspieler auf der Bühne ein König ist und im Privatleben ein armer Lump, macht jenes zu einer Lüge; denn in seiner aktuellen
Funktion als Künstler ist er König, ein ›wahrer‹ – aber vielleicht deshalb kein wirklicher – König. Das Gefühl von Unwahrheit entsteht nur bei dem schlechten Schauspieler, der
entweder etwas von seiner Wirklichkeit als armer Lump innerhalb seiner Königsrolle anklingen läßt oder der so extrem
realistisch spielt, daß er uns in die Sphäre der Wirklichkeit
trägt; da er aber in dieser allerdings ein armer Lump ist, so
entsteht jetzt die peinliche Konkurrenz zweier einander
Lügen strafender Vorstellungen des gleichen Niveaus, zu der
es nicht kommen kann, wenn das schauspielerische Bild uns
in der wirklichkeitsfremden Sphäre der Kunst festhält.

Indem wir die ganze Irrigkeit der Idee einsehen, daß der
Schauspieler die dichterische Schöpfung ›verwirkliche‹, da er
doch dieser Schöpfung gegenüber eine besondere und einheitliche Kunst übt, die der Wirklichkeit genauso fern steht
wie das Dichtwerk selbst – begreifen wir sogleich, weshalb
der gute Imitator noch kein guter Schauspieler ist, daß das Talent, Menschen nachzuahmen, nichts mit der künstlerisch-
schöpferischen Begabung des Schauspielers zu tun hat. Denn
der Gegenstand des Nachahmers ist die Wirklichkeit, sein
Ziel ist, als Wirklichkeit genommen zu werden. Der künstlerische Schauspieler aber ist so wenig wie der Porträtmaler der
Nachahmer der wirklichen Welt, sondern der Schöpfer einer
neuen, die freilich dem Phänomen der Wirklichkeit verwandt
ist, da beide aus dem Vorrat der Inhalte alles Seins überhaupt
gespeist werden; nur, daß eben die Wirklichkeit die früheste
Form ist, in der jene Inhalte uns entgegentreten, ihre erste
Erkenntnismöglichkeit – das erregt die Illusion, als wäre die
Wirklichkeit als solche der Gegenstand der Kunst.

Die feinste Verführung endlich, die Schauspielkunst in der

Wirklichkeitssphäre festzuhalten, liegt darin, daß die erfahrene Wirklichkeit, in die sie als in ihr Material hinabsteigt, wesentlich eine innere ist. Die Worte des Dichters fordern eine Rekonstruktion aus der psychologischen Erfahrung heraus, als die abschließende Aufgabe des Schauspielers erscheint es, uns die vorgeschriebenen Worte und Ereignisse als seelisch notwendige begreiflich zu machen, seine Kunst als angewandte oder ausgeübte Psychologie. Uns eine Menschenseele mit ihrer inneren Bestimmtheit und ihrer Reaktion auf das Schicksal, ihren Leidenschaften und Erschütterungen überzeugend und nachfühlbar vor Augen zu stellen – damit erschöpfe sich die Aufgabe des Schauspielers.

Allein in der scheinbaren Tiefe dieser Deutung ist dennoch die eigentliche Kunstleistung des Schauspielers nicht zu finden. Gewiß können nur seelische Erlebnisse dem Schauspieler überhaupt die Gestalt Hamlet interpretieren, und ohne daß er diese seelische Wirklichkeit dem Zuschauer gleichsam zum Nacherleben hinstellte, wäre er eine Puppe oder ein Phonograph. Allein über diese erlebte oder reproduzierte psychische Wirklichkeit kommt nun erst die Kunstform, die aus einer ideellen Quelle fließt und die von vornherein keine Wirklichkeit, sondern eine Forderung ist.

Der alte Irrtum, den die Philosophie glücklich abgetan hat: als sei die seelische Wirklichkeit schon für sich etwas Überwirklicheres, Idealeres, mehr normativ Geformtes als die körperliche – lebt hier der Kunst gegenüber wieder auf. Was diese aber fordert: daß die bloße Kausalität der Tatsachen einen Sinn veranschauliche, daß alle in die Unendlichkeit von Zeit und Raum verlaufenden Fäden nach innen zu einer selbstgenugsamen Umgrenztheit zusammengeknüpft werden, daß das Durcheinander der Wirklichkeit rhythmisch geordnet werde – alles dies hat mit der Wirklichkeit, die aus dem dunkeln, unserem Bewußtsein entzogenen Schoß des Seins fließt, auch da nichts zu tun, wo diese Wirklichkeit eine psychische ist.

Gewiß entstehen diese fordernden Kunstgedanken ebenso wie die ihnen gemäße Gestaltung des Wirklichkeitsstoffes in wirklichen menschlichen Seelen; allein der Sinn und Inhalt davon ist etwas, was die Seele ihrer eigenen vorgefundenen Wirklichkeit gegenüberstellt – gerade wie sie die Wahrheit ihres Denkens der Wirklichkeit dieses Denkens gegenüberstellt. Daß der Schauspieler uns den Hamlet verständlich macht, daß er uns die Erschütterungen dieses Schicksals selbst seelisch zu eigen gibt, daß er uns durch seine Gesten, durch Ton und Tempo seiner Rede die psychologische Einsicht vermittelt: ja, ein solcher Charakter in solcher Lage muß gerade diese Worte sprechen – das alles ist freilich unerläßlich; aber wenn das nun alles geschehen ist, wenn die Rolle Hamlet nicht mehr klingende Worte und äußere Ereignisse sind, wenn der Schauspieler sie nun in eine seelische Wirklichkeit aufgelöst hat, deren Gegenbild er in mittelbarer Erregtheit und Einfühlung erlebt – dann beginnt erst die schöpferische Kunstleistung, dann wird, den angedeuteten Gesichtspunkten der Stilbildung gehorsam, die seelisch erlebte Wirklichkeit zum Bilde, wie für den Maler der sinnlich erlebte Eindruck der Körperwelt zum Bilde wird und wie eben jene seelische Wirklichkeit schon für den Dramatiker zum Bilde geworden ist.

So also kann das Axiom ausgesprochen werden, ohne das die artistische Bedeutung des Schauspielers überhaupt nicht zu ergreifen ist: die Schauspielkunst als solche steht ebensowohl jenseits der Dichtung wie jenseits der Realität. Sowenig der Schauspieler – wie der populäre Naturalismus fordert – der Imitator des in seiner Situation befindlichen Menschen ist, so wenig ist er – wie ein literarischer Idealismus fordert – die Marionette seiner Rolle und als gäbe es für ihn keine künstlerische Aufgabe, die nicht in den Zeilen der Dichtung beschlossen sei.

Gerade diese literarische Auffassung enthält eine geheime Verführung zu jenem Naturalismus. Denn gesteht man dem

Schauspieler kein eigenes, nach autonomen Kunstprinzipien aus den letzten gemeinsamen Fundamenten aller Kunst heraus schaffendes Werk zu – so ist er eben nur der Verwirklicher seiner Rolle; denn das Kunstwerk kann nicht der Stoff für ein anderes Kunstwerk sein, das Drama ist vielmehr der Kanal, durch den ein aus dem Seinsgrunde gespeister Strom dem spezifischen eigenen Kunstzwecke des Schauspielers zugeleitet wird. Es gäbe dann keine letzten Prinzipien als das Drama und die Wirklichkeit – und damit kann seine Aufgabe nur die dem Naturalismus gefährlich benachbarte sein: dem Drama den Schein der Wirklichkeit zu verschaffen.

So schön das klingen mag, daß der Schauspieler nur dem Drama Leben einflößen, nur die Lebendigkeitsform des Dichtwerkes darstellen soll – sie läßt zwischen Drama und Wirklichkeit die eigentliche und unvergleichliche schauspielerische Kunst als solche verschwinden. Nein, daß jemand die Lebenselemente schauspielerisch gestaltet, ist ebenso ein Urphänomen, wie daß er sie malerisch oder dichterisch oder auch daß er sie erkenntnismäßig oder religiös neu schafft. Und diese Kunstform des Schauspielers ist, zu so mannigfaltigen Sinneseindrücken und Gefühlsreaktionen sie sich entfalte, dennoch etwas wurzelhaft Einheitliches, nicht ein Kompositum aus selbständigen optischen Reizen, akustischer Rhythmisierung, Erschütterungen des Gemütes, Einfühlungen in das Schicksal. Sondern die schauspielerische Kategorie ist eine innere Einheit, alle jene Mannigfaltigkeiten, aus denen sich der schauspielerische Eindruck zusammenzusetzen scheint, sind in Wirklichkeit nur die Entfaltungen jener einen Wurzel, wie die verschieden klingenden und aussehenden Worte eines Satzes die Darstellungen eines Sinngedankens sind. Es gibt eben eine schauspielerische Attitüde, die der Mensch als sein einheitliches Sosein auf die Welt mitbringt und die ihn in einer ganz eindeutigen Weise schöpferisch macht.

Das ist das Entscheidende, daß der Schauspieler aus einer

völlig eigengesetzlichen Einheit heraus schafft, daß seine
Kunst in denselben letzten Fundamenten aller Kunst überhaupt ihre Wurzeln hat wie die des Dichters – obgleich ihre
Betätigung sozusagen technisch des Dichtwerkes als ihres
Mediums bedarf. Nur diese Selbständigkeit der Schauspielkunst als Kunst legitimiert die wunderliche Erscheinung, daß
die dichterische Figur, als eine und eindeutige geschaffen, von
verschiedenen Schauspielern in völlig verschiedenen Gestaltungen geboten wird, von denen eine jede völlig zulänglich
sein kann, keine richtiger und keine irriger als die andere. Innerhalb des Dualismus von Dichtwerk und Wirklichkeit, in
dem man dem Schauspieler seine Stelle anzuweisen pflegt, ist
dies ganz unbegreiflich; denn sowohl als dichterische Gestalt
wie in der Realität, die man als deren Gegenbild denken mag,
gibt es eben nur einen Don Carlos oder einen Gregers Werle;
ohne also einen dritten, eigenen Wurzelboden der Schauspielkunst würde dies Auseinanderwachsen ihrer Zweige
die Einheit des Dichtwerkes wie die der Realität zerstören
müssen.

Sie ist nicht, wofür sie gewöhnlich gilt, die Vermittlerin
zwischen diesen beiden oder die Dienerin der beiden Herren
– was denn unvermeidlich zu dem Vexierproblem ihres ›Naturalismus‹ führen muß. Alle Treue vielmehr, mit der sie der
Gestalt des Dichters einerseits, der Wahrheit der gegebenen
Welt anderseits folgt, ist nicht ein mechanischer Abklatsch
des einen oder des anderen, sondern bedeutet, daß die schauspielerische Persönlichkeit – die als solche und nicht mit einer
vorbestimmten Beziehung auf geschriebene Dramen oder auf
eine nachzuzeichnende Wirklichkeit geboren wird – dieses
beides als organische Elemente in die Äußerungen ihres Lebens verwebt.

Hier wird das große Motiv wirksam, mit dem die Gegenwart wieder an einer Weltanschauung baut: Der Ersatz des
Mechanismus durch das Leben. Denn ihm entspricht es, daß
jede einzelne Wirklichkeit in sich gleichsam einen Leben-

digkeitspunkt hat, der ihren Sinn ausmacht und in dessen Entfaltung sie die Lebendigkeiten um sich herum, organisch wechselwirkend, tragend und getragen, einbezieht – während das mechanistische Prinzip die Erscheinungen gleichsam enteignete und sie, mehr oder weniger äußerlich, nur aus anderen zusammensetzte. Verstehen wir die Schauspielkunst als eine völlig primäre künstlerische Energie der Menschenseele, so daß sie die Dichtkunst und die Wirklichkeit ihrem Lebensprozesse assimiliert, statt sich aus ihnen mechanisch zusammenzusetzen, so mündet nun auch ihre Deutung in die große Strömung des modernen Weltverständnisses.

Oswald Spengler
Preußentum und Sozialismus

Zwischen der Gründung des Deutschen Reichs und dem Beginn des Ersten Weltkriegs gab es vier große Propheten: Marx, Nietzsche, Jacob Burckhardt und Spengler. Gemeinsam war ihnen das gute Ohr: sie hörten die Einstürze schon zu einer Zeit, als sich die schwerhörigeren Zeitgenossen noch mit Ammenmärchen einschläfern ließen.

Im Jahre 1911, als der einunddreißigjährige Münchner Mathematiklehrer Oswald Spengler sein Werk begann, ahnten noch nicht viele die Amerikanisierung der Welt – in jenem Sinne, in dem auch Rußland heute völlig amerikanisiert ist. Im Jahre 1911, als er sein Werk begann, ahnten noch nicht viele den Krieg der Zukunft »um das Erbe der ganzen Welt« (wie Spengler sich ausdrückte).

Der Prophet pflegt zwei sehr verschiedene Funktionen zu haben: Er ist ein Seismograph – und zugleich ein Warner, der etwas verhindern und etwas erreichen will. Spengler, der jüngste unter den vieren, begann sein Werk Der Untergang des Abendlandes mit dem reichlich kühnen Satz: »In diesem Buch wird zum ersten Mal der Versuch gemacht, Geschichte vorauszubestimmen.« Er bestimmte das näher: »Es handelt sich darum, das Schicksal einer Kultur, und zwar der einzigen, die heute auf Erden in Vollendung begriffen ist, derjenigen Westeuropas, in den noch nicht abgelaufenen Stadien zu verfolgen.«

Er tat es in Parallele zu den toten Kulturen, die zu übersehen sind – vor allem der spätantiken. Was ist nach dieser Lehre unsere Aufgabe? Wenn eine Kultur jung ist, sagt Spengler,

*produziert sie Mythen, Ritterepen, Heldensagen, Legenden,
Pyramiden, dorische Säulen. Im Alter exzelliert sie in Wissenschaft, Technik und Organisation. Benehmen wir uns also wie
Erwachsene! Tun wir, was uns zukommt! Sein Wille war
keineswegs so pessimistisch wie der Titel: ›Untergang‹ – das
bedeutete für ihn rüstiges, tüchtiges Greisentum!*

Er stand der Großindustrie nahe. In seinen Büchern Preußentum und Sozialismus *(1920),* Der Mensch und die Technik *(1931) und* Jahre der Entscheidung *(1933) haben wir nicht
den Spengler der großen geschichtsphilosophischen Konstruktion, sondern den Deutschen, der politisch eingreift. Er stand
einem Militarismus nahe, der mehr mit der alten preußischen
Armee unter Friedrich dem Großen als mit Hitler zu tun hatte. Sein Verhältnis zu den Nazis wurde besonders schlecht, als
er vor der »Gelben Gefahr« warnte . . . zu einer Zeit, wo die
Außenpolitik des Dritten Reichs auf eine enge Verbindung
mit Japan hinsteuerte. Er starb zur Zeit, bevor er liquidiert
wurde.*

*Wir bringen hier die letzten Seiten aus seiner höchst origina-
len Schrift* Preußentum und Sozialismus. *Sie schließt »Wir
sind Sozialisten . . .« und macht den besonderen Charakter
dieses Sozialismus deutlich.*

Ich habe bis jetzt von Rußland geschwiegen; mit Absicht,
denn hier trennen sich nicht zwei Völker, sondern zwei Welten. Die Russen sind überhaupt kein Volk wie das deutsche
und englische, sie enthalten die Möglichkeit vieler Völker der
Zukunft in sich wie die Germanen der Karolingerzeit. Das
Russentum ist das Versprechen einer kommenden Kultur,
während die Abendschatten über dem Westen länger und
länger werden. Die Scheidung zwischen russischem und
abendländischem Geist kann nicht scharf genug vollzogen
werden. Mag der seelische und also der religiöse, politische,

wirtschaftliche Gegensatz zwischen Engländern, Deutschen, Amerikanern, Franzosen noch so tief sein, im Vergleich zum Russentum rücken sie sofort zu einer geschlossenen Welt zusammen. Wir lassen uns durch manche westlich gefärbte Bewohner russischer Städte täuschen. Der echte Russe ist uns innerlich so fremd wie ein Römer der Königszeit oder ein Chinese lange vor Konfuzius, wenn sie plötzlich unter uns erschienen. Er selbst hat das immer gewußt, wenn er zwischen dem ›Mütterchen Rußland‹ und ›Europa‹ eine Grenze zog.

Für uns ist die russische Urseele, hinter Schmutz, Musik, Branntwein, Demut und seltsamer Trauer, etwas Unergründliches. Unsere Urteile, die von späten, städtischen und geistig zur Höhe gereiften Menschen einer ganz anders gearteten Kultur, sind von uns aus geformt. Was wir da ›erkennen‹, ist nicht diese eben erst aufdämmernde Seele, von der selbst Dostojewski nur in hilflosen Lauten redet, sondern unser geistiges Bild von ihr, das vom Oberflächenbilde russischen Lebens und russischer Geschichte bestimmt und durch unsre aus eigner innerer Erfahrung geschöpften Beziehungsworte wie Wille, Vernunft, Gemüt gefälscht ist. Dennoch ist einigen unter uns ein kaum in Worte zu fassender Eindruck von ihr vielleicht möglich, der wenigstens über die unermeßliche Kluft keinen Zweifel läßt, die zwischen ihr und uns liegt.

Dies kindlich dumpfe und ahnungsschwere Russentum ist nun von ›Europa‹ aus durch die aufgezwungenen Formen einer bereits männlich vollendeten, fremden und herrischen Kultur gequält, verstört, verwundet, vergiftet worden. Städte von unsrer Art, mit dem Anspruch unsrer geistigen Haltung wurden in das Fleisch dieses Volkstums gebohrt, überreife Denkweisen, Lebensansichten, Staatsideen, Wissenschaften dem unentwickelten Bewußtsein eingeimpft. Um 1700 drängt Peter der Große dem Volk den politischen Barockstil mit Kabinettsdiplomatie, Hausmachtpolitik, Verwaltung und Heer nach westlichem Muster auf; um 1800 kommen die diesen Menschen ganz unverständlichen englischen Ideen in der Fassung französischer Schriftsteller herüber, um die Köpfe der dünnen Oberschicht zu verwirren; noch vor 1900 führen die Büchernarren der russischen Intelligenz den Marxismus, ein äußerst kompliziertes Produkt westeuropäischer Dialektik, ein, von dessen Hintergründen sie nicht den geringsten Begriff haben. Peter der Große hat das echt russische Zarentum zu einer Großmacht im westlichen Staatensystem umgeformt und damit seine natürliche Entwicklung verdorben, und die ›Intelligenz‹, selbst ein Stück des in diesen fremdartigen Städten verdorbenen echt russischen Geistes, verzerrte das primitive Denken des Landes mit seiner dunklen Sehnsucht nach eignen, in ferner Zukunft liegenden Gestaltungen wie dem Gemeinbesitz von Grund und Boden des ›Mütterchen Rußland‹ zu kindischen und leeren Theorien im Geschmack französischer Berufsrevolutionäre. Petrinismus und Bolschewismus haben gleich sinnlos und verhängnisvoll mißverstandene Schöpfungen des Westens, wie den Hof von Versailles und die Kommune von Paris, dank der unendlichen russischen Demut und Opferfreude in starke Wirklichkeiten umgesetzt. Dennoch haften ihre Einrichtungen an der Oberfläche russischen Seins, und die eine wie die andre ist der beständigen Möglichkeit plötzlichen Verschwindens und ebenso plötzlicher Wiederkehr ausgesetzt. Das Russentum selbst hat bis jetzt nur religiöse Erlebnisse gehabt, keine wirklich sozialen und politischen. Man verkennt Dostojewski, einen Heiligen in der vom Westen her erzwungenen widersinnigen und lächerlichen Gestalt eines Romanschriftstellers, wenn man seine sozialen ›Probleme‹ anders auffaßt als seine Romanform. Sein Wirklichstes steht mehr zwischen als in den Zeilen und steigert sich in den ›Brüdern Karamasow‹ zu einer religiösen Tiefe, neben der nur Dante genannt werden darf. Die revolutionäre Politik aber stammt lediglich von einer kleinen, nicht mehr sicher russisch empfindenden und auch der Abkunft nach kaum russischen Schicht der großen Städte und bewegt sich deshalb in den Formen von doktrinärem Zwang einerseits und instinktiver Abwehr andrerseits.

Und daher jener furchtbare, tiefe, urrussische Haß gegen den Westen, das Gift im eigenen Leibe, der aus dem innerlichen Leiden Dostojewskis und den lauten Ausbrüchen Tolstois in derselben Stärke spricht wie aus dem wortlosen Empfinden des kleinen Mannes; der oft unbewußte, oft hinter einer aufrichtigen Liebe verborgene unstillbare Haß gegen alle Symbole faustischen Willens, gegen die Städte, Petersburg voran, die sich als Stützpunkte dieses Willens in das Bauerntum dieser endlosen Ebenen genistet haben, gegen Wissenschaften und Künste, das Denken, das Fühlen, den Staat, das Recht, die Verwaltung, gegen Geld, Industrie, Bildung, Gesellschaft, gegen alles. Es ist der Urhaß der Apokalypse gegen die antike Kultur, und etwas von der finsteren Erbitterung der Makkabäerzeit und viel später noch jenes Aufstandes, der zur Zerstörung von Jerusalem führte, liegt sicherlich allem Bolschewismus zugrunde. Seine doktrinären Konstruktionen würden die Wucht nicht erzeugt haben, mit welcher die Bewegung heute noch fortdauert. Er selbst wird von den Instinkten des unterirdischen Rußland gegen den Westen gedrängt, der sich zunächst in dem Petrinismus darstellte, und er wird zuletzt, als Erzeugnis dieses Petrinismus, auch noch vernichtet werden, um die innere Befreiung von ›Europa‹ zu vollenden.

Der westliche Proletarier will die Zivilisation des Westens in seinem Sinne umgestalten, der russische ›Intelligent‹ will sie, meist gegen sein Wissen, das dünn auf der Oberfläche seiner Instinkte schwimmt, vernichten. Das ist der Sinn des östlichen Nihilismus. Unsre Zivilisation ist längst eine rein städtische geworden; dort aber gibt es keine ›Masse‹, sondern nur ›Volk‹. Der echte Russe ist ohne Unterschied Bauer, auch als Gelehrter, auch als Beamter. Diese nachgemachten Städte mit ihrer nachgemachten Masse und Massenideologie berühren

sein Interesse nicht. Trotz alles Marxismus gibt es nur eine
Landfrage. Der ›Arbeiter‹ ist ein Mißverständnis. Das unbe-
rührte, unzerstörte Land ist wie bei den Germanen der Karolingerzeit die einzige Wirklichkeit. Diese Stufe haben wir vor
einem Jahrtausend durchlebt. Wir verstehen einander nicht.
Wir Westeuropäer können gar nicht mehr in Verbundenheit
mit dem Urboden leben. Wenn wir aufs Land gehen, so tragen wir die Stadt mit uns samt allen ihren seelischen Bedingungen, und zwar im Blute, nicht wie der russische Intelligent nur im Kopfe. Der Russe aber trägt innerlich sein Dorf in
diese russischen Städte. Man muß immer wieder die russische
Seele vom russischen System unterscheiden, das Bewußtsein
der Führer von den Instinkten der Geführten, um den un-
überbrückbaren Abstand zwischen östlichem und westlichem ›Sozialismus‹ nicht zu verkennen. Was ist der Pan-
slawismus anderes als eine westlich-politische Maske für das
Gefühl einer großen religiösen Mission? Der russische Arbeiter ist trotz aller Industrieschlagworte von Mehrwert und
Expropriation kein Großstadtarbeiter, kein Massenmensch
wie der in Manchester, Essen und Pittsburg, sondern ein ent-
laufener Pflüger und Mäher mit einem Haß gegen die fremde
ferne Macht, die ihn für seinen Beruf, von dem die Seele sich
doch nicht lösen kann, verdorben hat. Es ist ganz gleichgültig, mit was für Anschauungen der Bolschewismus arbeitet.
Wenn in seinen Programmen von allem das Gegenteil stünde,
würde seine unbewußte Mission für das erwachende Rußland
doch dieselbe sein: der Nihilismus.
    Aber die geistige Hefe unsrer Städte begeistert sich dafür.
Er ist eine Mode müßiger und zerrütteter Gehirne geworden,
eine Waffe verrottender Weltstadtseelen, ein Ausdruck faulen
Blutes. Der Salonspartakismus gehört mit Theosophie und
Okkultismus zusammen: er bedeutet uns das, was der Isis-
kult nicht für die orientalischen Sklaven Roms, sondern für
entartende Römer selbst war. Daß er in Berlin eingezogen ist,
hängt mit der ungeheuren Lüge dieser Revolution zusam-

men, in der nichts Echtes mehr war. Daß öde Narren hier Bauernräte gründeten, um die Formeln der Sowjets nachzuäffen, daß man nicht merkte, wie dort die Landfrage, hier die Stadtfrage das Problem war, bedeutet wenig. In Deutschland hat der Spartakismus dem Sozialismus gegenüber keine Zukunft. Aber der Bolschewismus wird sich Paris erobern und dort in Verschmelzung mit dem anarchischen Syndikalismus die müde, sensationsbedürftige französische Seele befriedigen. Er wird die Form sein, in welcher das taedium vitae dieser lebenssatten Riesenstadt sich ausdrückt. Er hat als gefährliches Gift für raffinierte Geister im Westen eine größere Zukunft als im Osten.

In Rußland wird ihn die einzig mögliche Form für ein Volkstum unter diesen Bedingungen, ein neuer Zarismus irgendwelcher Gestalt ablösen, und daß dieser den preußisch-sozialistischen Formen näher stehen wird als den parlamentarisch-kapitalistischen, läßt sich vermuten. Die Zukunft des unterirdischen Rußland aber liegt nicht in der Lösung politischer oder sozialer Verlegenheiten, sondern in der sich vorbereitenden Geburt einer neuen Religion, der dritten aus den reichen Möglichkeiten des Christentums, so wie die germanisch-abendländische Kultur um das Jahr 1000 mit der unbewußten Schöpfung der zweiten begann. Dostojewski ist einer der voraufgehenden Verkünder dieses noch namenlosen, aber heute schon mit einer stillen, unendlich zarten Gestalt eindringenden Glaubens.

Wir Menschen des Westens sind religiös fertig. In unsren Stadtseelen hat die frühe Religiosität sich längst zu ›Problemen‹ intellektualisiert. Die Kirche ist mit dem Tridentinum vollendet. Aus dem Puritanismus ist der Kapitalismus, aus dem Pietismus der Sozialismus geworden. Die anglo-amerikanischen Sekten repräsentieren nur das Bedürfnis nervöser Geschäftsmenschen nach einer Beschäftigung des Gemüts mit theologischen Fragen. Nichts kann jämmerlicher sein als die Versuche eines gewissen Protestantismus, seinen Leichnam mit bolschewistischem Kot wieder lebendig zu reiben. Anderswo ist dasselbe mit Okkultismus und Theosophie versucht worden. Und nichts ist trügerischer als die Hoffnung, die russische Religion der Zukunft werde die westliche befruchten. Darüber sollte heute schon kein Zweifel bestehen: der russische Nihilismus richtet sich mit seinem Haß gegen Staat, Wissen, Kunst, auch gegen Rom und Wittenberg, deren Geist sich in allen Formen westlicher Kultur ausgesprochen hat und in ihnen getroffen werden soll. Das Russentum wird diese Entwicklung beiseite schieben und über Byzanz wieder unmittelbar an Jerusalem anknüpfen.

Damit aber ist noch einmal gesagt, wie bedeutungslos der Bolschewismus, diese blutige Karikatur westlicher Probleme, die ihrerseits einst aus westlicher Religiosität hervorgegangen sind, für die große Weltfrage ist, die der Westen heute zur Entscheidung stellt und die nur für das Oberflächenrußland mit gestellt ist: die Wahl zwischen preußischer oder englischer Idee, Sozialismus oder Kapitalismus, Staat oder Parlament.

Ich fasse zusammen. Was in diesen kurzen Ausführungen zur Sprache gekommen ist, sollte demjenigen Teil unsres Volkes, der durch Tatkraft, Selbstzucht und geistige Überlegenheit zur Führung der nächsten Generation berufen ist, ein Bild der Zeit geben, in der wir stehen, und der Richtung, in welche unsre Bestimmung uns weist.

Wir wissen jetzt, was auf dem Spiele steht: nicht das deutsche Schicksal allein, sondern das Schicksal der gesamten Zivilisation. Es ist die entscheidende Frage nicht nur für Deutschland, sondern für die Welt, und sie muß in Deutschland für die Welt gelöst werden: soll in Zukunft der Handel den Staat oder der Staat den Handel regieren?

Ihr gegenüber sind Preußentum und Sozialismus dasselbe. Bis jetzt haben wir das nicht eingesehen. Wir sehen es auch heute noch nicht. Die Lehre von Marx und die Klassenselbstsucht haben es verschuldet, daß beide, die sozialistische Arbeiterschaft und das konservative Element, sich wechselseitig und damit den Sozialismus mißverstanden haben.

Heute aber ist die Gleichheit des Ziels nicht länger zu verkennen. Preußentum und Sozialismus stehen gemeinsam gegen das innere England, gegen die Weltanschauung, welche unser ganzes Leben als Volk durchdringt, lähmt und entseelt. Die Gefahr ist ungeheuer. Wehe denen, die in dieser Stunde aus Eigennutz und Unverstand fehlen! Sie werden andre und sich selbst verderben. Die Vereinigung bedeutet die Erfüllung des Hohenzollerngedankens und zugleich die Erlösung der Arbeiterschaft. Es gibt eine Rettung nur für beide oder keinen.

Die Arbeiterschaft muß sich von den Illusionen des Marxismus befreien. Marx ist tot. Der Sozialismus als Daseinsform steht an seinem Anfang, der Sozialismus als Sonderbewegung des deutschen Proletariats aber ist zu Ende. Es gibt für den Arbeiter nur den preußischen Sozialismus oder nichts.

Die Konservativen müssen sich von der Selbstsucht befreien, um deren willen schon der Große Kurfürst dem Hauptmann von Kalckstein den Kopf vor die Füße legte. Demokratie, mag man sie schätzen, wie man will, ist die Form dieses Jahrhunderts, die sich durchsetzen wird. Es gibt für den Staat nur Demokratisierung oder nichts. Es gibt für die Konservativen nur bewußten Sozialismus oder Vernichtung. Aber wir brauchen die Befreiung von den Formen der englisch-französischen Demokratie. Wir haben eine eigne.

Der Sinn des Sozialismus ist, daß nicht der Gegensatz von reich und arm, sondern der Rang, den Leistung und Fähigkeit geben, das Leben beherrscht. Das ist unsre Freiheit, Freiheit von der wirtschaftlichen Willkür des einzelnen.

Was ich erhoffe, ist, daß niemand in der Tiefe bleibt, der durch seine Fähigkeiten zum Befehlen geboren ist, daß niemand befiehlt, der durch seine Begabung nicht dazu berufen war. Sozialismus bedeutet Können, nicht Wollen. Nicht der

Rang der Absichten, sondern der Rang der Leistungen ist ent-
scheidend. Ich wende mich an die Jugend. Ich rufe alle die
auf, die Mark in den Knochen und Blut in den Adern haben.
Erzieht euch selbst! Werdet Männer! Wir brauchen keine
Ideologen mehr, kein Gerede von Bildung und Weltbürger-
tum und geistiger Mission der Deutschen. Wir brauchen Härte, wir brauchen eine tapfere Skepsis, wir brauchen eine
Klasse von sozialistischen Herrennaturen. Noch einmal: der
Sozialismus bedeutet Macht, Macht und immer wieder
Macht. Pläne und Gedanken sind nichts ohne Macht. Der
Weg zur Macht ist vorgezeichnet: der wertvolle Teil der deutschen Arbeiterschaft in Verbindung mit den besten Trägern
des altpreußischen Staatsgefühls, beide entschlossen zur
Gründung eines streng sozialistischen Staates, zu einer Demokratisierung im preußischen Sinne, beide zusammenge-
schmiedet durch eine Einheit des Pflichtgefühls, durch das
Bewußtsein einer großen Aufgabe, durch den Willen zu gehorchen, um zu herrschen, zu sterben, um zu siegen, durch
die Kraft, ungeheure Opfer zu bringen, um das durchzusetzen, wozu wir geboren sind, was wir sind, was ohne uns nicht
da sein würde.

Wir sind Sozialisten. Wir wollen es nicht umsonst gewesen
sein.

Robert Musil
»Woran arbeiten Sie?«

Am 15. April 1942 starb Robert Musil in Genf, einundsechzig Jahre alt. Drei Jahre hatte er dort als Emigrant gelebt. Im November seines Todesjahres veröffentlichte, wie der Herausgeber Adolf Frisé mitteilt, eine große Tageszeitung Zürichs eine erinnerungswürdige Nachricht: »Der Text breitete sich, von einer leicht dekorativen Leiste eingerahmt, über zwei Spalten aus. Es wirkte wie ein diskret entworfenes Inserat.« Da hieß es: »Wie man weiß, hat Musil seine letzten Lebensjahre, die er im Exil verbringen mußte . . ., der Vollendung seines Romans Der Mann ohne Eigenschaften *unter Umständen gewidmet, die immer schwieriger wurden.« Weiter wurde gesagt, »daß Musils Witwe den Nachlaßband des Romans* Der Mann ohne Eigenschaften *auf eigene Gefahr und Verantwortung zur Subskription ausschreiben muß, die allein, genügend benützt, die Veröffentlichung des Werks zu sichern vermag«.*

1930 war bereits der erste Band erschienen: 1100 Seiten stark. Ein zweiter wurde angekündigt. Jetzt liegt der ganze gewaltige Torso vor: eines der großen Literaturwerke des 20. Jahrhunderts. Im Jahre 1926 interviewte der österreichische Dichter Oskar Maurus Fontana den österreichischen Dichter Robert Musil und fragte ihn: Woran arbeiten Sie? Bei dieser Gelegenheit sprach Musil über sein im Entstehen befindliches Werk Der Mann ohne Eigenschaften.

Vor 1930 war Robert Musil nur einem engeren literarischen Kreis bekannt. Bereits 1906 hatte Alfred Kerr den kurzen Roman Die Verwirrungen des Zöglings Törless *gepriesen.*

1921 hatte der Dichter Die Schwärmer, *ein Schauspiel in drei Akten, verfaßt, das immer wieder einmal ohne Erfolg auf die Bühne kam. Vorher schon hatte er sich einen Namen in der wissenschaftlichen Welt gemacht – mit der Entdeckung des sogenannten Musilschen Variationskreisels, einem Farbkreisel zu optischen Experimenten.*

Ihn beschreibt er in unserem zweiten Text; es ist zugleich auch ein kurzer autobiographischer Bericht.

Der Interviewer (Oskar Maurus Fontana): Ihr neuer Roman –? Er heißt?

Musil: Die Zwillingsschwester (später: Der Mann ohne Eigenschaften).

Interviewer: Zeit?

Musil: Von 1912 bis 1914. Die Mobilisierung, die Welt und Denken so zerriß, daß sie bis heute nicht geflickt werden konnten, beendet auch den Roman.

Interviewer: Was wohl als Symptom gewertet werden darf!

Musil: Gewiß. Wenn ich dabei den Vorbehalt machen darf, keinen historischen Roman geschrieben zu haben. Die reale Erklärung des realen Geschehens interessiert mich nicht. Mein Gedächtnis ist schlecht. Die Tatsachen sind überdies immer vertauschbar. Mich interessiert das geistig Typische, ich möchte geradezu sagen: das Gespenstische des Geschehens.

Interviewer: Wo ist der Punkt, wo Sie ansetzen?

Musil: Ich setzte voraus: Das Jahr 1918 hätte das 70jährige Regierungsjubiläum Franz Josephs I. und das 35jährige Wilhelms II. gebracht. Aus diesem künftigen Zusammentreffen entwickelt sich ein Wettlauf der beiderseitigen Patrioten, die einander schlagen wollen und die Welt und im Kladderadatsch von 1914 enden. »Ich habe es nicht gewollt!« Kurz und gut: es entwickelt sich das, was ich ›die Parallelaktion‹ nenne. Die Schwarzgelben haben die ›österreichische Idee‹, wie Sie sie aus den Kriegserinnerungen kennen: Erlösung Österreichs von Preußen – es soll ein Weltösterreich entstehen nach dem Muster des Zusammenlebens der Völker in der Monarchie – der ›Friedenskaiser‹ an der Spitze. Krönung des Ganzen soll eben das imposante Jubeljahr 1918 bringen. Die Preußen wieder haben die Idee der Macht auf Grund der technischen Vollkommenheit – auch ihr Schlag der Parallelaktion ist für 1918 geplant.

Interviewer: Also eine sehr ironisch durchsetzte Materie. Aber ich möchte Sie zuvor nicht danach fragen, sondern lieber: Wie setzen Sie diese Umwelt respektive Umwelten in Bewegung?

Musil: Zuerst, indem ich einen jungen Menschen einführe, der am besten Wissen seiner Zeit, an Mathematik, Physik, Technik geschult ist. Dieser tritt in das Leben von heute – denn nochmals, mein ›historischer‹ Roman soll nichts geben, was nicht auch heute Geltung hätte. Der also sieht zu seinem Erstaunen, daß die Wirklichkeit um mindestens 100 Jahre zurück ist hinter dem, was gedacht wird. Aus diesem Phasenunterschied, der notwendig ist und den ich auch zu begreifen suche, ergibt sich ein Hauptthema: Wie soll sich ein geistiger Mensch zur Realität verhalten? Dem stelle ich eine Gegenfigur gegenüber: den Typus des Mannes größten Formats und oberster Welt. Er verbindet wirtschaftliches Talent und ästhetische Brillanz zu einer sehr merkwürdigen und bezeichnenden Einheit. Nach Österreich kommt er aus Berlin, um sich zu erholen – in Wahrheit aber, um in aller Stille seinem Konzern die bosnischen Erzlager und Holzschlagungen zu sichern. Im Salon der ›zweiten Diotima‹, der Gattin eines Präsidialisten, des Repräsentanten der altösterreichischen Weltbeglückung, stößt er auf diese Frau. Zwischen beiden entwickelt sich nun ein ›Seelenroman‹, der im Leeren enden muß. Zugleich trifft der junge Mensch anläßlich eines Sterbefalles im Haus seiner toten Eltern seine Zwillingsschwester, die er bisher nicht kannte. Die Zwillingsschwester ist biologisch etwas sehr Seltenes, aber sie lebt in uns allen als geistige Utopie, als manifestierte Idee unserer selbst. Was den meisten nur Sehnsucht bleibt, wird meiner Figur Erfüllung. Und bald leben die beiden ein Leben, das der guten Gemeinschaft einer alten Ehe entspricht. Ich stelle die beiden mitten hinein in den Komplex der ›Schmerzen von heute‹: Kein Genie, keine Religion, statt ›in etwas leben‹ – ›für etwas leben‹ – lauter Zustände, in denen ich unsere Idealität äonisiere. Aber Bruder und Zwillingsschwester: das Ich und das Nicht-Ich fühlen den inneren Zwiespalt ihrer Gemeinsamkeit, sie zerfallen mit der Welt, fliehen. Aber dieser Versuch, das Erlebnis zu halten, zu fixieren, schlägt fehl. Die Absolutheit ist nicht zu bewahren. Ich schließe daraus, die Welt kann nicht ohne das Böse bestehen, es bringt Bewegung in die Welt. Das Gute allein bewirkt Starre. Ich gebe dazu die Parallele mit dem Paar: Diotima und Wirtschaftsheld. Würde er keine Geschäfte machen, könnte er keine Seele haben; nicht wegen des Geldes, das man braucht, um sich eine leisten zu können, sondern weil das Heilige ohne das Unheilige ein regloser Brei ist. Auch diese Zweiheit ist bedingt und notwendig. Die Erzählung läuft dann weiter, indem ich den Kernkomplex: Liebe und Ekstase von der Wahnsinnsseite her aufrolle durch eine von der Erlösungsidee Besessene. Die Geschehnisse spitzen sich zu einem Kampf zwischen dem Alumnen eines neuen Geistes und dem Wirtschaftsästheten zu. Ich schildere da eine große Sitzung, aber keiner von beiden erhält das Geld, das zu vergeben ist, sondern ein General, Vertreter des Kriegsministeriums, das ohne Einladung einen Delegierten entsandte. Das Geld wird für Rüstungen aufgewandt. Was gar nicht so dumm ist, wie man gewöhnlich glaubt, weil alles Gescheite sich gegenseitig aufhebt. Aus Opposition gegen eine Ordnung, in der der Ungeistigste die größten Chancen hat, wird mein junger ›Held‹ Spion. Sein spielerisches Interesse ist daran beteiligt und auch sein Lebensinhalt. Denn das Mittel seiner Spionage ist die Zwillingsschwester. Sie reisen durch Galizien. Er sieht, wie ihr Leben sich verliert und auch seines. Der junge Mensch kommt darauf, daß er zufällig ist, daß er seine Wesentlichkeit erschauen, aber nicht erreichen kann. Der Mensch ist nicht komplett und kann es nicht sein. Gallertartig nimmt er alle Formen an, ohne das Gefühl der Zufälligkeit seiner Existenz zu verlieren. Auch ihn, wie alle Personen meines Romans, enthebt die Mobilisierung der Entscheidung. Daß Krieg wurde, werden mußte, ist die Summe all der widerstrebenden Strömungen und Einflüsse und Bewegungen, die ich zeige.

Interviewer: Müssen Sie da nicht noch eine ganz große Anzahl von Hauptpersonen haben, um einen solchen Kreis ziehen zu können?

Musil: Ich komme mit etwa zwanzig Hauptpersonen aus.

Interviewer: Und fürchten Sie nicht bei der Struktur Ihres Romans das Essayistische?

Musil: Ich fürchte es schon. Eben darum habe ich es durch zwei Mittel bekämpft. Zuerst durch eine ironische Grundhaltung, wobei ich Wert darauf lege, daß mir Ironie nicht eine Geste der Überlegenheit ist, sondern eine Form des Kampfes. Zweitens habe ich meiner Meinung nach allem Essayistischen gegenüber ein Gegengewicht in der Herausarbeitung lebendiger Szenen, phantastischer Leidenschaftlichkeit.

Interviewer: Trotzdem Ihr Roman seinen Personen nur den Kopfsprung in die Mobilisierung als Ausweg läßt, glaube ich ihn nicht als pessimistisch ansprechen zu sollen?

Musil: Da haben Sie recht. Im Gegenteil. Ich mache mich darin über alle Abendlandsuntergänge und ihre Propheten lustig. Urträume der Menschheit werden in unseren Tagen verwirklicht. Daß sie bei der Verwirklichung nicht mehr ganz das Gesicht der Urträume bewahrt haben – ist das ein Malheur? Wir brauchen auch dafür eine neue Moral. Mit unserer alten kommen wir nicht aus. Mein Roman möchte Material

zu einer solchen neuen Moral geben. Er ist Versuch einer Auflösung und Andeutung einer Synthese.

Interviewer: Wo ordnen Sie Ihren Roman in die zeitgenössische Epik ein?

Musil: Erlassen Sie mir die Antwort.

(Nach einer Pause:)

Wo ich meinen Roman einordne? Ich möchte Beiträge zur
geistigen Bewältigung der Welt geben. Auch durch den Roman. Ich wäre darum dem Publikum sehr dankbar, wenn es
weniger meine ästhetischen Qualitäten beachten würde und
mehr meinen Willen. Stil ist für mich exakte Herausarbeitung
eines Gedankens. Ich meine den Gedanken, auch in der
schönsten Form, die mir erreichbar ist.

Im Jahre 1927 veröffentlichte die Literarische Welt *eine Auf-
satzreihe, in der Dichter autobiographisch über Berufsarbei-
ten, -experimente und -resultate neben ihrem Schriftsteller-
tum sprachen. Daraus das folgende:*

Ihr Wunsch, daß ich der Beschreibung irgendeiner Nebenbe-
rufsleistung eine autobiographische Skizze beifügen soll, fällt
leider auf unfruchtbaren Boden, denn ich habe von den Zusammenhängen meines Lebens, über die ich eigentlich nie
nachgedacht habe, nur eine sehr blasse Vorstellung. Wenn ich
mich recht besinne, hat z. B. eine lange blaue Hose ganz entscheidend auf mich eingewirkt. Ich erinnere mich wenigstens
keines anderen Grundes, der mir die k. u. k. österreichisch-
ungarischen Militärrealschulen so anstrebenswert erscheinen
lassen konnte, wie es dieser Teil der für sie vorgeschriebenen
Bekleidung getan hat. Aus dem Umstande, daß ich damals elf
Jahre alt war und im Elternhause noch kurze Hosen tragen
mußte, ebenso wie aus dem Glanz, den es für mich hatte, daß
ich mit neunzehn Jahren Leutnant sein würde, läßt sich

schließen, daß ich an falschen Vorstellungen vom Leben gelitten habe; aber ob sich darin eine allgemeine Eigenschaft des Schriftstellerberufs oder eine persönliche Eigenschaft ankündigte, läßt sich schwer unterscheiden.

Jedenfalls bin ich dadurch an eine Realschule statt an ein Gymnasium gekommen, und das bestimmte wieder den nächsten Schritt, denn als ich das Militär verließ, war es mir leichter gemacht, an eine Technische Hochschule zu gehen als an eine Universität. So bin ich Ingenieur geworden, was schon alles mögliche für die innere Entwicklung bedeutet; damals galt der Amerikanismus noch für unkultiviert und bedeutete Opposition. Später mußte ich nicht ohne Mühsal umkehren, um die nötigen Ergänzungen zu suchen. Als ich die Reifeprüfung am Gymnasium nachholte, um mich an der Universität habilitieren zu können, hatte ich schon die ›Verwirrungen des Zöglings Törless‹ veröffentlicht, aber im Klassenaufsatz über ›Rom, die ewige Stadt‹ konnte ich nur einen schwachen Mittelplatz erringen, womit ich allerdings immer noch etwas besser abschnitt als in Logik und Psychologie, die an der Universität mein Spezialstudium gebildet hatten.

Als ich mein Universitätsstudium abgeschlossen hatte und schon eine bestimmte Möglichkeit besaß, mich für Philosophie zu habilitieren, verzichtete ich darauf, und dabei endete die Fernwirkung der blauen Hose, um dem Einfluß anderer Entwicklungslinien Platz zu machen, die sich ebenso schön verfolgen lassen würden. Dank ihrer Gegensätze und des großen Einflusses des Zufalls bin ich dann Bibliothekar und Redakteur gewesen, habe Stellungen mit selbständigem Wirkungskreis in zwei verschiedenen Ministerien, denen des Äußeren und des Krieges, innegehabt, war Theaterkritiker, Psychotechniker, Ratgeber in militärpädagogischen Fragen und mancherlei anderes, bis ich schließlich ›nichts als Schriftsteller‹ geblieben bin.

Den hier abgebildeten Apparat habe ich konstruiert, als ich
am Berliner Psychologischen Institut arbeitete. Er ist, so wie
er hier abgebildet erscheint, aus Sparsamkeitsgründen etwas
weniger stabil ausgeführt worden, als es meiner durchgearbei-
teten Zeichnung entsprach. Man verwendet solche Farbkreisel zu allen möglichen psychologischen, physiologischen und
physikalischen Zwecken; es sind Apparate, welche man statt
der teuren und umständlichen Spektralapparate benützt, wo
es nicht auf feinste Genauigkeit ankommt. Ihr Prinzip ist aus
der Schule bekannt. Man schiebt zwei farbige Blätter, von
denen eines radikal aufgeschlitzt ist, so ineinander, daß die
Farbflächen in dem gewünschten Größenverhältnis zueinander stehen; dann setzt man den Kreisel in Rotation, und sobald die Umdrehungsgeschwindigkeit groß genug ist, entsteht für das Auge die angestrebte Mischfarbe. Der Nachteil
aller älteren Apparate war nun der, daß man sie jedesmal anhalten und neu einstellen mußte, wenn man die Anteile der
Grundfarben ändern wollte, um eine neue Farbenmischung
darzubieten; und das Wesen des abgebildeten Apparates besteht eben darin, daß man das nicht tun muß, sondern die
Änderungen während der Rotation durchführen kann und in
der Lage ist, in beständigem Fluß jede Farbe vorzuführen, die
sich aus zwei gegebenen Farben überhaupt herstellen läßt.

Das geschieht dadurch, soweit ich aus der Sache noch klug
werde, daß auf der von einem Motor angetriebenen Welle
zwei hülsenförmige Muffen sitzen. Die eine dieser Hülsen
wird von der Welle bei deren Drehung zwangsläufig mitgenommen, ist aber durch eine Nutführung in der Längsrich-
tung der Welle verschiebbar, ohne daß die Übertragung der
Bewegung dadurch eine Störung erleidet. Diese Hülse greift
weiterhin durch ein steiles Schraubengewinde in eine zweite
Hülse ein, die so gelagert ist, daß sie sich nur drehen, aber
nicht horizontal verschieben läßt; und das ergibt zwei Möglichkeiten der Bewegung. Fall 1: Beide Hülsen rotieren
zwangsläufig mit der Welle. Fall 2: Beide Hülsen rotieren

zwangsläufig mit der Welle, die erste Hülse wird aber dabei durch eine besondere Vorrichtung längs der Welle verschoben. Dann übt sie einen Druck auf die zweite Hülse aus, der durch das Schraubengewinde sich in eine Drehung umsetzt. Die zweite Hülse empfängt dann außer der ihr übermittelten Rotation noch eine Zusatzdrehung, und wenn die eine Farbscheibe auf der Welle selbst sitzt, die zweite auf dieser Hülse, so werden die beiden Farbscheiben gegeneinander verdreht, ohne daß ihre gemeinsame Drehung eine Unterbrechung erleidet.

Joseph Roth
An Gustav Kiepenheuer
zum 50. Geburtstag

*J*oseph Roth *wurde im Jahre 1894 in Schwabendorf bei Brody in Wolhynien geboren; es gehörte damals zur österreichisch-ungarischen Monarchie.*

In Lemberg und Wien studierte er Germanistik, ein Schüler Professor Brechts, ein Anhänger Karl Kraus'. Von 1916 bis 1918 war er an der Front. Nach dem Krieg lebte er in Wien als Journalist. 1921 siedelte er nach Berlin über und erregte mit seinen Feuilletons in kleineren Blättern die Aufmerksamkeit der Frankfurter Zeitung. Für sie reiste er dann durch Europa, um Reportagen zu schreiben: über Deutschland, Frankreich, den Balkan, Rußland ... die besten Reportagen, die in Deutschland während der Weimarer Republik geschrieben wurden. Am 30. Januar 1933 ging er in die Emigration. Hier, in Paris, starb er im Jahre 1939. Er hat sich zu Tode getrunken.

Zwei Jahre vor seiner Auswanderung hatte er seinen ersten großen literarischen Erfolg: Hiob. *Zwei Jahre später, auch noch in Deutschland, erschien sein schönstes Buch* Radetzky-marsch, *zusammen mit der sechs Jahre später erscheinenden* Kapuzinergruft *der großartigste Nachruf auf das Habsburger-Kaiserreich.*

Neben dreizehn Romanen veröffentlichte er Reiseschilderungen und Essays, unter ihnen die zwei nachfolgenden Stücke. Das erste stammt aus dem Jahre 1930: ein Glückwunsch an seinen Verleger Gustav Kiepenheuer, der 50 Jahre alt wurde. Es ist Roths beste Kurzbiographie: Wahrheit und Dichtung, auf sehr Rothsche Weise. Man nehme dies Selbstporträt nicht zu wörtlich – und erkenne diese Mischung aus Melancholie und Witz.

Das zweite Stück wurde zuerst in der Literaturzeitschrift ›Die literarische Welt‹ am 23. 8. 1929 veröffentlicht. Es ist wie mancher Essay Roths weltanschaulich-aktuell: seine Skepsis, seine Trauer schlägt durch – und es ist witzig zugespitzt auf sehr vergängliche, aber den Tag beherrschende Situationen. Hier wird sein Desinteressement an der Nachwelt projiziert auf die Lage des deutschen Schriftstellers am Ende des ersten Jahrzehnts der Weimarer Republik.

Joseph Roth hat das Schicksal vieler großer deutscher Schriftsteller des zwanzigsten Jahrhunderts gehabt: Hitler hat sie nicht nur körperlich ausgetrieben. Und weil sie unterwegs starben, sind auch ihre Werke dem deutschen Volk verlorengegangen. Obwohl der Verlag Kiepenheuer & Witsch in seiner dreibändigen Dünndruckausgabe alles getan hat, um dem Deutschland nach dem Krieg den großen Dichter Joseph Roth wiederzuschenken, sieht es so aus, als folge der Leser eher dem Gesetz des Tages: lieber eine Aufgeblasenheit der Saison als ein vor 20 Jahren verstorbener Klassiker, von dem man nie etwas auf der Schule gehört hat.

An Gustav Kiepenheuer
zum 50. Geburtstag

Ich habe viele Meilen zurücklegen müssen. Zwischen dem Ort, in dem ich geboren bin, und den Städten, Ländern, Dörfern, durch die ich in den letzten zehn Jahren komme, um in ihnen zu verweilen, und in denen ich nur verweile, um sie wieder zu verlassen, liegt mein Leben eher nach räumlichen Maßen meßbar als nach zeitlichen. Die zurückgelegten

Straßen sind meine zurückgelegten Jahre. Nirgends, in keinem Kirchenbuch und in keinem Gemeindekataster wurde der Tag meiner Geburt eingetragen, mein Name vermerkt. Ich habe keine Heimat, wenn ich von der Tatsache absehe, daß ich in mir selbst zu Hause bin und mich bei mir heimisch fühle. Wo es mir schlecht geht, dort ist mein Vaterland. Gut geht es mir nur in der Fremde. Wenn ich mich nur einmal verlasse, verliere ich mich auch. Deshalb achte ich peinlich darauf, immer bei mir zu bleiben.

Geboren bin ich in einem winzigen Nest in Wolhynien, am zweiten September 1894, im Zeichen der Jungfrau, zu der mein Vorname Joseph irgendeine vage Beziehung unterhält. Meine Mutter war eine Jüdin von kräftiger, erdnaher, slawischer Struktur, sie sang oft ukrainische Lieder, denn sie war sehr unglücklich (und die Armen sind es, die bei uns zu Hause singen, nicht die Glücklichen, wie in westlichen Ländern. Deshalb sind die östlichen Lieder schöner, und wer ein Herz hat und sie hört, ist nahe dem Weinen). Sie hatte kein Geld und keinen Mann. Denn mein Vater, der sie eines Tages nach dem Westen nahm, wahrscheinlich nur, um mich zu zeugen, ließ sie in Kattowitz allein und verschwand auf Nimmerwiedersehen. Er muß ein merkwürdiger Mensch gewesen sein, ein Österreicher vom Schlag der Schlawiner, er verschwendete viel, trank wahrscheinlich und starb, als ich sechzehn Jahre alt war, im Wahnsinn. Seine Spezialität war die Melancholie, die ich von ihm geerbt habe. Ich habe ihn nie gesehen. Doch erinnere ich mich, daß ich als Knabe von vier, fünf Jahren einmal von einem Mann geträumt habe, der meinen Vater darstellte. Zehn oder zwölf Jahre später sah ich zum erstenmal eine Fotografie meines Vaters. Ich kannte sie bereits. Es war der Herr aus meinem Traum.

In einem zarten Alter, in dem andere gehen lernen, fuhr ich schon auf der Eisenbahn. Ich kam früh nach Wien, verließ es bald, kehrte zurück, fuhr wieder nach dem Westen, hatte kein Geld, lebte von Unterstützungen wohlhabender Ver-

wandter und von Lektionen, begann zu lernen, eifrig und
ehrgeizig, war ein besonders braver Junge, voll stiller Bosheit
und gefüllt mit Gift, bescheiden aus Hochmut, erbittert gegen die Reichen, aber ohne Solidarität mit den Armen. Sie erschienen mir dumm und ungeschickt. Auch hatte ich Angst
vor jeder vulgären Äußerung. Ich war sehr glücklich, als ich
in Horaz' »Odi profanum vulgus« eine autoritative Bestätigung meiner Instinkte fand. Ich liebte die Freiheit. Die Zeit,
die ich bei meiner Mutter verbrachte, war meine glücklichste
Zeit. In der Nacht stand ich auf, kleidete mich an und ging aus
dem Haus. Ich wanderte drei, vier Tage, schlief in Häusern,
deren Lage ich nicht kannte, und mit Frauen, deren Angesicht ich nicht sah und zu sehen neugierig war. Ich briet Kar-
toffeln auf sommerlichen Wiesen und auf harten herbstlichen
Äckern. Ich pflückte Erdbeeren in Wäldern, trieb mich mit
viel halbwüchsigem Gesindel herum und wurde manchmal
verprügelt, gewissermaßen irrtümlich. Jeder, der mich einmal geschlagen hatte, bat mich bald darauf um Entschuldigung. Denn er fürchtete meine Rache. Sie konnte grausam
sein. Ich hatte niemanden besonders lieb. Haßte ich aber
einen, so wünschte ich ihm den Tod und war bereit, zu töten.
Ich besaß die besten Schleudern, zielte nur gegen Köpfe und
nicht nur mit Steinen, sondern auch mit Glasscherben und
zerbrochenen Messerklingen. Ich bereitete Hinterhalte vor,
Fangeisen, Fallgruben, Maskierungen des Geländes. Als
einmal einer meiner Feinde mit einem Trommelrevolver, allerdings ohne Munition, bewaffnet erschien, fühlte ich mich
gedemütigt. Ich begann, ihm zu schmeicheln, wurde allmählich, mit großem Widerwillen, sein Freund und kaufte ihm
endlich den Revolver ab, und zwar für Patronen, die mir ein
Förster geschenkt hatte. Ich redete meinem Freund ein, daß
die Munition viel gefährlicher sei als eine Waffe ohne
Munition.

Edelmütig wurde ich erst später, aber es war auch nicht von
Dauer. Die ersten edlen Regungen weckte ein Mädchen in

mir, ich war bereits im zweiten Semester der Germanistik.
Meine Freundin stammte aus Witkowitz. Mit 16 Jahren war
sie die Beute eines Ingenieurs geworden und von ihm
schwanger. Sie gebar zum Glück ein totes Kind. Der Ingenieur kümmerte sich nicht um sie. Also ging sie nach Wien als
Erzieherin zu argen und bösen Leuten. Was blieb mir da anderes übrig, als edel zu sein? Ich mietete ein Zimmer für das
Mädchen, veranlaßte es, die blöden blonden Kinder in Ma-
trosenkleidern zu verlassen, und beschloß, diesem armen
Mädchen ein lebendiges Kind zu zeugen und den Ingenieur
zu fordern. Zu diesem Zweck verkaufte ich meinen Mantel
und nahm einen Vorschuß bei dem Rechtsanwalt, dessen
Sohn ich unterrichtete. Ich fuhr nach Witkowitz, fand meinen Ingenieur, er bestellte mich in ein Kaffeehaus, nachdem
er meinen ziemlich groben und kurzen Brief erhalten hatte.
Er hatte einen schwarzen Spitzbart, schiefe, aufwärts gerich-
tete Brauen, funkelnde Augen, ein braunes, schönes Gesicht,
schmale Hände, er erinnerte mich an den Teufel. Auf seiner
Visitenkarte stand: Leutnant der Reserve. Er bezahlte mir
den Kaffee, war freundlich, lächelte, gestand, daß er der
Reihe nach, aus Prinzip, mit allen Töchtern seiner Werkmeister schlafe, aber zu weiteren Beschäftigungen mit ihnen
keine Zeit finde. Er führte mich in ein Bordell, schenkte mir
drei Mädchen auf einmal und erklärte sich bereit, mir eine der
Jungfrauen aus Witkowitz freiwillig abzutreten. Er gab mir
zu trinken, begleitete mich zur Bahn, wir küßten uns beim
Abschied. Er ist leider 1916 im Krieg am Typhus gestorben.
Er war einer meiner ersten Freunde gewesen.

Ich kehrte zurück, das Mädchen hatte inzwischen eine
neue Stellung angenommen. Sie schrieb mir einen schönen
Abschiedsbrief, aus dem hervorging, daß ich nichts für sie sei.
Sie liebte, mit Recht, immer noch den Ingenieur. Ich begann
von nun an im Stadtpark, im Volksgarten, im Wiener Wald
Frauen zu suchen und durch Bescheidenheit und gespielte
Furchtsamkeit das Mitleid, später die Liebe der Mütter mei-

ner Schüler zu gewinnen. Die Frauen der Rechtsanwälte bevorzugten mich, weil ihre Männer so wenig Zeit hatten. Sie schenkten mir Hemden, Unterhosen, Krawatten, nahmen mich in die Logen der Oper, in Fiaker und verreisten mit mir nach Klagenfurt, Innsbruck, Graz. Sie waren meine Mütter. Ich liebte sie alle aufrichtig.

Als der Krieg ausbrach, verlor ich meine Lektionen, allmählich, der Reihe nach. Die Rechtsanwälte rückten ein, die Frauen wurden übelgelaunt, patriotisch, zeigten eine deutliche Vorliebe für Verwundete. Ich meldete mich endlich freiwillig zum 21. Jägerbataillon. Ich wollte nicht dritter Klasse fahren, ewig salutieren, ich wurde ein ehrgeiziger Soldat, kam zu früh ins Feld, an die Ostfront, ich meldete mich in die Offiziersschule, ich wollte Offizier werden. Ich wurde Fähnrich. Ich war bis zum Ende des Krieges an der Front, im Osten. Ich war tapfer, streng und ehrgeizig. Ich beschloß, beim Militär zu bleiben. Da kam der Umsturz. Ich haßte Revolutionen, mußte mich ihnen aber fügen und, da der letzte Zug von Shmerinka abgegangen war, zu Fuß nach Hause marschieren. Drei Wochen marschierte ich. Dann fuhr ich auf Umwegen, zehn Tage lang, von Podwoloczysk nach Budapest, von hier nach Wien, wo ich, aus Mangel an Geld, für Zeitungen zu schreiben begann. Man druckte meine Dummheiten. Ich lebte davon. Ich wurde Schriftsteller.

Ich übersiedelte bald nach Berlin – die Liebe zu einer verheirateten Frau, die Furcht, meine Freiheit zu verlieren, die mir mehr wert war als mein dubioses Herz, zwang mich dazu. Ich schrieb die dümmsten Artikel und erwarb mir infolgedessen einen Namen. Ich schrieb schlechte Bücher und wurde bekannt. Zweimal lehnte mich Kiepenheuer ab. Auch das drittemal hätte er mich abgelehnt, wenn wir uns nicht kennengelernt hätten.

An einem Sonntag tranken wir Schnaps. Er war schlecht, wir wurden beide krank davon. Aus Mitleid schlossen wir Freundschaft, trotz der Verschiedenheit unserer Naturen, die sich nur im Alkohol finden. Kiepenheuer ist nämlich ein West-Phale, ich ein Ost-Phale. Es läßt sich kaum ein größerer Gegensatz denken. Er ist ein Idealist, ich bin ein Skeptiker. Er liebt die Juden, ich nicht. Er ist ein Fortschritts-Phantast, ich bin ein Reaktionär. Er ist immer jung, ich bin immer alt. Er wird fünfzig, ich werde zweihundert. Ich könnte sein Urgroßvater sein, wäre ich nicht sein Bruder. Ich bin radikal, er ist konziliant. Er ist höflich-unbestimmt, ich bin prägnant. Er ist gerecht, ich bin ungerecht. Er ist ein Optimist, ich ein Pessimist.

Es muß wohl geheime Zusammenhänge geben zwischen uns beiden. Denn manchmal stimmen wir in allem überein. Es ist, als ob wir uns gegenseitig Konzessionen machten, aber es sind gar keine. Denn er hat keinen Sinn für das Geld. Diese Eigenschaft haben wir gemeinsam. Er ist der ritterlichste Mann, den ich kenne. Ich auch. Das hat er von mir. Er verliert an meinen Büchern. Ich auch. Er glaubt an mich. Ich auch. Er wartet auf meinen Erfolg. Ich auch. Ihm ist die Nachwelt sicher. Mir auch.

Wir sind unzertrennlich; das ist sein Vorzug.

Zehnter Juni 1930.

Joseph Roth

Ein Blick auf die Nachwelt

Das gläubig heitere Vertrauen, das manche Schriftsteller der Nachwelt schenken, kann ich kaum begreifen, geschweige denn selber haben. Obwohl ich die Mitwelt noch weniger schätze als sie mich, bin ich doch weit davon entfernt, die Generationen der Leser, die nach mir kommen werden, für besser, edler, vorurteilsloser, vernünftiger zu halten als jene, die mit mir leben. Vielmehr deutet die Entwicklung der Welt, soweit wir sie bis heute kennen, darauf hin, daß die künftigen Geschlechter noch törichter, noch gedanken- und phantasieärmer, noch verworrener dahinleben werden als die heutigen. Es tut mir leid. Es ist mir unmöglich, meinem Tod so hoffnungsfroh entgegenzublicken wie eine große Anzahl meiner Berufsgenossen. Und ich weiß heute schon, welch elender Trost mich in meiner letzten Stunde begleiten wird: der Trost, nicht fünfzig oder hundert Jahre später geschrieben zu haben; ebenso wie mich mein ganzes Leben hindurch das Bedauern begleitet, nicht fünfzig oder hundert Jahre früher geschrieben zu haben. Denn die Tatsache, daß dieser und jener bedeutende Schriftsteller in der Vergangenheit verkannt war, beweist mir noch lange nicht, daß die Gegenwart besser ist, diese Gegenwart, die sich leider daran gewöhnt hat, seit etwa zwanzig Jahren fast niemanden mehr zu verkennen. Mein Respekt vor der Vorwelt bleibt ebenso groß, wie mein Respekt vor der Mit- und Nachwelt gering ist. Es scheint mir nämlich ehrenvoller, von einer würdigen Zeit verkannt als von einer unwürdigen anerkannt zu werden; und ich habe keinen Anlaß zu glauben, daß die Zeiten würdiger werden. Ja, wäre ich selbst so töricht, meiner Unsterblichkeit sicher zu sein, so würde mich diese Sicherheit außerordentlich betrüben. Welch eine Aussicht: dereinst von Eseln verstanden zu werden, nachdem man unverstanden unter Kamelen gelebt hat! Lieber ist mir schon die zeitgenössische Dummheit, denn ich habe mich schließlich an sie gewöhnt.

Was sollte sich denn auch in der Nachwelt etwa bessern? Betrachten wir die Aussichten der Verleger zum Beispiel – um bei diesen wackeren Männern anzufangen, die als die ersten Hindernisse auf unserem Weg zur Öffentlichkeit aufgestellt sind. Werden sie nicht von Jahr zu Jahr ohnmächtiger, ärmer an Geld und Plänen, arbeiten sie nicht von Jahr zu Jahr fatalistischer dem trauten Weihnachtsfest entgegen und dem immer literaturfremder werdenden Christkind? Da viel eher die Aussicht vorhanden ist, daß Weihnachten überhaupt abgeschafft wird – das einzige literarische Prinzip der Verlegerwelt –; werden dann noch Verlagsgeschäfte gemacht werden können? Wenn heute schon Bücher beinahe nur aus dem rein äußerlichen Grunde gekauft werden, weil es nämlich Gelegenheit gibt, sie zu verschenken, wie man etwa Blumen schenkt (nur daß man Bücher nicht ins Wasser zu stellen braucht) – wird noch ein Bücherkauf stattfinden, sobald die Schenkgelegenheit nicht mehr vorhanden ist? Und selbst wenn ich mir die optimistische Ansicht abringe, daß man nicht aufhören wird, die Geburt des Heilands durch Neuerscheinungen zu begehen, weshalb sollte die Nachwelt unpraktischer werden als die Gegenwart und weniger Radioapparate, Automobile, Doppeldeckerchen, niedliche Familien-Filmkameras schenken als die Mitwelt? Ja, gesetzt selbst den Fall, daß in der Nachwelt überhaupt Tannenbäume wachsen werden, wird man etwas Überflüssiges unter sie legen? Doch stelle ich mir vor, daß man eine Art von Weihnachtsblitzableitern statt der Nadelbäume zu verwenden geneigt sein wird. Und Belletristik unter Apparate zu legen wird gewissermaßen von selbst ein Unsinn.

Nein! Ernst beiseite! Wie werden die Leser aussehen? Gewiß werden sie noch häufiger über den Ozean fliegen, alle Arten von Gefahren heraufbeschwören und bezwingen und alle Möglichkeiten der nackten Realität in dem Maße ausnutzen, daß sie sich selbst (vollkommen bewußt) in literarisches Rohmaterial verwandeln werden. Und ebensowenig, wie man von dem Helden eines Romans verlangen darf, er möge sich selbst, literarisch gestaltet, in einer stillen Ferienstunde lesen, ebensowenig wird man den Kindern der Nachwelt zumuten, ein Buch in die Hand zu nehmen, in dem sie sogar nur mangelhaft gestaltet, ja vielleicht nur angedeutet sind. Denn ohne Zweifel werden die Autoren der Nachwelt noch weniger als die heutigen imstande sein, der Atemlosigkeit ihres Rohmaterials Herr zu werden, und in der Hast, mit der ihre Gestalten von einer Funktion zur anderen eilen, noch einen Trieb oder einen Affekt, das Animalische oder das Humane herauszufinden, die beiden einzigen wahren Gegenstände der

Literatur! Und wie sie heute schon, die armen Autoren, sozusagen »moderne Menschen« werden zu müssen glauben, um
den modernen Menschen zu begreifen; und wie sie heute
schon den materiellen Erfolg in einen prima Wagen umsetzen
und ihre eventuelle literarische Energie in die eines mittelmäßigen Chauffeurs, weil sie auf diese Weise die Sensationen
eines Rennfahrers erahnen zu können hoffen – so werden sie
in Zukunft etwa als Ozeanflieger so vollkommen in die phan-
tastische Realität tauchen, daß sie ihrem Rohmaterial gleichen
werden wie ein Ei dem anderen.

Ich verzichte unter diesen Umständen lieber auf die
Darstellung meiner Visionen vom Autor der Nachwelt. Die
Vorstellung, daß etwa einer von diesen visionär erschauten
Dichtern aus einem Prospekt der Zukunft aufersteht, um ein
vergessenes Buch aus meiner Feder mittels seiner lautlosen
Fernsetzmaschine wieder zur Geltung zu bringen, ist allein
schon imstande, mir meine eventuelle eigene Nachwelt zu
vergällen.

Dagegen gönne ich sie meinen mitlebenden Berufsgenossen von ganzem Herzen.

Karl Jaspers
Die geistige Situation der Zeit

Karl Jaspers begann in Heidelberg als Psychiater. Sein erstes Thema war die Differenzierung der Geisteskrankheiten, je nachdem, ob sie verstehbare psychische Zusammenhänge zeigen oder nicht.

Dann wandte er sich zur Philosophie, mit Problemen aus dem Dilthey-Kreis. Er versuchte eine Typen-Lehre der Weltanschauungen. Er fand sie, beeinflußt von Kierkegaard, in den Situationen, die man nach ihm existentialistisch zu nennen pflegt.

Diese Forschungen wurden nach Jahrzehnten abgeschlossen mit seinem dreibändigen Werk Die großen Philosophen. *Jaspers stellt hier sechs Verwandtschaften heraus und ordnet dementsprechend nicht chronologisch, sondern nach einer typischen Zusammengehörigkeit.*

Nach dem Buch Allgemeine Psychopathologie *im Jahre 1913, und nach der* Psychologie der Weltanschauungen *(1919), erschien 1931, zwei Jahre vor der Ankunft des Dritten Reiches, seine populäre Schrift* Die geistige Situation der Zeit *als tausendster Band der Sammlung Goeschen. Wir zitieren hier aus den zwei Abschnitten, die überschrieben sind ›Herkunft der gegenwärtigen Lage‹ und ›Situation überhaupt‹.*

Schon dies Bändchen zeigt, daß Jaspers zu jener Philosophenrasse gehört, die in der Antike zahlreicher war als später: er philosophiert nicht nur sub specie aeterni, sondern setzte seine philosophischen Begriffe für die aktuelle Politik ein. 1931 war dieses politische Philosophieren noch sehr vage. Man konnte sich nicht viel vorstellen unter einem Satz wie: »Im

Kriege, als der faktischen Ausführung der Gewalt, spricht das Schicksal auf dem Wege über Vorbedacht politischer Entschlüsse durch physische Entscheidung.«

Allmählich wurde er deutlicher. Sein Buch Die Atombombe und die Zukunft der Menschheit *ist zwar sehr umstritten, aber glasklar. Auf die Frage: Ist Leben unter allen Umständen lebenswert? antwortet er, im schärfsten Gegensatz zu Bertrand Russell: »Wer sagt, um jeden Preis müsse die Menschheit am Leben bleiben, ist nur glaubwürdig, wenn er weiß, was der Totalitarismus ist.« Und er fügt hinzu: es bestehe keine Sicherheit über »den totalen Untergang der Menschheit durch die Superbomben«, falls sie abgeworfen würden. Dies ist bisweilen als Kriegswilligkeit interpretiert worden, aber es ist geschrieben gegen die Erpressung mit der Drohung eines Atomkriegs.*

1932 erschien sein systematisches Hauptwerk, die drei Bände Philosophie, *der dann viele Bücher folgten – unter anderen sein umfangreichstes mit dem Titel* Von der Wahrheit. *Jaspers' ›Existentialismus‹ hat einen demokratischen und gnostisch-theologischen Charakter.*

Die Frage nach der gegenwärtigen Situation des Menschen als Resultat seines Werdens und Chance seiner Zukunft ist heute eindringlicher als jemals gestellt. Antworten sehen die Möglichkeiten des Untergangs und die Möglichkeiten eines nun erst eigentlichen Beginnens; aber entschiedene Antwort bleibt aus.

Was den Menschen zum Menschen machte, liegt vor der überlieferten Geschichte. Werkzeuge zu dauerndem Besitz, Bereitung und Verwendung des Feuers, Sprache, Überwindung der geschlechtlichen Eifersucht zur Männerkameradschaft in der Begründung beständiger Gesellschaft hoben den Menschen aus der Tierwelt.

Gegenüber den Hunderttausenden von Jahren, in denen uns unzugänglich diese entscheidenden Schritte zum Menschsein getan sein mochten, nimmt die uns anschauliche Geschichte von etwa 6000 Jahren einen winzigen Zeitraum ein. In ihm zeigt sich der Mensch, verbreitet über die Erdoberfläche, in mannigfachen Gestalten, die unter sich geringe oder keine Beziehungen haben und sich nicht kennen. Aus ihnen scheint der abendländische Mensch, der den Erdball eroberte, die Menschen zur gegenseitigen Kenntnis und zum Bewußtsein ihrer Zusammengehörigkeit in der Menschheit brachte, durch die Konsequenz in der Durchführung folgender Prinzipien herausgewachsen zu sein:

a) Eine nirgends Halt machende Rationalität, begründet in der griechischen Wissenschaft, zwang das Dasein in Berechenbarkeit und technische Beherrschung. Allgemeingültige, wissenschaftliche Forschung, Voraussehbarkeit rechtlicher Entscheidungen im formalen von Rom geschaffenen Recht, Kalkulation in wirtschaftlichen Unternehmungen bis zur Rationalisierung allen Tuns, auch dessen, was in Rationalisiertwerden aufgehoben wird, dies alles ist die Folge einer Haltung, die sich grenzenlos offenhält für den Zwang des logischen Gedankens und der empirischen Tatsächlichkeit, wie sie jedermann und jederzeit einsichtig sein müssen.

b) Die Subjektivität des Selbstseins stellte sich auf sich in den jüdischen Propheten, den griechischen Philosophen, den römischen Staatsmännern. Was wir Persönlichkeit nennen, ist solcher Gestalt in dieser abendländischen Entwicklung des Menschen erwachsen und von Anfang an mit der Rationalität als ihrem Korrelat verknüpft.

c) Gegen orientalische Weltlosigkeit und die in ihr ergriffene Möglichkeit des Nichts als des eigentlichen Seins ist die Welt als faktische Wirklichkeit in der Zeit für den abendländischen Menschen nicht zu überspringen. Nur durch sie, nicht außer ihr vergewissert er sich. Selbstsein und Rationalität werden ihm Ursprünge, aus denen er die Wirklichkeit täuschungslos erkennt und zu bemeistern versucht.

Die letzten Jahrhunderte erst haben diese drei Prinzipien entfaltet, das 19. Jahrhundert brachte ihre volle äußere Auswirkung. Der Erdball ist überall zugänglich; der Raum ist vergeben. Zum erstenmal ist der Planet der eine umfassende Wohnplatz des Menschen. Alles steht mit allem in Beziehung. Die technische Beherrschung von Raum, Zeit und Materie wächst unabsehbar, nicht mehr durch zufällige einzelne Entdeckungen, sondern durch planmäßige Arbeit, in der das Entdecken selbst methodisch und erzwingbar wird.

Nach Jahrtausenden getrennter menschlicher Kulturentwicklungen sind die letzten viereinhalb Jahrhunderte der Prozeß europäischer Welteroberung, das letzte Jahrhundert seine Vollendung. Dieses, in dem die Bewegung sich beschleunigt vollzog, sah eine Fülle von Persönlichkeiten, welche ganz auf sich standen, sah Führer- und Herrscherstolz, Entdeckerjubel, berechnenden Wagemut, die Erfahrung äußerster Grenzen, und es sah die Innerlichkeit, welche angesichts solcher Welt sich erhält. Heute erkennen wir dieses ganze Jahrhundert als ein für uns vergangenes. Es ist ein Umschlag erfolgt, dessen Inhalt wir allerdings noch nicht als positiven Gehalt, sondern als unermeßlich sich auftürmende Schwierigkeiten sehen: die äußere Eroberungsbewegung ist an ihre Grenze gestoßen; die sich ausbreitende Bewegung trifft gleichsam im Rückstoß auf sich selbst.

Die Prinzipien des abendländischen Menschen schließen die Stabilität des bloß in sich kreisenden Wiederholens aus. Jedes Erkannte treibt rational sogleich neue Möglichkeiten hervor. Wirklichkeit besteht nicht als so seiende, sondern muß ergriffen werden durch ein Erkennen, das zugleich Eingreifen und Handeln ist. Die Rapidität der Bewegungen ist von Jahrzehnt zu Jahrzehnt gewachsen. Nichts ist mehr fest, alles befragt und in die mögliche Verwandlung gezogen, aber

nun in einer inneren Reibung, die das 19. Jahrhundert so
nicht kannte.

Das Gefühl eines Bruches gegenüber aller bisherigen Geschichte ist allgemein. Aber das Neue ist nicht schon die
Revolution der Gesellschaft als Zertrümmerung, Besitzver-
schiebung, Entaristokratisierung. Vor mehr als viertausend
Jahren im alten Ägypten geschah schon, was in einem Papy-
rus so beschrieben wird:

»Plünderer sind überall ... man pflügt nicht, ein jeder sagt:
wir wissen ja nicht, was im Lande geschieht ... Schmutz ist
im Lande, es gibt keinen mehr mit weißen Kleidern ... Das
Land dreht sich um, wie die Töpferscheibe tut ... Es gibt ja
nirgends Menschen mehr ... Gold und Lapislazuli sind um
den Hals der Sklavinnen gehängt ... das Lachen ist zugrunde
gegangen ... groß und klein sagt: hätte er mich doch nicht
ins Leben gerufen ... Die Bürger hat man an die Mühlsteine
gesetzt ... die Damen sind wie die Dienerinnen ... Man
raubt die Abfälle aus dem Maule des Schweines, weil man so
hungrig ist ... Die Amtszimmer werden geöffnet und ihre
Listen fortgenommen ... die Sackschreiber, deren Akten
werden zerstört ... Es kommt dazu, daß das Land des Kö-
nigtums beraubt ist, durch wenige sinnlose Leute ... Das
Geheimnis der Könige wird entblößt ... die Beamtenschaft
des Landes ist durch das Land hin vertrieben ... kein Amt
ist mehr an einer richtigen Stelle, sie sind wie eine aufge-
scheuchte Herde ohne Hirten ... kein Künstler arbeitet mehr
... die mehreren sind es, die die wenigen ermorden ... der
nichts hatte, besitzt jetzt Schätze; der Große lobt ihn ... der
von seinem Gott nichts wußte, opfert ihm jetzt mit dem
Weihrauch eines anderen ... die Frechheit ist zu allen Leuten
gekommen ... Ach daß es aufhörte mit den Menschen und
es gäbe kein Schwangerwerden mehr und kein Gebären.
Möchte die Erde schweigen von Geräusch und kein Streit
mehr sein ...«

Auch das Bewußtsein der gelockerten, schlimmen Zustände, in denen nichts Verläßliches mehr ist, für die Thukydides' Schilderung des menschlichen Verhaltens im peloponnesischen Krieg ein Beispiel ist, kann nicht das Neue sein.

Das Neue zu treffen, müßte der Gedanke tiefer dringen, als es ihm im Blick auf die allgemein menschlichen Möglichkeiten von Umsturz, Unordnung, Lockerung der Sitten gelingt. Als ein Spezifisches der neueren Jahrhunderte ist seit Schiller die Entgötterung der Welt bewußt. Im Abendland ist dieser Prozeß in einer Radikalität wie nirgends sonst vollzogen. Wohl gab es die glaubenslosen Skeptiker des alten Indien und der Antike, denen nichts als nur das sinnlich Gegenwärtige galt, nach dem sie, es selbst für nichtig haltend, skrupellos griffen. Aber sie taten es noch in einer Welt, die faktisch auch ihnen als Ganzes beseelt blieb. Im Abendland, im Gefolge des Christentums, wurde eine andere Skepsis möglich: Die Konzeption des überweltlichen Schöpfergottes verwandelte die gesamte Welt als Schöpfung zur Kreatur. Aus der Natur schwanden die heidnischen Dämonen, aus der Welt die Götter. Das Geschaffene wurde Gegenstand menschlicher Erkenntnis, welche zuerst noch gleichsam Gottes Gedanken nachdachte. Das protestantische Christentum machte vollen Ernst; die Naturwissenschaften mit ihrer Rationalisierung, Mathematisierung und Mechanisierung der Welt hatten zu diesem Christentum eine Affinität. Die großen Naturforscher des 17. und 18. Jahrhunderts waren fromme Christen. Wenn dann aber am Ende der Zweifel den Schöpfergott strich, so blieb als Sein die in den Naturwissenschaften erkennbare Weltmaschinerie, welche ohne vorherige Erniedrigung zur Kreatur nie in solcher Schroffheit erfaßt wäre.

Diese Entgötterung ist nicht der Unglaube einzelner, sondern die mögliche Konsequenz einer geistigen Entwicklung, welche hier in der Tat ins Nichts führt. Eine nie gewesene Öde des Daseins wird fühlbar, gegen die der schärfste antike Unglaube geborgen war in der Gestaltenfülle einer nicht

verlassenen mythischen Wirklichkeit, wie sie noch das Lehr-
gedicht des Epikureers Lukrez durchstrahlt. Diese Entwicklung ist zwar für das Bewußtsein nicht unausweichlich
notwendig, denn sie setzt ein Mißverstehen des Sinns der
exakten Naturerkenntnis und die Verabsolutierung im Übertragen ihrer Kategorien auf alles Sein voraus. Aber sie ist
möglich und ist wirklich geworden, gefördert durch den
unermeßlichen technischen und praktischen Erfolg dieser
Erkenntnis. Was kein Gott in den Jahrtausenden für den
Menschen getan, macht dieser durch sich selbst. Leicht kann
er in diesem Tun das Sein erblicken wollen, bis er erschreckt
vor seiner selbstgeschaffenen Leere steht.

Man hat die Gegenwart mit der Zeit des untergehenden Altertums verglichen, mit der der hellenischen Staaten, in denen
das Griechentum versank, oder mit dem dritten nachchristlichen Jahrhundert, in dem die antike Kultur überhaupt zu-
sammenbrach. Jedoch bestehen wesentliche Unterschiede.
Damals handelte es sich um eine Welt, die einen kleinen Raum
der Erdoberfläche einnahm und die Zukunft des Menschen
auch noch außer sich hatte. Heute, wo der Erdball ganz ergriffen ist, muß, was an Menschsein bleibt, in die Zivilisation
eintreten, die das Abendland geschaffen hat. Damals ging die
Bevölkerung zurück, heute ist sie in nie dagewesener Verviel-
fachung angewachsen. Damals war in der Zukunft auch die
Bedrohung von außen, heute ist äußere Bedrohung für das
Ganze partikular, und der Untergang kann nur von innen her
erfolgen, wenn er das Ganze treffen sollte. Der handgreifliche
Unterschied gegenüber dem dritten Jahrhundert aber ist, daß
damals die Technik stagnierte und zu verfallen begann, während sie heute in unerhörtem Tempo ihre unaufhaltsamen
Fortschritte macht. Chance wie Gefahr sind hier unabsehbar.
Das äußerlich sichtbare Neue, das allem menschlichen Dasein
von jetzt an seine Grundlagen und damit neue Bedingungen
stellen muß, ist diese Entfaltung der technischen Welt. Zum
erstenmal hat eine wirkliche Naturbeherrschung begonnen.

Wollte man sich unsere Welt verschüttet denken, so würden spätere Grabungen zwar keine Schönheiten zutage fördern wie die der Antike, deren Straßenpflaster noch uns entzückt. Aber es würde gegenüber allen früheren Zeiten schon aus den letzten Jahrzehnten so viel Eisen und Beton zu finden sein, daß man noch spät es sehen könnte: der Mensch hatte jetzt den Planeten in ein Netz seiner Apparatur eingesponnen. Dieser Schritt ist gegenüber allen früheren Zeiten so groß wie der erste Schritt zur Werkzeugbildung überhaupt: die Perspektive einer Verwandlung des Planeten in eine einzige Fabrik zur Ausnutzung seiner Stoffe und Energien wird sichtbar. Der Mensch hat das zweitemal die Natur durchbrochen und sie verlassen, um in ihr ein Werk hinzustellen, das sie als Natur nicht nur niemals geschaffen hätte, sondern das nun mit ihr wetteifert an Wirkungsmacht. Nicht schon in der Sichtbarkeit seiner Stoffe und Apparate ist dies Werk vor Augen, sondern erst in der Wirklichkeit ihrer Funktion; der Ausgräber könnte an den Resten von Funktürmen nicht mehr die durch sie hergestellte Allgegenwart der Ereignisse und Nachrichten auf der Erdoberfläche ermitteln.

Was das Neue sei, durch das unsere Jahrhunderte und durch dessen Vollendung unsere Gegenwart gegen das Vergangene sich absetzen, ist auch mit der Weise der Entgötterung der Welt und dem Prinzip der Technisierung keineswegs begriffen. Noch ohne klares Wissen wird immer entschiedener bewußt, in einem Augenblick der Weltwende zu stehen, die nicht an einer der partikularen geschichtlichen Epochen der vergangenen Jahrtausende gemessen werden kann. Wir leben in einer geistig unvergleichlich großartigen, weil an Möglichkeiten und Gefahren reichen Situation, doch müßte sie, würde ihr niemand genug tun können, zur armseligsten Zeit des versagenden Menschen werden.

Im Blick auf die vergangenen Jahrtausende scheint der Mensch vielleicht am Ende. Oder er ist als gegenwärtiges Bewußtsein am Anfang wie nur im Beginn seines Werdens, aber

mit erworbenen Mitteln und der Möglichkeit einer realen Erinnerung auf einem neuen, schlechthin anderen Niveau.

Wurde bisher von Situation gesprochen, so in einer abstrak-
ten Unbestimmtheit. Letzthin ist nur der einzelne in einer
Situation. Von da übertragend denken wir die Situation von
Gruppen, Staaten, der Menschheit, von Institutionen wie
Kirche, Universität, Theater, von objektiven Gebilden wie
Wissenschaft, Philosophie, Dichtung. Wie wir den Willen
einzelner diese als ihre Sache ergreifen sehen, ist dieser Wille
mit seiner Sache in einer Situation.

Situationen sind entweder ungewußt und werden wirksam,
ohne daß der Betroffene weiß, wie es zugeht. Oder sie werden als gegenwärtige von einem seiner selbst bewußten Willen gesehen, der sie übernehmen, nutzen und wandeln kann.
Die Situation als bewußt gemachte ruft auf zu einem Verhalten. Durch sie geschieht nicht automatisch ein Unausweich-
liches, sondern sie bedeutet Möglichkeiten und Grenzen der
Möglichkeiten: was in ihr wird, hängt auch von dem ab, der
in ihr steht, und davon, wie er sie erkennt. Das Erfassen der
Situation ist von solcher Art, daß es sie schon ändert, sofern
es Appell an Handeln und Sichverhalten möglich macht. Eine
Situation zu erblicken ist der Beginn, ihrer Herr zu werden,
sie ins Auge zu fassen, schon der Wille, der um ein Sein ringt.
Wenn ich die geistige Situation der Zeit suche, so will ich ein
Mensch sein; solange ich diesem Menschsein noch gegen-
überstehe, denke ich über seine Zukunft und Verwirklichung
nach; sobald ich aber selbst es bin, suche ich es denkend zu
verwirklichen durch Erhellung der faktisch ergriffenen Situation in meinem Dasein.

Es fragt sich jeweils, welche Situation ich meine:

Das Sein des Menschen steht erstens als Dasein in ökonomischen, soziologischen, politischen Situationen, von deren
Realität alles andere abhängt, wenn es auch durch sie allein
nicht schon wirklich wird.

Das Dasein des Menschen als Bewußtsein steht zweitens in dem Raum dessen, was wißbar ist. Das geschichtlich erworbene, nun vorhandene Wissen in seinem Inhalt und in der Weise, wie gewußt und wie das Wissen methodisch geschieden und erweitert wird, ist Situation als die mögliche Klarheit des Menschen.

Was er selbst wird, ist drittens situationsbedingt durch die Menschen, die ihm begegnen, und durch die Glaubensmöglichkeiten, welche an ihn appellieren.

Wenn ich die geistige Situation suche, muß ich also beachten faktisches Dasein, mögliche Klarheit des Wissens, appellierendes Selbstsein in seinem Glauben, in denen allen der jeweils einzelne sich findet.

Gottfried Benn
Nach dem Nihilismus

Gottfried Benn *wurde im Jahre 1886 in Mansfeld (West-prignitz) geboren. In seiner Autobiographie* Doppelleben, *die 1950 erschien, gibt er eine lange Liste seiner Vorfahren, um zu beweisen, daß er nicht, wie man oft glaubte, jüdischer Herkunft sei. Der Name Benn käme nicht von dem hebräischen Wort ›ben‹, das soviel wie Sohn bedeutet.*

Mütterlicherseits war er romanischer Herkunft; die Mutter stammte aus der französischen Schweiz. Sein Vater war Pastor. Er schreibt seine Begabung dieser Herkunft zu. »Ich habe«, *heißt es in seinem Buch,* »in verschiedenen Aufsätzen der letzten Jahre auf das eigentümliche Erbmilieu dieses protestantischen Pfarrhauses hingewiesen, eigentümlich nicht nur, weil es statistisch in den vergangenen drei Jahrhunderten Deutschland weitaus die meisten seiner großen Söhne geschenkt hat ... sondern weil es eine ganz bestimmte Art von Begabung war, die das Pfarrhaus erbmäßig produziert hat und die in seinen Söhnen zutage trat. Es war die Kombination von denkerischer und dichterischer Begabung, die so spezifisch für das deutsche Geistesleben ist und in dieser Prägung bei keinem anderen Volk vorkommt.«*

Nach der Schulzeit und der Studienzeit als Mediziner ging er zur Armee, die er nach einem Jahr schon wegen einer Verletzung zu verlassen hatte. In diesem Jahre, 1912, schrieb er seine ersten Gedichte, die unter dem Titel Morgue *erschienen. Von 1912 bis 1914 war er Schiffsarzt, dann im Weltkrieg Armee-Doktor. Nach dem Krieg ließ er sich als Arzt für Haut- und Geschlechtskrankheiten in Berlin nieder. 1922 veröffent-*

lichte er seine Gesammelten Schriften, *1927* Gesammelte Gedichte. *1933 sagte er in einer berühmten Rede ›Ja‹ zu den Nationalsozialisten. Von Frankreich erhielt er einen Brief von
Thomas Manns Sohn, Klaus, der die Enttäuschung über seinen Abfall zum Ausdruck brachte. Nachher vergaß Benn sein
›Ja‹ zum Nationalsozialismus und schrieb:* »Ich persönlich
hatte keine Veranlassung, Berlin zu verlassen, ich lebte von
meiner ärztlichen Praxis und hatte mit politischen Dingen
nichts zu tun.«

*Obwohl Benns Werk immer schmal war, wurde er nach
dem Zweiten Weltkrieg von Jahr zu Jahr mehr einer der ge-
schätztesten deutschen Autoren.*

Der Essay aus dem Jahre 1931, der überschrieben ist Nach
dem Nihilismus. Vorrede zu einem Buch, *gehört zu den klar-
sten und bestgeschriebenen Formulierungen der geistigen Situation, wie nicht nur Benn sie sah.*

In den hier vorgelegten Aufsätzen und Reden, die keineswegs
systematisch ein gemeinsames Thema behandeln, sondern aus
den verschiedensten Anlässen und Stimmungen entstanden
sind, nehmen der immer wieder in einer ganz bestimmten
Richtung vorstoßenden Denkvorliebe des Verfassers zufolge
zwei Begriffe den Vordergrund ein: der der progressiven Zerebration und der des Nihilismus. Ihnen wird dann an einigen
Stellen der Begriff des konstruktiven Geistes gegenübergestellt als der Ausdruck für Kräfte und Versuche, den lethar-
gisierenden Strömungen jener entgegenzugehen. Haben wir
noch die Kraft, so fragt sich der Verfasser, dem wissenschaftlich determinierenden Weltbild gegenüber ein Ich schöpferischer Freiheit zu behaupten, haben wir noch die Kraft, nicht
aus ökonomischen Chiliasmen und politischen Mythologe-
men, sondern aus der Macht des alten abendländischen Denkens heraus die materialistisch-mechanische Formwelt zu

durchstoßen und aus einer sich selbst setzenden Idealität und in einem sich selbst zügelnden Maß die Bilder tieferer Welten zu entwerfen? Also konstruktiver Geist als betontes und bewußtes Prinzip weitgehender Befreiung von jedem Materialismus, psychologischer, deszendenztheoretischer, physikalischer, ganz zu schweigen soziologischer Art –, konstruktiver Geist als der eigentliche anthropologische Stil, als die eigentliche Hominidensubstanz, die, mythenbildend sich entfaltend, ewig metaphorisch überglänzt, den Menschheitsweg vollendete in der Irrealität des Lichts, in dem Phantomcharakter aller Dinge, in einer Art von weither betriebenem Spiel zwischen die Sterne ihren Raum und ihr Unendliches ergießend und die Genien der eigenen Brust mit den Himmeln und den Höllen weiter Schöpferscharen mischend.

Was die beiden Ausgangsbegriffe angeht, so sind sie nicht zu trennen, beide inhaltlich und chronologisch verbunden, beide erst im vergangenen Jahrhundert ins europäische Bewußtsein gehoben, der erste sogar erst in der allerjüngsten Zeit. Dieser Begriff Progressive Zerebration stammt aus der kombinierten Wissenschaft von Anthropologie und Hirnforschung, von Economo in Wien hat ihn aufgestellt. Er soll sagen, daß die Menschheit im Verlauf ihrer Geschichte einen deutlich erkennbaren, unaufhaltsamen Zuwachs an Intellektualisierung, an Verhirnung aufweist. Die biologisch-organische Grundlage dieser Vorstellung habe ich in meinem Aufsatz ›Der Aufbau der Persönlichkeit‹ in einem früheren Buch eingehend dargestellt und perspektivistisch umrahmt. Für ihre psychologische Korrespondenz, die man als eine Frigidisierung des Ich bezeichnen könnte, die Richtung ginge vom Affekt zum Begriff (›Erkenntnis als Affekt‹), enthält die Akademie-Rede einige charakterisierende Einzelheiten.

Was den Nihilismus angeht, so ist ja vieles über ihn bekannt, einiges zu seiner Entstehungsgeschichte in dem Aufsatz ›Goethe und die Naturwissenschaften‹ beigetragen. Aus ihm ersehen wir, daß ein Zeitalter, in dem sich das schöpferi-

sche Leben der Nation in einem geschlossenen geistigen
Raum vollzog, den auch die inneren Kämpfe, die der Generationen gegeneinander, die der Weltanschauungen untereinander, nicht durchbrachen, da *ein* Glaube, *ein* Gefühl unan-
getastet über allen Verwandlungen blieb, ein solches Zeitalter
für Deutschland das 17. und 18. Jahrhundert gewesen zu sein
scheint, und wir sehen es enden etwa mit Goethes Tod. Der
Glaube oder das Gefühl, das über dem Aufgang dieser Epoche stand, hieß: Gott, das über dem Ende hieß: die Natur.
Aber eine Natur, deren Vorstellung sich unter dem Einfluß
von Leibniz und Spinoza gebildet hatte, Natur: ein panthei-
stisches All, zwar schon atomisiert oder vielmehr, da es den
Ausdruck Atom noch nicht gab, er entstand erst 1805 durch
die chemischen Untersuchungen von Dalton, schon ein in
Monaden aufgeteiltes All, aber die oberste Monade hieß noch
Gott, und wir lesen ja auch bei Goethe diesen Ausdruck noch
sehr häufig. Noch häufiger allerdings den unpersönlich uni-
versalistischen Ausdruck Natur, der sein eigentlicher Ausdruck ist, einer Natur, noch ganz irrational empfunden, ly-
risch in Strophen an den Mond begrüßt, noch einmal die alte
verhüllte mütterliche Natur, man reißt ihr keine Erklärungen
vom Leib, sagt er, sie ist alles, ich vertraue mich ihr, sie mag
mit mir schalten, ich preise sie in all ihren Werken –, und
diese Sätze aus dem Hymnus an die Natur vom Jahre 1782,
die im Tiefurter Journal standen, sind gewissermaßen die Ab-
schiedsworte des Abendlandes an eine Welt, die seit 2000 Jahren, also seit der griechischen Mythologie, als durchseelt
empfunden, in Bäumen und Geschöpfen als von Göttern
durchlebt dem Menschen beigegeben galt.

Um die Zeit von Goethes Tod begann die Auflösung dieses Gefühls. Es entstand das Weltbild, dem jede Spannung zu
einem Jenseits, jede Verpflichtung gegenüber einem außer-
menschlichen Sein fehlte. Der Mensch wurde die Krone der
Schöpfung und der Affe sein Lieblingstier, von ihm ließ er
sich nun phylogenetisch bestätigen, bis zu welcher Herrlich-

keit er sich in seinem Kraft- und Stoffwechsel ertüchtigt hatte.
Zwei Daten sind auf diesem Weg von außerordentlicher
Wichtigkeit, sie verleihen dem neuen Zeitalter seine chrono-
logische Basis und seiner Wahrheit ihren angeblichen Halt.
Das erste Datum ist der 23. Juli 1847, es ist das Datum jener
Sitzung in der Berliner Physikalischen Gesellschaft, in der
Helmholtz das von Robert Mayer aufgeworfene Problem von
der Erhaltung der Kraft mechanisch begründete und als allgemeines Naturgesetz vorrechnete. An diesem Tag begann
die Vorstellung von der völligen Begreiflichkeit der Welt,
ihrer Begreiflichkeit als Mechanismus. Dies Datum ist genauso epochal wie ein früheres, das mit post und ante unter
uns lebt. Man vergegenwärtige sich, daß bis zu diesem Tage
die Welt für die Menschheit nicht begreifbar, sondern erleb-
bar war, daß man sie nicht mathematisch-physikalisch an-
ging, errechnete, sondern als Gabe der Schöpfung empfand,
erlebte, als Ausdruck des Überirdischen nahm. Um es ganz
deutlich zu machen: Goethe hatte gesagt: »im Erlebnis findet
sich der Mensch schon recht eigentlich in der Welt, er braucht
sie nicht noch begrifflich zu übersteigen« – jetzt begann die
begriffliche Übersteigung, begann die moderne Physik.
Das zweite Datum ist das Jahr 1859, das Erscheinen der
Darwinschen Theorie. In die Zeiten rassenhafter Hausse, in
das unentwirrbare Konglomerat von riesenhafter Vermehrung des Geschlechts, Eingreifen Wallstreets in den Kapital-
markt, Kolonisationsräuschen, Trieb- und Luxussteigerung
ganzer Kontinente, Wirtschaftsaufstieg wucherungsbereiter
Stände, Gründerklemmen, Kaiserreichproklamationen und
-debácles fiel diese Theorie von der Ertüchtigung der tierischen Rasse und vom Lohn des Starken für Kampf und Sieg.
Aus diesen beiden Daten bekam Europa den neuen Schwung,
aus ihnen entstand der neue menschliche Typ, der materia-
listisch organisierte Gebrauchstyp, der Montagetyp, optimi-
stisch und flachschichtig, jeder Vorstellung einer menschlichen Schicksalhaftigkeit cynisch entwachsen, möglichst wenig

Leid für den einzelnen und möglichst viel Behaglichkeit für alle, so hatte ja Comte das neue Zeitalter philosophisch begrüßt.

Es begann das Zeitalter, dessen Lehre dahin ging, der Mensch sei gut. Ein Wandel von welcher Tiefe und umwälzenden Formkraft des Seelischen sich in dieser Auffassung ausspricht, hat Ricarda Huch in ihrem Buch *Alte und neue Götter* unvergleichlich geschildert. Es sind die innersten Sphären, deren Umschichtung hierin ihre Formel fand. Aus dem glühenden Dunkel der vielen Kirchen, so schrieb Ricarda Huch, bebte es tränenschwer, donnerte es mit Drommetenton, das Trachten des menschlichen Herzens ist böse von Jugend auf. Das stete Mitklingen dieses tragischen Akkords, das Bewußtsein der Erlösungsbedürftigkeit gab dem mittelalterlichen Leben die Tiefe und das Grenzenlose. Durchdrungen von dem Gefühl der eigenen Beschränktheit, wendete sich der Mensch anbetend dem Vollkommenen zu, das die Menschen denken konnten, ohne es angeschaut oder erlebt zu haben, einem ewigen Reich jenseits der verwilderten Erde. Und dieser Gegensatz zwischen Jenseits und Diesseits, die, verschieden wie Feuer und Wasser, sich doch durchdringen, machte die Atmosphäre gewitterhaft, erzeugte Taten wie Blitze und erhellte wetterleuchtend das Herz mit Erkenntnis. Aber nun entstand das neue Lied, der Mensch ist gut, dessen flotte Weise den strengen Choral der Vergangenheit verdrängte.

Soweit Ricarda Huch. Der Mensch also ist gut, d. h. sofern er schlecht erscheint, ist das Milieu daran schuld oder die Abstammung oder die Gesellschaft. Alle Menschen sind gut, d. h. alle Menschen sind gleich, gleich wertvoll, gleich stimmfähig, gleich anhörenswert in allen Fragen, nur keine Entfernung vom Durchschnittstyp, nichts Großes, nichts Außergewöhnliches. Der Mensch ist gut, aber nicht heroisch, man übertrage ihm nur ja keine Verantwortung, verwertbar soll er sein, zweckmäßig, idyllisch, –: Entwertung alles Tragischen, Entwertung alles Schicksalhaften, Entwertung alles Irratio-

nalen, nur das Plausible soll gelten, nur das Banale. Der
Mensch ist gut, d. h. nicht etwa der Mensch soll *gut werden*,
er solle sich durchkämpfen zu einer Güte, zu einem inneren
Rang, zu einem Gutsein, nein, der Mensch soll überhaupt
nicht kämpfen, er ist ja gut, die Partei kämpft für ihn, die Gesellschaft, das Zeitalter, die Masse, leben soll er und genießen,
und wenn er jemanden ermordet, soll man ihn trösten, denn
nicht der Mörder, sondern der Ermordete ist schuldig.

Der Mensch ist gut, sein Wesen rational, und alle seine Leiden sind hygienisch und sozial bekämpfbar, dies einerseits
und andererseits die Schöpfung sei der Wissenschaft zugänglich, aus diesen beiden Ideen kam die Auflösung aller alten
Bindungen, die Zerstörung der Substanz, die Nivellierung
aller Werte, aus ihnen die innere Lage, die jene Atmosphäre
schuf, in der wir alle lebten, von der wir alle bis zur Bitterkeit
und bis zur Neige tranken: *Nihilismus.*

Dieser Begriff gewann in Deutschland Gestalt im Jahre
1885/86, als das Werk *Der Wille zur Macht* teils konzipiert,
teils geschrieben wurde, dessen erstes Buch ja den Untertitel
führt: ›Der europäische Nihilismus‹. Aber dieses Buch enthält schon eine Kritik dieses Begriffes und Entwürfe zu seiner
Überwindung. Wollen wir ihn noch weiter zurück verfolgen,
wollen wir feststellen, wo und wann dieser schicksalhafte Begriff zum ersten Male in der europäischen Geistesgeschichte
als Wort und seelisches Erlebnis auftritt, müssen wir uns, bekanntlich, nach Rußland wenden. Seine Geburtsstunde war
der März 1862, der Monat, in dem der Roman *Väter und
Söhne* von Iwan Turgenjew erschien. Weiter können auch
russische Geschichtsforscher diesen Begriff nicht zurückver-
folgen. Aber der Held dieses Romans, namens Basaroff, das
ist schon der fertige Nihilist, und Turgenjew stellt ihn mit
diesem Namen vor. Dieser Name wurde dann ungeheuer
schnell populär, der Autor erzählt in einem Nachwort zu seinem Roman, wie er schon nach wenigen Monaten in aller
Munde war, als er im Mai desselben Jahres nach Petersburg

zurückkehrte, es war die Zeit der großen Brandstiftungen, des
Brandes des Apraxinhofes, rief man ihm zu: »Da sehen Sie
Ihre Nihilisten, sie stecken Petersburg in Brand.« Für unser
Thema äußerst interessant ist nun, daß der Nihilismus dieses
Basaroff eigentlich gar kein Nihilismus in absoluter Form
war, kein Negativismus schlechthin, sondern ein fanatischer
Fortschrittsglaube, ein radikaler Positivismus in bezug auf
Naturwissenschaft und Soziologie. Er ist zum erstenmal in
der europäischen Literatur der siegesgewisse Mechanist, der
schneidige Materialist, dessen etwas fragwürdige Enkel wir ja
heute noch lebhaft tätig unter uns sehen, – hören wir, welche
vertrauten Klänge aus den sechziger Jahren zu uns herüber-
klingen: Ein tüchtiger Chemiker, hören wir, ist zwanzigmal
wertvoller als der beste Poet. Ein Stück Käse ist mir lieber als
der ganze Puschkin. Halten Sie nichts von der Kunst? Doch,
von der Kunst Geld zu machen und Hämorrhoiden zu ku-
rieren! Jeder Schuhmacher ist ein größerer Mann als Goethe
und Shakespeare. George Sand ist eine zurückgebliebene
Frau, sie verstand nichts von Embryologie. Und neben diesen
Wahrheiten tritt das Kaschemmenmilieu in Leben und Kunst
als letzter Schrei auf, hier und damals entstand also der Stil,
den wir bis in gewisse moderne Opern und Opernbearbei-
tungen verfolgen können: der Kult des Athleten, der Hymnus
auf den Normalmenschen, die kindische Gesellschaftskritik:
die Gerichte sollen abgeschafft werden, die Erziehung soll abgeschafft werden, die alten Sprachen als ungenial verboten
werden, dafür hat man es mit den Trieben: dreckig soll der
Mensch sein, die Frauen soll man tauschen und von anderen
erhalten lassen, trinken soll man, denn Trinken ist billiger als
Essen, und außerdem stinkt man danach, ja, selbst den Da-
daismus, dessen Auftreten in Zürich und Berlin unsere Gegenwart kürzlich so interessant fand, finden wir in einem
Roman der sechziger Jahre, dem Roman *Was tun* von Tscher-
nischewsky, schon vor: Kunst heißt, lesen wir dort, zwei Kla-
viere in einen Salon rücken, an jedes eine Dame setzen, um

jedes soll sich ein Halbchor bilden, und jeder Beteiligte singt
oder spielt dann gleichzeitig recht laut ein anderes Lied vor
sich hin. Dies wurde als die Melodie der Revolution und die
Orgie der Freiheit bezeichnet. Wir sehen also, die geistigen
Auswirkungen des geschichtsphilosophischen Materialismus
beginnen in den sechziger Jahren, sind also mindestens 80
Jahre alt, also eigentlich sind sie das Alte und das Reaktio-
näre. Eigentlich, und damit stoßen wir in die Zukunft vor, ist
heute aller Materialismus reaktionär, sowohl der der Geschichtsphilosophie wie der in der Gesinnung: nämlich rückwärts blickend, rückwärts handelnd, denn vor uns liegt ja
schon ein ganz anderer Mensch und ein ganz anderes Ziel.
Ein Ziel, vor dem der Mensch als reiner Trieb- und Lustpfle-
ger ja schon eine ganz verdämmernde Theorie bedeutet. Mon-
tierung des Seelischen, Einsatzstücke für einen sogenannten
Kollektiv- und Normalmann, das ist ja direkt fades Rokoko.
Alle diese Angriffe gegen den höheren Menschen, die wir nun
80 Jahre lang mitangehört haben, einschließlich der Farcen
Shaws, das ist ja schon ausgesprochen altmodisch, platt und
geistig unbeschenkt. Es gibt *nur* den höheren, d. h. den tra-
gisch kämpfenden Menschen, nur von ihm handelt die Geschichte, nur er ist anthropologisch vollsinnig, die reinen
Triebkomplexe sind es ja nicht. Es wird also doch der Über-
mensch sein, der den Nihilismus überwindet, allerdings nicht
der Typ, den Nietzsche ganz im Sinne seines 19. Jahrhunderts
schildert. Er schildert ihn als neuen, biologisch wertvolleren,
als rassemäßig gesteigerten, vitalistisch stärkeren, züchterisch
kompletteren, durch Dauer und Arterhaltung gerechtfertig-
teren Typ, er sieht ihn *biologisch positiv*, das war Darwinismus. Wir haben inzwischen die *bionegativen* Werte studiert,
Werte, die die Rasse eher schädigen und sie gefährden, die
aber zur Differenzierung des Geistes gehören, die Kunst, das
Geniale, die Auflösungsmotive des Religiösen, das Degene-
rative, kurz alles, was die Attribute des Produktiven sind. Wir
setzen also heute den Geist nicht in die Gesundheit des Bio-

logischen ein, nicht in die Aufstiegslinie des Positivismus, sehen ihn allerdings auch nicht in einer ewig schmachtenden Tragödie mit dem Leben, sondern *setzen ihn als dem Leben übergeordnet ein,* ihm konstruktiv überlegen, als formendes und formales Prinzip: Steigerung und Verdichtung – das scheint sein Gesetz zu sein. Aus dieser gänzlich transzendenten Einstellung ergibt sich dann vielleicht eine Überwindung, nämlich eine artistische Ausnutzung des Nihilismus, sie könnte lehren, ihn dialektisch, d. h. provokant zu sehen. Alle die verlorenen Werte verloren sein zu lassen, alle die ausgesungenen Motive der theistischen Epoche ausgesungen sein zu lassen, und alle Wucht des nihilistischen Gefühls, alle Tragik des nihilistischen Erlebnisses in die formalen und konstruktiven Kräfte des Geistes zu legen, bildend zu züchten eine für Deutschland ganz neue Moral und Metaphysik der Form. Manches deutet ja darauf hin, daß wir vor einer ganz allgemeinen entscheidenden anthropologischen Wendung stehn, banal gesagt: Verlagerung von Innen nach Außen, Verströmen der letzten arthaften Substanz in die Gestaltung, Überführung von Kräften in Struktur. Die moderne Technik und die moderne Architektur deuten ja in dieser Richtung: der Raum nicht mehr philosophisch-begrifflich wie in der Kantischen Epoche, sondern dynamisch-expressiv; das Raumgefühl nicht mehr lyrisch-vereinsamt angesammelt, sondern projiziert, ausgestülpt, metallisch realisiert. Manches, wie der Expressionismus, der Surrealismus, die Psychoanalyse, deutet ja in der Richtung, daß wir *biologisch* einer Wiedererweckung der Mythe entgegengehn und *kortikal* einem Aufbau durch Entladungsmechanismen und reine Expression. Unsere Widerstände gegen rein Episches, externen Stoffzustrom, Begründungen, psychologische Verkleisterungen, Kausalität, Milieuentwicklung, dagegen unser Drang zu direkter Beziehung, zum Schnitt, zum Gliedern, zum reinen Verhalten sagt es ja auch. Die letzte arthafte Substanz *will Ausdruck,* überspringt alle ideologischen Zwischenschaltungen und bemächtigt sich nackt und unmittelbar der Technik, während sich die Zivilisation inhaltlich zurück zur Mythe wendet, – das scheint das Endstadium zu sein. Der uralte, der ewige Mensch, der primäre Monist, entflammt vor seinem Endbild, einem Bild unter dem Goldhelm: wieviel Strahlen noch durch die Runen, wieviel Glanz noch am Rande der Schatten, wie vielfältig: mit Bindungen an Räusche und an Züchtung, mit Spannungen vom Aufgang zum Finale, er, die elementare Synthese der Schöpfung im Erinnern und die progredient zerebralisierte Analyse seiner historischen Sendung im Gehirn, verschleudernd Europas genormte Massen, streifend Yukatans weißen zerfallenen Stein, der Osterinsel transzendente Kolosse, sinnt der Ahnen, der Urmenschen, der Proselenen, sinnt seines unerrechenbar alten, aber immer gleichgerichtet mörderischen anti-dualistischen, anti-analytischen Kampfes und erhebt sich noch einmal zu einer letzten Formel: der konstruktive Geist.

»Eine antimetaphysische Weltanschauung, gut – aber dann eine artistische«, dies Wort aus dem *Willen zur Macht* bekäme dann einen wahrhaft finalen Sinn. Es bekäme dann für den Deutschen den Charakter eines ganz ungeheuren Ernstes, als Hinweis auf einen letzten Ausweg aus seinen Wertverlusten, seinen Süchten, Räuschen, wüsten Rätseln: das Ziel, der Glaube, die Überwindung hieße dann: das Gesetz der Form. Es bekäme dann für ihn den Charakter einer volkhaften Verpflichtung, kämpfend, den Kampf seines Lebens kämpfend, sich an die eigentlich unerkämpfbaren Dinge heranzuarbeiten, deren Besitz älteren und glücklicheren Völkern schon in ihrer Jugend aus ihren Anlagen, ihren Grenzen, ihren Himmeln und Meeren unerkämpft erwuchs: Raumgefühl, Proportion, Realisierungszauber, Bindung an einen Stil. Also ästhetische Werte in Deutschland, Artistik in einem Land, wo man von Haus aus so viel träumt und trübt? Ja, die gezüchtete Absolutheit der Form, deren Grade an linearer Reinheit und stilistischer Makellosigkeit allerdings nicht geringer sein

dürften als die inhaltlichen früherer Kulturepochen, selbst
bis zu den Graden vor dem Schierlingsbecher und vor dem
Kreuz –, ja nur aus den letzten Spannungen des Formalen,
nur aus der äußersten, bis an die Grenze der Immaterialität
vordringenden Steigerung des Konstruktiven könnte sich eine
neue *ethische* Realität bilden – *nach* dem Nihilismus!

Max Scheler
Tod und Fortleben

*M*ax Scheler, der im Jahre 1928 in seinem fünfundfünfzig-
sten Jahre starb, war eines der stärksten analytischen Talente
unter den großen deutschen Philosophen des 20. Jahrhunderts.

In seinem Hauptwerk Der Formalismus in der Ethik und
die materiale Wertethik, *in der religionsphilosophischen Abhandlung* Probleme der Religion, *in vielen größeren und
kleineren Aufsätzen* (Vom Umsturz der Werte, Das Ewige im
Menschen, Schriften zur Soziologie und Weltanschauung)
*hat er mit der Durchleuchtung von Begriffen wie Tugend,
Demut, Ehrfurcht, Ressentiment, Gesinnung, Ziel, Wille,
Wunsch, Zweck, Täuschung, Pflicht, Mitleid . . . eine intellektuelle Schärfe im Unterscheiden, eine Nuancierung des
Geschiedenen, eine mikroskopische Struktur-Erkenntnis bewiesen, die selbst im Kreise der Phänomenologie, zu dem er
gehörte, selten war. Alle diese Analysen standen aber im
Dienst seiner Deutung der Welt: als der Idee eines persönlichen Gottes. Man muß scharf unterscheiden zwischen dem
großartigen Analytiker und dem philosophischen Theologen.*

*Fünf Jahre nach seinem Tod begannen wesentliche Ab-
handlungen aus seinem Nachlaß zu erscheinen. Im ersten
Band, der 1933 herauskam, wurden unter anderem die großartigen philosophischen Essays* Tod und Fortleben, Über
Scham und Schamgefühl, Vorbilder und Führer, Ordo amo-
ris *veröffentlicht.*

*Kurz bevor der Philosoph im ersten Jahr seines Frankfurter
Ordinariats starb, erzählte man sich, daß eine Dame auf einer*

Gesellschaft ihn gefragt habe, was er von der Unsterblichkeit halte. Scheler soll geantwortet haben: »Der Mensch ist unsterblich – aber nur für kurze Zeit.« Das Aperçu wurde seinerzeit viel belacht als die witzige Äußerung eines geistreichen Plauderers. Es war nicht nur witzig.

In dem großen Aufsatz Tod und Fortleben *steckt auch der Glaube: ›Der Mensch ist unsterblich.‹ Aber diese Unsterblichkeit erhält auch in der philosophischen Zergliederung eine Einschränkung: der einzelne lebt nur so lange fort, wie in seinem Dasein ein Überschuß von Geist über das Leben gewesen ist. Die Ironie, die in seinem Witzwort lag, bezog sich wohl auf die Neugierde des Verstands, den Scheler hier als inkompetent ablehnte: »Daß die Person nach dem Tode existiert, das ist reiner Glaube, und unberechtigte, ehrfurchtslose Neugierde jede Frage wie.« Und er ging noch einen Schritt weiter: »Wenn unsere geistige Person den Tod überdauert, dann ist ihr auch ein ›Leib‹ gewiß.«*

In seinen metaphysischen und theologischen Spekulationen werden ihm nur die folgen können, die seinen ›Glauben‹ mit ihm teilen. Unabhängig davon ist die Fülle der Einsichten, die der große Begriffszertrümmerer Max Scheler, der fruchtbarste Denker im Kreise von Husserls Phänomenologie, zutage gebracht hat.

Wir sehen in den letzten Jahrhunderten den *Glauben an die Unsterblichkeit* innerhalb der westeuropäischen Zivilisation im wachsenden Sinken begriffen. Was ist der Grund? Viele meinen, es sei das, was sie den ›Fortschritt der Wissenschaft‹ nennen. Die Wissenschaft aber pflegt der Totengräber, nie die Todesursache eines religiösen Glaubens zu sein. Religionen werden geboren, wachsen und sterben; sie werden *nicht bewiesen und nicht widerlegt*. Es wäre sicher ein großer Irrtum, zu meinen, daß das Sinken des Glaubens an die Unsterb-

lichkeit aus solchen Ursachen resultiere, wie daß Immanuel
Kant die Unsterblichkeitsbeweise der rationalistischen Metaphysik des 18. Jahrhunderts als irrig und unschlüssig
aufdeckte; oder daraus, daß die Gehirnanatomie und Gehirn-
physiologie in Verbindung mit der Psychologie eine so geartete Abhängigkeit des seelischen Geschehens vom Nervensystem aufgedeckt habe, daß der Schluß notwendig geworden
sei, es höre mit der Zerstörung des Gehirns auch das seelische
Geschehen auf; oder daß die Psychologie die Einheit und
Einfachheit des Ich widerlegt und es als ein teilbares, ab-
nehmendes und wachsendes Komplexionsphänomen von
Empfindungen und Trieben aufgedeckt habe, wie Mach in
seiner *Analyse der Empfindungen* meint, wenn er sagt, daß
mit dem Aufgeben der nach ihm unbegründeten Annahme
eines besonderen Icherlebnisses auch die Unsterblichkeit ›un-
rettbar‹ sei. Dies und tausend ähnliches, was in dieser
Richtung als Grund für das Sinken jenes Glaubens angeführt
wird, beweist nur die große Zähigkeit des Vorurteils, ein
Glaube beruhe auf Beweisen und falle mit Beweisen. Faktisch
lassen sich alle auf Beobachtung beruhenden Tatsachen der
Abhängigkeitsbeziehungen zwischen seelischen Erlebnissen
und Vorgängen des zentralen Nervensystems mit den *verschiedensten* metaphysischen Theorien vom Zusammenhang
von Leib und Seele wohl vereinbaren. Die ›Tatsachen‹ erlauben also, sofern man darunter eben jene Beobachtungstatsa-
chen versteht, keinerlei zwingenden Schluß, sei es auf die
Wahrheit, sei es auf die Falschheit einer dieser metaphysischen Theorien. Man kann sie ebensogut unter die dualisti-
sche Voraussetzung bringen, daß die Seele eine selbständige,
mit dem Leibe in Wechselwirkung stehende Substanz sei und
sich zu ihm wie der Klavierspieler zum Klavier verhalte, wie
unter irgendeine der sogenannten ›parallelistischen‹ Theorien. Neuerdings hat Hugo Münsterberg in seinen *Grundzügen der Psychologie* hierauf eingehend hingewiesen und mit
Recht hervorgehoben, daß die Beobachtung, Beschreibung

und Erklärung psychischer Tatsachen niemals zur Verifizierung einer dieser Theorien führen könne, immer vielmehr selbst schon eine zu ihrer Voraussetzung hat. Was die philosophischen ›Beweise‹ für das Dasein einer besonderen Seelensubstanz, ihre Einfachheit und Inkorruptibilität betrifft, so waren diese auch vor Kant nur nachträgliche Rechtfertigungen eines Gehaltes unmittelbarer Intuition und unreflektierter Lebenserfahrung, für welche ein Bedürfnis erst in dem Maße auftrat, als die Klarheit und Schärfe dieser Intuition verblaßte und jene Lebenserfahrungen mit der Änderung der Lebensrichtung selbst zu anderen Inhalten führen mußten.

Der eindringlichste Beweis für diesen Satz ist, daß es in der Geschichte Kulturstufen gegeben hat und noch gibt, innerhalb deren die Annahme des Fortlebens und der Unsterblichkeit überhaupt nicht in einem besonderen Akte des ›Glaubens‹ gegeben ist, noch weniger aber als eines Beweises bedürftig erscheint, sondern geradezu einen Teil der ›natürlichen Weltanschauung‹ darstellt, gemäß der z. B. heute jeder Mensch vom Dasein der Sonne überzeugt ist. Für das *indische* Volk war vor dem Auftreten Buddhas das Fortleben in der Form der Anschauung eines endlosen ›Wanderns‹ der Seelen und ihres immer wieder Geborenwerdens eine ›Überzeugung‹ solcher Art. Die gewaltige Neuerung Buddhas und seiner Vorgänger bestand darin, daß er die damals unerhörte Behauptung wagte, *es gebe einen Tod,* das heißt es gebe ein Ende, ein Aufhören, wenigstens ein schließliches Aufhören dieses ruhelosen Wanderns der Seelen; es gebe von dieser in der Anschauung des Volkes bis dahin gegenwärtigen endlosen Bewegung eine ›Erlösung‹, ein Eingehen der Seelen in das ›Nirwana‹. So war es *nicht die Unsterblichkeit,* sondern der *Tod,* der im Verlaufe der indischen Geschichte steigend zur Entdeckung und zur Anschauung kam. Die Beweislast war hier also die umgekehrte wie in Europa. Dem ›selbstverständlichen‹ Fortleben und Wandern gegenüber war es das Todessehnen, der immer mächtiger sich durchringende

Wunsch nach einem Ende, der sich schließlich in den Ideen Buddhas vom Nirwana Bahn brach.

Noch heute ist für das japanische Volk das Fortleben der Verstorbenen, ganz unabhängig von den Theorien, die der einzelne besitzt, und von den verschiedenen dortselbst einsässigen Religionen, ein Phänomen, das als eine spür- und fühlbare Erfahrung die ja bloß negative Annahme einer ›Unsterblichkeit‹ erst sekundär begründet. Wir glauben, daß wir fortleben, weil wir glauben, daß wir unsterblich sind. Die *Japaner* aber glauben, daß sie unsterblich sind, weil sie das Fortleben und die Wirksamkeit der Fortlebenden zu spüren und zu erfahren meinen. Wenn wir z. B. seitens eines nüchternen und strengen Berichterstatters über den japanisch-russischen Krieg hören, daß ein von seinem Regimente abgeschnittenes Häuflein von japanischen Soldaten, die ihr Regiment in der Ferne gegen eine russische Übermacht im Kampfe liegen sahen, sich selbst den Tod gab, damit es rascher zu dem weit entfernten Regiment, das bereits der feindlichen Übermacht zu erliegen droht, hinüberkommen könne und ihre Seelen wenigstens noch mitkämpfen können; wenn wir hören, daß sich der Japaner vor einem wichtigen Geschäfte am Hausaltar mit seinen Ahnen unterhält, um zu hören, was sie über die Sache denken, wenn wir mitten unter höchst realistischen Nachrichten einer Zeitung und politischen Tagesmeldungen und dergleichen die Mitteilung lesen, der Mikado habe einen vor zwei Monaten verstorbenen General mit dem oder jenem Orden oder Titel geschmückt – so sehen wir aus diesen und tausend ähnlichen Tatsachen, daß die Art, wie hier die Existenz der Verstorbenen den Nachlebenden gegeben ist, eine völlig andere Bewußtseinsform darstellt, als diejenige ist, die in Europa ›Glaube an das Fortleben der Verstorbenen‹ genannt wird. Das ist nicht ein ›Glauben‹ an etwas, ein gläubiges Annehmen dessen, ›was man nicht sieht‹, sondern es ist ein vermeintliches Sehen, ein Fühlen und Spüren des Daseins und der Wirksamkeit der

Verstorbenen, eine von allen besonderen Akten pietätvollen Besinnens unabhängige, gleichsam automatisch gegebene *anschauliche Gegenwart* und Wirksamkeit der Toten mitten in der Erledigung der realen Aufgaben, die der Tag und die Geschäfte stellen. Das ist *nicht ein erinnerndes* pietätvolles Zurück- und Hinanbeugen zu ihnen, wie es der Europäer bei Gelegenheit seiner Totenfeste oder sonstiger besonderer feierlicher Anlässe und Momente zu erleben pflegt, sondern es ist ein *immer gegenwärtiges* Umringtsein von den fortlebenden Toten, ein Spüren ihrer Wirksamkeit und ihres Hineinhandelns in die Geschäfte des Tages und in die Geschichte. Die Ahnen gelten hier als das wichtigste historische Agens. Der tiefsinnige Satz Auguste Comtes, daß die Weltgeschichte in ihrem Verlaufe immer mehr und mehr durch die Toten und immer weniger durch die Lebendigen bestimmt und gelenkt würde, hat hier eine metaphysische Verkörperung im Denken eines ganzen Volkes gefunden. Es ist sehr interessant zu sehen, daß die Aufklärung der letzten Jahrzehnte wohl die mannigfachen dogmatischen Formulierungen und Kultformen, nicht aber den letzten anschaulichen Gehalt dieser zentralsten Anschauung des japanischen Volkes, des sogenannten Ahnenkultus, zu brechen gewußt hat.

Suchen wir also letzte *Gründe für das Sinken des Glaubens an die Unsterblichkeit* innerhalb der Völker *westeuropäischer Kultur,* so müssen wir unsere Blicke abwenden von allen jenen bloß symptomatischen Erscheinungen seines Sinkens, wie sie in allen bloß wissenschaftlichen Reflexionen darüber gegeben sind. Und wir müssen ihn hinwenden auf die prinzipielle Art und Weise, wie gerade der moderne Mensch sein Leben und seinen Tod sich selbst zur Anschauung und zur Erfahrung bringt.

Da ergibt sich nun der auf den ersten Blick merkwürdige Tatbestand, daß es an erster Stelle gar nicht das besondere neue Verhältnis des Menschen zur Frage, ob er nach dem Tode fortexistieren werde und was nach seinem Tode sei, welches Schicksal ihm da widerfahren werde, ist, was für jenes Sinken des Glaubens an das Fortleben bestimmend ist, sondern vielmehr das *Verhältnis des modernen Menschen zum Tode selbst.* Der moderne Mensch glaubt in dem Maße und so weit nicht mehr an ein Fortleben und an eine Überwindung des Todes im Fortleben, als er seinen Tod nicht mehr anschaulich vor sich sieht – als er nicht mehr ›angesichts des Todes lebt‹; oder schärfer gesagt, als er die fortwährend in unserem Bewußtsein gegenwärtige *intuitive Tatsache,* daß uns der Tod gewiß ist, durch seine Lebensweise und Beschäftigungsart aus der klaren Zone seines Bewußtseins *zurückdrängt,* bis nur ein bloßes *urteils*mäßiges Wissen, er werde sterben, zurückbleibt. Wo aber der Tod selbst in dieser unmittelbaren Form nicht gegeben ist, wo sein Herankommen nur als ein dann und wann auftauchendes urteilsmäßiges Wissen gegeben ist, *da muß auch die Idee einer Überwindung des Todes im Fortleben verblassen.*

Der Typus ›moderner Mensch‹ hält vom Fortleben vor allem darum nicht viel, da er den Kern und das Wesen des Todes im Grunde *leugnet.*

Um die eben aufgestellte These zu begründen, ist es nötig, einiges über Wesen und Erkenntnistheorie des Todes voranzuschicken, d. h. auf die Frage einzugehen, was der Tod *sei,* wie er uns *gegeben* sei und welche Art von *Gewißheit* des Todes wir besitzen.

Es ist gegenwärtig die am meisten verbreitete Vorstellung, daß unser Wissen vom Tode ein bloßes Ergebnis der äußeren, auf Beobachtung und Induktion beruhenden Erfahrung vom Sterben der anderen Menschen und der uns umgebenden Lebewesen sei. Nach dieser Ansicht würde ein Mensch, der niemals mit angesehen oder davon gehört hat, daß nach einer bestimmten Zeit die Organismen aufhören, die ihnen vorher eigenen ›Lebensäußerungen von sich zu geben‹, und schließlich in einen ›Leichnam‹ verwandelt werden und zerfallen, keinerlei Wissen vom Tode und von seinem Tode besitzen.

Dieser Vorstellung, welche den Begriff des Todes zu einem
rein empirisch aus einer Anzahl von Einzelfällen entwickelten Gattungsbegriff macht, müssen wir hier entschieden
widersprechen. Ein Mensch wüßte in irgendeiner Form und
Weise, daß ihn der Tod ereilen wird, auch wenn er das *einzige*
Lebewesen auf Erden wäre; er wüßte es, wenn er niemals andere Lebewesen jene Veränderung hätte erleiden sehen, die
zur Erscheinung des Leichnams führen.

Man kann nun dies vielleicht zugeben, aber dazusetzen,
daß es in diesem Falle eben doch auch einzelne Beobachtungen an seinem eigenen Leben sind, die ihm ein Aufhören seiner Lebensprozesse ›wahrscheinlich‹ machen würden. Der
Mensch macht die Erfahrungen des ›Alterns‹. Er nimmt auch,
abgesehen von den hiermit verbundenen Niedergangser-
scheinungen seiner Kräfte, in den Erlebnissen der Erkrankung und der Krankheiten irgendwie Kräfte wahr, die in ihrer
weiteren Entwicklung ihm die ahnende Vorstellung eines
Endes seines Lebensprozesses überhaupt suggerieren müßten. Oft zwingt ihn ein starkes Gefühl dazu, aus dem Sinn-
und Zweckzusammenhang seines Wachlebens hinunterzu-
steigen in Schlaf und Traum; er muß es, obgleich er dabei die
Hälfte seines Lebens verliert. Er braucht gleichsam nur die
Richtung der Kurve, die ihm jede dieser Erfahrungen des
Alterns, der Krankheit, des Schlafes gibt, auszuziehen, um
an ihrem Endpunkte gleichsam die Idee des Todes zu finden. Aber auch diese Vorstellung genügt nicht, das Problem zu lösen. Denn woher wüßte der Mensch, daß diese
Kurve nicht grenzenlos in diesem Rhythmus weitergehe?
Nicht erst in der Beobachtung und der vergleichenden Erinnerung verschiedener Lebensphasen, hinzugenommen ein
solches künstliches Vorwegnehmen der ›wahrscheinli-
chen‹ Beendigung, liegt das Material zu jener Gewißheit,
sondern sie liegt schon in *jeder* noch so kleinen ›Lebens-
phase‹ und ihrer Erfahrungs*struktur*.

Gewiß, der Mensch braucht sich keinen besonderen

›Begriff‹ vom Tode gebildet zu haben. Auch enthält dieses
›Wissen‹ nichts von den seelischen und körperlichen Begleit-
erscheinungen, die dem Tode vorangehen, nichts von all den
möglichen Realisierungsarten des Todes, nichts von Ursachen und Wirkungen. Aber trennt man nur die ›Idee und
das Wesen‹ des Todes selbst scharf von allen jenen in der Tat
nur durch die Erfahrung zu vermittelnden Kenntnissen, so
wird man finden, daß diese Idee zu den *konstitutiven* Elementen nicht nur unseres, ja alles vitalen Bewußtseins selbst
gehört. Und zwar gehört sie zu jenen einer isolierten Anschauung besonders schwierig zugänglichen Grundelemen-
ten der Erfahrung, die für unsere Reflexion als etwas Besonderes erst herausspringen, wenn wir sie durch eine Art
Gedankenexperiment wegzudenken versuchen oder ganz besonders begründete Ausfallserscheinungen ihrer durch Ver-
drängung bemerken. Vergleichen wir dann – nach Vollzug
dieses Gedankenexperiments oder nach der Betrachtung eines Bewußtseins mit solcher Ausfallserscheinung – den Rest
unserer Erfahrung mit dem Gehalte der vorher bestehenden
naiven resp. normalen Erfahrung, so bemerken wir mit einer
eigenartigen Differenz beider auch das *Plus an Anschauungs-
gehalt*, das jene naive Erfahrung enthielt.

Auf diese Weise vermag die intuitive Philosophie sehr
mannigfache Elemente, z. B. schon einer elementaren, gewöhnlichen Wahrnehmung, aufzuweisen, die von den älteren
sensualistischen und rationalistischen Wahrnehmungstheo-
rien gemeinhin völlig übersehen wurden. So sehen wir deutlich, daß uns in einem Dinge der natürlichen Wahrnehmung
weit *mehr* gegeben ist als eine Komplexion von Sinnesemp-
findungen und deren Verknüpfung und einer darauf gebauten
Erwartungsintention, unter gewissen wechselnden Bedingungen neue Empfindungen zu erleben, wenn wir sehen, daß
der hier bezeichnete Tatbestand im Grunde nur bei patholo-
gischen Ausfallserscheinungen vorliegt, wo der Betreffende
z. B. das Ding nur wie ein hohles, unwirkliches Gehäuse er-

blickt; und wo er nicht – wie der Normale – darum erwartet, die andere Seite des Dinges im Herumgehen zu sehen, weil er das Ding für wirklich hält (mit Einschluß seiner anderen Seite), sondern auch schon die Existenz der anderen Seite ihm zum Inhalt einer bloßen Erwartung wird. Denken wir uns die immer mit wahrgenommene ›materielle‹ Substanz einer Kugel plötzlich vernichtet, so ist gewiß, wie Mill und Berkeley sagen, weder mit der Setzung, noch der gedanklichen Aufhebung einer solchen Substanz irgendeine Variation in dem sinnlichen Gehalte unserer Wahrnehmung verknüpft, wohl aber eine Variation in unserer Erfahrung. Denn faktisch finden wir an der dann resultierenden Erscheinung eines gleichsam haltlosen ›Flatterns‹ der noch gegebenen Farben und Formen, sie mit dem Gehalte unserer naiven Wahrnehmung vergleichend, sofort jenes ›*Plus*‹ an Gehalt heraus, das in der naiven Wahrnehmung steckt und das eben die Grundtatsache für den Begriff einer materiellen Substanz ausmacht. Analog lehren uns etwa die Tatsachen der Seelenblindheit, bei der alle Empfindungen, ja sogar Gedächtnisvorstellungen vorhanden sein können, die sich auch bei einer gewöhnlichen Wahrnehmung, z. B. eines Messers, einstellen – so daß der Kranke auch noch durch Urteile und Schlüsse feststellen kann, es sei, was er sieht, ›ein Messer‹ –, daß die normale Wahrnehmung eines Messers ein *Plus* enthält, das heißt einen unmittelbar und insofern anschaulich gegebenen Bedeutungsgehalt des Gesehenen, der nicht auf subsumierende Urteile oder auf Schlüsse sich gründet.

Zwei Fragen drängen sich hier auf: Welches Wissen von seinem *eigenen* Tode besitzt jeder von uns? Als was stellt sich das Wesen des Todes dar in der *äußeren* Erfahrung, die wir von irgendwelchen Lebenserscheinungen machen? Eine volle Beantwortung dieser Fragen würde eine ganze Philosophie des organischen Lebens voraussetzen.

Thomas Mann
Bruder Hitler

*Ü*ber *Thomas Manns Romane* Die Buddenbrooks, Der
Zauberberg, *die* Bekenntnisse des Hochstaplers Felix Krull,
*auch über Thomas Manns Novellen braucht nicht viel gesagt
zu werden. Sie werden seit Jahrzehnten von weitesten Kreisen
des Volks gelesen, vor 1933 und nach 1945. Als Thomas Mann
1955 achtzigjährig starb, war er der bekannteste Dichter
Deutschlands.*

*Weniger bekannt dürften seine Essays sein. Sie spielten
schon dem Umfang nach eine sehr bedeutende Rolle in seinem
Leben; ein Drittel des Gesamtwerks besteht aus* Reden und
Aufsätzen. *Der Titel ›Aufsätze‹ umfaßt nicht ganz, was alles
hier enthalten ist: zum Beispiel auch* Die Betrachtungen eines
Unpolitischen, *in sich selbst ein umfangreiches Buch.*

*Wollte man flüchtig das Prosawerk neben Roman und Er-
zählung in Gruppen teilen, so bieten sich vier Etiketts an:
Künstlerporträts (Goethe, Tolstoi, Richard Wagner, Freud
vor allem), dann Kunstphilosophisches und Kunstsoziologi-
sches (Kultur und Politik zum Beispiel), Autobiographisches
und aktuelle Politik.*

*Man hat kaum damit begonnen, Thomas Manns politische
Stellungnahmen im Zusammenhang darzustellen; was gesagt
wird, bleibt meist an der Oberfläche. So ist er im Beginn als
Konservativer abgestempelt worden, dann als Demokrat,
dann als Deutschlandfeind, dann als ein Mann, der zum
Kommunismus neigt. Es war viel komplizierter.*

*Wir legen hier eine der vielschichtigsten seiner politischen
Äußerungen vor:* Bruder Hitler, *veröffentlicht zuerst im*

Pariser Emigrantenblatt ›Das Neue Tagebuch‹ im Jahre 1939, also im Jahre des Kriegsausbruchs.

Das Wort »Bruder« im Zusammenhang mit Hitler ist zunächst ein Schock. Wer aber unvoreingenommen dieser psychologischen Studie folgt, wird erkennen, daß darin von dem Mann mehr erfaßt ist, als die üblichen Vorstellungen enthalten. Was Thomas Mann bei dieser Gelegenheit über den Künstler sagt, wie er ihn in seiner eigenen Existenz erlebt hat, was er über die Kategorie ›Genie‹ sagt, ist ebenso bedenkenswert, wie der ästhetische Reiz dieser paar Seiten außerordentlich ist. Das Stück gehört zu Thomas Manns geglücktesten und autobiographisch ergiebigsten Essays.

Ohne die entsetzlichen Opfer, welche unausgesetzt dem fatalen Seelenleben dieses Menschen fallen, ohne die umfassenden moralischen Verwüstungen, die davon ausgehen, fiele es leichter, zu gestehen, daß man sein Lebensphänomen fesselnd findet. Man kann nicht umhin, das zu tun; niemand ist der Beschäftigung mit seiner trüben Figur überhoben – das liegt in der grob effektvollen und verstärkenden (amplifizierenden) Natur der Politik, des Handwerks also, das er nun einmal gewählt hat –, man weiß, wie sehr nur eben in Ermangelung der Fähigkeit zu irgendeinem anderen. Desto schlimmer für uns, desto beschämender für das hilflose Europa von heute, das er fasziniert, worin er den Mann des Schicksals, den Allbezwinger spielen darf und dank einer Verkettung phantastisch glücklicher – das heißt unglückseliger – Umstände, da zufällig kein Wasser fließt, das nicht seine Mühlen triebe, von einem Siege über das Nichts, über die vollendete Widerstandslosigkeit zum andern getragen wird.

Dies auch nur zuzugeben, die bloßen leidigen Tatsachen anzuerkennen, kommt schon moralischer Kasteiung nahe. Es gehört Selbstbezwingung dazu, die noch obendrein fürchten muß, unmoralisch zu sein, da sie den Haß zu kurz kommen läßt, der hier von jedem gefordert ist, dem das Schicksal der Gesittung auf irgendeine Weise auf das Gewissen gelegt ist. Haß – ich darf mir sagen, daß ich es daran nicht fehlen lasse. Redlich wünsche ich diesem öffentlichen Vorkommnis einen Untergang in Schanden – einen so baldigen, wie er bei seiner erprobten Vorsicht kaum zu erhoffen ist. Dennoch fühle ich, daß es nicht meine besten Stunden sind, in denen ich das arme, wenn auch verhängnisvolle Geschöpf hasse. Glücklicher, angemessener wollen jene mir scheinen, in denen das Bedürfnis nach Freiheit, nach ungebundener Anschauung, mit einem Wort nach Ironie, die ich seit so langem schon als das Heimat-Element aller geistigen Kunst und Produktivität zu verstehen gelernt habe, über den Haß den Sieg davonträgt. Liebe und Haß sind große Affekte; aber eben als Affekt unterschätzt man gewöhnlich jenes Verhalten, in dem beide sich aufs eigentümlichste vereinen, nämlich das Interesse. Man unterschätzt damit zugleich seine Moralität. Es ist mit dem Interesse ein selbstdisziplinierter Trieb, es sind humoristisch-asketische Ansätze zum Wiedererkennen, zur Identifikation, zum Solidaritätsbekenntnis verbunden, die ich dem Haß als moralisch überlegen empfinde.

Der Bursche ist eine Katastrophe; das ist kein Grund, ihn als Charakter und Schicksal nicht interessant zu finden. Wie die Umstände es fügen, daß das unergründliche Ressentiment, die tief schwärende Rachsucht des Untauglichen, Unmöglichen, zehnfach Gescheiterten, des extrem faulen, zu keiner Arbeit fähigen Dauer-Asylisten und abgewiesenen Viertelskünstlers, des ganz und gar Schlechtweggekommenen sich mit den (viel weniger berechtigten) Minderwertigkeitsgefühlen eines geschlagenen Volkes verbindet, welches mit seiner Niederlage das Rechte nicht anzufangen weiß und nur auf die Wiederherstellung seiner ›Ehre‹ sinnt; wie er, der nichts gelernt hat, aus vagem und störrischem Hochmut nie etwas hat lernen wollen, der auch rein technisch und physisch

nichts kann, was Männer können, kein Pferd reiten, kein
Automobil oder Flugzeug lenken, nicht einmal ein Kind zeugen, das eine ausbildet, was not tut, um jene Verbindung herzustellen: eine unsäglich inferiore, aber massenwirksame Beredsamkeit, dies platt hysterisch und komödiantisch geartete
Werkzeug, womit er in der Wunde des Volkes wühlt, es
durch die Verkündigung seiner beleidigten Größe rührt, es
mit Verheißungen betäubt und aus dem nationalen Gemüts-
leiden das Vehikel seiner Größe, seines Aufstiegs zu traum-
haften Höhen, zu unumschränkter Macht, zu ungeheueren
Genugtuungen und Über-Genugtuungen macht – zu solcher
Glorie und schrecklichen Heiligkeit, daß jeder, der sich früher einmal an dem Geringen, dem Unscheinbaren, dem Un-
erkannten versündigt, ein Kind des Todes, und zwar eines
möglichst scheußlichen, erniedrigenden Todes, ein Kind der
Hölle ist ... Wie er aus dem nationalen Maß ins europäische
wächst, dieselben Fiktionen, hysterischen Lügen und lähmenden Seelengriffe, die ihm zur internen Größe verhalfen,
im weiteren Rahmen zu üben lernt; wie er im Ausbeuten der
Mattigkeiten und kritischen Ängste des Erdteils, im Erpres-
sen seiner Kriegsfurcht sich als Meister erweist, über die
Köpfe der Regierungen hinweg die Völker zu agacieren und
große Teile davon zu gewinnen, zu sich hinüberzuziehen
weiß; wie das Glück sich ihm fügt, Mauern lautlos vor ihm
niedersinken und der trübselige Nichtsnutz von einst, weil er
– aus Vaterlandsliebe, soviel er weiß – die Politik erlernte,
nun im Begriffe scheint, sich Europa, Gott weiß es, vielleicht
die Welt zu unterwerfen: das alles ist durchaus einmalig, dem
Maßstabe nach neu und eindrucksvoll; man kann unmöglich
umhin, der Erscheinung eine gewisse angewiderte Bewunderung entgegenzubringen.

Märchenzüge sind darin kenntlich, wenn auch verhunzt
(das Motiv der Verhunzung und der Heruntergekommen-
heit spielt eine große Rolle im gegenwärtigen europäischen
Leben): Das Thema vom Träumerhans, der die Prinzessin

und das ganze Reich gewinnt, vom ›häßlichen jungen Ent-
lein‹, das sich als Schwan entpuppt, vom Dornröschen, um
dessen Schlaf die Brünnhilden-Lohe zu Rosenhecken geworden ist und das unter dem weckenden Kusse des Siegfriedhel-
den lächelt. »Deutschland erwache!« Es ist abscheulich, aber
es stimmt. Dazu der ›Jude im Dorn‹ – und was nicht noch alles an Volksgemüt, vermischt mit schändlicher Pathologie.
Wagnerisch, auf der Stufe der Verhunzung, ist das Ganze,
man hat es längst bemerkt und kennt die gut begründete,
wenn auch wieder ein bißchen unerlaubte Verehrung, die der
politische Wundermann dem künstlerischen Bezauberer Europas widmet, welchen noch Gottfried Keller ›Friseur und
Charlatan‹ nannte.

Künstlertum ... Ich sprach von moralischer Kasteiung,
aber muß man nicht, ob man will oder nicht, in dem Phänomen eine Erscheinungsform des Künstlertums wiedererkennen? Es ist, auf eine gewisse beschämende Weise, alles da: die
›Schwierigkeit‹, Faulheit und klägliche Undefinierbarkeit der
Frühe, das Nicht-unterzubringen-Sein, das Was-willst-du-
nun-Eigentlich?, das halb blöde Hinvegetieren in tiefster sozialer und seelischer Bohème, das im Grunde hochmütige, im
Grunde sich für zu gut haltende Abweisen jeder vernünftigen
und ehrenwerten Tätigkeit – auf Grund wovon? Auf Grund
einer dumpfen Ahnung, vorbehalten zu sein für etwas ganz
Unbestimmbares, bei dessen Nennung, wenn es zu nennen
wäre, die Menschen in Gelächter ausbrechen würden. Dazu
das schlechte Gewissen, das Schuldgefühl, die Wut auf die
Welt, der revolutionäre Instinkt, die unterbewußte Ansamm-
lung explosiver Kompensationswünsche, das zäh arbeitende
Bedürfnis, sich zu rechtfertigen, zu beweisen, der Drang zur
Überwältigung, Unterwerfung, der Traum, eine in Angst,
Liebe, Bewunderung, Scham vergehende Welt zu den Füßen
des einst Verschmähten zu sehen ... Es ist unratsam, aus
der Vehemenz der Erfüllung Schlüsse zu ziehen auf das Maß,
die Tiefe der latenten und heimlichen Würde, die unter

der Ehrlosigkeit des Puppenstandes zu leiden hatte, auf die außerordentliche Spannungsgewalt eines Unterbewußtseins, das ›Schöpfungen‹ solchen ausladenden und aufdringlichen Stils zeitigt. Das Al fresco, der große historische Stil ist ja nicht Sache der Person, sondern des Mediums und Wirkungsgebietes: der Politik oder Demagogie, die es auf eine lärmende und opferreiche Weise mit Völkern und vielumfassenden Massenschicksalen zu tun hat und deren äußere Großartigkeit gar nichts für die Außerordentlichkeit des seelischen Falles beweist, für das eigene Format dieses effektreichen Hysterikers. – Aber auch die Unersättlichkeit des Kompensations- und Selbstverherrlichungstriebes ist da, die Ruhelosigkeit, das Nie-sich-Genüge-Tun, das Vergessen der Erfolge, ihr rasches Sich-Abnutzen für das Selbstbewußtsein, die Leere und Langeweile, das Nichtigkeitsgefühl, sobald nichts anzustellen und die Welt nicht in Atem zu halten ist, der schlaflose Zwang zum Immer-wieder-sich-neu-beweisen-Müssen . . .

Ein Bruder . . . Ein etwas unangenehmer und beschämender Bruder; er geht einem auf die Nerven, es ist eine reichlich peinliche Verwandtschaft. Ich will trotzdem die Augen nicht davor schließen, denn nochmals: besser, aufrichtiger, heiterer und produktiver als der Haß ist das Sich-wieder-Erkennen, die Bereitschaft zur Selbstvereinigung mit dem Hassenswerten, möge sie auch die moralische Gefahr mit sich bringen, das Neinsagen zu verlernen. Mir ist nicht bange deswegen – und übrigens ist Moral, sofern sie die Spontaneität und Unschuld des Lebens beeinträchtigt, nicht unbedingt Sache des Künstlers. Es ist nicht ausschließlich ärgerlich, es ist auch eine beruhigende Erfahrung, daß trotz aller Erkenntnis, Aufklärung, Analyse, allen Fortschritten des Wissens vom Menschen – an Wirkung, Geschehen, eindrucksvollster Projektion des Unbewußten in die Realität jederzeit alles möglich bleibt auf Erden – zumal bei dem Primitivisierungsprozeß, dem das Europa von heute sich wissentlich, willentlich überläßt –, wobei denn freilich das Wissen und Wollen, der dolose Affront gegen den Geist und die von ihm eigentlich erreichte Stufe einen schweren Einwand gegen die Primitivität bildet. Unstreitig, Primitivismus in seiner frechen Selbstverherrlichung gegen Zeit und Gesittungsstufe, Primitivität als ›Weltanschauung‹ – und sei diese Weltanschauung noch so sehr als Korrektur und Gegengewicht eines dörrenden ›Intellektualismus‹ gemeint – ist eine Schamlosigkeit, sie ist genau, was das Alte Testament einen ›Greuel‹ und eine ›Narrheit‹ nennt, und auch der Künstler als ironischer Parteigänger des Lebens kann sich von einem so dreisten und lügenhaften Rückfall nur angewidert abwenden. Neulich sah ich im Film einen Sakraltanz von Bali-Insulanern, der in vollkommener Trance und schrecklichen Zuckungen der erschöpften Jünglinge endete. Wo ist der Unterschied zwischen diesen Bräuchen und den Vorgängen in einer politischen Massenversammlung Europas? Es gibt keinen – oder vielmehr, es gibt immerhin einen: den Unterschied zwischen Exotik und Unappetitlichkeit.

Ich war sehr jung, als ich in *Fiorenza* die Herrschaft von Schönheit und Bildung über den Haufen werfen ließ von dem sozial-religiösen Fanatismus des Mönches, der ›das Wunder der wiedergeborenen Unbefangenheit‹ verkündete. Der *Tod in Venedig* weiß manches von Absage an den Psychologismus der Zeit, von einer neuen Entschlossenheit und Vereinfachung der Seele, mit der ich es freilich ein tragisches Ende nehmen ließ. Ich war nicht ohne Kontakt mit den Hängen und Ambitionen der Zeit, mit dem, was kommen wollte und sollte, mit Strebungen, die zwanzig Jahre später zum Geschrei der Gasse wurden. Wer wundert sich, daß ich nichts mehr von ihnen wissen wollte, als sie auf den politischen Hund gekommen waren und sich auf einem Niveau austobten, vor dem nur primitivitätsverliebte Professoren und literarische Lakaien der Geistfeindlichkeit nicht zurückschrekken? Es ist ein Treiben, das einem die Ehrfurcht vor den Quellen des Lebens verleiden könnte. Man muß es hassen.

Aber was ist dieser Haß gegen denjenigen, den der Exzedent des Unbewußten dem Geist und der Erkenntnis entgegenbringt! Wie muß ein Mensch wie dieser die Analyse hassen! Ich habe den stillen Verdacht, daß die Wut, mit der er den Marsch auf eine gewisse Hauptstadt betrieb, im Grunde dem alten Analytiker galt, der dort seinen Sitz hatte, seinem wahren und eigentlichen Feinde – dem Philosophen und Entlarver der Neurose, dem großen Ernüchterer, dem Bescheidwisser und Bescheidgeber selbst über das ›Genie‹.

Ich frage mich, ob die abergläubischen Vorstellungen, die sonst den Begriff des ›Genie‹ umgaben, noch stark genug sind, daß sie uns hindern sollten, unsern Freund ein Genie zu nennen. Warum denn nicht, wenn's ihm Freude macht? Der geistige Mensch ist beinahe ebensosehr auf Wahrheiten aus, die ihm wehe tun, wie die Esel nach Wahrheiten lechzen, die ihnen schmeicheln. Wenn Verrücktheit zusammen mit Besonnenheit Genie ist (und das *ist* eine Definition!), so ist der Mann ein Genie: Um so freimütiger versteht man sich zu dem Anerkenntnis, weil Genie eine Kategorie, aber keine Klasse, keinen Rang bezeichnet, weil es sich auf den allerverschiedensten geistigen und menschlichen Rangstufen manifestiert, aber auch auf den tiefsten noch Merkmale aufweist und Wirkungen zeitigt, welche die allgemeine Bezeichnung rechtfertigen. Ich will es dahingestellt sein lassen, ob die Geschichte der Menschheit einen ähnlichen Fall von moralischem und geistigem Tiefstand, verbunden mit dem Magnetismus, den man ›Genie‹ nennt, schon gesehen hat wie den, dessen betroffene Zeugen wir sind. Auf jeden Fall bin ich dagegen, daß man sich durch ein solches Vorkommnis das Genie überhaupt, das Phänomen des großen Mannes verleiden läßt, das zwar vorwiegend immer ein ästhetisches Phänomen, nur selten auch ein moralisches war, aber, indem es die Grenzen der Menschheit zu überschreiten schien, die Menschheit einen Schauder lehrte, der trotz allem, was sie von ihm auszustehen hatte, ein Schauder des Glückes war. Man soll die Unter-

schiede wahren – sie sind unermeßlich. Ich finde es ärgerlich,
heute rufen zu hören: »Wir wissen es nun, Napoleon war
auch nur ein Kaffer!« Das heißt wahrhaftig, das Kind mit dem
Bade ausschütten. Es ist als absurd abzulehnen, daß man sie
in einem Atem nennt: den großen Krieger zusammen mit dem
großen Feigling und Erpressungspazifisten, dessen Rolle am
ersten Tage eines wirklichen Krieges ausgespielt wäre; das
Wesen, das Hegel den »Weltgeist zu Pferde« nannte, das alles
beherrschende Riesengehirn, die ungeheuerste Arbeitskapa-
zität, die Verkörperung der Revolution, den tyrannischen
Freiheitsbringer, dessen Gestalt der Menschheit als Erzbild
mittelmeerländischer Klassik für immer ins Gedächtnis geprägt ist – zusammen mit dem tristen Faulpelz, tatsächlichen
Nichtskönner und ›Träumer‹ fünften Ranges, dem blöden
Hasser der sozialen Revolution, dem duckmäuserischen
Sadisten und ehrlosen Rachsüchtigen mit ›Gemüt‹ . . . Ich
sprach von europäischer Verhunzung: Und wirklich, unserer
Zeit gelang es, so vieles zu verhunzen: Das Nationale, den
Sozialismus – den Mythos, die Lebensphilosophie, das Ir-
rationale, den Glauben, die Jugend, die Revolution und was
nicht noch alles. Nun denn, sie brachte uns auch die Verhunzung des großen Mannes. Wir müssen uns mit dem historischen Lose abfinden, das Genie auf dieser Stufe seiner Offen-
barungsmöglichkeit zu erleben.

Aber die Solidarität, das Wiedererkennen sind Ausdruck
einer Selbstverachtung der Kunst, welche denn doch zuletzt
nicht ganz beim Worte genommen sein möchte. Ich glaube
gern, ja ich bin dessen sicher, daß eine Zukunft im Kommen
ist, die geistig unkontrollierte Kunst, Kunst als schwarze Magie und hirnlos unverantwortliche Instinktgeburt ebensosehr
verachten wird, wie menschlich schwache Zeiten, gleich der
unsrigen, in Bewunderung davor ersterben. Kunst ist freilich
nicht nur Licht und Geist, aber sie ist auch nicht nur Dunkel-
gebräu und blinde Ausgeburt der tellurischen Unterwelt,
nicht nur ›Leben‹. Deutlicher und glücklicher als bisher wird

Künstlertum sich in Zukunft als einen helleren Zauber erkennen und manifestieren: als ein beflügelt-hermetisch-mondverwandtes Mittlertum zwischen Geist und Leben. Aber Mittlertum selbst ist Geist.

Editorische Notiz

Sämtliche Texte sind vom Herausgeber redigiert, orthographisch modernisiert und vereinheitlicht.
Der wissenschaftlich interessierte Leser sei auf die leicht zugänglichen Originalausgaben verwiesen.

Nachweise

Sigmund Freud, *Zur Psychopathologie des Alltagslebens*, aus: *Gesammelte Werke in achtzehn Bänden* Bd. IV. Copyright © 1941 by Imago Publishing Co, Ltd., London.
Alle Rechte vorbehalten S. Fischer Verlag GmbH, Frankfurt am Main.
Abdruck mit freundlicher Genehmigung.

Heinrich Mann, *Reichstag* und *Das junge Geschlecht*, aus: *Macht und Mensch*. Essays. Hrsg. von Peter-Paul Schneider. Alle Rechte vorbehalten S. Fischer Verlag GmbH, Frankfurt am Main.
Abdruck mit freundlicher Genehmigung.

Karl Kraus, *Heine und die Folgen*, aus: *Werke*. Hrsg. von H. Fischer. Bd. 8: *Untergang der Welt durch schwarze Magie*. Kösel Verlag GmbH & Co., München 1960.

Oswald Spengler, *Preußentum und Sozialismus*, aus: *Politische Schriften*. Volksausgabe. C. H. Beck'sche Verlagsbuchhandlung (Oscar Beck), München 1932.

Robert Musil/Oskar Maurus Fontana, *Was arbeiten Sie? Gespräch mit Robert Musil* [30. April 1926]; Robert Musil, *Der Variations-*

Register
(Auswahl)

*Die Namen der hier mit einem Text vertretenen Autoren sind kursiv gesetzt.
Römische Ziffern geben die Band-, arabische die Seitenzahl an.*

Ludwig Marcuse
im Diogenes Verlag

»Ludwig Marcuse: ein milder Professor für deutsche Literatur, ein Querkopf, beredt, witzig und human, ein polemischer Pazifist, ein aufsässiges Original – ein blitzgescheiter Autor.« *Hermann Kesten*

»Ludwig Marcuse ist nach Schopenhauer und Nietzsche der beste Schreiber unter den deutschen Philosophen.« *Rudolf Walter Leonhardt*

Philosophie des Glücks
Von Hiob bis Freud. Vom Autor revidierter und erweiterter Text nach der Erstausgabe von 1948. Mit Register

Sigmund Freud
Sein Bild vom Menschen. Mit Register und Literaturverzeichnis

Ignatius von Loyola
Ein Soldat der Kirche. Mit Zeittafel

Mein zwanzigstes Jahrhundert
Auf dem Weg zu einer Autobiographie. Mit Personenregister

Nachruf auf Ludwig Marcuse
Autobiographie II

Ein Panorama europäischen Geistes
Texte aus drei Jahrtausenden. Ausgewählt und vorgestellt von Ludwig Marcuse. Mit einem Vorwort von Gerhard Szczesny. Drei Bände im Schuber

Heinrich Heine
Melancholiker, Streiter in Marx, Epikureer

Ludwig Börne
Aus der Frühzeit der deutschen Demokratie

Meine Geschichte der Philosophie
Aus den Papieren eines bejahrten Philosophiestudenten

Obszön
Geschichte einer Entrüstung

Wie alt kann Aktuelles sein?
Literarische Porträts und Kritiken. Herausgegeben, mit einem Nachwort und einer Auswahlbibliographie von Dieter Lamping

Denken mit Ludwig Marcuse
Über Aufklärung und Abstumpfung, Einsamkeit und Engagement, Macht und Massenkultur, Vergänglichkeit und Vernunft

Heinrich Heine
im Diogenes Verlag

»Den höchsten Begriff vom Lyriker hat mir Heine gegeben. Ich suche umsonst in allen Reichen der Jahrtausende nach einer gleich süßen und leidenschaftlichen Musik. Er besaß jene göttliche Bosheit, ohne die
ich mir das Vollkommene nicht zu denken vermag.«
Friedrich Nietzsche

»Unter den großen Spöttern der Menschheit, den la-
chenden Kämpfern gegen die Anti-Humanen, von
Aristophanes bis Mark Twain, ist Heine der Aktuell-
ste.« *Hermann Kesten*

»Heinrich Heine, einer der anmutigsten, freiesten,
kühnsten und künstlerischsten Geister, die Deutschland je hervorgebracht hat.« *Thomas Mann*

Reisebilder
Mit einem Nachwort von
Hiltrud Häntzschel

Gedichte
Ausgewählt und eingeleitet von
Ludwig Marcuse

Deutschland
Ein Wintermärchen
Geschrieben im Januar 1844

Außerdem lieferbar:
Ludwig Marcuse
Heinrich Heine
Melancholiker, Streiter in Marx, Epikureer

Heinrich Heine
Sein Leben erzählt von
Otto A. Böhmer

Ralph Waldo Emerson
im Diogenes Verlag

»Zu Lebzeiten als Prophet verehrt, bei seinem Tod
von ganz Amerika betrauert, war Emersons Einfluß
auch in Deutschland groß. Seine Theorie der Natur,
des Lebendigen, der Schöpfung ist kein System der
Naturwissenschaft, sondern der Versuch, alles Sichtbare in einfache Kategorien zu bringen und den Menschen in den Mittelpunkt zu stellen. Die Souveränität
der Persönlichkeit, der unabhängige Mensch war sein
Anliegen. Emerson zu interpretieren ist müßig. Wer
Natur liest, wird zu den Urfragen des Lebens hinge-
führt, in einer Sprache, die schwierige geistige Zusammenhänge durchsichtig macht.«
Österreichischer Rundfunk, Wien

Essays
Herausgegeben, aus dem
Amerikanischen übersetzt und mit einem ausführlichen
Anhang von Harald Kiczka

Natur
Herausgegeben und übersetzt
von Harald Kiczka. Mit einem Nachruf auf
Emerson von Herman Grimm

Repräsentanten der Menschheit
Plato, Swedenborg, Montaigne, Shakespeare,
Napoleon, Goethe. Sieben Essays. Deutsch von Karl Federn
Mit einem Nachwort von Egon Friedell

Von der Schönheit des Guten
Betrachtungen und Beobachtungen. Ausgewählt,
übertragen und mit einem Vorwort von Egon Friedell. Mit einem
Nachwort von Wolfgang Lorenz

Georg Büchner
Werke und Briefe

Herausgegeben und mit einem Vorwort
von Franz Josef Görtz. Mit einem Nachwort
von Friedrich Dürrenmatt

Eine sorgfältig edierte, auf der historisch-kritischen Ausgabe beruhende und trotzdem gut lesbare Ausgabe für Nicht-Philologen. Enthält die Dichtungen *Lenz, Dantons Tod, Leonce und Lena* und *Woyzeck*, das Pamphlet *Der Hessische Landbote*, die Vorlesung *Über Schädelnerven* sowie *Briefe*, von denen einige bisher noch nie in einer Büchner-Ausgabe erschienen sind.

»Der liebe Gott hat die Welt wohl gemacht, wie sie sein soll, und wir können wohl nicht was Besseres klexen, unser einziges Bestreben soll sein, ihm ein wenig nachzuschaffen... Da wollte man idealistische Gestalten, aber alles, was ich davon gesehen, sind Holzpuppen. Dieser Idealismus ist die schmählichste Verachtung der menschlichen Natur. Man versuche es einmal und senke sich in das Leben des Geringsten und gebe es wieder in den Zuckungen, den Andeutungen, dem ganzen feinen, kaum bemerkten Mienenspiel... es darf einem keiner zu gering, keiner zu häßlich sein, erst dann kann man die Menschen verstehen.« Aus: *Georg Büchner, Lenz*

»Es gibt in deutscher Sprache kein grandioseres Volksstück als den *Woyzeck* und im Umkreis der nachklassizistischen Dramatik keine blutvollere Historie als *Dantons Tod*.« *Egon Friedell*